10th Edition

POWER MANUAL SERIES

의사국가고시 | 레지던트시험 | 내과 전문의시험 준비를 위한

Korea Medical Licensing | 호흡기, 혈액종양
Examination

POWER
Internal Medicine

2

Pulmonology,
Hematology &
Oncology

군자출판사

파워 내과 02

(Power Internal Medicine 10th ed)

첫째판　1쇄 발행 | 1999년　9월　30일
다섯째판　5쇄 발행 | 2004년　3월　15일
여섯째판　4쇄 발행 | 2006년　7월　31일
일곱째판　2쇄 발행 | 2008년　2월　25일
여덟째판　3쇄 발행 | 2011년　3월　25일
아홉째판　3쇄 발행 | 2017년 11월　10일
열째판　1쇄 발행 | 2019년　5월　31일
열째판　2쇄 발행 | 2020년　8월　30일
열째판　3쇄 발행 | 2023년　1월　31일

저　　　자　신규성
발 행 인　장주연
출 판 기 획　김도성
표지디자인　김재욱
발 행 처　군자출판사(주)
　　　　　　등록 제4-139호(1991. 6. 24)
　　　　　　본사 (10881) **파주출판단지** 경기도 파주시 회동길 338(서패동 474-1)
　　　　　　전화 (031) 943-1888　　　팩스 (031) 955-9545
　　　　　　홈페이지 | www.koonja.co.kr

ISBN 979-11-5955-451-3
　　　979-11-5955-449-0(세트)

정가　45,000원
세트　185,000원

머리말

7년 만에 파워내과의 10번째 개정판이 나오게 되었습니다. 3~4년 전에 나왔어야 하는 개정판이 이렇게 늦어진 점에 대해 우선 깊은 사과를 드립니다. 그동안 대부분의 질병에서 진단과 치료에 큰 변화가 있었고, 특히 감염 부분은 수많은 새로운 항생제와 더불어 병원체의 분류에서도 제법 변화가 있었습니다. 예전보다 훨씬 많은 정성과 시간을 들이다보니 페이지가 많이 늘어나고 출간도 늦어지게 되었습니다.

최근의 시험 경향을 보면 실제 환자 진료 상황을 표현한 문제해결형 문제가 대부분을 차지하며, 진단 및 치료에서 가장 중요한 부분을 답으로 요구하는 경우가 많습니다. 이는 공부할 때도 각 질병에 대한 단편적 암기보다는 관련된 여러 질병과 진단기법, 치료법들에 대해 잘 이해하고 있어야 쉽게 해결할 수 있습니다. 반대로 많은 문제풀이를 통해 질병에 대한 이해를 높일 수도 있지만, 결국에는 체계적으로 정리하면서 기억하고 있어야 시험 대비는 물론 환자를 진료할 때도 도움이 됩니다. 파워내과는 그러한 체계적 정리에 도움을 주기위해 만들어져 왔고, 점점 첨단화되면서 방대해진 내용들을 쉽게 찾아보며 공부할 수 있도록 정리했습니다. 수많은 연구 결과, 가이드라인, 전문교과서들을 참고하고 일부는 거의 메타분석 수준의 노력도 늘여가며 우리나라 실정에 맞는 가장 업데이트된 지식을 실었습니다. 최근에는 NGS, 표적치료제의 확대 보급, CAR-T세포 치료 등 진단과 치료에서 획기적인 발전이 있었습니다. 또한 올해 전 세계를 뒤흔들고 있는 COVID-19, 그 전까지 대부분의 병원에서 골칫거리였던 CPE 등 최신 감염관련 문제를 포함하여, 시험에 많이 나오지는 않더라도 그런 중요한 분야의 소개에 많은 지면을 할애했습니다. 의사국가고시만을 목표로 간략히 정리하고 넘어가면 오히려 제대로 이해하기 어려운 내용들도 많기 때문에, 내과전문의시험 수준까지 충분히 대비할 수 있도록 심도 깊게 정리했습니다.

내과는 임상의학의 밑바탕이 되는 가장 중요한 과목이므로 열심히 공부해놓으면 다른 과목들의 학습에도 큰 도움이 될 것입니다. 다만 인공지능, 원격의료, 해묵은 의료수가문제, 워라밸 등에 따라 내과를 지원하는 학생이 크게 줄어든 것은 가슴 아픈 현실입니다. COVID-19 등 점점 심각해지는 감염병들, 고령화 사회에 따른 만성질환의 증가, 기타 환경 사회적인 많은 문제들을 앞에 두고 뿌리 깊은 복지부 적폐 공무원들과도 대결해야하는 의사의 현실은 고달프지만, 묵묵히 환자를 위해 노력하는 것만이 의사의 소명일 것입니다.

정신없이 살다 보니 기쁜 일도 있었지만 슬픈 일도 많았고, 어느덧 파워내과도 20년째를 맞이하게 되었습니다. 그동안 부족한 이 책으로 공부해주신 많은 분들께 깊은 감사드립니다. 끝으로 이번 개정판이 나오기까지 애써주신 군자출판사의 장주연 사장님과 김도성 차장님을 포함한 모든 직원들께도 감사를 드립니다.

2020년 8월 14일

신 규 성

v

■ **파워내과의 활용분야**

　1. 내과학의 처음 입문에서 완성까지 학습의 방향을 제시
　2. 의사국가고시의 기초 준비에서 마지막 정리까지 완성
　3. 내과 전문의시험, 레지던트 선발시험, 각 의대의 시험 등 준비
　4. 전공의, 공중보건의, 군의관, 타과 전문의 등의 최신 내과 지견 update
　5. 치과의사, 한의사, 약사, 전문간호사 등 의료인의 내과계 지식 학습

■ **안내**

　1. 여러 시험에 출제가 되었거나 출제 가능성이 높은 부분들은
　　★, !, **굵은 글자**, 밑줄 등으로 중요 표시를 하였으니 학습할 때
　　꼭 확인을 하시기 바랍니다.
　2. 내과전문의 1차 시험에도 대비하기 위해 일부 자세한 부분도 있으니
　　학생 수준에서는 그냥 참고만 하고 넘어가셔도 괜찮습니다.
　3. 각종 약자는 별책의 약자풀이 편을 참고하시기 바랍니다.
　　약자나 용어는 대한의협 및 각 학회에서 사용되는 것과 실제 임상에서
　　통용되는 것을 함께 사용하여 학습의 편의를 도모하였습니다.
　4. 책의 오류, 오자, 개선해야할 부분 등이 있으면 군자출판사(admin@kooja.co.kr)로
　　문의를 해주시면 감사하겠습니다. 책의 발전에 도움을 주신 순서대로
　　10분을 선정하여 다음 개정판을 증정하도록 하겠습니다.

■ 파워내과의 본문에는 네이버(NHN)의 나눔글꼴이 사용되었습니다.

목차
contents

○ **2권** (호흡기·혈액종양)　　　　　　　　　　　　*POWER Internal Medicine* **10th**

호흡기
내과

1 서론

- 기도 : 기관(trachea) → 기관지(bronchus) → 세기관지(bronchiole) → 말단 세기관지(terminal bronchiole) → 호흡 세기관지(respiratory brochiole) → 폐포관(alveolar duct) → 폐포(alveolus)
  - 말단 세기관지까지는 가스 교환에 관여하지 않으므로 해부학적 사강(anatomical dead space)이라 부름 (= conducting zone)
  - 말단 세기관지는 cartilage로 쌓여 있지 않음
- 폐포 상피세포(alveolar cells)
  ① type Ⅰ cell ; 크고 넓적한 모양, 폐포 면적의 대부분(90~95%) 차지
  ② type Ⅱ cell ; 폐포 면적의 5~7% 차지 (숫자로는 65%), surfactant 생산, 폐포의 손상시에는 분화하여 type Ⅰ cell로 됨
- 소엽(lobule) : interlobular septa에 둘러싸인 해부학적 요소, 크기 약 2 cm, 다각형 모양, 중심부에 폐동맥과 기관지가 같이 존재 (interlobular septum : 폐정맥 및 lymphatics를 함유)
- 세엽(acinus) : 가스 교환이 일어나는 기능적 단위

진찰

* 호흡기 진찰의 순서 ; 시진 → 촉진 → 타진 → 청진

1. 시진 (inspection)

- 기이호흡(paradoxical respiration)
  - 흡기시 흉곽 하부 및 상복부가 안쪽으로 함몰되는 현상
  - 원인 ; 장기간의 기도폐색(e.g., COPD), 다발성 늑골골절로 인한 flail chest
- Cheyne-Stokes 호흡
  - 약 15초의 호흡정지와 약 1분의 과호흡이 주기적으로 반복되는 현상
  - 원인 ; CNS 질환, 심한 심부전, 말기 신부전, 심한 폐렴 등
- 손가락 곤봉증(digital clubbing)의 원인
  - lung ca., ILD, cystic fibrosis, mesothelioma ...

- 흉부의 만성 감염 (e.g., bronchiectasis, lung abscess, empyema, COPD)
- 청색증을 동반한 선천성 심장병 (Rt-to-Lt shunt)
- 기타 만성 염증/감염성 질환 (e.g., IBD, PBC, endocarditis)

2. 촉진 (palpation)

- 목소리진동음/성음진탕(vocal fremitus)
  - 환자가 말하는 소리가 흉벽에서 진동으로 촉진되는 현상
  - 증가 ; pneumonia, TB, pul edema, pul tumor, thick walled cavity
  - 감소 ; emphysema, large bullae, endobronchial tumor, pleural effusion, pneumothorax,
         thin walled cavity, atelectasis

3. 타진 (percussion)

- 타진음의 분류
  ① 공명음(resonance) : 폐의 정상 공명음, 약간 낮은 음조 & 긴 지속시간   e.g.) 천식, ILD
  ② 과공명음(hyperresonance) : 더 깊고 더 낮으며 큰 청음
      - emphysema (hyperinflation), pneumothorax 등시 들림
  ③ 고음(tympany) : 높고 맑은 소리 (정상적으로 위 부근에서 들림)
  ④ 탁음(dullness) : 짧고 높으며 작은 소리 (정상적으로 간, 심장, 종격동 위치에서 들림)
      - 흉벽에 가까운 폐에 경변, 침윤, 무기폐 발생시 공기감소로 발생
      - 흉수 저류시엔 400 cc 이상 고이면 타진으로 확인 가능
  ⑤ 절대탁음(flat) : 극히 짧고 높은 소리, 공기가 전혀 없는 실질성 장기에서 들림 (e.g., 간, 근육)
- 폐-간 경계(lung-liver border) : 절대탁음이 나타나는 높이
  ① 우측 쇄골중앙선(midclavicular line) : 제6 늑간(ICS)
  ② 중겨드랑선(midaxillary line) : 제8 늑간
  ③ 견갑선(midscapular line) : 제10 늑간
  ④ 후정중선(midspinal line) : 제10 흉추의 극상돌기 높이

4. 청진 (auscultation)

(1) 호흡음

- 폐포음(vesicular breath sounds) : 약한 바람부는 듯한 저음조의 소리,
      흡기음이 호기음보다 크고 길다 (정상 호흡음임)
- 음 전도(transmission)의 증가 ; 경화(consolidation), infarction, atelectasis 등에서
      ↳ 공기 대신 액체나 세포가 폐 조직을 채워 단단하게 된 상태(e.g., 폐렴)
  - 기관지음(bronchial breath sound) : 폐포음보다 거칠고 속이 빈 것 같은 소리,
      (large-airway sound), 흡기와 호기의 길이는 동일하고 호기시 크다
  - 기관지성(bronchophony) : 환자가 말하는 것이 크고 가깝게 들림
  - 흉성(whispered pectoriloquy) : 환자자 작게 속삭이는 것이 더 크고 선명하게 들림
  - 양명성음(egophony) : bronchophony의 일종으로, 환자가 '이'라고 소리내는 것이 '아'로 들림
      (E to A sign) … 폐의 consolidation과 pleural fluid가 공존할 때 잘 들림(e.g., 폐렴)

- 음 전도의 감소 ; endobronchial obstruction이나 pleural space에 다량의 공기/액체로
    → 호흡음이 약해지거나 소실됨

(2) 부가음(additional sounds)

- 악설음/수포음(거품소리, crackle, rale) ; 폐포 및 소기도가 열리면서 나는 소리로
    폐포가 액체로 차있을 때, 간질 섬유화(e.g., ILD), microatelectasis 등 때 들림
    ┌ 흡기 초기 (coarse) ; 심한 심부전, COPD, bronchiectasis
    └ 흡기 말기 (대부분 fine) ; 폐실질/간질의 질환과 관련 (e.g., 폐렴, ILD)
        c.f.) 폐렴(alveolar fluid)은 wet crackle, 간질 섬유화(ILD)는 dry crackle이라고도 부름
            ↳ egophony도 들리면 폐렴
    - 흡기 말기 수포음은 정상인에서도 들릴 수 있으나, 체위를 바꾸면 소실됨
    - ILD에서는 흡기말기의 velcro rale (fine crackle, crepitation)이 특징적
- 천명음(wheezing) : 좁아진 기도를 공기가 흐르면서 생기는 연속적인 소리('삑' 또는 '휘~')
    - 흡기시 기도 내강이 넓어지므로, 대부분의 천명음은 호기시 뚜렷함
    (a) 단조성 천명 : 호흡에 따라 기도의 내강이 변하지 않을 때 발생,
        대부분 국소적 & 지속적 / 기침 후에도 변하지 않는 "localized fixed wheezing"
            ⇨ 원인 ; 기관지암, 기관지협착(e.g., 기관지결핵), 이물 흡인
    (b) 복조성 천명 (훨씬 흔함) : 기도 내강이 전반적으로 좁아져 있거나, 좁아진 정도가 균등하지
        않을 때 발생
            ⇨ 원인 ; 천식, COPD, bronchospasm ...
- 건성 수포음(삑삑거림, rhonchi) ; 천명음 중에서 진동음으로 들리는 것 (low-pitched wheezing)
        ⇨ 원인 ; 주기관지내 종양, 기관지내 분비물 진동 (기침하거나 suction 이후 사라질 수)
- 흉막 마찰음(pleural friction rub) ; inflamed pleural surfaces가 서로 마찰되며 나는 소리로,
    흡기와 호기시에 모두 들림 (기침에 의해 변하지 않음)
- 협착음(그렁거림, stridor) ; 상부기도 폐색시 천명음이 흡기시에 오히려 크게 들리는 것
        ⇨ 원인 ; 소아에서 laryngomalacia, croup, epiglottitis 등
                성인에서 성대마비, larynx tumor, laryngitis 등

■ 대표적 호흡기 질환에서의 흉부 진찰 소견 ★

질환	종격동	타진음	성음진탕	성음청진	호흡음	부잡음
경화(폐렴)	중앙	비교적 탁음	증가	증가 (기관지성)	기관지호흡음	수포음
흉수저류	반대측 편위	탁음	감소	감소	감소	없음 or friction rub
기흉	반대측 편위	고음, 과공명음	감소	감소	감소	없음
무기폐(atelectasis) : 기도 폐쇄시	동측 편위	비교적 탁음	감소/소실	감소/소실	감소/소실	없음
과팽창(폐기종)	중앙	과공명음	정상/감소	정상/감소	감소	없음/천명음
천식	중앙	공명음	정상	정상	폐포음	천명음
ILD	중앙	공명음	정상	정상	폐포음	수포음

기침 (cough)

1. 기전

- deep inspiration → glottis 폐쇄 → 근육수축 → intrathoracic & intraairway pr. ↑ → glottis 개방 → airway와 대기압간의 큰 압력차, tracheal narrowing으로 인해 음속에 가까운 flow rate 발생 → 기도의 mucus & foreign materials 제거
- 기침 장애(impaired cough)의 원인
  ① 호흡근(e.g., abdominal, intercostal)의 근력 약화
  ② chest wall deformity
  ③ glottis 폐쇄 장애 or tracheostomy, endotracheal intubation
  ④ 기관연화(tracheomalacia)
  ⑤ 기도 분비 과다(e.g., cystic fibrosis에 의한 bronchiectasis)
  ⑥ 중심성 호흡 저하(e.g., 마취, 진정, 혼수)

2. 임상소견에 의한 감별진단

- 가래를 동반한 기침 (productive cough) : 기관지염, 기관지 확장증, 폐농양 …
- 쇳소리 기침 : 기관염, 습관성 기침
- 개가 짖는 듯한 기침 : 후두 질환 (e.g., croup)
- 발작성 기침 : 백일해, 이물 흡인
- 스타카토양 기침 : *Chlamydia* 폐렴
- 야간 기침 : 부비동염, 천식, CHF
- 아침에 일어날 때 심한 기침 : 기관지 확장증, 만성 기관지염
- 수면시 소실되는 기침 : 습관성 기침, 경증의 과민성 기도 반응
- 가슴이 답답하고 쌕쌕 소리남, 운동 유발성 기침 : 천식
- 식사와 관계있는 기침 : GERD, tracheoesophageal fistula, 식도 게실
- 체위변화로 유발되는 기침 : lung abscess, bronchiectasis

3. 급성 기침(acute cough)

- 정의 : 지속기간 3주 미만의 기침
- 원인 - 우선 Life-threatening vs Non-life-threatening인지를 감별
  (1) life-threatening ; 심한 폐렴, 천식/COPD의 급성악화, 폐색전증, 심부전, 흡인 …
  (2) non-life-threatening
    ① 감염 ; 감기(m/c), 부비동염, 백일해, 경미한 폐렴 …
    ② 기저질환의 악화 ; 천식, COPD, 기관지확장증, 후비루증후군(상기도기침증후군, UACS) …
    ③ 환경/직업성 allergen or irritant (chemical, smoke)에 노출
        (→ 원인을 모르고 계속 노출되면 subacute cough도 가능)

4. 아급성 기침(subacute cough)

- 정의 : 3~8주간 지속되는 기침
- 원인 - 우선 Postinfectious vs Non-postinfectious를 감별
  - (1) postinfectious cough
    - ① 기관기관지염(e.g., 백일해), 폐렴, post-viral tussive syndrome ...
    - ② UACS, 천식, 기관지염, GERD 등이 새로 발생 or 악화
  - (2) non-postinfectious → chronic cough와 동일하게 W/U

5. 만성 기침(chronic cough)

- 정의 : 8주 이상 지속되는 기침
- 원인이 매우 다양, 여러 가지 원인이 동시에 있는 경우가 흔함(40%)
- 흡연자는 우선 담배를 끊고 F/U (→ 대부분 4주 이내 회복됨)
- 원인 (CXR 정상인 비흡연자에서)
  - ① 상기도기침증후군(upper airway cough syndrome, UACS) ⋯ m/c (41%)
    - = 후비루증후군(postnasal drip/drainage [PND] syndrome), Rhinosinusitis
      - 원인 ; 비염, 비인후염, 부비동염 ... (감염, 알레르기, 혈관운동성 비염 등)
      - 기전 ; 후두인두(hypopharynx)의 cough-reflex pathway sensory receptors 자극 or
        배출되는 분비물이 trachea로 aspiration
      - 특이 소견은 없고, 다음 소견들이 단서가 됨 ; post-nasal drip, 헛기침(throat clearing),
        재채기(sneezing), 콧물, 비강내 분비물, post. pharyneal wall이 조약돌(cobblestone) 모양 ...
      - 진단 및 경험적 치료 ; oral 1세대 antihistamine or antihistamine-decongestant (A/D)
      - 치료 ┌ allergic rhinitis → intranasal steroid
             └ nonallergic UACS → oral A/D, intranasal steroid, ipratropium bromide 등
  - ② 기관지 천식 : 24%
    - cough-variant asthma : 다른 증상 없이 기침만 있는 천식, 소아에 흔함
    - 유발인자와의 관련성, PEF의 변동성/기관지확장제에 반응, methacholine 유발검사 등 양성
  - ③ 위식도역류질환(GERD) : 21% → 소화기내과 참조
  - ④ 비천식성 호산구 기관지염(nonasthmatic eosinophilic bronchitis, NAEB) : 5%
    - 아토피나 천식의 과거력, 가역적 기도폐쇄, 기도과민성 등이 없이 만성 기침이 나타남
    - 진단 ; 유도객담(induced sputum)검사에서 eosinophils↑ (≥3%), mast cells↑
      (확진은 bronchial musosal biopsy로 가능하지만 대개는 필요 없음)
    - 치료 ; inhaled steroid에 반응 좋음(대부분 4주 이내 호전) → therapeutic trial도 가능
  - ⑤ ACEi : 2%
    - ACEi 복용자의 5~30%에서 발생, 용량과 관련 없음!, 대부분 ARB로 대체하면 호전됨
    - bradykinin 축적에 의한 감각신경 감작 때문 (e.g., neurokinin-2 receptor gene의 다형성)
  - ⑥ mild ILD, bronchiectasis, carcinoid tumor, 폐암, 만성 감염, NTM 등을 CXR에서 놓친 경우
- 흡연자에서는 COPD (m/c), 폐암 등이 흔한 원인
- 진단적 검사 ; sinus X-ray (PNS view), CBC (eosinophil count), serum IgE, skin test, PFT,
  methacholine 기관지유발검사, 24hr pH monitoring, sputum eosinophil, HRCT, bronchoscopy

6. 합병증

① syncope ($\because$ intrathoracic pr. ↑ → venous return ↓ → CO ↓)

② emphysematous bleb의 파열 (pneumothorax)

③ rib fracture ; multiple myeloma, osteoporosis, osteolytic metastasis 등에서 pathologic fracture↑

④ costochondritis

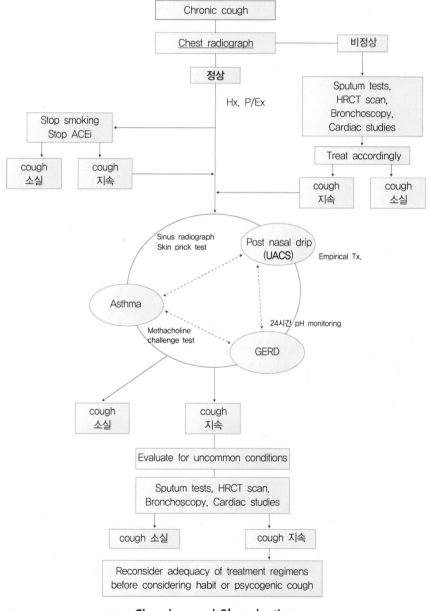

Chronic cough의 evaluation

7. 진해제(antitussive agents)

- 중추작용 진해제
  - 마약성 ; codeine, hydrocodone, morphine … 남용의 우려가 있으므로 2차적으로 고려
  - 비마약성 ; dextromethorphan (m/c), 1세대 antihistamines (e.g., dexbrompheniramine, diphenhydramine) [c.f., benproperine과 ziperol은 여러 부작용으로 잘 사용 안됨]
  - GABA analogs (gabapentin, pregabalin) ; 항경련제지만 진해 효과가 있어 3차적으로 고려 가능
- 말초작용 진해제 ; levodropropizine (m/c), benzonatate, guaifenesin (+거담작용), moguisteine
- 기타 ; amitriptyline, baclofen, inhaled steroid, ipratropium bromide, macrolide antibiotics

객담/가래 (sputum)

1. 객담이 증가하는 경우

- COPD (특히 bronchitis), 기관지확장증, 폐농양, 폐부종, 결핵, 폐렴, 폐암, bronchopleural fistula
- 정상적으로 하루 10~40 mL (~100 mL까지)의 객담은 분비되나, 보통 무의식적으로 삼키므로 느끼지 못함

2. 객담의 성상에 따른 원인 추정

- 악취 ; 혐기성 세균 감염 (폐농양, 괴사성 폐렴)
- 생선비린내 ; 기생충 감염
- 거품이 많고 양이 풍부 ; bronchoalveolar cell ca.
- 거품이 분홍색 ; 폐부종(CHF)
- 녹슨 쇠 색깔 ; pneumococcal 폐렴
- 점도가 높고 피가 섞인 (current jelly) ; *Klebsiella* 폐렴
- 많은 양의 화농성 ; 기관지확장증, 폐농양, 기관지염

객혈 (hemoptysis)

1. 원인

- bronchitis, bronchogenic carcinoma, bronchiectasis, 결핵 등이 m/c 원인
  - ↳ 대개 mild~moderate bleeding
  - (c.f., miliary TB, metastatic lung cancer에서는 드묾)
- viral or pneumococcal pneumonia에서도 발생할 수 있으나, 보통 소량이고 만약 발생해도 다른 심한 기저질환의 존재가 더 의심됨
- 기관기관지(tracheobronchial tree)가 m/c 출혈 부위

- <u>bronchial artery</u>가 주된 원인 혈관 (∵ 대부분 흉부 대동맥에서 기시 → high-pressure)
  - → pulmonary angiography는 도움이 안 되고, bronchial artery angiography를 시행해야 도움
- 모든 검사에도 불구하고 약 30%는 원인을 찾지 못함 (idiopathic hemoptysis)

---

① 기도(기관기관지)의 원인 (m/c)
  종양 ; bronchogenic carcinoma, endobronchial metastatic tumor,
    bronchial carcinoid
  <u>기관지염(bronchitis)</u> → 소량의 blood-tinged sputum
  기관지확장증, 기관석, 기도손상, Foreign body
② 폐실질의 원인
  결핵, 폐렴, 폐농양, Mycetoma (˝ fungus ball ˝), *Paragonimus westermani*
  Nectotizing pneumonia, Idiopathic pulmonary hemosiderosis
  Goodpasture's syndrome (anti-GBM dz.), Wegener's granulomatosis,
  Lupus pneumonitis, Behçet's disease, Primary APS
③ 혈관성 질환
  Pulmonary arteriovenous malformation (PAVM)
  Pulmonary embolism, Pulmonary veno-occlusive disease
  Pulmonary venous pressure 상승 (특히 mitral stenosis), HF, Tricuspid endocarditis
④ 기타
  Pulmonary endometriosis (catamenial hemoptysis)
  전신적 응고/지혈장애(e.g., DIC, ITP, TTP/HUS, vWD) or 항응고제의 사용
  상기도 (비인두) 출혈
  위장관 출혈 (→ dark red, acidic pH)

C.f.) 폐동정맥기형(pulmonary arteriovenous malformation, PAVM)
- 폐동맥과 폐정맥의 비정상적인 연결로 폐 내 Rt-to-Lt shunt 발생 (→ hypoxia)
- 약 60%는 증상이 없어서 우연히 발견됨
- Sx ; 호흡곤란, 청색증, 곤봉지 ...
- Cx ; 객혈, 혈흉, paradoxical embolism (말초의 색전이 동맥으로 넘어감) → 뇌경색(10~19%), 뇌농양(5~9%)
- Dx ; CT, transthoracic contrast echocardiography (TTCE)
- Tx ; feeding artery 직경이 2~3 mm 이상이면 ⇨ embolization (실패시 수술)

2. 진단

(1) Hx. & P/Ex
(2) chest X-ray
  ① 정상 ┌ bronchitis 의심 소견 → 경과 관찰
         │ bronchitis 의심 소견 없으면 → bronchoscopy and/or HRCT 고려
         └ cancer 의심 소견(e.g., 고령, 흡연) →bronchoscopy & HRCT
  ② mass → bronchoscopy & HRCT
  ③ parenchymal lesion → HRCT
(3) bronchoscopy : 출혈 부위 및 원인 파악에 가장 먼저 시행하는 검사
  ┌ rigid : 대량 객혈시 유리 (but, 전신 마취 필요)
  └ flexible : 기도 하부까지 접근 가능
(4) angiography : bronchoscopy에서 (-)이고 출혈 지속시 권장 (∵ embolization 치료 가능)
(5) HRCT : 대량 객혈시에는 사용하기 어려움, bronchoscopy에서 (-)이고 지혈된 환자에서 권장

객혈과 토혈의 감별점 ★

		객혈(hemoptysis)	토혈(hematemesis)
전구증상		목구멍의 통증, 기침의 욕구	오심, 위 불쾌감
발생		기침에 의함	구토에 의함
객출물의 성질	색깔	대개 선홍색	전반적인 암갈색
	거품	(+)	(−)
	pH	알칼리성	산성
	내용	백혈구, 적혈구, hemosiderin (+), macrophage	음식물 찌꺼기
대변		정상	Melena, stool OB (+)

3. 대량 객혈 (massive hemoptysis)

(1) 정의
- 혈역학적 불안정을 초래하거나 호흡을 어렵게 하는 정도의 양의 객혈, 내과적 응급
- 기준 : 100~600 mL/day 이상 (c.f., 일반적으로 ≥500 mL/day or ≥100 mL/hr)

(2) 원인
- 흔한 원인 ; 폐결핵(m/c), 기관지확장증, 폐농양, 폐암, fungal ball (aspergillosis)
- 기타 ; Rasmussen aneurysm, cystic fibrosis, bronchial adenoma, lung contusion, mitral stenosis, pul. infarction, AV malformation, CHD, leptospirosis, paragonimiasis ...

(3) 치료
- 보존적 요법
  - airway protection (intubation)과 환기 및 순환의 유지가 가장 우선
  - lateral decubitus position : 출혈 부위가 아래로 향하도록 (∵ 정상 폐로 흡인 방지)
  - antitussive : codeine, morphine
- rigid bronchoscopy ; 기관지세척(N/S), 레이저, 전기소작, 풍선봉쇄 등
- angiography & embolization (성공률 >85%) : 양측성/다발성 출혈, 수술 어려운 경우에 효과적
- 수술(폐절제술) : 모든 치료에 반응이 없거나, 비수술적 치료로 안정된 후 완치를 위해 선택적으로 실시

* 객혈로 인한 사망과 관련이 있는 인자 ; 객혈의 양, 출혈 속도, 기존 폐기능의 여력, 폐 안에 차있는 혈액의 양

c.f.) 월경성 객혈(catamenial hemoptysis)
- 드묾, 폐의 자궁내막증(endometriosis) 때문
- Sx ; 월경시 주기적인 객혈(m/c), 흉통, 기흉, 혈흉 등
- Dx ; CXR (대부분 정상), bronchoscopy, CT, V/Q scan, angiography 등
- Tx ; 경구피임약, progesterone 제제, danazol, GnRH agonist, 폐엽절제술 등

■ 호흡곤란 (dyspnea)

- 호흡곤란시 기본적인 진단적 검사
  - (1) plain CXR → COPD, fibrosis, CHF, pul. HTN, neoplasms 등
  - (2) 폐기능검사(PFT) → asthma, COPD, ILD, respiratory muscle weakness 등
  - (3) 혈액검사
    - CBC → anemia, infection 등
    - ABGA, electrolytes, Cr → acidosis or alkalosis, 신부전 등
    - BNP → HF
    - 갑상선기능검사(TFT) → hyperthyroidism
  - (4) 심장초음파 → 심실기능, 판막이상, 폐동맥압 (→ pul. HTN) 등 확인
  - (5) CT → ILD, sarcoidosis, pul. embolism, neoplasms 등
- 추가적인 검사 ; cardiopulmonary exercise testing, cardiac catheterization, lung biopsy, psychiatric evaluation 등 고려
- 자세에 따른 호흡곤란의 형태
  - 기좌호흡(orthopnea) : 누우면(supine) 호흡곤란이 심해지고, 일어서거나 앉으면 감소됨
    예) 폐 울혈, 심장 질환, 양측 횡격막마비, AV malformation, 일부 COPD/asthma
  - 편평호흡(platypnea) : 기좌호흡과 반대로 일어서면 호흡곤란이 심해지고, 누우면 감소됨
    예) hepatopulmonary syndrome, 폐절제술, COPD (V/Q mismatch), hypovolemia
  - 측위호흡(trepopnea) : 병변 쪽을 아래로 하여 측와위시(lateral decubitus position) 호흡곤란
    예) lung vascular shunting

    c.f.) 폐의 관류(blood perfusion)는 아래쪽(dependent) 폐로 증가됨
      → 환기(ventilation)도 dependent 쪽으로 잘 되어야 호흡에 유리함

■ 진단을 위한 검사

1. 단순 흉부X선 (plain chest X-ray, CXR)

(1) 음영의 증가

　① 경화(consolidation)
- 폐포 안이 공기 대신 다른 물질(e.g., 액체, 세포)로 충만된 것으로 폐포성 폐질환의 영상 소견
- 원인 ; 폐렴, 삼출성 폐결핵, 폐농양, 폐출혈 (외상, 항응고제, 경색)
- CXR 소견 ; 공기-기관지 조영(air-bronchogram), 불분명한 윤곽(fluffy margin), 조기응결 (early coalescence), 분절성 혹은 대엽성 분포 (segmental or lobar distribution), 급성변화 (rapid timing), 폐포성 결절 (alveolar nodule) ...

② 고립 국한된 음영 결절(nodule <3 cm) or 종괴(mass ≥3 cm)

　; 종양, 국소감염(세균성 농양, 결핵, 진균), Wegener's granulomatosis, rheumatoid nodule,

　　혈관기형, 기관지낭종, 기도 이물 …

③ 국소 혼탁(침윤, infiltrate)

　; 폐렴, 종양, 방사선폐렴, 폐경색, COP (BOOP), bronchocentric granulomatosis

④ 미만성(diffuse) 음영 증가

　(a) 간질성(interstitial) ; IPF, 전신질환과 관련된 폐섬유화, 유육종증, 약물에 의한 폐질환, 진폐증,

　　　과민성 폐렴, 감염(e.g., *Pneumocystis*, virus), eosinophilic granuloma

　(b) 폐포성(alveolar) ; 심인성 폐부종, ARDS, 폐포출혈, 감염(e.g., *Pneumocystis*, 폐렴), 유육종증

　(c) 결절성(nodular) ; 전이성 종양, 감염의 혈행성 전이(e.g., miliary TB), 진폐증,

　　　eosinophilic granuloma

　(d) 침윤성(infiltrative) ; 세균성 폐렴, 다발성 폐색전증, 규폐증(silicosis), Goodpasture's synd.

⑤ 간질성 음영 증가

　• 소엽간중격비후(interlobular septal thickening)

　┌ Kerley's B line : 폐 주변부에서 흉막과 직각으로 주행하는 1~2 cm의 짧은 가는 선
　└ Kerley's A line : 폐문을 향하는 2~6 cm의 비스듬한 선

　• 원인 ; 폐부종, 림프관성 전이, 유육종증 …

(2) 음영의 감소 (radiolucency 증가)

① 국소적 ; cyst, bulla, bronchial tumor, foreign body …

② 전반적 ; COPD (emphysema), asthma, brochiolitis …

(3) Silhouette sign

• 같은 음영의 두 구조물이 인접해 있으면 사이의 경계가 소실되는 것

• 폐 병변 (e.g., 폐렴)의 위치 파악에 도움

Silhouette 구조물	폐 병변의 위치
심장의 우상 경계면, 상행 대동맥	RUL의 ant. segment
심장의 우측 경계면	RML (medial)
심장의 좌상 경계면	LUL의 ant. segment
심장의 좌측 경계면	Lingula (ant.)
대동맥 융기	LUL의 apex (post.)
앞쪽 횡격막	Lower lobes (ant.)

(4) 무기폐(atelectasis) ≒ 폐허탈(collapse)

• 폐 일부 or 전체의 공기 감소 (대개 폐 부피 감소를 동반함), CXR에서 음영 증가

• obstruction/resorption atelectasis (m/c) ; mucus plug, asthma, COPD, bronchiectasis, TB, 종양

• compression/passive atelectasis ; 흉강이 공기나 삼출물 등으로 찰 경우(e.g., 기흉, 흉막삼출)

• adhesive atelectasis ; surfactant 감소로(e.g., ARDS, pul. embolism, hyaline membrane dz.)

• cicatrization/contraction atelectasis ; 반흔/섬유화에 의한 무기폐(e.g., granulomatous dz.,

　　necrotising pneumonia, radiation fibrosis)

(5) 정상 소견을 보일 수 있는 질환들

; solitary lesions (<6 mm ø), acute thromboembolism, early interstitial pneumonia, granulomatous dz. (e.g., miliary TB), interstitial dz. (e.g., scleroderma, SLE), bronchitis, bronchiectasis, emphysema (mild~moderate), 부분 기도폐색만 동반한 endobronchial mass

c.f.) lordotic view (apicogram) : 폐첨부(apex)를 잘 보기 위해 시행 (e.g., TB)

참고: 일부 CXR 특징에 따른 폐질환	
Lung volume 증가	Emphysema, 만성 천식, diffuse bronchiolitis obliterans, Lymphangioleiomyomatosis, 운동선수
폐 상부를 주로 침범	Bullous lung disease, Centrilobular & paraseptal emphysema, Sarcoidosis, 결핵, 진균 질환, 진폐증, Langerhans cell histiocytosis, Cystic fibrosis, Ankylosing spondylitis, Radiation pneumonia, Hypersensitivity pneumonia 말기
폐 주변부를 주로 침범	Chronic eosinophilic pneumonia, Cryptogenic organizing pneumonia, Idiopathic interstitial fibrosis (usual interstitial pneumonia) Bronchioloalveolar cell ca.
Hilar & mediastinal lymphoadenopathy	Sarcoidosis, Lymphoma, 결핵, 진균 질환, 전이 암, Silicosis, Coal worker's pneumoconiosis, Beryllium lung

2. 전산화 단층촬영 (CT)

(1) 고해상도 CT (HRCT, high-resolution CT)

- 1~2 mm의 절편 두께로 촬영 (일반 CT는 대개 7~10 mm 두께)
- 폐실질 및 기도를 미세하게 관찰하는데 유용
- 제2 소엽(secondary pul. lobule)까지의 병변을 파악 가능
  (e.g., bronchiectasis, emphysema, diffuse parenchymal dz., ILD 등)
- 작은 결절은 놓칠 수 있으므로, 종양의 screening 목적으로는 이용 안함

(2) 나선형 CT (helical/spiral CT)

- 스캔하는 동안 환자 테이블을 연속적으로 움직이면서 영상을 얻는 방법
  (일반 CT와 같은 평면 데이터가 아닌 연속된 volume 데이터임)
- 환자가 숨을 한번 참는 동안 폐 전체를 검사 가능 (→ 검사 시간 단축)
- 3차원 영상 구성이 가능 → 기도협착, 혈관질환(e.g., 폐색전증) 진단에 유용

* MDCT (multi-detector CT) : 스캔 시간 더욱 단축 (더 세밀한 촬영 가능)
  - 매우 우수한 3차원 영상을 얻을 수 있음 (e.g., virtual bronchoscopy)
  - CT angiography, 심장 검사 등에도 유용

* LDCT (low-dose spiral CT) : 폐암(폐결절)의 screening에 유용 (sensitivity↑)
  - 장점 ; 방사선 노출량이 적음 / 단점 ; 위양성

(3) 조영증강(CE, contrast enhancement)

- 혈류가 많은 조직을 혈류가 적은 조직으로부터 구분하기 위해 시행
- 이용 ; 폐결절의 악성/양성 감별, 대동맥/폐동맥 질환의 진단 (e.g., aortic dissection, PE)

3. 자기공명영상 (MRI)

- 폐실질 질환의 발견에는 CT보다 해상도 떨어짐
- 조직 종류에 따라 음영 차이를 보임 (CT는 밀도에 따라) → lung apex, mediastinum, spine, thoracoabdominal junction 주변의 병변 관찰에 유리, 조영 없이 혈관과 비혈관 조직을 구별 가능

4. 양전자방출단층촬영 (PET)

- ^{18}F-fluoro-2-deoxyglucose (FDG)가 대사가 활발한 악성세포에 의해 섭취된 뒤 방출하는 양전자를 검출하여 영상을 얻는 검사법
- 이용 ; 고립성 폐결절(SPN)의 악성/양성 감별, 폐암의 병기 결정 (N 병기 결정에 CT보다 유용), 치료 후 반응의 평가
- SPN의 신단 민감도 95%, 특이도 80% (but, 결핵성 육아종도 양성)

5. 기관지내시경 (bronchoscopy)

(1) 종류

① flexible bronchoscopy (대부분)
- 조작 및 사용이 간편, 얕은진정/국소마취 하에 신속한 검사 가능
- subsegmental bronchi까지의 거의 모든 기도를 관찰 가능

② rigid bronchoscopy
- 장점 : 큰 통로를 통해 대량의 suction or 환자의 ventilation 가능
- 단점 ┌ 수술실에서 전신마취 하에 시행
        │ segmental bronchus 이하 부위는 관찰하기 어려움
        └ 인공호흡기 사용 환자, 두개/척추 손상 환자에서는 시행 곤란
- 이용 ┌ trachea나 main stem bronchus tumors의 biopsy
        │ 대량 출혈 또는 분비물의 suction
        └ 기도 폐쇄의 치료 (e.g., 이물, 종양, 혈전, broncholiths)
          → laser therapy, cryotherapy, electrocautery, stent placement ...

(2) 적응증

: 거의 모든 호흡기질환에서 적용이 가능 (→ 주로 기관/기관지내 병변을 확인하기 위해 시행)
① 객혈(hemoptysis), 만성기침 등의 증상
② 천명음(wheezing)
- 국소적인 천명 (localized wheezing)
- 지속적인 치료에도 반응이 없는 천식
- CXR 이상 소견이 동반된 천식
③ 원인을 모르는 비정상 CXR 소견

덩어리성 병변	한쪽 폐의 과팽창/음영저하
재발하거나 지속되는 폐침윤	종격동/폐문부의 이상
지속적인 폐허탈/무기폐(atelectasis)	기관 주위의 림프절 종대/덩어리

④ 지속적인 기흉, 기관지-흉막루, 흉수, 기관/기관지 화상, 흉부 외상

⑤ 횡격막 마비 (∵ 기도의 종양, 전이성 폐문 림프절 종대)

⑥ 감염성 폐질환
- 적절한 치료에도 불구하고 계속 진행 or 면역저하자
- 미생물 검사를 위한 sampling 가능

⑦ 미만성 폐실질 질환
- open lung biopsy 전에 TBLB, BAL 등을 시행
- TB (e.g., 기관지 결핵), sarcoidosis, alveolar proteinosis, histiocytosis, 종양의 림프관 전이 등 진단 가능한 원인을 R/O

⑧ 종양 ; 폐암의 진단(biopsy, cytology) 및 병기 판정

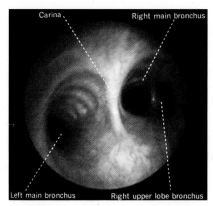

정상 기관지내시경 소견 (carina 부근)

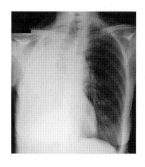
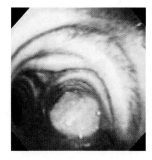

Large mucus plug가 우측 주기관지를 완전히 막아 우측 폐의 total atelectasis 및 volume loss가 발생된 예

(3) 진단수기
- 전처치 ; 진정제/항불안제(e.g., midazolam), 국소마취제(lidocaine)
  - atropine (주로 rigid bronchoscopy 때 사용) : 분비물↓, 서맥 방지
  - 국소마취제 : 세균 배양을 억제하고 cytology 검사에도 영향을 미칠 수 있으므로 가급적 소량을 사용해야 됨
- sample 얻는 법 ; washing, brushing, biopsy, cryobiopsy
- 기관지폐포 세척술(bronchoalveolar lavage, BAL) : 감염(특히 *P. jirovecii*), 호산구성 폐렴, diffuse alveolar hemorrhage, pulmonary alveolar proteinosis, sarcoidosis 등의 진단에 유용
- 경기관지 폐생검(transbronchial lung biopsy, TBLB, TBB) : 폐암, 속립성 결핵, 진폐증, 과민성 폐렴, 간질성폐질환, *P. jirovecii* 폐렴 등의 진단에 이용

- transbronchial lung cryobiopsy (TBLC) : 출혈이 적어 TBLB보다 큰 조직을 얻을 수 있음
- 경기관지 침흡인술(transbronchial needle aspiration, TBNA) : 종양 진단, 병기 결정 (LN 흡인)
- fluorescence bronchoscopy (autofluorescence bronchoscopy, AFB) : 전암성 병변 or 조기 폐암 발견에 유용, 정상 점막보다 어두운 적색/갈색(bright red or brown color)으로 나타남
- endobronchial ultrasound (EBUS) : 기관지 주변, 종격동 병변(e.g., LN) 파악/biopsy에 유리

(4) 금기증

① 비협조적인 환자 또는 동의가 없는 경우
② 교정되지 않는 출혈 소인
③ 교정되지 않는 심한 저산소증
④ 심한 기관지 수축
⑤ 불안정한 심혈관 상태 ; 최근의 MI, UA, 심한 부정맥 ...
⑥ 익숙하지 못한 시술자의 단독 검사
⑦ 응급처치가 가능한 인력 및 시설이 없을 때

(5) 합병증

① 국소마취와 관련된 합병증 (lidocaine → 심혈관계 및 중추신경계 독성)
② 저산소증 : 굵은 flexible bronchoscopy 사용, BAL 등 때 발생 증가
　　(보통 PO_2 10 mmHg 정도는 일시적으로 감소됨)
③ 기관지 수축
④ 부정맥 (주로 저산소증 때문)
⑤ 발열 및 감염
⑥ 기흉 (TBLB 후 1.5~5%에서 발생)
⑦ 출혈(hemoptysis)

6. Video-assisted thoracic surgery (VATS), thoracoscopy

- 흉벽을 작게 절개하고 흉강경(thoracoscopy)을 삽입, 진단/치료에 이용하는 것
- 장점 ; 수술후 통증/폐기능장애 감소, 입원기간 단축, 미용상 우수
　　→ 개흉술(e.g., open lung biopsy)을 대부분 대체
- 합병증 ; 폐혈관 손상(출혈), 반대측 폐의 기흉, 부정맥, 심근허혈 ...

VATS의 적응증	
진단적 목적	**치료적 목적**
1. 흉막 질환 (e.g., 흉막삼출, 흉막결핵, 중피종)	1. 흉막유착술 (e.g., 악성흉막삼출)
2. 미만성 폐질환 (e.g., ILD)	2. Recurrent spontaneous pneumothorax : bullectomy
3. 고립성폐결절(SPN) : needle biopsy	3. 폐결절 절제, 폐암의 폐엽절제술(lobectomy)
4. 악성 종양의 병기 결정	4. 종격동 종양 절제술
5. 종격동 종양	5. 다한증 수술
6. 심낭 질환	6. 식도 질환의 수술 (e.g., achalasia, myoma)

폐이식 (lung transplantation)

1. 적응증 및 금기

1. Idiopathic pulmonary fibrosis (m/c, ~30%, 우리나라는 약 50%)
2. COPD (과거에 m/c, ~27%)
3. Cystic fibrosis (~15%)
4. α_1-antitrypsin deficiency emphyema
5. Idiopathic PAH
6. Sarcoidosis
7. Bronchiectasis
8. Eisenmenger's syndrome (→ 심장-폐 이식)

c.f.) 생체 부분 폐이식도 일부 시도중
(CF 말기의 젊은이에서 공여자를
기대하기가 불가능 할 때)

- 모든 경우 한쪽 폐이식보다 양쪽 폐이식이 예후 좋다!
- CF와 bronchiectasis는 반드시 양쪽 폐이식

수혜자 선택 지침 (listing for transplantation)	
Iidiopathic pulmonary fibrosis (IPF)	6개월의 추적관찰 동안 FVC ≥10% or DL_{CO} >15% 감소 Pulmonary hypertension 6분보행검사 동안 SaO_2 <88% 6분보행검사 거리 <250 m or 6개월 동안 50 m 이상 감소 급성악화로 인한 입원
COPD	BODE index ≥7 FEV_1 <15~20% Moderate~severe pulmonary HTN 작년에 3회 이상의 급성악화 Acute hypercapnic respiratory failure를 동반한 급성악화 병력
Cystic fibrosis, Bronchiectasis	Chronic hypoxemic or hypercapnic respiratory failure Pulmonary hypertension, 폐기능의 급격한 감소 장기간의 noninvasive ventilation 필요, 잦은 입원 WHO functional class IV
Idiopathic pulmonary arterial HTN (PAH)	NYHA functional class III or IV (prostanoid 등의 치료에도 불구하고) Cardiac index <2 L/min/m² or RA pressure >15 mmHg 6분보행검사 거리 <350 m Progressive Rt.HF or 심한 pericardial effusion or hemoptysis

절대적 금기	상대적 금기
지난 2년 이내의 악성종양 　(피부 squamous & basal cell tumors는 제외) 치유 어려운 폐 이외 주요 장기 기능부전 (심장, 간, 신장 등) 치유 불가능한 폐외 감염 (HBV, HCV, HIV 등) 심한 흉벽/척추 변형 내과 치료의 순응도가 나빴던 환자 치료 불가능한 정신질환 흡연자, 약물 또는 알코올 중독/남용자 (지난 6개월 이내의)	65세 이상 심각한/불안정한 임상 상태 심하게 제한된 functional status (재활이 어려운) 고도내성 or 고전염성 감염균 　(e.g., *Pseudomonas*, *Burkholderia*, *Aspergillus*, NTM) 심한 비만(BMI >30) or cachexia 인공호흡기에 의존하는 호흡부전 환자 심하거나 증상이 있는 osteoporosis 기타 내과적 질환 ; DM, HTN, PUD, GER 　(→ 이식 전에 적절히 치료되어야)

2. 경과

- 평균 생존기간 ; IPF 4.7년, COPD 5.5년, iPAH 5.7년, sarcoidosis 6.1년, CF 8.6년 등
- 주요 사망원인
  - ~30일 ; graft failure (~24%), 감염(~19%), 심혈관질환(~11%), 기술적문제(~11%)
  - 이후 첫 1년 ; 감염(~37%), graft failure (~17%)
  - 1년 이후 ; BOS 등의 late graft failure (~40-45%), 감염(~16-20%)

3. 면역억제치료

- induction therapy
  - IL-2 receptor (IL-2R, CD25) antagonists (e.g., basiliximab)이 m/c 사용됨
  - 기타 ; anti-T & B cell Ab (e.g., alemtuzumab), anti-thymocyte globulin
- maintenance therapy … 보통 3제 병합요법
  ① calcineurin inhibitors ; tacrolimus (권장), cyclosporine
  ② nucleotide blocking agents ; mycophenolate (권장), azathioprine
     → 부작용 발생 or rejection에 효과 없으면 rapamycin (mTOR) inhibitors
           (e.g., sirolimus, everolimus)
  ③ prednisone
  ⇨ 기회감염이 주요 합병증 → antimicrobial prophylaxis
     ⎡ *Pneumocystis jirovecii* ; TMP-SMX (*S. pneumoniae, Listeria, Nocardia, Toxoplasma*에도 효과적)
     ⎢ 세균 (주로 수술전후) ; ceftazidime, vancomycin 등
     ⎢ 진균 ; inhaled amphotericin B, nystatin suspension, voriconazole 등
     ⎣ CMV ; valganciclovir, ganciclovir / HSV ; acyclovir, valacyclovir, famciclovir

4. 이식후 합병증

(1) Primary graft dysfunction (PGD)

- 대개 이식 3일 이내에 발생하는 acute lung injury (diffuse pul. infiltrates & hypoxemia)
  (→ hyperacute rejection, 폐정맥 폐쇄, 폐부종, 폐렴 등과 감별해야 됨)

참고: PGD의 분류(grading)		
Grade	PaO_2/FiO_2	폐울혈의 영상 소견
0	>300	×
1	>300	○
2	200~300	○
3	<200	○ ——→ 추후 CLAD 발생의 위험인자

- 치료 ; ALI에 대한 보존적 치료, 심하면 inhaled NO, inhaled epoprostenol, ECMO 등
- 경미한 경우엔 대부분 회복됨, 심한 경우 (grade 3) 사망률 40~60%

(2) Airway complication

- bronchial anastomotic stenosis ; m/c (10~15%), 이식 몇주~몇개월 뒤 발생, 기관지내시경으로
  치료 가능 (but, 재협착 흔함), 사망률은 낮음
- 기타 excessive granulation tissue, fibrotic stricture, bronchomalacia 등

(3) Infection

- 세균성 폐렴/기관지염 : 수술전후 m/c 합병증
- 바이러스 : 지역사회획득 호흡기바이러스(e.g., influenza, RSV 등)가 m/c … multiplex PCR
  - CMV는 valganciclovir의 예방적 투여/치료로 많이 줄었지만, 아직 CMV viremia, pneumonia,
    hepatitis, agastroenteritis/colitis 등이 종종 발생 → 대개 ganciclovir로 잘 치료됨
- 진균 : *Aspergillus* spp.가 가장 문제 (tracheobronchitis, invasive pulmonary, disseminated 등)

(4) Acute rejection

- hyperacute rejection : 이식 ~24시간 이내에 발생, 치명적
  - preformed donor-specific antibodies (DSA) 때문 (주로 HLA에 대한 Ab)
  - 이식전 Ab. screening 및 cross-matching (virtual or direct)으로 인해 매우 드물어졌음
- acute cellular rejection (ACR) : 이식 6~12개월에 호발, 초기의 m/c 거부반응 (~18%)
  - donor alloAg. (주로 MHC [HLA])에 대한 T lymphocytes 반응에 의해 발생
  - 진단 (TBLB) ; 세동맥/세기관지의 림프구 침윤이 특징 (CMV 폐렴과 임상양상이 비슷)
  - 치료 ; 단기간의 high-dose steroid, 면역억제치료 강화 → 반응 좋음
- acute humoral (Ab-mediated) rejection (AMR) : 이식 몇주~몇달 뒤 발생
  - DSA (주로 HLA Ab) 때문 : 이식전에 미량 존재하거나 이식후 생성됨 (~35-50%에서)
    ↳ acute AMR 뿐 아니라 ACR 및 CLAD (BOS) 발생과도 관련
  - 진단 ; acute allograft dysfunction, DSA(+), ALI의 조직소견, 폐포 모세혈관에 C4d 침착
  - 치료 ; plasmapheresis, IV Ig, rituximab, bortezomib, carfilzomib, eculizumab 등 고려
    (systemic steroid : ACR보다 효과 적지만 다른 치료와 병용 가능)
  - 예후 나쁨, 생존해도 추후 CLAD 발생 위험↑

(5) Chronic lung allograft dysfunction (CLAD)

- 원인이 뚜렷하지 않고, 면역/비면역 기전이 모두 관여하므로 rejection보다는 CLAD라고 부름
  → BOS와 RAS로 분류, 폐이식후 중장기 morbidity의 주요 원인 (장기 생존 여부에 m/i)
- 정의 : 폐기능 저하가 3주 이상 지속되고, graft dysfunction의 다른 원인들이 R/O된 경우
- bronchiolitis obliterans syndrome (BOS) … chronic rejection의 전형
  - 흔함(5년 뒤 48%, 10년 뒤 76% 발생), 조직검사로 확진되면 bronchiolitis obliterans (BO)
  - 위험인자 ; PGD, ACR, AMR, anti-HLA Ab, lymphocytic bronchiolitis, viral infection,
    colonization (*P. aeruginosa, Aspergillus* 등), GERD, autoimmunity, air pollution
  - 치료 (확립된 치료는 없음) ; 면역억제치료 변화/강화, long-term azithromycin,
    extracorporeal photophoresis, total lymphoid irradiation, ALG or ATG 등
  - 치료반응은 나쁨, 사망률 25~55%, 평균 3~4년 생존, 최후엔 재이식 고려

참고: BOS의 분류	
BOS 0	FEV_1 >90% & $FEF_{25\sim75\%}$ >75%
BOS 0-potential	FEV_1 81~90% and/or $FEF_{25\sim75\%}$ ≤75%
BOS 1	FEV_1 66~80%
BOS 2	FEV_1 51~65%
BOS 3	FEV_1 ≤50% of baseline

*BOS의 조직검사는
 TBLB로는 부족하고
 수술적폐생검(SLB) 권장

- restrictive allograft syndrome (RAS) = restrictive CLAD (rCLAD)
  - BOS보다 드물며, 때때로 BOS도 동반 가능
  - 치료는 steroid or BOS와 비슷하게, 예후는 BOS보다 나쁨 (평균 ~1.5년 생존)

	BOS	RAS
폐기능	Obstructive, FEV_1 <80%	Restrictive, TLC <90% or FVC & FEV_1 <80%
CXR, HRCT	Hyperinflation, air trapping, bronchiectasis	Fibrotic changes (infiltrates), 폐상엽에 호발
조직소견	Obliterative bronchiolitis (BO)	Parenchymal/pleural fibrosis ± BO

(6) 기타

- phrenic nerve injury (→ 횡격막 기능 이상)
- vagal nerve injury (→ gastroparesis)
- 면역억제제의 부작용/독성과 관련된 것이 많음 ; HTN, 신부전, 고지혈증, DM, 악성종양 등

수술 관련 호흡기 위험도

수술 후 호흡기 합병증 발생의 위험인자

전반적인 건상상태 (American Society of Anesthesiologists [ASA]* Class >II)
울혈성 심부전
Serum albumin <3.5 g/L
고령(>60세)
COPD
기능적 의존
체중감소, 감각/신경 장애, 흡연, 음주

이전의 호흡기 감염 : 불확실
비만 : 흉부 수술에서는 위험 증가X
 (다른 여러 수술에서는 위험인자)

폐절제술의 spirometry 한계치 [폐 합병증↑]
 FEV_1 <2 L or 60~70% predicted
 MVV <50% predicted
 PEF <100 L or 50% predicted
 $PaCO_2$ ≥45 mmHg
 PaO_2 ≤50 mmHg

*American Society of Anesthesiologists' (ASA) Clinical Classification	
ASA I	선택적 수술을 받는 건강한 환자
ASA II	일상생활에 영향을 미치지 않는, 단일 계통 또는 잘 조절되는 질병을 가진 환자
ASA III	일상생활을 제한하는, 다중 계통 또는 잘 조절되는 주요 계통 질환을 가진 환자
ASA IV	조절되지 않거나 말기 단계 인 중증 무력 환자
ASA V	24시간 이내에 사망이 임박한 환자

수술 관련 호흡기 합병증 감소를 위한 조치	
수술 전	금연 (최소 수술 8주 이전 ~ 수술 후 10일) 교육/훈련 ; 심호흡운동(deep breathing exercises), 강화 폐활량계(incentive spirometry), 　효과적인 기침 훈련 및 통증 조절 등 폐쇄성 폐질환에서 기도 기능 향상 (e.g., 기관지확장제, steroid, 흉부재활치료) 필요시 감염 및 분비물 조절, 체중 감량
수술 중	수술/마취 시간 최소화, 가능하면 장기지속형 근이완제는 피함 가능한 상복부나 흉곽의 절개 회피 흡인 방지 및 적절한 기관지 확장 유지
수술 후	조기 활동 및 보행, 기침 격려 폐 확장 훈련 ; deep breathing exercises, incentive spirometry, CPAP 적절한 진통제 제공 (가능하면 마약성 진통제는 피함) 선택적인 nasogastric tube 사용 혈전색전증 예방 조치

• 수술에 따른 폐기능 변화 ; 폐용적 감소, 횡격막 부전, 가스교환 장애, 호흡억제, 폐 방어기전 약화
• 수술 후 호흡기 합병증 ; atelectasis, 감염(bronchitis, pneumonia), 호흡 부전, 장기간 기계호흡,
　기존의 만성폐질환 악화, bronchospasm, pulmonary thromboembolism …

c.f.) 폐암 환자에서 폐 수술 전 평가 → 17장 참조

흡연 (smoking)

흡연에 의해 발생위험이 증가되는 질환들	
악성종양 폐암(10~15배), 후두암(10배), 구강/하인두암 (4~5배), 식도암(2~5배), 췌장암(2~4배), 방광암, 신우암, 비강암, 부비동암, 비인두암, 간암, 위암, 신장암, 자궁경부암, 골수성백혈병 등 **심혈관질환** SCD, AMI, unstable angina aortic aneurysm, 말초혈관질환 (e.g., Buerger's dz.) **뇌혈관질환** Ischemic stroke **폐질환** COPD, asthma pneumonia, viral respiratory infection	**소화기질환** peptic ulcer, esophageal reflux **구강질환** oral cancer, leukoplakia, gingivitis, gingival recession, 치아 착색/변색 **임신 및 영아 관련 질환** 수태율 감소, 자연유산, 조산, abruptio placentae, PROM, 저체중아, 주산기 사망률 증가, 영아급사증후군, 영아호흡곤란증후군 **기타** 조기폐경, 골다공증, 백내장, 조기에 피부주름 발생, 약물의 대사/효과 변화

- 담배의 발암물질
  - 가장 위험한 물질 ; benzopyrene 등의 PAH (polycyclic aromatic hydrocarbons),
    nicotine-derived nitrosamine ketone (NNK) 등의 tabacco-specific nitrosoamines
  - 기타 ; 휘발성 및 비휘발성 nitrosoamine, aromatic amines, benzene, aldehydes, ethylene oxide,
    1,3-butadiene, arsenic, 방사선물질(polonium-210, lead-210) ...
- 담배의 주요성분 및 유해작용
  ① 타르 : 대부분의 발암물질을 포함하며, 그 자체로도 독성이 있음
  ② 니코틴 : 습관성 중독 물질, 금단증상의 주 원인 (발암물질은 아님)
    - 뇌의 dopaminergic system의 활성화가 중요한 역할
    - 반감기는 약 2시간 (완전히 체외로 빠져나가는 데는 약 3일 걸림)
  ③ 일산화탄소(CO) : Hb과 결합하여 혈액의 산소운반 저해
- 흡연이 폐에 미치는 영향
  ① respiratory epithelial ciliary movement 장애
  ② alveolar macrophage의 기능 저하
  ③ mucus-secreting glands의 증식 및 비대
  ④ antiprotease 억제
  ⑤ PMN에서 proteolytic enzymes 분비
  ⑥ 기도 저항 증가 (∵ 평활근 수축)

- 흡연에 의한 폐기능의 변화
  - small airway obstruction (FEF$_{25-75\%}\downarrow$) … 가장 초기의 변화
  - 연령에 따른 FEV$_1$ 감소 속도의 가속화
    - 비흡연자는 1년에 20~30 mL 씩 감소
    - 흡연자는 2~3배의 속도로 감소
    - 금연을 하면 감소 속도만 정상으로 회복 (감소 자체는 회복×)
- 흡연자의 BAL 소견
  - macrophages >95% (비흡연자의 5배 이상)
  - neutrophils 1~2% (비흡연자에서는 거의 발견 안 됨)
  - T lymphocytes (특히 CD8+) 증가
- 금연의 약물요법 (금연보조제)
  ① first-line therapy
    - 항우울제(e.g., bupropion)
    - nicotine replacement therapy ; varenicline ($\alpha_4\beta_2$ nicotinic acetylcholine receptor partial agonist, 가장 효과적), nicotine gum, patch, inhaler, nasal spray 등
    - bupropion과 varenicline 모두 자살 충동을 유발할 수 있으므로 주의 깊게 사용
  ② second-line therapy (first-line 실패시)
    ; clonidine, nortriptyline

* 저타르 담배 ; 기존보다 더 강하게 & 자주 피우게 되기 때문에 암 발생률이 감소하지는 않음
* 액상형 전자담배 ; 기존 담배보다 훨씬 덜 해롭고, 간접흡연의 문제도 거의 없음
* 궐련형 전자담배 ; 장기간 더 지켜봐야 하지만, 기존 담배와 비슷하게 해로울 것으로 추정됨

2
폐기능검사

■ PULMONARY FUNCTION TEST (PFT)

1. 폐활량측정법 (spirometry)

(1) 폐활량(vital capacity) 및 정적 폐용적(static lung volume)

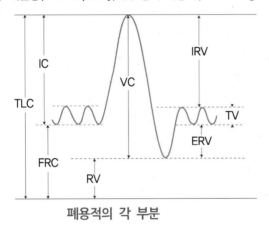

폐용적의 각 부분

┌ TV (VT: tidal volume) : 평상(일회) 호흡량 (안정시 호흡주기 동안 들이쉬거나 내쉬는 공기량)
├ RV (residual volume) : 잔기량 (최대로 내쉰 후 폐에 남아있는 공기량)
├ IRV (inspiratory reserve volume) : 흡기 예비기량 (TV의 흡기말부터 최대한 마실 수 있는 공기량)
├ ERV (expiratory reserve volume) : 호기 예비기량 (TV의 호기말부터 최대한 내쉴 수 있는 공기량)
├ VC (vital capacity) : 폐활량(= ERV + IC) (= TLC − RV) (최대로 들이쉬고 내쉬는 공기량)
├ IC (inspiratory capacity) : 흡기용량(= IRV + VT) (FRC부터 최대한 들이마실 수 있는 공기량)
├ FRC (functional residual capacity) : 기능성 잔기용량(= RV + ERV)
└ TLC (total lung capacity) : 총폐용량(= RV + VC or FRC + IC)

• <u>FRC</u> : chest wall의 compliance (늘어나려는 힘)와 lung의 elastic recoil (줄어들려는 힘)이
   같아서 평형을 이루는 상태의 lung volume = 정상(TV) 호기 말에 폐에 존재하는 공기량
• TLC, FRC, RV 등은 spirometry 만으로는 측정 불가능함!! (→ 폐용적 검사)

(2) 최대노력성 호기곡선 (maximal-effort expiratory spirogram)

: 최대로 숨을 들이마신 뒤 가능한 빠르고 세게 내쉬게 하여 얻은 곡선

- 초반부 25% : 환자의 노력에 많은 영향을 받음(e.g., 호흡근육, 호흡수)
- 후반부 75% : 환자의 노력과 관계<u>없이</u> 폐의 물리역학적 특성에 의해 결정

        (e.g., elastic recoil, airflow resistance, airway wall compliance)

① 노력성 폐활량 (forced vital capacity, **FVC**)
- restrictive lung dz.의 지표 (보통 80% 이상이 정상)
- air trapping index = (VC-FVC)/VC×100　　(5% 이상이면 기도폐쇄)

② 1초간 노력성 호기량 (forced expiratory volume at 1 sec, FEV_1)
- obstructive lung dz.의 지표
- airflow obstruction의 진단에 sensitive & specific (재현성도 높음)

③ FEV_1/FVC (%)
- airway obstruction을 표시하는 지표
- 대략적인 기준치 (보통 약 70% 이상이면 정상, 연령이 증가하면 감소)
  - 80%~　　　: normal
  - 60%~80%　: mild obstruction
  - 40%~60%　: moderate obstruction
  - ~40%　　　: severe obstruction

④ 노력성 호기 중간 기류량 (forced mid-expiratory flow, $FEF_{25-75\%}$)
- 동의어 : maximal mid-expiratory flow rate (MMEFR)
- 노력성 호기량의 중간 50% 부분의 평균속도로, 환자의 노력과 가장 관계없는 부분
- 특히 폐쇄성 질환(small airway dz.)의 조기 진단에 가장 sensitive!
- 정상인에서도 많은 변이를 보이고 (specificity↓), 재현성도 떨어지므로 해석에 유의
  (e.g., 폐용적[TLC, VC]이 작은 사람은 비정상적으로 낮게 나옴)

⑤ 노력성 호기 조기 기류량 ($FEV_{200-1200}$)
- 동의어 : maximal expiratory flow rate (MEFR)
- 첫 200 ml부터 1200 ml까지의 1ℓ를 불어내는 동안의 평균속도
- large airway의 기능을 반영

⑥ 최고 호기유속 (peak expiratory flow rate, PEFR, PEF)
- 곡선에서 가장 경사가 가파른 부분 (초반부), 환자의 노력에 많은 영향을 받음
  (→ 환자가 제대로 숨을 내쉬지 못하면 병변이 없더라도 비정상으로 나타남)
- central large airway 폐쇄시 이상소견을 보임

c.f.) 폐기능검사의 predicted value : 다수의 정상인을 대상으로 시행한 폐기능검사 자료로 얻은
    regression curve로부터 도출한 공식에 해당 환자의 성별, 연령, 키를 대입하면 계산됨
    (검사 결과가 predicted value의 80~120%면 정상으로 평가함)

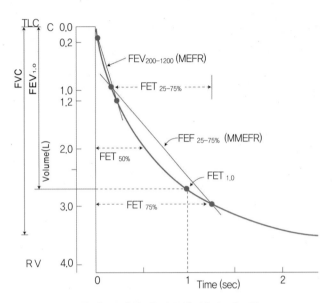

최대 노력성 호기곡선 상의 지표들

(3) 최대환기량(maximal voluntary ventilation, MVV)
- 환자가 자발적인 최대 노력으로 1분간 호흡할 수 있는 기량
  (실제로는 12~15초 최대 호흡을 한 뒤 1분간의 양으로 환산함)
- 호흡곤란의 정도와 상관관계가 있다
- 운동능력 및 수술전후의 평가에 이용 (muscle power를 평가한다)

* 분당환기량(minute ventilation) = RR × TV (V_T)
  TV (V_T) = minute ventilation / RR

(4) 사강(dead space)

$$\text{Dead space} = \frac{PaCO_2 - P_ECO_2}{PaCO_2} \times TV = TV \times (1 - \frac{P_ECO_2}{PaCO_2})$$

- P_aCO_2 : arterial CO_2 tension
- P_ECO_2 : mean expired CO_2 tension
- TV : tidal volume

- 정상인의 anatomical dead space 호흡량은 TV의 약 30%
  → 즉 1회 호흡량의 70%만 alveolar zone에 도달
  (예; TV이 500 mL이면 사강은 150 mL)
- physiologic dead space : 혈류가 흐르지 않는 폐포 공간
  - TV의 약 36% (예; TV이 500 mL이면 180 mL)

(5) PFT에 의한 환기장애의 분류

① 폐쇄성 환기장애 : FEV_1/FVC ↓ (<70*%) *젊은 연령에서는 75~80%까지도

┌ FEV_1이 주로 감소 (FVC도 감소할 수 있으나 FEV_1의 감소 정도보다는 훨씬 덜함)

└ 호기시 air trapping으로 RV ↑ → RV/TLC ↑↑

② 제한성 환기장애 : FEV_1/FVC **정상 or ↑**

┌ FVC가 주로 감소 (<80%) … 폐용적(TLC[확진], VC) 감소가 hallmark

└ FEV_1은 폐활량의 감소에 따라 2차적으로 감소할 수 있으나, 비교적 정상을 유지

③ 혼합형 환기장애 (폐쇄성 + 제한성) : FEV_1/FVC <70% & FVC <80%

(정확한 제한성 장애의 동반여부는 TLC 감소로 확인해야 됨)

Obstructive/Restrictive 환기장애의 PFT 소견 ★

Tests	Obstructive	Restrictive
Spirometry		
FVC (L)	N or ↓	↓ (<80%)
FEV_1 (L)	↓	N or ↓
FEV_1/FVC (%)	↓ (<70%)*	N or ↑
$FEV_{25-75\%}$ (L/s)	↓	N or ↓
PEFR (L/s)	↓	N or ↓
MVV (L/min)	↓	N or ↓
MIP (cmH_2O)	N	N**
Lung volumes		
VC (L)	N or ↓	↓
TLC (L)	N or ↑	↓
FRC (L)	↑	N or ↓
ERV (L)	N or ↓	N or ↓
RV (L)	↑	↓, N or ↑ ***
RV/TLC (air trapping)	↑↑	N or ↑
slope of phase III	↑	N or ↑

: 일반적으로 연령, 성, 키 등을 통한 예측 참고치의 80~120%를 정상으로 봄

* Mild obstructive (small airways) disease에서는 FEV_1/FVC는 비교적 정상, $FEF_{25-75\%}$ 감소

** MIP : neuromuscular weakness에서는 ↓, 나머지는 정상

*** RV : parenchymal dz.에서는 ↓, extraparenchymal dz.에서는 다양

PFT에 따른 폐질환의 분류 ★

Obstructive	Restrictive −Parenchymal	Restrictive −Extraparenchymal
Asthma (DL_{CO}↑)	Sarcoidosis	Neuromuscular dz.
COPD (chronic	Idiopathic pulmonary	Diaphragmatic weakness/paralysis
bronchitis,	fibrosis	Myasthenia gravis
emphysema)	Hypersensitivity	Guillain−Barr syndrome
↳ DL_{CO}↓	pneumonitis	Muscular dystrophies
Bronchiectasis	Pneumoconiosis	Cervical spine injury
Cystic fibrosis	Drug or radiation	Chest wall dz. ; Kyphoscoliosis, Obesity*,
Bronchiolitis	−induced ILD	Ankylosing spondylitis ...
	ARDS	Extrinsic compression ; Pleural effusion, Ascites

* Obesity ; chest wall의 outward recoil만 감소, FRC & ERV↓, TLC & RV 정상 (심한 비만 때는 감소할 수)

c.f.) kyphoscoliosis ; TLC↓, RV는 거의 일정
  - 80%가 원인 불명, Cobb angle로 severity 평가
  - Tx ; preventive/supportitve (수술해도 호전은 불확실)

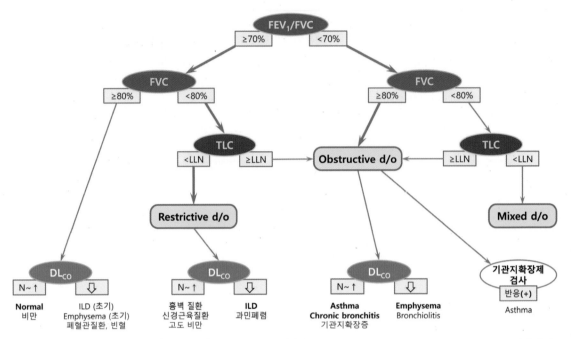

*기관지확장제 검사 (+) 기준 = FVC or FEV_1이 기저치보다 12% & 200 mL 이상 증가

2. 유량기량곡선 (flow-volume curve/loop)

: 최대 노력성 호기시 및 흡기시 유량과 기량의 변화를 동시에 측정하여 나타낸 곡선

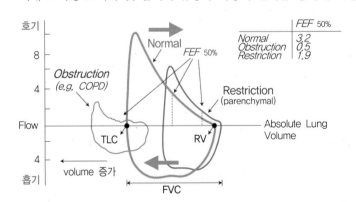

Normal, Obstruction, Restriction에서의 flow-volume curve ★

- $FEF_{50\%}$: FVC 50%에서의 노력성 호기유량(forced expiratory flow)

obstructive : 호기시 곡선이 오목, 최대호기유량(peak expiratory flow) 감소, $FEF_{50\%}$ 크게 감소
restrictive : 폐활량(FVC)이 주로 감소하고, 유량은 별로 감소하지 않기 때문에 키가 크고
　　　　　　폭이 좁은 모양

A. MILD
obstruction

B. Severe
obstruction

C. Restriction

D. Obstruction
& restriction

E. Poor
cooperration

F. Extrathoracic
obstruction
(variable)

G. Intrathoracic
obstruction
(variable)

H. Fixed intra or
extrathoracic
obstruction

I. Sleep apnes

J. Normal variant

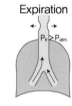
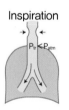

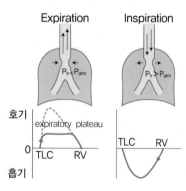

(P_atm: atmospheric pressure, P_pl: Pleural pressure, P_tr: intratracheal pressure)

■ 상기도 폐쇄 (upper airway obstruction)

(1) 고정형 폐쇄 (fixed obstruction) : intra- or extrathoracic
- 압력 차이에 영향을 받지 않으므로 호기와 흡기시 모두 plateau 발생
- 예 ; tracheal stenosis (e.g., intubation, 기도 화상), (endo)tracheal neoplasms

(2) 가변형 흉곽외 폐쇄 (variable extrathoracic obstruction)
- 호기시에는 내경이 확장되어 유량에 이상이 없으나, 흡기시에는 대기압에 비해 상기도 압력이 낮아지기 때문에 상기도 내경이 좁아져서 inspiratory plateau가 발생
- 예 ; croup, laryngitis, tracheomalacia, laryngeal/tracheal trauma or tumor, uni/bilateral vocal cord paralysis, vocal cord adhesions ...

(3) 가변형 흉곽내 폐쇄 (variable intrathoracic obstruction)
- 흡기시에는 흉곽내압(P_{pl})이 음압이 되어 기도폐쇄부위가 확장되어 유량에 이상이 없으나, 호기시에는 반대로 expiratory plateau가 발생
- 예 ; 기관 하부 or 주기관지의 국소 종양, tracheomalacia, COPD, bronchial asthma ...

* goiter (e.g., Hashimoto's thyroiditis, Graves' dz.) or thyroid tumors
- 앉은 자세에서는 정상으로 나오는 경우가 많음
- 누웠을 때는 fixed obstruction, variable extra/intra-thoracic obstruction 모두 가능함

■ **flow-volume loop 검사의 제한점**
- trachea 내강이 8 mm 이하로 (면적 80% 이상) 좁아져야 flow-volume loop에서 뚜렷한 이상을 보이므로, flow-volume loop로 상기도 폐쇄 질환을 진단하는 것은 sensitivity가 떨어짐
- 일부에서는 provocation (e.g., noxious stimuli, exercise) 시에만 폐쇄 소견을 보임
- 환자의 자세, 협착 발생 위치, 협착 정도 등에 따라 다양한 flow-volume loop 양상을 보임

⇨ 확진을 위해서는 영상검사(e.g., CT), laryngoscopy, flexible bronchoscopy 등을 시행
(필요시엔 cardiopulmonary exercise test도)

3. 폐용적(lung volume)의 측정
- TLC, FRC, RV는 폐용적 측정법에 의해서만 측정 가능함 (간접적)
- 폐용적 예측의 관여인자 ; 키(m/i), 나이, 성별, 몸무게, 체지방, 인종, 흡연력 등
- 임상 활용 ; 제한 환기장애 진단 (m/i), 폐쇄 환기장애에서 과다팽창(hyperinflation) 진단

(1) 체적변동기록기(body plethysmography) : m/c, 가장 정확, compliance도 구할 수 있음
(2) 불활성가스(inert gas) 방법 : 인체에 무해하며 신체에서 생산되거나 이용되지 않는 가스를 사용
① 질소 세척법(nitrogen washout)
② 헬륨 희석법(helium dilution)
- 단점 : 환기가 잘 되지 않는 기도폐쇄(e.g., COPD), bleb, bullae 등이 존재하는 경우
실제 폐용적보다 낮게 측정될 수 있음
(3) 면적측정법(planimetry)

4. 최대 흡기압/호기압
- 최대 흡기와 호기시에 구강에 연결된 마우스패스에서 압력을 측정한 것, 호흡근의 근력 평가
- 최대 흡기(구강)압 [maximal inspiratory (mouth) pressure, MIP/MIMP]
: 평균 −100 cmH$_2$O (男), −70 cmH$_2$O (女)
- 최대 호기(구강)압 [maximal expiratory (mouth) pressure, MEP/MEMP]
: 평균 +170 cmH$_2$O (男), +110 cmH$_2$O (女)
- 이용 ; 호흡근 약화, 원인 불명 폐활량 감소, 신경근육질환의 F/U, 기계환기의 weaning 예측 등

5. 기도저항 (airway resistance)
- 생리학적인 실제 기도저항치를 측정하는 것 (대개 체적변동기록법을 이용)
- R = ΔP (대기압 − alveolar pressure) / flow
- 말초 소기도를 주로 침범하는 COPD의 초기진단에는 예민하지 못하고, 심한 만성기관지염이나 천식의 진단 및 경과 판단에 이용 가능
- 임상에서 폐쇄성 폐질환의 진단 및 severity 판단은 보통 노력성 호기유량곡선(spirometry)을 이용함

6. 폐 탄성/유순도 (lung compliance)

- 폐의 확장성(distensibility)을 표시하는 지표로 elastic property의 기능
- 정의 : <u>transpulmonary pressure</u> 변화에 따른 폐용적의 변화 ($\Delta V / \Delta P$)
  (↳ alveolar pr. – pleural pr. ≒ 구강압 – 식도내압)
- 정적폐탄성 (static lung compliance) : 호흡이 정지되었을 때 측정 [정상: 50~80 mL/cmH₂O]
  폐용적의 차이에 의한 변동을 없애기 위해 compliance/FRC로서 나타냄
  - 증가 : emphysema ★
  - 감소 : 폐 부종/울혈, atelectasis (ARDS), pneumonia, restrictive lung dz., surfactant 소실 …

$$\text{Static lung compliance (mL/cmH}_2\text{O)} = \frac{\text{TV (tidal volume)}}{\text{inspiratory plateau pr.}}$$

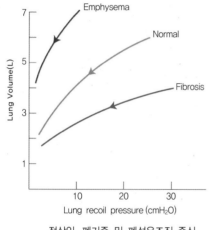

정상인, 폐기종 및 폐섬유조직 증식
환자의 경폐압력 용적곡선

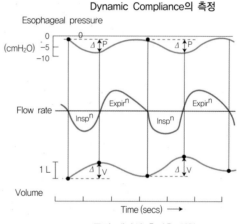

Dynamic Compliance의 측정

동적 폐탄성 측정을 위한
평상호흡시 경폐압 용적곡선
동적폐탄성=$\Delta V / \Delta P$

- 동적폐탄성 (dynamic lung compliance)

$$\text{Dynamic lung compliance (mL/cmH}_2\text{O)} = \frac{\text{TV (tidal volume)}}{\text{peak inspiratory pr. } - \text{ PEEP}}$$

- 흡기말과 호기말의 폐용적 차이(ΔV)를 transpulmonary pr. (ΔP)로 나눈 것
- frequency dependent lung compliance 또는 effective respiratory system compliance라고도 부름
- 정상인에서는 호흡 횟수를 증가시켜도 동일하게 유지되나,
  기도폐쇄가 있는 경우에는 호흡 횟수를 증가시킬수록 감소
- 감소하는 경우 ; airway obstruction, secretions, small-diameter endotracheal tube

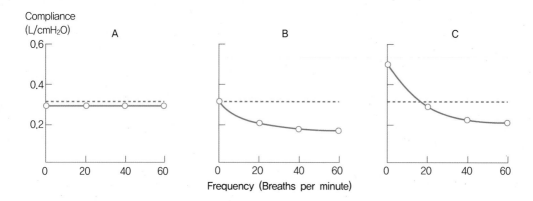

정적 폐탄성(점선)과 동적 폐탄성(실선)의 호흡횟수 증가에 따른 변화
A: 정상인, B: 만성 기관지염, C: 폐기종

* 폐쇄성 폐질환의 폐에서는 폐의 균질성이 변화하여, 호흡이 빨라지면 폐의 일부분에서는 공기의
출입이 늦어져 폐용적의 변화($\varDelta V$)가 적어지고 따라서 동적폐탄성이 감소된다
($\to$ small airway dz.의 초기 진단에 유용)

■ Small airway 기능을 보는 검사
  ① maximal mid-expiratory flow rate (MMEFR, $FEF_{25-75\%}$)
  ② dynamic lung compliance (= frequency dependent compliance)
  ③ closing volume (single breath N_2 washout curve)
  ④ helium-oxygen flow volume curves (room air 호흡시와 비교)
    ; maximal expiratory flows ($\varDelta \dot{V}E_{max,50\%}$), volume of isoflow ($V_{ISO}\dot{V}$)
  ⑤ forced oscillation technique (FOT), impulse oscillometry (IOS)

7. 폐쇄용적 (closing volume)

■ Single breath N₂ washout curve

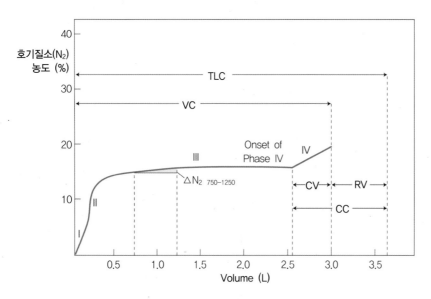

- RV까지 숨을 내쉰 다음, 100% O_2를 총폐용량까지 1번 흡입 후, 서서히 숨을 내쉬면서 구강에서 N_2 농도를 측정하여 그래프를 그린 것
  - 1단계 : 상기도(dead space) 내의 100% O_2만 나옴
  - 2단계 : dead space + alveolar air (서서히 N_2 농도가 증가)
  - 3단계 : 상부/하부 alveolar air가 동시에 배출되어 일정한 농도 유지 (plateau)
  - 4단계 : 하부의 기도가 폐쇄 (∵ 하부 흉막강압이 상부보다 높음)
    - → 상부에서만 N_2가 배출 (고농도의 N_2)
    - (∵ 평소에는 상부 폐를 이용하지 않으므로, 상부에서 ventilation이 상대적으로 적으므로, N_2가 덜 희석되어 높은 N_2 농도를 유지)

- closing volume (CV) : 기도폐쇄가 일어나는 폐용적 (4단계의 시작점)
  - 정상인에서는 FRC 이하에서 나타나므로 평상 호흡시 아무 영향 없다
  - small airway obstruction시 FRC 이상에서 나타남 (CV 증가)
- CV이 증가하는 경우 ; 폐기종, 기관지염, 세기관지염, 천식, 흡연, 노인, CHF
  - → 평상 호흡시에도 하부기도의 폐쇄가 일어나 V/Q mismatch 초래
- 폐쇄용량(closing capacity) = (CV + RV) / TLC
- 불균등 환기(uneven ventilation) 부위가 존재하는 경우, 그 부위에는 O_2가 덜 들어가 높은 N_2 농도를 유지 → 호기시 3단계 slope의 경사도 증가 (환기장애의 진단에 도움)

가스 교환의 장애

1. 정상 호흡기능을 유지하기 위한 조건

① 폐포(alveoli)까지 신선한 공기를 적절히 공급하는 것 (환기, ventilation)
② 적절한 혈액의 순환 (관류, perfusion)
③ 폐포와 모세혈관 사이에서 가스의 원활한 이동 (확산, diffusion)
④ 폐포 가스와 모세혈관 혈액 사이의 적절한 접촉 (ventilation-perfusion matching)

2. Oxyhemoglobin dissociation curve

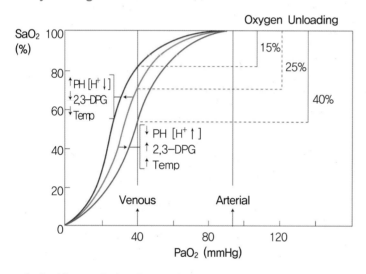

- SaO_2 90% ≒ PaO_2 60 mmHg
- 산소농도(O_2 content) = 1.34 × Hb × SaO_2 (%) + (0.0031 × PaO_2)

	Shift to	
	Left	Right
O_2 affinity (→ SaO_2)	증가	감소
조직에 O_2 delivery	감소	증가
온도(체온)	↓	↑
[H^+]	↓ (pH↑)	↑ (pH↓)
$PaCO_2$	↓	↑
2,3-DPG	↓	↑
기타	Abnormal Hb, CO 중독	빈혈, 저혈압, 고지대

- 2,3-DPG (diphosphoglycerate)
  - O_2보다 Hb에 대한 결합력 크다
  - 증가하면 → Hb의 산소친화도를 감소시켜 → O_2는 Hb에서 해리되어 조직으로 공급 ↑

- Bohr's effect : $PaCO_2$가 증가하면 (→ pH↓; $[H^+]$↑), H^+의 Hb에의 결합이 증가하고 O_2는 Hb에서 해리되어, 곡선이 오른쪽으로 이동 (Shift to the right)
- Haldane effect : CO_2 해리곡선은 HbO_2가 많이 형성될수록 오른쪽으로 이동
    (∵ deoxy-Hb이 oxy-Hb보다 CO_2에 대한 affinity 크다)

c.f.) 혈액 내에서의 O_2, CO_2의 운반
- O_2 ┌ 97% : Hb에 결합
      └ 3% : dissolved state
- CO_2 ┌ 20~30% : Hb에 결합
      │ 60~70% : HCO_3^- ion 형태로
      └ 7~10% : dissolved state

3. Pulse oxymetry

- cutaneous arterial blood에서 산소포화도(oxygen saturation, SaO_2)를 구함, noninvasive
- 원리 ; oxygenated Hb과 nonoxygenated Hb을 측정하여 oxygenated Hb % (SaO_2)를 계산
- 단점
    ① oxyhemoglobin dissociation curve의 영향
        - 60 mmHg 이상의 PaO_2에서는 PaO_2의 변화를 정확히 반영하지 못함
        - PaO_2과 SaO_2의 관계는 온도, pH, 2,3-DPG 등의 영향을 받음
    ② cutaneous perfusion 감소시 측정이 어렵거나 불가능할 수 있음
        (e.g., low CO, vasoconstriction)
    ③ carboxyHb, metHb 등은 측정하지 못한다. (→ false SaO_2↑ 가능)

c.f.) CO-oximeter
    - arterial blood sample에서 SaO_2를 구함 (ABGA)
    - oxyHb, deoxyHb, carboxyHb, metHb 모두를 측정 가능

* 흔히 사용되는 SaO_2 ≥90%라는 목표는 CO_2 elimination에 대해서는 전혀 알 수 없기 때문에 clinically acceptable $PaCO_2$를 보장하지는 못한다.

4. Alveolar ventilation

- gas exchange는 alveolar ventilation에 의존 (→ $PaCO_2$가 가장 잘 반영)

$$PaCO_2 = 0.863 \times \frac{V_{CO_2}}{V_A}$$

* VCO_2가 일정할 때, $PaCO_2$는 alveolar ventilation (V_A)과 반비례 관계!
    ┌ $PaCO_2$: 동맥혈 CO_2 분압 (mmHg)
    │ V_{CO_2} : 분당 체내 CO_2 생성량 (mL/min)
    └ V_A : 폐포환기(alveolar ventilation, L/min)

5. Arterial hypoxemia의 감별진단 ★

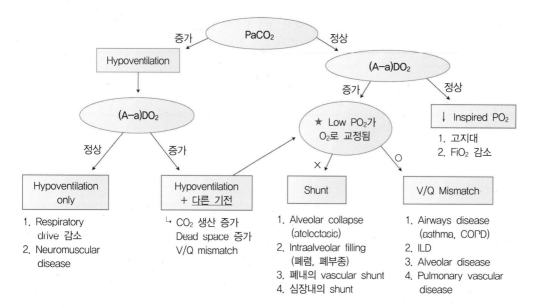

(1) 저산소혈증의 기전

① 폐포 환기 저하 (hypoventilation) : $PaCO_2$ 증가가 특징

② 환기-관류 불균형 (V/Q mismatching) - m/c

③ 단락(right-to-left shunt)

④ 확산 장애 (diffusion 감소) : 대부분 V/Q mismatching을 동반

⑤ 낮은 흡입 산소 농도 (low inspired PO_2) : FiO_2 <21%

(2) 감별 point

; $PaCO_2$, $(A-a)DO_2$, supplemental O_2에 대한 반응

(3) Alveolar-arterial O_2 difference : $(A-a)DO_2 = \underline{PAO_2} - PaO_2$

• $\underline{PAO_2}$ (alveolar PO_2)를 먼저 계산하고, PaO_2를 뺌

$$PAO_2 = FiO_2 \times (P_B - P_{H2O}) - PaCO_2/R$$

┌ FiO_2 : 흡입 산소(inspired O_2) 농도 (보통 0.21, 21%)

│ PB : barometric pressure (해수면에서 760 mmHg)

│ P_{H2O} : water vapor pr (37℃에서 완전 포화시 47 mmHg)

└ R : respiratory quotient (보통 0.8)

$$⇒ \quad \underline{PAO_2} = 150 - \underline{1.25 \times PaCO_2}$$
$$(↳ \tfrac{5}{4} \times PaCO_2 = PaCO_2/0.8) \quad [FiO_2=0.21일 때]$$

• **정상** $(A-a)DO_2$ <15 mmHg (30세 이하) (10년마다 3씩 증가, 노인에선 30까지도 가능)

┌ $(A-a)DO_2$ 증가 ; shunt, V/Q mismatching, diffusion 장애

└ $(A-a)DO_2$ 정상 ; hypoventilation ($PaCO_2$ 증가) 또는 low inspired PO_2만 있을 때

(4) V/Q (ventilation-perfusion) mismatch … 가장 중요!
- 임상적으로 가장 흔한 hypoxia의 원인!
- high V/Q area (→ high PaO_2)에서의 혈류와 low V/Q area (→ low PaO_2)에서의 혈류가 합쳐져서 arterial hypoxia를 일으킴
- O_2 supply에 의해 교정됨! (∵ low V/Q area에서의 PaO_2 ↑)
- 예 ① airway dz. ; asthma, COPD, emphysema
  ② ILD (interstitial lung dz.)
  ③ alveolar dz. ; 폐렴
  ④ pulmonary vascular dz. ; pul. embolism

c.f.) 폐의 ventilation-perfusion

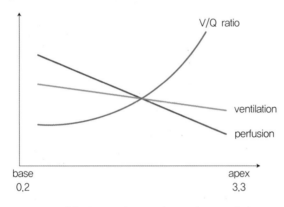

- apex로 갈수록 ventilation ↓, perfusion ↓↓ ⇨ V/Q ratio ↑
- apex (high V/Q area)로부터의 blood가 base로부터의 것 보다 PO_2 높고, PCO_2 낮다
- shunt에서는 V/Q = 0 (ventilation 無), dead space에서는 perfusion = 0

(5) Shunt
- desaturated blood가 alveolar-capillary level에서 oxygenation되지 않고 통과하는 것 (ventilation = 0), (A-a)DO_2 증가
- shunt % = FiO_2 1.0일 때 (A-a)DO_2/10
- O_2 supply로 교정 안됨!
- 예 ① atelectasis ; ARDS
  ② intraalveolar fluid filling ; ARDS, 폐부종(CHF), 폐렴
  ③ intracardiac shunt ; 청색증형 선천성 심장병
  ④ pulmonary arteriovenous shunt ; hereditary hemorrhagic telangiectasia
       (Osler-Rendu-Weber syndrome), 간경변

(6) 폐 이외의 원인
- anemia, circulatory insufficiency ; PaO_2 대개 정상, venous PO_2 감소
- CO 중독 ; CO-Hb은 O_2 운반 못함, OxyHb dissociation curve를 좌측으로 이동시킴

	PO$_2$	PCO$_2$	(A-a)DO$_2$	100% O$_2$에 반응
Low inspired PO$_2$	↓	N	N	O
Hypoventilation	↓	↑	N	O
Impaired diffusion	↓	N or ↓	↑	O
V/Q mismatching	↓	보통 N	↑	O
Shunt	↓	↓	↑	×

■ 저산소증(PaO$_2$↓)이 혈관에 미치는 영향

    ┌ 전신 혈관 → 확장(vasodilatation) : 뇌 등의 중요 장기로 O$_2$ 공급↑ (c.f., RBC도 증가)
    └ 폐 혈관 → 수축(vasoconstriction) : ventilation 잘되는 폐 구역으로 혈액 순환 유도,
                but, 장기간 지속되면 pul. HTN 발생 위험

6. 폐확산능 (<u>diffusing capacity</u> of the lung for CO, DL$_{CO}$)

- 확산 : 높은 농도에서 낮은 농도로 분자의 수동적 이동
- 폐확산능 검사 : CO 혼합 가스를 이용하여 측정 (CO가 폐포 모세혈관에 흡수되는 정도가 DL$_{CO}$),
  - standard single-breath DL$_{CO}$ method (1회 호흡법, m/c) : RV부터 TLC까지 0.3% CO 혼합 가스를 흡입 후 10 (±2) 초간 숨을 참은 뒤 그동안 흡수된 CO 양을 측정함
  - steady-state method : 0.1% CO 혼합 가스를 흡수 속도가 일정해질 때까지 호흡 후 측정함
- 폐확산능의 보정인자 ; Hb, CO-Hb, 폐포용적(V$_A$), 나이, 성별, 키, 고도 등에 대한 보정이 필요함
  - 확산계수(DL$_{CO}$/V$_A$) : 측정된 DL$_{CO}$를 폐포용적(V$_A$)으로 보정한 것, 폐절제술 환자 등에서 유용
  - 빈혈의 보정(DL$_{CO}$/Hb) : 성인 남성 = (10.22 + Hb)/1.7, 여성 및 소아 = (9.38 + Hb)/1.7

Severity	폐확산능 (% of predicted)
Normal	≥80%
Mild	61~79%
Moderate	40~60%
Severe	<40%

(1) 영향을 미치는 인자

① alveolar-capillary surface area (폐포의 총면적, ventilated space) : alveolar volume (V$_A$)

② alveolar-capillary barrier thickness

③ pulmonary capillary blood volume

④ degree of V/Q, pulmonary edema, hemoglobin level

(2) 감소하는 경우

① 폐 팽창 감소 (<u>V$_A$ 감소</u>) ; 호흡근 약화, 흉강 변형, 폐절제술(pneumonectomy)

② interstitial lung dz. (interstitial fibrosis) (∵ alveolar-capillary unit의 scarring으로 인한 pul. capillary blood volume 및 alveolar-capillary bed area 감소에 의해)

③ COPD/<u>emphysema</u> (∵ 기도 폐쇄 or alveolar wall의 파괴로 인한 unventilated space 증가)

④ pul. vascular bed의 volume 및 단면적 감소

   ; primary pulmonary HTN, pulmonary embolism, pulmonary vascular dz.

⑤ membrane change : intraalveolar filling

   ; pneumonia, pulmonary edema, alveolar proteinosis, ARDS

⑥ 빈혈, erect position ($\because$ dependent portion의 collapse), valsalva maneuver ...

(3) 증가하는 경우 (대부분 perfusion의 증가로)

① pul. capillary blood volume이 증가하는 경우 ; CHF (초기), MS, ASD

② alveolar hemorrhage ($\because$ alveolar lumen 내의 RBC에 CO가 결합) ; Goodpasture's syndrome

③ asthma (원인은 모름)

④ 적혈구증가증(polycythemia)

⑤ exercise, obesity, pregnancy, supine position, Müller maneuver ...

폐기능	DL_{CO} 정상	DL_{CO} 감소	DL_{CO} 증가
정상		빈혈, 폐혈관질환(폐고혈압), 만성 폐색전증, 초기 폐기종, 초기 간질성폐질환, 자가면역질환의 폐침범	천식 Lt▷Rt 심장내 션트 적혈구증가증 폐 출혈 비만, 운동, 임신
폐쇄장애	천식, 기관지확장증, 만성기관지염	폐기종*, 낭성섬유증, 규폐증(초기), Lymphangioleiomyomatosis	
제한장애	척추후만증, 고도 비만, 신경근육 질환**, pleural effusion	석면증, 베릴륨증, 과민폐렴, 특발폐섬유화증, Langerhans cell histiocytosis, 속립결핵, 유육종증(sarcoidosis), 규폐증(후기)	

* 폐확산능(DL_{CO}) 저하 정도는 폐기종의 severity와 상관관계를 보임 (조직학적 및 CT 소견도 상관관계)
** 심해져서 폐포용적(V_A)이 감소되면 DL_{CO}도 감소 가능

노인의 폐기능 변화

• 호흡근의 약화로 인한 근력 저하
• 늑골의 골다공증, 늑연골의 석회화와 늑골/척추간 관절부의 관절염성 변화, 배부후만증과 흉곽 전후 직경의 증가로 원통형 가슴(barrel chest)과 동반된 흉벽의 경직성 증가
• 폐포와 폐포관 주위의 탄성 조직의 감소로 인한 폐탄성의 감소
  → pressure-volume curve가 이동하여 FRC와 RV 증가

증가되는 것	감소되는 것
FRC	TLC (변화 없거나 약간↓)
RV	VC, FVC
환기관류 불균형	DL_{CO}
(A-a)DO_2	FEV_1, FEV_1/FVC
	$FEF_{25\sim75\%}$(MMEFR)

3
세기관지염

소아에서의 세기관지염

- acute infectious bronchiolitis
- 대개 2세 이하 소아에서의 acute, common, respiratory illness (흔히 severe)
  - 콧물, 재채기 등의 URI Sx.이 선행
- 원인균 ; RSV 등의 virus, *Mycoplasma pneumoniae* ...
- 치료 ; humidified O_2, 수액과 전해질 균형 (steroid는 투여 안함)

성인에서의 세기관지염

- bronchiolitis obliterans
- 특징 ; cough, dyspnea, crackles, obstructive pul. dysfunction
- 5 clinical types
  ① toxic fume bronchiolitis obliterans : 질소산화물이 m/c 원인
  ② postinfectious bronchiolitis obliterans
     : mycoplasmal or viral infection에 대한 late response
  ③ 결체조직질환 또는 장기이식과 관련된 bronchiolitis obliterans
     : rheumatoid arthritis, penicillamine, PM/DM, 폐 or 심장-폐이식,
        allogenic BMT (chronic GVHD 형태로) 등에서 발생 가능
  ④ 국소 폐병변과 관련된 bronchiolitis obliterans
  ⑤ idiopathic bronchiolitis obliterans with organizing pneumonia (BOOP) : COP
  → 10장 참조

■ Respiratory bronchiolitis
- 흡연자에서 발생하는 small airway dz.
- IPF와 비슷한 임상양상 (but, lung compliance 감소는 안 나타남)
- 진단 ; open lung biopsy
  - terminal & respiratory bronchioles의 metaplasia
  - terminal & respiratory bronchioles, alveolar ducts, alveoli가 pigmented alveolar
     macrophages로 filling
- centrilobular emphysema의 전단계로 추정됨

4
폐렴

개요

- 정의 : terminal bronchiole 이하의 폐실질의 염증 (주로 급성 감염을 가리킴)
- 분류(category)
  (1) **지역사회획득 폐렴**(community-acquired pneumonia, CAP)
  (2) **병원획득 폐렴**(hospital-acquired pneumonia, HAP) or Nosocomial pneumonia
     : 급성기 병원에 입원 2일 이후 발생한 폐렴 (입원 당시에는 원인 병원체의 잠복기가 아님)
  (3) **인공호흡기관련 폐렴**(ventilator-associated pneumonia, VAP) : 기계호흡(기관삽관) 2일 이후에
     발생한 폐렴, HAP의 일종 (c.f., HAP 연구의 대부분이 VAP를 대상으로 시행됨)
  (4) **의료기관관련 폐렴**(health care-associated pneumonia, HCAP) : 급성기 병원을 제외한 각종
     의료서비스/시설(e.g., 의원, 요양병원, 투석실)과 관련된 폐렴, CAP의 일종
     (c.f., 전에는 MDR pathogens이 많을 것으로 예측하여 HAP에 준하여 치료하기도 했으나, 최근 연구 결과
     MDR pathogens은 드물고, CAP에 더 가까운 양상이라 여러 나라에서 폐렴의 분류에서 제외되고 있음)
- 호흡기의 정상 방어기전
  ① 상기도의 해부학적 구조
  ② mucociliary clearance (ciliated cells, mucus layer)
  ③ 병원균의 상기도 부착 방지 ; mucosal pH↓, bacterial & epithelial cell binding analogues,
     secretary IgA, epithelial cells의 박리, 인두의 비병원성 상재균 ...
  ④ 기침 ; 하부기도로 내려온 병원균을 내보냄 (aspiration 방지에 매우 중요)
  ⑤ 하부기도의 비특이적 방어기전 ; macrophage, fibronectin, lysozyme, lactoferrin, IgG, defensin,
     cathelicidin, collectin (surfactant 포함), complement
     * alveolar macrophage ; 폐포당 1개, 수명 20~80일, innate & acquired immunity에 모두 관여
  ⑥ epithelial cells : 병원균의 전파 방지 및 면역기능에 중요
     - phagocytic cells의 모집
     - cytokines 생산 ; IL-8, GM-CSF, macrophage-inflammatory protein 2
     - endothelial adhesion molecules의 발현 조절 (→ PMN 모집)
  ⑦ 특이적 방어기전 (T cell 활성화)
- 미생물의 증식이 아닌, 인체의 염증 반응에 의해 폐렴의 증상/징후가 나타남
  - IL-1, TNF → fever
  - IL-8, G-CSF → neutrophils 모집 (→ 말초혈액의 neutrophilia, 폐의 화농성 분비물)

- macrophages와 neutrophils에서 분비된 염증매개체 → alveolar capillary leak
  (폐포로 fluid 빠져나옴) → rales, CXR상 폐 침윤, hypoxemia, hemoptysis, dyspnea …

• 전형적인 폐렴의 병리학적 경과
  ① 부종기(edema) : 폐포 내에 단백질성 삼출물 존재, 세균도 흔함
  ② 적색간변기(red hepatization) : 삼출물 내에 RBC와 neutrophils도 존재 (세균도 종종 배양됨)
  ③ 회색간변기(gray hepatization) : RBC는 분해되고, neutrophils이 주, fibrin 침착 많음 (세균 無)
  ④ 용해기(resolution) ; macrophages가 주로 존재, neutrophils/bacteria/fibrin의 찌꺼기는 사라짐

병인

• 감염 (하부기도의 병원균 침입) 경로

경로	발생 예	흔한 원인균
1. 구인두 분비물의 microaspiration (세균성폐렴의 m/c 원인)	심한 기저질환, 항생제 치료, 생리적 스트레스(e.g., 수술) (건강한 정상인도 가능)	구인두 상재균 ; S. pneumoniae, H. influenzae
2. Gross aspiration (macroaspiration)	수술 뒤, CNS 장애 (e.g., 경련, 뇌졸중)	혐기성균, GNB
3. 공기중 미생물의 흡입	결핵균, 진균(Coccidioides, Blastomyces, Histoplasma), Legionella, Q fever (Coxiella burnetti), Influenza 등의 여러 virus	
4. 균혈증 (혈행성 전파)	심내막염, IV catheter 감염, UTI 등	MRSA, E. coli
5. 폐로의 직접 파급	흉막강/종격동 감염, intubation, trauma, amebic liver abscess	

• inhaled particle … size가 중요
  ┌ 직경 >10 μm → 비점막과 상기도에 침착
  └ 직경 <5 μm (airborne droplet nuclei) → 하부 기도에 침착

• HAP의 발병기전(위험인자)
  ① 병원균의 oropharyngeal colonization↑
    - 항생제 사용 (m/i) : normal oropharyngeal flora↓ → 병원균↑
    - 오염된 호흡기구(ventilator) or 장비
    - gastric pH↑ (위 세균↑) ; atrophic gastritis, H_2-RA나 제산제 사용, enteral gastric feeding
    - 위식도 역류
  ② oropharyngeal contents의 하부 기도로의 microaspiration↑
    ; intubation (m/i), 장기간의 ventilator 사용, NG tube, enteral feeding, 의식저하 …
      ↳ cuff 위로 분비물 저류(→ microaspiration 악화), suction 때 점막 손상, tube에 세균막(biofilm) 형성
  ③ 폐의 host defense↓ (→ aspirated pathogens의 과다증식)
    ; COPD, 고령, 심한 기저질환, 면역저하, 알코올 중독, DM, 영양실조, 상복부 수술 …
  ④ 다른 환자/기구/장비로부터의 교차감염(cross-infection), 의료진의 손, 오염된 음식물 등
  ⑤ 광범위 항생제의 남용이나 감염관리 부실로 인한 내성 병원균의 증가

- 기관삽관(endotracheal intubation)
  ① 세균이 하부 기도로 내려가는 직접적인 통로의 역할
  ② 효과적인 기침을 방해
  ③ 기관 상피(tracheal epithelium)의 손상 (→ tracheal colonization↑)
  ④ 구인두 분비물(oropharyngeal secretion)의 축적 (→ microaspiration↑)
  ⑤ 병원균이 tube에서 증식하여 biofilm을 형성
    (→ suction 사용시 떨어져서 하부기도로 내려갈 수)

  c.f.) endotracheal intubation으로 인해 gross aspiration은 감소됨

- mucociliary clearance의 장애

	기전	예
Environmental	Mucus hypersecretion, epithelial cell injury	습도↓ (m/i) (e.g, dehydration), 온도↓, 흡연, 먼지, 자극성 가스
Infection	Ciliary dysfunction, purulent secretion	세균 감염
	Epithelial cell injury	바이러스 감염
Genetic	Secretion 감소	Cystic fibrosis
	Ciliary dysfunction	Dysmotile cilia syndromes
Drugs	Ciliary activity 감소	Anesthetics

- β-agonists, xanthines (e.g., theophylline), cholinergics → ciliary activity↑
- 운동 → airflow↑ → mucus clearance↑

원인균

CAP		HAP
S. pneumoniae (m/c, 15~35%)	**ICU 입원 환자**	*S. aureus* (MRSA) (m/c)
Mycoplasma pneumoniae	*S. pneumoniae*	*Pseudomonas aeruginosa*
Haemophilus influenzae	*S. aureus*	*Acinetobacter* spp.
Chlamydia pneumoniae	*Legionella* spp.	Enteric aerobic GNB장내세균 (e.g., *E. coli, Klebsiella, Enterobacter, Proteus, Serratia*)
S. aureus (CA-MRSA 포함)*	*P. aeruginosa*	Oral anaerobes
Legionella spp.*	GNB (장내세균)	
Moraxella catarrhalis	*H. influenzae*	**AIDS 환자**
Gram(-) bacilli (GNB)*	Viruses	
Oral anaerobes		*Pneumocystis jirovecii*
M. tuberculosis		*M. tuberculosis*
		S. pneumoniae
Viruses ; Influenza, human metapneumovirus (hMPV), RSV, coronavirus (SARS, MERS_, adenovirus, parainfluenza ...		*H. influenzae*
Fungi ; *Pneumocystis, Histoplasma, Coccidioides, Blastomyces*		CMV

* 주로 severe CAP를 일으킴

: CAP의 약 1/2은 여러 검사에도 불구하고 원인균을 찾지 못함.
  *S. pneumoniae*는 감소 추세, 호흡기 바이러스는 증가 추세로 약 1/3 차지 (∵ PCR 검사의 증가)

면역저하와 관련된 원인균

심한 neutropenia (<500/μL)		*P. aeruginosa*, enteric GNB, *S. aureus*, *Aspergillus* (neutropenia 오래되면)
세포성 면역결핍 (e.g., HIV infection)	CD4+ cell count	
	<500/μL	*M. tuberculosis*
	<200/μL	*Pneumocystis jirovecii*, *Histoplasma*, *Cryptococcus*, *S. pneumoniae*, *H. influenzae*
	<50/μL	*Mycobacterium avium–intracellulare*, CMV
장기간의 steroid 치료		*M. tuberculosis*, *Nocardia*, *Legionella*
심한 hypogammaglobulinemia (<200 mg/dL)		Encapsulated bacteria (*S. pneumoniae*, *H. influenza*)

기타 숙주 위험인자와 관련된 원인균

Influenza 유행시 ★	*S. pneumoniae*, *S. aureus*, *H. influenzae*
COPD / 흡연	*H. influenza*, *P. aeruginosa*, *Legionella* spp., *S. pneumoniae*, *Moraxella catarrhalis*, *C. pneumoniae*
구조적 폐질환 (e.g., bronchiectasis, cystic fibrosis 등)	*P. aeruginosa*, *Burkholderia cepacia*, *S. aureus*
폐농양(lung abscess)	CA–MRSA, oral anaerobes, fungi, TB, NTM
인공호흡기(mechanical ventilation)	*Pseudomonas aeruginosa*, *S. aureus*
고령	*S. pneumoniae*, *H. influenzae*, GNB (*Klebsiella*, *E. coli*, *Proteus*, *Pseudomonas*) ...
의식저하, 치매, 뇌졸중	흡인성 폐렴 ; oral anaerobes, GNB
구강위생 불량 (심한 치은염)	Oral anaerobes
알코올중독	*S. pneumoniae*, GNB (e.g., *K. pneumoniae*), oral anaerobes, *Acinetobacter* spp., TB
IV drug users	*S. aureus*, anaerobes, TB, *Pneumocystis jirovecii*
DKA	*S. pneumoniae*, *S. aureus*
Pulmonary alveolar proteinosis	*Nocardia*
최근의 항생제 치료	DRSP, MRSA, *P. aeruginosa*

특정 병원균 감염의 위험인자 ★

S. pneumoniae	Viral URI (감기), 흡연, 알코올중독, 고령, 치매, 경련, 뇌혈관질환, 심부전, DM, COPD, 천식, NS, 신부전, multiple myeloma, sickle cell dz., splenectomy, AIDS, 면역저하
Invasive pneumococcal dz.	남성, 흑인, 흡연, 만성질환
Klebsiella pneumoniae	알코올중독, DM, 만성폐질환, 입원
Pseudomonas aeruginosa	구조적 폐질환(특히 bronchiectasis), COPD, 알코올중독, 면역저하(neutropenia, HIV 감염, steroid 치료), 영양결핍, 최근 3개월 이내의 광범위 항생제 치료, 입원, 요양원 거주
Enterobacteriaceae	입원, 항생제 치료, 알코올중독, 심부전, 신부전, 가족중 MDR infection
MRSA (community–acquired) CA–MRSA	집 없는 젊은이, 남성 동성연애자, 교소도, 군인, 탁아소, 요양원 운동선수(e.g., 레슬러), DM, CKD (투석), 최근의 influenza 감염 등

임상양상

1. Community-acquired pneumonia (CAP, 지역사회 획득 폐렴)

(1) "Typical" pneumonia syndrome
- 갑자기 발생, 고열, 기침, 화농성 객담, 호흡곤란, 빈호흡, 흉막성 흉통(pleuritic chest pain) ...
- 진찰상 초기에는 폐렴 부위의 호흡음 감소만 나타날 수 있음
- 폐 경화(consolidation)의 징후 ; 탁음(dullness), fremitus 증가, egophony,
   bronchial breath sound, bronchophony, whispering pectoriloquy, crackle ...
- *S. pneumoniae* (m/c), *H. influenzae* 등의 세균이 원인

(2) "Atypical" pneumonia syndrome (비정형 폐렴)
- 서서히 발생, 마른 기침, 호흡곤란
- 객담 배출이 거의 없고, 객담 Gram 염색 및 일반배양에서 균 검출 안 됨!
- 폐외 증상 ; 두통, 근육통, 피로, 인후통, N/V, 설사 ...
- 증상 및 진찰소견 (rales 정도)에 비하여 방사선 소견이 더 심하다
- *Mycoplasma pneumoniae*가 m/c 원인균 (우리나라는 *C. pneumoniae*도 매우 흔함)

① *Mycoplasma* pneumonia
  - bullous myringitis (수포성 고막염), hemolytic anemia, erythema multiforme,
    encephalitis, myelitis 등의 합병증 발생 가능
  - 사춘기의 m/c community-acquired pneumonia
  - 가까운 인구집단 (군대, 학교, 기숙사, 가정)에서 발생
  - 잠복기가 길고 (2~3주) 전염력이 약해, 전파는 느리다
    (처음 발병자가 회복될 때쯤 다른 사람이 발병)
② *Chlamydia pneumoniae* ; hoarseness, wheezing, 인후통 등이 흔함
③ *Legionella* pneumonia (전염력은 약함)
  - 고열(>40℃), CNS Sx. (의식장애), GI Sx., 간기능 이상, 신기능 이상, 심장 침범,
    hyponatremia 등도 발생 가능 (다른 비정형 원인균보다 심한 경우가 많음)
  - 오염된 냉각타워/냉방기, 대형건물의 물 오염 등시 호발
  - 위험인자 ; 남성, 흡연, DM, cancers, hematologic malignancy, ESRD, HIV infection,
    최근에 호텔 또는 유람선 거주 등
④ primary viral pneumonia (CAP의 약 10% 차지)
  - influenza : 겨울에 community outbreak
  - RSV : 소아나 면역저하자에서
  - CMV : HIV 감염이나 장기이식에 의한 면역저하시에
  - measles, varicella : 특징적인 rash 동반
  - hantavirus : 빠르게 진행하는 호흡부전, 미만성 폐침윤
⑤ *Coxiella burnetti* (Q fever), *Rickettsia*, *Leptospira interogans*
⑥ *H. capsulatum*, *C. immitis* ; erythema nodusum 동반 흔함

전형적 폐렴과 비전형적 폐렴의 대표적 특징

	Typical pneumonia	Atypical pneumonia
연령	어느 나이나 가능	젊은이
기침	Productive	Non-productive
발병 양상	Acute	Subacute
Pleurisy	존재	없음
다른 장기의 침범	없음	존재
WBC count	매우 높다, 좌방이동	N ~ ↑
Chest X-ray	Localized infiltrate	Diffuse infiltrate
Radiographic onset	Peripheral	Central
Consolidation의 징후	존재	없음
방사선 소견과 진찰 소견	일치	불일치
객담 Gram 염색	Neutrophils & bacteria	Neutrophils with scanty organism
Abscess 형성	가능	드묾

2. Hospital-acquired pneumonia (HAP, 병원획득 폐렴)

- 기계환기를 받고 있는 ICU 입원 환자에서 호발
  (수술 후 약 10%, 기관삽관 후 약 20%, ARDS 환자의 약 70%에서 HAP 발생)
- 흔한 원인균 ; *S. aureus* (MRSA), *P. aeruginosa, Acinetobacter,* enteric GNB 등
- 폐렴은 원내 감염의 3번째 흔한 원인(15~20%)
  사망률은 1위 (20~50%), 기저질환에 의한 사망도 많으므로 attributable mortality는 6~14%
  - 사망률이 높은 경우 ; bacteremia (sepsis), MDR pathogen, ICU 환자
  - ICU에서 사망률이 높은 경우 ; shock, coma, SIRS, high APACHE II score, 호흡부전,
    양측성 폐침윤, 심각한 기저질환, 면역저하, 기계환기(기관삽관) 기간↑ 등
- VAP (ventilator-associated pneumonia) : 기계환기(기관삽관) 시작 48시간 이후에 발생한 폐렴
  * VAP 발생의 위험인자 ; 장기간의 기계환기 (m/i), 고령, 만성 폐질환, aspiration, 흉부 수술,
    NG tube or intracranial pressure monitor, H_2-blocker or antiacid, ICU 밖으로 이동,
    이전의 항생제 치료 (특히 3세대 cepha.), 추운 계절에 입원, ARDS, reintubation,
    ventilator circuit 자주 교체, endotracheal cuff pr.↓(<20 cmH_2O), supine head position
- HAP (hospital-acquired pneumonia) : 입원 48시간 이후에 발생한 폐렴으로, 입원 당시에는
  병원체의 잠복기가 아니어야 함 (VAP를 포함한 개념이지만, 통상 <u>VAP가 아닌</u> 원내감염 폐렴을 지칭)
  * VAP와의 차이점
    ① non-MDR pathogen의 비율이 높음
    ② macroaspiration으로 인한 혐기성균도 더 흔함 (대개 초치료 권장 항생제는 혐기성균에도 작용함)
    ③ 원인균의 확진이 더 어려움 (∵ 기관삽관이 없어 하부기도의 검체 채취가 힘듦)
    ④ 환자의 면역상태(숙주방어) 더 우수함 ⇨ 항생제 반응률↑, 사망률↓

진단

* 폐렴 확진의 gold standard는 없음 (조직검사 + 조직배양이 그나마 유용)
   → 여러 검사방법의 평가에 제한, 연구들의 정확성이 떨어지고 변이가 많음
* CAP와 HAP는 **임상적 진단**이 어렵지 않으나, VAP는 어려울 수 있음(→ invasive procedure 필요)
   ┌ chest X-ray상 새롭게 발생했거나 진행하는 폐 침윤 +
   └ fever (>37.8℃), WBC >10,000/μL, purulent sputum 중 2 이상

1. 영상(chest X-ray) 소견

형태	원인균
Lobar or segmental consolidation (air bronchogram)	S. pneumoniae, K. pneumoniae, H. influenzae, other gram-negative bacilli
Inhomogeneous infiltrates : local lesions (patchy or streaky opacities)	M. pneumoniae, viruses, Legionella spp. (면역저하시)
Diffuse interstitial infiltrates	Legionella spp., viruses (CMV), P. jirovecii
Cavity (e.g., abscess)	M. tuberculosis, S. aureus (pneumatoceles), Gram(-) enteric bacilli (e.g., K. pneumoniae)
Pleural effusion + infiltrate	S. pneumoniae, S. aureus, anaerobes, gram-negative bacilli, Streptococcus pyogenes

- *M. pneumoniae, H. influenzae* : cavity 거의 형성하지 않음
- *Staphylococcus* : multiple patched, pneumatocele, cavity, empyema
- *Klebsiella* (<u>우상엽</u>을 주로 침범) : "bulging fissure"
  - 객담이 무거워 우상엽 병변시 minor fissure가 밑으로 쳐져 발생
  - 실제 bulging fissure보다는 우상엽 용적 증가가 더 흔하다
  - abscess cavity : thin wall이 특징, 대개 주위의 염증 때문에 경계는 불명확
- 면역저하자에서 *Legionella* 감염시 : multiple patched, cavity, abscess
- 면역저하자에서 *Aspergillus* 감염시 : crescent (meniscus) sign

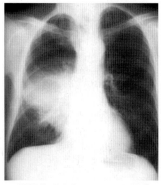
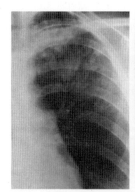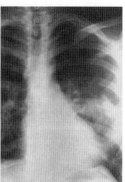

전형적 폐렴 (lobar pneumonia)   Mycoplasma 폐렴 (interstitial infiltration & subsegmental ateletasis)

★ 임상적으로 폐렴이 의심되나 chest X-ray가 정상인 경우 (→ 1~2일 후 재검 or CT 시행)
  ① 감염의 초기
  ② 적절한 염증반응이 나타나지 않는 환자 (e.g., agranulocytosis)
  ③ *Pneumocystis* 폐렴 : 약 ~30%에서 위음성 (특히 AIDS 환자)
  ④ emphysema, bullae 또는 폐의 구조적 이상이 있는 경우
  ⑤ 비만
  ⑥ 탈수가 심한 경우

2. 객담 검사

(1) 외관
  • scanty & watery : atypical (e.g., *Mycoplasma*, viruses)
  • 벽돌색/녹슨 철색 : *Pneumococcus*
  • 녹색 : *Pseudomonas* (→ 포도주스 냄새)
  • 암갈색(dark red), 끈적끈적(currant jelly) : *Klebsiella*
    (∵ 폐조직의 괴사로 인해 혈액이 객담에 섞이고, 점액이 많아서)

(2) Gram's stain
  • 객담이 배양에 적합한지 판정하고, 원인균을 추정 (atypical pneumonia에서는 유용성 떨어짐)
  • 객담 배양보다 더 specific & sensitive
    − *S. pneumoniae*와 *H. influenzae*는 잘 죽기 때문에 객담 배양보다 염색에서 sensitivity가 높음
    − but, *S. aureus*와 GNB는 잘 자라고 운반/처리 중에도 증식할 수 있기 때문에,
        객담 배양 (+)라도 폐렴 원인균이려면 염색에서도 나와야 됨
  • minimal contamination의 조건 (객담의 적합성 판정)
    * Murray & Washington sputum grouping

Group	저배율(100배) 한 시야 당	
	상피세포	백혈구
1	>25	<10
2	>25	10~25
3	>25	>25
4	10~25	>25
5	<10	>25
6	<10	<10

  ┌ 일반적으로 group 5 이상이 적합한 객담 : 상피세포 <10, 백혈구(neutrophils) >25/LPF
  └ group 1~4는 검체 부적합 (∵ 구강 상피세포로 오염) : 상피세포 ≥10/LPF
  ┌ 상피세포 → 상기도 유래
  └ 백혈구, 폐포 대식세포, mucous threads → 하부 호흡기 유래
  • Gram (+)는 남색, (−)는 분홍색 (→ 감염내과 참조)
    − *S. pneumoniae* : encapsulated G(+) cocci
    − *Haemophilus* : small pleomorphic G(−) coccobacilli

- 적합한 객담을 얻기 위한 방법 ; 항생제 치료 전 채취, 채취 전 입을 헹굼, 1~2시간 전에는 음식을 먹지 않음, 채취 후 즉시 검사실로 신속하게 운반 & 배지에 접종

(3) 배양

- sensitivity & specificity 낮다! (각각 약 50%) (∵ contamination)
- 반드시 Gram's stain과 연관지어 해석해야 함
  (배양은 되었지만 Gram's stain에서 관찰되지 않으면 상기도 상재균일 가능성이 높음!)
- 일반적인 방법으로 배양되지 않는 균 ; anaerobes, *Mycoplasma, Chlamydia, Legionella, Pneumocystis, Mycobacteria,* fungi ...
- 호흡기 검체에서 동정/검출되었을 때 반드시 병원균인 것
  ; *M. tuberculosis, Legionella, Pneumocystis, B. dermatitidis, H. capsulatum, C. immitis,* influenza virus, parainfluenza, RSV, hantavirus, adenovirus ...
  (c.f., NTM은 대개 오염균임, 2회 이상 배양 & 영상검사에서 NTM 감염에 합당해야 진단)
- 실제 CAP로 입원한 노인 환자의 약 1/3에서만 배양에 적합한 객담을 얻을 수 있고, 이중 1/3에서만 병원균이 동정됨

(4) 기타 검사

- AFB stain ; *Mycobacteria, Nocardia*
- immunologic technique (fluorescent Ab stain) ; *Legionella, Pneumocystis* 등
- 진균에 대한 특수 염색 등

3. Invasive procedures (Quantitative culture)

┌ 단순 colonization과 true infection을 감별하는데 필수
└ 주로 HAP (특히 VAP)의 진단에 이용됨

(1) endotracheal aspiration (ETA), tracheobronchial aspirate (TBA)

- 기관삽관으로 하부기도 분비물을 흡인하는 것, $\geq 10^5$ CFU/mL이면 true infection
- sensitivity는 높으나, specificity가 낮다 (항생제를 사용했으면 더욱 낮아짐)
  c.f.) transtracheal aspiration (TTA)은 요즘 거의 이용 안함

(2) fiberoptic bronchoscopy (m/c)

- sensitivity & specificity 높고 비교적 안전하여 VAP 진단에 가장 선호됨
- sample 채취 방법
  ① BAL (bronchoalveolar lavage) ; $\geq 10^4$ CFU/mL이면 true infection
  ② PSB (protected specimen brush) ; $\geq 10^3$ CFU/mL이면 true infection
  ③ TBB (transbronchial biopsy) ; $\geq 10^4$ CFU/g이면 true infection

(3) blind (non-bronchoscopic, NB) procedures

- 종류 ; blind PSB (NB-PSB), blind mini-BAL (NB-BAL)
- 기관지내시경과 sensitivity & specificity 거의 비슷함 (true infection 기준 CFU는 동일)
- 기관지내시경을 시행할 수 없거나, 위험한 경우에 권장

(4) percutaneous transthoracic needle aspiration (PCNA) : CT-guided
- Cx ; pul. hemorrhage, pneumothorax
- mechanical ventilation 중인 환자는 금기

(5) open lung biopsy
- bronchoscopy를 통한 검사 결과가 불확실할 때 이용
- focal lesion 일 경우에 가장 진단적 (diffuse lesion은 bronchoscopy가 유용)

검체 채취 방법별 정량 배양의 정확도

	Sensitivity	Specificity
BAL (m/g)	42~93%	45~100%
mini-BAL	39~80%	66~100%
PSB	36~83%	50~95%
TBA	44~87%	31~92%

c.f.) BAL 검체의 Gram stain (sensitivity 44~90%, specificity 49~100%)
    → VAP 의심시 빠른 치료방침 결정에 유용

4. 혈액 배양

- 10~30%의 환자 (CAP의 5~14%)에서만 양성으로 나오지만, 일단 양성으로 나오면 가장 specific!!
- 적응 ┌ 입원이 필요한 모든 moderate~severe CAP 환자에서 항생제 투여 전에 실시 (2회)
      └ 기타 ; 이전의 항생제 치료, 발열(>38.5℃) or 저체온(<36℃), 알코올중독, neutropenia,
          asplenia, 보체 결핍, 만성 간질환, 심한 폐쇄성/구조적 폐 질환, cavities,
          pleural effusion, *Legionella* or pneumococcal 소변항원검사(+), 집 없는 환자 등
- 흔히 검출되는 원인균 ; *S. pnemoniae* (m/c), *S. aureus, E. coli ...*

* pleural effusion : CAP의 ~40% 동반 가능, 흉수 배양의 specificity는 매우 높지만 sensitivity 낮음

5. 항원검사(rapid antigen test)

- *L. pneumophilia* serogroup 1 urine Ag. test : 진단 민감도 70~80%, 특이도 95~100%
  - Legionnaires' dz. 진단에 가장 흔히 이용됨
  - 입원이 필요한 moderate~severe CAP 환자에서 시행 (c.f., *Legionella*는 상재균 아님)
- *S. pneumoniae* urine Ag. test : 성인에서는 진단 민감도 80%, 특이도 97~100%
  - 입원이 필요한 모든 CAP 환자에서 시행
  - 소아에서는 비인두 보균자에서도 양성으로 나오므로 효용성은 약간 떨어짐 (PPV 낮음)
- 비인두 swab을 이용한 호흡기바이러스(e.g., influenza) Ag. test : 민감도 50~70%
- 비인두 swab을 이용한 *Mycoplasma* (ribosomal protein L7/L12) Ag. test : 민감도 60~70%

6. 핵산증폭검사(PCR)

- viruses, 결핵균, fastidious bacteria, *M. pneumoniae, C. pneumoniae, L. pneumophila, Bordetella pertussis* 등은 배양이 매우 어렵거나 오래 걸리기 때문에 PCR 검사가 유용함
- 호흡기 바이러스/세균에 대한 multiplex real-time PCR : 여러 병원체를 빠른 시간에 확인할 수 있어서 최근에 많이 사용됨, 민감도 및 특이도 높음, 대부분 상기도 검체를 이용
  (but, 상기도 검체에 검출된 병원체가 하기도 폐렴의 원인균이 아닐 수도 있으므로 주의)
- *Legionella* PCR : urine Ag. test는 serogroup 1만 진단 가능하지만, PCR은 모든 serogroup 진단
- *Mycoplasma, Chlamydia* PCR : 기존 항체 검사들에 비해 민감도 및 특이도 매우 높음

7. 기타

- 혈청검사(serology) ; IgM Ab titer가 급성기에서 회복기 때 4배 이상 증가하면 진단적이나, 회복기까지 기다려야 하므로 현재는 거의 사용 안 됨
- biomarkers
  - 혈청 CRP ; acute phase reactant, 감염의 악화 or 치료 실패 파악에 유용
  - 혈청 <u>PCT (procalcitonin)</u> ; acute phase reactant (특히 세균 감염시), 세균 vs 바이러스 감염 감별에 유용, 항생제 치료 필요성 및 중단 결정시 유용 (→ CAP에서 항생제 사용 감소 효과), 예후 판정에도 유용
  - BAL fluid의 sTREM-1 (soluble triggering receptor expressed on myeloid cells-1) ; 세균 감염시 더 증가하나 별로 유용하지는 않음

c.f.) MDR (multi-drug resistance) : 3가지 계열 이상의 항생제에 내성
　　　XDR (extensively drug resistance) : 1~2가지 계열을 제외한 모든 항생제에 내성
　　　PDR (pandrug resistant) : 모든 항생제에 내성

치료

1. Community-acquired pneumonia (CAP)

┌ 가능한 빨리 경험적 항생제 치료를 시작하는 것이 예후에 중요
└ 상대적으로 광범위 항생제를 선택하는 것이 바람직

(1) CAP 환자의 입원 기준

• 현재 2가지 지표가 사용되고 있음 ; PSI, CURB-65 (or CRB-65)
  (어느 지표가 더 우수한지는 불확실하며, 임상적 유용성은 유사함)

• PSI (Pneumonia Severity Index) : 20가지 변수, 복잡 (→ 외래 및 응급실에서는 사용하기 곤란)

지표	할당점수
인구학적 요인	
나이	
남자	나이(년)
여자	나이(년) −10
요양원 거주	+10
동반질환	
종양	+30
간질환	+20
심부전	+10
뇌혈관 질환	+10
신부전	+10
진찰소견	
의식 변화(저하)	+20
호흡수 ≥30회/분	+20
수축기혈압 <90 mmHg	+20
체온 <35°C or ≥40°C	+15
맥박 ≥125회/분	+10
검사소견	
동맥혈 pH <7.35	+30
BUN ≥30 mg/dL	+20
Na <130 mmol/L	+20
Glucose >250 mg/dL	+10
Hb <9 g/dL	+10
(Hct <30%)	
PaO_2 <60 mmHg	+10
(SaO_2 <90%)	
흉수(pleural effusion)	+10

위험등급	총 점수	추천되는 치료 장소	사망률(%)
I	<51	외래	0.1
II	51~70	외래	0.6
III	71~90	단기 입원 or 관찰실	2.8
IV	91~130	입원	8.2
V	>130	ICU 입원	29.2

• CURB-65 criteria : 5가지 변수 (각 1점, 총 0~5점), 사용/기억하기 쉬워 선호됨 ★

① Confusion
② Urea (BUN) ≥19 mg/dL
③ Respiratory rate ≥30회/분
④ Blood pressure ≤90/60 mmHg
⑤ Age ≥65세

– mild CAP (0~1점) : 낮은 사망률(1.5%), 외래 치료
– moderate CAP (2점) : 중간 사망률(9.2%), 입원 치료
– severe CAP (3~5점) : 높은 사망률(22%), 입원 치료
                   (4~5점이면 ICU 입원 고려)

• CRB-65 ; CURB-65에서 BUN이 빠진 것 (총 0~4점), 1점 이상이면 입원 고려

* 흡연력, 음주력, BMI, purulent sputum, CO_2, Cr 등은 아님!

- ICU 입원 결정에는 여러 기준(지표)들의 예측력이 부정확하기 때문에, 다른 여러 상황을 고려해 임상적으로 결정해야 됨 (e.g., 기저질환, 나이)

★ 중증 폐렴(severe pneumonia)으로 ICU 입원 기준 (IDSA/ATS)		
주기준 (≥1개)	침습성 기계환기 필요	
	패혈성 쇼크로 혈압상승제 치료가 필요	
보조기준(≥3개)	호흡수 ≥30회/분	기타
	PaO_2/FiO_2 ≤250 (or SaO_2 ≤90%)	Acidosis (pH <7.30)
	방사선학적으로 다엽성 폐렴	Hypoalbuminemia (albumin <3.5 g/dL)
	의식혼탁/지남력 장애	Hyponatremia (sodium <130 mEq/L)
	BUN ≥20 mg/dL	Tachycardia (>125 bpm)
	WBC <4,000/mm³ (or >20,000/mm³) *	Tachypnea (>30 breaths/min)
	Platelet <100,000/mm³ *	
	Hypothermia: 심부 체온 <36℃ *	
	적극적 수액 치료가 필요한 저혈압	*최근에는 빼자는 연구도 있음

IDSA/ATS (Infectious Diseases Society of America & American Thoracic Society)

(2) 초기 경험적 항생제 치료

중증도에 따른 추정 원인균

	중증도에 따른 추정 원인균
외래	*S. pneumonieae, M. pneumoniae, H. influenza, C. pneumoniae,* 호흡기 바이러스
일반병실 입원	*S. pneumonieae, M. pneumoniae, C. pneumoniae, H. influenza, Legionella* spp., 호흡기 바이러스
ICU 입원	*S. pneumonieae, S. aureus, K. pneumoniae, E. coli, P. aeruginosa, Enterobacter, H. influenza, Legionella* spp., 호흡기 바이러스

① 외래환자 (oral)

① β-lactam 단독 ; amoxicillin, amoxicillin-clavulanate, cefpodoxime, or cefditoren
  - β-lactam 단독 요법이 β-lactam + macrolide에 비해 치료 효과가 떨어지지는 않음
  - cefuroxime은 국내 *S. pneumoniae* 내성률이 매우 높아 제외됨

② β-lactam + macrolide (azithromycin, clarithromycin, or roxithromycin)
  - 비정형 세균도 의심되면 β-lactam에 macrolide 추가
    (↳ *Mycoplasma* spp., *Chlamydia* spp., *Legionella* spp.)
  - EM은 낮은 bioavailability, QT 연장, 심혈관계 사망률 증가 등으로 권장되지 않음

③ respiratory fluoroquinolone ; gemifloxacin, levofloxacin, or moxifloxacin
  - 결핵을 배제할 수 없는 경우 quinolone 사용 금지 (∵ 결핵 진단 지연 및 내성 유발 위험)
  - 특히 quinolone의 부적절한 용량이나 사용기간은 내성 출현을 더욱 가속화시킬 수 있음

- macrolide or DC 단독은 *S. pneumoniae* 내성률이 높아 권장 안됨! → 감염내과 Ⅱ-3장 참조
- 비정형 폐렴균에는 cefa. + macrolide (or DC) 또는 fluoroquinolone이 더 효과적
  * azithromycin/clarithromycin은 *H. influenzae*에 대해서는 EM보다 더 효과적이고,
    *C. pneumoniae*와 *M. pneumoniae*에 대해서는 EM과 효과 비슷함
- 최근 3개월 이내 macrolide or quinolone을 사용한 경우 *S. pneumoniae* 내성균 감염 위험
  → macrolide를 사용했던 경우는 quinolone 권장 (반대의 경우도)

■ DRSP (drug-resistant *S. pneumoniae*) 감염의 위험인자

  ; 최근의 항생제 사용 (최근 3~6개월에 어떤 항생제를 사용했는지가 중요; β-lactam, macrolide, or quinolone 중 하나를 사용했으면 다른 종류의 항생제 사용 권장), 연령(<2세 or >65세), 기저질환, 면역저하(e.g., HIV 감염, 알코올 중독), 어린이집/유치원 근무자, 최근의 병원 or 요양원 거주

2 **일반병실 입원환자** (*P. aeruginosa* 감염 의심×)

  ① β-lactam IV ; cefotaxime, ceftriaxone, ampicillin/sulbactam, or amoxicillin/clavulanate

    – β-lactam 단독 요법이 β-lactam + macrolide에 비해 치료 효과가 떨어지지는 않음

  ② β-lactam + macrolide (azithromycin, clarithromycin, or roxithromycin)

    – 비정형 세균도 의심되거나 중증 폐렴일 때에만 β-lactam에 macrolide 추가

  ③ respiratory fluoroquinolone IV ; gemifloxacin, levofloxacin, or moxifloxacin

3 **ICU 입원환자** (*P. aeruginosa* 감염 의심×)

  ① β-lactam (cefotaxime, ceftriaxone, or ampicillin/sulbactam) IV

    + azithromycin oral/IV

  ② β-lactam (cefotaxime, ceftriaxone, or ampicillin/sulbactam) IV

    + fluoroquinolone (gemifloxacin, levofloxacin, or moxifloxacin) IV

  • penicillin allergy 환자는 fluoroquinolone + aztreonam IV 권장

4 **(ICU) 입원환자 : *P. aeruginosa* 감염 의심시** (기타 내성 Gram 음성균 포함)

> 구조적 폐질환(특히 bronchiectasis), COPD, 최근 3개월 이내의 광범위 항생제 치료, 알코올중독, 면역저하(neutropenia, HIV 감염, steroid 치료), 영양결핍, 입원, 요양원 거주, 객담 Gram 염색에서 G(−) bacilli 등

  ① antipneumococcal & antipseudomonal β-lactam

      (IV piperacillin/tazobactam, cefepime, imipenem, or meropenem)

    + antipseudomonal fluoroquinolone (ciprofloxacin or high-dose levofloxacin IV)

  ② antipneumococcal & antipseudomonal β-lactam

    + AG (amikacin or tobramycin) + azithromycin IV

  ③ antipneumococcal & antipseudomonal β-lactam

    + AG + antipneumococcal fluoroquinolone (gemifloxacin, levofloxacin, moxifloxacin) IV

5 **(ICU) 입원환자 : CA-MRSA 감염 의심시**

> Septic shock, 기계호흡이 필요한 respiratory failure, Necrotizing/cavitary pneumonia, Empyema, 객담 Gram 염색에서 G(+) cocci in clusters, ESRD (투석), IV drug users, 남자 동성연애자, 밀집된 환경(e.g., 교도소, 군인, 탁아소, 요양원), 접촉이 많은 운동선수(e.g., 레슬러), 최근의 influenza 감염/예방접종, 최근 3개월 이내의 광범위 항생제 치료(특히 fluoroquinolone)

  • IV linezolid or vancomycin (± <u>clindamycin</u>) 추가

                ↳ toxin (e.g., PVL) 생성을 억제함

  • CA-MRSA는 hospital-acquired MRSA보다 내성 정도는 약함

(3) 치료기간 및 경구치료로의 전환

- 치료기간 : 환자의 상태/경과/반응, 원인균 등에 따라 결정, 확립된 기준은 없음 (최소 5일 이상)

  - typical bacterial CAP (*S. pneumoniae* 포함) : 7~10일
  - atypical pneumonia (e.g., *M. pneumoniae*, *C. pneumoniae*, *Legionella*)
    : 10~14일 이상 (대개 2~3주)

  - azithromycin, fluoroquinolone, telithromycin 등은 5일도 가능 (uncomplicated CAP에서)
  - 더 오랜 치료가 필요한 경우 ; bacteremia, metastatic infection, 고위험균 감염
    (e.g., *P. aeruginosa*, CA-MRSA), 초기 치료가 비효과적, severe CAP 등
- 경구 항생제 치료로의 전환 시점 : 치료 반응 평가
  ① 기침 및 호흡곤란의 호전
  ② 해열 (m/i) : 8시간 동안 체온 37.8℃ 미만 유지
  ③ WBC count 정상화
  ④ 충분한 경구 섭취량 및 정상적인 위장관 흡수 기능
- 건강한 CAP 환자는 대개 2일 뒤 fever, 4일 뒤 leukocytosis 호전됨 (P/Ex. 호전은 더 오래 걸림)
- CXR 호전은 6주 (4~12주) 걸림 → uncomplicated CAP 환자는 퇴원 전 CXR F/U은 안함
- 50세 이상, 남성, 흡연자 등 폐암 발생 위험군은 치료 7~12주 이후 CXR 시행
- CT 등 좀 더 정밀한 검사가 필요한 경우
  ① 항생제 치료에 임상적인 호전을 보이지 않는 경우
  ② 입원시 pleural effusion이 동반되었던 경우
  ③ postobstructive pneumonia
  ④ 특정 원인균 ; *S. aureus*, aerobic GNB, oral anaerobes 등

치료 종료: 임상적 안정의 기준
2~3일 동안 발열이 없음
심박수 <100회/분
과호흡 호전
저산소증 호전
혈압 저하 안정
WBC count 호전

(4) 경험적 항생제 치료의 실패 원인 (대개 치료 3일 째 평가) ★

① 비감염성 질환의 오진 ; pul. edema (CHF), pul. embolism, pul. contusion/hemorrhage,
  폐암, radiation or hypersensitivity pneumonitis, eosinophilic pneumonia, sarcoidosis,
  COP (BOOP), 약제유발성 폐질환, 폐를 침범한 connective tissue dz. (e.g., WG) ...
② 원인균의 문제 ; 미생물학적 오진, 비세균 감염, 내성균, 균교대 감염 등
  (e.g., CA-MRSA, *M. tuberculosis*, *Pneumocystis* 등의 진균, 바이러스)
③ 약제의 문제
  - 항생제의 선택, 용량, 투여경로, 투여간격 잘못
  - 약물 부작용(e.g., hypersensitivity, drug fever, *Clostridium difficile* colitis) or 상호작용

④ 환자의 문제

- 폐렴 합병증 ; atelectasis, parapneumonic effusion, empyema, lung abscess, phlebitis
- 전이성 감염 ; brain abscess, meningitis, endocarditis, splenic abscess, osteomyelitis ...
- 방어능력 저하 ; 기관지폐색(e.g., 이물질), 면역저하, 심한 동반질환

(5) 기타 치료

- hydration, oxygen, assisted ventilation (필요시)
- steroid의 보조적 사용 (e.g., methylprednisolone IV)
  - severe CAP에서 폐렴에 대한 염증반응을 줄일 목적으로 고려 가능
  - 심하거나 조절되지 않는 염증반응으로 사망 위험이 높은 경우 적응
    ↳ sepsis or respiratory failure : FiO_2 50% 이상 필요 + metabolic acidosis (pH <7.3, lactate >4 mmol/L, or CRP >150 mg/L)
  - adrenal insufficiency에 의한 저혈압 시에도 사용
  - 금기 ; 최근의 GI bleeding, uncontrolled DM, 심한 면역저하, virus에 의한 CAP
- 과거 연구되었던 activated protein C (drotrecogin-α)은 효과 없고 부작용 때문에 사용×
- 심한 influenza 폐렴 ⇨ 가능한 빨리 antiviral Tx
  - oseltamivir (Tamiflu®, oral or IV), inhaled zanamivir, peramivir IV, oral baloxavir
  - 일부 sporadic A(H1N1)는 oseltamivir 내성 → zanamivir, peramivir, baloxavir
  - ARDS 발생 → lung protective ventilation (low TV, PEEP), 효과 없으면 ECMO 등

2. Hospital-acquired & Ventilator-associated pneumonia (HAP/VAP)

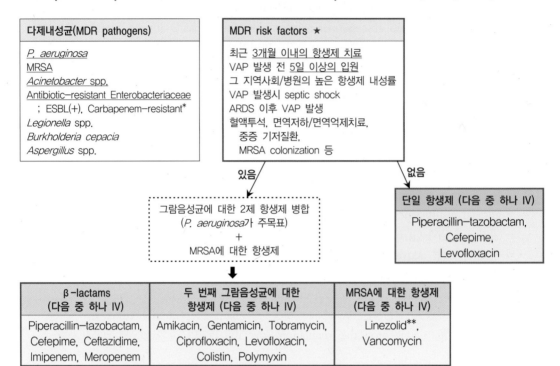

다제내성균(MDR pathogens)	MDR risk factors ★
P. aeruginosa MRSA *Acinetobacter* spp. Antibiotic-resistant Enterobacteriaceae ; ESBL(+), Carbapenem-resistant* *Legionella* spp. *Burkholderia cepacia* *Aspergillus* spp.	최근 3개월 이내의 항생제 치료 VAP 발생 전 5일 이상의 입원 그 지역사회/병원의 높은 항생제 내성률 VAP 발생시 septic shock ARDS 이후 VAP 발생 혈액투석, 면역저하/면역억제치료, 중증 기저질환, MRSA colonization 등

있음 → 그람음성균에 대한 2제 항생제 병합 (*P. aeruginosa*가 주목표) + MRSA에 대한 항생제

없음 → 단일 항생제 (다음 중 하나 IV): Piperacillin-tazobactam, Cefepime, Levofloxacin

β-lactams (다음 중 하나 IV)	두 번째 그람음성균에 대한 항생제 (다음 중 하나 IV)	MRSA에 대한 항생제 (다음 중 하나 IV)
Piperacillin-tazobactam, Cefepime, Ceftazidime, Imipenem, Meropenem	Amikacin, Gentamicin, Tobramycin, Ciprofloxacin, Levofloxacin, Colistin, Polymyxin	Linezolid**, Vancomycin

* Carbapenem 내성 의심시 AG, colistin, polymyxin 등 고려
** 신부전 환자나 high-MIC MRSA 감염의 경우 linezolid 권장

(1) 경험적 항생제 치료

- 미생물학적 진단을 위한 검체를 채취한 뒤 즉시 경험적 항생제 치료 시작
- 치료 방침 결정에는 MDR pathogens 위험인자 존재 여부가 가장 중요
- CAP와의 차이점 : MDR이 대부분, *Legionella*를 제외하고는 atypical pathogens이 매우 드묾
- 다제내성균 중 MRSA와 VRE는 큰 변화가 없거나 소폭 증가했지만, carbepenem 내성 G(-)균이 증가하여 문제 ; CRE (carbapenem-resistant *Enterobacteriaceae*), CRAB (~ *A. baumannii*), CRPA (~ *P. aeruginosa*) ↳ 이중 CPE (carbapenemase-producing ~)가 큰 문제 (plasmid를 통해 내성 전파)

(2) 이후의 치료 및 F/U

- 원인균이 진단되면 대개 그 원인균에 특이적인 항생제 monotherapy로 전환함
  (*Pseudomonas* 폐렴은 대부분 병합요법 계속 유지 권장)
- 치료 성공 (e.g., 3일째 CPIS가 6점 이하) → 7~8일간의 항생제 치료 뒤 중단
- 치료 실패도 흔함 (특히 MDR pathogen) ; *P. aeruginosa*의 40~50%, MRSA의 40% 실패
- 치료 중 새로운 β-lactam 내성 출현도 중요한 문제임
  (특히 *Pseudomonas*와 *Enterobacter* spp. 감염시)
- endotracheal tube의 biofilm 때문에 동일균에 의한 재발도 가능
  (but, *Pseudomonas* 재발의 약 1/2은 새로운 균주에 의한 것임)

참고 : 임상적 VAP 평가지표 ··· CPIS (Clinical Pulmonary Infection Score)

Score	0	1	2
체온(℃)	36.5~38.4	38.5~38.9	≥39 or ≤36
혈중 WBC (/μL)	4,000~11,000	<4,000 or >11,000	<4,000 or >11,000 + band forms ≥50%
Oxygenation (PaO$_2$/FiO$_2$)	>240 or ARDS	–	≤240 & No ARDS
흉부 X선상 침윤(infiltrate)	No	Diffuse or patchy	Localized
폐 침윤의 진행	No	–	Yes (ARDS or CHF 없이)
Tracheal aspirate 배양	No~minimal growth	Moderate~heavy growth	* Gram 염색에서 발견된 것과 동일한 병원균이 배양되면 1점 추가

- CPIS 6점 이상이면 VAP로 진단 가능 (→ 경험적 항생제 치료 시작), 치료반응 평가에도 이용
- 최근 연구결과 VAP 진단의 민감도와 특이도가 낮아 권장 안 되는 추세

■ HAP에서 특정 내성균의 위험인자

- *P. aeruginosa* ; 입원, 요양원, 구조적 폐질환(특히 기관지확장증), COPD, 기계적 환기, steroid 치료, 최근의 항생제 치료, 영양결핍, 면역저하, 심한 기저질환
- *Acinetobacter* ; 입원, 요양원, 신경외과 수술, 뇌손상, ARDS, 흡인(aspiration)
- *Stenotrophomonas maltophilia* ; 장기간 ICU 입원, tracheostomy, cefepime 치료, 심한 폐 좌상
- MRSA ; 입원, 요양원, 이전의 항생제 치료(특히 quinolones, macrolides), 수술, 투석, home infusion therapy, home wound care, 가족 중 MDR 감염자, enteral feeding, late-onset VAP ...
- ESBL-producing *Enterobacteriaceae* ; 입원, 요양원, 기관삽관, 최근의 항생제 치료, 가족 중 MDR 감염자, 중심정맥 삽관
- CRE/CPE ; CRE/CPE 유행중인 병원에 입원 or 국가로 여행, 광범위 cephalosporins and/or carbapenems 치료, ICU 입원, 기계호흡, 외상, DM, 악성종양, 장기이식, catheters 유치 등

(3) 예방

- 철저한 감염관리 ; <u>손씻기</u>, 기도흡인 등의 조작시 무균장비 (일회용) 사용
- 의식이 없는 환자의 intubation시 예방적 항생제 요법 → early-onset VAP 감소 (but, 항생제 사용 기간이 길어지면 MDR pathogen에 의한 VAP 발생 위험 증가)
- 기계적 환기 필요시 가능하면 noninvasive ventilation (nasal or full-face mask) 사용 or 기관삽관시에는 조기에 발관(extubation) (∵ tube가 중요한 위험인자)
- 호흡회로(e.g., tube)의 잦은 교체는 필요 없음! (→ 육안으로 더럽거나, 고장 났을 때만 교체)
- 보조 내강(→ 성문하 분비물을 지속적으로 흡인)을 가진 endotracheal tube 사용 (e.g., Hi-Lo Evac) → early-onset VAP 발생 감소
- heat & moisture exchanger → late-onset VAP 감소
- enteral feeding 환자는 작은 구경의 feeding tube 사용
- head elevation (침대에서 30°~45°), kinetic bed, 흉부 물리요법
- 장내 세균 과다증식 방지를 위한 조치들은 일반적으로 별 효과 없음 (∵ MRSA, *P. aeruginosa*, *Acinetobacter* spp. 등은 주로 코와 피부에 존재) → 일부에서만 효과적 (e.g., 간이식 환자, 복부의 대수술, 장 폐쇄)

VAP의 예방			
기본	VAP 발생, 기계호흡/입원 기간, 사망률, 비용 등 감소 효과 (위험대비 효과가 월등함)		적응이 되면 noninvasive ventilation (NIV) 사용 가능하면 진정제 사용 안함 or 최소화 매일 발관(extubation) 가능성 확인 진정제를 끊고 기계환기 이탈 (자발 호흡) 시도 조기 활동 독려 2~3일 이상의 기계호흡이 예상되는 경우 성문하 분비물을 　지속적으로 흡인 가능한 endotracheal tube 사용 Ventilator circuit은 더럽거나, 고장 났을 때만 교체 Head elevation (침대에서 30˚~45˚)
추가고려	효과는 있지만, 위험에 대한 자료 부족		선택적 구강 및 소화기 오염제거(decontamination)
	VAP 감소 가능, 기계호흡/입원 기간과 사망률은 자료 부족		Chlorhexidine으로 매일 구강위생 시행 예방적 유산균(probiotics) 투여 매우 얇은 polyurethane endotracheal tube cuffs Endotracheal tube cuff pressure 자동 조절 Tracheal suction 전에 saline 점적(instillation) 전동칫솔
일반적으로 권장 안됨	VAP 감소, 기계호흡/입원 기간과 사망률에는 영향 없음		Silver-coated endotracheal tubes Kinetic beds, Prone positioning
	모두 영향 없음 (VAP 예방 이외의 목적으로 가능)		조기에 tracheotomy, Stress ulcer의 예방 위 내용물 잔여량 측정 조기에 비경구영양(parenteral nutrition)
권장 안됨	모두 영향 없음		Closed (in-line) endotracheal suctioning

* 기계호흡(intubation) 기간을 최소화하는 것이 가장 중요함!

* CAP의 예방 ; 예방접종(influenza, pneumococcus), 금연 등

예후/합병증

- 많은 CAP 환자가 외래로 치료받지만 (사망률<5%),
  입원이 필요한 경우엔 사망률 5~15% (ICU는 20~50%)
- 사망률이 높은 원인균 (MDR pathogens의 사망률이 훨씬 높음)
  - *P. aeruginosa*가 가장 높음 (>50%)
  - *E. coli, S. aureus, Acinetobactor* spp. 등도 높음 (30~35%)
  - *S. pneumoniae* 중에서는 serotype 3이 높음
  - group A *Streptococcus* 중에서는 M serotype 1, 3이 높음
- 폐렴의 합병증
  - necrotizing pneumonia, abscess, vascular invasion (infarction), cavitation,
    pleura 침범 (empyema, bronchopleural fistula) ...
  - 기계적 환기 및 산소 치료에 의한 합병증 ; interstitial emphysema, pneumothorax, ARDS ...
  - 심한 손상 이후의 fibrosis에 의한 합병증 ; organizing pneumonia, bronchiolitis obliterans,
    pleural adhesions ...
- pleural effusion (CAP 입원환자의 약 40%에서 발생) → 18장 참조

- lung abscess (최근엔 드묾, 입원환자의 약 0.05%에서 발생) → 5장 참조
- 폐렴의 재발
  - CAP 입원환자의 10~15%에서 2년 이내에 재발
  - COPD 및 반복되는 macroaspiration이 m/c 원인
  - 같은 위치에서 재발시 종양/이물에 의한 기관지 폐쇄 의심
  - 위의 원인이 없이 다른 위치에서 재발시 면역결핍 의심 (e.g., AIDS)
  - bronchiectasis에서도 재발 가능 (→ HRCT)
- HAP/VAP : 전체 사망률은 매우 높지만(30~70%) 기저질환의 악화에 의한 경우가 대부분임
  - 폐렴 자체의 의한(attributable) 사망률은 평가가 어려움 (약 13~25%?)
  - 사망률↑ ; 진단시 심한 전신상태(e.g., sepsis, shock, RF) , bacteremia, 심한 기저질환, MDR pathogen 감염(e.g., *K. pneumoniae* 등의 장내세균, *P. aeruginosa*, *Acinetobacter*), multilobar/cavitating/rapidly progressive infiltrates, 효과적인 치료의 지연 등

참고: 호흡기의 바이러스 감염

Group	Nucleic acid	Evelope	Type	Diseases	Treatment
Adenovirus	DNA	−	1-47	감기, 기관지염, 세기관지염, 폐렴	Ganciclovir, cidofovir
Coronavirus	RNA	O	229E, OC43 SARS−CoV MERS−CoV	감기 SARS (severe acute respiratory synd.) MERS (Middle East respiratory synd.)	− IFN−α + ribavirin + lopinavir/ritonavir
Hantavirus	RNA	O	다양	ARDS, pneumonitis	−
Orthomyxovirus 　Influenza virus	RNA	O	A, B, C	독감, 감기, 인두염, croup, 기관지염, 세기관지염, 폐렴	Oseltamivir, zanamivir
Paramyxoviruses 　Measles virus 　Parainfluenza virus 　RSV 　hMPV	RNA	O	 1-4 A, B A, B	홍역, 폐렴, 기관지확장증 감기, croup, 기관지염, 세기관지염, 폐렴 감기, croup, 기관지염, 세기관지염, 폐렴 세기관지염, 감기	− − Ribavirin −
Picornaviruses 　Enterovirus 　　Coxsackievirus 　　Echovirus 　Rhinovirus	RNA	−	 1-24 1-34 1-100	 A21: 감기, ARDS /etc.: herpangina 감기 감기	 − −
Herpes viruses 　HSV 　Cytomegalovirus 　VZV 　EBV 　HHV-6	DNA	O	 1, 2 1 1 1 1	 인두염, 기관염, 폐렴(면역저하자) 감염단핵구증, 인두염, 폐렴(면역저하자) 폐렴 감염단핵구증, 인두염 폐렴(면역저하자)	 Acyclovir, famcyclovir Ganciclovir, cidofovir Acyclovir, famcyclovir − Ganciclovir, cidofovir
Filovirus	RNA	O	Marburg; Ebola 1, 2	인두염 ~ hemorrhagic fever	−

RSV (Respiratory Syncytial Virus), hMPV (Human Metapneumovirus), HSV (Herpes Simplex Virus),
VZV (Varicella−Zoster Virus), EBV (Epstein−Barr Virus), HHV-6 (Human Herpesvirus 6)

원인/분류

CXR상 공동성 병변(cavitary lesion)의 원인

폐 실질의 감염	기타
1. 세균 : 흡인성 폐렴 　　Anaerobes (m/c) ; *Peptostreptococcus, Prevotella,* 　　*Fusobacteria, Bacteroides* spp., *Actinomyces* spp. 　　Aerobes ; *S. aureus*, type III *S. pneumoniae*, 　　enteric GNB (e.g., *Klebsiella*), *P. aeruginosa,* 　　*Legionella* spp., *Nocardia asteroides,* 　　*Rhodococcus equi* ... 2. 세균 : 색전증 　　*S. aureus, P. aeruginosa, Fusobacterium necrophorum* 3. 항산균 　　*M. tuberculosis*, NTM (nontuberculous *Mycobacteria*) 4. 진균 　　*Coccidioides immitis, Histoplasma capsulatum,* 　　*Blastomyces dermatitidis, Aspergillus* spp., 　　*Cryptococcus neoformans, Pneumocystis jirovecii* 5. 기생충 　　*Entamoeba histolytica, Paragonimus westermani,* 　　*Strongyloides stercoralis, Echinococcus*	Pulmonary neoplasm, trauma Bulla, cyst, sequestration Pulmonary infarction, embolism Bronchiectasis Postobstructive pneumonia 　(종양, 이물) Localized empyema Hiatal hernia Rheumatoid nodules Sarcoidosis Vasculitis 　Goodpasture's syndrome 　Wegener's granulomatosis 　Polyarteritis nodosa

* lung abscess (폐 농양/고름집) ; pus와 necrotic tissue를 포함하고 있는 cavity (>2 cm),
　주로 혐기성 세균에 의해 발생되며 aspiration pneumonia와 관련이 많다
　(항생제의 발달로 점점 감소 추세임)

분류	정의/위험인자	병인	원인균
Primary lung abscess (80%)	Aspiration의 위험인자를 가진 경우 　　⇩　(or 건강했던 사람) 에서 발생 의식저하, 알코올중독, 약물중독, 경련, 뇌혈관/심혈관질환, 신경근육질환, 식도 질환/운동장애, GERD 등	구강(잇몸) 상재균의 aspiration	Anaerobes (e.g., *Peptostreptococcus,* 　*Prevotella, Bacteroides,* 　*Streptococcus milleri*), Microaerophilic streptococci
Secondary lung abscess	Immune defenses에 장애를 일으키는 기관지 폐쇄(e.g., 종양, 이물) or or 기저질환(면역저하자)에서 발생 　; AIDS, 장기이식 등	기회감염균을 포함하여 매우 다양한 원인균	*S. aureus*, GNB (e.g., *P. aeruginosa,* 　*Enterobacteriaceae*), *Nocardia, Aspergillus,* Mucorales, *Cryptococcus, Legionella,* *Rhodococcus equi, Pneumocystis jirovecii*
Embolic lesions	*S. aureus* (endocarditis), *Fusobacterium necrophorum* (Lemierre's syndrome)		

- 내원 전 증상 기간에 따른 분류 ; acute (4~6주 미만, 60%), chronic (1달 이상, 40%)
- nonspecific lung abscess (~40%) : primary lung abscess에서 원인균이 발견되지 않은 경우
- putrid부패성 lung abscess (60%) : 혐기성균 감염에 의한 악취가 나는 호흡/객담
- 혐기성균에 의한 흡인성 폐렴은 대부분 혼합 감염임 (평균 6~7종류의 균이 동정됨)
  ┌ 2/3는 혐기성균의 multiple species 혼합 감염
  └ 1/3은 호기성균과의 혼합 감염
- cavity를 만들지 않는 균 ★
  ; *H. influenzae, M. pneumoniae, S. pneumoniae* (type Ⅲ 제외), viruses
- *Klebsiella* 이외의 enteric GNB 감염의 경우는 내외과적으로 중한 환자에게만 폐농양을 일으킴
- AIDS 환자 ; 보통의 세균 이외에 *Pneumocystis, Rhodococcus equi, Cryptococcus neoformans*
  등도 폐농양을 일으킬 수 있음
- 종양에 의한 cavity : 주로 squamous cell carcinoma, 내벽면이 irregular

병인/위험인자

(1) primary/anaerobic lung abscess
  ① aspiration (m/c), mucociliary clearance 또는 cough reflex의 장애
    예) 의식저하, 알코올중독, 간질발작, 전신마취, 뇌혈관질환, 약물중독, 연하곤란, 위식도역류,
      비위관 삽입, 기관지 삽관 ...
  ② periodontal infection, gingivitis, sinusitis, bronchiectasis, pul. infarction ...
(2) septic pul. embolism ; *S. aureus*에 의한 감염이 m/c (주로 IVDU에서 발생)
  → multiple abscess, 다른 부위의 septic embolic lesions 동반
(3) necrotizing pneumonia ; small multiple cavities
(4) bronchial obstruction (postobstructive pneumonia) ; 종양, 이물질
(5) 기타 ; 모든 경우에서 DM, 악성종양, 면역저하 등이 흔한 유발인자

■ 흡인성 폐렴 (aspiration pneumonia)
- 폐렴의 약 10% 차지, primary anaerobic lung abscess의 m/c 원인
- 대부분 정상 구인두의 호기성, 혐기성 세균이 원인균
- 흡인성 폐렴이 반복되는 경우 ; 식도/기관 악성종양에 의한 tracheobronchial fistula, 식도암에
  의한 식도폐쇄, 다양한 신경질환(e.g., amyotrophic lateral sclerosis, multiple sclerosis, stroke,
  myopathies), severe esophageal reflux ...
- 호발부위 (dependent lung segments) … 호발부위 이외의 cavity는 다른 원인(e.g., 종양)을 의심
  ① supine position (누운 상태)
    ┌ 똑바로 누웠을 때 : lower lobe의 sup. segment (Rt > Lt[주기관지가 더 각짐])
    └ 옆으로 누웠을 때 : upper lobe의 post. segment
  ② upright or semi-upright position : lower lobe의 basal segment
  c.f.) 2ndary lung abscess의 발생부위는 원인에 따라 다양함

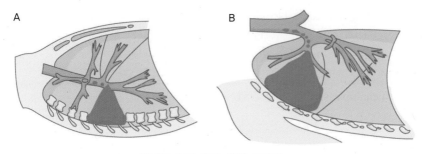

체위에 따른 흡인 호발 폐부위

A: 똑바로 누웠을 때는 하엽의 상분절.   B: 옆으로 누웠을 때는 상엽의 후분절

임상양상

- 혐기성균에 의한 경우 비교적 서서히 발생, aspiration 1~2주 뒤 조직괴사 및 abscess or empyema 형성 (급성으로 나타나면 호기성균을 의심)
- fever, chilling, weight loss, malaise, night sweat
- cough, pleuritic chest pain, hemoptysis
- 악취가 나는 화농성 객담 → anaerobic lung abscess로 진단 가능!
- digital clubbing : 3주 이상 지속된 환자의 약 10%에서 발생
- amphoric breath sound (공동음) : 매우 진행된 경우
- septic pul. emboli : 더욱 전격적인 경과
- 구인두 기능이 정상이면서 치아가 없는 환자에서는 폐농양 발생이 드묾
  (→ 발생하면 종양/이물에 의한 기관지 폐쇄를 의심)

진단

- chest X-ray : thick-walled cavity, cavity 내의 air-fluid level, cavity 주위의 경화

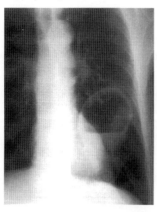
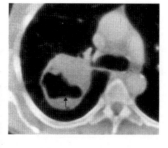

- CT : round, thick wall (irregular margin), lung parenchyma 내에 위치
  → air-fluid level을 동반한 empyema cavity와의 감별에 유용!
- 미생물학적 검사
  - 뱉어서 얻은 가래는 anaerobic culture에는 부적합함 (∵ 구강 오염, 혐기성균 운반/배양 어려움)
  - bronchoscopy를 이용한 BAL, PSB로 얻은 검체가 정량적 배양검사에 적합 (∵ 구강 오염↓)
  - 존재한다면 pleural fluid도 anaerobic culture에 매우 적합함
  - 혈액배양 : 흡인성 폐렴에서는 bacteremia가 드묾!
- 2ndary long abscess 의심 or 경험적 항생제 치료 실패 시에는 객담 및 혈액 배양 이외에
  기회감염균(virus와 진균 포함)에 대한 추가 검사, bronchoscopy를 이용한 BAL or PSB,
  CT-guided percutaneous needle aspiration 등을 고려
- 종양을 R/O하기 위해 bronchoscopy가 필요한 경우
  ① heavy smoker
  ② aspiration을 일으킬만한 유발 인자 부족
  ③ mediastinal or hilar LN enlargement
  ④ irregular abscess wall
  ⑤ non-dependent position의 cavity
  ⑥ 항생제 치료에 호전이 없을 때

치료

1. 항생제

- aspiration pneumonia or lung abscess로 진단되면 바로 경험적 항생제 치료를 시작하고,
  Gram 염색 및 배양/감수성검사 결과에 따라 조절
- 혐기성균 감염이 의심되는 aspiration pneumonia (abscess)의 경험적 항생제 요법
  ① clindamycin IV : 표준 항생제
  ② β-lactam/β-lactamase inhibitor IV (e.g., ampicillin/sulbactam, piperacillin/tazobactam)
    - 위중하지 않고 안정적이면 oral amoxicillin-clavulanate도 가능
  ③ carbapenem (e.g., imipenem, meropenem)
  ④ metronidazole (거의 모든 혐기성균에 효과적이지만 streptococci에는 효과가 없어 단독으로는
     실패율 높음) + β-lactams 등 streptococci에는 효과적인 항생제와 병합
  ⑤ 기타 상황에 따라 quinolone, cepha. 등도 (추가)사용할 수 있음
    - hospital-acquired or healthcare-associated aspiration pneumonia (abscess)
      ; GNB (e.g., *Pseudomonas*)도 고려 → carbapenem or piperacillin-tazobactam + AG 등
        (fluoroquinolone은 처음에는 효과적이지만 장기간 사용시 내성 발생 흔함)
    - MRSA 위험인자 존재시 → IV vancomycin or linezolid 추가
- 일반적으로 3~4주 이상 (~14주까지도) 치료해야 됨, 약 5~10%에서는 반응이 없음
- 치료 실패율↑ ; abscess cavity >6~8 cm, pyogenic bacteria (e.g, *P. aeruginosa, S. aureus*)
- 치료 7~10일에 반응이 없으면 (fever 지속, abscess 커짐 등) drainage 등 고려

2. 배액(drainage)

- 체위 배농법(postural drainage) : 중요!   (→ 7장 기관지확장증 편 참조)
  - 3일 이상의 고열 또는 bacteremia 지속, 7~10일 이후에도 객담 또는 CXR 소견의
    호전이 없으면 → 내성균, 기관지폐쇄, 농흉 등을 의심
- CT-guided percutaneous catheter drainage
  - 적응 ; 항생제 치료에 반응이 없거나, 크기가 매우 큰(>6~8 cm) 농양,
    postural drainage 효과×, 수술의 적응이나 수술 위험이 높을 때
  - Cx ; pleural infection, pneumothorax, pyopneumothorax, hemothorax, bronchopleural fistula
- bronchoscopy
  - 적응 ; atypical presentation, 내과적 치료에 반응 없을 때
  - 목적 ; drainage를 촉진, cavitating neoplasm R/O, 기저 병변 진단 (e.g., bronchogenic
    neoplasms, bronchostenosis, foreign body), foreign body 제거
- 농흉(empyema) → closed thoracostomy or open surgical drainage

3. 수술(lobectomy or pneumonectomy)

- Ix. ① 내과적 치료에 반응 없이 계속 커지는 농양
  ② uncontrolled hemoptysis
  ③ bronchial obstruction으로 drainage가 불가능할 때
  ④ 종양 또는 선천성 기형 의심시
  ⑤ 항생제 치료가 힘든 다제내성균(e.g., *P. aeruginosa*)
  - abscess의 크기나 위치와는 관계없음

예후

- primary lung abscess는 예후 좋음 : 완치율 90~95%, 사망률 ~2%
- 예후가 나쁜 경우 ★
  ① secondary lung abscess (사망률 ~75%) ; bronchial obstruction 동반, 면역저하자 등
  ② 노인(>60세), 2개 이상의 기저질환
  ③ large cavity size (직경 >6 cm)
  ④ prolonged Sx (>8주)
  ⑤ necrotizing pneumonia : consolidation area의 multiple small abscesses
  ⑥ *P. aeruginosa*, *S. aureus*, *K. pneumoniae* 등의 호기성균에 의한 감염

Aspiration pneumonitis (Chemical pneumonitis)

- 무균성 위 내용물 흡인에 의한 화학적 폐 손상
- 원인 ; 구토, 위식도 역류

Aspiration pneumonitis의 위험인자

의식 저하	Gag reflex 장애	GI 장애	약물	기타
Sedation Alcohol intoxication Traumatic brain injury Encephalopathy Seizure disorder	Naso–gastric or endotracheal intubation Bulbar paralysis	Esophageal motility d/o. GERD Gastroparesis Bowel obstruction/ileus	Anticholinergics Adrenergic agents Nitrates, CCB Phosphodiesterase inhibitors	비만 분만 응급수술

- 질환의 severity를 결정하는 요소 ; pH (m/i), food particle, 흡인 양, 흡인물의 분포
- 경과 ; 62%는 금방 호전됨, 12%는 ARDS로 조기에 사망, 26%는 처음에는 호전되었다가
    새로운 폐 침윤 발생 (2차 세균감염 or ARDS 발생)
- 치료
    - 체위변경(head elevation 등), tracheal suction, 호흡유지(e.g, 산소공급, PEEP, 기계호흡)
    - 24시간 이후에도 증상(e.g., fever)이 지속되면 흡인성 폐렴에 준한 경험적 항생제 치료
    - bronchoscopy ; 액체만의 흡인이면 필요 없음 / particles 흡인이 많아 lobar collapse, atelectasis
        등이 발생하면 치료목적으로 시행 / 세균 감염 합병시 검체 채취를 위한 BAL 시행 가능
    - steroid는 사용 안함

폐격리증 (Pulmonary sequestration)

- 정상 기관지와 소통이 없으면서, 전신 순환에서 동맥혈 공급을 받는 격리된 폐 조직이 존재하는 것
- 분류
    - 내엽형(intralobar) : 정상 흉막 내에 존재, 후천성
    - 외엽형(extralobar) : 정상 흉막과 다른 고유한 흉막에 의해 둘러싸인 폐조직으로 구성,
                선천성(다른 기형의 동반도 흔함)
- 임상양상 : 반복적인 폐렴이 특징
    - 내엽형 ; 대부분 20세 이상에서 발병, 남=여
    - 외엽형 ; 6개월 미만 유아에서 주로 발병, 남:여=4:1, 호흡곤란, 청색증 …
- 진단
    ① chest X-ray ; 폐종괴 및 폐침윤, 반복적인 감염 및 위장관과의 교통에 의한 낭성 변화
        (→ air-fluid level 동반)
    ② CT/MRI ; 종종 영양혈관(feeding vessel) 확인 가능
    ③ angiography (확진) ; 영양혈관 및 배액되는 혈관을 확인
- 치료 : 수술적 치료

6
결핵

원인

- 결핵균(*Mycobacterium tuberculosis*)
- 항산균(*Mycobacterium*) 균의 특징
  - 편성 호기성균(obligate aerobes), pH 6.8~7.0, 37~38℃
  - macrophages 내에서 생존 및 증식 (intracellular organism)
  - acid-fast bacillus : AFB 염색 (Ziehl-Neelsen 법)에 양성
- NTM (non-tuberculous *Mycobacterium*)
  - 결핵균(*M. tuberculosis* complex)과 나균(*M. leprae*)을 제외한 항산균
  - *M. avium-intracellulare*가 반 이상을 차지 (그 외 *M. kansasii* 등)
  - AIDS 환자에서 호발, 우리나라는 전체 mycobacteria의 약 10% 정도 차지
- *M. tuberculosis*의 virulence에 관여하는 유전자
  ① *kat G* : catalase (oxidative stress에 저항)를 encode
  ② *rpo V* : 여러 gene transcription을 initiation하는 main sigma factor
  ③ *erp* : 결핵균의 증식에 필요한 단백질을 encode

역학

- 전세계적으로 매년 약 1천만 명의 환자 발생 (남:여 = 1.8:1), 약 130만 명 사망 (2017년), 신환자의 약 3.5% 및 치료환자의 약 18%는 다제내성 결핵임 (MDR-TB의 8.5%는 XDR-TB)
- 우리나라
  - 매년 3만 명 이상의 신환자가 보고되고 있으며 (인구 10만 명당 약 60~78명), 약 2천명 사망 (c.f., OECD 평균 = 10만 명당 약 13명)
  - 최근 들어 조금씩 감소하는 추세임 (2017년 2.8만, 10만 명당 55명)
  - 20세 이후 지속적으로 조금씩 발병률이 증가하며, 65세 이후 크게 증가됨
  - 남:여 = 1.35:1 (20~30대에는 남:여 비슷하다가, 이후 남자가 훨씬 많아짐)
  - 다제내성 결핵 비율 ; MDR-TB 약 2%, XDR-TB 약 0.15~0.3% … 조금씩 감소 추세

병태생리

1. 전파/감염

- 결핵균의 비말핵(droplet nuclei)을 흡인함으로써 전파됨
  - 활동성 폐결핵 환자가 결핵균의 유일한 infection source
  - 환자가 기침/재채기, 말할 때 전파 (e.g., 한번 기침할 때 최대 3000개의 비말핵이 나옴)
  - 비말핵은 공기 중에서 금방 건조되지만, 아주 작은 경우엔 몇 시간 부유할 수
- 감염력(infectiousness)을 좌우하는 요인 ; 결핵균의 수와 병원성(virulence), 기침/재채기의 횟수, 결핵 환자와 접촉한 기간, 숙주의 면역력 및 폐질환의 정도 등
- 밀폐된 공간에서는 균의 농도가 높아져 감염 위험 증가 (→ 적절한 환기가 감염력을 낮추는데 중요)
- 항산균(*Mycobacterium*)은 자외선에 약함 (→ 낮에 집 밖에서는 거의 전염이 일어나지 않음)
- fomite (환자가 쓰던 물건, 옷)에 익해서는 감염되지 않는다!

2. 발병/위험인자

- 감염된 사람의 5~10%만이 활동성 폐결핵으로 발병 → 숙주 요인이 중요함
  (∵ 세포면역이 작용하는 3~6주후 대부분 자연 치유됨)
  초감염자의 90%는 평생 결핵이 발병하지 않음
- 활동성 결핵의 발병률에 영향을 미치는 인자
  ① 결핵균의 양 및 병원성
  ② 숙주요인 (cellular immunity가 중요) … 다음의 경우 발생 증가
    - 장기이식 후, jejunoileal bypass, silicosis, HIV 감염, IV drug user, CKD/HD 등이 가장 위험
    - 기타 면역억제치료, 위절제술, DM, 소아/노인, 알코올중독, 흡연, 영양실조, 스트레스 등
  ③ 환경 ; 집단 기숙생활, 병원 or 요양원 근무자
- cellular immunity에서 중요한 세포 ; macrophage, T lymphocyte

3. 1차(소아) 결핵 vs 2차(성인) 결핵*

구분	소아형 결핵 (Primary TB)	성인형 결핵 (Secondary TB)
발병 기전	초감염(primary infection)	재활성화 또는 재감염
폐병변의 위치	폐 하부의 말초 부위 (∵ 숨을 들이마실 때 전파)	폐 상엽, 첨부(apex) (∵ 산소농도↑, 혈액순환↓)
국소 림프절 침범	흔함 (→ 건락성 괴사 일으킴)	드묾
진행 양상	혈행성 산포가 많다 → 속립결핵 혹은 결핵성 뇌막염을 초래	기관지성 산포 → 건락성 괴사 (caseation), 공동(cavity)을 초래
치유 양상	석회화로 치유됨	섬유화(fibrosis)로 치유됨
▶최근 연구 결과	**면역저하자**에서 주로 보이는 소견 (e.g., 신생아, AIDS) : atypical TB	**정상 면역기능**을 가진 환자에서 주로 보이는 소견 : typical TB

* 과거의 개념으로 최근 연구 결과로는 일차결핵과 이차결핵의 영상소견은 매우 비슷함

c.f.) Ghon complex : 폐실질의 원발 병변 + 석회화된 폐문 림프절

4. 병리소견 (pathology)

① 염증성 혹은 삼출성 병변 (inflammatory or exudative lesion)
② 증식성 혹은 결핵결절 병변 (productive lesion) - Langerhans giant cell
③ 건락성 괴사 (caseation necrosis) - caseating granuloma
  : 치즈 모양의 균질한 무정형 괴사 → 결핵의 특이한 소견!
④ 액화(liquefaction) → cavity 형성 (thin wall, no air-fluid level)
⑤ 석회화(calcification)

5. 폐결핵 공동(cavity)의 임상적 의의

- 관련 기관지를 통한 전파(bronchogenic spread)의 가능성이 높음
  → 타인에게 뿐만 아니라 자신의 폐에도 새로운 병소를 잘 만듦
- 공동 벽을 통하여 항결핵제의 통과가 어렵다 (but, 약제의 혼합을 더 늘일 필요는 없음)
- 공동 안으로 공기가 살 통과하므로 호기성 결핵균이 살 자람
  → 약제 내성균이 잘 생김 (but, 내성균이 공동을 더 형성하는 것은 아님)
- 공동 안의 다른 세균이 폐농양을 일으키는 경우가 있음
- 대량 출혈 or 진균종 발생 가능
- 치유 형태 ; 개방성 치유, 반흔성 치유, 폐쇄성 치유

폐결핵의 임상양상

- 전체 결핵의 80~90%가 폐결핵의 형태로 발병
- 서서히 진행하고 초기에는 증상이 없거나 경미하여 검사 중 우연히 발견되는 경우가 많다

1. 전신 증상

- 발열 (미열) : 특징적으로 오한은 없고, 오후에 열이 나며, 밤에 잠이 들면 식은땀과 함께
    열이 내리면 전형적
- 전신 쇠약감, 피로감, 식욕부진, 완만한 체중감소 / 여자에서는 월경불순도 있을 수 있음

2. 호흡기 증상

- 기침 (m/c) : 마른기침 → 객담 동반 (점액성, 화농성, 혈담)
- 혈담/객혈, 흉막성 흉통, 호흡곤란, 흉막삼출(pleural effusion) ...
- 기침, 가래 등 호흡기증상이 2~3주 이상 지속시 결핵을 의심해 봐야 됨!
  (특히 결핵 발병의 위험도가 높은 집단에서)

* 노인 결핵의 특징 ; 전형적인 증상(발열, 체중감소, 식은땀, 객혈 등)보다 비전형적인 증상이 흔함,
    기저 질환이 많음(e.g., 암, 당뇨병, 심장질환, 만성 폐질환), CXR에서 폐 하부 침범이 더 흔함,
    cavitation은 드묾 → 젊은 성인의 임상양상과 다르므로 진단을 놓치지 않도록 주의해야

진단

1. chest X-ray

- 결핵의 진단, severity 및 치료효과 판정 등에 유용
  (but, 소견이 다양하고 전문가에서도 판독 변이가 많으므로 맹신은 금물)
- 과거의 chest X-ray와 꼭 비교해 봐야 됨!
- 단점 : 활동성과 비활동성(치유된 병변)을 구별하기 어렵다
  → 균검사, 과거력, 임상소견(연령, 위험인자 유무, 증상) 등을 종합하여 활동성 여부를 결정해야 함
- 전통적으로 감염 후 발병 시기에 따라 분류하였으나, 최근에는 면역상태에 따라 다른 것으로 밝혀짐

  ▶ 일차 결핵(primary TB)/초감염 결핵의 소견 ⇨ 면역저하자의 및 소아의 소견
  - 주로 폐 하엽을 침범 (→ 폐렴 등과 감별 필요)
  - 무기폐(atelectasis) : 2세 미만 소아에서 흔함
  - 폐문/종격동 림프절염(성인 43%, 소아 96%), 흉막삼출(6~7%), 좁쌀결핵(1~7%) 등이 많음
  - 결핵종(tuberculoma) : 결절/종괴성 음영(<3 cm), 상엽에 호발, 완치된 초감염 결핵의 잔존물

  ▶ 이차 결핵(post-primary TB)/재발 결핵(reactivation TB) ⇨ 정상 면역 환자의 소견 (주로 성인)
  - 훨씬 더 많음 (잠복결핵의 재활성화보다는 재감염이 더 큰 원인으로 추정)
  - 정상 ~ ARDS의 diffuse alveolar infiltrates까지 매우 다양한 양상
  - 불규칙적인 reticulonodular or patchy infiltration (m/c) → 시간이 지나면서 뚜렷한 reticular (fibrosis) or nodular 병변으로 진행, 석회화(calcification)도 나타날 수 있음
  - 병변의 위치는 주로 상부 ; 상엽의 apical & post. segment (m/c), 하엽의 sup. segment
  - 공동화(cavitation) : 약 50%에서 발생, 다발성, air-fluid level (22%), 대개 주변에 침윤성 병변
  - 림프절염, 흉막삼출, 좁쌀결핵 등은 드묾

활동성	비활동성
신생 병변	전부터 있던 병변
추적 사진상 변화	추적 사진상 변화 없음
희미한 윤곽의 opacity	명확한 윤곽
Cavity	섬유화성 병변, Calcification

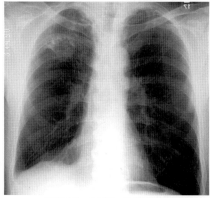

전형적인 폐 결핵 사진
; 우폐 apex의 density 증가, 우상엽의 cavitary lesion

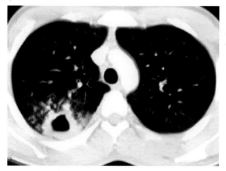

HRCT : Cavity를 형성한 결핵

* 상엽의 침윤과 공동을 보이는 경우 D/Dx ; NTM, sarcoidosis, ankylosing spondylitis, aspiration pneumonia, silicosis, actinomycosis …

2. CT (HRCT)

- 객담도말검사에서 결핵균이 검출되지 않으면서 CXR 소견이 애매하고, 폐암 등 다른 폐질환의 가능성이 있을 때 유용함
- 공동, 속립성 결핵, 기관지 협착, 기관지확장증, 흉막질환, 폐문/종격동의 림프절 침범 등을 확인하는 데 더 정확함 → 활동성 vs 비활동성을 더 정확하게 구별 가능
- endotracheal spread 양상이 m/i 소견 ; 경계가 불분명한 직경 2~10 mm의 centrilobular nodules 또는 branching centrilobular opacities (tree-in-bud)

* MRI : 폐결핵 진단에는 필요 없음 (LN or 흉막 침범, CNS 결핵 의심 때 이용)

3. 객담 결핵균 검사

(1) 객담의 채취

- 아침 공복상태에서 양치질 후에 채취하는 것이 좋다 (양은 3 mL 이상)
- 최소 2~3회 채취가 원칙 (배양/감수성 검사 전 보관시에는 반드시 냉장)
- 적절한 객담을 얻기 어려운 경우의 조치
  ① 유도 객담(induced sputum) : 3% hypertonic saline (ultrasonic nebulizer 이용)
  ② 위액 채취(gastric aspiration) : 소아, 의식장애 환자와 같이 스스로 객담을 뱉기가 어려울 때
    - 밤에 자는 동안 대부분의 환자는 가래를 삼키기 때문
    - 위세척액을 채취하여 중화 처리 후 검사를 시행
    - X선에서 폐결핵을 보이는 소아의 약 40%에서 결핵균이 검출됨
  ③ 기관지내시경(bronchial washing, BAL) : 마지막 방법

(2) 항산균 도말검사 (AFB Stain)

- 가장 간단하고 신속한 방법 (presumptive diagnosis)
- 염색법 : Ziehl-Neelsen 법 (m/c), Kinyoun 법 등 → 광학현미경 1000배로 관찰
  - false (+) ; NTM, *Actinomyces*, *Nocardia*, *Legionella* spp. 등
  - false (−) ; 부적절한 객담 검체, 직사광선/자외선/과도한 열 등에 노출

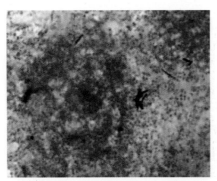

객담 AFB 염색 (Ziehl-Neelsen 법)
; 빨간 색이 결핵균

형광현미경 (auramine-O 염색)

- 폐결핵이 의심되는 환자는 2~3회 실시 (with 배양)
- 단점 ; sensitivity 낮음(40~65%), NTM과 구별 못함 (도말 양성자의 10~20%가 NTM)
- 형광현미경 (auramine-rhodamine or auramine-O 염색)
  - 200~400배에서 관찰 가능 → sensitivity 10% 더 높음, 검사자의 업무량 감소
  - 기존의 수은램프 형광현미경은 고가였으나, 최근에는 저렴해진 LED 형광현미경을 권장(WHO)

(3) 배양검사

- 활동성 결핵을 확진할 수 있는 유일한 방법이지만(specificity 100%), 불완전한 <u>gold standard</u> (위음성[false negative]이 좀 있음), 도말검사와 같이 2~3회 시행하는 것이 권장됨
- 도말검사보다는 sensitivity 높고, 약제감수성검사(drug susceptibility test, DST)에도 필요함
- 단점 : 검사과정이 복잡하고, 시간이 오래 걸림 (3~4주에 m/c 검출됨, ~8주까지 확인)
  (c.f., rapid growers ; *M. fortuitum, M. chelonae, M. smegmatis*)
- 배지(culture media) ; Ogawa (m/c), Lowenstein-Jensen, Middlebrook 등
- 최근에는 액체배지 배양이 권장됨(WHO) ⋯→ 대부분 고체 & 액체배지 함께 검사
  - 예) BACTEC MGIT (mycobacterial growth indicator tube) system (Becton Dickinson), BacT/ALERT 3D liquid culture system (bioMérieux) 등
  - 장점 ; 고체배지보다 배양기간 1/2로 단축 (10~12일부터 검출됨, ~8주까지 확인), 검출률↑
  - 단점 ; 고체배지보다 세균 오염률이 약간 높음 (→ 위양성 & 위음성↑), 비쌈
    ↳ 액체배양 양성시 고체배지에 계대배양(subculture) 필요
- 전처치
  ┌ 오염 세균의 제거 : NaOH 3~4%, NALC-NaOH (NaOH 농도↓[~2%] → 배양 양성률↑)
  └ 액화 : mucolytic agent (e.g., N-acetyl-L-cysteine, NALC)
- TB와 NTM 감별을 위한 SD™ TB Ag MPT64 신속검사(immunochromatographic assay, ICA)
  - MPT64 Ag : 주로 증식이 활발한 *M. tuberculosis* complex (MTBC)에서 분비됨
  - 고체배지의 집락 or 액제배지의 원심 침전물로 검사 (sensitivity 97~98%, specificity ~100%)

c.f.) 동정검사(species identification) : 생화학적 방법(전통적), HPLC, 유전형분석(e.g., hybridization, DNA line probe assay, PCR, sequencing), mass spectrophotometry (MALDI-TOF) 등
  - 우리나라는 MTBC 중 *M. tuberculosis* 이외는 인체감염이 없으므로 세부균종 동정은 필요×
  - NTM은 매우 많은 균종이 존재하므로 동정이 필요함

* 도말 양성이면서 배양 음성인 경우
  ① 치료 중인 환자 → 결핵균이 생명력을 잃은 상태
  ② 치료받지 않았을 때 → 객담이 햇빛/열에 노출 or 건조되었을 때
  ③ 오염(contamination), 객담 전처치중 NaOH의 과다 사용, 도말 위양성

(4) 핵산증폭검사(nucleic acid amplification test, NAT/NAAT, PCR)

- 최근에는 <u>first-line diagnostic test</u>로 선호됨 (active TB 의심시 첫 진단검사로 권장)[WHO]
- 장점 ; 결과를 빨리 얻을 수 있음, 극소수의 균도 검출 가능, NTM 및 약제내성도 진단 가능
  ┌ sensitivity는 도말양성[AFB(+)] 검체에서는 98~100%, 도말음성 검체에서는 약 60~90%
  └ specificity는 95~100% (현행 PCR 장비들의 정확도는 대부분 비슷한 편임)
- 대부분 real-time PCR 기법을 이용함 ; Roche Cobas TaqMan MTB, LG AdvanSure TB/NTM, Seegene Anyplex/Seeplex MTB/NTM, Bioneer AccuPower MTB/NTM, Abbott RealTi*me* MTB 등

• 여러 real-time PCR에서 약제내성 검출도 지원하고 있고, 자동화된 신속검사 장비들도 있음
  예) GeneXpert™ Xpert MTB/RIF (2시간 이내에 TB 및 rifampin 내성 검출),
    BD MAX™ MDR-TB assay (4시간 이내에 TB 및 INH & rifampin 내성 검출)
• 단점 ; 위음성/위양성(최근에는 많이 감소), 생균과 사균을 구별 못함(→ 치료경과 추적에는 이용×)
• 흉수, CSF, LN 같이 오염의 가능성이 적은 검체에서 (+)인 경우는 의미 더 높음
  (sensitivity는 일반적인 호흡기 검체보다 약간 떨어짐)

4. 약제감수성검사(drug susceptibility test, DST)

약제감수성검사의 적응
1. 모든 결핵 환자의 첫 배양균주
2. 3개월 이상의 치료에도 배양(+) or 임상적으로 치료실패가 의심되는 경우
3. 신속내성검사, Xpert MTB/RIF, 액제배지감수성검사 등에서 내성이 검출된 경우에는   주요 1차, 2차 항결핵제에 대한 전통적인 감수성검사도 시행 권장

• 모든 결핵 환자의 첫 배양균주에서 약제감수성검사 (or 최소한 RFP 신속내성검사) 권장(WHO)
• 전통적인 약제감수성검사 (culture-based)
  − 기준 농도의 항결핵제가 포함된 고체/액체 배지에 균주를 접종한 뒤 배양 여부를 관찰함
  − 일반적으로 기준 농도보다 1% 이상 증식을 보이면 (내성균 비율 1% 이상) 약제내성으로 판정
  − 고체배지 이용시 3~4주, 액제배지 이용시 2주 정도의 시간 필요
  c.f.) 2차 항결핵제는 감수성으로 보고되어도 실제로는 내성인 경우가 적지 않으므로 주의

• **신속내성검사(rapid DST)** : 다제내성 결핵(MDR-TB) [INH와 RFP에 모두 내성]의 빠른 확인에 유용
  − 각 약제의 내성 유전자 돌연변이들을 분자유전검사로 빠르게 검출하는 것
  ┌ RFP : *rpoB* gene, RFP 내성 결핵균의 96%에서 발견 → 진단 민감도 95% 이상으로 높음
  └ INH : *katG* (50~95%), *inhA* (20~35%), *ahpC* (10~15%) 등 여러 유전자에서 발생
    → INH 내성 결핵균의 진단 민감도는 약 90% (→ 전통적 DST 추가로 필요)
  − RFP 내성균은 대부분 INH에도 내성을 보이므로 MDR-TB의 surrogate marker로도 유용함!
  − 검사방법 ; DNA line probe assay (e.g., Bruker-Hain MTBDR*plus* − 5시간 이내에 결과),
    real-time PCR (e.g., Xpert MTB/RIF, BD MAX MDR-TB), sequencing (gold standard) 등
  − 적응 ; MDR-TB의 가능성이 높은 경우(e.g., 재치료), 약제내성을 빨리 확인해야 하는 경우
    (e.g., severe TB, HIV 감염자에서 발생한 TB) → 초기 검사로 Xpert MTB/RIF 권장(WHO)
• RFP 내성(RR) or MDR-TB에 대해서는 2차 약제들에 대한 감수성검사(or 신속내성검사)도 시행

5. 면역학적 진단

: 잠복결핵(latent TB infection, LTBI)의 진단에 주로 이용됨

(1) tuberculin (PPD) 피부반응검사 (tuberculosis skin test, TST)
• 결핵균 감염에 대한 세포면역(memory T cell)의 활성화 여부(지연형 과민반응)를 보는 검사
  : 결핵균 노출 후 2~8주 뒤에나 양성으로 나옴
• 검사방법 : 0.1 ml의 PPD (5TU)를 전박부의 굴측(volar surface)에 피내주사 ("Mantoux test")
  − 6~10 mm의 팽진(wheal)이 형성되도록 주사
    (만일 처음 주사가 실패하였다면 그 위치에서 수 cm 이상 떨어진 다른 부위에 재주사 가능)

- 판독 : 48~72시간 뒤, 경결(induration) 둘레를 측정 (발적의 크기는 고려하지 않음)
- 경결의 크기가 10 mm 이상이면 양성 (AIDS 환자는 5 mm)
- 경결이 15 mm 이상이거나 물집이 생기면 강양성
- (+) 의미 : 현재 또는 과거의 결핵 감염으로 결핵균 단백에 감작되었거나,
  BCG 접종에 감작된 것을 의미 (발병 상태를 의미하지는 않는다)
- newly infected person : 최근 24개월에 경결의 크기가 10 mm 이하에서 10 mm 이상으로
  증가된 상태 (증가폭 6 mm 이상)
- 단점 : 활동성과 비활동성/잠복 결핵을 구분 못함 (→ 모두 양성)
  - 위양성 많음 (specificity 낮음) ; BCG 접종자, NTM, 치유된 결핵 등
    - BCG를 1세 이전에 접종하면 위양성률 6.3%, 10년 이상 경과하면 1%에 불과함
      (1세 이후에 접종하면 위양성률 40%, 10년 이상 경과해도 20%)
    - NTM에 의한 위양성률은 2%
  - 위음성 많음
    ① 세포성 면역 저하 (anergy) ; AIDS, steroid 등의 면역억제제 투여, 홍역 등 virus 질환이나
       생백신 접종, 영양실조, 림프계 악성질환, CKD, sarcoidosis, 심한 감염, INH 투여, 영아
    ② 심한 결핵 ; 속립성 결핵 or 다른 부위의 중증 결핵
    ③ 결핵균 감염 초기 (노출 후 4~6주 뒤에나 양성으로 나옴)
    ④ 시약의 잘못된 보관이나 피하 주입
  - 우리나라는 BCG 접종으로 인해 약 30%가 양성이므로 활동성 결핵 진단 목적으로 사용하기는
    어렵고, 잠복결핵(LTBI)의 진단에 IGRA 검사와 함께 활용함

(2) 체외 IFN-γ 분비검사 (in vitro IFN-γ release assay, IGRA)

- TST의 원리와 비슷하게 memory (CD4+) T-cells의 반응을 검사 ⇨ 잠복결핵의 진단에 이용
- 검사방법 : 결핵균 특이 항원(e.g., ESAT-6, CFP-10, TB7.7)이 포함된 튜브에 환자의 혈액을
  첨가하여 16~24시간 자극한 뒤 생성되는 IFN-γ의 양을 측정
- 종류 ; QuantiFERON-TB GOLD, T-SPOT TB, elispot ...
- 장점
  ① TST와 sensitivity는 비슷하면서 specificity는 높음
     : NTM 감염이나 BCG 예방접종에 의한 위양성이 적음!
  ② 면역저하자에서는 TST보다 sensitivity 높음 (TST 음성이고 IGRA 양성이면 LTBI로 진단)
  ③ 객관적 (검사자에 따른 변이가 적음), 환자에게 편리 (한번만 채혈을 하면 됨)
- 단점 ; 고가, remote infection에서는 TST보다 sensitivity 낮을 수 있음 (위음성)
- 결핵(active TB)의 진단에는 이용 못하지만, 잠복결핵(LTBI)의 진단이나 결핵 환자와 접촉한 사람
  중에서 결핵균에 감염된 사람을 찾아내는 데 유용함 (특히 BCG 접종자에서)

6. Bronchoscopy (적응증)

① 폐야의 고립성 음영의 확진 (특히 폐암과 감별진단)
② 무기폐 음영의 확인
③ 기관, 기관지 결핵의 확인
④ 객혈 발생시

7. 기타 검사소견

- normocytic normochromic anemia, leukocytosis, ESR 증가 등
- 대개는 정상이거나, 경미한 이상만 보임

■ Activity의 판정

(1) active (활동성)

① 객담 (or 기관지세척액 등) 검사에서 균 검출 (도말 or 배양 or PCR 양성)

: PCR이 가장 정확, 배양은 gold standard(specificity 100%)지만 오래 걸리며 위음성이 좀 있고, 도말은 가장 저렴하고 간편하지만 위음성이 많고 NTM과 구별 안됨

c.f.) 배양 음성이라도 결핵 치료로 임상적 호전을 보이면 배양음성 폐결핵으로 진단 가능

② 흉부 X선상 병변의 변화 (과거 CXR와 비교, m/i)

③ empyema, bronchopulmonary fistula, pleurocutaneous fistula, endobronchial TB 등이 의심

(2) quiescent (정지성)

: 매월 검사한 객담검사에서 3개월간 균 음성이면서, 흉부 X선상의 변화도 없는 상태

(3) inactive (비활동성)

① 공동이 없는 경우 : 매월 객담검사에서 6개월간 균 음성이면서, 흉부 X선상 변화도 없는 상태

② 공동이 있는 경우 : 흉부 X선상 6개월 이상 변화가 없고, 1~3개월 간격으로 검사한 객담검사에서 18개월 이상 균 음성인 상태

c.f.) AIDS 환자에서 결핵 진단이 어려운 이유

① 객담 AFB 음성률이 높음

② CXR 소견이 비특이적 (AFB는 양성이어도 정상일 수)

③ PPD 검사 위음성(anergy)

치료

1. 치료 목표

① 병변내의 균 박멸 (m/i)

② 병변의 원상회복 또는 개선

③ 증상/증세의 소실 또는 개선

④ 재발 없는 치료

2. 항결핵약제의 종류와 부작용

- 1차 항결핵제 : 효과가 좋고 부작용이 적어 초치료시 주로 사용되는 약
- 2차 항결핵제 : 효과가 적고 부작용이 많아 재치료시 주로 사용되는 약

(1) 1차 항결핵제 (first-line drugs)

① Isoniazid (INH, H)

- 살균제제, 활발히 증식하는 균 뿐만 아니라 macrophage내의 결핵균에도 항균효과가 있음
- S/E ; 간염, <u>말초신경염</u>(dose-dependent), hypersensitivity, 정신병
- 말초신경염 예방목적으로 <u>pyridoxine (vitamin B$_6$)</u> 같이 복용 (∵ pyridoxine antagonist)
  - INH 대량 (>600 mg) 사용시에(e.g., 뇌막염) 투여함 (통상 INH 용량에서는 불필요)
  - 임신, 알코올중독, 영양실조, 만성 간질환, CKD, DM, 노인, 빈혈, 신경병, 간질, AIDS 등에서도 투여 가능

② Rifampin (RFP, RIF, R)

- 살균제제, 결핵균의 3가지 집단에 모두 효과적
- 특히 결절(caseous necrosis) 내의 persister에는 유일하게 효과가 있음
- S/E : 간염, 발열, hypersensitivity, purpura, 신부전 (체액이 적색으로 변하는 것은 정상임)
  - 과민반응중 감기같은 반응시에는 간헐요법을 매일요법으로 바꾸고 소량씩 재투여할 수 있음
  - <u>thrombocytopenia</u>, <u>hemolytic anemia</u>, <u>AKI</u> → 즉시 투약 중단 & 재투약 금기!
    c.f.) AKI (드뭄) ; acute interstitial nephritis, 대개 간헐적 투여 or 재투여와 관련

> - 약물상호작용 ; rifampin은 CYP 효소들의 강력한 inducer로 많은 약물들의 대사를 증가시켜 혈중 농도를 감소시킴
>   특히 항부정맥제(quinidine, phenytoin), 경구피임약, warfarin, steroids, insulin, sulfonylurea, digoxin 등과
>   사용시 주의 → 이들 약제의 용량↑(or RFP level↓) / protease inhibitors와는 병용 금지(→ 뒤의 HIV 편 참조)
> - 음식이 흡수를 방해하므로 식사 30분 이전에 투여 / 담도로 배설 → 신부전시 가장 안전!

- * rifabutin : HIV 치료제(e.g., PI)와 병용시 RFP보다 약제상호작용이 적어 유용함
- * rifapentine : RFP보다 작용시간 길고 부작용 적지만, 재발률 높음 (RFP 내성균에는 효과×)

③ Ethambutol (EMB, E) : 정균제제 (RFP에 대한 내성 발현 억제 역할)

- S/E ; <u>시신경증</u>(optic neuropathy) : 시력감소, 중심암점, 적녹색약 등, 대부분 양측성
  - 대부분 2개월 이후 발생, 용량 & 투약기간과 비례, 대개는 투약 중단하면 서서히 회복됨!
  - 발생시 즉시 투약 중단 & 재투약 금기! (호소 못하는 환자나 소아에서는 사용을 피함)
- 신기능 감소시 발생위험 증가 → 신부전시는 사용 피함

④ Pyrazinamide (PZA, Z)

- 살균제제, pH 6.0 이하에서만 살균 작용 → 특히 macrophage 내(산성 pH) 결핵균에 효과적
- S/E ; hepatotoxicity, <u>arthralgia</u> (→ NSAID 등으로 조절 가능), GI upset, photosensitivity
  - uric acid 배설 억제 ; hyperuricemia (→ 통풍 발작 때에만 투여 중지), RFP 병용시 빈도↓

⑤ Streptomycin (SM) : AG 계열 주사제 (분류에 따라 1차기도 하고, 2차기도 함)

- 살균제제, 심한(e.g., meningitis, miliary tbc) or 내성 결핵에 복합요법으로 사용
- S/E ; <u>제8 뇌신경 장애</u> (주로 vestibular br. 장애 → 현기증, 운동실조), 신생아난청,
  nephrotoxicity (non-oliguric RF, 다른 AG보다는 적음), anaphylaxis
  - 이독성(제8 뇌신경 장애)과 신독성은 용량에 비례, 고령에서 호발 → 발생시 재투약 금기!
  - 입주위의 tingling sense, 두통, 어지러움 등은 일과성 → 투여 중지× (심하면 용량 감량)

(2) 2차 항결핵제 (second-line drugs)

① AG (주사제) ; amikacin, kanamycin, streptomycin … 살균제제

- S/E ; 제8 뇌신경 장애 (청력장애가 主), nephrotoxicity 등 (윗부분 참조)
- amikacin : kanamycin보다 ototoxicity 적고, IM시 통증도 적음

② **capreomycin (주사제)** : AG와 기전/효과/부작용 유사함
  - AG 들과 capreomycin은 주사제로 다른 2차 약제들에 비해 항결핵 효과가 우수한 편
  - 최근 WHO는 부작용 등으로 주사제를 우선 권장 안함, kanamycin과 capreomycin은 제외했음
③ **quinolones** ; levofloxacin, moxifloxacin, gatifloxacin 등 (ciprofloxacin은 권장 안됨)
  - 다른 2차 약제들에 비해 항결핵 효과가 좋고 부작용 적음, 다른 항결핵제와 교차내성 없음
  - 폐렴 환자에서 경험적 항생제로 사용시 진단 못한 결핵을 놓칠 수 있으므로 주의
  - 유제품 및 제산제에 의해 흡수 저하 → 2시간 이상의 간격을 두고 복용해야
  - 신기능 저하 → moxifloxacin이 안전 / 간기능 저하 → levofloxacin이 안전
  - levofloxacin & moxifloxacin → QT prolong 위험
④ **thioamide** ; prothionamide, ethionamide … 정균제제
  - prothionamide가 부작용이 상대적으로 적어 선호됨, INH와 구조/부작용 비슷
  - S/E ; 위장장애(~30%), 입안의 금속 냄새, N/V, 식욕감퇴, 현기증, 간독성, 말초신경염,
       CNS 부작용, hypersensitivity, 태아의 기형 초래할 수 (→ 임산부에선 금기)
⑤ **cycloserine (Cs)** : 정균제제
  - S/E ; CNS 부작용이 흔함 (e.g., 두통, 불안, 성격변화, psychosis, convulsion), hypersensitivity
       → 우울증, 불안증, 정신병, 간질 환자에겐 금기!, 알코올 중독 및 신기능 장애 시에도 주의
  - CNS 부작용의 예방/치료를 위해 (INH와 마찬가지로) pyridoxine을 같이 복용해야 됨
   * **terizidone (Trd)** : cycloserine 유도체
⑥ **para(*p*)-aminosalicylic acid (PAS)** : 정균제제
  - S/E ; 위장장애 (흔함), hypersensitivity, hepatotoxicity, hypothyroidism, BM suppression
⑦ **linezolid** : oxazolidinone계, 정균제제, MDR-TB에서 우수한 효과
  - 부작용 ; BM suppression (10일 이상 사용시 호발, 가역적), peripheral & optic neuropathy
       (장기 투여시 발생 가능, 비가역적일 수), N/V, 설사/변비, 두통, 수면장애, 횡문근융해(드묾)
⑧ **bedaquiline** : diarylquinoline계, ATP synthase억제, 2012년 FDA MDR-TB 치료에 허가
  - MDR-TB에서 매우 우수한 효과를 보이고 부작용 적어 1차 선택약으로 권장(WHO 1군 약제)
  - S/E ; QT prolong, 간기능 장애 등 (심한 신기능 저하시 주의)
  - 최대 24주만 사용, 고령 및 HIV(+)에서는 주의, 소아 및 임산부에는 사용×
⑨ **delamanid** : nitro-dihydro-imidazooxazole계, mycolic acid 합성 억제, 2014년 유럽에서
       MDR-TB 치료에 허가됨, 기대만큼 효과가 뛰어나지는 않아 현재 WHO 3군 약제임
  - S/E ; QT prolong 등 / 최대 26주만 사용!
  - C/Ix ; albumin <2.8 g/dL, 강력한 cytochrome 3A 유도제(carbamazepine, rifampin) 복용
⑩ **clofazimine** : *M. leprae*에 살균작용 (나병 치료제), MDR-TB에도 효과적
  - S/E ; 위장장애, 심한 피부변색, photosensitivity (→ 햇빛 노출 최소화)
⑪ **β-lactams & β-lactamase inhibitor** (e.g., amoxicillin/clavulanate) : MDR-TB에 사용
  (∵ *M. tuberculosis, M. bovis, M. kansasii*는 β-lactamase를 생성)
⑫ **thioacetazone** : 독성이 심해 MDR-TB에서만 일부 쓰였으나, 현재는 거의 안 쓰임
  (HIV 감염자에게는 Stevens-Johnson syndrome 유발 위험으로 금기)
⑬ **pretomanid** : nitroimidazole계, 살균제제, 비영리단체인 TB Alliance가 개발한 새로운 결핵약
  - XDR-TB 및 treatment-intolerant or nonresponsive MDR-TB에 허가됨 (FDA[2019])
  - bedaquiline + pretomanid + linezolid[high-dose] 병합요법으로만 사용, 치료 성공률 최고 (90%)

항결핵 약제의 분류 (과거)

Group/classification		약제	약자
1군	초치료 환자에서 우선적으로 선택되는 경구용 항결핵제	Isoniazid	INH, H
		Rifampin	RIF, R
		Ethambutol	EMB, E
		Pyrazinamide	PZA, Z
		Rifabutin	Rfb
2군	주사제	Kanamycin	Km
		Amikacin	Amk
		Capreomycin	Cm
		Streptomycin	S
3군	퀴놀론계 항결핵제	Levofloxacin	Lfx
		Moxifloxacin	Mfx
		Gatifloxacin	Gfx
4군	경구용 이차 항결핵제	Prothionamide	Pto
		Cycloserine	Cs
		Terizidone	Trd
		p-aminosalicyclic acid	PAS
5군	내성 결핵의 치료에서 적절한 약제 구성이 불가능한 경우 선택되는 약제들로 전문가 자문이 필요한 약제	Linezolid	Lzd
		Delamanid	Dlm
		Bedaquiline	Bdq
		Pretomanid	Pa
		Clofazimine	Cfz
		Imipenem/cilastatin	Ipm
		Meropenem	Mpm
		Amoxicillin/clavulanate	Amx-Clv
		High-dose isoniazid	H^h

3. 약물치료의 원칙

① 다제 병합요법 : 내성 발현을 예방하기 위해 최소한 3종류 이상 병용 (bactericidal 2종류 포함)

② 1일 1회 투여 (∵ 1차 항결핵제의 작용은 1일 1회 투여로 혈중농도가 single peak를 이루었을 때가, 지속적으로 MIC 이상의 농도를 유지할 때보다 치료효과가 우수함)

③ 6개월 이상 장기간 치료 (충분한 용량, 규칙적으로)

④ 감수성 약제의 선택 (4제 병용), 살균 약제의 선택

    ┌ 살균력 : INH, RFP > SM, PZA
    │ 멸균력 : RFP, PZA > INH (와 병합하면 더욱 효과적)
    │ 정균력 : EMB, PAS
    └ 세포속의 균 : RFP, INH, PZA

결핵균의 분포

Active cavity (중성환경 or 알칼리환경)	결핵균 : 활발하고 빠르게 증식, 10^8 마리 이상 SM이 가장 효과적 (INH, RFP도 효과적)
Macrophage 내 (산성환경)	결핵균 : fully-dormant (극히 서서히 증식 or 거의 증식×), 10^5 이하 PZA가 가장 효과적 (∵ 세포내 세균에만 살균 작용)
Solid caseous lesion (중성환경, 산소의 공급이 저조)	결핵균 : semi-dormant (서서히/간헐적 증식: persister), 10^5 이하 대부분의 약제가 비효과적 (치료 종결 후 재발의 원인), RFP 만이 유일하게 효과적!

■ 항결핵제의 작용정도

- 초기살균작용(early bactericidal activity) : 활발한 대사활동을 하고 있는 결핵균을 급속히 사멸시킬 수 있는 초기 살균 작용 → INH가 가장 강력
- 멸균작용(sterilizing activity) : 서서히 혹은 간헐적으로 활동하는 반휴지기(semi-dormant) 잔존 결핵균(persists)을 끝까지 사멸시키는 작용 → RFP과 PZA가 가장 강력
- 획득내성 출현의 예방 : 많은 수의 결핵균 중에 존재하는 약제내성 돌연변이를 억제
  → INH와 RFP이 가장 효과적
- EMB/SM : 약제 내성획득 방지 작용 (치료 개시시 이미 존재하고 있는 초회 내성균을 제어)

4. 초치료 (initial treatment)

항결핵약물 치료의 적응	

도말 or PCR 양성	1. 임상양상과 CXR 소견이 결핵에 합당 → 치료 시작
	2. 임상양상과 CXR 소견 상 결핵 가능성이 적음
	  → 도말검사에서 1회만 양성이면 객담검사 반복 &
	  배양검사 결과를 기다려 봄

도말 & PCR 음성	1. 임상양상과 CXR 소견이 결핵에 합당 → 경험적 치료하면서 경과 관찰 (CT, 유도객담, 기관지내시경, 조직검사 등 고려) 2. 임상양상과 CXR 소견상 결핵 가능성이 적음 → 경과 관찰 3. 비결핵성 질환이 의심되면 HRCT 등 추가 검사 시행

- 우리나라 - 6개월 요법 (표준 처방) : 2HREZ + 4HR(E)
  - 초기 집중치료 (2개월) : INH, RFP, EMB, PZA
  - 유지치료 (4개월) : INH, RFP, (EMB)

  - DST 결과 INH와 RFP에 감수성 결핵으로 확인되면 2개월 후부터 EMB은 중단 가능
  - PZA는 처음 2달 이상 더 사용해도 결과에 차이가 없다
  - 초기에 PZA를 사용할 수 없거나 빠진 경우에는 INH, RFP, EMB로 9개월 요법 시행(9HRE)
- 최근에는 복용이 편한 4 or 2제 고정용량 복합제(fixed dose combination)도 판매되고 있음
- 치료 전 CXR에서 cavity 존재 & 치료 2개월 후 객담 배양(+)인 경우는 유지치료 3개월 연장 고려
- 입원이 필요한 경우가 아니면, 외래로 치료하며 (전염력이 있는 기간에는) 재택 격리
- 흡연은 치료 결과에 큰 영향을 주지는 않음

* 입원(격리)치료의 적응
  ① 고열, 객혈, 심한 호흡곤란, 기흉, 농흉 등 임상증상이 심할 때
  ② 다른 동반질환이 심할 때 (e.g., 조절 안 되는 DM, 합병증)
  ③ 항결핵제의 부작용이 심하거나, 항결핵제의 선택을 위하여
  ④ 다제내성 전염성 호흡기 결핵 환자, 치료 비순응자, 재택 격리가 어려운 경우

5. 특수 상황에서 약물치료

(1) 임신

- INH, RFP, EMB, PZA 등 1차 항결핵제는 태반은 통과하지만 태아 기형을 유발하지는 않음
  ⇨ 임신부의 초치료도 6개월 표준치료(2HREZ/4HRE) or PZA를 제외한 9개월 (9HRE) 동일

(c.f., 미국에서는 PZA에 대한 불확신으로 9HRE 권장)
- 임신은 폐결핵의 경과에는 영향을 미치지 않음
- 활동성 폐결핵 산모에서 태어난 신생아에게는 INH를 예방적으로 투여
- 결핵치료중인 가임 여성에게는 피임을 권장 (c.f., 경구피임제는 RFP으로 인해 효과가 저하됨)
- 1차 항결핵제로 치료 중인 산모는 모유 수유를 중단할 필요 없음
  (2차 항결핵제는 자료가 부족하므로 모유 수유 대신 분유 권장)
- INH를 복용 중인 임신/수유부는 pyridoxine (vitamin B_6)을 같이 투여함

c.f.) US FDA pregnancy category

B (안전)	C (자료 부족)	D (금기)
Bedaquiline Amoxicillin/clavulanate Meropenem	Isoniazid (호주는 category A), Rifampin (호주는 category A) Ethambutol, Pyrazinamide, Capreomycin, Levofloxacin, Gatifloxacin 　(Moxifloxacin은 호주 category B3) Ethionamide/prothionamide, Cycloserine, p-aminosalicyclic acid Clofazimine, Imipenem/cilastatin, Linezolid (호주는 category B3)	Amikacin 등의 AG

- 일반적으로 금기인 항결핵제 ; ethionamide/prothionamide (∵ 태아 성장장애 가능),
  　AG 및 capreomycin (∵ 신생아 난청 유발)
- 나머지 대부분의 2차 항결핵제는 자료가 부족하므로 대체제가 없을 때에만 선택 고려
  　(clofazimine, delamanid, linezolid 등은 보통 권장 안 되는 편)

(2) 신부전

- 용량을 줄이는 것보다는(∵ 혈중 최고 농도↓ → 치료효과↓), 투여간격을 늘리는 것이 권장됨
- RFP : 제일 안전! (∵ 담즙으로 배설)
- INH : 거의 안전, 신기능 저하시엔 말초신경염 예방위해 반드시 pyridoxine 추가
- moxifloxacin, ethionamide/prothionamide 등도 투여간격 조절 필요 없음
- EMB, PZA, levofloxacin ⇨ C_{Cr} 30 mL/min 미만시 주 3회 투여
- AG 및 capreomycin ⇨ C_{Cr} 30 mL/min 미만시 주 2~3회 투여
- 혈액투석을 하는 경우 투석으로 제거될 수 있으므로, 모든 항결핵제는 혈액투석 직후에 복용함
  (c.f., 투석으로 제거되지 않는 약제 ; RFP, ethionamide, prothionamide /INH도 조금만 제거됨)

(3) 간질환

- 간기능 장애시 안전한 약 (SECQ) ; SM, EMB, CS, Quinolones ★
- INH, RFP, PZA, ethionamide : 간독성이 있으므로 주의
  - but, 대개는 투여 가능 (active hepatitis 등 심한 간질환시에만 금기)
  - INH와 RFP 동시 투여시는 간독성의 상승 효과
  - PZA : 간독성 발생은 INH, RFP보다 적지만, 발생하면 더 심함 (간염의 m/c 원인)
- 간질환의 병력, HBV 보균자, 고령(> 70세), 알코올중독자
  ⇨ ┌ 간질환이 없는 환자와 같이 표준요법으로 치료
  　 └ 치료 전 간기능 상태 파악 & 자주 F/U (1개월 마다)
- 간손상이 심하지 않은 만성 간질환 ⇨ INH + RFP + EMB 9개월 치료 (9HRE)
- 중증 간질환(e.g., 심한 간염, 간경변) ⇨ 안전한 제제로만 조합하여 18~24개월 치료

■ 치료중 aminotransferase (AST · ALT)의 상승 (특히 INH, RFP 사용시)

① aminotransferase가 정상상한치(UNL)의 5배 (약 150) 이상으로 상승 *or*

UNL의 3배 이상 상승 + 간염의 증상 발생(e.g., 황달, bilirubin >3, N/V, dark urine)

⇨ 즉시 간독성 있는 모든 약제 중단

⇨ 간기능이 정상화되면(UNL의 2배 이하) 한가지씩 재투여하면서 독성의 원인 약제를 찾아냄

(3~7일 간격으로 /간독성이 없는 약제 2가지 이상을 병용하면서)

• 재투여 시도 순서 : RFP → INH → PZA(간독성이 심한 경우 재투여×, 나머지 3제로 9개월)

(RFP이 간독성 유발 가능성 가장 낮고, 가장 효과적인 약제이므로 RFP부터 재투여 시도)

• 대개는 재투여시 다시 간독성이 나타나지는 않음

② aminotransferase가 150을 넘지 않으면 처방의 변경 없이 계속 투약하면서, 1~2주 간격으로

간기능 검사를 F/U (∵ INH에 의한 간기능 장애는 대부분 일시적)

* 조직검사는 구분 안 되므로 필요 없다

→ 소화기내과 II-3장도 참조

(4) HIV 감염 (AIDS)

• HIV(+) 환자에서의 결핵 ; 전세계적으로 HIV(+) 환자의 주요 사망원인(20~25% 차지)

  – 결핵균 감염시 몇 주 만에 더 빨리 active TB로 진행 (↔ HIV 음성은 몇 개월 ~ 몇 년)

  – 면역저하 심할수록(CD4 lymphocyte count가 낮을수록) 결핵 발생↑, 전신증상(e.g., 발열)↑,

    비전형적 영상소견(e.g., diffuse or miliary), 폐외 결핵 흔함 (폐결핵 동반 포함하면 40~60%),

    granuloma 잘 안 생김, 기침/객혈 드묾, 객담 AFB 도말 양성률 낮음

• 결핵 → HIV 증식(혈중 농도)↑, HIV 질환의 진행 촉진

• 진단 ; 기존의 방법들 + 신속 PCR & DST (e.g., Xpert MTB/RIF) 더 강조됨

  c.f.) urine Ag (lipoarabinomannan, LAM) test [POCT] : 기존 검사들에 보조적으로 유용함,

    HIV와 결핵 유병률이 높은 지역에서 CD4 count <100/mm^{3}이면서 결핵 증상이 있거나

    CD4에 관계없이 심한 HIV(+) 환자에서 사용 권장(WHO) (다른 환자들에서는 권장 안됨)

• 즉시 결핵 치료 시작, 일반적인 표준처방 사용, 치료에 대한 반응은 HIV(−) 환자와 비슷함!!

  – 치료기간 : 6개월 (치료 반응이 느리면 9개월로 연장), 소아는 최소 9개월 이상

  – 항결핵약제의 부작용이 더 심하고 오래 지속될 수 있음

• HIV 감염 환자의 결핵치료에서 고려해야할 점

  ① ART 치료 시작 시기

결핵이 진단된 HIV 환자에서 ART 시작 시기

1. CD4 count <50/mm^3 → 가능한 빨리 ART 시작 (늦어도 결핵치료 시작 2주 이내에)
2. CD4 count ≥50/mm^3 → 결핵치료 시작 8주 이내에 ART 시작
3. HIV 감염 임신부 → 가능한 빨리 ART 시작
4. 결핵성 수막염 환자 → 8주 이후 ART 시작 고려 (∵ 조기 ART는 부작용과 사망 위험↑)

---

  ② rifamycin 제제(rifampin, rifabutin, rifapentine)와 ART 약제의 상호작용

    – rifamycin 계열 → cytochrome P-450과 UGT1A1 효소의 활성을 유도

      → ART 약제들의 혈중 농도 ↓↓ (특히 protease inhibitor, PI)

    – rifampin이 가장 상호작용 큼 (특히 PI 및 INSTI와) → rifabutin으로 대체

    – NNRTI efavirenz와 rifampin은 상호작용이 거의 없어 병용 가능

    – rifapentine : 반감기가 길어 efavirenz와 raltegravir 외에는 권장 안됨

	Rifampin	Rifabutin
Nucleoside analogs	Tenofovir disoproxil fumarate (TDF) : 병용 가능 Tenofovir alafenamide (TAF) : 농도↓↓, 금기	좌동
NNRTI	**Efavirenz 선호 (∵ 상호작용 드묾)** Nevirapine : 농도↓↓, 이미 결핵 치료중이면 금기 Rilpivirine, Etravirine : 금기	Efavirenz → rifabuin 농도↓ (→ 증량) Nevirapine : 병용 가능 Rilpivirine, Etravirine : 병용 가능 (용량↑)
Protease inhibitors	금기	병용 가능 → rifabutin 용량은 2배 증량
INSTI* (integrase inhibitors)	Raltegravir : 조심스럽게 병용 가능 (용량↑) Dolutegravir : 용량 2배로 Bictegravir, elvitegravir : 금기	Raltegravir, dolutegravir : 병용 가능 Bictegravir, elvitegravir : 금기
기타	Maraviroc (CCR5 receptor antagonist) : 금기 Enfuvirtide (fusion inhibitor) : 병용 가능	Enfuvirtide (fusion inhibitor) : 병용 가능

*INSTI : integrase strand transfer inhibitor

③ ART와 항결핵제 동시 투여시 추가 독성 발생 위험(e.g., 간독성, 신경병증)
④ 약제내성의 증가 : AIDS의 증상 및 약제 부작용 등으로 인한 불규칙한 복용으로 발생 증가
⑤ paradoxical reaction (IRIS) 발생 빈도 증가

■ 면역재구성염증증후군(immune reconstitution inflammatory syndrome, IRIS, TB-IRIS)

- 결핵 치료 중 일시적으로 증상 및 영상소견이 악화되는 것 (paradoxical TB-associated IRIS)
  ; 증상 악화(e.g., fever), lymphadenopathy 악화, 폐결핵 병변 악화, 새로운 흉수의 발생 등
  ("unmasking IRIS" : subclinical TB를 진단 못하고 ART를 시작해 IRIS가 발생한 것)
- 발생기전 : 죽은 결핵균 항원에 대한 면역반응 + 일시적인 면역기능 호전
- 주로 HIV 감염 TB 환자에서 호발하지만 (ART 시작 2~4주 뒤 10~15%에서 발생),
  일반 환자에서도 나타날 수 있음 (항결핵제 치료 시작 1~2달 뒤), 폐외 결핵에서는 20~30%
- risk factor ; 심한 면역저하(baseline CD4 <50/mm^3), early ART, ART 시작 후 CD4 ↑↑,
  ART 시작 전후 HIV level ↓↓, extrapulmonary/disseminated TB, severe TB, young age 등
- 임상적으로 진단 ; 결핵치료 실패, 약제내성, 약제부작용, 다른 감염/질환 등을 R/O한 뒤 진단
- 치료/예후 (<u>결핵치료와 ART는 지속함</u>, 결핵 치료 성적에는 영향 없음)
  - 다른 poor Px factor가 없으면 IRIS로 인한 사망은 드묾
  - 대증요법 ; 경미하면 NSAIDs, 심하면 steroid (low-dose prednisolone 1~4주) 등
  - CNS 결핵 환자는 결핵 치료 초기 8주 동안은 ART 금지 (∵ 신경 부작용 or 사망 가능)

6. 치료 추적/결과

(1) 감염성의 소장

- 균 침입 ~ 흉부 X선상 발견 : 4~6주
- 치료 경과 ; 결핵균 수 2일 이내 ~1/25, 2-3주 뒤 ~1/100로 감소
- 전염력 소실 시기 : <u>2주</u> 이상 항결핵제 복용 + 호흡기증상 소실 + 객담도말 음전
  (보통 2주 뒤면 균의 수 감소 및 항결핵제에 의한 균의 손상으로 전염력은 크게 감소됨)
- 외래 환자 ⇨ 재택격리, 전염성 소실 때까지지 외출 자제, 병원 방문시 수술용 마스크 착용
- 입원 환자 ⇨ 음압 격리병실 (or 환기가 잘 되는 1인실)에서 격리 치료 (air-borne precaution)

격리해제 및 일반병실로의 전실 조건	• 도말 음성 환자 ⇨ 1주일 이상 결핵치료 + 임상적 호전 • 도말 양성 환자 ⇨ 2주일 이상 결핵치료 + 임상적 호전 + 객담도말 3회 이상 음성 • 약제내성 결핵 환자 ⇨ 2주일 이상 결핵치료 + 임상적 호전 + 1주일 이상 간격의 　　　　　　　　　　　객담도말 3회 이상 음성 (한번 이상의 객담배양 음성 권장)
객담도말(+)라도 퇴원 & 재택격리 치료 가능한 경우	결핵관리 전담간호사와 연계되어 외래에서 적절하게 결핵치료가 가능해야 됨 환자의 집에 6세 미만 소아 or HIV 감염자 같은 면역억제 환자가 없어야 됨 환기가 잘 되는 독립된 공간이 있어야 됨

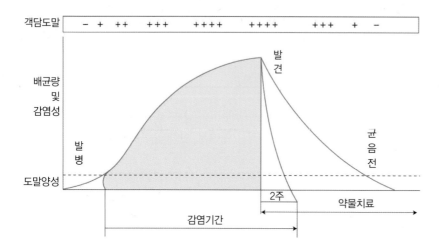

(2) 치료 효과 판정 (F/U 검사)

① 증상 호전 : 첫 2~3주

② **객담 AFB 도말 & 배양검사** (m/i) : 80%에서 2개월 뒤 AFB 음전

　- 2회 연속 음성이 나올 때까지 매달 시행 + 치료 종결 시점에 마지막으로 시행

　- 치료 3개월 후에도 배양(+) → 약제감수성 검사 / 4개월 후에도 배양(+) → 치료 실패

　- 치료 2개월 후 배양 (+)면 치료 실패의 위험성이 커짐 → 아래의 (3) 치료 실패 원인 확인

　- 분자유전검사(NAT)는 치료경과 추적에는 사용 안함! (∵ 생균과 사균을 구별 못함)

③ 흉부 X선 (1~2개월마다 시행) : 보통 2~4개월 뒤 호전

* 흉부 X선 소견만으로 치료 반응을 평가해서는 안 된다!

　- 결핵균은 사라졌으나 섬유화가 많이 진행된 경우 늦게 호전되거나 뚜렷하지 않을 수 있음

　- 다른 원인들에 의해 악화 비슷한 소견보일 수 있음

　　(e.g., 폐렴, 기관지 확장 병변, 공동성 병변에서의 폐 출혈, 폐 종양 발생, 과민반응)

(3) 치료 실패/재발의 원인/위험인자

① 순응도↓ : 조기 중단 or 불규칙한 복용 (m/i)

② 균 양이 많음(e.g., 공동의 크기/범위↑, 양측성 병변, 폐외 결핵)

③ 치료전 약제의 내성

④ 순응도를 떨어뜨리거나 반응을 방해할만한 동반질환, 영양실조, 흡수장애 등

⑤ 약제 부작용 관리의 잘못, 합병증 발생

⑥ 의사에 의한 부적절한 처방

⑦ 오진 (결핵 이외의 다른 폐질환)

7. 재치료(retreatment) ★

(1) 초치료 실패 (treatment failure)
- 정의 : 치료 **4개월** 이후에 객담 배양 양성 (배양 결과는 5~6개월에 확인)
- 내성균의 선택적 증식일 가능성 높다 (MDR-TB)
- 치료 : 새로운 약제들로 바꾸는 것이 원칙 (새로운 약제는 한가지씩 추가하면 안됨!)
  - 질병 상태가 심하지 않을 때는 신속내성검사 등 감수성검사 확인 때까지 기존 약제 사용 가능
  - 질병 정도가 심하거나 지속적으로 도말 양성인 경우는 MDR-TB 치료에서와 같이
    이전에 쓰지 않았던 새로운 약제를 최소한 4가지 이상 사용하여 재치료 시작
    → 나중에 약제 감수성검사 결과가 확인되면 이를 고려하여 처방 조절
  - 과거에 사용했던 약제가 약제감수성검사 결과 감수성으로 나오더라도, 제외시키는 것이 안전
  - PZA를 초기 2개월만 사용한 환자는 PZA를 재치료에도 사용 가능!
- 재치료 기간 : 12~18개월 이상 (~3년까지도)
- 재치료에도 실패하면 그 뒤에는 사용할 약제가 거의 없으므로, 약제 선택에 심혈을 기울이고
  환자가 잘 복용하는 지 꼭 확인, 또한 초치료 약제보다 부작용이 많으므로 주의 깊게 F/U

(2) 재발(relapse) or 조기 중단
- 정의 : 원칙대로 초치료를 시행하고 치료를 종결 (균 음전, 완치 판정) 후에 결핵균이 다시 배출
  or 치료 초기에 임의로 투약을 중단한 자
- 감수성균(휴지기 결핵균)에 의한 재발이 대부분 → 과거 사용 약제에 대한 감수성이 남아있음
- 치료 : 초치료 후 1~2년 이내 재발시 초치료 때와 동일한 처방을 재사용
- 치료 기간 : 초치료 기간보다 3개월 더 연장 → 총 9개월
- 감수성균/내성균/새로운균에 의한 재발인지 모르는 경우 (e.g., 불규칙한 복용, 3년 이후 재발)
  - 우선 과거와 동일한 처방을 반복하면서 경과를 봄 → 약제감수성 결과가 나오면 처방 조절
  - 환자의 상태가 중해서 약제감수성 결과를 기다릴 여유가 없는 경우 → 모두 새로운 약제로
    치료를 시작한 후 만약 감수성 결과에서 감수성 재발이 확인되면 과거 사용 처방으로 돌아감
  - 과거에 사용했던 약과 새 약을 혼용하면 안 된다

* 모든 재치료 환자에서는 치료재개와 동시에 반드시 약제감수성 검사를 병행하여 내성 여부를 확인,
그 결과에 따라 처방을 재조절해야 함

8. 약제내성 결핵의 치료

(1) 단일 약제내성 결핵의 치료
- INH 단독 내성 ⇨ INH 중단하고, RFP + EMB + PZA [REZ]로 6~9개월 치료
  - 4제 표준 처방을 그대로 유지해도 치료 성공률은 95% 이상이지만, 재발률이 2배 높음
  - 병변의 범위가 넓고 심한 경우 quinolone 추가 고려
  - 초치료 표준요법(HREZ) 2개월 경과로 PZA를 중단하고 HRE만 복용 중 INH 단독 내성이
    발생한 경우 → INH 중단하고, RFP + EMB로 총 12개월 치료
- RFP 단독 내성 ⇨ RFP 중단하고, INH + EMB + PZA + quinolone으로 12~18개월 치료
  　　　　　　　　　　　(PZA는 2개월 이상 사용해야 됨)

- but, RFP 내성은 다제내성인 경우가 많음 → 유전자검사로만 RFP 내성이 확인 된 경우 전통적인 DST 결과가 나올 때까지는 다제내성으로 간주하고 치료하는 것이 안전
- 병변의 범위가 넓고 심한 경우 주사제 추가 고려

(2) MDR-TB (multi-drug resistant TB, 다제내성 결핵)

- 정의 : 약제감수성검사(DST)에서 INH와 RFP에 모두 내성을 보이는 결핵균
- 우리나라의 검출률 : 초치료 환자의 2.7%, 재치료 환자의 14%
- 병인
  - primary : 항결핵제를 복용한 적이 없는 환자가 약제내성 균주에 감염
  - secondary : 적어도 1개월 이상 항결핵제를 복용했던 환자에서 내성균주의 우위로 발생
    (불규칙한 복용, 치료 실패, 면역저하자 등 → 결핵균 수↑ → resistant mutant↑)
- 각각의 약제에 대한 내성은 서로 다른 유전자의 돌연변이에 의하여 독립적으로 이루어짐
  (단일 약제에 대한 내성 ; INH (m/c) > RFP > EMB > SM)
- 치료 (기존) : 내성이 없을 것으로 추정되는 약제를 최소 5가지 이상 동시에 사용

단계(군)	요령	약제
1	1차 항결핵제 중 사용 가능한 약제 포함	Pyrazinamide, Ethambutol
2	주사제 중 하나를 선택	Kanamycin, Amikacin, Streptomycin, Capreomycin
3	Quinolone 중 하나를 선택	Levofloxacin, Moxifloxacin, Gatifloxacin
4	4군의 약제 중 2개 선택	Cycloserine/terizidone, Prothionamide/ethionamide, p-Aminosalicylic acid (cycloserine 못쓸 때 대체)
5	4단계까지 거쳐도 5가지 약제가 구성되지 않으면 5군의 약제들 사용 고려	Linezolid, Bedaquiline, Delamanid, Clofazimine, Imipenem/cilastatin, Amoxicillin/clavulanate, Meropenem, 고용량 Isoniazid

- 주사제는 최소한 초기 (집중치료기) **8개월** 동안 사용함(5~7회/주 ▷ 2~4개월 뒤 or 배양 음전 후에는 2~3회/주)
- 총 치료기간은 최소 **20개월** 권장 (과거 MDR-TB 병력이 있거나 XDR-TB는 더 연장)

▶ WHO MDR-TB Tx. guideline (2018) : 주사제를 제외하고, 경구약제로만 1차 권장

Group	약제
A (기본) : 3가지 모두 포함	Levofloxacin (or moxifloxacin) Bedaquiline Linezolid
B : 1개 이상 추가	Clofazimine Cycloserine (or terizidone)
C : A/B군으로 약제 구성이 불가능한 경우 선택	Ethambutol, Delamanid, Pyrazinamide, Imipenem/cilastatin (or meropenem), Amikacin (or streptomycin), Prothionamide (or ethionamide)**, p-Aminosalicylic acid**

■ 표준 장기요법 : 4제 이상, 18~20개월
　　　　　　　　　(or 균 음전 후 15~17개월)

① A군 약제 3개 + B군 약제 1개 이상
- Bedaquiline (최대 24주 사용 가능) 중단 이후에는 3제 이상으로

② A군 약제 1~2개만 사용시
- B군 약제 2개 모두 사용
- A/B군으로 약제 구성이 불가능한 경우 C군 약제 추가
- 주사제(amikacin/SM) 포함시 6~7개월의 집중치료기(intensive phase) 권장

*총 치료기간은 환자의 반응에 따라 조절함

* Kanamycin, capreomycin, clavulanic acid 등은 MDR-TB의 장기요법에서 제외됨
** Bedaquiline, linezolid, clofazimine, delamanid 등을 사용하지 않았거나 더 좋은 약제 구성이 불가능한 경우만 선택

■ 단기요법 : 7제 4개월 (집중치료) + 4제 5개월 = 9개월
- 적응 : 단기요법에 포함되는 약제에 대한 내성 無 or (DST 모를 때) 약제를 1개월 이상 사용하지 않았을 때
- 금기 : 단기요법에 포함되는 약제에 대한 부작용 위험(예; 약물상호작용), 임신, disseminated/meningeal/CNS TB, HIV 환자와 동거인의 extrapulmonary TB, 단기요법에 포함되는 약제 중 1개 이상 사용 불가능 등

(3) XDR-TB (extensively drug-resistant TB, 광범위 약제내성 결핵)

- <u>정의</u> : [INH], [RFP], [quinolones 중 하나 이상], [2차 주사제(amikacin, kanamycin, capreomycin) 중 하나 이상] 등에 모두 내성을 보이는 결핵균

  c.f.) TDR-TB (totally drug-resistant TB) : 감수성검사 가능한 모든 약제에 내성인 결핵균

  (but, 드물게 사용하는 약제인 cycloserine, terizidone, clofazimine, linezolid, carbapenems 및 새로운 약제인 bedaquiline, delamanid, pretomanid 등은 빠져있을 수 있음)

- 유병률 : MDR-TB의 약 10% (우리나라 15%, 미국 4%), 유럽/구소련 지역에서 m/c
- 사망률 : MDR-TB의 약 2배 (→ 우리나라 49%), 특히 면역저하자에서 발병 및 사망 위험 높음
- 치료 (어려움) : MDR-TB와 비슷하게 약제 선정, 국소적인 병변이면 처음부터 수술을 고려

  (e.g., 6제 이상으로 배양 음전 후 6개월 이상 집중치료 → 4제 이상으로 유지치료

  총 치료기간은 배양 음전 후 24개월 이상 권장)

* 완치율(cure rate) ; drug-susceptible TB 약 95%, MDR-TB 45~60%, XDR-TB 약 30%

  (but, MDR or XDR-TB는 완치 이후에도 재발률이 높음)

* bedaquiline + <u>pretomanid</u> + high-dose linezolid 경구 3제 병합요법 (B<u>Pa</u>L)

  → XDR-TB에서 90% 치료 성공률을 보여 매우 기대됨 (HIV 감염자에서도 동일)

9. 결핵에서 steroid의 사용

- 과도한 면역반응에 의한 조직손상을 최소화하기 위해 사용

  (반드시 항결핵 치료와 동시에 사용해야)

- 적응증

  ① <u>meningeal & cerebral TB</u> : 사망률 및 후유증 감소

  ② pericardial TB : constrictive TB pericarditis 환자 or 발생 고위험군에서만 권장

  (덜 심한 환자에서는 steroid로 constrictive pericarditis 발생 예방 못함)

  - endobronchial TB (→ 기도협착 예방) : 논란, 이미 fibrosis가 진행된 경우는 효과 없음!
  - 심한 미만성 폐결핵(e.g., miliary TB)으로 인한 호흡부전(ARDS) 발생시 : 근거 부족
  - peritoneal TB (→ 장 폐색 등의 Cx 감소) : 근거 부족

10. 수술

- 외과 수술의 적응증 (최소 3개월 이상의 약물 치료로 균수를 최소화한 뒤 수술 시행)

  ① 다제내성 폐결핵 또는 NTM 폐질환에서

    ┌ 병변이 국한되어 있고

    │ 약물치료에 실패하고

    └ 심폐기능의 예비력이 양호할 때

  ② 폐암이 동반된 경우

  ③ 절대로 약물치료를 마칠 수 없는 비협조적인 환자
- but, 결핵은 전신적인 질환이므로 수술 후에도 약물치료가 필요함 (균 음전 후 12~24개월간)
- 감수성 약제가 (특히 quinolone) 2~3개 정도는 남아 있어야 수술 후 남아있는 병변 호전 가능
- open cavity는 과거에는 수술하였으나, 현재는 약물치료로 반응이 좋으므로 약물치료만 시행

예방

1. BCG 예방접종

- BCG : 우형 결핵균(*M. bovis*)을 약독화시켜 개발한 변이균
- 생후 4주 이내에 1회 접종 (2개월까지는 TST 확인 없이 접종)
  - 왼팔 삼각근 부위에 피내 주사
  - T-lymphocyte를 신속히 증식시켜 약 4~6주가 지나면 감작됨
  - 접종 후 tuberculin 반응의 크기와 예방효과는 관련 없음
- 결핵 발병 74% 예방효과 (우리나라)
  - 시간이 지남에 따라 효과 감소 (10~20년 후는 효과 없음)
  - 성인에서 폐결핵 빈도를 줄이는 데는 크게 기여 못함, LTBI의 재활성화도 예방할 수 없음
  - 소아에서 치명적인 결핵(e.g., 결핵성 수막염, 좁쌀 결핵) 및 사망률 감소에는 효과적
- NTM도 50% 정도 예방됨
- BCG 접종의 금기
  ① 면역저하자 ; hypogammaglobulinemia, HIV(+), leukemia/lymphoma, 면역억제치료
  ② 결핵 환자 or TST (+) → 필요 없음
  ③ 미숙아(<2 kg), 발열, 영양실조, 심한 피부질환, 입원이 필요한 심한 질환, 임신 → 접종 연기

2. 접촉자 검진

- 전염성 호흡기 결핵 환자와 접촉한 사람의 접촉자 검진(contact investigation)
  ↳ 기침과 같은 증상이 있거나, 객담도말 양성 이거나, CXR상 공동이 있을 경우
    이런 소견이 최초로 관찰된 시점에서 3개월 전부터 전염성이 있을 것으로 판단함

  c.f.) 전염력이 강한 결핵 ; 공동성 폐 결핵, 기관지 결핵, 후두 결핵
        (좁쌀결핵 등 폐외 결핵은 폐를 침범하지 않았으면 전염력 없음)

- 접촉자의 결핵 감염 위험성 ; 전염성 결핵 환자와 가까이 지낸 정도와 기간에 좌우됨
- 접촉자 검진 대상 ; 호흡기 결핵 환자의 밀접 접촉자(e.g., 가족, 학교, 직장) ⇨ 발견 즉시 실시
  - 8세 이하 소아 결핵 환자는 폐외 결핵이라도 접촉자 검진 시행
  - LTBI or active TB 치료력 있는 접촉자는 LTBI 검사가 무의미, 고위험군이면 LTBI 치료 권장

  * 일상 접촉자 or 도말음성 환자의 접촉자 ⇨ 마지막 접촉 8주 뒤 TST and/or IGRA 한번만 시행

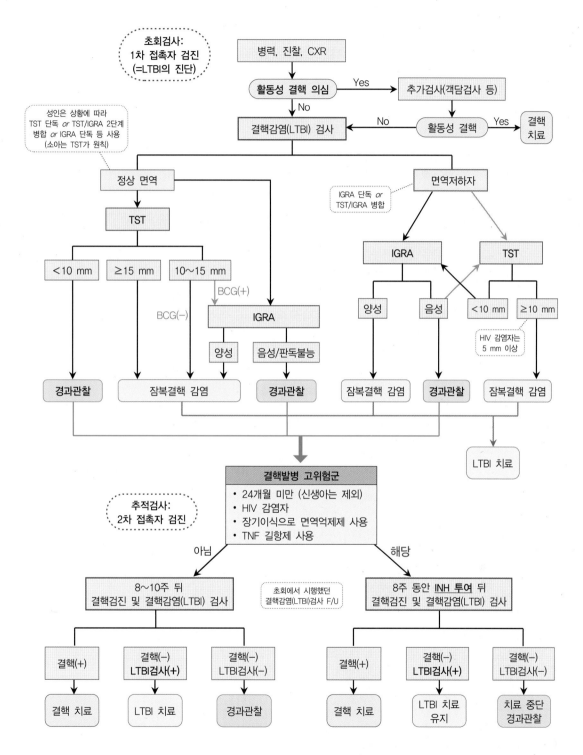

c.f.) 2차 TST의 양전(positive conversion) 기준

5세 미만, 면역저하자	1차 결과보다 6 mm 이상 증가한 경우
5세 이상, 정상면역자	2차 결과가 10 mm 이상 & 1차보다 6 mm 이상 증가

3. 잠복결핵감염(latent tuberculosis infection, LTBI)

- 정의 : 결핵균에 감염되어 체내에 소수의 살아있는 균이 존재하나 외부로 배출되지 않아 타인에게 전파되지 않으며, 증상이 없고, 항산균 검사와 흉부 X선 검사에서 정상인 경우

  ┌ HIV(−)인 LTBI 상태는 평생 5~10%에서 active TB 발생,
  └ HIV(+)는 LTBI 상태는 매년 10%에서 active TB 발생

- 진단 (앞의 그림 참조)
  - 적응 ; 전염성 결핵 환자의 접촉자, 결핵 발병의 위험이 높은 군, 결핵균 감염의 위험성이 높은 의료인 등 (결핵 발병 위험이 낮은 군에서는 권장되지 않음)
  - 진단방법 : active TB를 R/O한 뒤에(임상양상, CXR로) 결핵감염(LTBI) 검사로 진단
    ① TST : BCG 접종력과 무관하게 10 mm 이상이면 (+), HIV 감염자는 5 mm 이상이면 (+)
    ② IGRA (TST or IGRA 중 한 검사라도 양성이고 active TB가 R/O되면 LTBI로 진단)
  - HIV 감염자의 심한 면역저하시에는 위음성 가능 → CD4 count 200/mm^3 이상시 재검 고려
  - 결핵 발병 고위험군에서는 과거 결핵 치료력 없이 CXR 상 지연 치유된 결핵병변이 존재하면 LTBI 검사 없이 LTBI로 간주함!

- 치료 : <u>INH 9개월 요법 [9H]</u> *or* RFP 4개월 요법 [4R] *or* INH + RFP 3개월 요법 [3HR] *or* INH + <u>Rifapentine</u> 3개월 간헐 요법 [3H$_1$P$_1$] (주 1회 12주간 12회 복용)
  ↳ RFP과 항결핵 효과는 비슷하나 반감기가 깊, 다른 요법보다 간독성 적음

LTBI의 치료 대상자

	■ LTBI로 진단되면 치료 시행	■ LTBI로 진단되면 치료 고려
접촉자검진 대상자가 아닌 경우	HIV 감염자 장기이식으로 면역억제제 복용 중/예정 TNF 길항제 사용 중/예정 최근 2년 내 감염이 확인된 경우 과거 결핵 치료력 없이 CXR 상 자연 치유된 결핵병변이 있는 경우	규폐증 장기간 steroid 사용 중/예정 투석 중인 만성 신부전 당뇨병 두경부암, 혈액암 위절제술 or 공회장우회술(jejunoileal bypass) 시행/예정
	■ 과거 결핵 치료력 없이 CXR 상 자연 치유된 결핵병변이 있는 **결핵발병 고위험군의 경우에는 LTBI 검사와 무관하게 LTBI 치료를 시행함!** – HIV 감염자 – 장기이식으로 면역억제제 복용 중/예정 – TNF 길항제 사용 중/예정	
전염성 결핵 환자의 접촉자검진 대상자인 경우	■ LTBI 검사 결과와 무관하게 치료 시행 – HIV 감염자 ■ 첫 TST가 음성이어도 잠정적으로 LTBI 치료 시행하고, **접촉 종료 8주 후 TST 검사 재검하여 치료 지속 여부 결정** – 장기이식으로 면역억제제 복용 중/예정 – TNF 길항제 사용 중/예정 ■ LTBI로 진단되면 치료 시행 – 65세 이하 (3H$_1$P$_1$로 치료하는 경우에는 나이 제한 없이 치료 가능) – 학교, 군대, 요양시설, 교정 시설 등 집단생활시설에서 전염성 결핵 발병이 확인된 경우 – 장기간 steroid 사용 중/예정, 투석 중인 만성 신부전, 당뇨병, 두경부암, 혈액암, 위절제술 or 공회장우회술(jejunoileal bypass) 시행/예정, 규폐증 등	

* 위 대상자가 아닌 경우 ⇨ 경과관찰

- 치료 결과를 확인하기 위한 검사방법은 없음 (TST, IGRA 모두 아님)

* 임신부의 LTBI 치료 : 일반적으로 권장되지 않으나, active TB로 진행할 위험이 높은 경우 권장
    - HIV(+), active TB 환자와 최근에 접촉한 경우 → 임신 1기부터 치료 시작
    - TST가 최근 2년 이내에 양성으로 전환된 경우 → 임신 1기가 지나서 치료 시작
    - INH 9개월 요법만 권장됨

* TNF 길항제 사용 예정자
    - 반드시 active TB 및 LTBI에 대한 검사 실시 (LTBI 진단은 면역저하자의 기준을 따름)
    - 과거 치료력 없이 CXR상 자연 치유된 결핵병변이 존재하면 검사 없이 LTBI로 간주하고 치료함
    - active TB 진단시 TNF 길항제는 결핵치료 종료 후 시작 권장 (반응 좋으면 2개월 이후도 가능)
    - LTBI 진단시 치료 3주 후부터 TNF 길항제 사용 권장 (경증이고 DST 확인되면 동시에도 가능)
    - 과거에 항결핵치료가 적절하게 완료된 경우 새로운 감염이 의심되지 않는 한 LTBI 치료는 안함
    - TNF 길항제 사용 중 active TB 발병시엔 TNF 길항제를 중단하고 결핵치료 먼저 시행

폐결핵의 합병증

1. 객혈 (hemoptysis)

- 폐결핵 환자에서 객혈이 발생할 수 있는 원인
    ① 결핵 자체나 속발된 기관지확장증에 의한 객혈 ; 양이 적고 반복적
    ② Rasmussen 동맥류 : 공동 내에 기관지동맥이 노출되고 동맥류를 형성한 경우
        → 동맥류 파열시 대량 객혈을 일으킬 수 있음
    ③ old cavity에서 진균종(aspergilloma, fungus ball) 형성
    ④ 폐결핵 반흔에서 발생한 종양
- 진단 ; 기관지내시경, CT
- 치료 ; 양이 많으면 embolization 또는 폐절제술!

2. 개방성 공동 (open cavity)

- 상엽에 호발, 공동내 air-fluid level 형성하지 않는다, 벽이 얇다
- 치료에도 불구하고 지속적으로 균양성이면 수술을 고려
- 균음성이라도 재발의 위험이 높으므로 치료기간을 최소 6개월 이상 연장

3. 진균종 (aspergilloma, fungus ball, mycetoma)

(1) 개요
- 공동을 남긴채 치유된 환자의 약 17%에서 진균종이 발생
- 기저질환 ; TB (m/c), sarcoidosis 등의 괴사성 폐질환에 의한 공동, 기관지확장증, 공동성 폐암
- invasive aspergillosis로 이행하지는 않는다
- steroid 치료중인 환자에서도 큰 위협은 안 됨

(2) 임상양상
- 증상 ; 기침, 객혈, 발열 …
- 대량 객혈(massive hemoptysis)의 흔한 원인
- 상엽(upper lobe)에 호발

(3) 진단
① 흉부 X선, CT
- 공동 내의 둥근 종괴 (fungal ball)
- 주위에 crescent 모양의 공기음영 (air-meniscus sign)
- 체위의 변화에 따라 종괴가 움직이면 특징적

② 혈청학적 검사 … IgG Ab (+)

③ 객담 배양

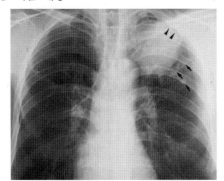

Air-meniscus sign (화살표 머리)
결핵 병변 (화살표)

Fungus ball (F)

(4) 치료
- surgical removal (TOC)
- systemic chemotherapy (itraconazole, amphotericin B)
  - endobronchial 또는 endocavitary aspergillosis에는 유용하지 않다
  - 완전 절제가 불가능하거나, fungus ball을 넘어서는 invasive aspergillosis 의심시 사용 가능
- amphotericin B의 intracavitary injection : 일부에서 시도
- hemoptysis
  - bronchial arterial embolization (BAE)
  - recurrent/massive hemoptysis → 수술(lobectomy)
- 예후 : 완전히 절제한 경우엔 예후 좋다

4. 기관지확장증 (bronchiectasis)
- 특징적으로 결핵의 호발부위인 상엽에 발생 → 자연적으로 객담이 배출
  → 기관지확장증의 특징적인 증상이 없는 경우가 많다.
  (건성 기관지확장증 : dry bronchiectasis 또는 bronchiectasis sicca)
- 간혹 객혈을 일으켜 문제

5. 기관지흉막루 (bronchopleural fistula)

- 이차적 흉막염, 농흉(empyema) 등도 발생 가능
- 치료 : 항결핵약물치료 + closed thoracostomy로 배농 (→ fistula가 지속되면 수술적인 치료)

6. 호흡부전

- 폐결핵의 대부분은 호흡장애를 일으키지 않음
- 폐결핵 환자에서 호흡부전이 나타날 수 있는 경우
  ① 기존의 호흡장애(e.g., COPD)가 있던 환자에서 결핵 감염시
  ② 미만성 폐 침범 또는 과민반응으로 ARDS 발생
  ③ 주기관지를 침범한 기관지 결핵
  ④ 다량의 흉수를 동반한 결핵성 흉막염

7. 폐암 (lung cancer)

- 폐결핵 병변에서 발생한 폐암 (scar cancer)
- 주로 adenocarcinoma

폐외 결핵

1. 림프절 결핵 (Tuberculous lymphadenitis)

- 폐외 결핵 중 m/c (미국 30~40%) / 폐외 결핵은 전체 결핵의 약 15~20%를 차지함
  (c.f., 우리나라의 폐외 결핵은 흉막(m/c), 림프절, 복부, 골/관절, CNS, 비뇨생식기 순서지만.. 흉막 결핵은
  폐결핵에서 전파된 경우가 대부분 / 미국은 폐결핵와 폐외 결핵이 공존하는 경우를 폐결핵으로 통계처리를 함)
- 20~40대 여성, 결핵유행지역 or HIV 감염자에서 호발, 20~40%는 폐결핵도 동반
- painless & progressive LN swelling, cervical LN를 m/c 침범(70~90%), 약 ~26%는 양측성
- 진단 ; fine needle aspiration, core-needle biopsy, excisional biopsy 등
  - AFB 염색은 30~60%, NAT (PCR)은 70~90%, 배양은 20~80%에서 양성
  - 병리소견 : 50~80%에서 caseating granuloma 관찰 (AIDS 환자에서는 보통 관찰 안됨)
- 치료 : 폐결핵과 동일한 6개월 표준 항결핵 약물요법 (but, 반응은 느림)
  - 치료 중 LN가 커지거나, 새로 생기거나, fistula가 생길 수 있지만 그래도 동일하게 계속 치료!
    (20~30%에서 paradoxical response가 나타나므로, 치료 실패를 R/O하기 위해 DST가 중요함)
  - 수술 : 약물치료에도 호전이 없거나 LN가 커져서 통증/불편감이 심한 경우 제한적으로 시행
  - NTM에 의한 경우는 림프절 절제가 TOC (약물치료는 필요 없음!)

2. 흉막 결핵, 결핵성 흉막염/가슴막염
(Pleural TB, Tuberculous pleuritis/pleurisy/pleural effusion)

(1) 개요/임상양상
- 발생기전 : 소수의 bacilli or 건락성 물질이 흉강 내로 들어가 cell-mediated immunity에 의해
  delayed hypersensitivity reaction을 일으킴 (type Ⅳ hypersensitivity)
- 30~50%에서 폐실질의 결핵 동반 (CT 상으로는 ~80%), 폐결핵 환자의 3~25%에서 발생
- 초감염 3~6개월 뒤, 주로 젊은 성인에서 호발, 대부분 unilateral (Rt.)
- Sx ; pleuritic <u>chest pain</u> (기침/심호흡/하품 때 악화), fever, weight loss, dyspnea
- exudative pleural effusion의 흔한 원인중 하나

(2) 검사소견/진단
- 흉수 검사의 적응
  ① 폐결핵 진단 안 된 환자에서 흉막 결핵 의심시
  ② 폐결핵 진단된 환자에서 pleural effusion의 다른 원인(e.g., 악성) R/O 필요할 때
- 흉수(pleural fluid) : m/i, exudate로 맑고 노란 빛 (드물게 탁하거나 혈성인 경우도 있음)
  - protein↑ (혈청 protein의 50% 이상), glucose↓ (<30 mg/dL), pH <7.2, LDH >200 U/L
  - WBC↑ (1000~10,000/μL) : 초기 2주는 neutrophil, 그 이후는 <u>lymphocyte 우세</u>
    (eosinophil 10% 이상 or mesothelial cells 5% 이상이면 결핵성 흉막염의 가능성은 적음)
  - <u>ADA >40 IU/L</u> : 다른 동반 질환이 없으면 sensitivity 92%, specificity 90%로 우수함
    (↳ adenosine deaminase, T-lymphocytes에서 분비되는 효소, ADA2 isoenzyme은 specificity 조금 더 우수)
    ⎡ADA 70 IU/L 이상이면 거의 대부분 결핵성흉막염임 (40 이하면 결핵성흉막염 R/O 가능)
    ⎣ADA 40~70이고 다른 결핵성 흉수의 소견을 보이면 결핵성흉막염일 가능성 높음
  - 기타 biomarkers ; unstimulated IFN-γ (ADA보다 조금 더 우수하지만, 많이 비쌈), IL-27 등
- 진단 : 객담, 흉수, 흉막조직 등에서 결핵균이 확인되면 진단 가능
  - 흉수 : AFB smear (<u><10%</u>), culture (30~70%), PCR (20~60%), ADA↑
  - pleural biopsy : 특징적인 육아종 관찰 or 결핵균 직접 확인 + 배양 → 90%까지 진단 가능
  - 객담 : AFB smear (12%), culture (52%) → 특히 CXR에서 폐 실질에 병소가 없는 환자의
    55%도 배양 양성이므로 결핵성흉막염 의심 환자에서는 객담 검사도 반드시 시행
  - TST나 IRGA (전혈/흉수)는 정확도가 부족하고 잠복감염과 구별을 못하므로 권장 안됨

(3) 치료
- 치료하지 않은 경우 일부에서는 1~2주 내에 자연 흡수되기도 하지만,
  약 75%는 5년 이내에 폐결핵/폐외결핵 발생 → 동반여부와 관계없이 반드시 항결핵제 치료!
- 폐결핵과 동일한 <u>6개월</u> 표준 항결핵 약물요법 (steroid는 효과 없음!)
- <u>흉관삽입(tube thoracostomy)</u> : 흉수의 양이 많아 호흡곤란이 심하거나, loculated pleural
  effusion 환자에서 흉수 배액 & 섬유용해제(e.g., urokinase) 사용 고려

■ 결핵성 농흉 (TB empyema)
- 드문 형태의 흉막결핵으로 다량의 균에 의해 발생 (원인 ; cavity 파열, bronchopleural fistula)
- CXR ; pyopneumothorax, air-fluid level
- 심한 흉막 섬유화 및 제한성 폐기능장애 초래 가능 → 수술적 배액 필요

3. 기관지 결핵 (Endobronchial tuberculosis, EBTB)

(1) 개요/임상양상

- tracheobronchial tree를 침범한 결핵 (주로 Rt. main 및 Rt. upper bronchi에 호발)
- 젊은 연령에 호발, 남:여 = 1:4~5 (젊은 여성 및 고령에서 호발)
- 폐결핵 환자의 5~40%에서 동반, 심한 폐결핵(특히 공동성 병변)에서 호발
- 발병기전 (정확히는 모름)
  ① 인접 폐 실질 병변(e.g., 공동)에서 직접 전파
  ② 인접(e.g., 종격동) LN에서 기관지로의 erosion/rupture로 인한 전파 (특히 소아에서 중요)
  ③ 감염된 분비물(객담)에 의한 전파 (결핵치료가 부실했던 과거에 많았음)
  ④ blood-borne or lymphatic spread (드묾)
  c.f.) 기관지 결핵은 2차결핵(post-primary TB)의 초기 병인에도 중요한 역할을 할 것으로 추정
- 전염성이 매우 크며 진단이 쉽지 않고, 기도협착(60~95%)과 호흡곤란, atelectasis, secondary pneumonitis, bronchiectasis 등의 중대한 후유증을 유발하므로 임상적으로 중요함
- 기관지 결핵을 의심해야 하는 임상상황
  ① (localized) wheezing or stridor, 심한 기침 (약 2/3는 barking cough), 객담/객혈
  ② 흉부 X선이 정상이면서, 객담 도말 양성
  ③ 흉부 X선 소견에 비해 심한 호흡곤란

(2) 진단

- 흉부 X선 (10~20%는 정상 소견을 보임) ; atelectasis, segmental collapse or overinflation, obstructive pneumonia, mucoid impaction 등
- CT ; 정확한 진단 및 침범 정도 파악 가능 (3차원 영상), HRCT에서는 patchy asymmetric centrilobular nodules & branching lines, 'tree-in-bud' appearance 등이 특징적
- 기관지내시경 - 7 subtypes ; actively caseating, edematous-hyperemic, fibrostenotic, tumorous, granular, ulcerative, nonspecific bronchitis
- 결핵균 검출 ; bronchoscopic biopsy (m/g), brushing, BAL, sputum 등

(3) 치료

- 폐결핵과 동일한 6개월 표준 항결핵 약물요법 (섬유화의 후유증은 예방 못함)
- steroid : 섬유화로 인한 기도협착 예방 효과는 확실하지 않음
  - 기관 또는 주기관지를 침범하면서 향후 협착 발생 위험이 높은 경우 투여 가능
    (기관지내시경 소견상 심한 부종 & 발적, 건락성 괴사, 용종 형성 등)
  - 이미 섬유화/협착이 진행된 경우에는 효과 없음!
- 기타 ; balloon dilatation, laser, cryotherapy, argon plasma coagulation, curettage 등
  - 다른 방법이 실패한 proximal lesions은 endobronchial stent 고려
  - 기관지성형술(bronchoplasty) : 약물요법에 대한 반응이 나쁘면 고려,
    양측 주기관지 침범시엔 가장 효과적인 치료법임

4. 파종성(disseminated)/속립성(좁쌀, miliary) 결핵

- 파종성 결핵 : 서로 인접하지 않은 2개 이상의 장기에 결핵이 발생한 것
  (침범 장기 ; 비장, 간, 신장, BM, 부신 등을 흔히 침범)
- 속립성(좁쌀) 결핵 : 혈행성으로 파급되어 폐 등의 장기에 1~2 mm 정도의 수많은 결절 발생
- 초감염 및 재감염 결핵 모두에서 발생 가능
- 세포성 면역저하자(e.g., HIV), 소아, 노인에서 호발
- 약 30%에서 결핵성 뇌수막염 동반
- Sx : 고열, 야간 발한, 식욕부진, 쇠약감, 체중감소, cough, dyspnea
- P/Ex : hepatomegaly, splenomegaly, 눈의 choroidal tubercles (30%, 특징적 소견)
- CXR : 직경 1~2 mm의 작은 nodules이 전 폐야에 골고루 퍼져있는 양상
  (miliary reticulonodular pattern), 초기에는 정상일 수도 있음 (→ HRCT)

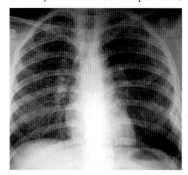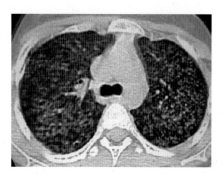

- 위액, 객담, 골수, 간 조직 등에서 caseating granuloma 및 결핵균 검출(배양, 신속 PCR 검사 등)
  - 골수 생검 : 40~50% (+)
  - 간 생검 : 60~80% (+) → 가장 양성률이 높은 진단법
  - 기관지내시경(TBLB) : 60~70%에서 granuloma 발견됨
  - 객담 ; AFB 염색 (양성률 20~40%), 배양 (60~80%), PCR (60~80%)
- 약 50%에서 PPD 음성 (tuberculin anergy)
- Tx : 폐결핵과 동일한 6개월 표준 항결핵 약물요법
  - 9~12개월의 장기 치료 : 소아, 면역저하자, 결핵균 양↑, 치료 효과↓, CNS 침범 등 때 고려
  - steroid : 도움이 된다는 근거는 부족함
- BCG vaccine : 결핵 처음 감염시 심한(e.g., miliary, CNS) 결핵 발병 예방에 도움

5. CNS 결핵

(1) 결핵성 뇌(수)막염 (tuberculous meningitis)

- 전체 결핵의 1%, 폐외 결핵의 ~5% 자치
- 세포면역이 저하된 2세 이하의 소아 or HIV(+) 성인에서 주로 발생
- 일차/이차 폐결핵의 혈행성 전파 or subependymal tubercle의 지주막하로의 파열로 인해 발생
- 성인의 50%, 소아의 70% 정도에서 폐결핵 또는 속립성 결핵 동반

- CSF 검사 (m/i) ; 압력↑, WBC (lymphocyte)↑, protein↑, glucose↓
  - 결핵균 양이 적어 다른 부위 결핵에 비해 AFB 도말 및 배양 양성률 낮음 → 6 mL 이상 채취
    (sensitivity : AFB 도말 30~60%, 배양 33~88%)   & 여러 번 시행
  - NAT (PCR) : specificity 99%, sensitivity 82% (위음성이 많으므로 해석에 주의)
  - ADA : sensitivity 44~79%, specificity 75~91%, 세균 감염 등에서도 상승하므로 해석에 주의
  - CSF lymphocytes를 이용한 IGRA : specificity는 높지만, sensitivity가 낮음
- 치료가 늦으면 사망률이 높고 심각한 후유증을 남기므로, 의심되면 즉시 치료 시작!
  - INH/RFP/EMB/PZA 2개월 집중치료 (용량은 동일) + INH/RFP 7~10개월 : 총 <u>9~12개월</u>
  - 모든 환자에서 반드시 <u>steroid</u> (dexamethasone or prednisone) 투여! (6~8주)
  - 뇌수종(hydrocephalus) 발생하면 surgical decompression

(2) 결핵종(tuberculoma)
- 뇌 실질에 결핵균이 침범하여 결절(tubercle)을 형성, space-occupying lesions으로 나타남
- clinical (symptomatic) tuberculoma ; 경련, 두통 등 (전신 증상이나 수막염증 징후는 드묾)
- 진단 ; CT/MRI, 조직검사 등 (lumbar puncture는 뇌압상승 위험으로 피함)
- 치료 ; INH/RFP/EMB/PZA 2개월 집중치료 + INH/RFP 18개월

6. 복부 결핵 (Abdominal tuberculosis)

(1) 장 결핵 (intestinal TB)
- ileocecal area가 m/c (전체 위장관 결핵의 90%)   → 소화기내과 Ⅰ-7장 참조
- Sx : 복통, 열, 체중감소, 무력감, 일부는 장폐색으로 인한 급성복통 (설사나 하혈은 드물다)
- 복부압통 (특히 RLQ), 25~50%에서 종괴가 만져짐
- CT : 중심부가 괴사된 림프절 종괴 → 결핵 시사!
- 내시경을 통한 생검 : AFB 염색 6~20%, 배양 6~54%, 조직검사 30~80%, PCR (m/g) ~87%

(2) 결핵성 복막염 (tuberculous peritonitis)
- 복수검사 : 대부분 lymphocytes 증가형 exudate, protein↑, SAAG ≤1.1, ADA↑
  → 결핵균 양이 매우 적어 균 검출률은 낮음 (AFB 염색 3%, 배양 10~20%)
- 복강경을 통한 복막 생검 : AFB 염색 ~75%, granuloma ~93%, PCR ~76%
- 장 결핵과 결핵성 복막염의 치료는 폐결핵의 6개월 표준요법과 동일함

7. 비뇨기계 결핵

┌ 신장 결핵 : 대개 혈행성 전파를 통해
└ 요관이나 방광 결핵 : 신장 결핵의 하행성 감염으로
- 대부분 무증상, sterile pyuria, 항생제 치료후에도 지속되는 pyuria, 혈뇨, 빈혈 ...
- IVP ; 신장의 수축/변형, calyces와 renal pelvis의 폐색, 신실질 및 papilla의 괴사 또는 종괴,
    요관의 협착/불규칙성 ...
- 단순 방사선검사 : 50%에서 calcification 보임
- 아침 농축뇨의 배양(3~6회)으로 90%에서 진단 가능
- 치료 ; 폐결핵의 6개월 표준요법과 동일, 타 장기와 달리 수술이 필요한 경우도 많음

8. 골 및 관절 결핵 (Skeletal tuberculosis)

(1) 결핵성척추염/척추결핵 (TB spondylitis, Pott's dz.)

- 골관절 결핵의 m/c 침범 부위
  - 소아 : upper thoracic spine에 호발
  - 성인 : lower thoracic spine 및 upper lumbar spine에 호발
- 대부분 원발 병소에서 혈행성으로 전파되어 발생, 수개월~수년에 걸쳐 서서히 발병
- Sx : 등과 목의 통증 (평균 3개월 정도 호소)
- 화농성 척추염에 비해 하반신 마비와 같은 합병증이 더 흔함!
- 옆구리 종괴(20%)가 동반되거나, 척추외결핵(65%)이 동반되면 가능성↑
- 진단
  ① X선 : 척추의 파괴(함몰, 높이 감소, pedicular erosion), 변형(angulation), disk space의 감소
  ② CT/MRI : 특징적인 병소 및 abscess도 발견 가능
  ③ abscess aspiration or bone biopsy (m/g) : 대개 culture (+) 또는 특징적인 조직 소견 보임

(2) 결핵성 관절염 (TB arthritis)

- weight-bearing joint에서 주로 발생 (e.g., 고관절, 무릎)
- 대부분 한 부위의 관절만 침범
- Sx ; swelling, dull pain, 운동제한, 근육의 위축
- 관절액 ; AFB stain 20%에서, 배양은 80%에서 양성 (관절막 조직검사는 80~90%에서 양성)

* 치료 : 항결핵제 6~9개월 권장
  - 심하거나 치료 반응 평가가 어려우면 9~12개월 장기 치료 고려
  - 약제에 반응이 없고 감염이 진행하는 증거가 있거나, 신경손상 증상이 있으면 수술 고려

9. 결핵성 심낭염 (Tuberculous pericarditis)

- 폐결핵의 1~2%에서 발생, 재활성화 결핵인 경우가 많음
- 병인 ; 종격동 LN, 폐, 척추, 흉골 등 인접장기에서 전파 or 혈행성 전파
- Sx ; 흉통, 호흡곤란, 발목부종, 심장비대, 빈맥, 발열, 심장막마찰음, pulsus paradoxus, 경정맥확장
  (보통 발열, 체중감소, 야간 발한 등 비특이적 증상이 심장 증상보다 선행됨)
- 자연적으로 소실되기도 하지만, 심각한 합병증 발생 위험(e.g., constrictive pericarditis, tamponade)
- Dx ; 심낭액 흡인 or 심낭 생검으로 AFB 염색, 배양, PCR, 조직검사 등
- Tx ; 6개월 표준 약물요법 (심한 합병증 위험 → 의심되면 확진전이라도 경험적 치료 고려)
  - steroid는 일반적으로 권장 안됨 (∵ constrictive pericarditis or tamponade 발생, 사망률 차이×)
    ↳ Ix : constrictive tuberculous pericarditis 환자 or 발생 고위험군
          (e.g., large effusions, 심낭액의 염증세포↑, constrictive pericarditis의 초기 징후)
  - pericardiectomy : 항결핵 약물요법에도 불구하고 constrictive pericarditis 지속시 고려
    (보통 약물치료 4~8주 뒤에도 혈역학적 호전이 없거나 악화될 때 / 석회화 있으면 더 빨리)

비결핵 항산균 (NTM, non-tuberculous *Mycobacteria*)

1. 개요

- NTM : 결핵균(*M. tuberculosis* complex)과 나병균(*M. leprae*)을 제외한 항산균, 현재 150종 이상
  ↳ *M. tuberculosis, M. bovis, M. africanum, M. microti* 등
- 결핵의 빈도가 감소할수록 비결핵성 항산균(NTM)에 의한 질환이 증가, 우리나라도 증가 추세
- 대부분의 NTM은 물과 토양 등 자연환경에 널리 분포함 ⇨ 도시화: 상수도가 원인
  (c.f., 샤워 때 발생하는 증기로 NTM이 폐로 감염될 수, NTM은 수돗물 소독에 대한 내성 강함)
- 사람과 사람사이는 전파되지 않으며, 대개 자연 환경에서 직접 획득하게 됨
- 동일한 균이라도 어떤 경우에는 병원성이 있으나, 어떤 경우에는 잡균(saprophyte)으로 존재하며,
  결핵균보다는 병원성이 약함
- 국내 ; *M. avium* complex (m/c, 50~60%), *M. abscessus* (20~30%), *M. fortuitum* (13%) ...
  - *M. avium* complex (MAC) ; *M. intracellulare, M. avium* → 정상인에서는 주로 폐질환
    (*M. intracellulare*가 70% 이상), AIDS에서는 주로 파종성 질환 (*M. avium*이 90% 차지)
  - *M. abscessus* complex ; *M. abscessus* subsp. *abscessus, ~massiliense, ~bolletii*(드뭄)
  - *M. fortuitum* complex ; *M. fortuitum, M. peregrinum, M. porcinum*
  - *M. kansasii* : 미국과 일본에서는 2nd m/c NTM이지만, 우리나라는 상대적으로 드뭄
    ↳ 다른 NTM과 달리 토양/하천 등 자연환경에는 없고, 도시의 상수도에서 발견됨
- 증식 속도에 따른 분류

종류		Colony 형성 시간
Slowly growing	*M. avium* complex, *M. kansasii* 등	3주 이상
Rapidly growing ★ mycobacteria (RGM)	*M. abscessus* complex, *M. fortuitum* complex, *M. chelonae, M. smegmatis, M. mucogenicum*	2~5일

* RGM에 의한 폐질환 ; *M. abscessus* (m/c, 80%) 및 *M. fortuitum* (15%)이 대부분을 차지

2. 임상양상

- 폐질환(>90%), 림프절염, 피부/연조직/골감염증, 파종성질환 등 4가지가 특징적인 임상양상

비결핵 항산균(NTM) 폐질환의 진단기준	
임상적 기준	1. 합당한 증상과 징후 2. 다른 질환의 배제
영상의학적 기준	1. CXR ; 침윤(2개월 이상 지속되거나 진행), 공동, 결절(다발성) 2. HRCT ; 다발성 소결절(multiple small nodules), 다병소(multifocal) <u>기관지확장증</u>
미생물학적 기준	<u>도말 결과와는 상관없이</u> 1. 객담에서 2회 이상 배양 (+) *or* 2. Bronchial wash/lavage에서 1회 이상 배양 (+) *or* 3. Lung biopsy에서 　항산균 감염의 병리학적 증거(granulomatous inflammation or AFB) & 배양 (+) *or* 　항산균 감염의 병리학적 증거 & 객담(or bronchial washing)에서 1회 이상 배양 (+)

- 정상인의 객담에서 NTM이 검출되는 경우 대부분은 검체의 오염 또는 단순 집락균(colonization)
  - 객담에서 NTM이 분리된 환자 중 실제 NTM 폐질환은 10~25% (우리나라), 40~50% (서양) 뿐
  - *M. kansasii, M. avium* complex, *M. abscessus* complex 등이 상대적으로 발병력이 큼
  - *M. fortuitum*은 상대적으로 발병력이 낮고, *M. gordonae*는 대표적인 검사실 내 오염균임!
- 항산균 도말검사(AFB) : TB와 구별×, (+)의 10~20%가 NTM (우리나라), 30~50% (미국)
- 영상검사나 조직검사로는 결핵과 감별할 수 없고, 전통적인 균 배양/동정 방법 or 핵산증폭검사
  (NAT, m/i)를 이용하여 특이 병원체를 확인하는 것만이 유일한 진단법임

* AIDS 환자에서의 disseminated MAC infection
  - 폐, 혈액, 골수, LN, 위장관 등 전신에 파급된 감염증을 주로 보임
  - CD4+ T cell <50/mL에서 발생위험 증가
  - 고열, 체중감소, 복통, 설사, 전신의 LN 종창, 비장종대 ...
  - 면역반응이 거의 없으므로 granuloma는 형성 안됨
  - 객담에서는 MAC가 거의 검출 안 되고, 혈액배양에서 90% 정도 검출됨

* SSTI (skin & soft tissue infection)
  - 대개 direct inoculation으로 감염 (e.g., 시술/수술, 문신, 네일샵, 발욕조/족욕기)
  - 원인균 ; *M. marinum, M. ulcerans*, RGM (e.g., *M. fortuitum, M. chelonae, M. abscessus*)

3. 치료

- 증상이 없고, 영상의학적 소견이 경미하거나 안정되어 변동이 없고, 간헐적인 균 배출만 있는 경우
  는 집락균일 가능성이 높으므로 경과관찰하면서 치료 여부를 결정
- NTM 치료의 문제점 (치료 확률 60%)
  ① 내성 빈도 높음 (*M. kansasii*를 제외하고는 일반 항결핵제에 잘 안 들음)
  ② 재발률이 높음
  ③ 치료의 지속 기간이 불확실
- 치료의 예
  ① MAC ⇨ clarithromycin (or azithromycin) + EMB + rifampin (or rifabutin)
          ↳ NTM 치료의 근간이므로 macrolide 내성 여부는 매우 중요함
    - 3회/주 간헐치료 (심하면 매일 투여), 객담 배양 음전 이후 12개월 이상 더 투여
    - 아주 심하고 광범위하면 (특히 섬유공동형) 초기 2~3개월간 amikacin or SM 추가
    - macrolide-resistant MAC ⇨ EMB + rifampin (or rifabutin) + clofazimine
          (초기 2~6개월은 IV amikacin 추가), 치료가 매우 어려우므로 조기 수술도 고려
  ② *M. abscessus* complex (RGM에 의한 폐 질환의 대부분) ; 중년 이상 비흡연 여성에서 호발
    - subsp. *abscessus* 및 *bolletii* : macrolides에 대한 유도내성을 가지므로 치료 매우 어려움
          ⇨ amikacin + 다음 중 2개 (cefoxitin, imipenem, tigecycline, linezolid)
    - subsp. massiliense ⇨ clarithromycin (or azithromycin)
          + 다음 중 1개 이상 (amikacin, cefoxitin, imipenem, tigecycline, linezolid)
  ③ *M. kansasii* : 임상양상과 영상소견이 폐결핵과 매우 유사함, 중년 이상 남성에서 호발
          ⇨ INH + RFP + EMB : 18개월 (배양 음전 기간 12개월 이상 포함)
              ↳ INH 대신 macrolides (clarithromycin or azithromycin)가 더 효과적이라는 연구도 有

④ *M. fortuitum* or *M. chelonae*에 의한 심한 감염 (*M. fortuitum*은 macrolides에 내성)

⇨ AG (amikacin or TM) + 다음 중 2개 (cefoxitin, imipenem, levofloxacin)

⑤ SSTI ⇨ TMP-SMX, DC, levofloxacin, macrolides 중 2제로 4개월 이상

7
기관지확장증(Bronchiectasis)

개요

- 정의 : (어떤 이유로든) 비가역적으로 기도/기관지의 내경이 넓어진 것(dilation or ectasia)
- 병리소견
  - 중간 크기 기관지 (대개 segmental or subsegmental bronchi) 벽의 괴사성 염증
    (→ 기관지 벽의 정상 구조물은 섬유조직으로 대치됨)
  - 확장된 기도에는 점액성 또는 화농성 분비물이 차있음
  - 기타 ; 기관지 주위의 염증 및 섬유화, 기관지 벽의 궤양, 점액선 비후, squamous metaplasia,
    염증에 의한 vascularity↑ (→ 기관지동맥 확장)
- 3 patterns ; cylindrical (tubular, m/c), varicose, saccular (cystic)

원인

- 대부분 후천적 원인 (감염)으로 발생
- 과거에는 소아기의 홍역(measles), 백일해(pertussis)의 합병증으로 많이 발생
  → 현재는 예방접종 및 항생제의 발전으로 adenovirus와 influenza virus가 감염의 주요 원인
    & 전신질환과 관련된 기관지확장증이 상대적으로 증가
- 우리나라에서는 결핵이나 홍역 이후에 주로 발생

* 폐 침범 양상/분포에 따른 원인
  ┌ focal ; 기관지 폐쇄 (e.g., 이물, 종양)
  └ diffuse ; 감염, 면역저하, 유전, 자가면역질환 등

  - 폐 상부 ; TB, cystic fibrosis, postradiation fibrosis
  - 폐 하부 ; idiopathic, 재발성 aspiration (e.g., scleroderma 같은 식도운동질환), 말기 섬유성
      폐질환(e.g., IPF에 의한 traction bronchiectasis), 재발성 면역저하관련 감염(e.g., Ig↓)
  - 폐 중부 ; NTM (MAC가 m/c), dyskinetic/immotile cilia syndrome
                    ↳ Rt. middle lobe와 lingula를 특징적으로 침범 (tree-in-bud 양상)
  - central airway (perihilar) ; ABPA, tracheobronchomegaly, cartilage deficiency
  - foreign body 흡인(e.g., 음식물, 장난감) → 우측 폐, 하엽, 상엽의 후분절

기관지확장증의 원인 & 검사

	원인 (25~50%는 idiopathic)	진단적 검사

Diffuse	**감염 (m/c)**
	바이러스 ; adenovirus, influenza, measles, HSV, HIV
	세균 ; *S. aureus, Klebsiella, Pseudomonas, H. influenzae,*
	  B. pertussis, 혐기성균 (*Legionella*는 아님)
	기타 ; TB, NTM, Mycoplasma, fungi
		객담 Gram 염색, 객담 배양, AFB 염색,
		  TB 배양, 혈청학적 검사, PCR,
		  기관지내시경(BAL) 등

	면역저하
	Primary hypo-/agammaglobulinemia
	Selective deficiency of IgG subclass (특히 IgG_2)
	Chronic granulomatous dz.$_{CGD}$ (NADPH oxidase dysfunction)
	Secondary ; cancer (e.g., CLL), chemotherapy,
	  immune modulation (transplantation)
		CBC with WBC differential count,
		  Ig 정량검사, Ig subclass
		NBT (nitroblue tetrazolium) 검사,
		DHR (dihydrorhodamine 123) 검사 등
		  (↳ CGD 진단에 유용한 flowcytometry 검사임)

	선천성/유전 질환 Primary ciliary dyskinesia, Kartagener's syndrome Cystic fibrosis (mucoviscidosis) α_1-Antitrypsin deficiency Young's syndrome, Yellow-nail synd., Marfan's syndrome Tracheobronchomegaly (e.g., Mounier-Kuhn syndrome) Tracheomalacia (연골 결핍, Williams-Campbell syndrome) Pulmonary sequestration	Nasal NO, High speed videomicroscopy analysis (HSVA or HSVM), TEM, 유전자검사 땀 Cl^- level, 유전자검사 α_1-Antitrypsin level, α_1-Antitrypsin genotyping 병력, 정자검사(sperm count) 등 흉부 CT (흡기 & 호기 영상)
	면역반응/자가면역질환 ABPA : *Aspergillus*에 대한 면역반응 (주로 근위부 기도 침범) RA, Sjögren, SLE, AS, sarcoidosis, relapsing polychondritis Inflammatory bowel disease (chronic UC, CD) (심장)-폐 이식 이후 (obliterative bronchiolitis와 관련)	혈청 IgE, *Aspergillus* specific IgE & IgG, *Aspergillus* skin test, 흉부 CT, 천식의 병력 RF, ANA, anti-ENA 검사 등 병력, 대장내시경, 조직검사 등 흉부 CT (흡기 & 호기 영상), 폐기능검사 등
	기타 Recurrent aspiration pneumonia, GERD 독성물질 ; 유독가스 (e.g., ammonia, chlorine), 위내용물 흡인 * 흡연: 기관지확장증의 원인인자로 작용하는지는 불확실함	병력, 흉부 영상검사, 연하기능검사 등 병력, 흉부 영상검사
Focal	**기관지 폐쇄** Foreign body 흡인 (m/c), mucoid impaction 종양(carcinoid tumor 등), hilar adenopathy (TB, sarcoidosis) COPD, asthma, acquired tracheobronchial dz., amyloidosis	흉부 영상검사(CXR, CT, HRCT), 기관지내시경, PPD or IGRA, 폐기능검사 등

- primary ciliary dyskinesia (PCD, immotile cilia syndrome) : 원인의 5~10% 차지, AR 유전
  - bronchiectasis
  - sinusitis ; 소아 때부터 만성 기침, 콧물, 코막힘 등을 보임 (→ paranasal sinus X-ray)
  - infertility (∵ sperm의 motility 장애로)
  - * Kartagener's syndrome (약 50%) : bronchiectasis + sinusitis + <u>situs inversus</u> (+ dextrocardia)

- cystic fibrosis : 7번 염색체상의 *CFTR* gene mutation (AR 유전)
  - 기도내 분비물이 끈적끈적해짐 (→ 세균 배출↓) → 만성 기도 감염 (→ bronchiectasis, sinusitis)
  - 췌장 외분비 기능장애, 장 및 비뇨생식기 기능장애, 땀샘 기능이상(Cl^-↑) 등
- α_1-antitrypsin deficiency : panacinar emphysema, 때때로 bronchiectasis도 동반
- yellow nail syndrome : hypoplastic lymphatics 때문, 약 40%에서 bronchiectasis 발생
  (triad ; lymphedema, pleural effusion, yellow discoloration of nails)
- Young's syndrome : obstructive azoospermia (→ infertility) + bronchiectasis

임상양상

1. 증상

- persistent/recurrent cough, <u>mucopurulent sputum</u>, <u>hemoptysis</u> (50~70%)
  (dyspnea, wheezing시 → 광범위한 bronchiectasis or underlying COPD)
- 대량의 foul-smelling, purulent sputum이 특징 (컵에서 3층으로 나누어짐)
- 반복되는 호흡기 감염 (폐렴)
  ⇨ 흔한 원인균 ; *P. aeruginosa*, *H. influenza*, *S. pneumoniae*, *S. aureus*, anaerobes, NTM
    (*Klebsiella* 는 아님!)
- 기침, 객담 등의 증상이 수년~수십년 지속되는 경우 의심
- 일부 COPD or asthma와 overlap되어 나타나거나, 비슷한 증상을 보일 수도 있음
- 반복되는 감염, COPD 환자의 흡연, asthma 등은 bronchiectasis/폐기능 악화의 위험인자
- acute exacerbations ; 기침/호흡곤란/객담 양 증가, 객담 진해짐, 발열, 객혈, 흉통

2. 진찰소견

- inspiratory crackles or rhonchi (wheezing과 유사하나 음조가 낮고, 코고는 소리 비슷,
  대부분 기도내 분비물의 진동에 의해서 발생 → 객담을 배출하면 소실됨)
  ┌ 주로 lung base에서 발생
  └ 상엽(apex)에서 발생시 대개 무증상 or nonproductive cough (dry bronchiectasis)
- 심한 경우 ; 체중감소, 청색증, clubbing, cor pulmonale 및 우심부전의 소견

3. 합병증/예후

- 호흡부전 및 폐성심(cor pulmonale) - m/c 사인
- 반복성 폐렴, 농흉, 폐농양, 대량 객혈
- amyloidosis, metastatic cerebral abscess
- 치료를 잘 받으면 전체적인 예후는 좋은 편이나, 원인에 따라 다름

검사소견/진단

1. chest X-ray

- 보통 nonspecific (질병의 severity와 방사선소견의 정도는 관계 없다)
- 기관지벽의 비후 및 확장 ; tram track, ring, cystic shadows
- 확장된 기도내에 분비물이 차서 dense하게 보일 수도 있음
- 심한 경우 honeycomb appearance

2. HRCT (m/g)

- 기관지 내경의 확장 : 인접 혈관의 1.5배 이상 (정상: 1~1.5배)
- thickened bronchial wall, "signet ring" sign, cysts (cluster, string, air-fluid level), small nodules
- 폐 주변부 (흉막에서 2 cm 이내)에서도 기관지가 관찰됨 ("tree-in-bud")
- 원인을 추정하는 데도 도움 (e.g., ABPA : 근위부 기도 침범)

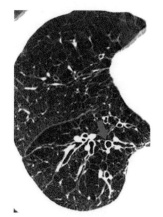
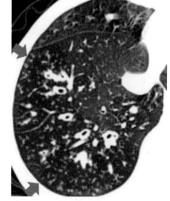
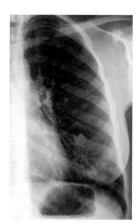

기관지벽의 비후 및 확장; "signet ring"   "tree-in-bud"   "tram track" (line) sign

3. 원인을 밝히기 위한 검사

- fiberoptic bronchoscopy
    - focal bronchiectasis에서 endobronchial obstruction 유무 및 원인(e.g., 이물, 결핵, 종양) 검사
    - BAL : 감염의 원인균 검사
    - 객혈 동반 환자에서 출혈 부위를 찾는데도 도움
- 상엽의 bronchiectasis → TB or ABPA 의심
- 광범위한 bronchiectasis → 땀의 Cl⁻ level (cystic fibrosis), nasal/bronchial cilia 또는 정자 검사, Ig level 정량검사, α_1-antitrypsin level & phenotyping, HIV 검사, 자가면역질환 검사 등

4. 기타

- sputum ; 다량의 neutrophils 및 다양한 세균 검출
- sputum (or BAL) 배양검사 ; 모든 환자에서 세균 및 결핵/NTM에 대한 염색/배양검사 시행!
    - P. aeruginosa : 예후 나쁨, 급성 악화 호발
    - S. aureus : cystic fibrosis가 기관지확장증의 원인일 가능성 시사
    - NTM : 증가 추세, 대개는 기관지확장증의 합병증, 때로는 원인이 되기도 함
- 폐기능검사(PFT) ; 주로 obstructive pattern을 나타냄
    (기관지의 과민성 및 기도 폐쇄의 reversibility도 비교적 흔함)

치료

1. 일반적 원칙

(1) 원인 질환의 발견 및 치료 (but, 치료 불가능한 경우가 많음)
- 예 ; hypogammaglobulinemia → Ig, TB → 항결핵제, ABPA → steroid
   (NTM ; 객담 2회 이상 (+), BAL or biopsy (+) 등 임상적으로 감염이 확실하면 치료)

(2) 분비물의 효과적인 배출
- chest physical therapy ; <u>postural drainage</u> (m/i), vibration, percussion → 뒤의 그림 참조
- 정상 폐가 아래로 향하도록 누움
   (c.f., 객혈시는 혈액이 정상 폐로 aspiration 되지 않도록 병변 쪽으로 decubitus position을 취함)
- nebulized hypertonic saline (7%) : 분비물 배출↑, 급성 악화↓
- aerosolized recombinant human DNase (dornase alfa [Pulmozyme®])
   - 객담의 점도↓ → 감염↓, 폐기능 향상
   - cystic fibrosis에 의한 기관지확장증에서만 효과적임 (다른 원인에서는 사용하면 안 됨!)
- mucolytic agents (e.g., acetylcysteine) : 분비물 배출에 도움이 되는지는 논란임!
- active cough는 금기! (∵ 대량 객혈을 조장) - abscess에서는 아님!

(3) 감염의 치료(급성 악화시)가 매우 중요함!

(4) 기도 폐쇄의 호전

(5) 금연, 적절한 수분 공급, 충분한 영양공급 (e.g., vitamin D)

2. 내과적 치료

(1) 항생제 (m/i)
- 객담 염색, 배양 결과에 따라 항생제 사용 권장
- 경험적 항생제 : 객담의 양이나 화농성이 심한 급성기에만 사용 (감염 의심시)
   - amoxicillin, amoxicillin-clavulanate, levofloxacin, moxifloxacin 등
   - P. aeruginosa 의심시 (입원 환자, poor Px.) → antipseudomonal penicillin (e.g.,
      piperacillin-tazobactam), ceftazidime, cefepime, AG, carbapenem, fluoroquinolone 등
- 최소 7~10일 (최대 ~14일) 정도 사용
   (장기간의 항생제 사용은 P. aeruginosa 같은 G(-)균의 감염을 유발하므로 좋지 않다)
- 흡입형 항생제(inhaled tobramycin, aztreonam, colistin 등) : cystic fibrosis 같은 만성 환자에서
   감염 예방, 폐기능 호전, 삶의 질 향상 등에 도움

(2) 항염증 치료
- inhaled steroid (e.g., fluticasone) : 호흡곤란 & 객담 감소 효과
   - but, 폐기능이나 급성악화 발생 빈도에는 별 영향 없고, 각종 부작용 위험
   - 적응이 되는 asthma/COPD 동반시 사용, 감염이 원인인 경우에는 주의
   - oral/systemic steroid는 특정 원인에서는 효과적 (e.g., ABPA, 자가면역질환)
- macrolide (e.g., EM, azithromycin) : 기관지확장증 환자에게 이로운 항염증 작용 有
   - 감염 동반 시에는 단독 투여 금기 (∵ 내성 세균/NTM 유발 위험)

(3) 기관지 확장제(bronchodilators) : 기도과민성이나 기도폐쇄의 reversibility가 있는 환자에서 기도폐쇄를 호전시키고 객담 및 분비물의 배출을 용이하게 함

(4) 지속적인 산소요법 : chronic hypoxia와 cor pulmonale를 동반한 심한 경우 고려

(5) 감염의 예방 (e.g., pneumococcal & influenza vaccination)

3. 수술 (resection, lobectomy)

- 적응 ; 내과적 치료에 반응 없는 심한 focal bronchiectasis, massive hemoptysis, 반복적인 재감염 (내과적 치료의 발전으로 최근에는 드묾)
- 폐이식 : 최대한의 치료에도 반응이 없는 경우 고려

4. 객혈의 치료

- bronchoscopic ; balloon tamponade, laser therapy, electrocautery, 혈관수축/응고촉진제 등
- BAE (bronchial artery embolization) : 병변이 광범위하거나 내시경적 지혈술 실패시, 85% 성공
- 수술 : BAE도 실패시 고려

■ 기관지 결석증 (broncholithiasis)

1. 개요

- 정의 : tracheobronchial tree 내에 calcified stones이 존재하는 것 (보통 calcified LN가 인접 기관지로 erosion되어 발생)
- 원인 (대부분 granulomatous infection) ; tuberculosis (m/c), histoplasmosis, coccidioidomycosis

2. 임상양상

- cough, lithoptysis (객담에 석회화된 물질이 섞여 나옴), hemoptysis
- endobronchial obstruction시는 atelectasis, pneumonia (consolidation), bronchiectasis 등을 일으킬 수 있음
- 진단 ; chest x-ray, CT

3. 치료

- 항상 치료가 필요한 것은 아니다
- endoscopic removal (rigid bronchoscope), surgical resection

체위 배농법 – 아래엽과 각 구역의 객담 배출 자세

A: 아래엽의 뒤바닥구역(R10, L10)   B: 오른쪽 아래엽의 가쪽바닥구역(R9)
C: 왼쪽 아래엽의 앞바닥구역(L8)   D: 아래엽의 위구역(R6, L6)

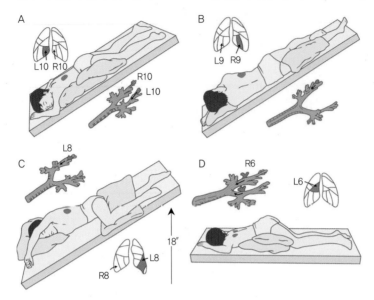

체위 배농법 – 중간엽과 혀구역의 객담 배출 자세

A: 왼쪽 아래엽 혀구역(L4, 5)   B: 오른쪽 중간엽(R4, 5)

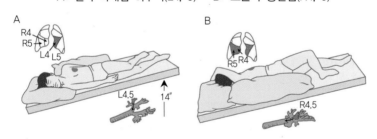

체위 배농법 – 위엽의 객담 배출 자세

A: 오른쪽 꼭대기 구역 및 왼쪽 폐 꼭대기뒤 구역   B: 양폐의 앞구역

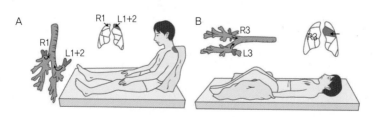

만성 폐쇄성 폐질환

정의

1. COPD (chronic obstructive pulmonary disease)

- 만성염증에 의한 기도와 폐실질 손상으로 발생한 <u>완전히 회복되지 않는</u> **기류제한**이 특징인 폐질환
- 소기도 질환이 주된 이상이거나 (chronic bronchitis), 폐실질 파괴가 주된 이상인 경우도 있지만 (emphysema) 대부분은 같이 동반되어 있음 (또한 chronic bronchitis or emphysema가 모두 COPD는 아님)

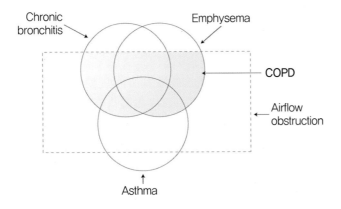

- asthma와의 차이점 (COPD의 특징)
  ① 발생 연령이 높다 (>40세)
  ② 대개 20 pack-year 이상의 흡연력을 가짐
  ③ atopy의 과거력 없음
  ④ bronchodilator에 대한 allergy의 반응 느림 (FEV$_1$은 정상으로 회복 안됨)
  ⑤ steroid에 대한 반응이 적다
  ⑥ 증상이 만성적임 (무증상의 기간이 없다)

- COPD의 진단 (임상적으로)
  - Sx ; chronic cough, sputum, dyspnea
  - spirometry ; airflow obstruction (FEV$_1$/FVC <0.7)

- 유병률(우리나라) ; GOLD 기준에 의하면 40세 이상 성인의 13.4%, 남성 19.4%, 여성 7.9%, 이중 94%가 GOLD stage 1, 2로 비교적 경증인 COPD임, 진단 안 된 환자가 매우 많음

2. 만성 기관지염 (Chronic bronchitis)

- 특별한 원인 질환 없이 <u>객담을 동반한 기침</u>이 1년에 3개월 이상, 연속적으로 2년 이상 지속되는 것
- simple chronic bronchitis : 객담이 mucoid할 때
- chronic mucopurulent bronchitis : 객담이 지속적/반복적으로 purulent할 때
- chronic obstructive bronchitis : 소기도의 비가역적 협착 소견(FEV_1 감소)이 있을 때
  (small airway dz.라고도 함)
- chronic asthmatic bronchitis : 기도의 hyperresponsiveness 있을 때, 장기간의 cough, sputum Hx.
  뒤에 나중에 asthma Sx. (irritants나 감염에 의한 severe dyspnea, wheezing) 발생
- asthmatic component ; bronchodilator 사용으로 FVC, FEV1, $FEF_{25-75\%}$가 baseline보다
  15~25% 이상 증가시, 주기적인 호흡곤란의 기복 등

c.f.) asthma with chronic airway obstruction : 장기간의 wheezing Hx. 뒤에 나중에
chronic productive cough 발생

3. 폐기종 (Emphysema)

- terminal bronchioles 이하의 alveolar wall이 파괴되어 커진 것(airspace distention)
- 즉 병변 부위는 respiratory bronchiole과 alveoli
- 대개 영상검사(CT) or 조직검사로 진단

원인/위험인자

1. 흡연 (m/i)

- COPD 환자의 90% 이상에서 흡연력이 있음
  (but, 흡연자의 <u>15~20%</u>만 COPD 발생 → 환경 or 유전적 요인도 관여)
- 폐기능(FEV_1)의 감소 정도는 <u>총흡연량(pack-years)</u>과 비례 (dose-response 관계)
  - 고령, 남성에서 COPD 호발 (but, 최근엔 여성 흡연의 증가로 여성 환자도 증가 추세)
  - pack-years가 FEV_1의 m/i 예측인자지만, FEV_1 변화의 15% 만이 pack-years로 설명됨
    → 추가적인 환경 and/or 유전적 요인이 흡연의 기도폐쇄 유발에 기여
- 간접 흡연 (자궁내 흡연 포함) : 폐기능은 확실히 감소시키지만, COPD 발병 역할은 불확실함

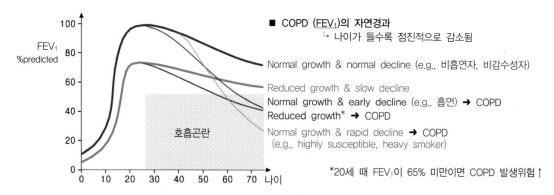

2. 기도의 과민성(hyperresponsiveness)

- 기도 과민성 및 천식은 향후 폐기능의 감소와 관련 ··· COPD의 중요 위험인자임
  - 흡연과 상관없이 천식 환자는 COPD 발생위험도 12배 증가
  - 기도과민성 : 천식 없이도 존재할 수, 흡연 다음으로 중요한 COPD 위험인자
- Dutch hypothesis : asthma, chronic bronchitis, emyphysema는 같은 질병에서 기원하여 환경 및 유전적 요인에 의해 다르게 발현한 것
- British hypothesis : asthma와 COPD는 근본적으로 다른 질환
  (asthma는 알레르기 현상, COPD는 흡연과 관련된 염증 및 파괴)
- proteinase-antiproteinase hypothesis 관련 일부 유전자는 COPD와 asthma에 모두 관여
  ; *ADAM33*, macrophage elastase (*MMP12*)

3. 호흡기 감염 : COPD 악화의 중요 원인이나, COPD 발생/진행(폐기능↓)에서의 역할은 불확실함,

- 결핵(COPD의 위험인자이기도 하고, 감별할 별개의 질환일수도 있음), HIV (COPD 발생위험↑)

4. 직업적 노출 ; 증기, 화학물질, 분진 등 (e.g., 탄광) ··· 대부분 흡연보다는 훨씬 덜 중요함

↳ 비흡연자에서도 emphysema 발생위험↑

5. 실내 공기오염 ; 바이오매스(e.g., 나무) 및 기존 연료의 연소에 의해 COPD 발생위험↑

6. 실외 공기오염 ; COPD와의 관련성은 아직 불명확함

- but, NO_2와 초미세먼지($PM_{2.5}$) 높은 곳의 소아는 폐성장/기능 감소 (→ 노출 중단시 회복됨)

7. 유전적 요인

- α_1-antitrypsin (A1AT) deficiency ⇨ early-onset emphysema (우리나라는 매우 드묾)
  - *SERPINA1* gene ; Z allele (→ α_1-AT↓↓), S allele (→ α_1-AT↓), M allele (정상)
  - 대부분 Pi^Z (ZZ or Z-) 환자에서 조기에 COPD (severe panacinar emphysema) 발생
  - 간세포에서 α_1-AT의 분비 감소 → 혈중 α_1-AT level↓ → 폐포내 α_1-AT↓
    → proteinase에 대한 정상방어기전 결핍 → 폐손상, 폐기종
  - 흡연이 COPD 발병 및 폐기능 감소 정도에 매우 중요한 cofactor
  - 일부에서는 간질환(LC)도 발생 (∵ α_1-AT 축적에 의한 간세포 손상)
  - heterozygous Pi^{MZ} 환자 ; α_1-AT level 약간 감소(~60%), 흡연시 COPD 발생위험↑
- α_1-AT 이외에 다른 COPD의 유전적 요인
  - GWAS (genome-wide association study)로 일부 밝혀짐 ; hedgehog-interacting protein gene
    (*HHIP*), nicotinic acetylcholine receptor gene cluster (*CHRNA3/5*), *IREB2*, *FAM13A* 등
  - 일부 COPD 환자의 가족들도 airflow obstruction을 보임
  - macrophage elastase MMP-12 (*MMP12* gene, 폐조직을 파괴) 발현↓
    ↳ 소아 천식 환자 및 성인 흡연자에서 폐기능 향상에 기여

8. 나이와 성별 ; 고령 & 남성에서 호발(∵ 흡연, 유해물질 노출↑) /but, 최근 선진국에서는 남녀의 COPD 유병률이 거의 비슷해짐(∵ 여성 흡연↑), 일부 연구에서는 여성이 흡연 & COPD에 더 susceptible!

9. 폐 성장과 발달 ; 폐 성장을 저해하는 요인은 모두 COPD 발생위험을 높일 수 있음

(e.g., 출생시 저체중, 유년기 호흡기 감염, COPD의 약 1/2은 폐 성장 저하와 관련)

10. 사회경제적 수준 ; 빈곤은 기류제한과 관련, 낮은 사회경제적 수준은 COPD 발생위험↑

c.f.) 우리나라 ; 흡연(m/i, 70~80%), 결핵, 천식이 중요한 위험인자

병리/병인

┌ large airway의 변화 → 기침 및 객담 생산
└ small airway 및 폐실질(alveoli)의 변화 → 생리적 변화 (기도폐쇄)
　　┌ small airway obstruction : 초기에 주로 관여
　　└ emphysema (폐실질의 파괴) : 후기에 주로 관여

1. 기도 : 만성 기관지염 (Chronic bronchitis)

(1) large airway : simple chronic bronchitis
- mucus glands 비대 및 goblet cells 증식 … 기침 및 객담생산과 비례 (기도폐쇄와는 관련 없음)
  - Reid index = submucosal glands 두께/기관지벽 두께 → 0.52 ±0.08 (정상: 0.44 ±0.09)
- squamous metaplasia (→ carcinogenesis), mucociliary clearance 장애
- smooth-muscle hypertrophy 및 기관지 과민성 (asthma 보다는 덜 현저)

(2) small airway : chronic obstructive bronchitis
- COPD에서 기도폐쇄의 주된 부위(직경 ≤2 mm)로 폐기능 감소(기류 제한)와 관련
- large airway의 병리학적 변화와 유사하지만, 기도벽의 구조적인 변화로 기도의 내경이 좁아지고 저항이 증가됨 (기도 주변의 fibrosis도 중요한 역할)
- goblet cell metaplasia, surfactant-secretary Clara cells의 mucus-secreting cells과 단핵염증세포 침윤으로의 대치, smooth-muscle hypertrophy

c.f.) 흡연자의 BAL fluid 특징
┌ macrophage 증가 (>95%)
│ neutrophils 1~2% (비흡연자에서는 거의 없음)
└ T lymphocytes (특히 CD8+ cells) 증가

2. 폐실질 : 폐기종/폐공기종 (Emphysema)

- 가스를 교환하는 공간(resp. bronchioles, alveolar ducts, alveoli)이 파괴되고 합쳐져 훨씬 큰 비정상적인 공간(airspace)으로 대치됨
- 폐기종의 병리학적 형태/분류
  ① centrilobular/centriacinar (m/c)
  　: resp. bronchiole에서 병변이 나타나 말초로 전파됨, 폐 상부에서 현저, 장기간의 흡연과 관련
  ② panlobular/panacinar : 균등하게 모든 폐포를 침범, 폐 하부에 호발, 대개 α_1-AT 결핍과 관련
  ③ distal acinar (paraseptal) : 폐 상부에 호발, 기흉의 주요 원인

  c.f.) acinus (secondary pul. lobule) : 폐의 구조적 단위
  　　= 3~5 respiratory bronchioles + alveolar sac, duct + alveoli

3. 폐혈관

- 폐혈관압 증가(pulmonary HTN)의 원인
  ① hypoxia에 의한 폐동맥 수축
  ② endothelial dysfunction
  ③ 폐동맥의 remodeling (smooth muscle hypertrophy & hyperplasia) → 혈관벽이 두꺼워짐
  ④ pulmonary capillary bed 파괴
  ┌ 초기 ; intimal thickening, endothelial dysfunction
  └ 후기 ; vascular smooth muscle↑, collagen deposition, capillary bed 파괴, pul. HTN 발생
- sustained pulmonary HTN은 COPD의 후기에 발생 → RVH/RVE, RV dysfunction[cor pulmonale]
- heavy smokers는 폐기능이 정상인 mild COPD 때도 폐혈관의 조직학적 변화 가능

4. 병인 (pathogenesis)

- 유해 가스/인자에의 만성적인 노출 (e.g., 흡연) ‥ 염증 반응 발생 (유전적 소인이 있는 경우 더욱)
  - 염증세포의 침윤 (주로 <u>macrophage</u>, <u>neutrophil</u>, <u>CD8+ T cell</u>)
  - CD8+ T cell 증가 (CD4+/CD8+ ratio↓)
  - 흡연은 oxygen free radical과 NO 생성을 증가시킴
- 염증세포에서 여러 mediators (e.g., TNF-α, IL-8, LTB$_4$) 및 proteinases 분비 → 폐 실질 파괴
  - TGF-β↑ (→ FEV$_1$과 반비례 관계, fibrosis와 관련), <u>TNF-α</u>↑ (→ cachexia, 체중감소)
  - <u>MMP-12</u> (matrix metalloproteinase-12) & serine proteinase (<u>elastase</u>) → ECM 파괴
  (c.f., elastin : ECM의 주요 성분으로 소기도 및 폐실질의 구조 보존에 m/i)
- ECM (elastin)의 파괴 및 ineffective repair → matrix-cell attachment 소실
  → 폐 구조 세포의 apoptosis
- ECM 손상 & 세포 사멸 → airspace 비대 (<u>폐기종</u>) 발생
- 흡연에 의한 직접 & 염증에 의한 oxidant stress로 인해 세포 사멸 유발
- 흡연은 macrophage의 apoptotic cells 흡수 억제를 통해서도 cell repair를 제한
- 흡연에 의한 기도상피의 cilia 소실 → macrophage의 phagocytosis↓
  → 세균 감염↑ 및 neutrophilia (neutrophil transit time↓)
- 자가면역 기전도 COPD의 진행에 일부 기여함

병태생리

1. 기류제한(airflow limitation)

- <u>호기시의 기류제한</u> ‥ COPD의 생리학적 변화의 대표적 소견
  - 호기시의 기류 ┌ 폐의 elastic recoil → flow 촉진
            └ 기도의 저항 → flow 제한
  - COPD ; elastic recoil↓, 기도저항↑
- FEV$_1$↓↓, FVC↓, FEV$_1$/FVC↓

- asthma와 달리 대부분 비가역적이지만, 일부 가역적이기도 함
  (bronchodilator 투여시 15% 이내의 호전은 흔함)
- 흡기시의 기류는 심하게 감소된 FEV_1에 비하면 상대적으로 양호함

2. 과팽창(hyperinflation) = 통가슴(barrel chest)

- air trapping → RV↑↑, RV/TLC↑, progressive hyperinflation (TLC↑)
  (hyperinflation은 기도가 좁아지는 것을 보상하는 역할을 함)
- hyperinflation ; 횡격막 편평해짐, 흉골 뒤 공기공간 증가, 길고 좁은 심장
  - static hyperinflation → inspiratory capacity↓
  - 운동시 dynamic hyperinflation도 흔함 → 호흡곤란↑, 운동능력↓
  - 호흡근의 수축력을 약화시키고, 염증매개물질도 활성화시킬 수 있음
  - COPD 초기부터 발생하며, 운동시 호흡곤란의 중요 기전

3. 가스교환 장애

- ventilation-perfusion (V/Q) mismatching (m/i) 및 nonuniform ventilation이 특징
  → PaO_2↓, 말기에는 $PaCO_2$↑
  (V/Q mismatching → hypoxemia 치료시 산소 투여가 효과적)
- N_2 washout curve : CV 증가
- FEV_1 감소 정도와의 관계
  - PaO_2↓ : FEV_1이 50% 이하로 감소해야 발생
  - $PaCO_2$↑ : FEV_1이 25% 이하로 감소해야 발생

4. 기타

- 기도 점액 과분비 (chronic bronchitis에서) → 만성 가래가 있는 기침 (기류제한에 일부 기여)
- chronic hypoxia → 폐혈관 수축(→ pul. HTN), secondary erythrocytosis
- severe pul. HTN (cor pulmonale, RVF) : FEV_1 <25% & PaO_2 <55 mmHg 일 때 발생
  (hypoxemia에 의한 혈관수축이 pul. HTN 발생에 가장 중요)

임상양상/진단

1. 증상/진찰소견

- 호흡곤란, 기침, 가래 등이 주증상 (기침/가래가 기류제한보다 먼저 발생하는 경우도 있고,
  일부 환자에서는 기침/가래는 없이 기류제한만 발생하기도 함)
- 수면장애
  - 원인 ; nocturnal hypoxia (hypoventilation), steroid, β-agonist 등
  - 주로 REM sleep 때 hypoxia가 심하게 발생 가능

- 진찰소견 : 다양 (→ 진단에 별로 도움 안됨)
  - 초기에는 정상인 경우가 많음
  - 청진 ; 호기시 wheezing, 호흡음 감소
  - 심해지면.. 호기 시간의 증가, 호흡 횟수의 증가, 횡격막 운동의 저하, 흡기시 늑간의 함몰 및 보조호흡근의 사용 등이 나타날 수 있음
- 진행된 COPD의 임상양상 (동반질환, 합병증)
  ① 폐동맥 고혈압, 우심실부전(폐성심, cor pulmonale)
  ② chronic resp. failure, resp. acidosis
  ③ cachexia : systemic wasting (심한 체중감소, bitemporal wasting, 피하지방 소실)
    - apoptosis↑ and/or 근육사용↓ → skeletal muscle mass↓ → 체중감소
    - 경구 섭취 부족과 inflammatory cytokines (TNF-α)의 증가 때문
    - 독립적인 poor prognostic factor
  ④ 흡기시 rib cage의 paradoxical inward movement (Hoover's sign)
  ⑤ secondary polycythemia (RBC↑)
  ⑥ spontaneous pneumothorax
  ⑦ stress ulcer (GI hemorrhage)
  * 곤봉지(digital clubbing) : COPD의 징후 아님 → 다른 원인을 고려 (특히 lung ca.)!

COPD를 의심해야 하는 Key indicators
(40세 이상에서 아래와 같은 지표가 있으면 spirometry 시행, 다수일수록 COPD의 가능성 높음)

Dyspnea (m/i)	시간이 지날수록 심해짐, 특히 운동시 심함, 지속적
Chronic cough	간헐적이거나 없을 수도 있음, 가래를 동반하기도 함, wheezing
Chronic sputum*	어떤 형태이든 가능, 기침 후 소량의 끈끈한 가래가 흔함
Recurrent lower respiratory infections	
Risk factor history	흡연, 직업력, 취사/난방 연기, 미세먼지 등 유전적 요인
Family and/or childhood history	COPD의 형제력, 출생시 저체중, 소아기 호흡기 감염

*가래가 (다른 원인 없이) 3개월 이상 2년 연속 있으면 chronic bronchitis, 기류제한도 있으면 COPD

2. 검사소견

(1) 폐기능검사 (m/i)

- 폐활량(spirometry) ; FEV_1↓↓, FVC↓, FEV_1/FVC↓, FRC↑, RV↑, TLC↑, RV/TLC↑
  - 기관지확장제 투여 후 FEV_1/FVC <0.7 이면 진단 가능
  - FEV_1 : 기도폐쇄의 정도(severity)를 평가하는데 m/g
- 유량기량곡선(flow-volume curve) : COPD 초기에는 호기시 곡선만 오목해지지만, 진행되면 전체 곡선이 작아짐
- diffusing capacity (DL_{CO}) : emphysema 환자에서 감소
  - emphysema (hyperinflation)의 severity를 가장 잘 반영
  - airflow obstruction 정도에 비해 호흡곤란이 심한 환자의 평가에 유용

(2) 동맥혈가스검사(ABGA)

- GOLD grade Ⅲ 이상의 환자(FEV_1 <50%)는 정기적인 ABGA 검사 필요
- 호흡부전 ($PaCO_2$ >45 mmHg)의 분류에 이용
  - 급성 호흡부전 : $PaCO_2$ 10 mmHg 증가시 pH 0.08 감소
  - 만성 호흡부전 : $PaCO_2$ 10 mmHg 증가시 pH 0.03 감소
- COPD의 급성 악화 진단시 중요

(3) 기타

- CXR (→ 다음의 표 참조) : COPD의 진단에는 큰 도움은 안 됨
- <u>chest CT</u> : <u>emphysema</u>의 조기발견/확진 및 다른 질환(e.g., ILD)과의 감별에 유용
  - ↳ 폐포벽 파괴로 인한 airway space 확장 (저음영 부위↑)
- EKG ; 말기 환자에서 Ⅱ, Ⅲ, aVF에서 peaked P wave, QRS 감소, RAD
  - (cor pulmonale의 m/i 소견 : right precordial lead에서의 R wave)
- chronic hypoxemia → erythrocytosis (Hct↑), RVH
- α_1-AT level : 유병률 높은 지역에선 COPD 및 만성기도폐쇄를 동반한 천식 환자에서 검사
  - * α_1-AT deficiency의 확진 → 유전자형 검사 ; Pi alleles (M, S, Z)
- 운동능력검사(exercise testing)
  - – 건강상태 악화와 예후의 예측에 매우 유용함, 호흡재활 효과 평가에도 사용
  - – 보행검사 ; 왕복걷기(shuttle walk test), 6분보행검사(6-min. walk test)
- 신체활동성(physical activity) 평가 ; accelerometer, multi-sensor instrument

참고: COPD의 D/Dx	
COPD	중년기에 발병, 증상이 느리게 진행 흡연력 또는 연기/분진 등에 노출
Asthma	어린 시절에 발병, 증상이 자주 변함, 야간/새벽에 증상 악화 알레르기, 비염, 습진 등 동반 천식의 가족력
CHF	CXR에서 심비대, 폐부종 폐기능검사에서 제한성장애 (기류제한은 없음)
Bronchiectasis	다량의 화농성 가래, 세균감염과 관련 흔함 CXR/CT에서 기관지확장 및 기관지 벽의 비후
TB	CXR에서 폐 침윤 혹은 결절성 병변 결핵균 도말, 배양, PCR 등으로 확인
Obliterative bronciolitis	어린 시절에 발병, 비흡연자 류마티스성 관절염 혹은 증기(fume) 노출력, 폐 또는 골수 이식 후 발생 CT (호기)에서 음영 감소 부위 확인
Diffuse panbronchiolitis	대부분 남성 & 비흡연자, 거의 다 chronic sinusitis 동반 CXR/HRCT에서 diffuse small centrilobular nodular 음영 & hyperinflation

c.f.) 최근에는 천식–COPD 중첩증후군(asthma COPD overlap syndrome, ACOS, ACO), COPD with asthmatic component, COPD, 천식 모두를 포함하여 '만성폐쇄성기도질환(chronic obstructive airway disease, COAD)' 이라고도 함

	predominant Emphysema (type A)	predominant Bronchitis (type B)
Age	60±	50±
Dyspnea	**Severe**, 서서히 진행 (ABGA 소견에 비해 dyspnea 심함) "pursed-lip breathing"	Mild (cough 후에 발생) * OSA도 흔히 동반 (nocturnal hypoxia)
Cough	드묾 (dyspnea 뒤에 발생)	**주증상 (dyspnea 전에 발생)**
Sputum	Scanty, mucoid	**Copious, purulent**
Infection	덜 흔함	**더 흔함**
Resp. insufficiency	보통 말기에나 발생	자주 반복
Cyanosis	−	+
Weight	감소	증가
Chest exam.	Quiet	Noisy
Airway obstruction	**Very severe, always**	Sometimes modrately severe
Inspiratory airway resistance	N~↑	↑↑
Chest X-ray	Bronchoalveolar marking 감소, hyperlucency, bullae, barrel chest = hyperinflation (폐용적↑, 편평한 횡격막, 길고 좁은 심장)	특별한 소견이 없거나 or bronchovascular marking 증가 ("dirty lungs"), 큰 심장 (RVH)
ABGA PaCO$_2$ PaO$_2$	35~40 (정상) 65~75 (거의 정상)	50~60 (↑↑) 45~60 (↓↓)
Hematocrit (Hb)	35~45 (12~15)	50~60 (15~18) : polycythemia
Resting PA pressure	N or ↑	↑↑~↑↑↑
Pulmonary HTN	none ~ mild	moderate ~ severe
Cor pulmonale with Rt-HF	드물다 (말기에나) but, 예후는 더 나쁨	흔하다 (edema, CHF) systolic PA pr. 40~50 mmHg PCWP는 정상
Elastic recoil	↓↓↓	N (variable)
Static compliance	↑↑	N
Dynamic compliance	N or ↓	↓↓↓
Diffusing capacity (DL$_{CO}$)	↓↓↓	N or ↓ (variable)
RV	↑↑↑	↑↑
TLC	↑↑	N or ↓
VC	N or ↓	↓↓
FEV$_1$/FVC, MEFR	↓↓	↓↓

Row labels on the far left: 증상 & 진찰 소견 (symptoms & exam findings); PFT (for the lower block)

pink puffers
(emphysema)

blue bloaters
(bronchitis)

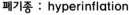

폐기종 : hyperinflation

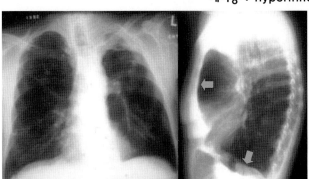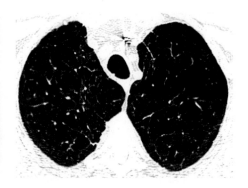

3. COPD와 동반질환

; 동반질환은 COPD의 severity와 관계없이 흔하고, 종종 감별이 어려울 수도 있음

(1) 심혈관질환 (m/c)
- 고혈압 (m/c) ; 고혈압과 COPD 각각의 진료지침에 따라 치료
- 심부전 (20~70%) ; 독립적인 사망 예측인자, COPD와 서로 악화시킬 수 있음,
    COPD 환자에서 β_1-blocker 사용은 안전하지만, selective β_1-blocker 권장
- 허혈성심장질환 ; COPD 급성악화 동안에 심근 손상 위험↑
- 부정맥 ; AF (m/c)-FEV$_1$과 직접적인 관련, SABA와 theophylline은 사용에 주의
- 말초혈관질환 (8.8%) ; 활동 제한 및 삶의 질 저하

(2) 골다공증 ; 골밀도↓와 골절 흔함, 폐기종에서 더 흔함, BMI 및 근육량 감소와 관련,
    systemic steroid는 골다공증의 위험을 증가시키므로, COPD 악화시 자주 사용은 피함

(3) 불안과 우울증 ; 일반인보다 2~3배 많음, 삶의 질 저하 및 COPD의 예후를 나쁘게함

(4) 폐암 ; 일반인의 6~13배, 폐기종에서 더 흔함, 기류제한과 폐기종 모두 있으면 폐암 발생 위험⬆,
    mild~moderate COPD의 m/c 사망원인!

(5) 대사증후군과 당뇨병 ; 일반인보다 1.5~2배 많음, COPD의 예후를 나쁘게함,
    COPD 급성악화시 입원기간 및 사망률 증가, DM과 COPD 각각의 진료지침에 따라 치료

(6) 위식도역류질환(GERD) ; 삶의 질 저하, 급성악화↑, 모두 흡연의 영향

(7) 기관지확장증 ; COPD 급성악화의 기간/사망률↑, 일부 장기간의 항생제 치료가 필요할 수,
    ICS는 세균 집락이 있거나 반복적인 감염 환자에서는 사용을 피해야 할 수도 있음

(8) COPD-수면무호흡 중복 증후군 ; OSA가 동반된 경우, 삶의 질 저하, 급성악화/사망률 증가,
    야간 산소포화도 저하 심해짐(→ 부정맥↑, 폐동맥고혈압↑) → CPAP 치료

4. ambulatory COPD 환자의 severity/prognosis 평가 ★

(1) COPD의 나쁜 예후인자

- post-bronchodilator FEV_1 ⬇ ; 생존율 예측에 가장 우수하지만, 개인별로 차이가 있음
  (환자의 호흡곤란 및 삶의 질 정도와의 일치율은 그리 높지 않음!)
- airway hyperresponsiveness [AHR] (e.g., methacholine [PC_{20}] ≤ 4 mg/mL)
  ; COPD의 약 25%에서 존재, 폐기능 감소 속도 더 빠르고 사망률↑
- low body-mass index (BMI ≤21) ; 체중이 감소할수록 사망률↑, 체중 증가하면 예후 향상
  - fat-free mass (FFM)제지방체중 ; severity와 관련성 더 높음, 정상 체중에서 사망률 예측에 유용
- 급성악화(acute exacerbations)로 인한 입원 → poor Px. & mortality↑
- CT에서 emphysema (hyperinflation)
- 흡연, 고령, 남성, 영양결핍, hypoxemia, HIV 감염, 기도 세균↑, 운동능력(exercise capacity)↓,
  cardiopulmonary exercise test (CPET)에서 $VO_{2,MAX}$↓, pulmonary HTN ...
- CRP↑(>3 mg/L) ; 일부 연구에서 CRP 증가는 폐기능 감소 및 사망률 증가와 관련

* hypercapnia ; 급성악화시 (eucapnia보다) hypercapnia가 사망률을 더 높이지는 않음
* 급성호흡부전 ; (다른 요인들을 배제하면) 급성호흡부전이 사망률을 더 높이지는 않음

(2) GOLD 기류제한의 분류(grade) : 기관지확장제 투여 후 FEV_1 기준

Grade	FEV_1/FVC	FEV_1	증상
0 (위험기)	정상	정상	만성기침/객담
I (mild)	<0.7	≥80%	± 만성기침/객담
II (moderate)	<0.7	50~79%	± 만성기침/객담
III (severe)	<0.7	30~49%	± 만성기침/객담
IV (very severe)	<0.7	<30%	± 만성기침/객담
		<50%	호흡부전 or 우심부전

* GOLD : Global initiative for chronic Obstructive Lung Disease

⎡ grade III (FEV_1 <50%) → acute exacerbation 위험 증가
⎣ grade IV (FEV_1 <30%) → 삶의 질 심하게 저하, acute exacerbation시 대개 입원이 필요하며
  생명의 위협이 흔함

(3) 복합 점수 : BODE index

Score	0	1	2	3
Body-mass index (BMI)	>21	≤21		
Obstruction (FEV_1 % predicted)	≥65	50~64	36~49	≤35
Dyspnea (mMRC scale)	0~1	2	3	4
Exercise capacity (6MWDT)*	≥350	250~349	150~249	<150

2년 뒤 사망률
≥7점 : 30%
5~6점 : 15%
≤4점 : <10%

* 6mWDT (6-min walking distance test, 6분보행검사) : 편평한 바닥에서 6분간 걷는 거리(m)

- score 높을수록 사망률↑ (단일 항목보다 사망률 예측에 더 좋음!)
- modified BODE (mBODE) : 6mWDT 대신에 CPET $VO_{2,MAX}$ 사용

(4) 호흡곤란 지표(dyspnea scale) : 주로 mMRC grade를 이용

: 현재의 증상을 잘 반영하고, 건강상태 및 사망률과도 관련

mMRC grade	Dyspnea Scale
0	힘든 운동을 할 때만 호흡곤란 (숨이 참)
1	경사진 길을 올라가거나 평지를 빨리 걸을 때 호흡곤란 발생
2	호흡곤란으로 동년배보다 천천히 걷거나, 혼자 걸을 때 중간에 멈추고 숨을 쉬어야 함
3	평지를 100 yard (91.4 m) or 수분 정도 걸으면 호흡곤란으로 멈춰야 됨
4	호흡곤란으로 집 밖에 나가지 못하며, 옷을 입거나 벗을 때에도 호흡곤란 발생

* British Medical Research Council (MRC), mMRC (modified MRC)

(5) CAT (COPD assessment test) : 설문지

- 기침, 가래, 가슴 답답함, 언덕이나 계단 오를 때 숨참, 집에서 활동, 외출할 때 자신감, 수면의 질, wellbeing sense 등 8개 항목
- 각 항목 당 0~5점, 가장 좋으면 0점 ~ 가장 나쁘면 40점
- mMRC의 호흡곤란 이외에 다른 호흡기 증상 포함 및 삶의 질 평가에 유용

나는 전혀 기침을 하지 않는다	⓪ ① ② ③ ④ ⑤	나는 항상 기침을 한다
나는 가슴에 전혀 가래가 없다	⓪ ① ② ③ ④ ⑤	나는 가슴에 가래가 가득 차 있다
나는 전혀 가슴이 답답함을 느끼지 않는다	⓪ ① ② ③ ④ ⑤	나는 가슴이 아주 답답함을 느낀다
나는 언덕이나 계단을 오를 때 전혀 숨이 차지 않는다	⓪ ① ② ③ ④ ⑤	나는 언덕이나 계단을 오를 때 아주 숨이 차다
나는 집에서 활동하는 데 전혀 제약을 받지 않는다	⓪ ① ② ③ ④ ⑤	나는 집에서 활동하는 데 많은 제약을 받는다
폐질환에도 불구하고 나는 외출하는 데 자신이 있다	⓪ ① ② ③ ④ ⑤	폐질환으로 인하여 나는 외출하는 데 전혀 자신이 없다
나는 잠을 깊이 잔다	⓪ ① ② ③ ④ ⑤	폐질환으로 인하여 나는 잠을 깊이 자지 못한다
나는 기운이 왕성하다	⓪ ① ② ③ ④ ⑤	나는 전혀 기운이 없다

치료

GOLD group에 따른 stable COPD의 치료 (2019) ★

위험도

	III∼IV (FEV₁<50%)	급성악화 (exacerbation) 병력	≥2회 or ≥1회 입원	**C** High risk, less Sx	**D** High risk, more Sx
	I∼II (FEV₁≥50%)		없음 or 입원 안한 1회	**A** Low risk, less Sx	**B** Low risk, more Sx

FEV₁ 표기: $III\sim IV$ ($FEV_1 < 50\%$), $I\sim II$ ($FEV_1 \geq 50\%$)

▶ Gold grade (FEV₁)는 2017 이후 빠짐

	mMRC 0∼1 CAT <10	증상	mMRC ≥2 CAT ≥10

Group	**A**	**B**	**C**	**D**
	Low Risk, Less Sx	Low Risk, More Sx	High Risk, Less Sx	High Risk, More Sx
약물 치료	필요시 기관지확장제 (속효성 or 지속성)	지속성기관지확장제 : LABA or LAMA	LAMA (∵ 급성악화 예방효과↑)	LAMA or LABA + LAMA* or LABA + ICS**
비약물 치료	금연, 육체적 활동 독감, 폐렴구균 예방접종	금연, 육체적 활동 호흡재활 독감, 폐렴구균 예방접종	금연, 육체적 활동 호흡재활 독감, 폐렴구균 예방접종	금연, 육체적 활동 호흡재활 독감, 폐렴구균 예방접종

*증상 심하면(e.g., CAT >20)
**asthmatic component or blood eosinophils↑ (≥300/μL)

약물치료의 F/U (Step Up or Down)

먼저 주 치료목표를 정함 : 증상(dyspnea) vs 급성악화
각 단계별 치료반응 및 부작용을 평가하여 치료 지속 or Step Up or Step Down 결정

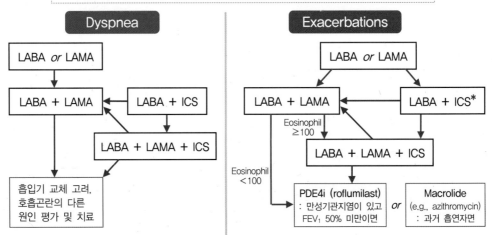

* Eosinophils ≥300/μL or Eosinophils ≥100/μL & 급성악화 ≥2회 (or 1회 입원)시 고려
◀── 폐렴 등 부작용이 발생하거나 효과가 부족하면 ICS의 중단 or 교체 고려

SABA (short-acting β₂-agonist), **LABA** (long-acting β₂-agonist)
SAMA (short-acting muscarinic antagonist), **LAMA** (long-acting muscarinic antagonist)
ICS (inhaled corticosteroid), PDE4i (phosphodiesterase-4 inhibitor)

■ 우리나라 COPD 진료지침 (2018)

Group	가군	나군	다군
	위험 낮음, 증상 경미	위험 낮음, **증상 심함**	**위험 높음**
FEV₁ (% pred.)	≥60%		<60%
지난해 급성악화 횟수	0~1회		≥2회
증상 mMRC CAT(설문지)	0~1 <10	≥2 ≥10	상관없이

필요시 흡입속효성기관지확장제(SABA) 투여

1st choice

	나군		다군
	LABA or LAMA	LABA + LAMA*	LABA + LAMA or LABA + ICS**

치료

Add on
: 증상지속
(mMRC≥2)
or 급성악화

→ LABA + LAMA

→ ICS + LABA + LAMA
±
PDE4 inhibitor*** or macrolide

* LABA or LAMA 두 약물 간 우열은 없고 선호에 따라 선택, 진단시 증상이 심하면 처음부터 LABA+LAMA
** LABA + ICS : 천식과 중복되어 있거나 혈중 호산구가 높은 경우
   (c.f., LABA + LAMA가 ICS/LABA보다 폐기능↑, 급성악화↓, 폐렴↓ 등으로 효과는 더 우수함)
*** 급성악화의 병력과 만성기관지염이 있는 COPD에서 FEV₁ 50% 미만 or 연 2회 이상 급성악화가 발생한 경우

* 치료 목표 ; 증상 완화, 운동능력 향상, 삶의 질 향상, 급성악화 감소, 질병진행 예방, 사망률 감소

┌ 금연, 장기 산소요법, 일부 폐기종 환자에서 수술(LVRS) 등이 COPD의 **경과**를 호전시킴 ★
└ 다른 모든 치료는 증상 호전, 삶의 질 향상, 급성악화의 빈도/중증도 감소가 목표!

1. 위험인자의 제거

(1) **금연** (아무리 나이가 많더라도)
  - 폐기능(FEV₁)의 <u>감소 속도(natural course)</u>를 완화시킴 (비흡연자와 비슷한 속도로 감소됨)
    ⇨ <u>survival 증가</u> (∵ 암과 심혈관질환 감소, 폐기능 감소 속도 둔화) → 가능한 젊을 때 금연해야
  - 약물치료만으로는 폐기능(FEV₁)의 감소를 막지 못한다!
  - 금연 보조 약물요법
    ① <u>nicotine 대체재</u> (껌, patch, inhaler, nasal spray 등) ⋯ 최근의 MI, 뇌경색 시에는 금기
    ② <u>bupropion, varenicline</u> (nicotinic acid receptor agonist/antagonist), clonidine, nortriptyline
      ; nicotine 대체재와 함께 사용시 금연율↑

(2) 직업을 바꾸거나, 공해물질에의 노출 감소

(3) 실내 및 야외 공기오염 : 환기 개선 및 미세먼지 노출 줄이면 FEV₁의 감소 속도 완화됨

(4) 감염의 예방
  - 흔한 원인균 : *S. pneumoniae, H. influenzae, Moraxella catarrhalis*
  - 예방접종 : influenza (매년), polyvalent pneumococcal (65세 이상, <u>5년</u>마다)

2. 약물치료

(1) 기관지확장제(bronchodilator)

① inhaled Muscarinic Antagonists (anticholinergics)
- 기도 평활근의 M_3 muscarinic receptor에 대한 acetylcholine의 기관지 수축 효과를 차단함
- 흡입속효성항콜린제(SAMA) ; ipratropium bromide (Atrovent®), oxitropium bromide
  - short-acting, non-selective muscarinic receptors (M_1, M_2, M_3) 억제
  - 투여 후 30~90분에 최대 효과, 4~6시간 지속, 1일 4회 투여
  - 단독으로는 SABA에 비해 약간 더 효과적임 (증상 및 건강상태 개선, 급성악화↓ 등)
- 흡입지속성항콜린제(LAMA) ; tiotropium bromide (Spiriva®), umeclidinium bromide,
    (Ellipta®), aclidinium bromide (Tudorza®), glycopyrronium bromide
  - long-acting, selective muscarinic receptors (M_1, M_3) 억제, 1일 1~2회 투여 가능
  - 증상 & 건강상태 개선, 호흡재활 효과 향상, 급성악화 & 입원 감소, 사망률 감소
- 흡수가 잘 안되므로 전신 부작용이 적고(dry mouth가 m/c), 치료 용량 범위도 넓음

② inhaled Beta(β_2)-Agonists
- β_2-adrenergic receptors를 자극하여 cyclic AMP를 증가시키고 기도평활근 수축을 억제함
- 흡입속효성베타-2작용제(SABA) ; salbutamol (albuterol), terbutaline, fenoterol, levalbuterol
  - 급성 증상 조절에 효과적 : FEV_1 호전 & 증상 개선
- 흡입지속성베타-2작용제(LABA) ; indacaterol, olodaterol, formoterol, salmeterol, vilanterol,
    arformoterol ...   ↳ 24시간 이상 작용
  - 증상 & 삶의 질 개선, 폐기능 개선, 급성악화 감소 (급성악화 예방은 LAMA가 더 효과적!)
- 주요 부작용 ; tremor, tachycardia, hypokalemia (특히 thiazide와 병용시)

* β_2-agonists + anticholinergics 병합 : 부작용은 줄고, 효과(폐기능↑, 증상↓, 악화↓)는 상승
  (→ 환자가 안정되면 상승작용이 없어지므로 두가지중 한 가지는 중단)

③ methylxanthines (oral theophylline, aminophylline) : weak bronchodilator
- nonselective PDE 억제제, 덜 효과적, 위의 약들에 효과 없는 severe COPD의 경우 추가 고려
- 효과 ; 호흡근육(횡격막) 기능 강화, 호흡중추 자극, CO↑, 일상생활/운동 능력↑,
    폐혈관 저항 감소, 심근 허혈 부위에 혈류를 증진, mucociliary clearance↑
- 야간의 FEV_1 변화와 새벽의 호흡기 증상을 감소시킴
- 심혈관계 부작용(dose-related) 및 약제 상호작용이 문제(e.g., digitalis, warfarin)
    ↳ 심방/심실 부정맥(간혹 치명적), 대발작 간질(간질 병력과 무관하게 나타날 수 있음) 등

(2) 흡입스테로이드(inhaled corticosteroid, ICS)
- 단독 사용은 효과가 불확실하여 권장 안됨 (예외: 천식을 동반한 overlap syndrome)
- 기관지확장제와 병합요법으로 사용 : COPD의 급성악화의 빈도 감소시킴 (→ 주 사용목적),
    증상 완화, 폐기능과 삶의 질 개선 (사망률 감소 효과는 불확실함)
- 단점 ; 폐렴, oral candidiasis, dysphonia, osteoporosis, cataracts 등의 부작용 발생 위험
- 적응증
  ① COPD 환자에서 급성악화가 자주 발생시 (1년에 2번 이상)
  ② blood eosinophilia (≥300/μL) ⋯ ICS의 효과 (급성악화↓) 예측에 유용!

③ asthmatic or allergic component 존재

- bronchodilator 투여로 FEV_1 20% 이상 증가 or 증상 크게 호전

- 기타 ; wheezing, IgE↑, (+) skin test, nasal polyps or vasomotor rhinitis 등

• ICS의 중단 이후 ; 폐기능(FEV_1) 약간 감소, blood eosinophilia 군에서는 급성악화 빈도↑

c.f.) oral steroid : stable COPD에서는 급성악화의 예방효과도 없고, 부작용이 많아 권장 안 됨

- 급성악화시 다른 치료에도 불구하고 증상이 지속되면 단기간 사용 가능

- Cx. ; myopathy (→ 호흡근 약화 → 증상악화), osteoporosis, DM, cataract, 면역억제 (→ 감염 증가), 체중 증가 등

(3) phosphodiesterase-4 (PDE4) inhibitor (oral roflumilast)

• 기전 : 세포 내 cAMP의 분해를 억제하여 항염증 효과 (직접적인 기관지확장 작용은 없음)

• severity에 관계없이 FEV_1과 삶의 질 향상 효과, severe 이상 COPD에서 급성악화 감소 효과

• 적응증 : 급성악화의 병력이 있고 만성기관지염(기침)을 수반한 COPD 환자에서

① FEV_1 <50% predicted or

② LABA or LAMA를 지속적으로 투여해도 연 2회 이상 급성악화가 발생한 경우

• 부작용 ; 오심, 복통, 설사, 체중감소 등 … 치료 초기에 주로 발생, 가역적, 계속 치료하면 감소 (methylxanthines과 병용 투여하면 안됨)

(4) 기타 약제

• macrolides (azithromycin or EM) : antiinflammatory & antimicrobial effect

- 급성악화 병력이 있는 COPD 환자에게 1년 동안 투여시 급성악화 발생 위험 감소 (but, 항생제 내성, QT prolongation, 청력 이상 등 부작용 위험)

- 1년 이상의 투여는 아직 효과 및 안정성에 관한 연구 결과가 부족함

- 현재 흡연자에서는 효과 떨어짐 → 과거의 흡연자 or 비흡연자에서만 시도해 볼 수

• 점액용해제(mucolytics) : 일부 점성가래 환자에서는 도움이 됨 (폐기능 향상은 없음)

- 급성악화 일부↓, 잦은 악화/입원 환자에서 효과적이나 매우 미미함 → 일률적 사용 권장 안됨

- *N*-acetylcysteine, carbocysteine, erdosteine : mucolytics & antioxidant effect를 가지며, ICS를 사용하지 않는 환자에서 급성악화를 감소시키고 건상상태를 조금 호전시킴!

• leukotriene modifiers : 천식에서는 효과적이지만, COPD에서는 다른 치료에 모두 반응이 없을 때 시도해 볼 수 있음

• IV α_1-AT : severe α_1-AT deficiency & COPD 환자에만 투여 (→ emphysema 진행 속도↓)

(5) COPD 환자에서 사용에 주의가 필요한 약제

• 기침약/진해제 : 기침은 COPD의 방어 역할을 하므로, stable COPD 환자에서 사용은 금기

• narcotics & sedatives : respiratory depression을 유발할 수 있으므로 특히 주의

• respiratory stimulants : 생존율 및 삶의 질을 향상시키지 못하므로 권장 안됨

• β-blockers : 기관지수축을 유발할 수 있으므로 일반적으로 금기

• vasodilators (inhaled NO, ACEi, CCB, α-blocker) : V/Q mismatch 악화시키므로 권장 안됨

• 폐동맥고혈압(iPAH) 치료제인 endothelin receptor antagonist, PDE5 inhibitor, prostacyclin 등 : COPD와 연관된 폐동맥고혈압 치료에는 권장 안됨

• 기타 ; 이뇨제 (∵ 전해질이상 or 수분고갈 위험), antihistamines (∵ 건조↑), ephedrine

3. 산소요법 (저농도)

(1) 효과

① pulmonary HTN 및 RHF 완화 ($\because$ pul. vasoconstriction↓)

② 운동능력, 신경정신기능 향상

③ secondary polycythemia 교정

④ 체중 증가

⑤ 수명 연장 (사망률 감소!)

(2) 장기산소(long-term oxygen therapy, LTOT)/가정산소치료(home oxygen therapy, HOT)의 적응증

$\lceil$ 안정된 상태에서 PaO_2 55 mmHg (SaO$_2$ 88%) 이하 (3주 동안 2회 측정시) or

$\lfloor$ 장기 손상 소견이 있으면 (pul. HTN or Rt-HF, polycythemia, CHF를 시사하는 말초부종 등)

PaO_2 60 mmHg (SaO2 90%) 미만

$\Rightarrow$ severe resting hypoxemia COPD 환자에서 효과적! (안 심한 hypoxemia에서는 큰 이득 없음)

* PaO_2 60 mmHg 이상이지만 운동 or 수면시 hypoxemia가 발생할 때에는
운동/수면시 O_2 0.5~1 L/min 추가

(3) 방법

• PaO_2 60 mmHg (SaO$_2$ 90%) 이상 유지해야! (휴식, 취침, 운동시 모두)

→ 보통 nasal cannula로 2~5 L/min 투여

• 필요 이상의 고농도의 산소는 오히려 더 해롭다!

• 되도록 하루 중 많은 시간을 투여하는 것이 더 효과적임 (15시간 이상)

• 수면 중에는 안정시보다 1 L/min 더 투여

• 투여방법   → 15장 뒷부분 참조

① low-flow system ; dual-prong nasal cannula, simple face mask, mask with reservoir bag

② high-flow system

– venturi mask : CO_2 retention을 피하기 위해서 정확하고 일정한 FiO_2 유지를 필요로
할 때 효과적

– reservoir nebulizer & humidifier (T-piece), IPPV, mechanical ventilation 등

• CO_2 retention이 일어나면 pH를 관찰!

$\lceil$ pH가 nonacidemic → 만성 현상이므로 높은 CO_2를 허용

$\lfloor$ pH가 acidemic → venturi mask를 이용하여 FiO_2를 철저히 조정
or NPPV, mechanical ventilation 고려

(4) 문제점

① oxygen toxicity : free radical과 관련

– 모세혈관 누출, 폐포출혈, surfactant dysfunction, 폐부종 발생

– 심하면 ARDS, fibrosis, 사망도 가능

② CO_2 retention

– "hypoxic" drive to ventilation↓ → resp. acidosis, $PaCO_2$↑

– PaO_2를 60~65 mmHg 사이로 유지하면 피할 수 있음

- CO$_2$ narcosis : PaCO$_2$ 증가로 인하여 ICP 상승 & intracranial vasodilatation 유발해 두통, 졸림, stupor, coma 등을 초래 가능

(→ 산소를 단계적으로 서서히 낮추어야, 갑자기 끊으면 위험!)

③ pul. vasoconstriction의 redistribution (ventilation 잘 안되던 곳에서, 잘되던 곳으로)

→ <u>V/Q mismatch 악화</u> → wasted ventilation ratio (Vd/Vt)↑ → hypoxemia 악화

④ 물리적 위해 ; 화재, 폭발

4. 기타 치료

(1) **기계환기 보조**(비침습적 양압환기, NIPPV/NIV) : long-term, nocturnal

- 산소요법을 포함한 적극적인 치료에도 불구하고 주간 hypercapnia 지속, 야간 저환기(hypoxia), 등이 동반된 very severe COPD 환자에서 고려 → 생존율 향상은 논란, 삶의 질은 떨어짐
- HOT-HMV (home mechanical ventilation)/Home-NIV → 일부 연구에서 AE↓ & 생존율↑
  - Ix ; 주간 PaCO$_2$ ≥52 mmHg, 야간 SpO$_2$ ≤88% (≥2 L/min 산소투여에도 불구하고)
- COPD와 폐쇄성 수면무호흡증이 동반된 환자 ⇨ 지속성기도양압(CPAP) 사용시 생존율 향상!

(2) **호흡재활치료**(pulmonary rehabilitation)

- 육체적 활동↑, 운동훈련, 호흡근육훈련, 영양상담, 심리치료 및 교육 등의 통합 프로그램
- 효과 ; 증상 완화, 삶의 질 향상, 건상상태의 개선, 입원 횟수/기간 감소, 운동/활동 능력 향상, 불안감/우울증 감소 등 심리적 기능의 개선, 생존율 증가 등

(3) 정맥절개술(phlebotomy) : Hct 60% 이상이고 신경학적 증상 있을 때

(4) bronchopulmonary drainage : hypersecretion시에는 postural drainage가 도움

5. 외과적 치료

(1) surgical bullectomy : large emphysematous bullae가 있는 환자에서 증상 및 폐기능의 호전 가능

(2) **폐용적축소술**(lung volume reduction surgery, LVRS)

- 일부에서 증상 완화, 폐기능, 운동능력의 향상, 생존율 증가 (사망률 감소) 효과
- <u>특히 효과적인 경우 (Ix)</u> ⇨ 생존율 향상
  - ① 상엽을 주로 침범한 emphysema 환자
  - ② 재활치료 이후 낮은 운동능력을 보이는 환자
- C/Ix ┌ FEV$_1$ <20% & diffuse emphysema (on CT) or DL$_{CO}$ <20% ⋯ 오히려 사망률↑
  └ 심한 흉막질환, pul. HTN (폐동맥압 >45 mmHg), CHF, 심한 동반 질환, 심한 쇠약
- bronchoscopic lung volume reduction (BLVR) ; FEV$_1$ 15~45%, CT에서 heterogeneous emphysema, hyperinflation (TLC >100% & RV >150%) 환자에서 증상과 폐기능 호전

(3) 폐이식(lung transplantation) : COPD는 폐이식의 2nd m/c 원인 질환

- 적절하게 선택된 very severe COPD 환자에서 시행하면 운동능력 및 삶의 질 개선 효과
- 약 70%에서 양측 폐이식 시행, 특히 60세 이하에서는 양측 폐이식이 생존율 더 높음
- 적응증 : BODE index >7점, FEV$_1$ <15~20%, 지난 1년 동안 급성악화 3번 이상, acute hypercapnia (PaCO$_2$ >50 mmHg)를 동반한 급성악화 병력, moderate 이상 폐고혈압 (간, 신장, 심장 등의 다른 심한 동반질환이 없어야 됨)

COPD의 급성악화 (acute exacerbation, AE)

1. 개요/임상양상

- 정의 : COPD 환자의 호흡기증상이 급격히 악화되어 <u>추가적인 치료가 필요한</u> 상태

  ┌ mild AE : 속효성기관지확장제 치료만 필요한 경우

  │ moderate AE : 속효성기관지확장제 + 항생제 and/or oral steroid 치료가 필요한 경우

  └ severe AE : 응급실이나 입원이 필요한 경우, acute respiratory failure를 동반할 수 있음

- 주로 병력 및 진찰소견, ABGA, chest X-ray 등에 의해 진단

  - 증상 ; dyspnea, wheezing, cough 등의 악화, sputum 양 증가 (purulent↑ ≒ bacteria↑)

  - 징후 ; 호흡보조근 사용, paradoxical respiration, 청색증, 말초부종, 혈역학적 불안정, 의식저하

  - chest X-ray ; 다른 질환들을 R/O하는데 유용, 약 25%에서 이상 소견(e.g., 폐렴, 심부전)

- PFT : asthma 때와는 달리, 진단/치료에 별 도움 안됨

- 환자가 느끼는 삶의 질은 기도폐쇄의 정도보다 급성악화의 빈도와 더 관련

- 기도폐쇄가 심해지면 급성악화 발생빈도도 증가 (grade III 이상[FEV1<50%]의 경우 1년에 1~3회 발생)

  ┌ FEV_1 <40% : exertional dyspnea 발생

  └ FEV_1 <25% : resting dyspnea, CO_2 retention, cor pulmonale 발생

- 급성악화 발생의 m/i 예측인자는 과거 <u>급성악화의 횟수</u>임!

  (c.f, frequent exacerbations : 1년에 2회 이상 급성악화 발생 → 건상상태 및 예후 나쁨)

입원의 적응증
1. 증상의 심한 악화 (안정시 호흡곤란이 급격히 악화, 의식저하)
2. 급성호흡부전(acute respiratory failure)
3. cyanosis or peripheral edema 등의 새로운 징후 발생
4. 초기 치료에 반응하지 않는 급성악화
5. 심각한 동반질환(특히 심혈관질환)
6. 가정에서 간호하기 어려울 때, 진단이 불확실할 때, 고령

2. 유발/악화인자

(1) **호흡기 감염** - m/c

- <u>바이러스 감염</u> (더 흔함) ; <u>rhinovirus</u>[감기] (m/c), influenza, parainfluenza, RSV 등

  ↳ sputum eosinophils↑ / 보통 더 심하고, 입원기간도 길어지는 경우가 흔함

- 세균 감염 ; 주로 *S. pneumoniae, H. influenzae, Moraxella catarrhalis*

  - 5~10%에서는 *M. pneumoniae*나 *C. pneumoniae*도 발견됨

  - *P. aeruginosa*와 GNB도 입원/삽관한 심한 COPD 환자에서 발생 가능

(2) 환경요인 ; 대기 오염 ⋯ 초미세먼지($PM_{2.5}$) 등

(3) 기타 ; 폐동맥/대동맥 직경 비율↑(>1), chest CT에서 폐기종 %와 기도벽 두께↑, 만성기관지염, 고농도의 산소투여, sedatives/hypnotics, muscle weakness

  (e.g., Mg, K, P deficiency, 산염기장애), 당뇨의 악화 또는 영양불량 ⋯

* 약 20~35%에서는 특별한 유발인자가 발견 안 됨

* COPD의 급성악화와 감별해야할 질환 ; pneumonia, pleural effusion, pneumothorax, pul. thromboembolism, arrhythmia, acute heart failure (특히 Rt-HF)

(e.g., advanced COPD에 의한 cor pulmonale와 Lt-HF의 악화에 의한 Rt-HF는 심초음파, BNP 등으로 감별)

3. 약물치료

(1) 기관지확장제(bronchodilators)
- 용량 및 투여횟수 증가, 투여방법(e.g., MDI, nebulizer)간의 효과 차이는 없음!
- short-acting β_2-agonist (SABA) ± anticholinergics (SAMA)
- methylxanthines (e.g., theophylline)은 부작용 때문에 급성악화 때는 권장 안됨

(2) Systemic Glucocorticoids
- oral prednisone 30~40 mg/day 5~10일간만 투여!
- 효과 ; 회복 촉진, 폐기능(FEV$_1$) 개선, oxygenation 향상, 입원기간 감소, 급성악화의 재발 감소
  (c.f., blood eosinophils이 낮은 환자에서는 효과가 적을 수 있음)
- oral steroid와 IV steroid (e.g., methylprednisolone)의 치료 효과는 비슷하며, 일부에서는 nebulized budesonide로도 대치 가능함
- hyperglycemia가 m/c 급성 합병증 (특히 DM 환자에서)

(3) 항생제
- 적응 ; 객담의 양과 화농성이 증가할 때 (처음부터 경험적으로 투여하는 것이 좋음, 5~7일간)
  ① 호흡곤란, 객담 양, 객담 화농성(purulence) 등이 모두 증가되었을 때
  ② 객담 화농성 증가 + 호흡곤란(or 객담 양) 증가
  ③ 기계환기가 필요한 경우
- 초기 경험적 항생제 ; amoxicillin-clavulanate, 2/3세대 cepha., newer macrolides
  (e.g., azithromycin, clarithromycin) 등
  - 고위험군(≥65세, FEV$_1$<50%, 잦은 악화, 심장질환 동반 등) → fluoroquinolone
    (levofloxacin, moxifloxacin, zabofloxacin 등)
  - Pseudomonas 감염의 위험인자 → anti-pseudomonal antibiotics
    (e.g., [cefepime or ceftazidime] + [levofloxacin or ciprofloxacin])

입원 환자에서 급성악화 severity의 평가

	호흡수 (bpm)	Accessory muscle 사용	의식 저하	Hypoxemia	Hypercapnia (PaCO$_2$↑)
No ARF (acute respiratory failure)	20~30	×	×	Venturi mask 28~35% FiO$_2$로 호전됨	×
ARF (Non-life theatening)	>30	○	○	Venturi mask 25~30% FiO$_2$로 호전됨	○ (50~60 mmHg)
ARF (Life theatening)	>30	○	○	Venturi mask로 호전× or FiO$_2$ >40% 필요	○ (>60 mmHg) or Acidosis (pH≤7.25)

4. 호흡보조요법

(1) oxygen therapy

- low FiO_2 : 0.24~0.4 (1~2 L/min)
  - ⇨ $\underline{PaO_2\ 60~65\ mmHg}$ (SaO_2 88~92%) 유지 (∵ 고농도 산소는 CO_2 retention 발생 위험)
    - $PaCO_2$는 약간 높게 유지 (정상으로 내리면 안됨)
- 산소는 최소의 농도 (FiO_2 0.24 = 1 L/min)부터 시작
  - CO_2 retention이 없으면 O_2를 마음껏 줄 수 있으나,
  - CO_2 retention 시에 O_2를 갑자기 많이 주면 CO_2 narcosis에 빠짐
- via nasal prong or venturi mask (더 정확하게 산소를 조절할 수 있지만, 환자가 더 불편해함)

(2) ventilatory support

ICU 입원의 적응
1. 초기 응급처치에 대한 반응이 안 좋은 severe dyspnea
2. 의식상태 변화 ; confusion, lethargy, coma
3. 적절한 산소공급과 비침습적 기계환기에도 불구하고 심한 hypoxemia (PaO_2 <40 mmHg) and/or respiratory acidosis (pH <7.25)가 지속되거나 악화될 때
4. 침습적 기계환기가 필요한 경우
5. 혈역학적 불안정으로 승압제(vasopressors) 치료가 필요한 경우

- 비침습적(nasal or facial mask) or 침습적(intubation or tracheostomy) 기계환기법
- 호흡자극제(respiratory stimulants)는 권장 안됨

(3) 비침습적 기계환기 (noninvasive mechanical ventilation [NIV], NIPPV)

- 적응 ; 의식이 있고 협력 가능, 혈역학적으로 안정, 기침으로 가래를 내뱉을 수 있는 환자에서

다음 중 한 가지에 해당되면
1. Respiratory failure/acidosis (pH ≤7.35 & $PaCO_2$ ≥45 mmHg)
2. 심한 호흡곤란 징후 ; accessory muscle 사용, 복부의 paradoxical motion, 늑간 수축(함몰) 등
3. 적절한 산소공급에도 불구하고 hypoxemia 지속

- 장점/효과 ; 사망률, 입원기간, 삽관/기계환기(intubation)에 따른 합병증(폐렴) 등의 감소
- 치료 효과 확인 ; $PaCO_2$↓와 pH↑
- 금기 ; 의식저하 또는 협력 불가능, 다량의 분비물(또는 분비물 제거 불가능), 혈역학적 불안정, mask 착용이 곤란한 두개안면 기형/외상, 심한 비만, 심한 화상 등
- 호전된 뒤 4시간 이상 자발호흡이 가능하면 weaning 기간 없이 바로 중단 가능
- 실패하면 intubation & conventional (invasive) ventilation 시행

(4) 침습적 기계환기 (invasive [conventional] mechanical ventilation)

Invasive mechanical ventilation의 적응 ★
1. 비침습적 기계환기(NIV)를 견지지 못하거나 실패한 경우
2. 호흡정지 또는 심정지 (respiratory or cardiac arrest)
3. 의식저하 or 진정제로 조절되지 않는 정신운동초조(psychomotor agitation)
4. 다량의 흡인 or 지속적 구토 / 5. 스스로 가래를 배출할 능력이 없는 경우
5. 수액이나 승압제에 반응 없는 심한 혈역학적 불안정
6. Severe ventricular or supraventricular arrhythmias
7. 비침습적 기계환기(NIV)를 견지지 못하는 환자 중 치명적인 저산소증이 있는 경우 ; PaO_2 <40 mmHg and/or $PaCO_2$ >60 mmHg and/or acidosis (pH <7.25)

- O_2, 약물치료 or NIV로 호전되면 필요 없음 (기계환기 필요시 금기가 아니면 NIV 먼저 시도!)
- mode ; ACMV (volume-cycled), PSV (+ IMV)
  ⇨ 일회 호흡량(TV)과 호흡수(RR)는 가능한 낮게 유지, 충분한 호기시간 제공
  (호기시간을 늘리고 흡기시간을 줄이기 위해 inspiratory flow rate를 올림)
- $PaCO_2$ 증가에도 불구하고 respiratory distress나 CO_2 narcosis가 없으면, 우선 O_2를 약간 증량해 보고, PaO_2가 오르지 않거나 감소 or acidosis, 의식혼탁이 심해지면 mechanical ventilation 고려
- 단점 ; 폐렴(VAP), 압력손상, 기관절개, 이탈(weaning) 실패 등
- COPD 환자는 이탈이 어려움 (∵ 기계환기 의존성이 쉽게 생김) → 이탈 실패시 NIV가 도움
- 다른 원인으로 기계환기를 받는 환자보다 acute mortality는 높지 않지만, 장기 예후는 나쁨

(5) 기타

- 분비물 제거 (humidify 시켜야 한다)
- 진정 및 통증 치료 : 말기 환자에서 심한 distress시 마약제나 진정제를 적당히 사용할 수 있음
- 이뇨제 : LHF가 있을 때만 제한적으로 사용
  (∵ hypokalemic hypochloremic metabolic alkalosis를 초래
  → ventilatory drive 억제 → ventilator weaning을 방해)
- 신해제(antitussive) : 객담 배출을 어렵게 하여 호흡기능을 더 악화시킬 수 있음

5. 예후

- COPD로 입원했던 환자의 재입원율 : 30일 뒤 ~20%, 1년 뒤 ~45%
- 입원했던 환자의 1년 뒤 사망률 ~20% (65세 이상이 ICU 입원시 ~60%), 5년 사망률 ~50%
- mechanical ventilation이 필요했던 환자의 입원중 사망률 17~30%
- COPD의 급성 악화가 FEV_1의 감소 속도를 더 빠르게 하지는 않음!

COPD의 급성악화로 인한 입원 이후 예후가 나쁜 경우
고령, lower BMI, 동반질환(e.g., 심혈관질환, 폐암), 입원시 clinical severity
이전의 COPD 악화로 인한 입원 병력
퇴원 이후 장기산소요법 필요
호흡기 증상이 심하고 잦은 경우, 삶의 질이 나쁜 경우
폐기능↓, 운동능력↓, CT에서 폐음영 감소 및 기관지벽 비후

6. 급성악화의 예방

지속성기관지확장제	LABA, LAMA, LABA + LAMA
Steroid 포함 약제	LABA + ICS, LABA + LAMA + ICS
항염증제	Roflumilast (PDE_4 inhibitor)
감염 예방	예방접종, 장기간의 macrolides (e.g., azithromycin)
점액용해제	N-acetylcysteine, carbocysteine
기타	금연, NIV (HMV), 호흡재활, 폐용적 축소술

9 기관지 천식

개요

1. 정의/특징

① 가역적인 기도폐쇄(reversible airway obstruction) (c.f., 일부 비가역적일 수도 있음)
② 각종 자극에 대한 기도수축 반응 증가 (airway hyperresponsiveness, AHR)기도과민성
③ 기도의 만성 염증 (eosinophilic bronchitis)

* 유병률 (매우 흔함) ; 우리나라 소아 7~10%, 성인 2~4% (65세 이후 급증), 증가추세

2. 분류

	외인성 천식 (allergic, atopic)	내인성 천식 (nonatopic, adult-onset)
원인	Allergen	기도내 IgE 생산↑
발생연령	13~35세	35세 이후
가족력, 계절적인 변동	(+)	(−)
증상	간헐적	더 심하고 지속적
Skin test	(+)	(−)
혈청 IgE, Eosinophils	↑	정상 (기도의 local IgE 생산은↑)
객담	Eosinophilia	Neutrophilia or Eosinophilia
다른 알레르기질환 과의 관련	흔함(55%) 비염, 피부염, 음식/약물 등	드묾(7%) Nasal polyp이 흔함
면역치료의 효과	비교적 좋음	효과 없음
Intractable asthma	드묾	흔함
사망	드묾	상대적으로 흔함

→ 공통 IgE-mediated 기전?

• 내인성 천식에서는 ILC2 (type-2 innate lymphoid) cells이 eosinophilia에 관여

• Staphylococcal entero-toxin이 superantigen으로 작용하기도 함

• 양쪽의 특성을 모두 가지고 있는 경우가 많다 (mixed, 혼합형), 내인성 천식은 드묾(약 10%)
• 내인성 천식은 비용종 동반이 흔하고, aspirin-sensitive asthma도 흔함
• 약 1/2은 10세 이전에, 1/3은 40세 이전에 발생
• 소아 천식은 청소년기가 되면 증상이 소실되는 경우가 많으나, 성인 때 다시 재발 가능
  (특히 증상이 지속적이고 심했던 소아에서)

3. 병인 : 기도염증-기도과민성

- airway의 chronic inflammation : 주로 기관지(cartilaginous airway)에서
- 염증반응에 중요한 세포 ; mast cells, eosinophils, lymphocytes, epithelial cells
  (neutrophils과 macrophages의 역할은 아직 잘 밝혀지지 않았음)
- cellular infiltration의 정도는 disease의 severity or airway reactivity와는 관계없다

- **비만세포(mast cells)**
  - immediate response (급성 기관지수축 반응) 시작에 중요함
  - 자극에 의해 활성화되어 기도 수축에 관여하는 다양한 mediators를 분비함
    - 직접 자극 ; allergens이 high-affinity IgE receptors를 통해 → 물리적 자극에 대한 민감도도 증가됨
    - 간접 자극 ; exercise & hyperventilation (osmolality 변화를 통해), fog, cold air 등

Primary (Preformed) Mediator	Secondary (Newly-formed) Mediator
Histamine (m/c)	LTB$_4$, **LTC$_4$, LTD$_4$**, LTE$_4$
Heparin, Proteoglycans	PGD$_2$ (→ 기관지수축, T$_H$2 cells 동원)
Tryptase & Chymase	PGE$_2$, PGF$_{2\alpha}$
Carboxypeptidase A	Thromboxan A$_2$
Serotonin, Aryl sulphatase	PAF
β −hexosaminindase	Adenosine
β −glucuronidase, β −galactosidase	Bradykinin
ECF−A, HMW−NCF	

*Cysteinyl leukotrienes (cysLT)
; LTC$_4$, LTD$_4$, LTE$_4$ 등

LTC$_4$, LTD$_4$: 가장 강력한
기관지 수축 작용, histamine
이나 methacholine의 1만배
→ 이들을 억제하면 폐기능과
천식증상이 호전될 수 있음

  - 활성화된 비만세포는 기도 표면 및 기도평활근(정상인과 호염기성 기관지염에서는 ×)에 존재함
  - IL-4, IL-5, IL-6, TNF-α 등도 분비하여 알레르기 염증 반응의 지속(만성염증)에도 일부 관여
    → eosinophil의 생산/분화/활성화/침윤 등을 유발
  - * basophils ; 비만세포와 같은 기원이며 histamine, tryptase 등을 동일하게 분비하지만, 말초혈액
    에도 존재함, 후기 알레르기 반응(late allergic response)에서도 중요한 역할을 하는 것이 차이

- **호산구(eosinophils)**
  - IL-5에 의해 활성화 → 혈중 eosinophils↑ & 기도내 eosinophils 침윤↑ (천식 환자 기도의 특징)
    ; allergens 자극에 의해 activated eosinophils 크게 증가됨 … 후기 알레르기 반응
  - granular proteins (MBP, ECP, EPO, EDN) 및 oxygen-derived free radicals 분비 ⇨ AHR
    [MBP: major basic protein, ECP: eosinophil cationic protein, EPO: eosinophil peroxidase, EDN: eosinophil-derived neutrotoxin]
    ① 기도 상피 파괴 (barrier와 secretory function 상실)
    ② chemotactic cytokines 생성 → further inflammation
    ③ sensory nerve ending 노출 → neuroinflammatory pathway 활성화
  - LTC$_4$, LTD$_4$, LTE$_4$, PGE$_1$, PGE$_2$, thromboxan B$_2$, PAF (platelet-activating factor) 등도 분비함
    → 기도 수축, 기도과민성 증가, 기도 염증 지속, 기도 손상
  - growth factors도 분비 → airway remodeling (기저막 비후) 및 급성악화와 관련
  - eosinophil의 활성화 정도와 천식의 severity는 상관관계가 있지만, 천식에서 과반응성
    (proinflammatory 역할)에 관여하는지는 확실하지 않음

- **호중구(neutrophils)**
  - 일부 심한 천식 및 급성악화, 흡연 환자의 객담 및 기도 내에서 증가됨
  - 천식에서 확실한 역할은 모름, steroids의 항염증 작용에 대한 저항성과 관련?

- 대식세포(macrophages) ; allergens이 low-affinity IgE receptors (Fc$_\varepsilon$RII)를 통해 활성화시킴, anti-inflammatory cytokines (e.g., IL-10)도 분비하기 때문에, 천식에서의 역할은 불확실함
- **수지상세포(dendritic cells)** ; 기도상피의 특수화된 대식세포로 major antigen-presenting cells임, allergens을 탐식한 뒤 분해, 국소 림프절로 이동하여 naive T cells의 T$_H$2 cells로의 분화 촉진
- T lymphocytes : 여러 cytokines을 분비하여 천식의 염증반응을 조율하는데 매우 중요한 역할
  ① T$_H$1 cells : 정상인의 기도에서 우세
    - IL-2 ; B cells의 성장과 분화를 촉진
    - IFN-γ ; T$_H$2 염증반응 억제, macrophages 및 NK cells 활성화, B cells에서 IgG 분비 촉진
  ② T$_H$2 cells : 천식 환자의 기도에서 우세 ⋯ High T2 (T$_H$2-high) 표현형 (classic asthma)

  > Allergens, virus, TNF-α 등이 기도상피(epithelial cells)를 자극
  > → dendritic cells에서 TARC (CCL17)와 MDC (CCL22) 분비
  > → T$_H$2 cells 동원/자극 ⇨ IL-5, IL-4, IL-13 분비   (TARC/MDC는 T$_H$2 cells의 CCR4에 결합)

  [TARC: thymus & activation-regulated chemokine (CCL17), MDC: macrophage-derived chemokine (CCL22)]
    - IL-5 ; 직접 eosinophils의 동원/성숙/분화/활성화 촉진, basophils의 과립 분비도 촉진
      (anti-IL-5 Ab : circulating/sputum eosinophils을 크게 감소시키지만, 기도과반응성이나 천식 증상 감소 효과는 없음, 일부 steroid-resistant airway eosinophilia에서 악화 감소 효과)
    - IL-4, 13 ; B cells (plasma cells)에서 IgE 분비 촉진 및
      epithelial cells에서 eotaxin (CCL11) 분비를 촉진하여 간접적으로 eosinophils 활성화
                    ↳ eosinophils의 CCR3 receptor에 결합, eosinophils의 조직 침투 도움
      (IL-4는 T$_H$0 cells의 T$_H$2 cells로의 분화 촉진, B cells에서 IgG→IgE isotype switching 유도)

    c.f.) 일부 중증 천식은 Low T2 (T$_H$2-low) ; T$_H$1 (→ IFN-γ ↑) 및 T$_H$17 (→ IL-17, 22↑)
        면역반응, 객담/기도에서 neutrophils 증가 양상, steroid 저항성을 보임

- T$_H$2 cytokines인 IL-4, 5, 9, 13, 33 등이 알레르기성 염증을 매개하고,
  proinflammatory cytokines인 TNF-α, IL-1β 등은 더 심한 경우 작용하여 염증반응을 강화시킴!
- IL-10, 12 등의 anti-inflammatory cytokines은 천식에서 감소됨

- 구조세포들(epithelial cells, fibroblasts, smooth-muscle cells)
  - inflammatory mediators (e.g., cytokines, lipids)의 중요한 source
  - 염증세포보다 훨씬 많으므로 만성염증을 유지하는 mediators의 주요 source가 됨
  - 특히 epithelial cells은 흡인된 환경 유발인자를 염증반응으로 전환시키는데 핵심 역할을 함
          ↳ TSLP (thymic stromal lymphopoietin) 분비 → CCL17, 22↑ → T$_H$2 염증 촉진 (**알레르기성 천식**)
              ↳ 비알레르기성 천식에서는 IL-25, 33과 함께 ILC2 cells을 자극하여 T$_H$2 염증 촉진
          ⇨ inhaled steroid 치료의 주 목표   (type-2 innate lymphoid cells)

  - 상피 손상이 AHR (airway hyperresponsiveness)에 기여하는 기전
    (a) 방어벽 기능 상실 → allergens의 투과↑
    (b) 염증 mediators를 분해하는 효소들의 소실 (e.g., neutral endopeptidase)
    (c) relaxant factors의 소실
    (d) 신경 노출
        ┌ cholinergic reflex ; 반사성 자극에 의해 활성화 → 기도수축과 점액분비 유발
        └ sensory nerve ; neurotrophin 등의 염증 자극에 의해 감작 → 기침, 통증, peptides 분비

* oxidative stress (reactive oxygen species)
  - 활성화된 염증세포(e.g., macrophage, eosinophils)에서 생산됨
  - 천식 환자의 호기에서 8-isoprostane, ethane 등의 증가로 확인
  - dz. severity와 비례, 염증 반응 증폭, steroid에 대한 반응성 감소
* exhaled NO (ENO, 호기산화질소)
  - 기도 epithelial cells과 macrophages에서 주로 생산됨 (NO synthase에 의해)
  - 천식 환자에서 높음, bronchial vasodilation에 기여할 것으로 추정됨
  - eosinophilic inflammation 정도와 비례
  - 천식의 진단과 염증 정도 monitoring (치료효과 F/U)에 유용
* 기도개형(airway remodeling) : 염증반응에 따른 기도의 구조적 변화
  - 기도 평활근 증가, fibrosis, angiogenesis, 점액 과분비 등이 특징 → 기도벽 두께 증가
  - 비가역적 기도 폐쇄, 기도 과민반응 악화 ⇨ 폐기능 심하게 감소, severe persistent asthma
  - ICS를 초기부터 사용하면 폐기능의 감소를 지연시킬 수 있음

4. 조직학적 소견

① 염증세포의 침윤 ; eosinophil (m/i), neutrophil, lymphocyte (특히 T lymphocyte)
② 기관지 상피 기저막의 비후 ⎫
③ 기관지 평활근의 비후/과형성 ⎬ ⇨ 기도벽 두께 증가
④ (기관지 점막/점막하) 혈관의 증식 ⎭
⑤ 기도 점막의 부종, 점액선의 비후와 소기도의 plugging
⑥ 기관지 상피의 탈락

■ 원인/위험인자

1. 내부/숙주요인

(1) 아토피(atopy)

- 정의 : 외부 항원에 대해 특정 IgE를 비정상적으로 과다 생성하는 성향 → 기도과민성(AHR)
  (대개 serum total IgE도 증가됨 … allergic sensitization을 의미)
- 천식 발생의 m/i 유전적 소인 (관련 염색체 ; 5q, 11q, 12q 등), 가족력도 흔함
- 선진국 천식 환자 대부분은 atopy도 가지고 있음 (atopy 없는 사람은 천식 발생 위험 매우 낮음)
- 다른 atopy 질환의 동반 흔함 ; allergic rhinitis (>80%), atopic dermatitis (eczema)
- 선진국에서 atopy의 유병률은 40~50% 정도이며, 이 중 일부에서만 천식 발생
  → 환경 (특히 소아 때의) 및 다른 유전적 요인도 천식 발생에 관여

(2) 유전적 소인

- 일부 천식은 유전 경향이 뚜렷함 ; 천식의 가족력, 일란성 쌍생아에서 높은 천식 일치율
- 여러 유전자들이 천식 발생에 관여하지만 정확히는 모름 (→ 유용한 genetic marker 아직 無)
  ; *ORMDL3, ADAM-33, DPP-10, TSLP*, IL-33, *IL-1RL1*(IL-33 receptor, ST2), *CTNNA3* 등

(3) **후성유전(epigenetics)**
- DNA 염기서열의 변화 없이 세포 기능이나 개체의 형질변화에 관여하는 기전
- DNA methylation, histone modification patterns ; 음식, 흡연, 대기오염 등의 영향을 받음
- 임신 때의 환경요인 노출에 의해 태아에 후성유전 변화가 발생할 수도 있음

(4) **성별** ; 소아 때는 남아가 2배 많으나, 20~40세에는 성비가 같아지고, 그 이후는 여자가 더 많음

(5) **인종** ; 백인에 비해 흑인이 중증 천식이 많고 잘 조절 안됨

(6) **비만** ; 비만(특히 복부비만)이 있는 여성에서 천식 발병률이 높음 (원인은 모름)

(7) **기타** ; 빠른 초경, 산모 연령↓, 전자간증, 모유수유 기간↓, 미숙아, 저체중아, 신생아 황달, 제왕절개로 출생, 활동부족 등

2. 외부/환경요인

(1) **실내 알레르겐(indoor allergens)**
- 천식의 흔한 유발/악화인자이면서, allergic sensitization (→ 천식 발생)의 중요한 원인임
- 집먼지 진드기, 고양이, 바퀴벌레, 곰팡이 등에 노출 → 천식↑
- but, 인과관계는 확실하지 않음 ; 적극적으로 allergen을 회피해도 천식 발생 감소 증거 無, 유아 때 고양이에 노출되면 오히려 tolerance를 유도하여 천식에 방어 작용

(2) **감염**
- 천식의 흔한 유발인자이지만, 원인으로서의 역할/기전은 불확실함
- 위생가설(hygiene hypothesis) : 소아 때 감염에 노출되어야 T_H1 면역반응이 발달하여 천식과 같은 알레르기성 질환의 발병 위험이 감소함 (감염이 부족하면 출생시의 T_H2 우세가 보전) 예) 선진화(소아 때 감염 및 endotoxin에의 노출↓, 위장관 기생충↓) → 천식↑

(3) **대기오염(air pollutions)**
- 실외 오염물질 ; COPD와는 관련이 확실하지만, 천식과의 관련성은 덜 명확함
  → 천식은 일부 특정 오염물질과 관련? ; 디젤 매연(분진), NO_2 등
- 실내 오염물질이 더 중요함 ; 가스레인지/난로의 NO_2, 간접흡연 등

(4) **직업적 노출** ; 직업성 천식은 비교적 흔함 (젊은 성인의 최대 10%)

(5) **식이(diet)** ; 논란
- 관찰연구에 의하면 antioxidants (e.g., 비타민 C, 비타민 A, Mg, Se, omega-3 [fish oil]) 및 비타민 D가 낮거나, 염분 및 omega-6 지방산이 높은 식이 → 천식 발생 위험↑
- but, 식이 보충을 통한 중재연구에서는 식이 요인의 역할은 명확하지 않음

(6) **약물**
- 유아 때 <u>AAP (paracetamol)</u>, ibuprofen, 항생제 등의 사용 (인과관계는 약함)
  ↳ antioxidant glutathione↓ → PGE_2↑ → T_H2 면역반응↑
- aspirin-sensitive 소아 & 성인 환자에서는 AAP도 천식 증상을 일으킬 수 있음 (고용량일수록)
- 폐경 이후 hormone replacement therapy

(7) **습한 환경 및 곰팡이**

유발/악화인자 (triggers)

1. Allergens

- 집먼지 진드기(*Dermatophagoides pteronyssinus*, m/c), 고양이 등의 동물 단백질(비듬, 털, 분비물), 바퀴벌레, 꽃가루, 곰팡이 ..
  - 특히 1세 이전에 집먼지 진드기 항원에 노출되는 정도와 밀접한 관련
  - 집먼지 진드기 몸체보다는 배설물에 다량의 allergen이 있음
- mast cell-bound IgE를 활성화 → mast cells에서 bronchoconstrictor mediator soup 분비 유도

	Early asthmatic reaction	Late asthmatic reaction
발생	Allergen에 노출 후 1시간 이내	노출 후 4~6시간 뒤
기전	IgE-mediated reaction (mast cell) ; histamine, leukotrienes, prostaglandine 등에 의한 갑작스런 기관지의 수축, 점막부종 (type Ⅰ hypersensitivity)	Eosinophil 등의 염증세포에 의한 염증반응 ; chemotactic factors 및 activating factors (IL-3,4,5, GM-CSF, PAF.. 등)에 의해 recruit 기도의 hyperreactivity와 관련
작용 약물★	Bronchodilator (β -agonist, theophylline) Cromolyn sodium	Corticosteroid Cromolyn sodium

* late asthmatic reaction
  - 면역세포 침윤에 의한 만성 기도염증에 의한 것
  - bronchial hyperreactivity 및 임상증상과 밀접한 관계
  - early reaction이 없이도 생길 수 있으나 드묾
  - 특이적 항원 유발에 의해서만 나타남

2. 감염

- 천식 증상(wheezing) 재발 및 급성악화(exacerbation)의 m/c 원인!
- 호흡기 바이러스 감염이 주원인 ; rhinovirus (소아/성인에서 m/c), RSV (영아에서 m/c), parainfluenza virus, influenza virus, adenovirus, coronavirus ...
- 기전 (잘 모름) ; T cell-derived cytokines 생산 증가 → neutrophils과 eosinophils의 침윤↑
- 상피세포에서 type Ⅰ (IFN-α, β) interferons 생산↓ → 바이러스 감염↑, 염증반응↑
- 세균 감염으로 천식이 악화되는 경우는 드묾

3. 약물

- β -blocker (∵ cholinergic 기관지수축 → 금기!), aspirin, NSAIDs, histamine, cholinergic agent, sulfiting agents, α -agonist ...   ↳ 뒷부분 참조
  - ↳ 아황산염 ; potassium metabisulfite, potassium/sodium bisulfite, sulfur dioxide ...
    - 식품, 음료, 약물 등에 살균제 및 보존제로 널리 쓰임 (e.g., 샐러드, 과일, 감자, 조개, 포도주, 액체 형태의 약물)
    - 기전은 정확히 모르며, provocation test로 진단 가능
- ACEi ; 이론적으로 kinins 분해를 억제하여 천식을 악화시킬 수 있지만 실제로는 드묾, ACEi에 의한 기침도 천식 유무와는 관련 없음

4. 운동

- 운동은 천식의 흔한 유발/악화인자임 (특히 소아에서), hyperventilation과 관련   → 뒷부분 참조
- 찬 공기와 hyperventilation도 같은 기전으로 천식 유발 가능

5. 환경 & 대기오염

- 대기오염 물질 ; sulfur dioxide, nitrogen dioxide, ozone 등이 흔한 악화인자
- 대개 오염물질의 농도를 증가시키는 기상 조건과 관련, 도시 지역에서 호발
- 천식의 악화뿐 아니라 호흡기질환의 이환율 증가에도 큰 영향을 미침

* 새집증후군(sick house/building syndrome)
    - 원인 ; 새로 지은 주택이나 리모델링하는 기존의 주택에서 발생되는 formaldehyde나
        인체 유해화학물질(휘발성유기화합물, VOC [Volatile Organic Compound]) 등
    - 호흡기관 통증, 기침, 눈물, 두통, 어지러움, 가슴 통증, 가려움, 천식발작 등을 일으킴

6. 직업성 자극물질

직업성 천식의 원인 물질 및 관련 직종			
원인 물질 (고분자)	관련 직종	원인 물질 (저분자)	관련 직종
귤응애	감귤농장 농부	Isocyanate (m/c)	폴리우레탄 취급 부서:
점박이응애	배/사과과수원, 온실	; TDI, HDI, MDI	가구/피아노/악기,
곡물분진, 옥수수가루	농부, 사료공장 근로자		자동차 공장의 도장공,
메밀가루	국수공장 근로자		냉동기 제작공,
우렁쉥이	우렁쉥이, 굴 양식업		합판공장 근로자
게, 새우류	게, 새우 취급자	반응성 아조염료	염료공장
조개껍질	가구공장 근로자	Trimetallic anhydride	에폭시수지, 플라스틱업
실험동물(쥐, 토끼 등)	실험실 근무자	Phthalic anhydride	페인트, 플라스틱 제조공
가금류(닭)	가금류 사육자	용접 용제, 금속흄	용접공
검정 파리	항공기 승무원	니켈, 크롬	도금공, 시멘트공장
밀가루	제빵공	백금	도금공
쌀겨	쌀가게 경영자	바나듐	중금속 산업 (합금)
한약재	한약제 취급자	알루미늄, 아연	금고제작공, 도금공
카레가루	식품회사 직원	송진연무(colophony)	전자업체 납땜 부서
커피가루	커피 제조공		시계유리 부품 공장
솜가루	섬유산업 근로자	Persulphates	미용사
아라비안 고무	인쇄공, 물감 취급자	Ethylenediamine &	락카칠이나 고무공장
약제(lysozyme, peptidase,	제약회사 근로자,	paraphenylenediamine	종사자
amylase, etc)	간호사	북미산 붉은 삼나무	제재소 근로자, 목수
Cellulase	직물공장 근로자	약제(amoxicillin, cepha.)	간호사, 제약회사
Latex	의료 종사자	포르말린(formalin)	병원 종사자
고초균(Bacillus subtilis)	식품, 세제 산업	Urea formaldehyde	단열공, 새집 거주자
Trypsin	플라스틱, 제약 산업		
Papain	식품, 화장품, 포장업		

┌ 고분자 물질 : 일반적인 allergen과 같이 면역학적 기전으로 천식을 유발 (IgE-mediated)
└ 저분자 물질 : allergic & nonallergic, 정확한 기전은 모름 (haptene으로 작용 or 기관지수축물질 분비)

* TDI (toluene diisocyanate) : 우리나라 직업성 천식의 m/c 원인
    - 주로 도장공에서 직업성 천식을 일으킴 (TDI 취급자의 약 13%)
    - 유전적 요인도 중요 (→ 낮은 TDI 농도에서도 감작이 가능), 흡연과는 관련 없음

■ **직업성 천식(occupational asthma)**
- 천식의 약 10% 차지, 직업성 폐질환의 약 50%
- 유발인자 (직업상 노출되는 allergen) → 일부에서 asthma 일으킴
- 위험인자(risk factors) ; atopy 병력(특히 고분자 물질에서), 흡연, 유전적 소인(e.g., MHC class II)
- Dx : 천식 증상과 직업의 관련성을 규명하는 것이 가장 중요
  ① 병력 : 작업이 끝날 무렵 심해지고, 주말에 호전되는 양상
  ② 작업 여부에 따른 PEFR and/or FEV_1의 variability
  ③ provocation test (specific Ag, methacholine)
- irreversible lung change가 올 수 있으므로, 초기에 치료하는 것이 중요함
- Tx ; 원인물질 노출 회피/중단 (보호 장구 등/but, ~33%는 노출을 중단해도 천식 재발),
  천식에 대한 약물치료, 차고 건조한 공기에 노출 피함

7. 기타
- 크게 웃는 것, 고온, 기후 변화, 강한 향기
- 음식 ; 대개 음식 allergy가 천식을 악화시키지는 않음
  - 조개나 땅콩은 anaphylactic reactions을 일으킬 수 있는데 이때 wheezing도 동반 가능
  - 방부제인 metabisulfite는 천식 유발 가능, 황색색소인 tartrazine은 유발인자인지 확실치 않음
- 호르몬 ; thyrotoxicosis, hypothyroidism, 일부 여성의 생리 전 등 때 천식 악화 가능
- 위식도 역류 (bronchodilator 사용시↑) ; 반사성 기관지수축을 유발할 수 있으나, 천식 증상은 거의 안 일으킴
- 정신적 스트레스 ; cholinergic reflex pathway를 통해 기관지수축 유발
  (역설적으로 사별 같은 매우 심한 스트레스 때 천식 증상이 악화되지 않고 오히려 호전될 수 있음)

병태생리/PFT

- 기도 내경의 감소 (병태생리의 핵심) ⇨ 기도저항(airway resistance)의 증가
  * 천식에서 기도 폐쇄의 원인
    (a) bronchoconstriction (기도 평활근의 수축)
    (b) 기관지벽의 부종, 혈관 울혈
    (c) exudate, mucus plug (두껍고 끈끈한 분비물)
    (d) 동반된 bronchitis에 의한 악화
- FEV_1, PEFR, FVC, FEV_1/FVC 감소
- RV, FRC 증가, hyperinflation (급성악화 환자에서는 흔히 RV 4배, FRC 2배 증가)
  - 급성 증상의 소실 후에도 RV가 가장 늦게 회복됨
- elastic recoil 감소, DL_{CO}는 대개 정상 (일부에서 약간 증가)
- 심한 경우 ventilation↓ & 폐혈류↑ → V/Q mismatch, bronchial hyperemia
- EKG ; RVH, pulmonary HTN 소견 가능

임상양상

1. 증상/병력

- triad ; 천명음(쌕쌕거림, wheezing), 마른기침(cough), 호흡곤란(shortness of breath, dyspnea)
- 간헐적으로(episodic) 증상이 발생함, 대개 수분~수시간 지속
  (심한 증상이 수일~수주 지속되면 status asthmaticus)
- 주로 밤이나 새벽에 증상 악화로 잠에서 깸 (circadian/nocturnal asthma)
  - 기전 ; 기도-실질 상호의존성의 이상, 기도 외막 염증
    (e.g., vagal tone↑, substance P↑, cortisol↓, epinephrine↓, c-AMP↓)
- 계절에 따른 증상의 변동을 보임
- 유발 인자에 의해 증상 발생 ; 감기, aeroallergens, 운동, 찬 공기, 날씨 변화 등
- 가족력 및 다른 알레르기 질환의 병력 (e.g., allergic rhinitis, atopic dermatitis, urticaria)

* 천식이 아닐 가능성이 높은 경우 ; 기침만 있는 경우, 객담을 동반한 만성 기침, 흉통, 두근거림, 현기증/어지러움, 손발저림, 흡기음이 크게 들리는 운동-유발 호흡곤란 등

천식 이외의 "wheezing"의 원인	
Common	*Uncommon*
Acute bronchiolitis (infectious, chemical)	Mass에 의한 기도 폐쇄
Aspiration (foreign body)	1. External compression ; central thoracic
Bronchial stenosis	tumors, SVC syndrome, substernal thyroid
Endobronchial tuberculosis	2. Intrinsic airway ; primary lung cancer,
Left heart failure	metastatic breast cancer
COPD	Carcinoid syndrome
Cystic fibrosis	Endobronchial sarcoid
Eosinophilic pneumonias	Pulmonary emboli
Glottic dysfunction	Systemic mastocytosis
	Systemic vasculitis ; polyarteritis nodosa,
	Churg-Strauss syndrome

2. 진찰소견

- wheezing (m/i) : 흡기와 호기때 모두 들리나, 호기시에 더 크게 들림
  → 심해지면 wheezing은 매우 고음이 되고, 부가 호흡음은 소실됨
    (매우 심해지면 wheezing도 감소/소실됨)
- 호기시간이 상대적으로 길어짐, 흉부의 과팽창(hyperinflation)
- 흡기시 호흡보조근(accessory muscles)의 사용, 기이맥(paradoxical pulse) → 심한 기도폐쇄를 시사
- tachypnea (hyperventilation), tachycardia, 타진시 hyperresonance, mild HTN ...

3. 검사소견

- chest X-ray : 대개 정상, 다른 호흡기 질환을 R/O하는데 유용
  - hyperinflation (심하거나 오래 지속되면)
  - patchy infiltration과 segmented atelectasis가 보일 수도 있음

- sputum 소견
  ① eosinophil이 m/i (lymphocyte, neutrophil, mast cell, epithelial cell도 보일 수 있음)
  ② Charcot-Leyden crystals : crystalized eosinophil lysophospholipase
  ③ Curschmann's spirals : 점액과 세포로 구성된 bronchiolar casts
  ④ Creola bodies : 상피의 파괴로 떨어져 나온 기도 상피세포의 군집

진단

1. 천식의 진단 ★

- 가변적인 호흡기 증상의 병력 ; 천명, 호흡곤란, 가슴답답함, 기침
- 기류제한(airflow limitation) 확인 ($FEV_1/FVC\downarrow$) + 호기 기류제한의 변동성 확인 (검사 중 하나 이상)

(1) 증상이 있을 때 (폐기능 비정상시) ⇨ 기도폐쇄의 가역성(reversibility) or 변동성 확인

① 기관지확장제 반응(bronchodilator response)
  - short-acting β_2-agonist (SABA) 흡입 10~15분 뒤 FEV_1 12% & 200 mL 이상 증가시 양성
  - 15% & 400 mL 이상 증가하면 천식 가능성 매우 높음
  - 가능하면 검사 전 SABA 4시간 이상, LABA 15시간 이상 중단 후 검사

② 항염증 치료 후 폐기능의 유의한 개선
  - oral steroid (prednisone or prednisolone 30~40 mg/day) 4주간 복용 뒤
    FEV_1 12% & 200 mL 이상 or PEF 20% 이상 증가시 양성

③ PEF의 과도한 변동성(일중 variability변동률) 확인 : 10% 이상
  - 매일 아침/저녁 2차례 측정하여 (각각 3번 정도 시행) 최고치와 최저치를 기록
    ⇨ variability = (최고치 − 최저치)/([최고치 + 최저치]/2) ×100% ⇨ 1~2주간의 평균값
  - 변동률의 크기는 천식의 severity와 대략 비례함, 일중 variability가 적으면 장기간 측정 고려
  - 단점 : 경증간헐 천식 or 치료에 잘 반응 안하는 심한 환자는 변동이 없을 수 있으므로 주의

④ 매 방문시 측정한 폐기능의 과도한 변동성 (신뢰도↓) : FEV_1 12% & 200 mL 이상 변화

(2) 증상이 없을 때 (폐기능 정상시) ⇨ 기도과민성(AHR: airway hyperresponsiveness) 확인

① 기관지 유발검사(provocation test)
  - methacholine (m/c), histamine, hypertonic saline, mannitol, 찬공기 과호흡 등으로 challenge
  - FEV_1이 기저치보다 20% 이상 감소하면 양성 (methacholine or histamine)
    - FEV_1의 감소가 15~19%라도 시행 중 증상이 발생하면 AHR 양성임
    - hyperventilation, hypertonic saline, mannitol 등은 15% 이상 감소하면 양성
  - PC_{20} (FEV_1이 20% 감소되는 흡입제 농도) ; methacholine은 8 mg/mL 이하면 천식 진단,
    실제 임상에서는 유용성이 떨어짐, 폐기능이 정상인 만성 기침의 D/Dx에는 유용할 수
  - sensitivity는 높으나 specificity는 낮음 (바이러스성 호흡기 감염, allergic rhinitis, cystic
    fibrosis, bronchiectasis, COPD, 심부전, 흡연, 대기오염 등에서도 양성으로 나올 수 있음)

- 검사에 영향을 미치는 약물 ; antihistamines은 48시간, bronchodilators 및 leukotriene
  modifiers는 24시간 이전에 끊음 (oral/inhaled steroid는 검사 전 중지할 필요 없음!)
- 유발검사 시행 전 FEV_1이 60~70% 이하면 시행 금기
② 운동 유발검사 : FEV_1이 기저치보다 <u>10% & 200 mL</u> 이상 감소하면 양성

* 일반적으로 천식 진단시 FEV_1, FVC, PEF (PEFR) 등을 사용함
- FEV_1이 신뢰성이 높음, 진단시 <u>FEV_1/FVC 감소</u>를 꼭 한번 이상 확인해야 됨
  (정상: 성인 0.75~0.8 이상, 소아 0.9 이상)
- PEF ; 기계마다 최대 ~20% 차이 가능, 환자의 노력과 기술에 따라 변동 가능,
  기류제한의 severity를 과소평가 가능 (심해도 정상으로 나타날 수 있음),
  PEF의 감소는 obstructive와 restrictive 폐기능 장애 모두에서 나타날 수 있음,
  상기도 폐쇄와 천식의 감별에는 불충분함(→ flow-volume loop 필요)
- 정상 예측치(특히 PEF)는 환자의 개인 최고치를 정상 참고치로 사용하는 것이 좋음

2. 알레르기 검사: 아토피의 판정

- atopy : allergen에 대한 특이 IgE를 생산하는 유전적 소인 → (+)면 allergic asthma 진단에 도움
  - 여러 allergen을 밝힐 수 있으나 결과가 임상증상과 비례하는 것은 아님
  - (+)라도 그 allergen이 천식의 원인이 아닐 수 있고, 천식 증상이 없는 사람도 (+)일 수
- <u>skin test for allergen</u> : screening test로 m/c 이용, 3세 이상 소아 천식 환자 대부분에서 양성
- specific IgE (e.g., MAST) : skin test보다 민감도는 떨어지지만 수십 종의 항원을 쉽게 검사 가능
  ⇨ 권장되는 경우 ; 영아, 협조 어려운 환자, 전신 피부질환, anaphylaxis 위험, food allergy 의심
- 원인 항원을 이용한 기관지유발검사 : 원인 항원을 밝히는데 m/g, 직업성 천식 진단에 유용
  (but, 위험하기 때문에 모든 환자에게 일반적으로 시행하기는 어려움)

3. 기타

- chest X-ray에서 hyperinflation (심한 경우)
- whole body plethysmography ; 기도저항↑, TLC & RV↑
- 말초혈액의 eosinophilia, serum IgE level↑
- induced <u>sputum eosinophils</u>↑ (정상 <2%) : 3% 이상이면 천식 의심, 천식발작 증가와 관련
- <u>fractional exhaled NO (F_ENO)</u> [호기산화질소]
  - 최근 진단 및 치료 F/U에 많이 이용됨
  - 천식 환자에서 증가됨 (eosinophilic airway inflammation 반영), 25 ppb 이상이면 양성
  - ICS 치료시 감소 (치료 순응도 파악 및 항염증 치료의 충분 여부 파악에 유용)
  - 다른 경우에도 증가될 수 있음 ; eosinophilic bronchitis, atopy, allergic rhinitis, eczema 등
  - 일부 천식 표현형에서는 감소될 수 있음(e.g., neutrophilic asthma), 흡연자에서는 낮음

■치료

* 원인/유발인자를 제거하는 것이 가장 성공적인 치료법

천식 치료의 목표
증상의 조절 (만성 증상 포함) 악화의 예방 (악화 위험인자 조절/최소화), 응급실 방문 안 하도록 일중변동(diurnal variation) 최소화 (특히 야간) 폐기능은 가능한 정상 수준으로 유지 운동을 포함한 정상적인 일상 활동의 유지 약물로 인한 부작용 없거나 최소화

■ Asthma Medications

질병조절제 (Long-term Controllers)	증상완화제 (Quick Relievers)
Inhaled steriod Systemic (oral) steroid Long-acting β_2-agonists (salmeterol, formoterol) Anti-leukotrienes (Zafirlukast, Montelukast, Zileuton) Theophylline, Cromones (cromolyn, nedocromil), anti-IgE	Short-acting β_2-agonists Anticholinergics (ipratroprium) Systemic (oral, IV) steroids Short-acting theophylline

* systemic steroid와 theophylline은 둘 다에 해당함

1. 증상완화제(quick relievers) : 기관지확장제

(1) β_2 - agonists

- 효과 ; 기도평활근 이완 (m/i), mast cell mediator 분비 억제, 혈장 삼출 & 부종 억제, 감각신경 활성화 억제, mucociliary clearance↑, 점액 분비↑, 기침↓
  [염증(세포)에는 영향 없음! → 기도의 hyperresponsiveness (AHR) 감소 효과는 없음]

  - short-acting β_2-agonists (SABA) : 단기작용성(3~6시간)
    - resorcinols ; orciprenaline (metaproterenol), terbutaline (Bricanyl®), fenoterol (Berotec®)
    - saligenins ; salbutamol (albuterol, Ventolin®, Airomir®, Aerolin®, Asmol® ...)
  - long-acting β_2-agonists (LABA) : 지속성(12시간 이상)
    - saligenins ; salmeterol (slow-onset), formoterol (rapid-onset!, SABA만큼 reliever로 유용)
    - 급성발작에는 사용하지 않으며, long-term controller로 inhaled steroid와 **병용!**
      (∵ β_2-agonist만 지속적으로 단독 사용하면 항염증 작용이 없어 천식 악화 & 발작↑)
    - 야간 천식과 운동유발성 천식의 예방 약제로도 사용됨!

- 흡입제를 우선 사용 (∵ 기관지확장 효과↑, 부작용↓), 서로 다른 제제간의 상승효과는 없음
  (c.f., tachyphylaxis : oral β_2-agonist를 지속적으로 사용하면 약효가 감소하는 현상)
- 폐기능이 정상이면 사용하지 않는다 (∵ exercise-induced asthma 외엔 예방효과 없음)
- 부작용 ; 빈맥, 손떨림, 장기간 사용시 반응급감 현상(tachyphylaxis), 폐기능 감소, 운동 및 allergen에 대한 과민반응 증가, K^+ 약간 감소 ...
- SABA의 사용이 늘어남 → 천식 조절이 잘 안됨 (사망률↑) → controller (ICS) 필요

(2) anticholinergics (muscarinic antagonists)

- β_2-agonist보다는 기관지확장 효과가 떨어지고, 작용 발현 시간이 느려서 (1~2시간),
  다른 inhaled bronchodilator에 반응이 없을 때 추가(add-on)로 이용됨
- 속효성(SAMA) ; ipratropium bromide (Atrovent®), ipratropium/salbutamol (Combivent®)
  - moderate~severe 급성악화에서 SABA와 병용시 SABA 단독에 비해 폐기능 호전↑, 입원↓
    (작용이 느리므로 반드시 SABA 먼저 투여 이후에, nebulizer로 고용량 투여)
  - 입원 중인 소아에서는 SABA에 SAMA를 추가해도 추가적인 이득 없음
- 지속성(LAMA) ; tiotropium bromide (Spiriva®), aclidinium, glycopyrrolate, umeclidinium
  - tiotropium만 천식에서 FDA 허가를 받았으나 다른 제제들도 효과는 비슷할 것으로 생각됨
  - 최대 용량의 ICS/LABA에도 증상이 조절되지 않을 때 or 급성악화 병력시 추가로 사용 가능
  - 폐기능 호전↑, 심한 급성악화(oral steroid가 필요) 발생 지연 (12세 미만은 금기)
- 부작용이 적은 것이 장점 (e.g., dry mouth, 쓴맛, 변비, 노인에서는 urinary retention, glaucoma)
  → 심장질환 동반시 methylxanthine이나 β_2-agonist 대신 사용 가능
- β-blocker를 사용하여 천식이 유발된 경우, β_2-agonist에 의한 Cx 발생(e.g., 부정맥, 진전),
  COPD도 동반된 노인 환자 등에서 유용

(3) theophylline (aminophylline)

- 기관지 확장 효과 + 항염증 효과 (β_2-agonist와 병용시 기관지 확장 효과 약간 상승)
- 작용기전 : phosphodiesterase 억제 → cAMP↑ → 기도평활근 이완
    (low-dose에서의 항염증 효과는 다른 기전 ; HDAC2 활성화 → 염증유발 유전자 끔
    → 심한 천식에서 steroid insensitivity 감소)
- 부작용 때문에 현재는 2차 치료약제로, 급성발작에는 사용하지 않으며
  심한 천식 환자에서 ICS에 보조적으로 low-dose (혈중농도 5~10 mg/dL)로 이용됨
- 저녁 1회 요법은 야간 및 주간 증상 감소에 도움을 주지만, 수면장애를 유발할 수도 있음
- 안전한 치료농도가 좁고 개인차가 많으므로 환자마다 혈중농도를 측정해서 약용량을 결정해야 됨
  - 적정 치료농도(therapeutic plasma concentration) : 5~15 mg/L (μg/mL)
  - oral theophylline : 1일 1~2회 투여 (starting dose : 10 mg/kg)

혈중농도 증가 (clearance 감소) ⇨ dose↓	혈중농도 감소 (clearance 증가) ⇨ dose↑
신생아, 고령(50세 이상) 간질환 (∵ 간의 CYP450에 의해 대사됨) Heart failure, cor pulmonale 폐렴, 바이러스성 감염, 예방접종 고당질 저단백질 식이 약물 (CYP450 억제제) ; macrolides (e.g., EM), 　quinolone, clindamycin, cimetidine (H$_2$-RA), 　경구피임약, allopurinol, propranolol, 　antileukotrienes (zileuton, zafirlukast)	소아(9~16세), 젊은 성인 흡연 마리화나 고단백 저당질 식이 고기 바베큐 약물 (CYP450 유도제) ; phenobarbital, 　phenytoin, rifampin, isoproterenol (IV), 　ethanol

- 부작용 (<10 mg/L에서는 드묾) ; N/V, anorexia, headache, insomnia, ulcer/reflux 악화,
  nervousness ... (30 mg/L 이상시 seizure, cardiac arrhythmia도 발생 가능)
    → 복용 중 이런 증상이 생기면 약물을 끊고 혈중 농도 측정
- aminophylline (IV) : theophylline에 ethylene diamine을 붙여 수용성으로 만든 것
    (심한 급성발작 환자에서 드물게 이용되었으나, 이제는 권장 안됨)

2. 질병조절제 (long-term controller) : 항염증

(1) inhaled corticosteroids (ICS) : m/g

- 작용기전

① phospholipase A_2 억제 → leukotriene과 PG의 생성 억제 → 기도 수축 및 염증 감소

② 염증세포(T cell, eosinophil, mast cell 등)의 cytokines 및 mediators 분비 억제, 기도내 침윤 감소, 생존기간 감소 → AHR 감소

③ β_2-adrenergic receptor 증가 및 활성화 → β_2-agonist에 대한 반응↑

- 약제 ; beclomethasone, budesonide (Pulmicort®, Symbicort®), ciclesonide (Alvesco®), fluticasone (Flovent®, Advair®), mometasone (Asmanex®, Dulera®) ...

참고: ICS 제제간 용량 비교

	Low	Medium	High
Beclometasone dipropionate (CFC)	200-500	>500-1000	>1000
Beclometasone dipropionate (HFA)	100-200	>200-400	>400
Budesonide (DPI)	200-400	>400-800	>800
Ciclesonide (HFA)	80-160	>160-320	>320
Fluticasone furoate (DPI)	100	n.a.	200
Fluticasone propionate(DPI)	100-250	>250-500	>500
Fluticasone propionate (HFA)	100-250	>250-500	>500
Mometasone furoate	110-220	>220-440	>440
Triamcinolone acetonide	400-1000	>1000-2000	>2000

( )는 정량분사흡입기의 추진체 종류

- 천식의 유지요법에 가장 효과적인 controller, 보통 하루 2회 투여
- 지속성 천식의 1st-line therapy (→ low-dose ICS에 반응 없으면 LABA 추가)
- 개인별로 반응 정도가 다양함, 흡연자는 반응성↓
- 2 mg/kg/day 이상 사용시 부작용 발생 증가
- 국소 부작용 ⇨ 스페이서(spacer) 사용으로 예방 가능

① oral thrush (candidiasis)

⎡ 치료 : nystatin 액으로 세척 (심한 경우 전신적 항진균제)
⎣ 예방 : steroid 흡입 후 구강세척(입을 물로 헹굼), spacer 사용

② dysphonia (발성장애, 쉰소리) : 후두 근육의 myopathy 때문

* 장기간 사용시 전신 부작용(e.g., 소아의 성장장애, 성인의 골다공증)을 일으키는 증거는 없음

- 심한 천식 발작시에는 기도를 자극하여 오히려 증상을 악화시킬 수도 있음

* inhaled steroid + LABA (long-acting β_2-agonist) 복합제제

- moderate 이상의 지속성 천식에 사용, 사용하기 편하고 효과 증가
- fluticasone + salmeterol (Seretide®), budesonide + formoterol (Symbicort®), beclomethasone + formoterol (Foster®) 등

* 흡입기의 형태

- MDI (metered-dose inhaler)정량식흡입기 : m/c, 기구의 화학 추진체로 일정 양의 약물을 분출함
  - 작동과 흡입 시점을 맞추는 데 어려울 수 있음, 흡입시 천천히 깊게 들이마셔야 됨
  - spacer를 연결하면 하부 기도로 더 잘 운반되고, (ICS에서는) 부작용도 감소됨

- DPI (dry powder inhaler)건조분말흡입기 : 화학 추진체 없이 흡입하는 힘에 의해 작동되는 방식
  - 환자 스스로 강하고 빠르고 깊게 흡입해야 됨
  - MDI보다 간편하지만 최소한의 흡입 유량이 필요함, spacer는 사용 안함

(2) systemic corticosteroids
- 조절 안되는 심한 지속성 천식 or 중등증(moderate) 이상의 급성악화 때 단기간 사용
  ; 단기간의 고용량 전신 steroid (OCS bursts)는 염증을 억제하여 steroid 반응성을 향상시키는
    데도 도움이 됨 (∵ 염증은 그 자체로 steroid 반응성을 약화시킴)
- 약제 ; oral prednisone or prednisolone, IV hydrocortisone or methylprednisolone,
         IM triamcinolone (→ proximal myopathy 부작용이 문제) 등
  - oral corticosteroid (OCS) 선호 : mineralocorticoid 작용 적고, 반감기 짧고, 근육부작용 적음
  - dexamethasone 같은 long-acting agent는 사용하면 안됨
- 천식 급성악화 때의 효과는 최소한 4시간 이상이 지나야 나타남
  (·기능한 빨리 투여하고, 그동안은 반드시 강력한 bronchodilators로 치료해야)
- 전신 부작용 ; 골다골증, 몸통비만, 부신억제, 백내장, 당뇨, 고혈압, 성장방해, myopathy,
         bruising/purpura, 위궤양, 우울증 등 (3개월 이상 사용 예상되면 골다공증 예방 치료 필요)

(3) cromones
- cromolyn sodium, nedocromil sodium
- 효과 ; mast cell의 degranulation 억제하여 mediators (e.g., histamine)의 분비 억제,
         감각신경 활성화 억제 (기관지 확장 작용은 없음)
- steroid와 달리 예방적으로 투여할 경우 유발인자(운동, Ag)에 의한 천식 증상 발생 예방 가능
  → 유발인자가 밝혀진 경우, 노출 5~20분전에 사용하면 prophylactic agents로서 유용
     예) exercise-induced bronchoconstriction (EIB) 환자에서 운동 전에 예방적으로 사용
         occupational asthma 환자는 작업장에 들어가기 전에 투여
- 천식의 급성발작 때는 효과 없고, 반감기가 짧아 long-term controller로서는 별로임
- 과거 소아에서 많이 사용되었으나, 현재는 low-dose ICS가 더 효과적이라 ICS를 주로 사용
  (성인에서는 권장 안 됨!)

(4) anti-leukotrienes (leukotriene modifiers)
┌ 5-lipoxygenase (LO) synthesis inhibitor (CysLTs 및 LTB_4 생성 모두 억제) : zileuton
│   ; LTRA보다 효과가 좀 더 좋다는 연구도 있음, 부작용 더 많음(e.g., 간기능악화, 약물상호작용)
└ cys-LT_1-receptor antagonists (LTRA) : montelukast, zafirlukast, pranlukast
    ; zileuton과 효과는 비슷한 편이면서 작용시간 더 길고 부작용 적어 선호됨
- 단독 사용시 mild~moderate asthma에서 증상 기간↓, 폐기능 호전, 기도염증↓, 급성악화↓
  (aspirin-sensitive asthma에서 특히 효과적) / severe asthma에서는 add-on therapy로 효과
- but, ICS (±LABA)보다는 효과 적음 & 일부에서 불면/불안/우울증/자살 부작용
  ⇨ ICS (±LABA)로 조절 안 되는 환자에서 add-on therapy로 고려
      (mild asthma or allergic rhinitis에서는 다른 약제 사용이 권장됨)
- 모든 천식 환자에서 효과가 있는 것은 아님 (50% 미만만 반응)
  → 1~2개월 동안 시도해서 호전이 없으면 투약 중단

(5) anti-IgE mAb ; omalizumab (Xolair®)
- IgE의 Fc receptor에 대한 humanized IgG1 monoclonal Ab → circulating IgE에 결합하여 중화 → IgE가 mast cells 등에 결합↓ → mast cells 등의 surface IgE↓ → allergen 결합↓
- circulating eosinophils 및 sputum eosinophils 감소, serum free IgE level 감소
- 심한 <u>allergic asthma</u> 환자에서 증상 호전 및 급성악화 크게 감소 - 적응이 되는 경우에만!
  - ⇨ 적응 ; 고용량 ICS/LABA 치료에도 조절이 안 되는 severe asthma 환자에서(≥6세) perennial allergen에 감작(specific IgE or skin test 양성), serum total IgE 30~1500 IU/mL
- 2~4주마다 SC 주사, <u>3~4개월간</u> 투여해본 뒤 반응을 봄 (60~70%에서 증상 호전)
- 부작용은 적은 편이지만, 드물게 국소 피부반응 or anaphylaxis 발생 위험 (→ 2시간 관찰)
- 기타 적응 ; chronic idiopathic urticaria, allergic rhinitis, atopic dermatitis 등

(6) anti-IL5
- anti-IL-5 mAb (**mepolizumab, reslizumab**), anti-IL-5 receptor-α Ab (**benralizumab**)
- 심한 (잦은 급성악화) <u>eosinophilic asthma</u> 환자에서 객담/혈중 eosinophils을 크게 감소시킴 → 증상호전 및 급성악화 감소, steroid↓ 효과
- 적응 ; absolute blood eosinophil ≥300/μL, 12세 이상 (reslizumab은 18세 이상)
- anti-IL-4 receptor-α Ab (**dupilumab**)도 anti-IL-5와 비슷한 적응 & 효과

(7) immunotherapy
- subcutaneous immunotherapy (SCIT) ; 드물게 anaphylaxis 발생 위험
- sublingual immunotherapy (SLIT) ; 가정에서 자가 투여 가능, SCIT보다 안전하지만 효과↓
- allergic triggers가 증명된 일부 환자에서 효과적, 알레르기 전문의가 시행해야 됨
  ; 원인 항원에 대한 IgE-mediated reaction과 (sIgE로 확인) 증상과의 관련성이 확실하면서 원인 항원에 대한 회피가 불가능한 경우 (기존의 약물 치료로 잘 조절되지 않을 때)
- 집먼지진드기, 꽃가루, 개, 고양이, 곰팡이 등의 일부 항원에서 가능
- 천식 악화 상태가 아닐 때, FEV_1이 70~80% 이상인 상태에서 시행하는 것이 좋음
- C/Ix ; 전신 면역질환, 악성종양, 과민반응시 epinephrine 투여가 불가능, β-blocker 복용 (relative C/Ix ; 5세 미만 영유아, 임신, 중증 천식)

3. 기타
- 기관지 열성형술(bronchial thermoplasty) : 기관지내시경으로 열을 가해 기도평활근 세포를 줄임 → 일부에서(특히 염증 marker가 증가되지 않은 경우) 기도과민성↓, 급성악화↓ (FEV_1은 변화×)
- 대체의학(e.g., 최면, 침술, chiropraxis, 호흡 조절, 요가, speleotherapy광산요법) : 효과 있다는 증거는 없으므로 권장 안됨 (해롭지는 않으므로 기존 약물 치료를 지속한다면 사용 가능)
- 면역억제제(e.g., MTX, cyclosporine, azathioprine, gold, IV γ-globulin) : 효과는 적고 부작용 큼
- 거담(expectorant) 및 점막용해제 : 과거에는 많이 사용했으나, 현재는 중요시되지 않음
- antihistamines : 비염이나 가려움증 동반시 금기는 아니나, 천식 자체에는 거의 효과 없음
- IV fluid : 급성 천식 때 사용했으나, 효과는 불확실
- magnesium sulfate IV : 심한 천식 악화에서 다른 치료에 반응 없을 때 도움 (흡입제는 효과 적음)

c.f.) 새로운 치료법 (연구중)
- chemokine receptor antagonists (특히 CCR3)
  (CCR3 : 기도상피에서 분비된 eotaxin이 작용하는 eosinophils의 receptor)
- 새로운 항염증제 ; phosphodiesterase-4, NFκB, p38 MAP kinase, phosphoinositide-3 kinase 등의 억제제 (→ 부작용이 문제)
- 새로운 면역치료 ; allergen의 T cell peptide fragments, DNA vaccine
- CpG oligonucleotides (→ T_H1 immunity or regulatory T cells 자극)

* 천식 환자에서 금기인 약
① opiates, sedatives, tranquilizers (∵ 환기↓ → 호흡부전)
② β-blockers (∵ 기관지 이완 효과 차단, 폐기능↓)
③ parasympathetic agonists
- lidocaine, atropine 등은 사용 가능!

c.f.) 천식 치료의 다른 전략(guideline) : 기존 guideline (증상 조절상태에 따른 조정)이 아닌
  • 유도객담 eosinophils 수에 따른 치료 : 기존 guideline에 의한 치료보다 증상과 폐기능 호전은 비슷하면서, 급성악화 위험 좀 더 감소 (주로 매우 심한 환자에서, 일부 전문병원만 가능)
  • F_ENO-guided 치료 : 소아와 젊은 성인에서는 급성악화 크게 감소 (비흡연 성인에서는 ×)
    ↳ 다른 noninvasive tests보다 eosinophilic airway inflammation 잘 반영

> <25 ppb (성인), <20 ppb (소아) : eosinophilic airway inflammation 아님
> \>50 ppb (성인), >35 ppb (소아) : eosinophilic airway inflammation 시사
>   [25~50 (소아 20~35) ppb는 다른 임상양상에 따라 조심스럽게 해석]
> 이전보다 20% 이상 & 25 (소아 20) ppb 이상 상승 : eosinophilic airway inflammation 증가 시사
>
> Low F_ENO (<25 ppb) ⇨ 다른 원인 고려, inhaled steroid 치료 필요(효과) 없음을 시사
> High F_ENO (>50 ppb) ⇨ inhaled steroid 반응↑ 시사, 치료 순응도 나쁜 환자 확인에도 유용

■ Treatment Guidelines

1. 만성 천식(ambulatory asthma)

GINA (Global INitiative for Asthma) guideline 2018

■ 천식 조절(control)의 평가 ★

천식 증상 조절상태 평가(assessment of asthma Sx. control)

조절상태 / 평가항목	조절 (Controlled)	부분조절 (Partly controlled)	조절안됨 (Uncontrolled)
주간 천식증상 3회/week 이상	모두 해당 없음	1~2개 해당	3~4개 해당
야간 천식증상/불면			
증상완화제(reliever) 3회/week 이상 필요			
천식으로 인한 활동 제한			

c.f.) 폐기능(FEV$_1$) : 천식 증상과의 관련성은 약함 → 예후 평가에는 중요하므로 주기적으로 측정

나쁜 예후의 위험인자 평가	
향후 악화(exacerbation) 발생의 위험인자 (천식 증상이 적더라도)	조절 가능한 급성악화(exacerbation)의 위험인자 High SABA use (한 달에 200회 이상 사용시 사망률 증가) ICS 치료 부족, ICS 처방×, 순응도 불량, 잘못된 ICS 사용법 Low FEV$_1$ (특히 <60% predicted) Higher bronchodilator reversibility 심각한 정신적 or 사회경제적 문제 흡연 or 감작 항원에 노출 동반질환 ; obesity, chronic rhinosinusitis, food allergy 객담/혈액 eosinophilia FENO↑ (ICS를 사용 중인 allergic asthma 성인 환자에서) 임신 기타 중요한 급성악화(exacerbation)의 독립 위험인자 천식으로 인한 기관삽관 or ICU 입원 병력 최근 1년 동안 1회 이상의 심한 급성악화 병력
Fixed airflow limitation 발생 (폐기능 감소)의 위험인자	조기분만(preterm), 출산시 저체중 & 영아기 체중 큰 체중 증가 ICS 치료 부족 흡연, 독성 화학물질, 직업성 자극물질 등에 노출 낮은 초기 FEV$_1$, 만성 점액 과다분비, 객담/혈액 eosinophilia
약물 유해반응 발생의 위험인자	전신적 ; 잦은 oral steroid 사용, 장기간 고용량/강력한 ICS 사용, 　　　　P450 inhibitors 병용 국소적 ; 고용량/강력한 ICS 사용, 잘못된 흡입기 사용

- 천식 진단시 & 주기적으로(특히 급성악화가 있었던 경우) 위험인자 평가
- 진단시 or 치료 시작시 FEV$_1$ 측정, 질병조절제(controller) 사용 3~6개월 뒤 환자의 최고 FEV$_1$ 측정,
  이후 주기적으로 평가, 최소한 1~2년마다 측정 (고위험군은 더 자주)
  c.f.) PEF : 초기에는 치료반응, 악화인화 평가에 사용할 수 있으나, 장기간의 PEF monitoring은
  　　　일반적으로 권장 안됨 (심한 천식이나 기류제한의 인지능력이 떨어진 환자에서 고려)

증상조절과 급성악화 방지를 위한 단계적 치료전략 ★

	STEP 1	STEP 2	STEP 3	STEP 4	STEP 5
선호 Controller		저용량 ICS	저용량 ICS/LABA (6~11세 소아에서는 중간용량 ICS 선호)	중간/고용량 ICS/LABA or 저용량 ICS/formoterol	전문기관에 추가 치료 의뢰 OCS burst Tiotropium*¶ anti-IgE anti-IL5 등
기타 고려 가능 controller	저용량 ICS	LTRA 저용량 theophylline*	중간/고용량 ICS 저용량 ICS + LTRA (or theophylline*)	Tiotropium 추가*¶ 중/고용량 ICS + LTRA (or theophylline*)	저용량 OCS 추가
Reliever	필요시 속효성 SABA				
				or 필요시 저용량 ICS/formoterol**	
Severity	intermittent / Mild		Moderate	Severe / refractory	

* 12세 미만 소아에서는 금기

¶ Tiotropium (mist inhaler, LAMA) : 급성악화가 있었거나, 최대용량 ICS/LABA도 효과 없는 환자에서 추가로 사용

** 저용량 ICS/formoterol을 유지요법으로 사용 중인 환자에서 reliever로도 저용량 ICS/formoterol을 사용하는 것

■ **단계별 천식 유지치료**

* 현재의 천식 조절상태에 따라 약제를 선택

┌ 조절 ⇨ **3개월 이상** 조절이 유지되면 치료단계 하향 (or 감량) 검토 가능
│   (예; 중간/고용량 ICS → 3개월 간격으로 50% 감량, 저용량 ICS 2회/일 → 1회/일)
├ 부분조절 ⇨ 기존 투여 약제 용량↑ or 추가 약제 투여 고려 (치료단계 높일지 고려)
└ 조절안됨 ⇨ 조절 될 때까지 치료단계 높임

   – 속효성 증상완화제 반복 사용은 증상을 일시적으로 개선시키지만, 1~2일 이상 반복 사용이
     필요하면 천식 조절상태를 재평가하고 치료단계 상향 고려
   – 천식 악화로 ICS 용량을 높일 때는 4배 이상 증량 & 1~2주 사용해야 oral steroid와 효과
     비슷함 (ICS 용량을 일시적으로 2배 증량하는 것은 효과 없음)

(1) 1단계 : 필요시 reliever inhaler (SABA)
   • 증상이 경미하고 간헐적일 때만 고려 : 1회/월 이하, 몇 시간 이내, 야간증상 無, 정상 폐기능
   • 증상이 더 잦거나 급성악화의 위험인자(e.g., FEV_1 <80%, 최근 1년내 악화 병력) 존재시에는
     규칙적인 controller (ICS) 사용 필요

(2) 2단계 : 저용량 controller (ICS) + 필요시 reliever (SABA)
   • 지속적인 천식 증상이 있는 환자는 처음 치료 시작시 대개 2단계(저용량 ICS)부터 시작함
   • ICS를 사용할 수 없거나, 부작용이 있거나, allergic rhinitis를 동반한 경우는 leukotriene
     receptor antagonists (LTRA) 고려 가능 (but, ICS보다 효과는 적음)
   • 이전에 controller를 사용한 적이 없는 환자가 저용량 ICS/LABA 복합제로 치료를 시작하면
     저용량 ICS 단독보다 증상↓ & 폐기능↑에 더 효과적 (but, 급성악화를 더 방지하지는 못함)
   • 서방형 theophylline은 효과↓ & 부작용↑, chromone은 효과가 적어 권장 안됨

(3) 3단계 : 1~2가지의 controller + 필요시 reliever
   • 권장 : **저용량 ICS/LABA + 필요시 SABA** or 저용량 ICS/formoterol(속효성 LABA) 단독
        (↳ 소아는 중간용량 ICS + 필요시 SABA)   ↳ controller & reliever 두 가지 용도로 가능
   • 중간용량 ICS : LABA의 추가보다는 덜 효과적
   • 저용량 ICS + LTRA (or 서방형 theophylline)도 덜 효과적임

(4) 4단계 : 2가지 이상의 controller + 필요시 reliever
   • 권장 : 중간용량 ICS/LABA + 필요시 SABA or 저용량 ICS/formoterol (controller & reliever)
      – 최근 1년 이내에 급성악화의 병력이 있으면 저용량 ICS/formoterol을 유지요법 & reliever로
        사용하는 것이 향후 급성악화 예방에 더 효과적
        예) budesonide/formoterol (Symbicort®), beclomethasone/formoterol (Foster®)
      – 기존에 저용량 ICS/LABA 사용 중 증상 조절이 잘 안되면 중간용량으로 증량 가능
   • 고용량 ICS/LABA : 추가 효과는 크지 않으면서 부작용↑(e.g, 부신 저하)
     → 중간용량 ICS/LABA and/or LTRA, 서방형 theophylline 등으로 잘 조절되지 않을 때만
        3~6개월 정도 단기간 시도 고려
   • 중간~고용량 ICS + LTRA (or 서방형 theophylline) : LABA의 추가보다는 덜 효과적
   • LAMA (tiotropium, mist inhalation spray) : 악화 병력이 있는 경우 add-on therapy로 가능
     → 폐기능 호전↑, 심한 급성악화 발생 지연 (12세 미만은 금기, 급성 증상에는 사용×)

- sublingual allergen immunotherapy (SLIT) : house dust mite에 감작된 allergic rhinitis 동반 환자에서 ICS 사용시에도 악화 발생시 고려 (FEV$_1$이 70% 이상일 때 시행 가능)

(5) 5단계 : 전문적 치료 and/or Add-on therapy (difficult-to-treat severe asthma)
- 4단계 이상으로 치료가 필요한 경우에는 천식 전문가에게 의뢰하고 add-on therapy도 고려
- ICS/LABA 최대로 증량 : 일부 환자는 high-dose보다 더 높은 용량에서 반응 (but, 부작용↑)
- 표현형(phenotype) [type 2 inflammation] 확인을 위한 검사 실시
  ⇨ blood eosinophil ≥300/μL, F$_E$NO ≥20 ppb, or sputum eosinophil ≥2%인 경우
     "persistent type 2 inflammation despite high ICS"
- <u>oral corticosteroid (OCS)</u> : 일부 환자에서 효과적이지만, 부작용이 큼 (e.g., osteoporosis)
  - OCS bursts (단기간 고용량)에 반응 있는 type 2 inflammation 환자는 anti-IgE/anti-IL5 나 저용량 OCS 유지 치료에도 효과가 있을 가능성이 높음
  - OCS bursts가 잦으면 (2~3개월에 1번 이상) anti-IgE, anti-IL5, or 저용량 OCS 등 고려 (c.f., 천식 환자의 약 1%는 저용량 OCS 유지 요법이 필요하게 됨)
- 표현형과 관계없는 add-on therapy : 일부에서 LAMA, LTRA, theophylline 고려 가능
- 표현형에 따른 add-on therapy (biologic agents)
  - moderate~severe allergic asthma (IgE↑) ⇨ <u>anti-IgE</u> (omalizumab)[6세 이상]
  - severe eosinophilic asthma ⇨ <u>anti-IL5</u> (mepolizumab SC[12세 이상], reslizumab IV[18세 이상]) or <u>anti-IL5 receptor Ab</u> (benralizumab SC[12세 이상])
  - aspirin-exacerbated respiratory disease (AERD) ⇨ LTRAs
- 비약물치료 ; bronchial thermoplasty, high-altitude Tx, psychological intervention 등
- sputum-guided Tx. : 유도 객담의 eosinophilia에 따라 치료 조절 (가능한 전문병원에서만)

2. 천식의 급성악화(acute exacerbation)천식발작
: 천식의 증상과 폐기능이 평소보다 급격히 악화되는 것 (평소 사용하던 inhaler에 반응 없음)

(1) 임상양상/검사
- 호흡곤란(빠른 호흡, 호흡음 감소, 호기시간 증가 등), 천명, 가슴답답함 등이 심해짐, 말을 못함
- paradoxical pulse (>15 mmHg), accessory muscles 사용, 심한 hyperinflation, 청색증
  - CO$_2$ retention의 징후(e.g., 발한, 빈맥, wide pulse pr.)나 acidosis의 징후(tachypnea)는 PaCO$_2$↑ or pH↓의 예측 및 severity 평가에는 가치 없음
    (∵ 덜 심하고 흥분된 환자에서도 흔히 보임) → 반드시 ABGA 결과로 판단해야 함!
  - cyanosis는 매우 나중에 나타나는 sign이므로, 위험한 수준의 hypoxia도 간과될 수 있음
- 폐기능 : PEF or FEV$_1$이 평소보다 급격히 떨어짐 … 증상보다 악화의 severity를 더 잘 반영
  (c.f., MMEFR [max. mid-exp. flow rate] = FEF$_{25~75\%}$; 치료에 가장 늦게 반응)
- 산소포화도(pulse oximetry) : 92% 미만으로 감소하면 입원 (90% 미만이면 더 적극적 치료)
- ABGA : PEF or FEV$_1$이 50% 미만 or 초기 치료에 반응× or 지속적으로 악화시 시행
  - 심하면 PaO$_2$↓↓, PaCO$_2$ 정상~↑, metabolic acidosis (respiratory alkalosis의 소실)
  - 초기엔 hyperventilation으로 인해 PaCO$_2$↓ & respiratory alkalosis
  - 심해지면 PaCO$_2$ 정상~↑ & acidosis 발생 (→ 호흡부전 임박)
- CXR : 합병증이나 다른 질환 감별 필요시 시행

■ 천식 급성악화(급성발작)의 severity 평가 ★

	Mild (경증)	Moderate (중등증)	Severe (중증)	Respiratory arrest imminent (치명적)
호흡곤란	보행시 호흡곤란 누울 수 있음	누우면 호흡곤란 주로 앉아있음	휴식시 호흡곤란 앞으로 구부리고 있음	
말하기	문장으로 가능	구절로만 가능	단어만 가능	못함
의식	약간 흥분	불안해함	안절부절 못함	의식장애(졸림, 혼돈)
호흡수(RR)	증가	증가	흔히 >30회/분	
보조호흡근 사용	없음	일부 사용	항상 사용	흉복부운동 부조화
천명음(wheezing)	Moderate 대개 호기말에만	Loud	보통 loud	천명음 없음!
심박수(PR)	<100	100~120	>120	서맥
기이맥 (pulsus paradoxus)	없음 <10 mmHg	존재 가능 10~25 mmHg	흔히 존재함 >25 mmHg	없음 (∵ 호흡근 피로)
기관지확장제 사용후 PEF or FEV$_1$ (예측치/기저치의 %)	>80%	약 50~80%	<50% (<100 L/min) or 반응지속시간 <2시간	
SpO$_2$ (on air)	>95%	91~95%	<90%	
PaO$_2$ (on air) and/or	정상 (대개 ABGA 불필요)	>60 mmHg	<60 mmHg (청색증 존재 가능)	
PaCO$_2$	<45 mmHg	<45 mmHg	>45 mmHg (resp. failure 가능)	

(2) 급성악화(발작)의 치료 ★

- 고농도 oxygen (face mask) : SpO$_2$ 90% 미만시 투여, 92% 이상 유지 (소아는 94% 이상)
- 고용량 SABA inhaler (e.g., albuterol, formoterol)
  - 20~30분 간격으로 증상이 호전될 때까지 1~4시간 동안 투여
  - PEF or FEV$_1$ 80% 이상이면 SABA 치료만으로도 충분함
  - nebulizer, MDI (+ spacer), DPI (drug powder inhaler) 간의 효과는 동일함
- 기타 기관지확장제
  ① inhaled anticholinergics (e.g., **ipratropium** bromide) : severe 급성악화시 SABA에 추가!
    - β_2-agonist와 동시 투여시 기관지확장 효과↑, 입원율↓
    - 응급 치료에는 효과적이지만, 입원 후에는 도움이 안 되므로 지속할 필요 없음
  ② magnesium sulfate IV : severe 급성악화 환자에서 한번(2g 20분간 IV) 투여 고려
    - β_2-agonist에 추가하면 기관지확장 효과 더 증가 (Mg inhaler는 효과가 미미함)
    - severe 급성악화 (FEV$_1$ <50%) or 초치료에 반응하지 않는 환자에서 도움
    - 부작용 거의 없이 안전함 (but, 신부전 or hypermagnesemia 환자는 주의)
  ③ β_2-agonist IV : 일반적으로 권장×, 호흡부전이 임박한 매우 심한 환자에서 inhaler 사용이 어려울 때에 고려 (but, inhaled β_2-agonist보다 효과는 적고, 심장 부작용이 큼)

- **systemic corticosteroid** : oral prednisone (매우 심한 경우에는 IV methylprednisolone)
  - moderate 이상의 천식발작에는 빨리 (1시간 이내) 투여하는 것이 좋음
  - 특히 초기 SABA의 효과가 불충분, OCS 사용 중 급성악화 발생, 이전 급성악화/발작 때 OCS 사용했던 환자 등에서 중요함
  - 구토, 소화기 흡수장애 등으로 oral steroid 복용이 불가능하거나, 매우 심한 급성악화의 경우는 IV 로 투여 (효과는 비슷함 / oral steroid의 효과는 4시간 이후에 나타남)
- **inhaled steroid (ICS)**
  - systemic steroid 필요 없는 환자에서 고용량 ICS 사용시 입원 필요성 감소
  - systemic steroid에 추가로 고용량 ICS 사용의 효과는 불확실함

- **theophylline or aminophylline IV** : 과거 심한 급성발작 때 많이 사용했었으나, 효과가 적고 부작용이 심해 권장 안됨! (∵ SABA가 훨씬 효과적이고 안전)
- **LTRA** : 급성 천식에서의 효과는 불확실함 (일부 연구에서만 폐기능 개선 효과)
- **epinephrine** : anaphylaxis or angioedema시에 사용 (일반적인 천식 급성악화에는 사용 안함)
- 진정제, 점액용해제, 흉부물리치료, 성인에서 대량의 수액 공급 등은 모두 권장되지 않음!
- 항생제 : fever, purulent sputum 등 감염의 증거가 있을 때만 (일상적인 투여는 효과 없음!)

- **helium oxygen therapy** : 다른 치료들에 반응이 없을 때 고려 가능
- **NIV (non-invasive ventilation)** : 효과 불확실함, 불안해하는 환자에서는 금기, 진정제 사용 금기
- **intubation & mechanical ventilation**
  - Ix ; $PaCO_2$↑ (CO_2 narcosis 증상), PaO_2↓, 의식저하, 심한 호흡근 피로
    - (1) acute CO_2 retention ; $PaCO_2$ >65 or $PaCO_2$ >55이면서 1시간에 5 이상씩 상승
    - (2) 치료에 반응 없이 PaO_2 <60 (FiO_2 60~80%에서도)
  - blood gas는 생명을 유지할 정도로만 유지 (e.g., $PaCO_2$ 60~70 mmHg)

(3) 급성악화(발작)의 가정 자가치료

- 모든 악화 환자는 SABA 투여 → 1~2일 이상 반복 투여가 필요하면 controller 증량
- ICS : controller 증량 필요시 사용 중이던 ICS를 최소 2배 이상 증량
  (고용량 ICS의 7~14일 사용은 단기간 OCS 사용과 효과 비슷함)
- 저용량 ICS + rapid-onset LABA (formoterol) 복합제
  - controller와 reliever 모두로 사용 가능 (하루 최대 용량까지 사용 가능)
  - 다른 ICS + slower-onset LABA 복합제와는 병용하면 안됨
- ICS/LABA 사용 중인 환자는 steroid 증량을 위해 추가적으로 다른 ICS를 사용할 수 있음
- oral corticosteroid (OCS) : 40~50 mg/day
  - 적응이 되는 경우 5~7일간 복용, 반드시 병원도 방문
    ↳ ① reliever & controller 2~3일간 증량해도 호전이 없음
      ② PEF (or FEV_1) <60% (예측치/개인최고치) or 급격히 악화
      ③ 이전에 심한 급성악화의 병력
- 환자 스스로 급성악화를 치료한 경우에는 증상이 호전되어도 1~2주 이내 병원을 방문해야 됨

3. 난치성 천식(difficult-to-treat, refractory asthma)

- 일반적인 흡입 치료제(e.g., ICS)에 반응하지 않는 심한 지속성 asthma (천식 환자의 ~5%)
- 난치성 천식의 일부는 천식 자체가 원인이 아닐 수도 있음 (c.f., 매우 심한 천식은 모두 난치성 천식)

  ⇨ 천식이 잘 조절되지 않는 원인을 우선 파악해야 됨!

  ① 천식 진단이 정확한지 확인 : 천식 비슷한 증상을 보일 수 있는 다른 질환 R/O

    ; 특히 <u>vocal cord dysfunction (VCD)</u>, 중심기도폐쇄, COPD, 기관지확장증, ABPA, HP 등

      ↳ paradoxical vocal fold motion (PVFM) : 후두과민증이 있는 사람에서 여러 기도자극에 의해
         갑자기 성대의 기능적 폐쇄가 발생하는 것, 젊은 여성에 호발, 심한 천식에 동반될 수도 있음
         - Sx ; 갑자기 심한 호흡곤란, 기침, wheezing, dysphonia, inspiratory stridor 등
         - Dx ; flow-volume curve에서 inspiratory flattening, laryngoscopy / Tx ; 안심, 심하면 CPAP

  ② 치료제에 대한 환자의 <u>순응도</u> 문제 (m/c) : 특히 ICS (∵ 즉각적인 증상 감소가 없기 때문)

      → ICS 순응도 검사 ; F_ENO, plasma cortisol↓ 및 prednisone/prednisolone 농도 등

  ③ 유발인자 ; 흡연 (조절 실패의 중요 원인, 흡연은 steroid의 효과를 감소시킴),

     allergen or 직업성 노출, 약물, 감염 등 (→ 앞의 유발/악화인자 부분 참조)

  ④ 천식을 악화시키거나 치료를 어렵게 할 수 있는 동반 질환

     - 비염/비부비동염(rhinitis/rhinosinusitis) : 반드시 철저히 치료해야 됨 (→ 뒷부분 참조)

     - 비만 : 비만 환자에서 천식 더 흔함, 증상/악화 더 심함, ICS의 효과 감소 → 체중 감량

     - OSA : 천식과 동반 흔함, 특히 야간증상을 악화시킬 수 있음 → polysomnography

     - GERD : 천식 환자에서 더 흔함, β_2-agonist와 theophylline은 LES를 이완 시킬 수 있음

        (증상이 있는 GERD 환자의 치료는 천식 증상/악화 감소에도 도움)

     - hyper-/hypothyroidism : 천식 증상을 강화시킬 수 있음

     - 일부 여성에서 월경전기에 천식 악화 → progesterone or gonadotropin-releasing factor

     - 불안 및 우울 : 천식 환자에서 더 흔함, 치료 순응도↓, 삶의 질↓, 급성악화↑

- 병리소견 ; mild asthma에 비해 T_H1 cells 및 CD8 lymphocytes↑, TNF-α expression↑,
  fibrosis, angiogenesis, 기도평활근 비후 등이 더 흔함

- 치료 ; 대부분은 oral steroid 유지요법이 필요하게 됨 (steroid-sparing therapy는 거의 효과 없음)

  ⇨ 앞의 GINA 5단계 치료 부분 참조

■ Steroid-resistant asthma

  ┌ complete resistance : 고용량 prednisone/prednisolone 40 mg/day 2주간 투여해도 반응 없음
  │   (PEF or FEV_1이 15% 이상 상승하지 않을 때), 매우 드묾 (0.1% 미만)
  └ reduced responsiveness : 천식 조절을 위해 oral steroid 필요 (steroid-dependent asthma)

  - 기전 ; glucocorticoid receptor (GR)-β의 alternatively spliced form 증가,
    steroid에 대한 반응에서 histone acetylation의 비정상 패턴, IL-10 생산 결함,
    HDAC (histone deacetylase)-2 activity 감소 (COPD처럼) 등

■ Brittle asthma : 일부 천식 환자에서 적절한 치료에도 불구하고 폐기능의 변화가 매우 심한 것

  - type Ⅰ : 지속적인 변동성을 보임, oral steroid or β_2-agonist continuous infusion 필요

  - type Ⅱ : 보통은 폐기능이 거의 정상이다가, 갑자기 예측 불가능하게 폐기능이 감소됨

     - 부종을 동반한 localized anaphylactic reaction 때문, 일부에서는 food allergy도 동반

     - 치료 어려움, steroid or inhaled bronchodilator에 잘 반응 안함

     - epinephrine 피하주사가 가장 효과적

경과 및 예후

- 예후는 좋은 편 : COPD 같은 다른 airway dz.와는 달리 진행하지 않음
  (발병시 증상이 경미하고, 소아때 발병할수록 예후가 좋음)
- 증상의 호전과 악화를 반복하는 것이 특징
- 약 20%는 자연 치유, 약 40% 정도는 나이가 듦에 따라 호전됨
- 가정에서의 경과 관찰
  ① 폐기능 측정 ; 최대호기유속(PEF)
  ② 증상의 악화 여부 (severe dyspnea attacks 횟수)
  ③ 증상 악화로 인해 사용한 약물(inhaled SABA 등)의 사용 횟수
- 치료에도 불구하고 호흡부전이 지속될 때의 원인
  ; pneumothorax, pul. embolism, smoking, infection ...

특수 상황

1. 임신

- 천식 환자가 임신을 하면 약 1/3은 증상 호전, 1/3은 악화, 1/3은 변화 없음
  (임신 전 천식의 severity가 높을수록 임신 중 천식 악화 가능성이 높음)
- 일반적인 asthma 치료와 다를 바 없다
- 대부분의 천식 치료제(특히 흡입제)는 태아에 별 영향 없고 안전!
  - SABA, ICS (특히 budesonide), ICS/LABA 복합제, SAMA (inhaled ipratropium),
    적정 용량의 theophylline 등은 모두 안전
  - LABA : 안전할 것으로 추정되지만, 아직 근거 부족 (→ 임신 전부터 사용 중이면 계속 사용)
  - 심한 천식발작시 단기간의 oral steroid도 사용 → prednisone 권장 (∵ 태아에 영향이 적음)
    (but, 장기간 사용해야할 경우 임신 첫 3개월은 피한다)
  - antileukotrienes ; LTRA (montelukast)는 안전한 편, 5-LO inhibitor (zileuton)는 정보 부족
  - LAMA, anti-IgE, anti-IL-5 등은 아직 정보 부족
  - immunotherapy : 임신 때 시작하는 것은 권장× (임신 전부터 해왔고 부작용 없으면 가능)
- 심한 천식발작이 발생하면 태아의 저산소증을 초래하여 더 큰 해가 되므로, 안전성이 증명되지 않은
  약제라도 천식 조절에 필요하다면 사용하는 것이 좋음 (더욱 철저하게 치료해야 됨!)
- 사용하면 안 되는 drugs
  - 일부 항생제 ; tetracycline, sulfonamide, ciprofloxacin
  - atropine & atropine-like drugs (→ fetal tachycardia)
  - theophylline (고농도), terbutaline (→ tocolytic effect)
  - α-agonist, brompheniramine, epinephrine, iodine-containing mucolytics (SSKI), PGF2α

2. 상기도 질환

(1) 비염(rhinitis)

- 비염은 천식 발생, 증상 악화의 위험인자임
- 천식 환자의 대부분이 비염을 동반 또는 비염의 병력이 있음 (대개 비염이 선행)
- 지속성 비염 환자의 약 30%에서 천식 발생 → 모든 비염 환자는 천식이 있는지 고려해야
- allergen 등 위험인자가 천식과 동일함, 비염을 치료하면 천식 증상도 호전 가능
  - 비염 & 천식 모두 효과적 ; steroid, cromones, antileukotrienes, anti-IgE, 면역요법
  - nasal steroid와 antihistamine은 비염에만, β-agonist는 천식에만 효과적임

(2) 부비동염(sinusitis)

: acute & chronic sinusitis 모두 천식을 악화시킬 수 있음

(3) 비용종(nasal polyp)

- 비염, 천식과 관련된 비용종은 종종 aspirin hypersensitivity 동반, 주로 40세 이상에서 발생
- 비용종 환자의 30~70%에서 천식 동반, aspirin-sensitive asthma 환자는 대부분 비용종 동반
- local nasal steroid에 반응 좋음 (반응이 없으면 수술)

3. Aspirin-Exacerbated Respiratory Disease (AERD) [과거 aspirin-sensitive asthma]

- 천식 환자의 5~20%에서 AERD/NERD 발생, 심한 천식 환자일수록 더 흔함, 소아에서는 드묾
  - aspirin & NSIADs hypersensitivity reaction은 한 번 발생하면 대부분 평생 지속됨
  - 약제를 회피해도 천식의 염증 반응은 계속 지속됨
- triad ┌ vasomotor rhinitis → chronic rhinosinusitis (CRS) : 주로 20~30대에 시작
  │ 비용종(nasal polyp, NP) : 조직내 eosinophil 침윤이 특징, 수술해도 악화/재발됨
  └ 이후에 asthma (nonatopic, late-onset) & aspirin hypersensitivity 발생
- 기전 : cyclooxygenase (COX)-1 억제 → leukotrienes↑ → mast cells 활성화
  - immediate hypersensitivity는 관련되지 않는다 (IgE는 정상)
- 투여 후 몇 분 ~ 1-2시간 이내에 천식 증상(wheezing), 콧물, 코막힘, 결막자극, 안면홍조 등 발생
  - 적은 용량으로도 발생 가능하며, 심하면 anaphylactoid reaction으로 사망도 가능
- 진단 ; 경구 aspirin 유발검사 (위험), lysine-aspirin 흡입 유발검사 (경구보다 안전)
  - IgE-mediated allergy가 아니므로 skin test, specific IgE 등의 검사는 도움 안됨!!
  - urine LTE_4 (cysLTs의 대사산물) : AERD 환자에서 증가됨, 유발검사에서 FEV_1 감소가 클수록 더 증가,
    aspirin desensitization 성공하면↓, 실패하면↑ (but, allergic/eosinophilic/severe asthma에서도 증가할 수)
- 예방/치료
  ① inhaled steroid (m/g), OCS, LTRA 등 : 치료 및 효과는 일반 천식과 비슷함
    - CRS with NS (코막힘 등) → OCS (prednisone), 매우 심하면 수술 (but, 효과는 일시적)
      (호전되면 nasal steroid 유지요법, LTRA, desensitization 등 고려)
    - 대부분 LTRA도 투여를 하게 됨 → 4~6주 뒤에도 효과 없으면 zileuton으로 대치 or 추가
  ② aspirin desensitization : 전문가가 주의 깊게 시행 고려 (탈감작 이후 매일 aspirin 투여 필요)
    → 증상 및 삶의 질 크게 호전, 비용종 재발/재수술↓, 부비동 감염↓, OCS 필요↓
      (다른 NSAIDs에 대해서도 cross-tolerance 발생함)   → 알레르기내과 4장도 참조

③ 회피요법 : aspirin 및 NSAIDs (COX1-inhibitor) 금기

Nonselective COX inhibitors : aspirin과 교차반응 ⇨ 금기!	교차반응 없거나 적음 ⇨ 사용해도 안전 ★ (but, 일부는 고동도에서 COX-1 억제 가능)

■ NSAIDs ; Diclofenac, Etodolac,
 Fenoprofen, Floctafenine,
 Flurbiprofen, Ibuprofen,
 Indomethacin, Ketoprofen,
 Ketorolac, Meclofenamate,
 Mefenamic acid, Naproxen,
 Oxaprozin, Piroxicam,
 Sulindac, Tolmetin 등
■ Tartrazine 등의 색소도 약 10%의
 환자에서 cross-reactivity 가짐
	■ Highly Selective COX-2 inhibitors
	 ; Celecoxib, Etoricoxib, Lumiracoxib, Parecoxib, Rofecoxib 등
	■ Partial Selective COX-2 inhibitors
	 ; Etodolac, Meloxicam, Nabumetone, Nimesulide
	  (→ 고농도에서는 교차반응 가능)
	■ Nonopioid analgesics & nonacetylated salicylates
	 ; Acetaminophen (paracetamol), Diflunisal, Propoxyphene, Salsalate,
	  Choline magnesium trisalicylate, Sodium salicylate, Salicylamide 등
	  (→ 고농도에서는 교차반응 가능)
	■ Narcotics (e.g., codeine, meperidine)

* 안전한 약제라도 드물게 과민반응을 나타낼 수 있으므로 주의 깊게 사용

4. 운동유발기관지수축(exercise-induced bronchoconstriction, EIB)[과거 운동유발천식]

- 기전 ; cold air의 빠르고 깊은 호흡(hyperventilation)
    - → 기도표면 액체의 osmolality↑ → mast cells을 자극하여 mediators 분비
    - → bronchoconstriction (smooth muscle 수축은 관여 안함)
- 운동은 천식 환자에서 기관지수축 유발인자(trigger)지만, 독립적인 위험인자(risk factor)는 아니므로 exercise-induced asthma란 용어는 잘못되었음 → exercise-induced bronchoconstriction (EIB)
- 운동은 모든 천식 환자에서 bronchospasm을 유발할 수 있음 (정상인은 운동시 bronchodilation)
- 운동시작 5~20분 뒤에 asthmatic attack 시작, 운동을 마친 후 5~10분경에 가장 증상 심함, 대개 1시간 뒤 회복됨
- severity↑ ; 호흡량(운동의 강도)↑, 흡입 공기의 온도↓, 습도↓

  ┌ ice hockey, skiing, skating 등시에 악화↑
  └ 따뜻한 물에서의 수영이 가장 좋은 운동
- 진단 ; 운동유발검사(treadmill, 구강호흡으로 6분 이상 뜀)에서 FEV_1 or PEFR 15% 이상 감소
- 치료/예방

  ① SABA (m/g) : 예방 및 치료 가능 (운동 10~15분 전에 흡입 or 증상발생시)
    - 스스로 예측하기 어려운 소아의 경우는 LABA 추가도 가능
    - SABA를 사용하지 못할 때는 anticholinergics도 가능하지만, 예방 효과는 떨어짐
    - SABA or LABA를 규칙적으로 사용하면(1회/day 이상) EIB 예방 효과가 점점 떨어짐
      → β_2-agonist가 지속적으로 필요한 환자는 ICS 병용 or LTRA 권장
      (천식이 잘 조절되지 않아 EIB가 발생할 수도 있으므로, 천식 치료단계 상향 검토)
  ② cromolyn or nedocromil : 예방만 가능 (30분 전에 흡입 → 1~2시간 효과)
  ③ LTRA : 예방만 가능 (1~2시간 전에 복용 → 12~24시간까지 예방효과 지속),
      EIB를 동반한 천식 환자의 치료에 LABA보다 효과적

  * 장기적인 예방에는 inhaled steroid의 규칙적인 투여가 m/g (∵ 기도표면의 mast cells 수↓)

비약물 요법
1. 실제 운동 전 10분 이상 충분한 준비 운동
2. 추운 날에는 마스크 착용
3. 가능하면 따뜻하고 습도가 높은 환경에서 운동
4. 운동 종료시에는 서서히 강도를 낮추거나 정리 운동

• 다른 천식의 유발인자와 다른 점
  ① 장기적인 후유증을 남기지 않음
  ② airway reactivity를 증가시키지 않음

천식과 COPD의 차이

		천식	COPD
임상 양상	발병 연령	소아 때가 흔함	40세 이상
	증상 변동성	시간에 따른 변동성 큼 유발인자 흔함	만성, 지속적 (특히 운동시)
	주증상	천명, 호흡곤란	기침, 객담, 호흡곤란
	야간 증상악화	++	−
	알러지 증상	++	−
	흡연력	+/−	++
검사 소견	흉부X선	대개 정상	Hyperinflation, 혈관음영감소 등
	Eosinophilia, IgE↑	+	−
	염증세포 침윤	Eosinophil and/or neutrophils	객담은 neutrophils ± eosinophils 기도는 lymphocytes 등의 염증세포
	기관지확장제 투여후 FEV_1 증가	++	+/−
	DL_{CO}	대개 정상	대개 감소
치료 반응	β_2-agonist	++	+/−
	Anticholinergics	+	++
	Steroid	+++	+/−

10 간질성 폐질환

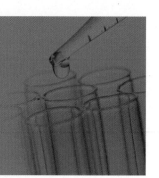

개요

- ILD (interstitial lung dz.) : 폐실질(폐포, 폐포 상피세포, 모세혈관 내피세포, 사이공간, 혈관주위 및 림프조직)에서 염증 및 섬유화를 일으키는 질환으로 저산소증과 제한성 폐기능 장애를 일으키는 광범위한 질환군 (주로 epithelium과 endothelium 사이의 공간을 침범함)
- 특징 : alveolar walls의 광범위한 파괴, functional alveolar capillary units의 상실, collagenous scar tissue의 침착 (fibrosis)
- 병인
  - epithelial damage & activation (← 외인성/내인성 자극)
  - aberrant wound healing (← 유전적 소인, 자가면역 등)
  - fibroblasts의 이동/증식 및 myofibroblasts로 분화
  - basement membrane 파괴 (← myofibroblasts 및 epithelial cells에서 분비된 gelatinase)
  - myofibroblasts에서 extracellular matrix proteins (주로 collagens) 분비, 축적
  - myofibroblasts apoptosis↓, reepithelialization↓ → fibrosis
    (myofibroblasts에서 angiotensin II 분비 → epithelial apoptosis↑)
- 진단이 어려울 수 있기 때문에 임상양상, 검사소견, 폐기능소견, 영상소견, 조직검사 등을 종합하여 진단

분류/원인

1. *inflammation & fibrosis* : alveolar wall 염증이 만성으로 진행하고 interstitium 및 vasculature로 번져서, 결국은 interstitial fibrosis를 초래하여 심한 폐기능 손상을 유발함

2. *granulomatous lung dz.* : T lymphocytes, macrophages, epithelioid cells 등이 축적되어 폐 실질에 granulomas를 형성 (fibrosis로도 진행 가능), 심한 폐기능의 손상은 드묾

병리양상	Inflammation & fibrosis	Granulomatous lung disease
원인이 밝혀진 질환	**Connective tissue diseases** 　SLE, RA, AS, SSc, PM/DM, Sjögren's syndrome **Asbestosis (폐석면증)** Fumes & gases (e.g., 흡연 → RB-ILD, DIP) Drugs 　항생제 ; nitrofurantoin, sulfonamides, cephalosporins, 　　minocycline, ethambutol ... 　항부정맥제 ; amiodarone, ACEi, tocainide, β-blocker 　항염증제 ; gold, penicillamine, NSAIDs, leflunomide, 　　TNF-α inhibitors (etanercept, Infliximab), 　　sulfasalazine 　항암제 ; mitomycin C, bleomycin, alkylating agents, 　　busulfan, cyclophosphamide, chlorambucil, 　　melphalan, methotrexate, azathioprine, cytosine 　　arabinoside, BCNU [carmustine], CCNU 　　[lomustine], procarbazine, nilutamide, INF-α, 　　paclitaxel, IL-2, ATRA, GM-CSF ... 　항경련제 ; phenytoin, fluoxetine, carbamazepine 　항우울제, Cocaine, Heroin, Talc, bromocriptine, 　　Paraquat, L-tryptophan, BCG, Mineral oil ... Radiation, Oxygen toxicity, Aspiration pneumonia ARDS의 후유증	**Organic dusts** 　**Hypersensitivity pneumonitis (HP)** 　; thermophilic actinomycetes, 　　*Aspergillus* species, 　　avian antigen ... **Inorganic dusts** 　Beryllium 　Silica (규폐증)
원인을 모르는 질환	**Idiopathic interstitial pneumonia (IIP)*** - m/c (약 40%) Alveolar filling disorders 　Diffuse alveolar hemorrhage (DAH) 　　Goodpasture's syndrome 　　Idiopathic pulmonary hemosiderosis 　　Isolated pulmonary capillaritis 　　SLE, RA, microscopic polyangiitis 　　Pulmonary alveolar proteinosis (PAP) Lymphocytic infiltration disorders 　Lymphocytic interstitial pneumonia (LIP) Eosinophilic pneumonias Lymphangioleiomyomatosis (LAM) Amyloidosis Inherited diseases ; 　Tuberous sclerosis, neurofibromatosis, 　Niemann-Pick disease, Gaucher's dz., 　Hermansky-Pudlak syndrome GI dz. ; CD/UC, PBC, chronic active hepatitis GVHD ; BMT, solid organ transplant	**Sarcoidosis** Pulmonary Langerhans cell 　histiocytosis (PLCH, 　= histiocytosis X, 　eosinophilic granuloma, 　Langerhans cell granulomatosis) Granulomatous vasculitides 　Wegener's granulomatosis 　Allergic angiitis & 　granulomatosis 　(= Churg-Strauss syndrome) Lymphomatoid granulomatosis Bronchocentric granulomatosis 　ⅰ) asthma 동반시 ; *Aspergillus* 　　등의 진균에 대한 과민반응 　ⅱ) asthma 없을 때 ; RA, 　　infections (e.g., TB, 　　echinococcosis, histoplasmosis, 　　coccidiodomycosis, nocardiosis)

*특발성간질성폐렴(Idiopathic Interstitial Pneumonias, IIP)의 분류

주요 IIP (Major IIP)	특발성폐섬유증(Idiopathic pulmonary fibrosis, IPF) - m/c ┐Chronic fibrosing IP 특발성비특이간질성폐렴(Idiopathic nonspecific interstitial pneumonia, NSIP)┘ 호흡세기관지염-간질성폐질환(Respiratory bronchiolitis-ILD, RB-ILD) ┐ <u>Smoking-related IP</u> 박리간질성폐렴(Desquamative interstitial pneumonia, DIP) ┘ 특발성기질화폐렴(Cryptogenic organizing pneumonia, COP) ┐ Acute/subacute IP 급성간질성폐렴(Acute interstitial pneumonia, AIP) ┘
희귀 IIP (Rare IIP)	특발성림프구간질성폐렴(Idiopathic lymphoid interstitial pneumonia, idiopathic LIP) 특발성흉막실질섬유탄력섬유증(Idiopathic pleuroparenchymal fibroelastosis, idiopathic PPFE)

분류불가능 IIP (Unclassifiable IIP)

임상적 평가

1. 병력

- 연령 및 성별
  - sarcoidosis, CTD, LAM, PLCH, inherited ILD 등은 20~40대에 호발
  - IPF는 대부분 50세 이상에서 발생
  - 여성에서 호발 ; LAM, tuberous sclerosis, Hermansky-Pudlak syndrome, CTD
    (예외: RA에 의한 ILD는 남성에서 호발)
- 가족력/유전
  - AD 유전 ; IPF, sarcoidosis, tuberous sclerosis, neurofibromatosis
  - AR 유전 ; Niemann-Pick dz., Gaucher's dz., Hermansky-Pudlak syndrome
  - surfactant C gene mutation ; NSIP, DIP, UIP
- **흡연력**
  - DIP, RB (respiratory bronchiolitis)-ILD, PLCH (= histiocytosis X), Goodpasture's syndrome,
    pul. alveolar proteinosis 환자는 거의 다 흡연력 有
  - IPF 환자의 66~75%도 흡연력 有
  - hypersensitivity pneumonitis는 비흡연자에서 호발
- 직업 및 환경도 중요
- 발병형태(이환 기간)에 따른 원인

Acute : 수일~수주	Allergy (drug, fungi, helminths), AIP, acute eosinophilic pneumonia, HP, DAH 등 (→ atypical pneumonia와 감별해야)
Subacute : 수주~수개월	Sarcoidosis, drug-induced ILD, chronic eosinophilic pneumonia, COP (BOOP), SLE, PM
Chronic (m/c) : 수개월~수년	IPF, sarcoidosis, pneumoconiosis, PLCH (= histiocytosis X), CTD
Episodic	Eosinophilic pneumonia, HP, COP (BOOP), vasculitides, pulmonary hemorrhage, Churg-Strauss syndrome

2. 증상/진찰소견

- 점차 심해지는 exertional **dyspnea**, nonproductive cough (dry cough)가 주증상
- fatigue, weight loss도 모든 ILDs에서 흔함
- wheezing, hemoptysis, chest pain 등은 드물다
  - chronic eosinophilic pneumonia, Churg-Strauss syndrome, respiratory bronchiolitis,
    sarcoidosis 등에서는 wheezing이 나타날 수도 있음
  - diffuse alveolar hemorrhage (DAH) syndrome, LAM, tuberous sclerosis, granulomatous
    vasculitides 등에서는 hemoptysis가 나타날 수도 있음
  - 갑자기 dyspnea가 악화되고 흉통 발생 시엔 pneumothorax 의심 (뒤의 표 참조)

- bilateral, basilar, fine end-inspiratory "Velcro-like" rales (dry crackle) (m/i)
  (granulomatous lung dz.에서는 안 들릴 수도 있음)
- inspiratory squeak (고음의 rhonchi) : bronchiolitis
- 병이 진행되면 tachypnea, tachycardia도 발생 가능
- 곤봉지(clubbing) - 후기 증상 ; IPF, asbestosis 등에서는 흔히 관찰되지만,
    sarcoidosis, hypersensitivity pneumonitis, histiocytosis X 등에서는 드물다
- cyanosis : 아주 말기 이외에는 드묾
- 말기에 pul. HTN & cor pulmonale 발생시 ; $P_2\uparrow$, tricuspid insufficiency, RV heave, 말초부종

3. 검사소견

- CBC, LFT, RFT 등의 기본검사
- 대개 CRP, ESR, ANA (FANA), RF, anti-CCP, myositis panel 등도 기본적으로 시행

증상/징후에 따라 추가 검사 고려	muscle enzymes (CK, myoglobin, aldolase), antisynthetase Ab (e.g., anti-Jo-1), anti-MDA5 (melanoma differentiation-associated protein 5), anti-Mi-2, anti-NXP2 (nuclear matrix protein 2), anti-TIF1g (transcriptional intermediary factor 1-g), anti-SRP (signal recognition particle), anti-HMGCR (3-hydroxy-3-methylglutaryl-CoA reductase), anti-SAE (small ubiquitin-related modifier-activating enzyme), anti-U1RNP (U1 ribonucleoprotein), anti-PM/Scl75 (polymyositis /scleroderma 75), anti-PM/Scl100, anti-Ku 등
Systemic sclerosis 의심시	anti-Scl-70/topoisomerase-1, anti-centromere, anti-RNA polymerase III, anti-U1RNP, anti-Th/To, anti-PMScl, U3RNP (fibrillarin), anti-Ku 등 추가
Sjögren 의심시	anti-SSA/Ro (Sjögren-specific antibody A), anti-SSB/La 추가
Vasculitis 의심시	anticytoplasmic antibodies 추가

- EKG ; 대개 정상 (진행되어 pul. HTN 발생하면 RAD, RVH, RAE)

4. Chest X-ray

- 대부분 비특이적이며, 증상 및 병리소견과의 관련성도 부족함
- 5~10%에서는 정상 소견을 보임 (특히 hypersensitivity pneumonitis에서)
- bibasilar reticular (m/c), nodular, reticulonodular
- cystic areas (honeycomb pattern) → poor Px.
- 증상은 경미한데 CXR 소견이 심할 수 있는 경우 (특히 질병 초기에) ; sarcoidosis, silicosis,
    PLCH, HP, lipoid pneumonia, lymphangitis carcinomatosis ...

5. HRCT (m/i)

- activity 및 extent & distribution을 동시에 판정할 수 있고, 원인을 찾는데도 유용
- 최종 진단과의 상관성이 매우 높고, biopsy 할 부위를 결정하는 데도 유용
- IPF, sarcoidosis, PLCH, HP, asbestosis, lymphangitic carcinoma 등은 임상양상이 적합하면
    BAL and/or lung biopsy 없이 HRCT로도 진단 가능함!

특정 ILD를 시사하는 방사선 소견	
Pattern	Common diagnoses
폐용적 감소	IPF, CTD-associated, chronic HP, asbestosis
폐용적 증가	COP (BOOP), LAM, neurofibromatosis, tuberous sclerosis, PLCH
폐 상부의 nodules	Sarcoidosis, PLCH, chronic HP, silicosis, berylliosis, RA, AS
폐 하부를 주로 침범	IPF, CTD-associated, asbestosis
폐 주변부를 주로 침범	COP (BOOP), eosinophilic pneumonia
Micronodules	Infection, sarcoidosis, HP
Septal thickening	Malignancy, CHF, infecton, pulmonary veno-occlusive dz.
Honeycombing	IPF, asbestosis, CTD-associated, sarcoidosis, chronic HP
Ground-glass opacities (GGO)	Eosinophilic pneumonia, HP, NSIP, AIP, DIP, RB-ILD, COP, drugs, PAP
Migratory/remitting infiltrates	COP (BOOP), HP, ABPA, Löffler's syndrome
Pleural disease	CTD-associated, asbestosis, LAM (chylous effusion), malignancy, drugs (e.g., nitrofurantoin), radiation pneumonitis, sarcoidosis
Pneumothorax	PLCH, COP (BOOP), LAM, neurofibromatosis, tuberous sclerosis
Lymphadenopathy (hilar or mediastinal)	Sarcoidosis, silicosis, lymphocytic interstitial pneumonia, amyloidosis, Gaucher's disease, malignancy, infection, chronic beryllium disease
정상	HP, IPF, CTD-associated, bronchiolitis

6. 폐기능 검사

- restrictive pattern ★
  - 모든 lung volume (VC, TLC, FRC, RV) ↓
  - FEV_1↓, FVC↓, FEV_1/FVC 정상 or ↑ (∵ TLC↓)
  - static lung compliance↓, maximal pulmonary pr.↑, 기도 저항은 정상
  - IIP (특히 IPF, NSIP)에서는 예후와도 관련
- obstructive pattern을 보일 수 있는 경우 ; tuberous sclerosis, LAM, COPD와 ILD가 공존 (드물게 hypersensitivity pneumonitis, sarcoidosis에서도)
- diffusing capacity (DL_{CO})↓ ; 흔하지만 비특이적인 소견, V/Q mismatching이 주 원인 (compliance가 감소된 폐 부위에서 perfusion은 유지되지만 ventilation은 ↓)
  - dz. grade (activity)와는 비례하지 않는다

7. ABGA 및 운동능력 평가

- 안정시에는 정상 or PaO_2 ↓, (A-a)DO_2 ↑, respiratory alkalosis (hypoxemia의 원인 ; V/Q mismatching, diffusing capacity 감소)
- $PaCO_2$: 정상 or 감소 (CO_2 retension은 드물며, 말기에나 나타날 수 있음)
  - 휴식/운동시 minute ventilation이 매우 증가
  - respiratory center의 자극 증가에 따른 호흡횟수 증가로
    → $PaCO_2$ ↓, compensatory respiratory alkalosis
- 운동시 : hypoxemia 심해지고 (A-a)DO_2 증가 ($PaCO_2$는 변화 없음)

- 운동부하 심폐기능검사(cardiopulmonary exercise test, CPET)
  - 안정 및 운동시 ABGA [PaO_2, $(A-a)DO_2$], 최대산소섭취량($V_{O2,max}$) 등
  - ILD의 진행정도(dz. activity) 및 치료반응 평가에 매우 유용 (특히 IPF에서)
- 6분 보행검사 : 운동능력 평가, 예후 예측, 치료반응 평가 등에 유용 (삶의 질을 더 잘 반영)

8. BAL (bronchoalveolar lavage)

- 비특이적이라 필수는 아니지만, HRCT에서 UIP에 합당하지 않은 경우 진단에 도움이 될 수
  - ↳ IIP에서는 주로 다른 원인의 R/O에 활용됨 (e.g., HP, 출혈, 감염, 악성종양)
- 정상 범위 ; macrophages 80~90%, lymphocytes 10~15% (70%가 T-cell),
  neutrophils 1~3%, eosinophils ≤1%, epithelial cells ≤5%, CD4/CD8 = 1.5
- lymphocytes가 증가하는 경우 (lymphocytes >15%)
  ; TB, sarcoidosis, HP, berylliosis, NSIP, COP (BOOP), drug-induced ILD, LIP, lymphoma,
  collagen vascular disease, extrinsic allergic alveolitis, radiation pneumonitis
  ┌ >25% ; sarcoidosis, HP, berylliosis, NSIP, COP, drug-induced ILD, LIP, lymphoma 시사
  └ >50% ; HP, cellular NSIP 시사

Lymphocytic alveolitis		
CD4/CD8 정상(0.9~2.5)	**CD4/CD8 ↑ (Th ↑)**	**CD4/CD8 ↓ (Ts ↑ or Th ↓)**
Tuberculosis	Sarcoidosis	Hypersensitivity pneumonitis (CD8 ↑)
Lymphangiosis	Crohn's disease	AIDS (CD4 ↓)
Carcinomatosa	Rheumatoid arthritis	COP (BOOP), DPB, NSIP
	Berylliosis	Drug-induced ILD
	Asbestosis	Silicosis

- eosinophils이 증가하는 경우 (eosinophils >1%) ; eosinophilic pneumonia, asthma, IPF, SLE,
  ABPA, drug-induced ILD, BMT, Hodgkin lymphoma, Churg-Strauss syndrome, infections ...
  (>25% ; 거의 acute or chronic eosinophilic pneumonia)
- neutrophils이 증가하는 경우 (neutrophils >3%) ; IPF, ARDS, asbestosis, aspiration pneumonia,
  bronchitis, collagen vascular dz., diffuse alveolar damage (DAD), infections ...
  (>50% ; acute lung injury, aspiration pneumonia, suppurative infection 시사)

┌ lymphocytes 증가 → steroid에 대한 반응↑ (예후 좋음)
└ neutrophil, eosinophil 증가 → 반응 나쁘다 (예후 나쁨)

- lipid-laden macrophage (foamy cell) ; HP, amiodarone-induced ILD, lipoid pneumonia,
  diffuse panbronchiolitis
- diffuse alveolar hemorrhage (DAH) : hemorrhagic BAL이 진단에 중요한 단서
- CXR, HRCT 소견은 BAL 소견과 일치하지 않음
- stage 판정, 진행 정도 및 치료에 대한 반응 평가에서의 역할은 아직 불확실
- IIP에서는 주로 다른 원인의 R/O에 활용됨 (e.g., HP, 출혈, 감염, 악성종양)

9. 폐생검 (lung biopsy)

- ILD의 확진과 dz. activity 판정에 가장 정확한 방법
- 모든 환자에서 시행할 필요는 없다 (원인이 밝혀진 경우는 안 해도 됨)
- 기관지내시경을 이용한 multiple (4~8) transbronchial lung biopsy (TBLB)
  → 특히 sarcoidosis, lymphangitic carcinomatosis, eosinophilic pneumonia,
    Goodpasture's syndrome, infection 등 의심 시에는 1차적 진단방법으로 실시
- TBLB로 진단이 어려우면, surgical lung biopsy 시행 (open-lung or thoracoscopic)
- 폐생검의 relative C/Ix
  - 심각한 심혈관 질환
  - honeycombing 등의 diffuse end-stage dz. 소견
  - 심한 폐기능 장애, 기타 주요 수술 위험인자 (특히 노인)
  - 여러 부위에서 충분한 조직을 얻을 가능성이 희박한 경우

■ dz. activity 측정(결정) : activity ⬆

① BAL ; lymphocytes 증가 (특히 T cell)
② open lung biopsy (가장 정확) ; inflammation의 정도 심함
③ gallium-67 lung scan (→ limited value) ; uptake 증가
④ ^{99m}Tc-DTPA scan ; clearance 증가
⑤ HRCT ; ground-glass opacification (GGO)
⑥ cardiopulmonary exercise test (CPET), 6분 보행검사
⇨ activity가 높은 경우는 steroid나 cytoxan에 반응이 좋으리라 기대됨

c.f.) steroid에 반응이 좋은 ILD ; eosinophilic pneumonia, COP, CTD, sarcoidosis, HP,
     acute inorganic dust exposure, acute/chronic organic dust exposure,
     acute radiation pneumonitis, DAH, drug-induced ILD 등
     (IPF와 AIP는 반응이 불량함)

특발성 간질성 폐렴 (Idiopathic Interstitial Pneumonia, IIP)

1. Idiopathic pulmonary fibrosis (IPF)특발성폐섬유증

(1) 개요

- m/c IIP (IIP의 약 55%), 원인 모름, 주로 50세 이후에 발병 (평균 69세), 남:여 = 1.5~2:1
- 발병 위험인자 ; 흡연(비흡연자보다 3배↑), 금속/나무 분진, 축산업, 디젤 배출 입자,
  유기용매, GERD에 의한 만성적 폐흡인, TB/NTM, viral infections 등
  (c.f, 분진 노출과 관련된 IPF 환자들은 진단 연령이 낮으며 증상이 오래 지속됨)
- 발생기전 ; 면역기전, 상피세포 손상에 대한 치유과정의 이상
- ILD 환자의 진단에서 먼저 IPF와 다른 형태의 IIP를 감별하는 것이 중요함
  (∵ IPF가 특히 예후가 나쁘고 치료에 대한 반응이 안 좋으므로)

(2) 임상양상

- 서서히 진행하는 dyspnea, dry cough (진해제로도 조절 안됨), basilar inspiratory crackle
- pul. HTN, RHF, clubbing → 말기 소견
- BAL : neutrophil & eosinophil 증가 (lymphocyte 증가시 steroid에 대한 반응↑ → good Px)
- CXR : 양폐 <u>하부</u>의 망상(reticular) 음영
- 급성악화 ; 감염성폐렴/심부전/패혈증 없이, 며칠~4주 사이에 dyspnea 악화, 새로운 diffuse
    opacities 발생, hypoxemia 악화 → 치료해도 사망률 높음
    (감염, 폐색전증, 기흉 등에 의한 이차성 급성악화도 발생 가능)

(3) 진단

- <u>HRCT</u> : 진단에 필수!, typical UIP (usual interstitial pneumonia) 소견을 보이는 경우
    양성예측도(positive predictive value, PPV)는 90~100%
    ┌ 양폐 <u>하부</u> 주변부의(subpleural) 망상(reticular) 음영, 벌집모양(honeycombing)
    └ peripheral traction bronchiectasis or bronchiolectasis도 동반 가능

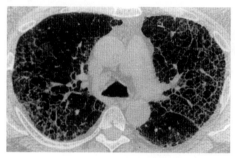 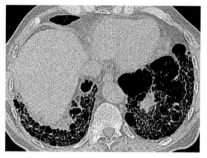

    - 간유리음영(ground-glass opacities, GGO), 결절성(nodular) 음영, 폐 상부~중부 침범,
    폐문/종격동 림프절비대 등은 드묾! → 다른 진단도 고려 (e.g., HP)
- 조직검사 : HRCT에서 typical UIP가 아닌 경우 시행
    - UIP (usual interstitial pneumonia)의 조직병리소견

특징	폐의 주변부, 특히 흉막 직하 부위에 주로 나타남 병변 부위와 정상 부위가 섞여서 산발적으로 나타남 (heterogeneity) 여러 시기의 병변이 동시에 나타남 (temporal heterogeneity)	UIP 양상은 다른 질환에서도 관찰될 수 있기 때문에 특히 CTD-ILD, HP, 진폐증 (특히 석면폐증) 등 과의 감별이 필요함
병변	Interstitial inflammation (lymphoplasmacytic cells 침윤, type 2 pneumocytes 증식) <u>Fibroblastic foci (증식)</u>, <u>honeycombing</u>, dense collagen fibrosis, Smooth muscle hyperplasia	

    - 급성악화(accelerated phase) = UIP + diffuse alveolar damage (ground-glass) 양상
    - <u>SLB (surgical lung Bx.)</u>가 원칙 ; 환자가 single-lung ventilation이 가능하면 개흉술보다는
        VATS (video-assisted thoracoscopy surgery) 기법이 선호됨, 2~3엽에서 multiple Bx.
    c.f.) 다른 질환들을 먼저 R/O하기 위해 기관지내시경-TBLB를 우선 시행할 수도 있음
    - 조직학적 UIP/IPF의 약 30%는 HRCT에서 비전형적인 양상을 보일 수 있음
    - UIP와 일부 비슷한 조직소견을 보이는 다른 질환들 ; CTDs, 진폐증(e.g., asbestosis),
        radiation injury, 일부 drug-induced ILDs (e.g., nitrofurantoin), chronic aspiration,
        sarcoidosis, chronic HP, organized chronic eosinophilic pneumonia, PLCH

■ 참고: IPF의 진단 (2018 ATS/ERS/JRS/ALAT)

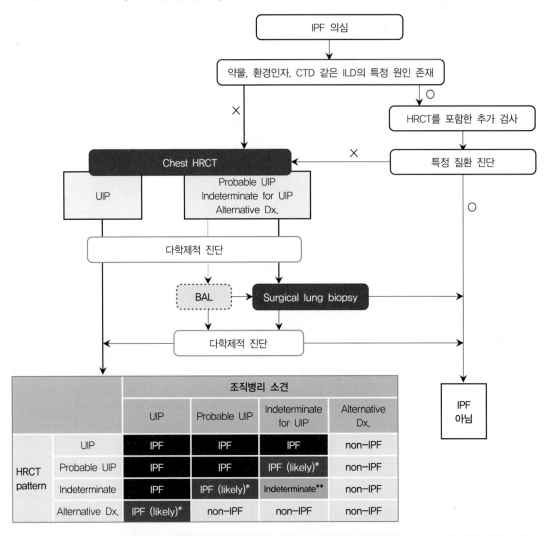

HRCT pattern	조직병리 소견			
	UIP	Probable UIP	Indeterminate for UIP	Alternative Dx.
UIP	IPF	IPF	IPF	non-IPF
Probable UIP	IPF	IPF	IPF (likely)*	non-IPF
Indeterminate	IPF	IPF (likely)*	Indeterminate**	non-IPF
Alternative Dx.	IPF (likely)*	non-IPF	non-IPF	non-IPF

	UIP	Probable UIP	Indeterminate for UIP	Alternative Dx.
HRCT pattern	주로 늑막하, 기저부위의 망상음영(reticular) 및 honeycombing 견인성기관지확장증 동반可	주로 늑막하, 기저부위의 망상음영(reticular) 견인성기관지확장증 동반可 경미한 GGO 동반可	주로 늑막하, 기저부위의 경미한 망상음영 or GGO (early UIP pattern) 다른 질환들의 소견 無	다른 질환을 시사하는 소견 예) cysts, nodules, 심한 GGO, 심한 mosaic, consolidation, 상~중엽
조직병리 소견 (SLB)	주로 늑막하/중격주위의 심한 섬유화 및 구조변형 ± honeycombing 폐실질의 비균질 침범 섬유모세포 병소(foci)	일부 UIP의 양상지만 UIP로는 부족한 소견 & 다른 질환들의 소견 無 or Honeycombing만 존재	UIP와는 다른 양상의 섬유화 ± 구조변형 or 다른 질환을 시사하는 소견 UIP의 일부 소견 + 다른 질환을 시사하는 소견	다른 질환을 시사하는 소견 예) 섬유모세포 병소 無, 느슨한 섬유화, mosaic, 기도중심 섬유화, 육아종, 심한 GGO (늑막하X)

- 임상적으로 IPF가 의심되고 HRCT에서 UIP가 확실한 경우에는 다른 검사들(e.g., SLB) 없이 진단 가능
- HRCT에서 UIP가 확실한 경우 외에는 surgical lung biopsy (SLB) 시행 권장, 필요하다고 생각되면 BAL도 고려
  (transbronchial lung biopsy [TBLB]나 cryobiopsy는 근거 부족으로 권장 안됨)
- 다른 ILD와의 감별을 위한 MMP (matrix metalloproteinase)-7, SPD (surfactant protein D), CCL (chemokine ligand)-18, KL (Krebs von den Lungen)-6 등의 serum markers 검사는 권장 안됨

(4) 치료

- 면역억제치료는 권장 안됨 (∵ 효과 없고, 일부에선 morbidity & mortality↑)
- <u>antifibrotic therapy</u> (pirfenidone, nintedanib) : 폐기능 감소속도 완화 및 survival↑
  - pirfenidone (Pirespa®) : TGF-β1, PDGF 등 억제를 통해 antifibrotic & antiinflammatory
  - nintedanib : PDGF, VEGF, fibroblast growth factor 등의 receptors를 차단하는 TKI
- 물리치료 및 산소공급 : exercise tolerance↑ 및 pulmonary hypertension 발생↓ 가능
- <u>폐 이식</u> : 내과적 치료에 반응 없고 이식의 적응이 되면 시행, survival↑
  - (but, 환자의 약 2/3가 고령으로 폐 이식의 상대적 금기임)
- 치료에 대한 반응 평가(F/U) ; DL_{CO}, HRCT

(5) 예후

- <u>예후 매우 나쁨</u> : 3~5년 뒤 약 50% 사망 (진단 뒤 평균 2~4년 생존)
- 약 1/3은 심부전과 허혈성심질환으로 사망, 정상인보다 <u>폐암</u> 발병 위험 증가
  - good Px ; 50세 미만, 여성, 짧은 증상기간, 폐기능 보존, steroid 치료에 반응 (흡연은 논란)
  - poor Px ; 50세 이상, 남성, 긴 증상기간, 심한 dyspnea, FVC↓, DL_{CO}↓, honeycombing, fibroblastic foci↑, BMI↓, 6분보행검사↓, 동반질환(e.g., pul. HTN), 급성악화 등

* 급성악화 : IIP 중 IPF에서 가장 흔하고 심함
  - 급성(<30일) 호흡곤란 및 저산소증, HRCT에서 양측성 patchy GGO 및 consolidations
  - 대개 경험적으로 IV steroid (± cyclophosphamide) 치료
  - 치료해도 반응 나쁨 (사망률 >85%), 생존해도 재발↑ (재발시 거의 사망)

2. Nonspecific interstitial pneumonia (NSIP)특발성비특이간질성폐렴

- IPF보다 10세 정도 낮은 연령에서 발생, 남<여, 비흡연자에서 호발, CTD에서도 흔히 관찰됨
- IPF와 비슷한 임상양상, subacute (~chronic)하게 진행
- HRCT ; 양폐 하부 흉막하 ground-glass, reticular 음영 (honeycombing은 매우 드묾)
- BAL ; lymphocytes가 증가되지만 (특히 cellular NSIP에서) 비특이적인 소견임
- biopy (NSIP) ; interstitial inflammation ± fibrosis (균일한 침범이 특징, 폐포의 구조는 보존됨!)
  - cellular NSIP : 폐포벽의 만성 염증 세포 침윤이 주 → 약물치료에 반응 좋음
  - fibrosing NSIP (더 흔함, 80~90%) : 폐포벽의 섬유화가 주
- 예후 좋다 (5YSR >70%), 대부분 steroid ± 면역억제제로 호전됨

3. Acute interstitial pneumonia (AIP, Hamman-Rich syndrome)급성간질성폐렴

- 40세 이상에서 갑자기 (fever, cough, dyspnea) 발생하여 급격히 악화됨, 드묾
- 독감과 유사한 전구증상 (7~14일) 선행
- 대부분 moderate~severe hypoxia를 보이며 resp. failure 발생
- HRCT ; 양측 대칭성 흉막하 diffuse patchy ground-glass opacities (GGO), 주로 하엽에
- 특징 ; <u>ARDS의 임상양상</u> + <u>폐 생검</u> (diffuse alveolar damage, DAD)
  - → ARDS 중 원인을 찾지 못할 때 AIP라 함
- D/Dx ; IPF의 급성 악화, DIP, ARDS, infection (특히 *P. jirovecii*, CMV), HP, AEP 등

• 치료 ; 보존적 (산소공급, lung protective mechanical ventilation)

　(steroid나 면역억제요법의 효과는 불확실하고, 페이식은 아직 근거 부족)

• 예후 매우 나쁨 ; mortality >60%, 재발 흔함, 대부분 6개월 이내에 사망

　(일부 생존자의 경우 다른 IIP와 달리 폐기능이 정상에 가깝게 회복되고 재발도 드묾)

4. Cryptogenic organizing pneumonia (COP)특발성기질화폐렴

(1) 개요

• 조직학적으로 organizing pneumonia pattern을 보이며 이차적인 다른 원인/질환이 배제된 경우

　(과거 "BOOP [bronchiolitis obliterans with organizing pneumonia]"로 불리기도 했었음)

• 비교적 benign → 대부분 완전히 회복됨

• 50~60대에 호발, 남=여, 비흡연자가 많음

• 이차적으로 BOOP 양상을 보일 수 있는 경우 ; viral, bacterial, *Legionella, Mycoplasma*, HIV, toxic fumes, drug, CTD (특히 RA, DM/PM), IBD, RTx, MDS, BMT, bronchial obstruction)

(2) 임상양상

• 독감 비슷한 증상 (기침, 발열, 권태감, 피로, 체중감소)으로 시작, 2~3개월의 급성/아급성 경과

• crackles (rales)은 흔하나 (2/3), wheezing은 드물다 (1/3)

• cyanosis는 드물고, clubbing은 없다

(3) 검사소견/진단

• PFT ; restrictive pattern (20%에서는 obstructive), DL_{CO} 감소, $(A-a)DO_2$ ↑

• chest X-ray ; 양측성 반점형/미만성 alveolar opacities (주로 주변부를 침범)

　병변의 재발/이동(migrating lesion), 크기의 변화가 특징 (폐 용적은 정상)

• HRCT (IPF와의 감별, biopsy 위치 정하는데 도움) ; 기도 경화, ground-glass 음영,

　작은 결절성 음영, 기관지벽 비후/확장 → 양 폐 하부 주변부에서 흔함

• BAL ; 세포수↑ (lymphocyte/neutrophil/eosinophil↑, macrophage↓), CD4/CD8↓,

　foamy macrophages

• lung biopsy ; 폐포와 폐포관 및 일부 세기관지 내부로의 육아조직소견(granulation tissue,

　organizing pneumonia pattern, Masson body), 세기관지 내강 폴립 형태도 동반 가능

　– cryptococcosis, Wegener's granulomatosis, lymphoma, HP, EP 등에서도 보일 수 있음

　– 수술(SLB)이 원칙이지만, 다른 IIP와 달리 기관지내시경(TBLB)도 가능

(4) 치료/예후

• Tx : oral steroid (80% 이상 반응) → 반응 없으면 steroid + 면역억제제(e.g., azathioprine)

• 일부는 자연적으로 회복되기도 하며, 예후는 좋은 편임

5. Desquamative interstitial pneumonia (DIP)박리간질성폐렴

• 드물다 (ILD의 3% 미만), 40~50대 흡연자에서 발생 (흡연 이외의 분진도 가능), 남>여

• PFT ; 주로 mild restrictive 장애, DL_{CO}↓ (흡연에 의한 폐기종 동반시 obstructive도 가능)

• CXR/HRCT ; 양측성 diffuse ground-glass 음영 (폐 하부를 더 잘 침범)

- 조직소견 (RB-ILD와 비슷하지만 더 광범위함) ; pigmented macrophages의 폐포내 침착, pneumocyte hyperplasia, 현저한 interstitial thickening 등 (fibrosis는 경미함)
- 금연(m/i)과 steroid 치료에 대한 반응 좋다, 예후 좋음(10YSR ~70%)

6. Respiratory bronchiolitis-associated ILD (RB-ILD)호흡세기관지염-간질성폐질환

- 보통 30갑년 이상의 <u>흡연력</u>을 가진 30~50대에서 발생 (거의 대부분 흡연이 원인)
- DIP의 일종으로 DIP보다 병변의 범위가 좁음
- PFT ; obstructive/mixed/restrictive 모두 가능
- HRCT ; bronchial wall thickening, centrilobular ground glass nodules, GGO 등
- 조직소견 ; peribronchiolar alveoli 내의 pigmented macrophage 침착이 특징
- 금연만으로도 대부분 회복됨, 사망률 거의 0%

IIP (Idiopathic Interstitial Pneumonia)의 비교

특징	IPF	DIP	RB-ILD	AIP	NSIP	COP
호발 연령	50~70대	40~50대	30~50대	50대	40~50대	50~60대
성비	M>F	M>F	M=F	M=F	F>M	M=F
발병	Insidious	Insidiuos	Insidious	Acute	Subacute	Acute or subacute
경과	수년	수년	수개월	수주	수개월 ~수년	수개월
흡연력	약 2/3	대부분	대부분	?	드묾	약 1/2
Steroid에 대한 반응	Poor	Good	Good	Poor	Good	Excellent
예후	Poor	Good	Exellent	Poor	Good	Excellent
사망률	50% (3~5yr)	<25% (7yr)	매우 낮음	>50%	18% (5yr)	매우 낮음
평균 생존 기간	2~4년	12년	장기 생존	1~2개월	5~6년	장기 생존
HRCT 소견						
Distribution	Peripheral, basal	Peripheral, basal	Diffuse, patchy	Diffuse, scattered	Diffuse, subpleural	Peripheral, basal
Consolidation	Rare	Uncommon	None	67%	71%	80%
Irregular linear opacity	82% (reticular)	50%	Uncommon	None	29%	14%
Nodules	15%	None	Common	None	None	50%
Honeycombing	Common	Rare	None	Rare	Rare	Rare
조직 소견						
Temporal appearance	Hetero-geneous	Homo-geneous	—	Homo-geneous	Homo-geneous	Homo-geneous
Fibroblastic foci	Prominent proliferation	None	None	Diffuse	Occasionally	In airwasys (Masson body)
Intraluminal fibrosis	Rare, focal	None	Occasionally	Minimal	Focal	Yes
Hyalin membrane	None	None	None	Focal	None	None
Alveolar macrophage	Occasional, Focal	Yes, diffuse	Peri-bronchiolar	None	Occasional, patchy	Foamy macrophages

■ 가습기살균제(humidifier disinfectant)에 의한 폐질환

- 가습기용 살균제에 의해 발생된 폐질환 (우리나라에서만 분무 형태로 사용됨)
  ↳ 주로 PHMG (polyhexamethylene guanidine)가 문제
- 주로 2006~2011년에 발생, 6세 이하 소아와 임산부가 가장 많이 피해
- ALI (ARDS), AIP, HP, 천식 등과 비슷한 임상양상을 보임, 대개 subacute 경과
- PFT ; restrictive pattern, DL_{CO}↓
- HRCT ; diffuse GGO (초기에), centrilobular nodules/fibrosis/bronchiectasis 등
- 조직소견 ; non-suppurative necrotizing & obliterative bronchiolitis, BOOP, interstitial fibrosis
  (granuloma나 hyaline membrane은 없음)
- 약 1500명 사망 (실제로는 14,000명 정도로 추정됨), 사망원인은 폐섬유화로 인한 호흡부전

PLCH (Pulmonary Langerhans Cell Histiocytosis, = Histiocytosis X, Eosinophilic granuloma)

- 드문 cystic ILD, 20~40세 젊은 남성에서 호발, **흡연**과 관련!
- 임상양상 ; nonproductive cough, dyspnea, chest pain, weight loss, fever
  - 약 1/3은 무증상, 15~25%에서 recurrent spontaneous pneumothorax 발생
  - hemoptysis, DI (diabetes insipidus)도 드물게 발생 가능
- CXR 상 특징
  ① 경계가 불분명한 또는 별모양의 결절(stellate nodules) : 직경 2~10 mm
  ② 양측 diffuse reticular or nodular 음영
  ③ 폐 상부의 이상한 모양의 낭종(cysts)
  ④ 폐 용적은 정상 or 증가, 종격동 림프절 종대 없음
  ⑤ costophrenic angle (CPA) 보존 (pleural effusion 없음)
- 진단
  - HRCT ; 폐 상부의 multiple nodules & thin-walled cysts (폐 하부는 침범 안함)
  - PFT ; DL_{CO} ↓↓ (m/i), 다양한 정도의 restrictive pattern
  - BAL ; CD1a & CD207 (+) Langerhans' cells (macrophages) ↑ (>5%)
  - TBLB ; Langerhans' cells을 함유한 nodular sclerosing lesions
    ↳ 면역조직화학염색에서 S-100, CD1a, langerin (CD207), HLA-DR 등 (+)
  - HRCT와 bronchoscopic BAL/TBLB에서 진단이 불확실하면 surgical biopsy 필요
    (증상이 경미하거나 없으면 일단 금연 이후 3개월 뒤 HRCT F/U)
- 치료 ; 금연 (→ 약 60%에서 임상적 호전을 보임)
  - 금연에도 호전이 없으면 steroid 6개월 이상 (→ nodular 음영을 가진 환자에서 더 효과적)
  - steroid에도 반응이 없으면 cladribine or cytarabine / 최후에는 폐이식
- 예후는 좋은 편 ; 대부분 지속/안정 상태 또는 점진적 진행을 보임 (사망률 약 10%)

결합조직병(CTD)과 관련된 ILD

* 폐 침범시 m/c 조직형은 <u>NSIP</u> (nonspecific interstitial pneumonia)
  (영상 소견으로 IIP와 CTD-ILD를 감별할 수는 없음)
* 많은 CTD-associated ILD 환자에서 폐 질환이 CTD의 초기, 주 or 유일한 증상임
  (→ 일부 환자는 발병시 CTD 자체의 진단기준에는 부족할 수 있음)

1. Systemic sclerosis (SSc)-ILD

- CTD 중 폐침범 m/c ; diffuse SSC의 약 50%, limited SSc의 약 30%에서 ILD 동반
- PFT (폐기능 이상은 ~70%에서 동반) ; restrictive pattern, $DL_{CO}\downarrow$
- <u>pulmonary HTN</u>, aspiration pneumonia (식도기능 이상), bronchogenic ca. 등도 동반 가능
  ↳ 단독 or ILD와 동반 가능, limited SSC에서 더 흔함, ILD와 함께 SSc의 주 사망원인
- autoAb. ; topoisomerase I (anti-Scl-70) 양성 환자의 85%에서 ILD 발생 (severity와도 관련)
- HRCT ; NSIP (m/c, 80~90%) 및 IPF (10~20%) 양상 (COP, DAD 양상도 가능)
- lung bipsy ; fibrotic NSIP (m/c) 및 UIP (IPF) 양상, aspiration 관련 변화 (∵ 식도기능 이상)
- Tx : cyclophosphamide (부작용↑), mycophenolate mofetil (MMF), HSCT, 폐이식 등

2. Rheumatoid arthritis (RA)-ILD

- RA의 19~44%에서 ILD 동반, 흡연 <u>남성</u>에서 더 흔함 (↔ RA는 여성에서 더 흔함)
- autoAb. ; RF 및 anti-CCP도 ILD 동반과 관련
- HRCT 및 biopsy ; UIP 양상이 m/c (50~60%, poor Px.), 기타 NSIP, OP, DIP도 가능
- 기타 pleurisy (± effusion), necrobiotic nodules (± cavity), Caplan's syndrome (rheumatoid pneumoconiosis), pul. HTN, upper airway obstruction (∵ crico-arytenoid arthritis) 등
- Tx : RA 자체의 치료(DMARDs) 외에, RA-ILD 환자를 대상으로 치료를 평가한
  대조군 연구는 아직 없음 → steroid, MMF, rituximab 등 고려

3. SLE-ILD

- 33~50%에서 폐침범 ; pleuritis (± effusion)가 m/c, ILD는 3~9%로 드묾
  (ILD↑ ; Raynaud's phenomenon, anti-U1 RNP, 손발가락경화증, 손톱주름모세혈관이상, 고령)
- 기타 atelectasis, diaphragmatic dysfunction, pul. vascular disease, pul. hemorrhage, uremic pul. edema, infectious pneumonia 등 (acute lupus pneumonitis는 드묾)
- 증상은 없어도 PFT (특히 DL_{CO}) 이상을 보이는 경우가 흔함
- HRCT 및 biopsy ; NSIP 양상이 m/c
- Tx : SLE-ILD의 치료 연구는 부족함 → steroid, azathioprine, MMF, rituximab 등 고려 가능

c.f.) shrinking lung syndrome (SLS)
- SLE의 1~6%에서 동반, dyspnea, pleuritic chest pain (65%), PFT에서 폐용적의 지속적 감소
  (chest CT에서 ILD or significant pleural disease 양상은 없음)
- Tx ; 확실치 않음 / steroid, 면역억제제, HSCT 등 고려

4. Idiopathic inflammatory myopathies (IIM)_{DM/PM}-ILD

- 20~78%에서 ILD 동반, 전신질환 발병 전 ILD가 먼저 나타나는 경우가 CTD 중 가장 많음!
- 다양한 임상경과 ; 무증상, 급격히 진행, 만성 경과 등 (ILD 동반되면 poor Px.)
- HRCT 및 biopsy ; NSIP 및 OP 양상이 흔함, UIP, DAD (AIP) 등도 가능
- 아래의 경우 ILD 동반이 더 흔하고 심한 증상을 보임
  - antisynthetase Ab(+) [antisynthetase syndrome, ASS)] ; myositis, fever, Raynaud 현상,
    ↳ *anti-Jo-1 Ab*　　mechanic's hands (손가락 측면의 과각질성 가피), arthritis, progressive ILD
  - anti-MDA-5 Ab(+) ; rapidly progressive ILD, vasculopathic skin ulcer
  - anti-PL-12 Ab(+) ; HRCT에서 UIP 양상이 더 흔함, severe ILD
  - overlap syndromes ; 다른 CTD의 임상양상도 동반한 경우
- 호흡근 약화로 인한 aspiration pneumonia도 발생 가능
- Tx : steroid ± 면역억제제(azathioprine, MMF, cyclophosphamide)
  → 반응 없으면 calcineurin inhibitors (tacrolimus), rituximab, 페이식 등 고려

5. Sjögren's syndrome-ILD (SS-ILD)

- 9~24%에서 폐침범, 보통 RA나 SLE처럼 질환의 말기에 나타나며 첫 징후로는 드묾
  (secondary보다 primary Sjögren's syndrome에서 ILD 동반이 더 흔함)
- 건조 및 기도분비결핍이 주로 cough, hoarseness, bronchitis 등을 일으킴
- NSIP (m/c), lymphocytic interstitial pneumonitis, pseudolymphoma, COP (BOOP), bronchiolitis
- autoAb. ; anti-SSA, anti-SSB
- 대개 steroid or 면역억제제가 효과적임, 5YSR 84%

과민성 폐장염 (Hypersensitivity Pneumonitis, HP)
(= Extrinsic Allergic Alveolitis)

1. 정의/원인

- 감수성 있는 사람이 다양한 종류의 organic dusts를 반복 흡입함으로써 발생한 alveolar walls과
  terminal airways의 면역학적인 염증반응
- 가정 및 직업적인 노출과 관련이 많고 원인 물질에 노출된 사람 중 일부에서만 HP 발생 (1~6%),
  유전적인 감수성 관여, 주로 3 μm 이하의 미세 분진 흡입이 원인
- 원인 물질 ; 호열방선균/바큇살균(thermophilic actinomycetes)- m/c, 진균(e.g., *Aspergillus*), 원충,
  동식물의 분비물(단백질), 저분자 화학물질, 약물 등 다양함
- 관련 직업 ; **농부(Farmer's lung)**, 버섯재배자, 조류애호가 등
- 여름철에 호발하는 경향 (∵ 사료/풀의 습도↑, 조류항원 노출↑)
- 전세계적으로는 조류애호가 폐(bird fancier's lung)가 m/c, 농부 폐는 감소 추세
- 흡연자 : HP 발생 감소! (but, 흡연자에서 HP 발생시 progressive or severe HP로 될 가능성↑)

흔한 HP의 예	원인 항원	항원의 원천
집안 (기타 습한 환경)	*Penicillium* spp., *Trichosporon* spp., *Alternaria* spp., *Aspergillus* spp., NTM 등	주로 곰팡이 포자
가습기/에어컨 폐 (ventilation pneumonitis)	*Aureobasidium pullulans*, *C. albicans*, Thermophilic actinomycetes, 결핵균...	가습기/에어컨, 공조장치 등의 오염된 물
Japanese summer-type HP	*Trichosporon cutaneum*, *T. asahii*, *T. mucoides*	집먼지진드기(?), 조류의 배설물
농부 폐(Farmer's lung)	Thermophilic actinomycetes	곰팡이 핀 건초, 곡물, 저장 목초
조류 애호가/사육자 폐	잉꼬, 비둘기, 닭, 칠면조 등의 항원	조류의 배설물, 깃털
화학물질 취급 근로자 폐	Isocyanates (e.g., TDI)	우레탄폼, 광택제, 래커 → 도장공
기타 약물	Amiodarone, bleomycin, efavirenz, gemcitabine, hydralazine, hydroxyurea, isoniazid, MTX, paclitaxel, penicillin, procarbazine, propranolo, riluzole, sirolimus, sulfasalazine ...	

*<u>Thermophilic actinomycetes</u> ; *Micropolyspora faeni*, *Thermoactinomyces vulgaris*, *T. saccharrii*, *T. viridis*, *T. candidus*

2. 병인

- type III, IV hypersensitivity가 관여
- type III (immune complex-mediated) 관여하는 증거 (예전)
  - late response in skin and bronchi
  - late response with fever and leukocytosis
  - IgG 응집항체 출현
- type IV (delayed T cell-mediated) 관여하는 증거 (최근)
  : 항원에 대한 T_H1-mediated immune response
  (IFN-γ, IL-12, IL-18, IL-1β, TGF-β, TNF-α 등이 HP 발현에 관여)
  - BAL에서 macrophage, activated T-lymphocyte 증가
  - noncaseating granuloma
- * blood eosinophilia나 IgE 상승은 드묾! (→ RAST나 skin test는 의미 없음) ★

3. 임상양상

- acute HP ; <u>노출 후 4~8시간 뒤에 발생</u>, 보통 수일 이내에 소실
  - cough, fever, chill, myalgia, dyspnea, nausea
  - <u>bibasilar crackles</u>, tachypnea, tachycardia
- subacute HP ; 노출 후 수일~수주 뒤에 발생
  - exertional dyspnea, cough, fatigue 등이 서서히 나타남
  - 항원 노출이 지속되면 chronic form으로 진행 가능
- chronic HP ; 보통 6개월 (24주) 이상 지속, 다른 ILD와 비슷 (irreversible fibrosis 가능)
  - 지속적인 exertional dyspnea, cough, cyanosis, <u>체중감소</u> 등이 나타남
  - 심하면 clubbing, pul. HTN 등도 발생 가능하고.. 폐 질환이 회복 안 될 수도 있음

- 검사소견 ; neutrophilia, lymphopenia (<u>eosinophil은 대개 정상!</u>)
  - ESR, CRP, RF, immunoglobulin 증가 (ANA는 음성)
  - resting hypoxemia도 있을 수 있음 (∵ 주로 V/Q mismatch 때문)

4. 진단

(1) **원인 항원에 대한 혈청 특이 침강항체** (IgG precipitating Ab) ⋯ **중요!**
  - 과거의 노출 상태를 반영 (현재의 진행 상태를 나타내는 것은 아님)
  - ELISA 등, 특이도가 낮아 위음성이 많음, 국내에서는 시행 기관도 없음

(2) **CXR** : ILD pattern (HP에 특이적인 CXR 소견은 없음)
  - acute or subacute HP ; micronodular or patchy/diffuse ground-glass 음영
  - chronic HP : diffuse reticulonodular infiltrates

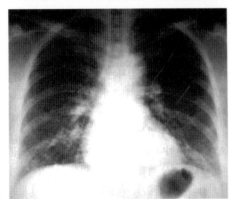 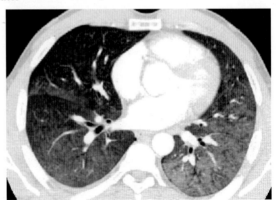

(3) **HRCT** : CXR보다 진단에 훨씬 도움
  - 작고 경계가 불분명한 <u>ground-glass 음영의 중심소엽성 결절</u> (→ 주로 하엽에),
    호기시 air trapping (→ mosaic attenuation)
  - 만성 ; patchy emphysema가 더 흔하지만, interstitial fibrosis (IPF와 구별 어려움)도 나타날 수
  - hilar or mediastinal lymphadenopathy는 관련 없음

(4) **폐기능검사**
  - restrictive pattern : lung volume 감소, $FEV_1/FVC\uparrow$
    (chronic form에서는 obstructive pattern도 나타남)
  - diffusing capacity (DL_{CO})↓, (A-a)DO_2↑, compliance↓
  - exercise-induced hypoxemia (∵ V/Q mismatch↑, diffusion 장애 악화)
  - acute HP에서는 기관지수축 및 hyperreactivity도 때때로 동반됨

(5) **BAL (bronchoalveolar lavage)** ⋯ 비특이적이므로 진단에 큰 도움은 안됨
  - <u>lymphocytes</u>의 심한 증가 (주로 CD8+ suppressor-cytotoxic T-cell → CD4/CD8↓) ★
  - neutrophils : 급성기 및 노출 지속시 증가하지만, 노출이 중단되면 감소
  - mastocytosis : dz. activity와 비례

(6) lung biopsy (triad) : 다른 검사들로 HP 진단이 불확실할 때 시행

  ┌ mononuclear bronchiolitis
  │ 주로 lymphocytes, plasma cells로 구성된 interstitial infiltrates
  └ 불규칙적으로 분포하는 noncaseating (nonnecrotizing) peribronchial granuloma ★

- 드물게 COP (BOOP) 소견도 보일 수 있지만, vasculitis의 소견은 안 보임
- focal eosinophilic infiltrates도 관찰될 수 있음

■ 참고: Hypersensitivity Pneumonitis (HP)의 진단기준 (2017)

	Definte	Probable		Possible		Unlikely
Antigen exposure ; 정확한 노출 병력 *or* 침강항체(specific IgG)+	○	○	×	○	○	×
HRCT 소견 • Acute/subacute: 상/중엽의 small centrilobular nodules, GGO, lobular areas of decreased attenuation and vascularity • Chronic/fibrotic: 상/중엽의 fibrosis, peribronchovascular fibrosis, honeycombing, mosaic attenuation, air trapping, centrilobular nodules, relative sparing of bases	○	IIP에 가까운 소견	○	IIP에 가까운 소견	○	IIP에 가까운 소견
BAL : Lymphocytosis >20% (often >50%) [X: Lymphocytosis 없음, (−): 미시행]	*항원회피에 반응하면 필요 없음	○	○	(−) *or* ×	×	(−) *or* ×
		확진을 위해 lung biopsy 시행				

* 진단은 대부분 항원 노출 병력 (m/i), 원인항원에 대한 침강항체 증명, HRCT 등으로 가능
* BAL과 lung biopsy는 일부에서만 필요
* specific inhalation challenge (provocation test) : 표준화가 부족하고, 경험이 많은 병원에서나 가능
  – routine으로는 시행하지 않는다! → 조직검사가 불가능하거나 nondiagnostic인 경우 고려
  – HP와 다른 ILD를 감별할 때는 도움이 될 수 있음

C.f.) Specific inhalation challenge (SIC)의 양성 기준	
1. FVC >15% and/or DL_{CO} >20% 감소	WBC count >20% 증가 산소포화도 >3% 감소
2. FVC 10~15% & DL_{CO} 15~20% 감소 + 옆 기준에서 1개 이상	체온 >0.5% 상승 증상(기침, 호흡곤란) 발생
3. FVC <10% & DL_{CO} >15% 감소 + 옆 기준에서 3개 이상	영상소견 변화 (new infiltrates >10%)

5. 치료/예후

- 원인 물질(항원)에의 노출 회피 (m/i) : 원인 물질을 꼭 찾아야!
  - 노출 회피가 불가능하면 마스크, 환기시설 등을 이용하여 노출을 최소화
  - acute HP는 노출 회피로 대부분 자연 회복됨!
    (steroid : 회피가 불가능하거나, 회피 후에도 병이 진행되거나, 증상이 심한 경우 사용 가능)
- subacute or chronic HP → oral steroid (유병기간을 단축 가능)
- immunotherapy는 금기 (∵ IgE 관련 반응이 아니므로 예방효과 없음)
- 조기에 발견하여 원인 물질을 제거하면 예후는 매우 좋다

호산구성 폐질환 (호산구성 폐침윤, PIE)

1. 분류

Pulmonary infiltrates with eosinophilia (PIE)의 원인 ★

Primary (원인 모름)

Idiopathic Acute eosinophilic pneumonia (AEP)
Chronic eosinophilic pneumonia (CEP)
Eosinophilic granulomatosis with polyangiitis (EGPA, Churg–Strauss syndrome)
Hypereosinophilic syndrome (HES)

Secondary

원인이 알려진 호산구성 폐질환
　Asthma and eosinophilic bronchitis
　Allergic bronchopulmonary aspergillosis (ABPA)
　Bronchocentric granulomatosis
　<u>Drug/toxins</u> ; ASA, amiodarone, amitriptyline, ampicillin, ACEi, bleomycin, captopril, carbamazepine,
　　daptomycin, gold, 요오드 조영제, L–tryptophan, methotrexate, minocycline, nitrofurantoin, NSAIDs,
　　penicillamine, phenytoin, propylthiouracil, sulfasalazine, sulfonamide, 전갈 독, 금속 분진, 마약 흡인 등
　감염 ; <u>기생충</u>(Löffler syndrome*, 분선충, 폐흡충, 사상충 등), coccidioidomycosis, RSV, TB(드묾) 등

PIE를 동반할 수 있는 폐질환
　Idiopathic pulmonary fibrosis (IPF)
　Hypersensitivity pneumonitis (일부에서 focal eosinophilic infiltrates or BAL fluid의 mild eosinophilia 동반)
　Cryptogenic organizing pneumonia (COP)
　Pulmonary Langerhans cell granulomatosis, 폐 이식 …

PIE를 동반할 수 있는 전신질환
　Leukemia, Lymphoma, 폐암, 여러 장기의 adenocarcinoma or SCC
　Postradiation pneumonitis
　Sarcoidosis
　Rheumatoid arthritis
　Sjögren's syndrome

* Löffler syndrome : 기생충(회충, 십이지장충 등) 유충의 폐 통과에 대한 반응으로 발생하는 일시적인 PIE,
　　AEP와 유사한 임상양상을 보이나 증상이 경미하고, <u>이동성 폐침윤</u>이 특징

⌈ eosinophilic pulmonary infiltrates (BAL에서 eosinophils 증가)
⌊ 말초혈액의 eosinophilia (>500/μL)

* asthma의 병력이 있는 경우 → ABPA, CEP, EGPA (Churg–Strauss syndrome) 등을 의심

2. Allergic BronchoPulmonary Aspergillosis (ABPA)

(1) 개요

- 대부분 20~40대의 <u>extrinsic</u> (allergic, atopic) asthma or cystic fibrosis (CF) 환자에서 발생
  ; 천식의 1~2% (만성 steroid 의존성 천식은 7~14%), CF의 2~9% (드물게 다른 질환도 가능)
- *Aspergillus* spp. (*Aspergillus fumigatus*가 m/c) Ag.에 대한 복잡한 과민반응
- type IV hypersensitivity, 만성화로 fibrosis를 일으키고 cystic fibrosis까지 일으킬 수 있음

(2) 임상양상/진단

ABPA의 진단기준 (2013)	
Predisposing conditions	Asthma, Cystic fibrosis
Obligatory criteria (모두 만족)	*Aspergillus*에 대한 피부반응(+) or *Aspergillus*에 특이적인 IgE↑ 혈청 total IgE 상승 (>1000 IU/mL)
Other criteria (2개 이상 만족)	*Aspergillus*에 대한 혈청 침강항체(+) or *Aspergillus*에 특이적인 IgG↑ ABPA에 합당한 영상 소견 말초혈액 eosinophilia (>500/μL)

- 잦은 악화를 동반한 천식 증상, cough 및 brownish mucus plugs (갈색점성객담) 동반 흔함
- CXR : 주로 상엽의 transient irregular pulmonary infiltrates, mucoid impaction, bronchiectasis
- HRCT ⋯ ABPA 진단에 거의 필수
  - central (proximal) bronchiectasis : 전형적인 소견! (약 1/3에서는 없을 수도 있음)
  - 기타 ; mucus plugs, high attenuation mucus, tree-in-bud 음영, atelectasis, GGO 등
- total IgE : 대부분 1000 IU/mL 이상 (정상: <430), 다른 기준을 만족하면 1000 이하도 가능
- *Aspergillus* 침강항체(precipitating Ab) : 90% 이상에서 (+)
- 객담 : "plugs" with eosinophils, Charcot-Leyden crystals, *Aspergillus* 배양(~2/3에서)
- 조직검사는 권장되지 않음
- 합병증 ; hemoptysis, severe bronchiectasis, pulmonary fibrosis

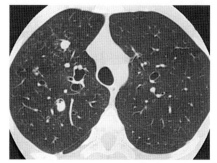
HRCT : central bronchiectasis (signet ring sign)

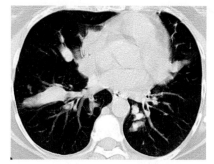
Spiral CT : 기관지가 말초로 가면서 급격히 가늘어짐

(3) 치료

- systemic steroid (oral prednisone) ; 천식에 대한 흡입치료제 사용에도 불구하고 증상 지속시
  → 2주 사용 뒤 3~6개월에 거쳐 감량 (∵ 장기간 사용시 부작용 위험)
- 항진균제(e.g., itraconazole, voriconazole) ; 급성악화시 or steroid 감량을 위해, 4개월 사용!
  (steroid와 함께 급성악화의 치료에도 사용 가능)
- monoclonal Ab to IgE (omalizumab) ; severe refractory ABPA (특히 CF 환자)에서 고려
- anti-IL-5 mAb (mepolizumab)도 steroid-dependent ABPA에 효과적

* inhaled steroid는 ABPA의 증상 예방에 효과 없음

3. 급성 호산구성 폐렴 (Acute eosinophilic pneumonia, AEP)

- 평균 30세에 발생, 남>여, asthma 병력 無
- 수일간의 급성 고열, 마른기침, 심한 호흡곤란 (호흡부전이 흔함, 대부분 ALI or ARDS로 진행)
- 유발인자에 노출된 적이 있는지 확인해봐야 됨! ; 흡연(특히 최근에 시작한 경우), 유해물질, 연기 등
  (pulmonary eosinophilia를 일으키는 것으로 알려진 감염, 약물 등은 제외하고)
- CXR/HRCT : 양측 폐의 미만성 침윤 (ground-glass or reticular opacities)
- 약 2/3에서는 소량의 pleural effusion 동반 (pleural fluid : pH↑, eosinophils↑↑)
- BAL : eosinophils >25% (진단에 m/i), GM-CSF↑, eotaxins↑, IL-5↑
- steroid에 극적인 반응을 보임(2~4주 투여), 일부는 자연 호전 가능(e.g., 흡연이 원인으로 금연시)
- 후유증 없이 완전 회복되며, 재발 안함 (→ 반응이 없거나 재발하면 다른 질환을 의심)

AEP의 진단기준
호흡기 증상이 1개월 미만인 급성 열성 질환 저산소성 호흡부전 CXR에서 diffuse pulmonary infiltrates BAL - eosinophilia >25% 폐 호산구증가를 일으키는 감염(e.g., 기생충, 곰팡이)이나 약물 없음 Steroid에 빠른 호전을 보이고, 중단 후 재발 안함

4. 만성 호산구성 폐렴 (Chronic eosinophilic pneumonia, CEP)

- 30~40대에 호발, 남<여, 대부분 비흡연 여성 (평균 45세), 수주~수개월 지속
- 약 2/3에서 asthma 선행 or 동반 (intrinsic/nonallergic type), 60%에서 atopy 병력 有
  - ↳ 심한 경우가 흔함, 약 10%는 치료에도 불구하고 fixed airflow obstruction을 보임
- Sx. ; productive cough, dyspnea, wheezing, low-grade fever, night sweats, weight loss
  (AEP와 같은 급성호흡부전이나 심한 저산소증은 잘 발생 안함)
- Lab. : eosinophilia >30% (90%에서), IgE↑ (약 1/2에서), ESR↑, hypoxia ...
- CXR/HRCT
  - bilateral peripheral or pleural-based opacities ("photographic negative of pulmonary edema")가 특징
    (but, 약 25%에서만 관찰됨 → COP [BOOP], sarcoidosis, drugs 등과도 감별해야)
  - 폐 상부의 opacities (50%), migratory opacities (25%), air bronchogram, atelectasis 등
  - 사라졌다가 동일한 위치에서 재출현, oral steroid에 매우 빨리 반응
- PFT : restrictive (47%), obstructive (21%), normal (32%), DL_{CO}↓ (50%에서)
- BAL : eosinophils >25% (평균 ~60%)
- 대개 biopsy는 필요 없음 (임상양상, HRCT, peripheral/BAL eosinophilia 등으로 진단)
- Tx. : systemic glucocorticoids (자연 호전은 드묾)
  - 치료 시작 48시간 내에 증상 및 CXR 소견이 급격히 호전됨 (but, 약 50% 이상에서 재발)
  - 대부분 6개월 이상의 장기 치료 필요, ~3/4은 몇 년 동안 치료 필요

5. Churg-Strauss syndrome (Eosinophilic granulomatosis with polyangiitis)

→ 류마티스내과 9장 참조

6. Hypereosinophilic syndrome

→ 혈액종양내과 4장 참조

7. Drug-induced eosinophilic pneumonia

- 원인 ; nitrofurantoin, sulfonamide, penicillin, chlorpropamide, thiazide, TCA, hydralazine, mephenesin, mecamylamine, nickel carbonyl vapor, gold salt, isoniazid, para-aminosalicylic acid, indomethacin, anti-TNF-α Ab. ...
- 임상양상 ; dry cough, fever/chilling, dyspnea
  - eosinophilic pleural effusion
  - patchy or diffuse pul. infiltrates
- 치료 ; 원인 약물의 중단, 필요하면 steroid

* L-tryptophan → eosinophilia-myalgia syndrome (pul. infiltrate 종종 동반)

ALVEOLAR FILLING DISORDERS

1. Pulmonary alveolar proteinosis (PAP)폐포단백증

- 정의 : 폐포 내에 비정상적인 alveolar surfactant (PAS+ phospholipoprotein) 물질이 축적된 것 (염증은 거의 없고 폐 구조도 잘 보존됨)
- 병인 : GM-CSF gene의 이상, GM-CSF에 대한 Ab (autoimmune dz.)
  → alveolar macrophage의 기능 이상 → surfactant clearance 감소
- 30~50대에 호발, 남:여 = 2:1
- secondary PAP ; 분진/용제 노출(e.g., silica, asbestos, tin, Cd, Mo, 시멘트), 혈액질환(e.g., MDS, leukemias, neutropenia[일부 GM-CSF 사용과 관련]), 면역결핍, 만성염증성질환, 만성감염 등
- Sx : exertional dyspnea, nonproductive cough, fatigue, weight loss, low-grade fever (약 15%에서는 기회감염↑ ; *Nocardia* (m/c), 진균, 결핵균, CMV 등)
- Lab ; polycythemia, hypergammaglobulinemia, LD↑, lung surfactant protein A & D↑
- CXR ; 박쥐 날개 모양의 폐음영
- HRCT ; 지도 모양의 (고르지 못한) ground-glass 음영, interlobular septal thickening
- Dx : TBLB, BAL ("milky" 폐포액, foamy macrophages, PAS+ material)
- Tx : 전신마취 하에서 whole lung lavage (40~60 L) → 증상 완화 및 장기적인 효과 (steroid는 기회감염을 증가시키므로 금기)

2. Diffuse alveolar hemorrhage (DAH)미만성폐포출혈

Diffuse alveolar hemorrhage의 원인
혈관염(capillaritis) ; 염증성	Systemic vasculitides ; Granulomatosis with polyangiitis (Wegener granulomatosis), Microscopic polyangiitis, Eosinophilic granulomatosis with polyangiitis (Churg–Strauss syndrome), Cryoglobulinemia, Behçet syndrome, HS purpura, IgA nephropathy, Pauci–immune GN ... Rheumatic dz. ; MCTD, Anti–GBM (Goodpasture) dz., PM, APS, RA, SLE, SSc ... 기타 ; Isolated pulmonary capillaritis, Drugs (e.g., anti–TNF, carbimazole, hydralazine), HSCT (BMT), Acute lung transplant rejection, Infective endocarditis, Leptospirosis, UC ...
출혈	Anti–GBM dz. (Goodpasture syndrome)[→ 신장내과 참조], SLE, ITP, TTP/HUS, MS, Toxins, Drugs (e.g., 항응고제, glycoprotein IIB/IIIA inhibitors – abciximab 등) ...
미만성폐포손상	감염(ARDS를 일으킬 수 있는), 면역저하자에서의 기회감염, 폐경색, PM, SLE, AIP, OP, ARDS, RTx., Drugs (e.g., amiodarone, amphetamine, cytotoxic drugs, isocyanates, nitrofurantoin, sirolimus)
기타	Angiosarcoma, Choriocarcinoma, Epithelioid hemangioepithelioma, Metastatic RCC, TSC/LAM Pulmonary vein stenosis, Pulmonary veno–occlusive dz./pulmonary capillary hemangiomatosis ...

- hemoptysis, anemia, CXR에서 폐포 음영 등이 특징 / 기타 dyspnea, cough, chest pain 등
- 약 1/3은 hemoptysis 없음 → hemorrhagic BAL, Hb↓, new alveolar opacities 등이 진단에 도움
- Tx ; 원인에 대한 치료, systemic steroid (사용 전 반드시 감염 R/O)
  ↳ pulse methylprednisolone IV

* Idiopathic pulmonary hemosiderosis (IPH)
  - 주로 소아에서 발생 (성인은 발생 증례의 20% 뿐), celiac dz.와 관련, IgA↑(50%)
  - recurrent diffuse alveolar hemorrhage가 특징 (다른 이상 소견 없이)
  - Goodpasture's syndrome과는 달리 신장 침범이나 anti–GBM Ab는 없다
  - BAL : hemosiderin–laden macrophage, RBCs
  - Tx : IV steroid

Pulmonary Lymphangioleiomyomatosis (LAM)

┌ TSC-LAM : tuberous sclerosis complex (TSC) 일부, TSC 여성의 30%, 남성의 10%에서 발생,
│   germline TSC mutations (*TSC1, TSC2*), AD 유전
└ S (sporadic)-LAM : TSC 없음, 드묾, 거의 대부분 젊은 여성에서 발생, 주로 폐를 침범,
        TSC2 mutation (sporadic → 유전×)
     (c.f., TSC-LAM이 약 10배 더 많지만 경미함, 병원을 찾는 대부분의 경우는 S-LAM 임)

- 젊은 여성에서 emphysema, pneumothorax, chylothorax 등 발생시 의심
- chyloperitoneum, chyluria, chylopericardium, meningioma, renal angiomyolipoma도 동반 가능
  → tuberous sclerosis의 임상양상과 비슷할 수 있음
- PFT ; obstructive or mixed obstructive–restrictive
- HRCT ; 정상 폐 조직으로 둘러싸인 thin-walled cysts (2~20 mm 크기, 전 폐야를 침범)
    → cysts가 뭉쳐서 커짐, 진행될수록 cysts 많아짐

- Dx. ··· thoracoscopic or open lung biopsy
  ; atypical smooth muscle-like cells (LAM cells) 증식 및 multiple cysts formation
    → melanocytic markers (e.g., HMB-45) 및 muscle markers (e.g., actin) 양성
- Px. ; 과거 연구보다는 예후 좋음(transplant-free survival 23~29년), 임신시 악화될 수 있음
- Tx. ; 효과적인 치료법은 없음 (폐이식이 유일한 완치법이지만, 이식 후 재발 가능)
  - FEV$_1$ ≥70%면 경과관찰
  - FEV$_1$ <70%면 ⇨ mTOR inhibitor (sirolimus) : 폐 질환의 진행을 늦춤 (평생 투여)
    (sirolimus에 반응이 없으면 everolimus or 호르몬 조절제, 폐이식 등 고려)
  - 과거에는 호르몬 조절제를 사용했으나, 현재는 확실한 근거가 없어 1차로 권장은 안됨
    (e.g., progesterone, tamoxifen, oophorectomy, androgen, LHRH analogs 등)
  - estrogen 제제는 금기임
  - spontaneous pneumothorax (약 50%에서 발생) → 처음 발생부터 pleurodesis 권장

유육종증/사르코이드증(Sarcoidosis)

1. 개요

- 원인을 모르는 multi-systemic inflammatory dz. (noncaseating granuloma의 존재가 특징)
  → 유전적으로 감수성이 있는 사람에서 감염 or 환경요인에 의해 유발?
    예) *Propionibacter acnes*, mycobacterial protein, insecticides, mold
- 20~40대의 젊은 성인에서 호발, 여자가 약간 더 많음, 주로 비흡연자
- 병인 : T helper 1 (T$_H$1, CD4+) cells의 과도한 면역반응
    → noncaseating epithelioid granuloma 형성, 정상 조직의 파괴

2. 침범장기/임상양상

(1) 폐 (m/c, 95%)
  - bilateral hilar lymphadenopathy (대부분에서 침범)
  - 폐실질 (well-defined noncaseating granuloma), 기도 (endobronchial sarcoidosis)
  - 대개 ILD (exertional dyspnea, dry cough) 양상을 보임, 폐 상부를 주로 침범
  - 심한 경우에는 irreversible fibrosis, honeycombing으로도 진행 가능
  - PFT : 주로 restrictive pattern, DL$_{CO}$↓, 6분보행거리↓ 등 → severity 평가, F/U
  - 일부는 airway hyperreactivity도 보임 (methacholine 유발검사 양성)
  - PAH (5%) : 직접 혈관 침범 or lung fibrosis 때문
(2) 피부 (약 35%) ; 결절 홍반(erythema nodosum), maculopapular lesion (통증 無,)
    hyper/hypopigmentation, keloid formation, subcutaneous modules 등이 특징적인 소견
    - "lupus pernio" : 코, 눈 아래, 뺨 주위의 특징적인 침범 형태 (→ chronic sarcoidosis)
(3) 눈 (약 20%) ; ant. uveitis (m/c), iritis, retinitis, blurred vision, tearing photophobia, dry eye
(4) 흉부외의 LN (15%)

(5) 간 (13%) : biopsy는 1/2 이상에서 침범 소견을 보이지만, 간기능이상은 20~30%에서만 나타남
 - ALP↑ (m/c), bilirubin↑ (→ advanced liver dz.)
 - 간내 담즙정체로 인한 portal HTN에 의한 증상 (→ ascites, varices)
 - 간경화가 발생해도 대개 약물 치료에 잘 반응함 (간이식은 거의 필요 없음)

(6) BM, spleen, CNS (e.g., lymphocytic meningitis), 심장, 신장 등도 드물게 침범 가능

(7) 비특이적인 전신증상 ; fatigue (m/c), fever, night sweat, weight loss

(8) 검사실 소견
 - CBC ; lymphocytopenia (m/c), mild eosinophilia, anemia (20%)
 - ESR↑, ALP↑, hyperglobulinemia, ACE↑, hypercalcemia or 24hr urine calcium level↑
 - RF or ANA : false (+)

(9) 영상검사 : CT가 더 예민하지만 staging에는 아직 chest X-ray를 선호함
 - **bilateral hilar lymphadenopathy (BHL)** : m/c, 특히 2 cm 이상이면 sarcoidosis 진단에 도움
 - parenchymal abnormality (reticulonodularity), pul. fibrosis 등
 - HRCT ; peribronchial thickening & reticular nodular changes (주로 subpleural)

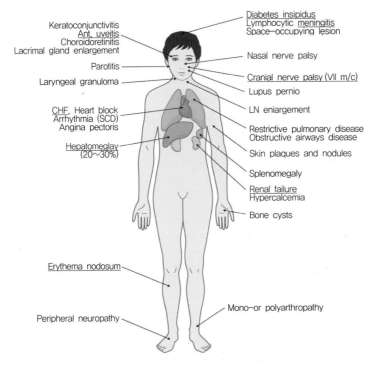

Stage		자연관해율
I	BHL만 존재	55~90%
II	BHL + 폐침윤	40~70%
III	폐침윤만 존재 (extrapulmonary Cx은 m/c)	10~20%
IV	폐침윤 + bullae, cyst, fibrosis	0%

* BHL을 보일 수 있는 다른 질환들 ; lymphoma, 결핵, 폐암, brucellosis, coccidioidomycosis

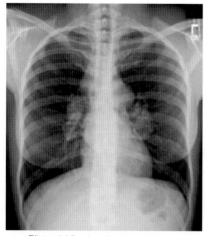

Bilateral hilar lymphadenopathy

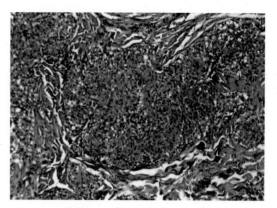

LN biopsy ; noncaseating granuloma

3. 진단 및 평가

- 원인이 불확실하기 때문에 100% 확진할 수 있는 방법은 없음
- 임상양상, 영상검사, 조직검사 등을 종합하고 다른 질환들을 R/O한 뒤 진단 가능

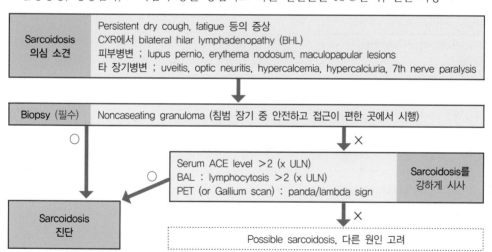

Sarcoidosis 의심 소견	Persistent dry cough, fatigue 등의 증상 CXR에서 bilateral hilar lymphadenopathy (BHL) 피부병변 ; lupus pernio, erythema nodosum, maculopapular lesions 타 장기병변 ; uveitis, optic neuritis, hypercalcemia, hypercalciuria, 7th nerve paralysis

Biopsy (필수)	Noncaseating granuloma (침범 장기 중 안전하고 접근이 편한 곳에서 시행)

Serum ACE level >2 (x ULN) BAL : lymphocytosis >2 (x ULN) PET (or Gallium scan) : panda/lambda sign	Sarcoidosis를 강하게 시사

Sarcoidosis 진단

Possible sarcoidosis, 다른 원인 고려

- biopsy (확진) ; "noncaseating (non-necrotizing) granuloma" → 다른 원인을 R/O해야 됨
  - 기관지내시경을 이용한 transbronchial lung biopsy (TBLB)를 m/c 이용
    → alveolar septa, bronchial walls, 혈관 주위에 주로 granulomas가 분포함
  - 기타 ; hilar nodes (mediastinoscopy), skin, liver, LNs, BM 등의 침범 장기에서 시행 가능
    c.f.) endomyocardial biopsy는 양성률이 낮음
- 혈청 ACE 상승 (2/3에서) : granuloma의 epitheloid cells에서 분비됨, sarcoidosis 양을 반영
  - acute dz.의 60%, chronic dz.의 20%에서 관찰
  - 특이적 소견은 아님 (asbestosis, silicosis, berylliosis, 속립성 결핵, Gaucher's dz., leprosy,
    histoplasmosis, hyperthyroidism 등에서도 상승 가능)
  - lymphoma에서는 대개 감소됨 → sarcoidosis와의 감별에 도움

- PET (or Gallium-67 scanning) : 침범된 장기의 uptake 증가
  - panda sign : parotids & lacrimal glands의 uptake↑
  - lambda sign : Rt. paratracheal & Lt. hilar area의 uptake↑
- BAL (bronchoalveolar lavage) ··· 간편하고, radiation 노출 없어 많이 이용
  ; lymphocyte 증가, 대부분 helper (CD4+) T cell (CD4/CD8 ratio >3.5)
- skin anergy (tuberculin test에 음성) : 전형적 소견이지만 진단적이진 못함
- Kveim-Siltzbach skin test : sarcoidosis 환자의 비장 적출물을 IM, 4~6주 후 70~80%에서
  sarcoidosis-like 병변 보임 (상용화된 시약이 없어 현재는 거의 안 씀)

* HIV 감염때도 비슷한 소견이 나타나므로 sarcoidosis가 의심되는 환자는 반드시 HIV에 대한
검사를 하여 HIV 감염을 R/O 하여야 함

Dz. activity indicator
1. 임상증세의 존재 (호흡곤란, 기침 등)
2. 증상의 악화
3. PFT 및 CXR 소견의 악화
4. 혈청 calcium level 상승
5. 혈청 ACE, soluble IL-2 등 상승
6. PET에서 uptake 증가
7. BAL에서 lymphocytes 증가 (>28%)

* HRCT나 기도저항 측정은 도움 안됨

- Sarcoidosis의 dz. activity 모니터링을 위한
  확립된 검사나 시기 기준은 없음

- 심한(active dz.) 경우에는 자주 F/U
- F/U시 새로운 폐외 장기침범 발생 여부도 잘 확인해야 됨

4. 예후

- 전체적인 예후는 좋음
- acute dz.의 경우 2~5년 이내 대부분 후유증 없이 자연 치유됨, 일단 자연 치유되면 재발은 드묾
- 소수에서만 progressive fibrosis & organ impairment 발생
- chronic dz.의 위험인자 ; 발병 시 CXR상 fibrosis, lupus pernio, bone cysts, 심장 or 신경 침범,
  hypercalcemia로 인한 신장 결석, 첫 6개월 이내 steroid 치료 필요시
- 가장 심한 Cx ; CNS 침범, 심장 침범(CHF, 심실부정맥 및 SCD)
- 사망률 약 5%, m/c 사망원인은 cor pulmonale (chronic pul. fibrosis에 의한)

5. 치료

- 증상이 없는 경우가 많고 자연 치유도 흔하므로, 치료 대상의 결정이 중요함
  (hilar & mediastinal adenopathy만 있는 경우에는 80~90%에서 자연 치유됨)
- 증상이 없거나 경미함한 경우에는 경과관찰!
  (신경, 심장, 안구 침범, hypercalcemia 등은 systemic therapy 고려!)
- 단일 장기(non-vital) 침범 (only 눈 앞쪽, 피부, 기침) ⇨ topical steroid
- 여러 장기 침범 ⇨ systemic therapy : glucocorticoid (e.g., prednisone)가 TOC
  - 폐 ; BHL만 있을 때는 치료의 적응이 아니고, 폐실질 침범과 증상이 있어야 적응
  - 보통 6~12개월의 치료 기간 필요, 치료 반응은 임상양상 및 검사소견을 종합하여 판단
  - 치료 후 15~20%에서 재발

- steroid에 반응이 없거나, 감량이 어렵거나, 부작용 발생시 ⇨ 면역억제제 추가
  - cytotoxic agents (<u>methotrexate</u>, azathioprine, leflunomide, MMF) → 폐 및 기타 장기 침범시
  - minocycline, antimalarial drugs (hydroxychlorquine) → 피부 침범에 효과적
- refractory sarcoidosis : 위 치료들에 반응 없는 chronic dz.
  - anti-TNF agents (infliximab, adalimumab) : 효과적! (but, 결핵 재활성화 위험은 더 높음)
    → IGRA or skin test로 결핵 재활성화 여부 면밀히 감시해야
    (c.f., etanercept, golibmumab 등은 효과 적거나 없음)
  - 기타 ; cyclophosphamide, hydroxychloroquine 등 (thalidomide, pentoxifylline는 사용×)
- 폐이식 : 치료에 반응 없는 폐 침범 말기에 고려 (이식 후 재발이 흔하나 대부분 경미함)

폐혈관질환과 관련된 ILD

1. Wegener's granulomatosis
2. Churg-Strauss syndrome (Allergic granulomatosis of Churg & Strauss)

→ 류마티스내과 9장 혈관염 편 참조

DPB (Diffuse PanBronchiolitis)미만성 범세기관지염

1. 개요

- 하기도(respiratory bronchioles)의 만성 염증성 질환, 정확한 원인/병인은 모름
- 유전적 요인
  - 극동지방 남자에서 호발 (남:여 = 2:1), 주로 20~50대에 발생, 서양은 드묾
  - <u>HLA</u>-Bw54(일본), -A11(한국)과 관련 (60~70%), DPB 발생 위험 13.3배 증가 → 진단에도 도움
- 관련 질환 ; <u>sinusitis</u> (80~100%), UC, hematologic malignancy
- 흡연과는 무관함 (2/3가 비흡연자)

2. 임상양상/진단

- Sx ; productive cough, sputum, severe (exertional) dyspnea
- 청진 ; crackles & rhonchi
- CXR ; 폐하부의 diffuse fine nodular shadows, hyperinflation
- HRCT ; small nodules, bronchiolar dilatation (세기관지 확장) → staging에 이용 (예후와 관련)
- PFT ; 주로 obstructive pattern ($FEV_1/FVC\downarrow$, $FVC\downarrow$, $RV\uparrow$), $DL_{CO}\downarrow$
- BAL ; neutrophil$\uparrow\uparrow$, CD4/CD8 ratio$\downarrow$
- Lab ; IgA & IgG$\uparrow$, RF (+), cold agglutinin (+), anti-mycoplasmal Ab (−)

- 조직소견 ; 주로 respiratory bronchioles의 염증세포 침착, bronchiectasis
- 객담검사 ; *H. influenzae* (초기), *P. aeruginosa* (후기, 폐 손상을 가속화시킴)가 흔함

DPB의 진단기준
1. Persistent cough, sputum, exertional dyspnea
2. Chronic sinusitis
3. CXR or chest CT에서 bilateral, diffuse, small nodular shadows (micronodules)
4. Coarse crackles
5. FEV_1/FVC <70% & PaO_2 <80 mmHg
6. Cold agglutinins ≥1:64
7. Lung biopsy : respiratory bronchioles의 염증, lymphocytes와 plasma cells의 침윤, lipid-laden "foamy" macrophages (foam cells)

진단: 1~3 모두 + 4~6중 2개 이상 만족 (호발 지역에서 조직검사는 필요 없음!)

3. 치료/예후

- 사연 경과는 섬신석인 폐기능 악화 및 가끔씩 세균 감염 발생
- <u>macrolide</u> (TOC, 6~18개월) ; <u>low-dose</u> EM (400~600 mg/day), azithromycin, roxithromycin
  - 치료 효과는 항균작용이 아니라 항염증, 면역조절, 점액생산억제 작용 등 때문!
    ; neutrphil 억제, alveolar macrophages 탐식 자극, HLA-DR(+) T-lymphocytes 순환 감소, matrix metalloproteinase (MMP)-2 및 MMP-9 감소, LTB_4 감소 ...
  - 항균작용도 일부 기여 ; biofilm 형성 억제, *P. aeruginosa*의 flagellar 기능 억제
  - alveolar macrophages 내 농도가 매우 높기 때문에 (혈청의 400~800배) low-dose도 효과적임
- 기도 반응성 있으면 β_2-agonists or ipratropium bromide도 사용(mucociliary clearance 촉진)
- steroid는 효과가 있다는 근거가 부족하고 부작용 위험으로 권장 안됨
- Px : HRCT 상의 severity 및 *P. aeruginosa*의 감염/치료 여부와 관련
  - low-dose macrolides 치료하면 good Px (10년 생존율 90% 이상)
  - 치료 안하면 5년 뒤 약 50% 사망, 10년 뒤 75% 사망

유지질 폐렴 (Lipoid pneumonia)

- 원인 ; 식물성(e.g., 들깨기름), 동물성(e.g., 상어간유), mineral oils (m/c) 등의 aspiration
  - 변비치료 또는 건강보조식품 내의 광유(mineral oil) 복용 → 폐로 흡인
  - nasal dryness의 치료로 mineral oil로 만든 비강점액제 (최근엔 생리식염수 사용으로 감소)
  - 비행기나 자동차의 mineral oil mist도 가능
- 임상양상 ; 대부분은 무증상
  - cough, exertional dyspnea
  - PFT ; restrictive ventilatory defect, compliance 감소
  - CXR ; air-space infiltrates (dependent portion에서 m/c)
  - 심한 경우 폐기능 감소와 폐섬유화 유발 가능

- 진단
  - 광유(mineral oil) 등 사용의 병력
  - sputum or BAL ; Sudan IV (or Sudan black, Oil red O) 염색에서 lipid-laden macrophages (확진)
  - CT ; mass or consolidation 부위의 fat 음영
- 치료
  - 원인 물질 노출 회피, 체위 배농, 기침 운동 (expectorant는 도움 안됨)
  - 심한 경우 ⇨ systemic steroid or whole lung lavage 고려

11
직업성 폐질환

진폐증(Pneumoconiosis)

- 정의 : 분진(inorganic dust)에 의해 발생한 폐질환

Agent	Disease	Radiographic Appearance
Asbestos	Asbestosis	Reticular, basilar predominance
Coal dust	Coal workers pneumoconiosis	Nodular, upper lobe predominance
Cobalt	Hard metal disease	Reticular, basilar predominance
Silica	Silicosis	Nodular, upper lobe predominance
Talc	Talcosis	Rounded, irregular, or both

1. 석면증(Asbestosis)

- 석면에 의해 발생한 ILD (pul. fibrosis), m/c 진폐증
- 원인물질 ; 석면(asbestos : 몇몇 무기규산의 총칭), 발암성은 청석면이 최대 & 온석면이 최저
- 관련직업 ; 건물파괴/해체업 (단열제), 조선소, 자동차 브레이크패드, 석면 광산 (충남에 m/c) ...
  (남편 옷을 세탁한 주부나 건설현장 인근의 주민에서도 발생 가능)
- 노출의 정도와 기간에 비례 (대개 <u>10년</u> 이상의 중등도 이상의 노출이 필요)
- 증상(pul. fibrosis의 증상) ; cough, exertional dyspnea, crackle ...
- chest X-ray : pul. fibrosis, lower lobe의 honeycombing, irregular linear density
  - IPF와 비슷함 / 차이점 → <u>pleural plaque</u> (석면노출의 특징, 약 25%에서만 관찰됨)

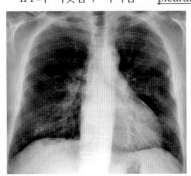
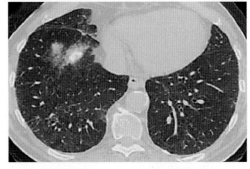

- HRCT : irregular short septal lines, longer thicker parenchymal band, honeycombing

- PFT : restrictive pattern, $DL_{CO}\downarrow$ (chest X-ray 소견에 비하여 폐기능 장애가 심하다)
- 조직검사 : papanicolau stain (asbestos body 관찰) … 진단에는 거의 필요 없음
- 치료 : 보존적 치료, 산소 공급, 금연, 페이식
- 노출 중단 후에도 병은 계속 진행됨!

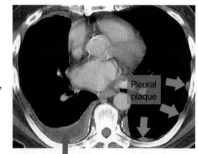

흉막 비후 & 삼출(effusion)
→ 초기 malignant mesothelioma 시사

■ 석면폐증(석면노출)과 관련된 질환

(1) 흉막 질환(pleural diseases)
- (calcified) pleural plaque (흉막판) : m/c, 대개 bilateral, 석면 노출의 marker!, 노출 후 20~30년 경 발생, benign, 대부분 심각한 폐기능 장애는 일으키지 않음
- benign pleural effusion : 노출 후 10~15년경 발생, 자연 소실도 가능

(2) 폐암(SCC or adenocarcinoma)
- 석면 노출과 관련된 <u>m/c</u> cancer, 노출 후 <u>20~30년</u>경 발생 (노출량에 비례)
- <u>흡연</u>시 발생위험 매우 크게 증가

(3) 흉막 및 복막의 악성 중피종(malignant mesothelioma)
- 대부분(>80%) 석면폐증과 관련되어 발생
- 대개 노출 후 <u>30~40년</u>경 발생 (but, 적은 양의 노출 or 노출 1~2년 후에도 발생 가능)
- <u>흡연과는 관계없다!</u> (but, 흡연 + 석면노출은 폐암 발생 위험↑)
- 대개 locally invasive (→ 대부분 local extension으로 사망), 최대 50%에서 전이도 가능
- 대부분 effusion 동반 (but, mediastinal shift는 없음) → 종양이 가려져서 안 보일 수도 있음
- CT ; 불규칙하게 두꺼워진 흉막 (주로 폐 기저부에서)

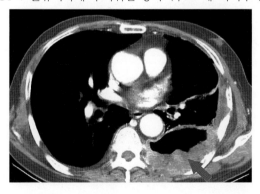

- 대개 VATS를 이용한 pleural biopsy를 통해 진단 (c.f., 흉수 cytology는 25%에서만 양성)
  ⇨ 특수염색 ; calretinin (+), cytokeratin 5/6 (+), CD15 [LeuM1] (−), CEA (−), B72.3 (−)
  (adenocarcinoma는 반대로 염색됨)
- Tx ; 효과적인 치료법이 없음, 진단 후 평균 8~12개월 생존
  ① 대증적 치료 ; opiate, O_2, pleural effusion 심하면 pleurodesis (talc) or pleurectomy
  ② 일부 localized dz. 환자에서는 수술을 시도해 볼 수도 있음
  ③ RTx ; 증상 조절 목적 or 수술 이후

  * benign mesothelioma ; 대개 크고 pedunculated, 치료는 수술

2. 규소폐증(Silicosis), chronic silicosis

- 원인물질 ; free silica (SiO_2, 유리 이산화규소) or crystalline silica (보통 석영[quartz] 형태)
- 관련직업 ; 광산, 터널공사, 건물기초공사, 채석장(특히 화강암), 암석가공/연마(특히 sandblasting), 석공, 금속광업, 주물/주조, 고무나 도료, 도자기, 유리제조업, 시멘트 등
- chronic silicosis는 저농도의 규소에 장기간 노출시 발생, 노출 10~30년 이후
- **결핵균** 및 비결핵항산균(NTM) 감염 위험 2~30배 증가! (∵ alveolar macrophages에 cytotoxic)
  → 평생 결핵에 대한 F/U 필요 (잠복결핵도 더 강하게 치료해야)
- 기타 합병증 ; COPD, 자가면역성 결합조직질환(e.g., rheumatoid arthritis, scleroderma)
- 흡연율↑ & 라돈 동시 노출↑ 등으로 폐암 발생위험은 높지만, 폐암과의 직접 연관성은 부족함
- chest X-ray
  ① silicotic nodules (작고 둥근 음영들)이 특징 … simple silicosis (이때 폐기능은 대개 정상)
    ; 처음엔 hilar LN에서 발생, 진행되면 폐 실질을 침범(대개 bilateral, 폐 상부에 주로 발생)
  ② 폐문부 림프절(hilar LN)의 "eggshell" calcification (특징적, 약 ~20%에서 발견)
    : enlarged hilar LN with outer rim of calcification
  ③ PMF (progressive massive fibrosis) : 작은 결절들이 융합하여 큰(>1 cm) mass로 된 것, 계속 진행하여 더 커지는 경우 흔함 … complicated silicosis

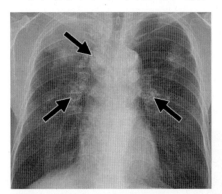
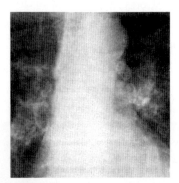

Eggshell calcification (hilar LN) & Progressive massive fibrosis

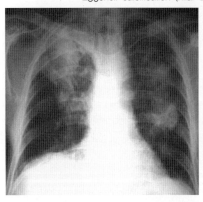
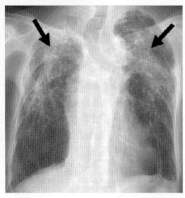

C.f.) PMF 분류(ILO category)
A: mass >1 cm, mass들 직경의 합 <5 cm
B: mass들 직경의 합이 5 cm 이상
C: mass들 직경의 합이 right upper lung zone 면적 이상

- HRCT : silicotic nodulation 파악 및 융합된 mass 조기 발견에 CXR보다 더 우수함
- D/Dx : 기관지내시경을 통한 폐 조직검사 or BAL에서 silica 발견되면 진단에 도움
  ↳ 폐암, 결핵 등과 감별 필요

- PFT : both obstructive & restrictive 장애, $DL_{CO} \downarrow$
- pathology ; 양파 모양의 결절 형성 (concentric fibrous ring)
- 노출 중단 후에도 계속 진행하여 PMF로 될 수 있음!!
  (∵ free silica clearance $\downarrow$, immunologic mechanism 진행, reaction to Tbc.)

* Acute silicosis (silicoproteinosis)
- 단기간에 규소 함량이 높은 분진에 대량 노출시 발생 가능 (e.g., sandblasting), 노출 몇 개월 뒤
- 임상양상 및 병리 소견은 pulmonary alveolar proteinosis와 비슷
- CXR ; bilateral diffuse ground glass opacities (miliary infiltration or consolidation)

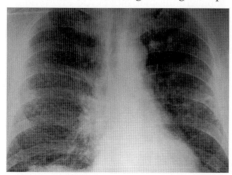 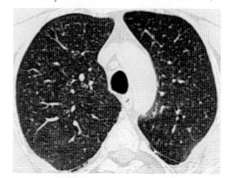

- HRCT ; "crazy paving" (두꺼워진 중격에 둘러싸인 다각형의 간유리 음영들) 양상이 특징
- Tx. ; 특별한 치료법 없음 (노출 중단 및 보존적 치료), steroid or whole lung lavage 시도 가능
- Px. ; 매우 나쁨, 급격히 진행하여 4년 이내 사망 (결핵이나 진균 감염이 합병될 수도)

3. 탄광부 진폐증(Coal worker's pneumoconiosis, CWP)

- 원인물질 ; 석탄 분진
- 관련직업 : 탄광(광부), 연탄공장 종사자
- 흡연은 CWP의 발생 위험을 증가시키지는 않지만, 폐기능 악화와 폐암 발생에는 기여 가능
- coal macule → coal nodules (2~5 mm, 상엽에 분포) → <u>PMF</u> (progressive massive fibrosis),
  chronic bronchitis, COPD   *silicosis와는 달리 소수만(5~15%) PMF로 진행
- PFT : obstructive + restrictive
- 폐기능 장애에 비하여 chest X-ray 소견이 심하다
  ⌐ simple CWP : 증상은 없고 방사선학적 이상 소견만 있음
  ∟ complicated CWP : PMF의 한 형태, $DL_{CO} \downarrow$, 사망률 $\uparrow$
- 노출이 중단되면 병은 계속 진행 안 한다
- CWP 단독으로는 결핵 및 NTM 감염 위험은 증가하지 않고 폐암과의 관련성도 부족하지만,
  탄광에서 규소(silica) 등에도 노출되고 흡연율도 높으므로 결핵, 폐암 등의 발생률은 높음

* Caplan's syndrome
  ⌐ sero (+) rheumatoid arthritis
  ｜ pneumoconiosis : CWP or silicosis
  ∟ PMF (progressive massive fibrosis) ; large pulmonary mass

4. 베릴륨증(Berylliosis), CBD (chronic beryllium dz.)

- 원인물질 – 베릴륨 ; 전자제품, 형광등, 합금, 금형, 정밀기계(비행기엔진 등), 원자로 등
- 노출 2~15년 뒤 증상 발생, type IV hypersensitivity (cell–mediated delayed)와 관련
- MHC class II marker (HLA–DPβ–1^{Glu69}) 존재시 발생위험 증가
- 임상양상은 sarcoidosis와 비슷함, (논란은 조금 있지만) 폐암 발생↑
- CXR ; ill–defined nodular or irregular opacities ⋯ sarcoidosis와 비슷함
   (hilar lymphadenopathy는 약 40%에서 관찰되지만 sarcoidosis보다 경미하고 드묾)
- PFT ; 초기에는 정상, restrictive and/or obstructive pattern, DL_{CO}↓
- 진단 ; 기관지내시경을 통한 폐 조직검사 (noncaseating granuloma, monocytic infiltration, beryllium–specific CD4+ T cells 침윤) or BAL (BeLPT)
  - beryllium lymphocyte proliferation test (BeLPT) ; blood or BAL fluid에서 beryllium에 대해 lymphocytes 증식(specific delayed hypersensitivity) 확인
- 치료 : 노출 중단, 보존저 치료, long–term steroid (일부 호전 가능)

c.f.) Acute berylliosis ; 짧은 시간에 다량 노출되면 급성 폐렴 증상

ORGANIC DUSTS

1. 면폐증(Byssinosis)

- 원인물질 – 면이나 그 밖의 섬유에 의한 먼지 ; 직물업 종사자
- 임상양상 ; "Monday chest tightness"(기침, 호흡곤란, 흉통 등)
  - 일주일중 일을 시작하는 첫째 날 일이 끝날 시간에 발생
  - FEV_1 & FVC 크게 감소 (← direct bronchoconstriction)
  - 흡연시 증상 및 FEV_1 감소 더 심함
  - 대부분 증상 발생 일(e.g., 월요일) 이후에는 증상이 없으나, 심한 경우엔 계속 증상 발생
- 발생위험↑ ; 오랜 시간 노출, 폐기능 감소, 호흡기 알레르기의 과거력, 흡연
- PFT ; obstructive pattern이 흔함
- 치료 ; 노출 회피/중단, bronchodilator, antihistamines (→ Monday chest tightness에 효과적)

2. 농부폐증(Farmer's lung)

- 노출요인 ; thermophilic actinomycetes
- 임상양상 ; hypersensitivity pneumonitis

→ 10장 간질성 폐질환의 HP 부분 참조

TOXIC CHEMICALS

Drugs에 의한 폐 증상	
Asthma β–blockers, aspirin, NSAIDs, acetylcysteine, histamine, methacholine, pentamidine (연무), any nebulized medication **Chronic cough** ACEi **Pulmonary infiltration** Eosinophilia 없음 ; amitriptyline, azathioprine, amiodarone Eosinophilia 동반 ; sulfonamides, L–tryptophan, nitrofurantoin, penicillin, methotrexate, crack cocaine **Drug–induced SLE** Hydralazine, procainamide, isoniazid, chlorpromazine, phenytoin **Interstitial pneumonitis/fibrosis** Nitrofurantoin, bleomycin, busulfan cyclophosphamide, methysergide, phenytoin	**Pulmonary edema** Noncardiogenic ; aspirin, chlordiazepoxide, cocaine, ethchlorvynol, heroin Cardiogenic ; β–blockers **Pleural effusion** Bromocriptine, nitrofurantoin, SLE를 일으키는 모든 drugs methysergide, chemotherapeutic agents **Mediastinal widening** Phenytoin, corticosteroids, methotrexate **Respiratory failure** Neuromuscular blockade ; aminoglycosides, succinylcholine, gallamine, dimethyltubocurarine (metocurine) CNS depression ; sedatives, hypnotics, opioids, alcohol, TCA, oxygen

폐질환별 직업/환경 원인

폐질환	직업/환경 요인
Asthma	Aeroallergens, organic dusts, chemicals (e.g., isocyanate), metals, and irritants
COPD	Cigarette smoking, cadmium
Bronchitis	Chronic dust inhalation
Granulomatous lung disease	Beryllium
Hypersensitivity pneumonitis	Organic dusts (동물성/식물성 항원), 미생물, 저분자화합물 (e.g., TDI), 금속가공유
Pulmonary alveolar proteinosis	Silica
ARDS	Noxious gases
Pulmonary fibrosis	Asbestos, silica, tungsten carbide, and paraquat
Bronchogenic carcinoma	Asbestos, bischloromethyl ether, and radon

→ 9장 기관지 천식의 직업성 천식 부분도 참조

공기 오염

오염물질	원인
이산화질소(NO_2)	석탄 및 석유의 연소, 공장, 자동차, 난방기구, 담배연기, 건축자재
아황산가스,이산화황(SO_2)	석탄 및 석유의 연소, 제련, 기타 제조업
일산화탄소(CO)	석탄 및 석유의 연소, 자동차, 난방기구, 조리기구, 담배연기
이산화탄소(CO_2)	자동차, 공장, 사람의 활동
오존(O_3)	NO_2와 탄화수소로부터의 2차 형성, 프린터, 복사기 등
휘발성유기화합물(VOCs)	건축자재(카펫, 보드), 페인트, 가구, 의복, 화장품 등
포름알데히드(HCHO)	건축자재(카펫, 보드), 가구, 의복, 섬유, 담배연기, 화장품 등
미세먼지(PM_{10})	석탄 및 석유의 연소, 공장, 자동차, 거주자의 활동
초미세먼지($PM_{2.5}$)	자동차, 디젤엔진, 목재 연소, 공장
석면(asbestos)	건축자재(마찰재, 방화제, 보온단열재)

■ **새건물증후군(Sick building syndrome), 새집증후군(Sick house syndrome)**
- 사무실, 학교, 가정 등의 실내에 머무르면 피로, 집중력 장애, 두통, 메스꺼움, 근육통, 피부염, 눈/코/목/호흡기계 자극 등의 증상이 나타나고, 실외로 나가면 보통 소실됨
- 기관지 감수성 등의 host factors도 관여
- 원인물질 – volatile organic compounds (VOCs) 등
  ; formaldehyde (HCHO), toluene, xylene, benzene 등이 대표적인 예

12
폐 혈전색전증

1. 정의

- 폐색전증(pul. embolism, PE) : 체내 또는 체외 유입 물질이 폐동맥을 막아서 일으키는 질환으로 호흡곤란, 흉통, 저산소혈증 등의 소견을 보임
- 폐색전증의 90% 이상은 <u>심부 정맥혈전증(DVT)</u>이 원인
  (기타 원인 ; 지방, 종양세포, 공기, 양수, 정맥도관, talc 등)
- * 폐경색(pulmonary infarction)은 잘 안 생기는 이유 (10%에서만 infarction 동반)
  ; 폐의 산소 공급은 여러 군데에서 오기 때문에
      (pulmonary artery, bronchial artery, airway 등으로부터)

2. 심부정맥혈전증 (deep vein thrombosis, DVT)

- m/c source ; 골반과 하지의 deep veins (95%), venous valve 주위 및 intimal injury 부위에 호발
  - 골반 및 종아리(calf) 근위부의 DVT : 약 50%에서 폐색전증(PE) 발생
  - 종아리에 국한된 DVT : 폐색전증의 위험은 낮지만(5~20%), paradoxical embolism
      (동맥 순환계로의 색전증)의 m/c 원인
  - 상지의 DVT : 중심정맥도관(catheter), 심박동기 등의 사용 증가로 증가 추세
- 발생기전 (Virchow's triad)
  - (1) 혈류의 정체(stasis) ; 수술, 장기간의 부동자세(e.g., bed rest) 등
  - (2) 혈관벽의 이상 ; 골반/하지의 외상/수술, 수술 중 정맥의 micro tear
  - (3) 과다응고성향(hypercoagulability) ; estrogen, APS 등
- 임상양상 (초기에는 50%가 무증상)
  - 전체적으로 DVT 환자의 약 1/3에서 폐색전증(PE) 발생
  - PE 외에는 <u>정맥염/혈전 후 증후군(postphlebitic/post-thrombotic syndrome)</u>이 주증상 (25~50%)
    ; 만성 무릎 종창(swelling), 종아리의 종창 및 통증 (특히 오래 서 있은 뒤), 열감, 피부색 변화,
      매우 심한 경우에는 피부 궤양도 발생 가능 (특히 medial malleolus에 위치),
      측부(collateral) 표재정맥 확장 등
- DVT & pul. embolism 환자의 약 15%는 악성종양을 가지고 있음

- DVT 환자에서 유전성 혈전 성향(hypercoagulability) 검사를 해야 하는 경우
  ① 40세 이전의 발병
  ② 가족력이 있을 때
  ③ unusual site (e.g., upper extremity, axilla)
  ④ recurrent or massive DVT

Venous thromboembolism (DVT & PE)의 위험인자	
선행요인(predisposing factor) ★	**혈전성향증(thrombophilia)**
이전의 DVT 병력 장기간의 부동자세 ; 비행기 여행, 침상 생활, 뇌졸중, 척추손상 ... 수술 (30분 이상의 전신마취) 골반이나 하지의 수술/외상 CHF, MI, HTN, COPD 중심정맥도관 유치 악성종양 or 항암화학요법 임신 (특히 출산 및 C/S 뒤) Estrogen (경구피임약, HRT) DM, 비만, 흡연 고령 (70세 이상) * Alcohol은 아님!!	**후천적** Antiphospholipid antibody syndrome (APS) SLE, MPN (e.g., ET, PV), PNH, DIC NS, IBD, Behçet's syndrome Thromboangiitis obliterans (Buerger's dz.) **유전적** Factor V Leiden mutation Prothrombin gene mutation Hyperhomocystinemia Antithrombin III deficiency Protein C or S deficiency Abnormal fibrinogens Plasma fibrinolytic system의 이상

3. PE의 병태생리

(1) **폐혈관 저항의 증가** : 혈관 폐쇄 or 혈소판의 vasoconstrictors (e.g., serotonin) 분비 때문
   (→ 색전 이외의 부위에서 V/Q mismatching 유발 가능)

(2) **가스 교환의 장애**
   - 혈관폐쇄로 인한 alveolar dead space 증가
   - 폐쇄되지 않은 부분의 relative hypoventilation (V/Q mismatching), R-to-L shunt
   - 가스교환장벽의 소실로 인한 폐확산능(DL_{CO}) 감소

(3) 자극 수용체의 반사자극으로 인한 **alveolar hyperventilation**

(4) 하부 기도의 수축에 의한 **기도 저항 증가**

(5) **폐 탄성(compliance)의 감소** (∵ lung edema, hemorrhage, surfactant 소실)

* RV dysfunction : 폐혈관 저항↑ → RV wall tension↑ → "RV dilatation & dysfunction"
   → ⌈ LV 이완기 장애 (LV filling↓) → LV 심박출량(CO)↓ → ischemia, collapse, death
      ⌊ Rt. coronary artery 압박 → RV ischemia/infarction 유발도 가능

임상양상

1. 증상/진찰소견

- 갑자기 발생한 dyspnea (73%) 및 pleuritic chest pain (66%)이 주증상 (기타 cough, wheezing 등)
- tachypnea (≥20회/분), tachycardia (때때로 paradoxical bradycardia도 발생 가능), diaphoresis, low-grade fever ...
- hemoptysis는 드묾 (→ infarction 시만!)
- **massive PE** (→ pul. HTN → RV failure)
  - severe dyspnea, hypotension, syncope, cyanosis, edema
  - RV gallop, RV lift, P_2 증가, JVP상 prominent a wave, 경정맥 확장
- moderate~large PE : RV hypokinesis는 있지만 혈압은 정상
- 약 1/3에서는 전형적인 증상이 없음, 노인에서 모호한 흉통 호소시 반드시 ACS와 감별해야 됨 (chronic pul. HTN으로도 진행 가능)

폐경색(pul. infarction) 발생시의 소견
대개 폐주변부 흉막 부근의 small PE에 의해 발생
Pleuritic chest pain, cough, hemoptysis
Pleural friction rub, pleural effusion
Fever, leukocytosis, ESR 증가
CXR상 parenchymal infiltrates & pleural effusion

2. 검사소견

- leukocytosis, ESR ↑ (→ infarction시)
- ABGA (진단에는 도움 안됨) ; PaO_2↓, $PaCO_2$↓, "respiratory alkalosis", $(A-a)DO_2$↑ (∵ hyperventilation)
- cardiac biomarers ; troponin↑ (∵ RV microinfarction), BNP↑ (∵ myocardial stretch)
  → PE의 주요 합병증 발생 위험 증가 및 나쁜 예후를 시사
- EKG : sinus tachycardia (m/c) 외엔 대부분에서 정상
  * massive PE
    - RAD, tall peaked P wave (acute pul. HTN 소견)
    - ST-T change, RBBB (RV strain 소견)

3. 감별진단

- PE와 임상증상이 비슷한 다른 질환들이 많으므로 반드시 R/O!
- ACS (UA, AMI), CHF, pericarditis, primary pul. HTN
- pneumonia, bronchitis, COPD exacerbation, asthma, pleurisy
- rib fracture, pneumothorax, 근골격계 통증 (e.g., costochondritis)
- 악성종양, 복부질환(e.g., 급성 담낭염, 비장 경색)
- herpes zoster, hyperventilation syndrome, 불안 ...

* DVT의 D/Dx ; ruptured Baker's cyst (갑자기 심한 통증), cellulitis (오한), postphlebitic syndrome에 의한 venous insufficiency 악화

진단

1. DVT에 대한 검사

- D-dimer (latex immunoassay, quantitative ELISA)
  - <u>low clinical probability</u> 일 때 DVT 및 PE R/O위해 가장 먼저 시행
  - <u>500 ng/mL 이상</u>이면 DVT/PE 진단에 sensitive (DVT >80%, PE >95%)
    → negative predictive value 매우 높음 (거의 100%) → 정상(<500)이면 DVT/PE R/O 가능!
  - 발생 1주일 후까지 상승되어 있음
  - nonspecific (specificity 40~60%)한 것이 단점!
  - false(+) ; 고령, 최근의 수술/외상, 입원, 급성 질환, 임신/출산, 류마티스질환, 악성종양,
    신부전(eGFR <60), 모든 감염/염증성 질환 (MI 등 arterial thromboembolic dz. 때도↑)

D-dimer의 검사기법	
Early generation	Qualitative ELISA, First-generation latex, Erythrocyte agglutination 등
New generation (sensitive D-dimer)	Quantitative (or semiquantitative) newer generation immunoturbidimetric, Latex-agglutination-based, Rapid ELISA 등 → 민감도가 높아 선호됨

- <u>하지 정맥 US</u> : real-time Doppler ("duplex") 등
  - 증상이 있는 근위부 정맥의 DVT 검사시 sensitivity & specificity 각각 95%
  - DVT 진단 : 정맥의 compressibility 감소/소실이 m/i 소견
  - thrombus 확인 : homogeneous, low echogenicity
  - Doppler : 종아리를 누르면 정맥 혈류 약해짐 (정상에서는 강해짐), 호흡에 따른 변화 소실
  - 증상이 없거나, 대퇴 하부 환자에서는 민감도가 떨어짐
  - PE 환자의 약 1/2에서는 US 정상 → US 정상이라도 DVT/PE를 R/O 못함
    (∵ clot이 이미 폐로 떨어져 나갔거나, 골반 정맥 내에 존재)

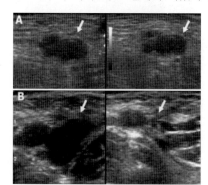

A: DVT: compression 안되고,
   내부음영 약간 증가

B: 정상 정맥: compression 잘 됨

- 기타 영상검사 ; <u>MR or CT venography</u>, invasive phlebography (venography)

2. Chest X-ray

- normal (m/c) → 호흡곤란 환자에서 CXR가 정상이면 반드시 PE를 R/O해야!
- 이상 소견은 대부분 경미하고 대체적으로 진단에 도움 안됨 ; 무기폐, 폐침윤, 흉막삼출 등
- Westermark's sign : 국소 혈관의 감소/소실로 비정상적인 방사선투과성을 보임
- Hampton's hump : diaphragm 위의 peripheral wedge-shaped density
- Palla's sign : Rt. descending pul. artery의 비대

3. <u>Chest CT</u>

- V/Q lung scan을 대신하여 PE 진단에 주로 이용됨 (first imaging choice!)
- <u>contrast-enhanced</u> spiral MD-CT (CT pulmonary angiography/arteriography, <u>**CTPA**</u>)
  - invasive angiography보다 더 해상도 높음 (폐동맥의 6번째 분지까지 확인 가능)
  - 심장도 촬영되어 예후 평가에 유용 (RV enlargement가 있는 경우 사망률 5배)
  - 폐동맥 촬영후 바로 하지의 DVT도 진단 가능 (정확도는 US와 비슷)
  - triple R/O CT : 흉통의 주요 원인인 PE, ACS, AAS (acute aortic syndrome) R/O 가능
  - 다른 비혈관성 질환도 발견 or R/O 가능 (e.g., 폐렴, 폐기종, 폐섬유화, 종양, 대동맥 질환 등)
- PE의 소견 ; 폐동맥 내의 filling defect and/or thrombus (조영증강 안됨),
  막힌 부위 이전의 폐동맥 확장
- CT 결과 nondiagnostic or 시행× → lung scan 시행 (→ nondiagnostic이면 하지 초음파 시행)

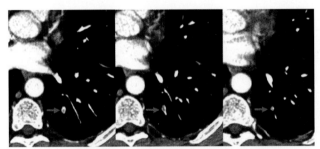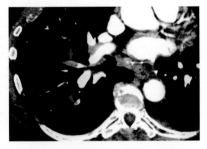

화살표 부분의 폐동맥분지 내에 혈전이 관찰됨

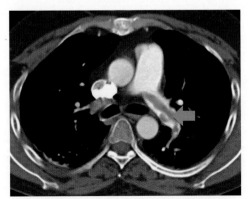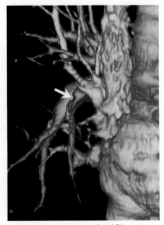

Main PA ~ Lt. main branch 내의 큰 혈전
(Saddle PE : 분지부~양측 주폐동맥 사이에 걸침)

폐동맥분지의 filling defect (3차원 VRT image)

* MRI ; MRPA (MR pulmonary angiography) : PE의 진단 정확도는 1세대 CT와 비슷
  - PE (large, proximal)와 DVT를 동시에 발견 가능
  - 신독성이 없는 gadolinum 조영제 사용 (→ 신부전 or 조영제 allergy 환자에서 시행)
  - 우심실 기능도 평가 가능 (→ PE의 진단 및 혈역학적 평가 가능)
  - 단점 ; 불안정한 환자에서는 시행하기 어려움

4. 환기관류폐주사 (Ventilation-Perfusion Lung Scan)

- 과거에는 PE 진단에 가장 많이 이용되었으나, 대부분 CT (CTPA)로 대체되었음
  (신부전 or 조영제 allergy로 CT 검사가 불가능할 때 CT 대신 이용!)
- normal → PE 배제 가능, 추가적인 검사 불필요
- high-probability → specificity는 매우 높으나 (97%), sensitivity가 낮음 (41%)
- 진단에 도움이 되는 경우 (normal or high-probability)는 40% 미만,
  나머지(low or intermediate probability)는 다른 추가검사가 필요함(nondiagnostic)!
- clinical probability는 높지만 low-probability scan으로 나온 경우의 약 40%에서
  혈관조영술상 PE 존재

Ventilation-Perfusion (V/Q) Lung Scan의 해석		
Category	Pattern	Pulmonary Angiogram에 의한 PE 진단율(%)
Normal	No perfusion defects	0
Low probability	Small V/Q mismatches CXR 소견 없이 V/Q matches CXR 소견보다 훨씬 작은 perfusion defect	15
Intermediate probability	Perfusion defects를 동반한 심하고 광범위한 폐쇄성 폐질환 CXR 소견과 같은 크기의 perfusion defect 1개의 segmental mismatch	30
High probability	2개 이상의 큰 segmental mismatches CXR 소견보다 훨씬 큰 perfusion defect	90

- PE → mismatched defect (ventilation이 정상인 부위의 perfusion defect)
- false (+) ; COPD, 천식, 폐렴, 무기폐, 기흉, 폐기종..
- m/c radionuclide
  - ^{99m}Tc-MAA (microaggregates of albumin) → perfusion 봄
  - ^{133}Xe (xenon) gas → ventilation 봄

5. 폐혈관조영술 (pulmonary angiography)

- PE 진단에 gold standard 였었지만 chest CT로 대치되었음
- invasive하고, 조영제를 사용하며, 기술적으로 어려워 거의 이용 안됨
- 이용되는 경우
  ① 기술적으로 CT를 시행하기 어려운 환자
  ② 폐동맥 4~5번째 분지의 관찰이 불가능한 구형 CT
  ③ catheter embolectomy or catheter-directed fibrinolysis 등의 중재시술 예정인 환자
- 폐색전증(PE)의 소견
  ① intraluminal filling defect (m/c)
  ② abrupt cutoff of vessels, segmental hypoperfusion, slow filling ...

6. Echocardiography

- AMI, pericardial tamponade, aortic dissection 등 PE와 증상이 비슷한 질환의 R/O에 유용
- PE의 치료 방침 및 예후 결정에도 중요!
- RV strain or pr. overload (PE의 30~40%) ; RV 크기↑, RV 기능↓, TR, 중격운동이상 등
  ↳ 혈역학적으로 안정해도 (혈압 정상이라도) fibrinolytic therapy or embolectomy 시행
- PE의 간접적인 징후 ; McConnell's sign (RV free wall hypokinesia & normal RV apical motion)
- TEE ; large proximal PE를 직접 볼 수 있음 (TTE는 PE의 직접 확인은 거의 불가능)
  → CT를 시행하기 어렵거나 CT/scan에서 진단이 안된 경우 시행

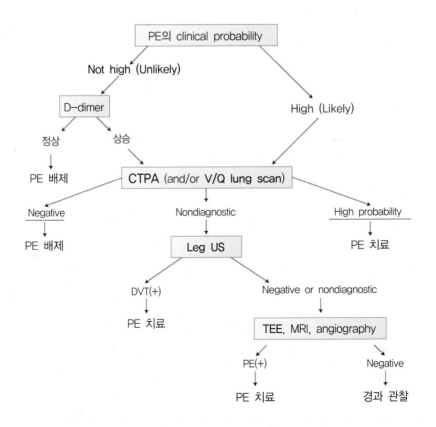

■ PE의 clinical probability (Wells' score)

변수	점수
DVT의 증상 및 징후	3
다른 질환들보다 PE가 더 의심되는 임상양상	3
빈맥(심박수 >100회/분)	1.5
3일 이상의 부동자세 or 최근 4주 이내의 수술	1.5
PE or DVT의 과거력	1.5
객혈	1
악성종양	1

PE probability (Wells' criteria)
High >6점
Intermediate 2~6점
Low <2점

Simplified PE likelihood (Modified Wells' criteria)
Likely >4점
Unlikely ≤4점

■ DVT의 clinical probability (임상양상)

변수	점수
악성종양	1
마비, 불완전마비, 석고붕대고정	1
3일 이상의 부동자세 or 최근 12주 이내의 수술	1
심부정맥 분포 부위의 국소 압통	1
하지 종창(부기)	1
한쪽 종아리 종창(부기) >3 cm	1
오목부종(pitting edema)	1
측부(collateral) 표재정맥 확장 (nonvaricose)	1
다른 질환이 의심되는 임상양상	-2

DVT probability
High ≥3점
Intermediate 1~2점
Low ≤0점

- Low probability → D-dimer 검사 먼저 시행 (→ 높으면 영상검사 시행)
- Not-low probability → 영상검사(leg US) 시행

* 결론적으로 "clinical probability"를 평가하여
- Low probability DVT or Unlikely PE인 경우에만 D-dimer 검사를 시행하며
- 이외의 (DVT/PE가 의심되는) 경우는 D-dimer 검사의 의미가 없으므로 (∵ specificity 낮음) 영상검사(leg US or chest CT)를 바로 시행함!

■ Massive (or High-risk) PE의 정의

: 폐 혈관의 반 이상을 침범하여 혈역학적으로 불안정한 PE

Massive or high-risk PE = 혈역학적으로 불안정한 PE (5~10%)	Hypotension (15분 이상동안 systolic BP <90 mmHg or 이전보다 40 mmHg 이상 하락 or vasopressors 또는 inotropic support가 필요한 경우) : sepsis, arrhythmia, LV dysfunction, hypovolemia 등 PE 이외의 원인은 배제 Pulselessness or 지속적인 서맥(<40 bpm)이면서 shock의 증상/징후가 있는 경우
Submassive or (20~25%) intermediate-risk PE	혈역학적으로 불안정한 PE의 기준에는 미흡한 hypotension or RV dysfunction을 동반한 PE
Low-risk PE (65~75%)	Small, mildly symptomatic or asymptomatic PE → 예후 매우 좋음

치료

```
┌ primary therapy ; fibrinolysis, embolectomy
└ secondary prevention ; anticoagulation, IVC filter
```
- 대부분 PE는 자연 용해되므로, 치료 목표는 PE의 재발 방지 (secondary prevention)

★ **고위험군** ⇨ primary therapy (e.g., fibrinolysis)도 필요
① 혈역학적으로 불안정한 (저혈압) massive PE
② RV dysfunction (sub-massive PE)
③ RV microinfarction (troponin↑)

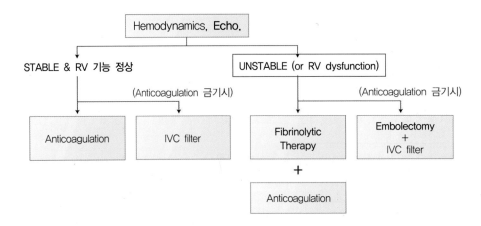

1. 항응고제 (anticoagulation)

: 더 이상의 새로운 혈전 형성 억제
(이미 형성된 혈전을 직접 녹이지는 못함 → 저절로 organization or dissolution 됨)

(1) 비경구(parenteral) 항응고제 (UFH, LMWH, fondaparinux)

- DVT or PE가 의심되는 모든 환자에서 즉시 투여, 5~7일 사용
  (massive PE or severe iliofemoral DVT의 경우는 약 10일 사용)
- unfractionated heparin (UFH)
  - aPTT로 monitoring : 정상 상한치의 2~3배로 유지
  - 반감기가 짧음 (몇 시간 뒤면 효과↓) → 목표 aPTT 유지 어려움, 잦은 채혈 필요
    (→ surgical embolectomy 같은 침습적 시술 때는 유용)
  - 다른 제제들보다 부작용이 많음 (e.g., heparin-induced thrombocytopenia)
- Low Molecular Weight Heparin (LMWH) ; enoxaparin, dalteparin, tinzaparin
  - bioavailability 우수 : dose-response 관계 예측 가능, 반감기 길어 하루 1~2회 피하주사 가능
    → 대부분 aPTT monitoring 및 용량 조절 필요 없음
    (but, 신부전 환자 및 심한 비만에서는 감량 필요, C_{Cr} ≤30이면 금기 → UFH 권장)
  - UFH보다 심각한 출혈 및 사망률 29% 감소
  - thrombocytopenia와 osteopenia의 부작용도 매우 적다

- fondaparinux (indirect Xa inhibitor) ; 하루 1회 피하주사 (monitoring 필요 없음),
    heparin-induced thrombocytopenia 안 일으킴, 신부전시에는 감량 필요
- UFH, LMWH, fondaparinux 등의 DVT 예방 효과는 비슷함
- 부작용

① hemorrhage (m/c) → 위중하면 protamine sulfate 투여
② heparin-induced thrombocytopenia (immune, IgG-mediated)
    ⇨ direct thrombin inhibitor 사용 ; argatroban, bivalirudin, lepirudin 등
③ osteopenia ; 1개월 이상 장기간 투여시 발생 가능, 비가역적

* 임신 ; UFH, LMWH는 태반을 통과하지 않으므로 안전하게 사용 가능
    (fondaparinux는 소량 통과 가능성이 있으므로 heparin을 사용하지 못할 때만 사용)

(2) 경구 항응고제 (warfarin) : vitamin K 의존성 항응고제
- 처음 5~7일간은 비경구 항응고제와 병용해야 됨
    - 이유 ⎡ warfarin이 실제로 항응고 효과를 나타내려면 5~7일 필요
            ⎣ warfarin 투여 초기에 protein C, S가 먼저 감소하여 hypercoagulability를 초래 가능
- PT로 monitoring : INR 2.5 (2.0~3.0)로 유지
    - 출혈 위험이 높은 경우는(e.g., 노인, 위장관출혈 과거력) 6개월 뒤 INR 1.5~2.0 유지
- 용량 조절 ; 1/2 이상은 연령, 성, 체중, 병용 약물, 동반 질환 등에 의해 용량을 조절하게 됨
    - 유전적 변이에 따른 용량 조절(e.g., CYP2C9, KORC1 → 저용량으로 투여 시작)
    - PT:INR 자가측정기(POCT)로 스스로 용량을 조절한 환자군이 적절 INR 유지에 더 성공적
- 부작용

① bleeding (m/c) → vitamin K, FFP, 심하면 prothrombin complex concentrate 등으로 치료
② alopecia (출혈 이외의 m/c Cx)
③ skin necrosis (protein C 감소 때문), osteoporosis (vitamin K 억제 때문)
④ teratogenic ; 임신 6~12주 때 위험 최고 (출산 후나 수유 시에는 안전!)

(3) 새로운 경구 항응고제 (novel oral anticoagulants, NOACs) : non-vitamin K antagonists
- 고정 용량으로 투여, 복용 몇 시간 이내에 항응고 효과 발생, monitoring 필요 없음
- 약물상호작용 및 출혈 부작용도 warfarin보다 적음, 임신 중에는 피함
- indirect factor Xa inhibitors
    - betrixaban : 급성 질환 입원 환자의 venous thromboembolism (VTE) 예방에 허가 (FDA[2017])
    - rivaroxaban, apixaban : DVT 및 PE의 초기 & 유지 치료에 monotherapy로 허가
    - edoxaban : VTE에서 5일간의 비경구 항응고제 치료 이후 유치 치료에 허가
- direct thrombin inhibitor (dabigatran) : 〃 비경구 항응고제 치료 이후 유치 치료에 허가

* DVT & PE의 anticoagulation은 3가지 방법이 있음

비경구 항응고제(UFH, LMWH, fondaparinux) 5~7일 병용 후 → warfarin으로 전환 (전통적, 사용 감소 추세)
비경구 항응고제 5일 → NOAC (dabigatran, edoxaban) 유지요법
NOAC monotherapy : rivaroxaban (3주), apixaban (1주) 부하용량 투여 후 유지요법

c.f.) Heparin (UFH, LMWH)으로 유지요법을 해야하는 경우 ; 임신, active cancer (VTE 재발 예방에 더 효과적)

(4) 치료 기간

- 수술, 외상, estrogen (e.g., 경구피임약, 임신, HRT) 등에 의해 발생한 PE는 (provoked VTE) 재발률이 낮으므로 보통 3~6개월의 치료로 충분함
  - 상지 or 종아리에 국한된 단일 DVT → 3개월
  - 하지 근위부의 DVT → 3~6개월
- 암 환자에서 발생한 VTE → warfarin 없이 LMWH만 암이 완치될 때까지 계속
- idiopathic VTE, unprovoked VTE, recurrent VTE, APS (anticardiolipin Ab level이 중등도↑) 등은 치료 중단 시 재발률이 높으므로 평생 항응고제로 치료함
  - ⇨ INR 2~3 유지 or 첫 6개월 이후에는 INR 1.5~2 유지
    - (재발 위험이 낮고, 특히 장기 항응고제 치료가 어려운 경우에는 표준 항응고제 이후 저용량 aspirin도 가능)
- 장시간 비행기 여행은 unprovoked VTE에 해당함 (잠복기-재발로 이어지는 만성 질환으로 보임)
- factor V Leiden, prothrombin gene mutation 등은 recurrent VTE의 위험이 높지 않음

2. IVC filter (interruption)

- Ix ① 항응고제/혈전용해제의 금기시 (e.g., active bleeding, CVA) ⎤ 주요 적응
  ② 충분한 항응고제 치료에도 불구하고 PE 재발시 ⎦
  ③ thrombolysis를 하지 못하는 Rt-HF 환자에서 PE 재발 예방시
  ④ fatal PE 발생 고위험 환자의 예방적 치료 (e.g., extensive DVT, chronic pul. HTN)
- 국소마취 후에 jugular / femoral vein을 통해 경피적으로 filter 삽입
- Cx ; 대정맥 혈전, DVT 발생률↑ (→ 가능하면 anticoagulation도 병행)
- retrievable filter : 일시적인 VTE/PE 발생 위험이 높은 환자에서 사용 가능
  - (e.g., perioperative PE의 과거력이 있는 환자가 비만 치료 수술을 받을 때, ICU 입원 환자)
  - 예) Angel® catheter : (fluoroscopy 없이) US 하에 femoral or int. jugular vein을 통해 삽입 가능하고, 필요 없어지면 쉽고 안전하게 제거 가능

3. 혈전용해치료 (fibrinolytic/thrombolytic therapy)

- recombinant t-PA (alteplase, m/c), urokinase, streptokinase 등
- RV failure를 단기간에 호전시켜 PE에 의한 사망 및 재발을 감소시킴
  (PE 발병 후 14일까지 혈전용해치료에 반응 가능)
- 효과
  ① 폐동맥을 막고 있는 혈전을 용해시킴
  ② pul. HTN을 악화시킬 수 있는 neurohormonal factors (e.g., serotonin)의 분비 예방
  ③ 심부정맥의 혈전을 용해 → PE 재발 감소
- 적응증
  ① **혈역학적으로 불안정한 massive PE** … FDA의 유일한 적응
  ② severe or worsening RV dysfunction이 동반된 submassive PE
  ③ 기타 ; cardiopulmonary arrest (소생술 뒤 BP >90 mmHg), extensive clot burden
    (e.g., large perfusion defects, 대량의 iliofemoral DVT), RA/RV 내의 free thrombus 등

- thrombolytic therapy와 함께 대개 항응고제도 투여함 (반감기가 짧은 UFH 권장)
- 출혈이 m/i 부작용 ; major bleeding (10~20%), 뇌출혈(2~3%)
- <u>fibrinolytic/thrombolytic therapy의 금기</u> ⇨ embolectomy!

Absolute C/Ix	Relative C/Ix
Active internal bleeding Intracranial hemorrhage 병력 3개월 이내의 ischemic stroke 최근의 뇌/척추 수술 최근의 골절을 동반한 두부 외상 출혈성 소인	Major internal bleeding (6개월 이내) HTN (>180/110 mmHg), Aneurysm 3개월 이전의 ischemic stroke Trauma, invasive procedure or surgery (10일 이내) 최근의 closed-chest CPR 최근의 noncompressible vessel의 puncture Active or infective endocarditis, pericarditis 75세 이상, 임신/분만 10일 이내, Diabetic retinopathy

- thrombolysis의 금기/실패, 동반질환/고령 등으로 surgical embolectomy가 힘든 경우에는
  <u>catheter-directed [low-dose] thrombolysis (CDT)</u> (systemic thrombolysis보다 출혈 부작용 적음)
    ↳ mechanical thrombolysis or US-assisted CDT도 시행 가능

4. 색전제거술 (embolectomy)

- surgical embolectomy
  - 적응증 : <u>RV dysfunction or 혈역학적으로 불안정한 massive PE 환자에서</u>
    ① 혈전용해제의 금기로 사용이 불가능 or
    ② 혈전용해제를 포함한 모든 내과적 치료에 실패시
  - 응급 수술에 따른 사망률이 높은 편임 (~8%)
- catheter-directed embolectomy : surgical embolectomy 대신 고려할 수 있음

* 혈전내막제거술(thromboendarterectomy)
  - chronic thromboembolic pul. HTN : acute PE의 2~4%에서 발생
  - 처음부터 pul. HTN을 동반했던 PE 환자는 약 6주마다 echo. F/U하여 폐동맥압 정상화 확인
  - chronic thromboembolic pul. HTN으로 호흡곤란이 심하면 thromboendarterectomy 시행

5. 기타

- 산소 투여, NSAID (pain control), 정신적 안정 유도
- massive PE
  - N/S 500 mL 정도만 투여, CVP 측정 가능하면 12~15 mmHg 이하로 유지
      (∵ 과도한 수액은 RV wall stress를 증가시켜 RV 확장 및 허혈 유발 위험)
  - RHF & cardiogenic shock → dopamine, dobutamine이 1st choice inotropic agents
                    (기타 NE, vasopressin, phenylephrine 등)
  - ECMO : surgical embolectomy or CDT 전/후 보조요법, 소생술 등으로 시행 가능
- postphlebitic (post-thrombotic) syndrome
  - leg elevation, leg exercise, compression therapy 등
  - symptomatic acute DVT → Graduated compression stocking (below knee, 30~40 mmHg)
      착용시 postphlebitic syndrome 일부 예방 효과 (무증상인 경우엔 효과 없음)

예후 및 예방

• 빨리 진단, 치료한 경우엔 예후 좋고, 재발에 의한 사망률도 낮음(<3%)

• 대부분의 생존자에서 perfusion defects도 소실 됨

Prognostic factors	
임상양상	Shock, DVT 동반
검사	심초음파 or CTPA에서 　RV dysfunction 　RV/RA thrombus BNP (or NT-proBNP)↑, troponin↑
기타	신부전, Hyponatremia, LD↑, WBC count↑, 고령 ...

• 정맥혈전색전증(VTE)/PE의 발생 예방

① leg elevation (15~20°)

② 수술 후 조기 활동, 규칙적인 다리 운동

③ 간헐적 공기 압박술 (IPC : intermittent pneumatic compression)

④ 탄력/압박 스타킹 (GCS : graduated compression stocking)

⑤ mini-dose UFH or LMWH or pentasaccharide 등 (→ 모두 예방효과는 비슷함)

⑥ warfarin or rivaroxaban or dabigatran 등 (→ 모두 예방효과는 비슷함)

• 각 상황별 정맥혈전색전증(VTE)/PE의 예방법

– 일반적인 고위험 수술 → mini-UFH or LMWH (출혈 위험시에는 IPC)

– 흉부수술 → mini-UFH (or LMWH) + IPC

– 고관절/슬관절 치환술, 골반/대퇴골 골절 수술 → LMWH, fondaparinux
　　　or warfarin, rivaroxaban dabigatran

– 종양(부인과 종양 포함) 수술 → LMWH (1개월)

– 일반적인 부인과 수술 → mini-UFH

– 신경외과 수술, 안과 수술 등의 anticoagulation 금기시 → IPC

– 뇌종양 수술 → mini-UFH (or LMWH) + IPC + 퇴원전 venous US

– 심한 내과적 질환 → mini-UFH or LMWH (출혈 위험시에는 GCS or IPC)

– 장기간의 비행기 여행 → VTE의 고위험군에서만 활동, 종아리 운동, 통로나 넓은 자리에 앉기,
　　below-knee GCS 등을 고려 (aspirin이나 항응고제는 권장 안됨)

지방 색전증 (Fat embolism)

1. 원인/위험인자

- 대부분 pelvis, long bone (특히 femur)의 traumatic fracture 뒤의 early Cx.으로 발생
  (12~36시간 뒤, <u>48시간 이내</u>)
- long bone fracture 환자의 1/4에서 발생 가능
- 지방조직 or 지방간의 trauma 후에도 가능 (e.g., breast op.)

2. 임상양상

- 임상적으로 진단
  ① dyspnea, chest pain, hypoxemia, 1~2일 내에 CXR상 diffuse infiltrates
  ② 의식저하, confusion 등의 cerebral dysfunction 소견
  ③ 점상출혈(<u>petechiae</u> ; upper chest, axilla, conjunctiva, oral mucosa 등에),
     망막출혈(retinal hemorrhage)
  - fracture 뒤 72시간 이내에 적어도 한 가지가 나타나야 됨
  - 72시간 이후면 다른 원인의 가능성을 고려 (e.g., fluid overload, aspiration, sepsis)
- no laboratory tests are diagnostic!
- BAL fluid에서 중성지방에 대한 염색 (oil red O)은 도움될 수도 있음
- thrombocytopenia, DIC도 나타날 수 있음
- ARDS에 빠질 수 있으므로 주의

3. 치료

- 보존적 치료뿐!
  - O_2 투여, 필요시 mechanical ventilation (PaO_2 70 이상 유지)
  - steroid, heparin 등은 모두 효과 없음!
  - colloid fluid는 저혈압 시에만 투여
- 일반적으로 예후는 좋다 (mortality <10%)
- acute long bone fracture시 fat embolism 발생 예방
  ① 골절 부위의 즉각적인 수술적 고정!
  ② 골수강내압(intraosseous pressure) 상승 방지 (e.g., venting hole)
  ③ corticosteroids (논란) : 일상적 투여는 권장 안됨, 일부 연구에선 inhaled steroid가 효과적

13

폐 고혈압 (Pulmonary arterial HTN, PAH)

개요

- 폐고혈압[PH] : 평균 폐동맥압(mPAP)이 안정시 ≥25 mmHg (운동시 30 mmHg) [정상: 10~20]
  (c.f., group 1과 4는 기준을 mPAP ≥20 mmHg로 낮추사고 WSPH[2018]에서 제안됨)
- 폐성심(cor pulmonale) : 폐질환 또는 폐동맥질환으로 인하여 우심실의 afterload가 증가되어
  우심실이 비대해 진 경우
  - 폐고혈압이 폐성심의 m/c 원인이며, 심한 폐성심에서는 우심실부전(RV failure)도 발생
    (c.f., RV failure의 m/c 원인은 LV failure)

1. 병태생리/원인

기전	예 (폐고혈압 및 폐성심의 원인)
1. Pulmonary blood flow 증가	Congenital heart disease (L-to-R shunt) CO의 심한 증가 (e.g., severe anemia) 심한 bronchiectasis (systemic-to-pulmonary artery shunts)
2. Pulmonary arteries의 이상 : flow에 대한 저항 증가 or 단면적 감소	Pulmonary embolism, pulmonary fibrosis Sarcoidosis, scleroderma Extensive pulmonary resection Severe COPD Thoracic deformities (e.g., kyphoscoliosis, severe pectus excavatum) Schistosomiasis Extensive neoplastic or inflammatory infiltration
3. Pulmonary arterioles의 이상 : vasoconstriction and/or obliteration	Hypoxia (e.g., COPD, 만성 천식, 고지대) Hypoventilation syndromes (e.g., sleep apnea) Acidosis, toxic substances Idiopathic PAH (pul. arterial HTN)
4. Pulmonary veins의 이상 : 폐정맥압과 저항의 상승 (pressure/volume overload)	LA HTN (e.g., LV failure, MS, constrictive pericarditis, cardiomyopathy, AS) Pulmonary venous thrombosis Pulmonary veno-occlusive disease Mediastinitis (e.g., methysergide-induced sclerosing medastinitis)
5. Blood viscosity의 증가	Polycythemia vera, leukemia
6. Intrathoracic pressure의 증가	COPD, mechanical ventilation (특히 PEEP)

분류		기전	폐동맥 수축	PAP	PCWP (LA pr., LVEDP)	PAP - PCWP	예
Precapillary PH (pulmonary HTN)		Pul. arteriole and/or artery의 저항 증가	+	↑	N (<15)	>12 mmHg	Idiopathic PAH, Pul. embolism, Parenchymal lung dz., COPD, ASD, VSD
Post capillary PH	Passive	폐정맥압 증가에 이차적으로	−	↑	↑	≤12 mmHg	MS, AS, LV failure, Fibrosing mediastinitis
	Reactive	precapillary + passive	+	↑	↑	>12 mmHg	Long-standing MS, Pul. veno-occlusive dz.

* 폐동맥 고혈압의 병태생리 (폐혈관 저항의 증가)
  - 혈관수축, 혈관벽의 폐쇄성 재형성(remodeling), 혈전 형성, 염증 등 여러 기전이 관여
  - 폐혈관 내피세포 및 평활근세포를 조절하는 여러 molecular pathways & genes의 이상
    ; voltage-regulated potassium channel의 발현 감소, BMPR-2 receptor gene mutations, tissue factor 발현 증가, serotonin transporter 과다발현, hypoxia-inducible factor (HIF)-1α 활성화, activated T cells의 nuclear factor 활성화 등
    → 평활근세포의 apoptosis 상실 → 혈관 내벽의 폐쇄성 변화 + thrombin 축적
  - 폐동맥 평활근의 수축과 관련된 물질 ; endothelin, NO, prostacyclin 등 → 치료의 target!

2. 임상적 분류 (World Symposium on Pulmonary Hypertension[WSPH], 2018)

Group 1 : 폐동맥 고혈압(PAH) 폐동맥압(PAP)↑ & PCWP 정상 (치료 안하면 가장 예후 나쁨)	Idiopathic PAH (iPAH) PAH with vasoreactivity, Heritable PAH, Drug/toxin-induced PAH ; 식욕억제제(e.g., aminorex, fenfluramine, dexfenfluramine, methamphetamines), Rapeseed oil, Benfluorex, Dasatinib, L-Tryptophan, IFN, Cocaine, Alkylationg agents ... PAH associated with Connective tissue dz. (e.g., SSc), HIV infection, Portal HTN, Congenital heart dz., Schistosomiasis PAH with overt signs of venous/capillaries (PVOD/PCH) involvement Persistent pulmonary hypertension of the newborn (PPHN)
Group 2 : 좌심질환에 의한 폐고혈압 폐동맥압(PAP)↑ & PCWP↑	PH due to heart failure with preserved EF PH due to heart failure with reduced EF Valvular dz., Congenital post-capilary obstructive lesions
Gruop 3 : 저산소증/폐질환에 의한 폐고혈압 만성 저산소증 & 경미한 PAP↑	Obstructive pulmonary dz., Restrictive pulmonary dz., Other pulmonary dz. with mixed restrictive and obstructive pattern, Hypoxia without pulmonary dz., Developmental lung disorders
Group 4 : 만성 혈전/색전에 의한 폐고혈압 3개월 이상의 폐동맥 폐쇄 & PAP↑	Chronic thromboembolic PH Other pulmonary artery obstructions ; 종양, 이물 등
Group 5 : 다양한 불확실한 기전에 의한 폐고혈압	혈액질환 ; MPN (e.g., PV), Chronic hemolytic anemia, Splenectomy 전신질환 ; Sarcoidosis, Histiocytosis, Lymphangioleiomyomatosis 대사질환 ; Glycogen storage dz., Gaucher dz., 갑상선질환 기타 ; Tumoral obstruction, Fibrosing mediastinitis, CKD, segmental PH

3. 진단

(1) 임상양상

- 증상 (RV dysfunction의 진행에 따라) ; <u>exertional dyspnea</u> (m/c), fatigue, angina, syncope ...
- 진찰소견 ; 경정맥확장(JVP↑), carotid pulse↓ (CO↓), RV lift 촉진
  - S_2 (P_2)↑, narrow splitting of S_2, Rt-sided S_3 & S_4
  - 삼첨판역류(TR)에 의한 mid-systolic ejection ⓜ 흔함 (흉골좌연) → RV failure의 특징
  - 말초 부종 and/or 청색증, 간울혈(<u>간비대</u>) … 말기에 발생
  - 손가락 곤봉증 → 선천성 심장질환 또는 저산소성 폐질환을 시사

(2) 검사소견

- CXR : 중심 폐동맥 확장, 작은 폐혈관 감소(vascular pruning), 심비대(RV/AE), 폐실질 정상
- CT : 위의 소견 + 폐정맥 질환, ILD, 폐색전증 등도 확인 가능
- EKG : RAD, RVH
- <u>echocardiography</u> (with bubble study) … screening test로 m/g!
  - 폐동맥 수축기압 간접 측정 가능 (estimated PA systolic pr.) : modified Bernoulli 공식
    $\Rightarrow$ pulmonic valve 정상일 때 PAsP ≒ <u>RV systolic pr.</u> = $4(V_{TR})^2$ + RA pr. (CVP)
    　　　　　　　　　　　　　　　　　[RVSP]　　　　↳ Doppler에서 TR jet
    (peak TR jet이 3.4 m/s 이상이면 PH 가능성 높음 ≒ RVSP 37~50 mmHg)
  - RV 및 RA의 확장, RVH, LV 크기의 감소
  - 원인 파악에도 도움 ; 판막질환, LV dysfunction, 심장내 shunts (bubble study) 등
  - 정상이면 PE R/O 가능하지만, dyspnea/hypoxemia로 계속 PE 의심되면 우심도자술 시행
- PFT : mild obstructive or restrictive pattern, hypoxia, diffusing capacity 감소
- ventilation/perfusion (V/Q) lung scan : 폐색전증에 의한 폐고혈압 감별에 유용
  (but, PE 이외의 원인에 의한 만성 폐고혈압에서도 미만성 비분절성 관류 결손은 흔함)
- BNP, NT-proBNP : RV dysfunction, hemodynamic/functional severity, 치료 효과 판정에 유용
- 기타 ; HIV, ANA, RF, anti-scl-70, 갑상선기능검사(∵ iPAH 환자에서 갑상선 이상 흔함) 등

(3) Functional tests

- cardiopulmonary exercise test (CPET) : physiologic limitation 확인 및 dyspnea 원인 감별
  (심장↔폐) 가능 → 정상이면 우심도자술 시행 안해도 됨
- 6분 보행검사(6-minute walk test) : severity와 밀접한 관련, 치료 효과 판정에 흔히 이용됨!

(4) 우심도자술(right heart catheterization, RHC) … 확진(gold standard)

- femoral vein을 통해 우측 심장을 catheterization & angiography
- 폐동맥압, PCWP 등 여러 혈역학적 지표들을 측정
  $\Rightarrow$ PAH 확진 : mPAP ≥25 mmHg, PCWP (LVEDP) ≤ 15 mmHg, PVR ≥3 Wood units
- 심장내 단락(shunt), 폐동맥 색전증, 폐동맥 협착 등도 R/O 가능
- 혈관반응성검사(AVT) : short-acting vasodilator (e.g., inhaled NO, epoprostenol, adenosine, inhaled iloprost) 투여 후 혈역학적 변화를 측정하여 확진 및 치료방침 결정에도 이용
  $\Rightarrow$ 평균 폐동맥압(mPAP)이 10 mmHg 이상 (or 절대 값 40 mmHg 이하로) 떨어지면 반응군(+)
  (CO의 감소 없이) → long-term CCB 치료 대상 (장기 예후도 좋음 /but, 15% 미만)

c.f.) Pulmonary Pressures의 정상치

	Sea Level	14,900 feet
폐동맥압 (mmHg, systolic/diastolic, mean)	20/12, 15	38/14, 25
좌심방압 (mmHg)	5	5
폐동맥압(평균)과 좌심방압의 차이 (mmHg)	10	20
폐혈관 저항 (dynes · sec · cm−5)	120	266

폐동맥 고혈압 (Pulmonary arterial HTN, PAH)

1. 특발성 폐동맥고혈압 (idiopathic PAH, iPAH)

(1) 정의
- 예전에는 primary pulmonary HTN (PPH)으로 불리었음
- 특별한 원인이 없이 폐동맥압과 폐혈관 저항이 증가한 것
- pul. HTN을 일으키는 다른 원인들을 모두 R/O 한 뒤 진단 가능
- 드물다, 남<여, 30~40대에 호발 (젊은 여성에 많다)
- familial iPAH : iPAH의 약 20%, AD 유전, 대부분 BMPR II (type II bone morphogenetic protein receptor), TGF (transforming growth factor)-β superfamily gene mutation이 원인

(2) 병리
① pulmonary arteriopathy (>90%)
② pulmonary venoocclusive dz. (<10%) ; 말기에 PCWP 증가의 원인
③ pulmonary capillary hemangiomatosis (매우 드묾)

(3) 병태생리
- 폐혈관저항 증가 → 폐동맥압↑, 말기에는 CO도 감소
  (severity 및 경과 판단에는 폐혈관저항, CO이 유용)
- 폐동맥압은 COPD 때보다 훨씬 많이 증가됨 (거의 systemic level까지)
- RA pr.↑, PCWP 정상, V/Q mismatch (→ hypoxemia, hypocapnia)
- PFT : 정상 or mild restrictive pattern, diffusing capacity↓

(4) 임상양상/예후
- 비특이적인 증상들이라 진단이 늦어지는 경우가 많음
- progressive exertional dyspnea, fatigue 등 (→ 앞부분 참조)
- 진행되면 RVF sign ; exertional chest pain (angina), exertional syncope, edema (체중↑), passive hepatic congestion (→ 식욕저하, 복통)
- LVF의 sign (e.g., pul. rales)은 나타나지 않는다!
- 치료 안하면 group 1 PH가 예후 가장 나쁨 (약 2~3년 생존), 치료하면 평균 10년 생존
- poor Px ; 고령, 남성, severe PAH (WHO functional class III~IV), 약물치료에 호전×, RV dysfunction, connective tissue dz.-associated PAH, 동반질환
  (사망원인은 대개 RV failure로 인한 circulatory collapse)

(5) 치료

① 일반적인 치료
- 과격한 신체적 활동을 피함 (∵ 운동시 폐동맥압↑)
- digoxin : CO↑, 혈중 NE↓
- 이뇨제 : RV volume overload↓ (→ 폐동맥압↓), 증상(부종, 호흡곤란) 완화에 효과적
- 산소 : 폐혈관 수축 호전에 도움 → dyspnea 및 RV ischemia 호전
- 항응고제(warfarin) : 과거에는 모든 PAH 환자에게 권장되었으나(∵ 폐혈관계 thrombin 침착) 최근에는 case-by-case (대개 다른 적응이 있으면 사용), SSc-associated PAH에서는 금기
- 임신 중에는 PAH가 악화되므로, 피임을 권장

② (high-dose) CCBs ; extended-release nifedipine or diltiazem, amlodipine
- 심도자술(혈관반응성검사^{AVT})에서 hemodynamic benifit (혈관확장제에 반응)이 있을 때만 사용!
- 반응이 좋으면 수명도 연장되지만, 장기간의 CCB 치료에 반응하는 경우는 10~20% 뿐임
- WHO functional class (FC) IV 환자는 대개 AVT 시행 안하고 non-reactive로 치료함

③ endothelin receptor antagonists (ERA) ; oral ambrisentan, bosentan, macitentan
- 일반적인 치료에 반응이 없거나, WHO functional class III~IV인 경우 사용
- 간기능 악화가 흔하므로 매월 LFT monitoring 필요

④ NO (nitric oxide)-cyclic guanosine monophosphate (cGMP) enhancers
- phosphodiesterase-5 inhibitors ; oral sildenafil, tadalafil … inhaled NO와 동일한 효과
  - 혈관 평활근세포의 증식을 억제, WHO functional class II~III에 사용
  - m/c 부작용은 두통, nitrate 제제와는 병용 금기
- soluble guanylate cyclase (sGC) stimulant ; oral riociguat (Adempas®)
  - endogenous (NO)에 대한 NO receptor의 민감도↑ 및 직접 NO receptor 자극
  - chronic thromboembolic pulmonary HTN (CTEPH) 환자에도 효과적
  - 임신시에는 금기, PDE-5 inhibitors와 병용시 혈압↓ 심해지므로 금기

⑤ prostacyclin (= PGI$_2$) agonits (prostanoids)
- epoprostenol (IV prostacyclin) : 강력한 pul. vasodilator, 반감기 4시간
  - 다른 모든 약물치료에 반응이 없거나, WHO functional class IV인 경우 TOC
  - 증상↓, 운동능력↑, 수명↑ 효과 / 장기간 정맥도관 유치에 의한 감염 발생이 가장 큰 문제
- treprostinil (IV, SC, inhalation) : prostacyclin analog, epoprostenol보다 반감기 긺
  - 다른 모든 약물 치료에 반응이 없거나, WHO functional class II~IV인 경우 사용
  - 피하주사 부위의 국소 통증이 가장 큰 문제
- iloprost (inhalation) : prostacyclin analog, 반감기가 짧아 2시간마다 투여 (6~9회/day), WHO functional class III~IV에 사용
- selexipag (Uptravi®) : oral, non-prostanoid prostacyclin (PGI$_2$) receptor (IP receptor) high-affinity agonist, 다른 prostanoid receptor에는 영향×, 반감기가 길어 1회/2일 복용, WHO FC II~III에 사용, 다른 약제보다 입원율↓, 질병진행↓ (사망률은 큰 개선 없음)
- IV prostacyclin 제제가 PAH에서 가장 효과적이고, 다른 치료에 반응이 없는 경우에도 유용함

⑥ 페이식 : IV prostacyclin을 사용해도 Rt-HF가 진행되는 경우 고려 (페이식 후 PAH의 재발은 없음)

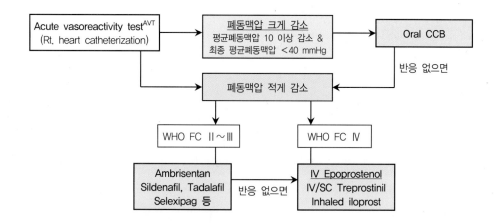

PAH의 WHO functional class (FC)		
I	신체 활동에 제한 없음	⇨ 가능하면 치료하는 것이 좋음 ; PDE5i, ERA, or riociguat
II	신체 활동에 약간 제한, 휴식시 편안해짐	⇨ dual combination therapy 권장 ; ERA + PDE5i 등
III	신체 활동에 많은 제한, 휴식시 편한해짐	(monotherapy보다 증상개선↑, 입원↓ / 수명 연장은 불확실)
IV	항상 증상 (휴식시에도), RVF의 징후 有	⇨ parenteral prostanoid를 포함한 combination therapy

2. 이차성 폐동맥고혈압

(1) collagen vascular dz.

- CREST syndrome 및 scleroderma (SSc)에서 흔히 발생!   → 류마티스내과 7장 참조
- SLE, Sjögren's syndrome, DM/PM, RA 등에서도 드물게 발생 가능
- 일반적으로 ILD (pul. fibrosis)도 동반
- 폐고혈압을 치료해도 질병의 자연경과에는 영향 없음

(2) congenital systemic-to-pulmonary shunts

- 삼첨판 이후의 shunts (e.g., VSD, PDA)에서 심한 폐고혈압 발생 흔함
- 삼첨판 이전의 shunts (e.g., ASD, anomalous pul. venous drainage)에서도 드물게 발생 가능
- iPAH와 비슷하게 치료하며, 장기 생존율은 더 높음

(3) portal hypertension

- 폐고혈압 발생기전은 잘 모름, 발생 위험은 기저 간질환의 중증도와는 관련 없음
- 복수와 부종은 간 또는 심장의 원인에 의해 모두 발생 가능

(4) drugs

- 식욕억제제 (e.g., aminorex, fenfluramine) : IPAH에 비해 치료반응이 안 좋고, 예후도 나쁨

(5) HIV infection

(6) pulmonary venoocclusive dz.

(7) pulmonary capillary hemangiomatosis

폐정맥 고혈압 (Pulmonary venous HTN)

* 폐정맥 환류의 저항 증가로 인해 폐고혈압이 발생한 것 (폐고혈압의 m/c 원인)

1. 좌심방/심실의 질환 : LV diastolic dysfunction
   ; HTN, CAD, DM, obesity, hypoxemia, 고령 등이 흔한 원인
2. 좌측 심장판막 질환 ; MS, MR
3. 중심 폐정맥의 외부 압박 ; fibrosing mediastinitis, adenopathy, tumors
4. 폐정맥폐쇄성 질환

폐질환 및 저산소증과 관련된 폐고혈압

- chronic hypoxia에 의해 폐혈관 수축 및 remodeling 발생
- 수축기 폐동맥압이 50 mmHg (평균 폐동맥압 40 mmHg) 이상으로 상승하는 경우는 드물다
  → 심하게 상승되면 다른 원인을 고려 (e.g., IPAH 등)
- 저산소증에 의한 polycythemia 발생이 특징적 소견

1. COPD

- 만성 폐성심(chronic cor pulmonale)의 m/c 원인 (COPD 환자의 1/2 이상이 폐성심 동반)
- 폐동맥압의 상승은 경미하나, 예후는 나쁨
- 기전 : generalized pulmonary vasoconstriction (→ pul. HTN → RV failure)
  ① alveolar hypoxia (m/i), acidosis, hypercapnia (hypoxia가 가장 중요한 원인이기 때문에, 적정
     O_2 level을 유지하는 것이 cor pulmonale 방지의 유일한 방법이며, LVF 치료는 소용없음)
  ② 증가된 폐용적의 폐혈관에 대한 기계적인 영향
  ③ emphysema 부위의 혈관 영역에서 small vessels의 소실
  ④ hypoxia → polycythemia → CO & blood viscosity ↑
- emphysema보다 chronic bronchitis에서 더 흔히 발생
  - hypoxic pul. vasoconstriction 때문
  - 예후는 emphysema에서 cor pulmonale 합병시 더 나쁨
- 산소 투여 : 유일한 치료법, 수명 연장

2. ILD

- 기전 ; 폐 섬유화 및 파괴로 인한 혈관의 폐색, hypoxemia, pul. vasculopathy
- collagen vascular dz.와 동반된 경우도 흔함 / 폐고혈압에 대한 모든 치료법이 효과 없음

3. 환기장애

- sleep apnea : 20% 이하에서 폐고혈압이 발생하지만, 대개 경미함
- thoracovertebral deformities, neuromuscular diseases

폐색전증에 의한 폐고혈압

- 폐 실질의 질환에 의한 것 (e.g., COPD)보다 pul. HTN이 심하다
- 급성시엔 RV enlargement, 만성시엔 RV hypertrophy가 주된 양상

1. 급성 폐색전증(PE)

- large emboli → 갑자기 low-output state에 빠짐 (RV 수축력 ↓)
    → pul. systolic pr.가 2배 (40~45 mmHg) 이상으로 증가하면 RVF 발생
- venous thrombosis의 환자 or 유발인자가 있는 경우에서 갑자기 심한 dyspnea가 생기고
    cardiovascular collapse가 발생한 경우, PE에 의한 acute RV failure를 고려해야 함
- 임상양상 ; low CO (창백, 발한, 저혈압, 빈맥), 간비대, TR의 systolic ⓜ,
    presystolic (S_4) gallop sound, 경정맥확장 (TR에 의한 prominent v wave)

2. 만성 폐색전증(PE)

- acute PE 환자가 적절한 항응고제 치료를 받으면 폐고혈압 발생은 드묾
- 일부에서 혈전의 용해가 완전하지 않으면, 기질화 및 불완전한 재소통으로 인해 폐혈관의
    만성 폐쇄가 발생함
- PAH와 임상양상이 비슷하고, 초기의 PE를 모르고 넘어간 경우가 많음
- 진단 ; spiral CT, lung scan, angiography ...
- 치료 ; embolectomy, warfarin ... (fibrinolytic therapy는 도움 안됨)

폐혈관에 직접 영향을 주는 질환에 의한 폐고혈압

1. 유육종증 (sarcoidosis)

- 심한 폐섬유화 및 심혈관계 직접 침범에 의해 심한 폐고혈압 발생
- IV epoprostenol 치료에 반응이 좋다

2. 주혈흡충증 (schistosomiasis)

- 간비장 침범과 portal HTN 때 폐고혈압 발생이 흔함
- 간에서 떨어져 나온 충란이 폐혈관에 염증을 일으킴

3. HIV 감염

- 드물게 폐고혈압이 발생하며, 기전은 모름
- 치료는 IPAH와 동일 (HIV 감염의 치료가 폐고혈압의 자연경과에는 영향을 못 미침)

14
환기 장애

만성 저환기 (chronic hypoventilation)

1. 개요

- 정의 : $PaCO_2$ >43 mmHg (대부분 50~80 정도)
- alveolar hypoventilation ($PACO_2\uparrow$) → $PaCO_2\uparrow$(m/i), $PaO_2\downarrow$
  - (1) $PaCO_2\uparrow$ → 보상($HCO_3^-\uparrow$, $Cl^-\downarrow$), 뇌혈관 확장(→ 아침 두통)
  - (2) $PaO_2\downarrow$ → 수면장애(피곤, 낮시간의 졸리움), cyanosis, polycythemia,
    폐혈관수축(→ pul. HTN, RVH, CHF)
- 대개 수면 중에는 hypoventilation이 더 심해짐

2. 원인

(1) respiratory drive 감소
- peripheral & central chemoreceptors ; carotid body dysfunction, trauma,
  prolonged hypoxia, metabolic alkalosis
- brainstem respiratory neurons ; bulbar poliomyelitis, encephalitis, brainstem infarction,
  hemorrhage, trauma, brainstem demyelination, degeneration, chronic drug administration,
  primary alveolar hypoventilation syndrome

(2) respiratory neuromuscular system 장애
- spinal cord & peripheral nerves ; high cervical trauma, poliomyelitis,
  motor neuron disease, peripheral neuropathy
- respiratory muscles ; myasthenia gravis, muscular dystrophy, chronic myopathy

(3) 환기장치(ventilatory apparatus)의 장애
- chest wall ; kyphoscoliosis, fibrothorax, thoracoplasty, ankylosing spondylitis, obesity
- airways & lungs ; laryngeal & tracheal stenosis, obstructive sleep apnea, cystic fibrosis,
  COPD (m/c)

		Primary hypoventilation	신경근육 장애	흉벽/폐/기도 장애
CO$_2$ 및 저산소증에 대한 반응	환기	↓	↓	↓
	흡기직후 구강압력	↓	↓	N
	횡격막 EMG 반응	↓	↓	N
수면 중 변화		저환기,무호흡↑	저환기,무호흡↑	다양
자발적인 호흡증가		N	↓	↓
최대 흡기/호기 압력		N	↓	N
폐용적, 기류속도		N	↓	Abn
기도저항, 탄성도		N	N	Abn
(A–a)DO$_2$		N	N	↑

N: normal, Abn: abnormal

3. Primary alveolar hypoventilation ("Ondine's curse")

- 신경근육계나 호흡계가 정상인데도 alveolar hypoventilation (chronic respiratory acidosis)을 보이는 것,　(c.f., Ondine's curse : 물의 정령 온딘이 남편이 맹세를 저버리고 바람을 피우자 잠들었을 때 숨 쉬는 것을 잊어 먹도록 저주를 내린 것)
- metabolic respiratory control system의 장애 (respiratory drive 감소)로 생각됨
- 비교적 드물며, 20~50세 남성에서 호발
- 수면 중에 더 심해져 central hypopnea or apnea가 흔히 발생
- ABGA 소견이 매우 나빠도 dyspnea는 드묾, 치료 안하면 계속 심해져서 사망도 가능
- hypoxia, hypercapnia는 자발 호흡으로 호전 가능
- 치료 ; NIPPV or mechanical ventilation, 심하면 diaphragmatic pacing
  (진정제는 respiratory drive를 더욱 떨어뜨려 acute respiratory failure를 유발할 수 있으므로 금기)

4. Obesity-hypoventilation syndrome (Pickwickian syndrome)

- 정의 : BMI >30kg/m^2 + chronic daytime alveolar hypoventilation (PaCO$_2$ ≥45 mmHg)
- obesity → chest wall compliance↓ → FRC (호기말 폐용적)↓, closed lower airway (→ uneven ventilation), (A–a)DO$_2$↑
- 일부 비만 환자에서 hypercapnia, hypoxia → polycythemia, pul. HTN, Rt-HF로 진행
- central respiratory drive는 감소되어 있는 경우가 많음
  (c.f., 보통의 비만 환자는 central respiratory drive가 증가되어 정상 PaCO$_2$ 유지)
- Pickwickian syndrome : daytime somnolence도 동반된 경우 → 폐쇄성 수면 무호흡(OSA)이 특징
- 치료 : 체중 감량 및 생활습관개선(금연, 금주 등)
    + NIPPV (OSA 동반시엔 CPAP [실패시 BPAP], sleep-related hypoventilation 동반시엔 BPAP)
  - 2nd line Tx ; tracheostomy, bariatric surgery 등
  - 기타 ; respiratory stimulants (e.g., progestins, acetazolamide), 산소 (단독으로는 금기)

수면 무호흡 (Sleep apnea)

- 정의 : 수면 중 최소 <u>10초 이상</u>의 무호흡(apnea) 또는 저호흡(hypopnea)이 발생하는 것
  - hypopnea : 호흡기류의 30% 이상 감소를 보이며, 산소포화도 3% 이상 감소 or 각성을 동반
  - apnea : 호흡이 완전히 정지되는 것 (호흡기류의 90% 이상 감소)
    - obstructive apnea : apnea 기간 동안 호흡노력은 지속됨
    - central apnea : apnea 기간 동안 호흡노력이 없음
- 대부분은 20~30초의 무/저호흡을 보이며, 심한 경우 2~3분까지도 나타남
- 유병률 : 중년 남성의 약 4%, 중년 여성의 2%, 폐쇄성이 대부분임

1. 폐쇄성 수면 무호흡-저호흡 증후군
(Obstructive sleep apnea/hypopnea syndrome, OSAHS, OSA)

(1) 병인

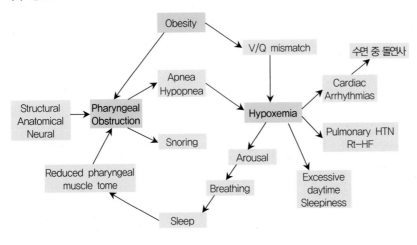

(2) 원인 (위험인자)

<u>비만</u> (60~70%가 비만) … 체중 10% 증가시 AHI 32% 증가, OSA 발생 6배 증가
두개안면 및 상기도의 구조적 문제 ; 상악골 and/or 하악골 이상(단축, 저형성),
    adenoid/tonsillar hypertrophy, retrognathia, micrognathia, macroglossia, acromegaly,
    nasal congestion/obstruction
내분비 질환 ; DM, hypothyroidism, acromegaly (→ 조직침윤으로 상기도가 좁아짐)
심폐 질환 ; HTN, myocardial ischemia, CHF, COPD, asthma
기타 질환 ; GERD, renal failure, myotonic dystrophy, Ehlers–Danlos syndrome
약물 ; 대부분의 수면제 및 진정제
음주 (∵ 상기도 근육의 선택적 억제 효과), 흡연
연령 (보통 40~65세에 호발), 성별 (남>여), 가족력
동아시아인 (∵ cranial base [nasopharynx]가 좁음) … 비만이 아닌데도 OSA 많음

(3) 임상양상

- 대부분 비만한 중년 이후 남성에서 발생 (남:여 = 2~4:1), 여성은 폐경 이후 증가
- 수면 중 loud cyclical snoring (코골이), 호흡정지, 숨막힘 &
  <u>주간의 과도한 졸림</u>(EDS, excessive daytime somnolence/sleepiness)
- 인지장애, 수면장애, 우울증, 아침 기상후 입 마름 or 머리 무거움, 피곤함 ...
- 비관과 관계없이 insulin resistance (<u>DM</u>)↑, 간효소↑, 지방간, 간섬유화↑
- <u>HTN</u> (>50%), CAD & MI 발생 위험 증가, 심부전 환자에서는 LV function 악화,
  (↳ 평균 혈압 4~10 mmHg 상승 → MI ~20%↑, stroke ~40%↑)
  부정맥(sinus bradycardia, AV block, VT/VF 등), <u>stroke</u> 위험 증가, 수면 중 돌연사 등
- 일부에서는(<10%) pul. HTN, RV failure, polycythemia, chronic hypercapnia & hypoxemia

* 소아 ; 집중력 감소, 산만, 학업성적 저하, 심리/정신적 장애

(4) 진단

① 수면 일기(설문지) : Epworth Sleepiness Score/Scale (ESS)

아래의 상황에서 각각 0~3점씩 부여
1. 앉아서 책 읽을 때
2. TV를 볼 때
3. 공공장소에서 하는 일 없이 가만히 앉아 있을 때
4. 운행 중인 차에 한 시간 이상 승객으로 앉아 있을 때
5. 오후에 쉬면서 혼자 누워 있을 때
6. 앉아서 상대방과 대화할 때
7. 점심식사(술은 안 마심) 후 조용히 앉아 있을 때
8. 운전 도중 수분 동안 신호를 기다리고 있을 때

0 = 전혀 졸리지 않음
1 = 약간 졸림
2 = 상당히 졸림
3 = 매우 많이 졸림

11점 이상이면 **주간 졸림증**이 있는 것으로
수면 전문의의 진료를 받아야 됨

② <u>수면다원검사</u>(polysomnography, PSG in-laboratory) … 확진 (but, 시간과 비용이 많이 듦)
  - key diagnostic finding : 강한 호흡노력이 있는데도 airflow가 없는 것
  - 무호흡지수(apnea index, AI) : 시간당 10초 이상의 무호흡(apnea) 횟수, 5회 이상이면 진단
  - 무호흡-저호흡 지수(apnea-hypopnea index, <u>AHI</u>) : 시간당 apnea + hypopnea의 횟수
  - 호흡장애지수(respiratory disturbance index, <u>RDI</u>) : apnea + hypopnea + RERA의 횟수
    * RERA (resp. effort-related arousal, 호흡노력관련각성) : hypopnea 정의에는 못 미치지만
      호흡노력이 증가하여 각성이 일어나고, 각성이 일어나면 호흡노력이 감소되는 것

Severity	AHI	RDI
Mild	5~15	5~15
Moderate	15~30	15~30
Severe	>30	>30

c.f.) AHI 값 자체보다는 sleep apnea의 결과인
  <u>최저 산소포화도</u>, 각성 횟수, 무호흡-저호흡 시간 등이
  진단 및 치료에 더 중요함

③ <u>가정수면무호흡검사</u>(home sleep apnea test, HSAT) = out-of-center sleep testing (OCST)
  - 집에서 시행하는 휴대형/간소화된 PSG 형태로 (AHI 측정 가능) 간편하고 부담이 적음
  - 단점 ; 기술적 실패 가능성이 PSG보다 높고, 대부분 EEG가 없어 수면과 RERA는 측정 못함
  - 기저질환이 없고 OSAHS 가능성이 높은 (증상이 전형적인) 환자에서만 권장
④ 산소측정법(overnight oximetry) : 1시간에 10~15번 이상 산소포화도가 감소하면 OSAHS 의심
⑤ 주간의 수면 잠복기 검사 (MSLT : multiple sleep latency test)
⑥ 두부계측법(cephalometry) ; 두개안면의 구조적 이상과 인두 기도의 폐쇄 정도를 알 수 있음

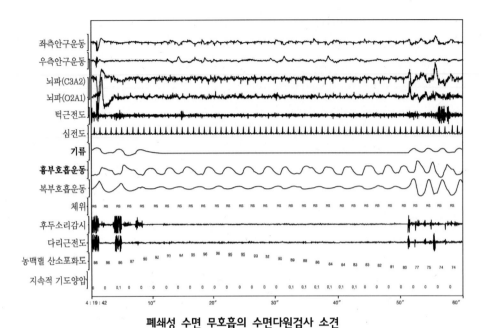

폐쇄성 수면 무호흡의 수면다원검사 소견

호흡운동에도 불구하고 기류 정지 & 동맥혈산소포화도가 감소
각성의 뇌파소견과 더불어 기류가 재개됨

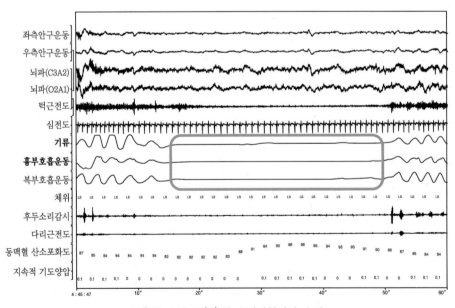

중추성 수면 무호흡의 수면다원검사 소견

흉복부 호흡운동의 소실과 더불어 기류 정지 & 동맥혈산소포화도 감소

(5) 치료

① 행동요법 ; <u>체중 감량</u> (10% 체중 감소시 AHI 약 26% 감소), nasal patency 향상,
　　수면 전 담배/술 금지, supine position으로 수면 금지 (옆으로 누워서 자기),
　　진정제/수면제 등의 약물 금지 등

② 기도양압술(positive airway pressure, PAP)

PAP 치료의 적응
Moderate~severe OSA (AHI ≥15) Mild OSA (AHI 6~14)이면서 증상/합병증이 동반, 졸면 안되는 중요한 직업 종사자 AHI ≤5 or RERAs ≥10 + 심한 주간 졸림

- <u>CPAP (continuous positive airway pr., 지속양압기)</u> ; 대개 5~20 mmHg
  - 효과 ; 증상↓, 삶의 질↑, 혈압↓, 뇌졸중 및 심혈관 사고(e.g., MI) 감소
  - 단점 ; 고가, 이동성 제한, 불편함 (m/c 부작용은 기도 건조)
  - TOC (80% 이상에서 효과적), 순응도는 65~70%, 병원에서(in-lab) PAP titration이 원칙
  - 행동요법은 (e.g., 체중 감소) PAP의 필요 압력을 줄일 수 있음
- BPAP (Bi-level PAP) : 흡기시와 호기시의 호흡운동에 따라 양압의 압력 정도를 달리하여
  (호기시 압력↓) 환자의 착용 거부감을 줄인 장치, CPAP을 불편해하면 고려
- APAP (automatic, auto-titrating PAP) : 환자의 호흡운동을 감지하여 기도의 폐쇄 정도에
  따라 적절한 양압을 공급하여 환자의 순응도를 높힌 장치, 가정에서도 PAP titration 가능
  - uncomplicated OSA, 필요 압력 변화가 많은 경우, 병원 접근이 어려운 경우 등에서 고려됨
  - complicated OSA (e.g., COPD, CHF, CSA 동반)에서는 금기 → in-lab CPAP 시행
- ASV (adaptive servo-ventilation) : low level CPAP + 흡기양압 조절, CSA 동반시 유용
  - CPAP 사용 중 발생한 CSA, opioids, 뇌질환, 신장질환 등에 의한 CSA 등
  - Cheyne-Stokes respiration (CSR)을 동반한 CSA (HFrEF)에는 권장 안됨 (∵ 사망률↑)

③ 구강내 장치(oral appliance) : <u>하악전진기구(mandibular repositioning splint, MRS)</u>
- 수면 중 하악과 혀를 앞으로 당겨 기도의 공간을 확보하는 장치 → 수면중 상기도 개방성↑
- 치료 성공률은 약 53% (mild에선 81%, moderate에선 60%, severe에선 25%)
- mild~moderate OSA 환자가 CPAP을 거부하거나 순응도가 떨어질 것으로 예상될 때 권장

④ 수술적 치료법 : ②,③의 치료를 거부하거나 실패시 고려
- uvulopalatopharyngoplasty (UPPP) : 약 50%에서 효과적 (apnea보다는 snoring에 더 효과적),
  1~2년 뒤 재발이 많음, 증상이 심한 경우엔 적용할 수 없음!
- maxillo-mandibular advancement (MMA) : 가장 효과적이지만, 가장 invasive
- laser-assisted uvulopalatoplasty (LAUP), radiofrequency ablation
- tracheostomy : 다른 치료에 모두 실패한 매우 심한 OSAHS에서 고려

⑤ 상기도 신경자극 : implantable neurostimulator device (→ hypoglossal nerve stimulation)

⑥ 약물치료는 효과 없음
　　(CPAP에 의해 rhinitis가 악화되는 경우에는 topical nasal steroids가 도움 가능)

⑦ 야간 산소요법 ; 효과가 불확실하며 도움 안됨!
　　(nocturnal hypoxia는 향상시키나, apnea는 연장시킴)

■ **upper airway resistance syndrome (UARS)**
- 수면 중 산소포화도의 하락 없이 (−) intrathorax & airway pr. or snoring에 의해 미세 각성 (brief arowsal)이 발생 → 수면의 분열 → 주간의 과도한 졸리움
- 진단 ; polysomnography + esophageal manometry
  → (−) intrathorax pr.의 증가후 EEG의 각성을 볼 수 있음
- RDI는 대개 5 미만
- 치료 ; OSAHS와 비슷

2. 중추성 수면무호흡 (Central sleep apnea, CSA)

; OSAHS보다 드묾, 단독 or 폐쇄성과 동반될 수 있음(mixed SA, 더 흔함)

(1) 분류/원인

┌ primary (idiopathic) CSA
└ secondary CSA ; 내과적질환, 약물, 고지대 등 원인이 있는 경우
　　　↳ Cheyne-Stokes respiration (CSR)과 관련 많음 : crescendo-decrescendo 호흡양상

┌ hypoventilation-related (hypercapnic) CSA ; alveolar hypoventilation, CNS 질환, 약물, 신경근육질환, kyphoscoliosis 등 → REM sleep 때 현저
└ **hyperventilation-related (nonhypercapnic) CSA** ; 대부분의 CSA → non-REM sleep 때 현저
- chronic hyperventilation ($PaCO_2\downarrow$) → central respiratory drive 억제 → apnea와 hyperventilation이 교대로 나타남
- prolonged circulation delay (e.g., HFrEF) ; 주로 CSR-CSA를 보임
- hypoxia (e.g., 고지대, 폐질환, 심혈관질환) → chronic hyperventilation

* complex sleep apnea : OSA 환자가 고압의 CPAP 치료 이후 CSA 발생 가능

(2) 임상양상/진단
- obesity와 HTN은 OSAHS보다 드물다
- 수면다원검사 (확진) ; 호흡노력(식도압력 or 호흡근 EMG 변화)이 없는 recurrent apnea
- transcutaneous $PaCO_2$ 측정

(3) 치료
- 유발/악화 요인이 있으면 원인을 먼저 교정
- hyperventilation-related (nonhypercapnic) CSA의 치료
  - 야간 산소요법 : hypoxemia 환자
  - CPAP : 특히 HF에 의한 secondary CSA에 효과적 → sleep quality 및 주간 심장기능 향상 (HFrEF 환자에서는 adaptive servo-ventilation [ASV]와 BPAP은 권장 안됨)
  - CPAP에 실패하거나 거부하는 HF 환자는 야간 산소요법 및 약물 치료
  - acetazolamide (carbonic anhydrase inhibitor : metabolic acidosis 유발 → 호흡 자극)
    : nonhypercapnic CSA의 증상을 일부 호전시킴
- hypoventilation-related (hypercapnic) CSA : 치료가 필요한 경우 BPAP을 우선 시도

과환기 증후군 (Hyperventilation syndrome)

1. 정의

- hyperventilation : $PaCO_2$ <37 mmHg
- hyperpnea : $PaCO_2$에 영향 없이 호흡량만 증가된 것
- tachypnea : $PaCO_2$에 영향 없이 호흡횟수만 증가된 것

2. 원인

> 신경질환 ; psychogenic or anxiety hyperventilation, CNS 감염, 종양
> 저산소증 ; 고지대, 폐질환, cardiac shunt
> 호흡기질환 ; pneumonia, intersitial pneumonitis, fibrosis, pulmonary edema,
>   pulmonary emboli, vascular disease, bronchial asthma, pneumothorax,
>   chest wall disorders, upper airway obstruction
> 심혈관계질환 ; ACS, CHF, 저혈압
> 대사장애 ; metabolic acidosis (e.g., DKA, lactic acid, CKD), hepatic failure
> 약물 ; salicylates, methylxanthine derivatives, β-agonists, progesterone
> 기타 ; 고열, 패혈증, 통증, 임신

- 불안신경증이 m/c 원인

3. 임상양상

- 임상적으로 빠른 호흡이나 과다호흡을 보이면 의심
- dyspnea (m/c Sx) : hyperventilation의 severity ($PaCO_2$)와는 관련성 부족
- alkalemia에 의한 이차적인 혈관수축과 관련된 증상
  ① 신경학적 증상 ; 현기증, 시각장애, 실신, 경련, 감각이상, 손목과 발목의 연축/강직/근력약화 …
  ② 심장 증상 ; arrhythmia, myocardial ischemia
- ABGA : PaO_2↑, $PaCO_2$↓, pH↑ (primary respiratory alkalosis)

4. 치료

- 원인 질환의 치료
- 급성 치료 ; 충분한 설명 및 안심
  - 호흡 재훈련(breathing retraining) : 복식호흡 등
  - 심한 증상이 지속되면 소량의 short-acting benzodiazepine (e.g., lorazepam) 투여
  - rebreathing into CO_2 bag (비닐/종이봉지)은 hypoxia 유발 위험으로 권장 안됨!
- 만성적인 환자를 위한 치료 ; 호흡 재훈련(breathing retraining)이 TOC
  - hypocapnia를 지속시키는 습관 회피(e.g., 한숨, 하품)
  - 호흡 재훈련이 효과 없으면 인지행동치료(cognitive behavioral therapy, CBT)
  - 모두 효과 없으면 약물치료 고려 ; SSRI, β-blocker (palpitation, tremor 동반시 유용)

15

호흡 부전

정의

Acute respiratory failure

- Hypoxic : $PaO_2 < 60$ mmHg ($PaCO_2$는 정상/감소)
- Hypercapnic-Hypoxic : $PaCO_2 > 50$ mmHg, PaO_2 감소
  (COPD 환자는 $PaCO_2 > 55$ mmHg)

* 특정 질환이 아니고 기능장애를 의미

특징	Hypoxic	Hypercapnic-Hypoxic
Physiologic	Ventilation은 충분하여 CO_2 배출은 지장이 없지만, shunt or V/Q mismatch에 의해 hypoxia 발생 대개 hyperventilation	(1) Ventilation 감소 : 폐포의 가스교환에는 장애가 없지만, 환기가 잘 되지 않아 hypoxia와 hypercapnia가 발생, (A-a)DO_2 정상 ; CNS 질환, 신경근육질환, 약물 등 (2) Ventilation 정상/증가 : dead space↑, 심한 V/Q mismatch, (A-a)DO_2↑ ; COPD, asthma, 흉벽기형, 천추만곡증
Anatomic	심한 edema Atelectasis or consolidation Hyaline membranes	Mucous gland hyperplasia (bronchitis); alveolar wall destuction (emphysema); hypertrophied bronchial muscle & mucus impaction (asthma); upper airway obstruction (fixed or variable); normal
Clinical presentation		
Medical Hx	괜찮음, HTN, heart disease	만성적인 호흡곤란, depression의 병력, weakness & wheezing
Present illness	일시적으로 일부 serious event (예; TA, sepsis, worsening HTN, chest pain)와 관련된 호흡곤란	Recent URI ; 점차 악화되는 호흡곤란 cough, sputum, wheezing 증가; drug overdose; muscle weakness
P/Ex	Acute illness, tachypnea (>35), tachycardia, hypotension, diffuse crackles, consolidation의 signs	Tachypnea (<30), tachycardia, prolonged expiration,breath sounds 감소, wheezing, pedal edema, strength 감소, 의식변화
Laboratory examination		
Chest X-ray	Small, white lungs; multiple patchy, diffuse infiltrates; lobar atelectasis or consolidation	Hyperinflation; large black lungs, bullage; wide interspaces; prominent bronchovascular marking with COPD or asthma; Hypoinflation, small black lungs; with overdose or neuromuscular dz.
EKG	Sinus tachycardia, AMI, LVH	RVH, "P" pulmonale, low voltage, clockwise rotation; normal
Laboratory	Respiratory alkalosis, metabolic acidosis, BUN↑	Respiratory acidosis, mixed metabolic & respiratory acidosis; K^+↓

Type I, Hypoxic respiratory failure의 원인
ARDS/ALI Pneumonia Pulmonary emboli (massive) Acute atelectasis Cardiogenic pulmonry edema or shock ; heart failure Lung contusion or hemorrhage ; trauma, Goodpasture's disease,   idiopathic pulmonary hemosiderosis, SLE

Type II, Hypercapnic-Hypoxic respiratory failure의 원인

Ⅰ. Altered control
> Primary intracranial disease ; tumor, hemorrhage
> Trauma & IICP
> Drugs, poisons, toxins
> Central hypoventilation
> Hypercapnic 환자에게 과도한 산소 투여

Ⅱ. Neuromuscular diseases
> Guillain-Barre syndrome
> Acute myasthenia gravis
> Spinal cord lesions ; trauma, tumor, vascular
> Acute polyneuritis
> Ascending polyradiculopathy
> PM/DM
> Parkinson's disease

Ⅲ. Metabolic derangements
> Severe acidosis, Severe alkalosis, Hypophosphatemia, Hypomagnesemia

Ⅳ. Lung and airway diseases
> COPD, Asthma, ILD, Upper airway obstruction

Ⅴ. Musculoskeletal alterations
> Kyphoscoliosis, Ankylosing spondylitis

Ⅵ. Obesity-hypoventilation syndrome

* hypercapnic respiratory failure (pH로 구분)
  - acute : $PaCO_2$ >50 mmHg, pH <7.3 → mechanical ventilation 고려
  - chronic : $PaCO_2$ >50 mmHg, pH >7.3 → mechanical ventilation 거의 필요 없음, close F/U

Hypoxia와 hypercapnia의 임상양상

Hypoxemia		Hypercapnia
Tachycardia	Cyanosis	Somnolence
Tachypnea	Hypertension	Lethargy
Anxiety	Hypotension	Restlessness
Diaphoresis	Bradycardia	Tremor
Altered mental status	Seizures, coma	Slurred speech
Confusion	Lactic acidosis	Headache
		Asterixis
		Papilledema
		Coma

■ **임상양상**

(1) earliest : V/Q mismatch
- PR 증가, dyspnea, fine inspiratory crackle
- ABGA : $PO_2\downarrow$, $PCO_2\downarrow$, $(A-a)DO_2\uparrow$, O_2 투여시 $PaO_2\uparrow$

(2) progression : shunt
- severe hypoxia, cyanosis, dyspnea
- O_2 투여해도 교정 안됨

(3) further progression : hypoventilation
- PCO_2 증가, hypoxia 악화

급성 호흡곤란/부전 증후군
ARDS (Acute Respiratory Distress Syndrome)

1. 정의/진단

- diffuse lung injury (폐포-모세혈관의 투과도 증가) & non-cardiogenic pulmonary edema에 의해 발생한 acute hypoxic respiratory failure, 보통 임상적으로 진단함

- <u>ARDS의 정의 : Berlin definition (2012)</u>★ … 모두 만족해야!
  ① acute onset : 임상적 사건 or 호흡기 증상의 발생/악화 이후 <u>1주일 이내</u>
  ② 흉부영상 : pulmonary edema에 합당한 양측 폐의 미만성 침윤(bilateral opacities)
    - pleural effusion, lobar/lung collapse, pulmonary nodules 등에 의해 완전히 설명 안 됨
  ③ cardiogenic (hydrostatic) pul. edema는 아님 ; LA pr. 상승 or fluid overload 없음
    - ARDS의 유발인자가 없으면 심초음파 등으로 R/O 필요함
    - 과거 기준이었던 PCWP ≤18 mmHg는 침습적이고 신뢰도가 낮아 제외되었음
  ④ hypoxia (oxygenation) : PEEP 기준을 포함한 기계환기 하에서

$$\begin{array}{l} \text{mild ARDS} : 200 < PaO_2/FiO_2 \leq 300 \text{ mmHg} \quad (\text{PEEP or CPAP [NIV]} \geq 5 \text{ cm } H_2O) \\ \text{moderate ARDS} : 100 < PaO_2/FiO_2 \leq 200 \text{ mmHg} \quad (\text{PEEP} \geq 5 \text{ cm } H_2O) \\ \text{severe ARDS} : PaO_2/FiO_2 \leq 100 \text{ mmHg} \quad (\text{PEEP} \geq 5 \text{ cm } H_2O) \end{array}$$

    (c.f., 과거 PaO_2/FiO_2 ≤300를 모두 ALI라고 하였으나, mild ARDS와의 혼동 우려로 ALI 용어는 삭제되었음)

- ICU 입원 환자의 약 10%가 acute resp. failure를 가지며, 이 중 최대 20%가 ALI/ARDS에 해당함

c.f.) **APACHE II score**의 항목 ; 직장체온, 평균혈압, 심박수, 호흡수, 동맥혈 pH, oxygenation (PaO_2 or $(A-a)DO_2$), 혈청 Na/K/Cr, Hct, WBC count, GCS (glasgow coma score), 연령, 만성질환 병력, ICU 입원경로 등 → 점수가 높을수록 사망률↑

2. 원인/유발인자

직접 폐손상 (폐성 ARDS)	간접 폐손상 (폐외성 ARDS)
폐 감염 ; 폐렴, 결핵, SARS 위 내용물의 흡인 폐 타박상, 폐포 출혈, 폐혈관염 익사 직전(near-drowning) 독성물질/연기 흡입, 흡입화상 산소 과다흡입(oxygen toxicity) 지방 또는 양수 색전증	폐외성 패혈증 (m/c) 심한 외상 ; <u>burn, multiple bone fracture,</u> 　chest wall trauma/flail chest, head trauma 대량 수혈, TRALI 약물 과다 췌장염 심폐우회술(cardiopulmonary bypass)

- 50% 이상의 환자는 손상 후 처음 24시간 이내에 발생
- 흔한 원인 ; sepsis (m/c), 세균성 폐렴, 외상, 위 내용물의 흡인, 대량 수혈, 약물 과다
  → 전체의 80% 이상차지
- 기타 ARDS 발생 위험이 증가하는 경우 ; 고령, 흡연, 알코올중독, 대사성 산증, 심한 기저질환,
  심한 외상 (APACHE II score↑)

3. 병태생리

Edema → Hyaline membrane → Interstitial inflammation → Interstitial fibrosis

- inflammatory response (초기의 **exudative phase**)
  ① initiation : 유발인자(e.g., sepsis)에 의해 다양한 mediators와 cytokines 분비
  　(e.g., TNF-α, IL-1, IL-8, leukotriene B$_4$)
  ② amplification : 작용세포(주로 neutrophil)의 activation ⋯ IL-8이 관여
  ③ injury phase : 작용세포 내에서 reactive oxygen metabolites, protease 등을 분비
  　→ alveolar capillary endothelial cells과 <u>type I pneumocytes</u> (alveolar epithelial cells) 손상
  　→ fluid와 macromolecules에 대한 alveolar-capillary barrier 파괴 → <u>vascular permeability 증가</u>
  　→ **alveolar & interstitial** <u>edema</u> (단백질이 풍부함) : "non-cardiogenic" pulmonary edema
- 농축된 단백질, 세포 잔해, 변성된 surfactant 등이 모여서 **hyaline membrane** 형성
- alveolar edema (주로 dependent portion에 발생), surfactant↓ → <u>atelectasis</u>, ventilation↓
  　(↔ neonatal RDS : primary로 surfactant 생성↓)
  ⇨ <u>lung volume↓</u> (제한성 폐기능장애), <u>compliance↓</u>, diffusing capacity↓
  　→ intrapulmonary shunt↑, hypoxemia, 호흡노력 증가 → 호흡곤란
- pulmonary vascular injury도 ARDS 초기에 발생 (∵ microthrombi, fibrocellular proliferation)
  ⇨ microvascular occlusion → 환기(ventilation) 부위의 폐동맥 혈류(perfusion) 감소
  　→ **dead space↑**, <u>V/Q mismatch</u>, <u>shunt</u> 증가, pulmonary HTN → hypoxemia 악화
- PaO_2↓, $PaCO_2$↓ (∵ 초기에 hypoxemia에 의한 ventilation 증가로), (A-a)DO_2↑
- 나중에는 $PaCO_2$↑ (∵ dead space↑, 호흡근의 피로로 ventilation↓)
- inflammatory mediators
  ┌ bronchial narrowing → 기도 저항↑
  └ vascular narrowing (microthrombi도 관여) → 폐동맥압↑ (pul. HTN)

c.f.) cardiogenic pulmonary edema (CPE)와의 감별

	CPE	ARDS
PCWP (LA pr.)	↑ (>18)	정상 (<15)
Edema fluid의 단백질 농도	↓	↑
Cardiomegaly	+	−

– ARDS에 의한 pulmonary edema에서 폐기능장애가 더욱 심함

4. 병리소견

(1) early exudative stage (처음 7~10일까지) ··· diffuse alveolar damage (DAD)
- alveolar capillary endothelial cells 및 type I pneumocytes (alveolar epithelial cells) 손상
  → alveolar-capillary barrier 파괴 → interstitial & alveolar edema
- 급성 & 만성 염증반응 → basement membrane 파괴, hyaline membrane 형성

(2) proliferative stage (1~3주)
- 대부분의 환자는 이 시기에 회복됨 ··· lung repair 시작
  - edema 감소, alveolar exudates의 organization, neutrophils 대신 lymphocytes 침윤
  - type II pneumocytes 증식 (3일째부터도 가능) → surfactant 생산, type I pneumocytes로 분화
- interstitial inflammation & fibroblast 증식
- alveolar type III procollagen peptide (pulmonary fibrosis의 marker) 존재시엔 예후 나쁨

(3) chronic fibrotic stage (3주 이후)
- 일부 환자에서 진행됨, extensive alveolar-duct & interstitial fibrosis로 전환 (사망률↑)
- 정상 세엽 구조의 심한 파괴 → emphysema-like changes, large bullae, cysts
- 폐 미세혈관의 섬유증식 → progressive vascular occlusion, pul. HTN
- 기흉 발생 위험↑, lung compliance↓, dead space↑

5. 임상양상

- dyspnea, tachypnea (RR↑), cyanosis, diffuse crackle ...
- ABGA ; PaO_2↓, $PaCO_2$↓, respiratory alkalosis
  → 나중에는 $PaCO_2$↑ 및 respiratory acidosis도 발생
- high FiO_2에도 불구하고 severe hypoxemia 지속 (∵ shunt)
- 폐용적(TLC, VC, FRC, TV)↓, FEV1/FVC↑ (FEV1↓, FVC↓↓), DL_{CO}↓
- chest X-ray : non-cardiogenic pulmonary edema
  ① diffuse bilateral interstitial & alveolar infiltrates (폐야의 3/4 이상 침범)
  ② hilum, upper mediastinum은 확장되지 않음
  ③ cardiophrenic angle과 costophrenic angle은 유지함
- chest CT : heterogeneous pattern
  ┌ 주로 폐의 dependent portion의 alveolar edema & atelectasis
  └ 폐의 나머지 부분은 정상
- BAL ; neutrophils 증가 (→ alveolar protein 양 및 lung injury 정도와 비례)

6. 치료

(1) 원칙

① 원인 질환의 발견 및 치료 (e.g., sepsis, aspiration, trauma)

② 불필요한 시술 및 합병증 최소화 ; ventilator-induced lung injury (VILI) 예방 등

③ 중환자에 대한 표준화된 묶음 치료 (e.g., VTE, GI bleeding, aspiration, 과도한 진정,
　　장기간의 기계환기, 중심정맥관 감염 등의 예방)

④ 원내 감염의 빠른 파악 및 치료, hemodynamic stability 유지, 적절한 영양의 공급 등

(2) 산소

• PaO_2 60 mmHg (or SaO_2 90%) 이상을 유지할 수 있는 최소한의 FiO_2 사용

• 대부분은 적절한 oxygenation을 위해 mechanical ventilation이 필요함

• intubation 전까지는 face mask or high-flow nasal cannula를 통해 high-flow O_2 공급

(3) mechanical ventilation

• 목적 : 산소공급의 향상, work of breathing 감소, respiratory acidosis 교정

• mode : volume-cycled, assist-control ventilation (ACV)
　(c.f., 즉시 intubation이 필요하지 않는 안정적인 mild ARDS에서는 NIV [BiPAP]도 가능)

• lung-protective strategy : VILI (volutrauma/barotrauma, atelectrauma 등) 예방
┌ volutrauma 예방 ; $V_T \downarrow$, $P_{plat} \downarrow$, prone positioning
└ atelectrauma 예방 ; PEEP↑, prone positioning

① <u>low tidal volume [TV, V_T] ventilation (LTVV) : ≤6 mL/kg [PBW]</u> ★

> ‒ 대개 8 mL/kg으로 시작한 뒤 1~3시간 뒤 7 mL/kg, 이후 <u>6 mL/kg</u> 이하로 낮춤
> ‒ PBW (predicted body weight)
> 　┌ 남성 = 50 + 0.91×[키(cm) − 152.4]
> 　└ 여성 = 45.5 + 0.91×[키(cm) − 152.4]
> ‒ TV이 작아질수록 필요한 <u>호흡수(RR)</u>는 높아짐 → 최대 <u>~35 bpm</u>까지 허용

• "permissive hypercapnia" : low TV → minute ventilation 감소 → 어느 정도 hypercapnia &
　resp. acidosis 발생할 수 있음 (pH 7.25 정도의 acidosis는 허용)
　‒ hypercapnia 최소화 방법 ; auto-PEEP이 발생하지 않는 선까지 호흡수(RR)를 증가시킴
　　(~35 bpm), ventilator tube를 가능한 짧게 함 (∵ dead space↓), heated humidifier
　‒ permissive hypercapnia의 C/Ix. ; 두개내압↑, 심한 심혈관불안정/폐고혈압/metabolic acidosis

• <u>plateau inspiratory airway pr. (P_{plat}) ≤30 cm H_2O</u> 유지 (최소 4시간마다 check)

• conventional TV (12 mL/kg)을 쓰면 volutrauma 발생↑ (∵ compliance가 감소된 침범 부위를
　완전히 팽창시키면, 상대적으로 compliance가 높은 정상 폐 부위의 손상 발생)

• ARDS의 치료법 중 사망률 감소 효과가 가장 확실함!!

② <u>high PEEP</u> (positive end expiratory pressure)

• Ix : PaO_2/FiO_2 ≤200인 moderate~severe ARDS (에서만 사망률 감소가 증명됨)

• 적정 PEEP level : nontoxic FiO_2 level (≤0.6)로, 심박출량(CO)에 큰 영향 없이,
　적합한 SaO_2 (≥90%)를 유지할 수 있는 정도 (너무 높으면 barotrauma 위험)
　⇒ <u>5 cmH_2O</u>에서 시작, 효과 없으면 3~5씩 증가, 대개 15 cmH_2O까지만 [P_{plat} ≤30 유지하면서]
　　(c.f., 최적의 PEEP setting에 대한 통일된 기준은 아직 없음)

- 효과
  - ⓐ mean alveolar pr.↑ → atelectatic alveoli 개방, end-expiratory airway & alveolar collapse 방지 (FRC↑, shunt↓) → oxygenation 향상 (낮은 FiO_2로 PaO_2 높일 수 있음)
  - ⓑ closed alveoli의 반복적인 reopen 감소 → alveolar damage 방지
- 부작용 ; 정상 alveoli의 overdistension, 심박출량(CO) 감소 (→ 저혈압)
  (c.f., 최근 연구 결과 barotrauma는 증가되지 않았음) [→ 기계적환기법 편 참조]

③ prone positioning (복와위)
- Ix : severe ARDS에서 금기가 아닌 경우 시행 → 사망률 감소
- 장점 : oxygenation 향상
  - ⓐ pleural pressure의 uniform distribution
  - ⓑ V/Q mismatching의 개선
  - ⓒ 분비물의 postural drainage 증가
- 최소 10시간/day 이상 시행
- 단점 ; intubation tube나 central venous catheter가 빠질 수 있음
  (구토와 흡인성 폐렴이 증가할 수 있으므로 경관 영양시 상체 거상, 위장운동촉진제 고려)
- C/Ix ; 두개내압↑(>30 mmHg), 대량 객혈, 평균 동맥압 ≤65 mmHg, 임산부, 15일 이내의 기관지 수술, 흉골 절개술, 두부 손상, DVT, pacemaker 삽입 등

④ alveolar recruitment maneuver (ARM, 폐포동원술)
- 일시적으로 PEEP을 많이 높이는 것 (~35-45 cm H_2O, 30~40초)
- oxygenation은 향상되지만 수명 연장 효과는 논란, moderate~severe ARDS에서 고려

⑤ extracorporeal membrane oxygenation (ECMO)
- Ix : LTVV & high-PEEP 등의 기계환기로도 호전이 없는 "severe ARDS"에서 구조요법으로
- 기저질환이 회복 가능성이 있어야 하고, 출혈성 경향이 없어야 됨
- 적절한 대상에서 조기에 시행한 경우에는 사망률 감소 효과

* $ECCO_2R$ (extracoporeal carbon dioxide removal) ; ECMO보다 작은 캐뉼라 & low flow (펌프가 없음), 기계환기의 강도를 줄여주지만(e.g., TV↓) 예후에는 차이가 없었음

⑥ 기타
- open lung ventilation (OLV) : LTVV + recruitment maneuver (이후 PEEP titration), 기존의 LTVV + PEEP 방법에 비해 사망률이나 기계환기기간 감소 효과는 없음
- high-frequency oscillatory ventilation (HFOV), airway pressure release ventilation (APRV), partial liquid ventilation (PLV) 등 → 모두 예후 개선 효과 없음

(4) fluid
- fluid restriction & diuretics : PCWP <12 유지 → 좌심방 충만압(LA filling pr.)을 정상 or 낮게 유지해야 pul. edema가 최소화되고, 폐기능이 향상되어 사망률도 감소함!
- 저혈압이나 주요 장기(e.g., 신장)의 hypoperfusion 시에만 금기
- 과량의 fluid는 alveolar damage를 악화시키고, 산소요구량을 증가시킴
- hypovolemia시에는 crystalloid solution을 사용
  (colloid는 간질로 새어나가 edema를 더욱 악화시킬 수 있음)

(5) 근이완제/신경근육차단제(neuromuscular blocker)

- patient-ventilator synchrony 향상 → compliance와 가스교환 호전, VILI 감소
- moderate~severe ARDS 환자에서 기계환기 시작 48시간 동안 사용시 hypoxemia 호전, 사망률 감소, barotrauma (e.g., 기흉) 감소 등의 효과

(6) steroid

- 초기 치료에는 도움 안 됨, 1주일간 다른 치료에도 호전 없는 moderate~severe ARDS에서 고려
- radiation pneumonitis나 fat embolism에 의한 ARDS, fibroblastic phase 때는 도움이 될 수도
- sepsis가 동반된 경우 IV steroid 투여는 오히려 mortality를 증가시킴

(7) antibiotics

- 예방적 항생제 투여는 효과 없음! (내성균주의 출현만 조장)
- infection이 의심되면 즉시 광범위 항생제 사용

(8) 기타

- 폐혈관확장제 ; inhaled NO (nitric oxide), inhaled prostacyclin (epoprostenol)
  → 일시적인 oxygenation 향상은 있지만, 사망률이나 기계환기기간 감소 효과는 없었음
- surfactant 보충, 기타 항염증치료(e.g., ketoconazole, PGE_1, NSAIDs) : 효과 없음 (권장×)
- 영양 공급 ; enteral feeding 선호 (25~30 kcal/kg, protein 1.5 g/kg)
- GI bleeding 예방 ; H_2-blocker, PPI, antacids 등
- anemia 동반시 → RBC 수혈로 Hb 높여야

* 사망률 감소가 증명된 치료법 ; low TV ventilation (LTVV), LA filling pr. 상승 최소화, 심한 ARDS에서 high-PEEP, prone positioning, 초기 2일간 신경근육차단제 사용, ECMO

* ventilator 설정/목표치 ; TV ≤6 mL/kg, plateau pr. ≤30 cmH_2O, RR ≤35 bpm
  ⇨ FiO_2 ≤0.6, PEEP ≤10 cmH_2O, SpO_2 88~95% ⇨ pH ≥7.3 ⇨ MAP ≥65 mmHg
      (oxygenation)   (acidosis 최소화)   (diuresis)

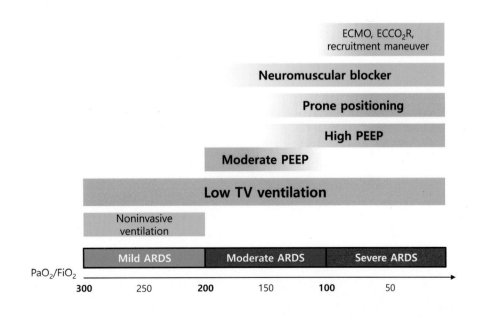

7. 합병증

- LV failure
- secondary bacterial infection
- DIC
- bronchial obstruction (∵ intubation 때문에)
- pneumothorax, pneumomediastinum
- oxygen toxicity

8. 예후

- 사망률 (감소 추세) : mild ARDS 34.9%, moderate ARDS 40.3%, severe ARDS 46.1%
  - isolated ARDS < 15%
  - MOSF (multiple organ system failure) : 70%
  - sepsis가 합병되면 80~90%
- 사인 : 대개 폐 이외의 원인 때문
  - 초기 (3일 이내) ; ARDS를 일으킨 원인 질환에 의해
  - 후기 (3일 이후) ; 2차 감염 & sepsis, 호흡부전 지속, MOSF
- 이전에 정상 폐기능을 가진 환자는, 만약 회복되면 장기 예후는 매우 좋다!
  (대개 6개월 후에 거의 정상으로 회복)
- 약 50%는 폐기능 이상이 남음 (restrictive, $DL_{CO}\downarrow$)

예후가 나쁜 경우 (사망률↑)
고령
기저 만성질환 ; 만성 간질환, 간경변, 알코올중독, 면역저하, 패혈증, 만성 신질환, 폐외 장기부전, 높은 APACHE II score 등
직접 폐 손상 ; 폐렴, 폐 타박상, 흡인 등
조기에 (24시간 내) dead space가 커진 경우

* hypoxemia, PEEP level, CXR상 침윤 정도, lung injury score 등은 사망률과 별로 관련 없음
  (→ 폐기능의 회복과는 관련)

THERMAL INJURIES & SMOKE INHALATION

1. 개요

(1) immediate reaction ; CO or cyanide poisoning, smoke inhalation, 상기도의 direct thermal injury에 의한 상기도 폐쇄

(2) ARDS (24~48시간 뒤에 발생) ; noncardiogenic pul. edema

(3) late-onset pul. Cx. ; pneumonia, atelectasis, thromboembolism, chest wall restriction ...

2. 임상양상

• tachypnea, cough, dyspnea, wheezing, cyanosis, hoarseness, stridor (→ upper airway edema)

• infection ; *P. aeruginosa, S. aureus*

• 체표면의 화상의 정도와 respiratory distress의 정도와는 관계없다

3. 치료

• most immediate life-threatening Cx. : upper airway obstruction, CO intoxication
    → fiberoptic brochoscopy와 ABGA로 감시

• steroid : edema의 치료에 도움이 될 수 있으나, 감염 위험의 증가에 주의

• prophylactic antibiotics는 pneumonia의 예방에 도움이 안 된다

• careful pulmonary toilet, humidification, sterile suctioning : pneumonia를 예방하기 위해

• serial bronchoscopy : mucous plug를 제거하여 atelectasis 방지

■ 일산화탄소(CO) 중독

→ 4권 기타/독물학 편 참조

■ 참고 : 산소공급방법에 따른 흡입산소농도(FiO$_2$)

		산소유량 (L/min)	FiO$_2$ (%)
Nasal cannula		1	24
• 간단, 저렴, 사용 쉬움, 환자가 편하게 느낌		2	28
• 산소를 6 L/min 이상으로 공급해도 FiO$_2$ 44%		3	32
이상으로는 증가하지 않고, 비강내 점막의		4	36
건조를 일으켜 환자가 불편해 함		5	40
• 대략 1 L/min 증가 당 FiO$_2$ 4% 씩 증가		6	44
Simple O$_2$ mask		5~6	40
• FiO$_2$ 50~60%까지 유지 가능		6~7	50
• 산소유량이 최소 5~6 L/min 이상 되어야			
마스크 내 CO$_2$ 저류를 피할 수 있음		7~8	60
• 정확한 산소농도 공급이 어려워 COPD에는 사용×			
Mask with reservoir bag (Reservoir mask)		6	60
• 호기류가 거의 없는 호기 후기에 100% 산소가		7	70
dead space를 채워서 더 고농도의 산소를		8	80
공급 가능			
• 일부 호기도 저장백에 유입되어 산소와 혼합됨		9	90
• 산소유량이 최소 5~8 L/min 이상 되어야			
마스크 내 CO$_2$ 저류를 피할 수 있음		10	>99
Nonrebreathing Mask			60~
• 저장백 속의 산소가 호기와 혼합되지 않음		4~10	100
Venturi mask (high-flow system)	Blue	4	24
• 제트기류로 산소를 공급하고 옆의	Yellow	6	28
구멍을 통해 대기가 일정하게			
혼합되도록 특수하게 고안된 장치	White	8	31
• 흡입 가스 전체를 system이 공급함	Green	10	35
• 일정한 FiO$_2$를 유지 가능	Pink	12	40
→ COPD 환자들이 사용하기에 적당	Orange	12	50

c.f.) 공기중 산소농도(분율) FiO$_2$는 0.21

* <u>**고유량 비강 캐뉼라**</u>(high-flow nasal cannula, HFNC)
  • air/oxygen blender를 이용하여 FiO$_2$ 21~100%로 조절할 수 있으며, 산소유량을 ~60 L/min까지 공급할 수 있음 (신생아는 ~8 L/min까지)
  • 기존의 low-flow system과 달리 호흡양상의 영향을 덜 받으므로 일정한 FiO$_2$ 공급이 가능함 (가장 효과적인 방법!)
  • 고유량에 따라 호기시 저항이 발생하여 CPAP (continuous positive airway pressure) effect도 생김
  • 가온/가습기를 이용하여 따뜻하고 습기가 있어 산소 투여에 따른 불편감이 적고 기도 점막의 건조 방지 (기도 수축 최소화, 호흡 일 감소 → 특히 COPD 환자에서 유용)
  • 단점 ; 비쌈, barotrauma 위험(특히 신생아에서)

16
기계환기(Mechanical Ventilation)

기관내삽관

- 기관내삽관(endotracheal intubation)의 목적
  ① mechanical ventilation or 고농도 산소 투여를 위해
  ② 상기도 폐쇄의 방지/회복을 위해
  ③ 위 내용물의 흡인을 방지하기 위해
  ④ 기도의 분비물 제거를 촉진하기 위해
  - IICP 환자 (의식혼탁)의 경우 예방적 intubation은 안한다

- tube의 tip은 기관분지부(carina) 상방 3~5 cm에 위치하도록 한다
- ballooning (ET cuff) pr. : 18~25 mmHg 정도가 적당 (저혈압 환자에서는 더 낮게 유지해야)
  - cuff pressure manometer or Posey Cufflator^{TM} (ET inflator & manometer)로 확인
  - 높으면 기관점막 모세혈관의 허혈 위험↑ / 낮으면 cuff air-leak 및 aspiration 위험↑
- 정상적인 삽관의 길이 (앞니 ~ 도관 끝) : 남 21~23 cm, 여 19~21 cm

- 기관삽관 후 도관의 위치 확인법
  ① 청진 : 양측 폐의 호흡음이 균등하게 잘 들림
  ② 시진 : 흡기시 양측 흉곽의 확장, 호기시 도관 내에 김이 서림
  ③ CO_2 검출 … $ETCO_2$ (end tidal CO_2) : 정상 5~6% (35~45 mmHg)
      - 혈류가 있는 경우 정확 → 식도 삽관 시에는 <5 mmHg or 검출 안됨
      - 심폐정지, 폐색전 시에는 기관 삽관은 잘 되었어도 $ETCO_2$↓
      - 직전에 탄산음료를 마신 경우에는 식도 삽관인데도 $ETCO_2$↑ 가능
  ④ 기관지내시경 : 직접 위치 확인 및 조절 가능
  ⑤ light wand (lighted stylet) : suprasternal notch에서 빛이 보이는지 확인
  ⑥ chest X-ray : 도관 끝이 carina 위 mid-trachea (대동맥궁) 위치
  ⑦ esophageal detector device, syringe aspiration technique …

- 기관삽관 후 생리적 변화
  ┌ 심혈관계 : 교감신경계 항진 → 고혈압, 빈맥
  └ 기도 : 사강(dead space)↓, 기도저항↑ (기관내 관의 내경이 작을수록)

기계환기(mechanical ventilation)의 적응증

(1) acute hypoxic respiratory failure (m/c, 65%)

      e.g.) ARDS, 폐울혈을 동반한 심부전, 폐렴, 패혈증, 수술/외상의 합병증

(2) hypercarbic ventilatory failure (acute hypercapnic respiratory failure, AHRF)

      ; coma (15%), COPD의 악화 (13%), 신경근육질환 (5%)

(3) clinical instability : 위 내용물 흡인을 방지하기 위해 기관내삽관

      e.g.) 약물 중독시 위 세척, 위장관 내시경 시술

(4) hyperventilation therapy가 필요할 때

      e.g.) IICP 환자에서 뇌혈류 감소, 수술 뒤 폐고혈압 환자에서 폐 혈역학 개선

VENTILATOR MODE

- trigger (유발) : 호흡 주기의 시작을 결정하는 인자 (환자, 기계)
- cycle (주기) : 흡기의 종료를 결정하는 인자 (volume, pressure, time)
- limited = control (조절) : 흡기의 목표, 환기 중의 기류 조절/제한 (volume [flow], pressure)

- volume-cycled modes ; control, assist, assist/control (ACMV), IMV, SIMV
- pressure-cycled modes ; PSV, PCV, CPAP, BiPAP

    * ACMV와 SIMV를 가장 많이 이용함

1. CMV (controlled mechanical ventilation, continuous mandatory ventilation)

- 완전히 기계에서 설정된 일회호흡량(volume-cycled) or 기도압(pressure-cycled) 및 rate 만큼 환기가 이루어짐 (강제환기) ; VCV (용적조절환기/정량/종량), PCV (압력조절환기/정압/종압)
- 환자 스스로의 호흡 차단 (강한 진정 및 근이완제) … 자발호흡이 없거나 없애야하는 경우

2. ACMV (assist CMV), ACV 보조/조절 환기

- 기계환기를 처음 시작할 때 권장되는 mode (patient/time triggered, time cycled, pressure limited)
- 환자의 흡기노력(trigger)에 의해 시작되는 기계에 의한 환기로, 설정된 일회호흡량(TV) 또는 기도압 만큼 흡기가 이루어짐
- 정해진 최소한의 backup rate 보다 늦으면 (환자의 흡기 노력이 없으면) 기계가 호흡을 시작시킴
- 장점 ┌ 환자의 상태에 따라 호흡횟수가 변화
  └ 환자의 흡기노력이 없어도 최소한의 호흡 보장
- 단점 ┌ tachypnea시 respiratory alkalosis 발생 위험 (e.g., 불안, 통증, 기도자극)
  └ 기계에 의한 호흡과 환자에 의한 호흡이 충돌되어 (dysynchrony)
        dynamic hyperinflation (auto-PEEP) 발생 가능 (→ CO↓, barotrauma)
    * 딸꾹질도 trigger로 작용하여 기계에 의한 호흡이 유발될 수 있음 (→ SIMV로 변경)

3. IMV (intermittent mandatory ventilation)

- 기계에 의한 호흡 (→ 환자 스스로의 호흡과 무관하게 진행)
  + 환자 스스로의 호흡 허용 (기계호흡 사이에)

4. SIMV (synchronized IMV) 동조된 간헐적 양압환기

- weaning의 일환으로 호흡근을 훈련시키기 위해 사용 (∵ 기계에 의한 환기를 감소시킴)
- 기계에 의한 환기(환자의 흡기노력에 의해 시작) + 환자 스스로의 호흡 허용(기계환기 사이에)
  (patient triggered, time cycled, pressure limited) ; 기계환기 사이에 자유롭게 자발호흡이 가능
- ACMV와의 차이 : 자발호흡 가능, 기계에 의한 환기는 설정한 횟수만큼만 시행됨
- 자발 흡기의 중기/말기에 기계호흡도 발생되어 폐가 과팽창되는 것("breath stacking")을 방지 가능
- 기계에 의한 호흡(triggered breath)은 호흡역학상 control mode 때와 동일
- 장점 ┌ 환자의 자발호흡이 가능 → 호흡근의 기능 향상 (위축 방지)
  │ lower sedation requirement, mean airway pressure ↓
  │ resp. alkalosis의 빈도가 낮다
  └ 흉강 내압이 낮아 심혈관계통의 부작용이 적다
- 단점 ┌ unstable 환자에선 minute ventilation을 유지하기 어려울 수 있음
  │ ventilator의 rate가 낮은 경우 호흡근의 피로를 일으킬 수 있음
  │ tachypnea 시는 사용 어려움 (→ sedation 시켜야)
  └ 조기에 SIMV로 전환시 acidosis에 의한 빈호흡 발생 (→ 다시 ACMV mode로 전환)

5. PSV (pressure-support ventilation) 압력보조(지지)환기

- patient triggered, flow cycled, pressure limited (I/E ratio도 기계가 정함)
- 자발 호흡 가능 환자에서, 설정한 만큼 환자의 흡기를 보조(가압), 환자가 환기량(TV) & RR 결정
- 장점 ; patient-ventilator synchrony (동조성) 좋음, 환자의 호흡일 감소(→ 자발호흡, TV 향상)
- 단점 ; 호흡이 불안정하거나 진정 상태인 환자에서는 적용하면 안됨
- weaning or SIMV에서 자발적 호흡노력을 증가시킬 때 적용 (SIMV + PSV)
- CPAP와 마찬가지로 non-invasive ventilatory assist로서도 사용이 시도되고 있음

6. PCV (pressure-control ventilation) 압력조절환기(정압식/종압식환기)

- 최대 기도압을 정해주면 일회호흡량(TV)과 분당환기량은 환자의 호흡 정도에 따라 변동됨
  (time triggered, time cycled, pressure limited), CMV의 일종
- Ix ; barotrauma (e.g., pneumothorax) 환자, 흉부 수술 후
- 장점 ; 기도압을 안전하게 유지 가능
- 단점 ; patient-ventilator asynchrony → heavy sedation이 필요
- TV을 증가시키는 방법
  ┌ pressure limit를 올림
  └ inspiration time을 늘림 : IRV (inverse inspiratory-to-expiratory ratio ventilation)
    → PEEP과 함께 사용하면 collapsed alveoli를 열어 oxygenation 향상

기계에 설정해주는 변수 (환자와 무관)

	Tidal volume	Ventilator rate (Respiratory rate)	FiO₂	PEEP level	Pressure limit	Inspiratory pressure level
ACMV	○	○	○	○	○	
IMV	○	○ (기본 호흡수) 중간에는 자발호흡	○	○	○	
PCV		○, I/E ratio	○	○	○	○
PSV			○	○	○	○
NIV (non-invasive ventilation)			○			Inspiratory & expiratory pressure

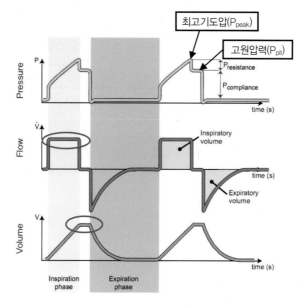

Volume control 기계호흡의 파형

Flow와 volume 설정

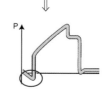

*환자의 흡기노력으로 환기가 시작되었다면 (patient triggered)

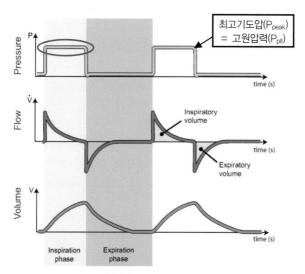

Pressure control 기계호흡의 파형

Pressure 설정

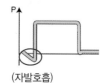

(자발호흡)

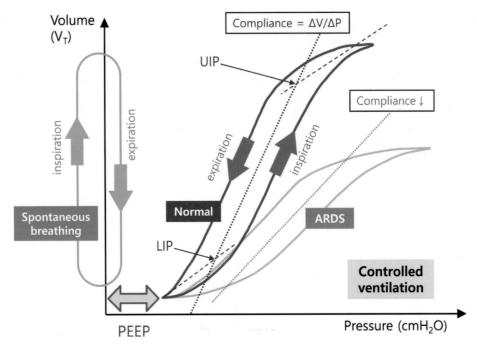

■ Pressure-Volume Loop (controlled ventilation)
  – UIP (upper inflection point) : 이 이상의 압력에서는 폐포 과팽창 발생 위험
  – LIP (lower inflection point) : 이 이하의 압력에서는 폐포 허탈(collapse) 발생 위험
  – ARDS ; compliance 크게 감소, LIP 이상으로 PEEP을 적용해야 alveolar recruitment 가능

7. 기타

- ECMO : 적절하게 사용되면 사망률 감소 효과, 점점 사용 증가
- prone positioning : ventilation-perfusion matching 향상, 단기 및 장기 예후 향상 (사망률 감소)
- inverse ratio ventilation (IRV) : PCV의 variant로 흡기시간을 길게 하는 것 (I/E ratio >1)
  – 효과 ; 호기시간↓ → dynamic hyperinflation → (PEEP 비슷하게) 호기말 압력↑
  – 낮은 peak airway pr.로 높은 mean airway pr.를 유지 (but, oxygenation 향상은 불확실함)
  – 단점 ; 수명 연장 효과 없음, 높은 sedation 및 neuromuscular blockade 필요
- high-frequency oscillatory ventilation (HFOV), airway pressure release ventilation (APRV),
  partial liquid ventilation (PLV) 등 → 모두 예후 개선 효과 없음
- patient-ventilator synchrony 향상을 위한 새로운 방법들
  – proportional assist ventilation (PAV)비례보조환기 : respiratory resistance와 compliance도 반영하여
    PSV보다 더 synchrony 향상 (환자의 흡기 노력 정도에 맞추어 압력을 보조함)
  – neurally adjusted ventilator assist (NAVA)신경보정환기보조 : 횡격막에서 흡기유발 신호를 인지

8. PEEP (positive end-expiratory pressure)

: end-expiratory or baseline airway pressure을 양압으로(>0 cm H_2O) 유지하는 것

(1) 작용/효과

- 폐포 팽창 (허탈 방지), 허탈된 기도 재개통(recruitment모집) → FRC↑, RV↑, compliance↑
  → ventilation 향상 → V/Q↑, oxygenation↑, work of breathing 감소
  (but, 폐포가 overdistension되면 오히려 dead space가 증가될 수 → 폐포 환기에는 별 도움×)
- 폐포내 액체를 혈관/간질로 이동시킴 → intrapulmonary shunt↓, oxygenation↑ (PaO_2↑)
  → FiO_2를 낮출 수 있음 (oxygen toxicity 위험 감소)
- central venous pr.↑ → venous return↓ → LV & RV preload (EDV)↓, RV afterload↑
  → CO↓ (hypotension, organ hypoperfusion), LV afterload↓, ventricular compliance↓

(2) 적응/목적

① atelectasis의 예방/치료 (∵ V/Q mismatching 개선)

② mechanical ventilation으로부터 weaning 촉진

③ low FiO_2 (<0.6)에서 arterial oxygenation의 향상 (PaO_2 55~60 mmHg 이상)
   (ARDS 등에서 low FiO_2를 유지하기 위해, O_2 toxicity 감소)

④ auto-PEEP을 가진 환자에서 기계호흡 유발과 관련된 work of breathing 감소

- 대개 0~10 cmH_2O가 안전하고 효과적 (12 cmH_2O 이상이면 합병증↑)
- 주로 hypoxic respiratory failure 환자에서 사용 (e.g., ARDS, cardiogenic pul. edema)
- COPD 환자에서 낮은 PEEP (3~5 cmH_2O)은 기도의 dynamic collapse를 방지하는데 도움

(3) 금기

① 일측성 폐질환

② 폐쇄성 폐질환 (e.g., asthma)

③ peak & mean airway pressure 상승

④ bronchopleural fistula

⑤ hypovolemia, IICP, pulmonary embolism

(4) 부작용

① volutrauma/barotrauma ; pneumothorax, pneumomediastinum, subcutaneous emphysema, pirmary alveolar damage ... (→ PCV mode로!)

② CO↓ (∵ venous return↓), renal blood flow↓(→ oliguria, 심하면 renal failure)

③ IICP (뇌압상승)

④ GI trouble ; stress ulcer, cholestasis, bilirubin↑ (∵ hepatic congestion)

⑤ malnutrition, decubitus ulcer

* PEEP을 올렸는데 PaO_2가 오히려 감소한 경우의 원인

① CO 감소

② intracardiac or noncapillary shunt 증가

③ closed alveoli (more diseased area)로의 perfusion 증가

④ 정상 alveoli의 overdistension

* PEEP을 제거할 때는 천천히 단계적으로 해야 됨 (∵ PEEP의 갑작스런 중단으로 발생한 hypoxia는 위험하고 교정이 어렵다)

(5) Modes of PEEP

① CPPV (continuous positive-pressure ventilation) ; 기계환기를 하는 환자에서

② CPAP (continuous positive airway pressure) ; 자발호흡을 하는 환자에서

   – 모든 호흡은 환자의 자발 노력에 의해 발생 (평균 기도압만 조절 가능한 변수임)

   – mask/nasal CPAP : non-invasive ventilation의 형태로 OSA 환자 등에서 이용됨

③ BPAP (bilevel PAP) ; EPAP (expiratory PAP)보다 IPAP (inspiratory PAP)을 더 높게 설정

   ⇨ 심한 COPD (intubation 시기를 늦추고, 사망률도 감소시킴), chronic ventilatory failure, restrictive chest wall dz. nocturnal hypoventilation 등에서 사용

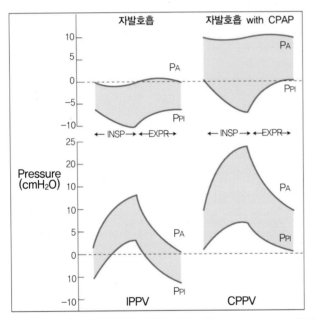

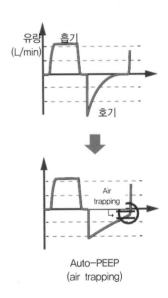

Pa : airway pr., Ppl : pleural pr., IPPV : intermittent positive-pr. ventilation

■ Auto (intrinsic) PEEP

• 자발 or 기계호흡 중 incomplete expiration으로 인해 air trapping (dynamic hyperinflation)
   → PEEP 발생 → venous return↓, CO↓, 저혈압, 기도내압↑, 호흡일(work of breathing)↑

• 기계호흡 중 auto-PEEP 발생 환자는 COPD/asthma처럼 기도 폐쇄를 가진 환자가 대부분임

• 측정방법

   ① end-expiratory occlusion : 호기가 끝났을 때 air flow를 중지하고 proximal airway pr. 측정

   ② extrinsic PEEP : auto-PEEP 존재 시엔 extrinsic PEEP을 걸어도 peak inspiratory airway pr.가 증가하지 않음

• 발견 즉시 교정해야 됨

• 원인 및 대책

   ① airway obstruction (호기시 기류 저항) ⇨ bronchodilator, 안정제(±근이완제), suction 등

   ② inflation volume↑ (large TV), minute ventilation↑ ⇨ TV (tidal volume)↓

③ fast RR (호기시간 부족) ⇨ RR↓, 호기시간↑ (I:E ratio↓, ≤1:2), TV↓,
   inspiratory flow rate↑(60~100 L/min)
④ ACMV mode에서 호흡 충돌시 ⇨ IMV mode로

• 기계환기 중인 COPD/asthma 환자에서 auto-PEEP 발생하면, 환자가 흡기 시작을 위해서는
  auto-PEEP 만큼의 음압을 더 만들어내야 됨 → 환자의 호흡일 증가
        (e.g., missed triggers, accessory muscles부호흡근 사용 등으로 알 수 있음)
  ⇨ 대책 ; expiratory time↑, RR↓, ventilator의 PEEP을 auto-PEEP보다 약간 낮게 설정함
     ["applied PEEP", 약 5 cm H_2O or auto-PEEP level의 1/2]
        (→ baseline 호기말 압력↑ → 호기시 기도를 열린 상태로 유지 → 완전 호기↑, breath-trigger effort↓)
        * applied PEEP은 expiratory flow limitation을 가진 환자에서만 적용해야 됨
          (없는 환자에게 적용하면 barotrauma↑, CO & BP↓ 악화)

기계환기 중 감시/관리

1. 환기 및 호흡역학 감시

• 최고 기도압(peak inspiratory airway pr.) : 흡기 종료시 기도내 압력, 40 mmH_2O를 넘지 않도록
• 고원부 기도압(plateau inspiratory airway pr.) : 흡기 정지시 기도내 압력, static compliance를
   구할 때 이용됨, 급성폐손상(ALI)에서는 30~35 mmH_2O를 넘지 않도록
• 최대 기도압(maximal inspiratory airway pr.) : 충분한 호기 이후 막힌 튜브를 통해 최대한 흡기를
   할 때의 압력, 이탈(weaning) 지표로 이용됨, -30 mmH_2O 이상이어야 성공 가능성 높음
• 탄성(compliance)
   - static compliance = TV / (plateau pr. - PEEP)
   - dynamic compliance = TV / (peak airway pr. - PEEP)
• 기도저항, auto-PEEP, 기도압의 모양 …

2. 산소화(oxygenation) 감시

• ABGA
• pulse oximetry
• 호기말 CO_2 분압 측정 (capnography)

3. 인공호흡기의 조정 ★

(1) 산소화의 조정 (hypoxia 교정)

• 산소화 결정 요소 ; FiO_2, MAP (mean airway pr.)··→ 바람직한 평균 폐 용적을 유지하는데 필요한 압력
• 평균기도압(MAP)을 증가시키는 방법 ; inspiratory flow rate↑, peak inspiratory pr. (PIP)↑,
   I:E ratio↑ (흡기시간↑ or 호기시간↓), PEEP↑ (m/i)
• FiO_2 0.6 이상으로도 hypoxia가 교정 안 되는 경우에는 PEEP을 검

(2) 이산화탄소의 조정 (hypercarbia 교정)

- CO_2는 혈액에서 페포로 쉽게 확산되므로 환기(ventilation) 총량에 비례하여 제거됨
- $PaCO_2$는 CO_2 생산에 비례, 페포 환기에 반비례함
- $PaCO_2\downarrow$ (ventilation $\uparrow$) → tidal volume $\uparrow$ or RR $\uparrow$

4. 진정제(sedatives)

- <u>propofol</u> ; 작용이 빠르고 반감기가 짧음 (→ 중단/이탈이 쉬움), 뇌압 감소 효과,
  장기간 투여는 권장 안됨 (주요 부작용은 저혈압, 서맥, 호흡억제 등)
- <u>dexmedetomidine</u> ; α_2-agonist, 호흡억제가 적어 얕은 진정으로 PSV, SIMV mode일 때 유용
- benzodiazepines (e.g., midazolam, lorazepam) ; 저혈압, 섬망, 내성, 이탈/발관 지연 등의 단점으로
  최근에는 잘 권장 안됨 (c.f., 해독제 → flumazenil)

5. 진통제(analgesics)

- ICU 환자는 대개 마약성 진통제(opioid analgesics)의 IV가 권장됨
  - morphine : 호흡과 기침을 강력하게 억제, histamine 분비 촉진(→ 기관지 수축, 혈압 저하)
  - <u>fentanyl</u>, <u>remifentanil</u>, sufentanil, alfentanil, hydromorphone 등은 histamine 분비 촉진×
    ↳ 초속효성(ultra short-acting), 간부전이나 신부전 환자에서도 안전함
- non-opioid analgesics ; AAP, NSAID, ketamine 등
  - ketamine : morphine만큼 강력한 진통 효과 + 진정, 호흡억제가 적고 기관지 확장 효과,
    교감신경계 활성화(→ 혈압 $\uparrow$, 심박 $\uparrow$, 심근산소 소모량 $\uparrow$ → 심혈관질환 환자는 피함),
    환각/섬망/악몽 등 부작용에 주의 (c.f., 전에는 뇌압 상승 부작용이 있다고 했으나 최근 연구 결과 없음)

6. 기타

- 근이완제(neuromuscular blockers) ; suxamethonium, atracurium, vecuronium, rocuronium 등
- 분비물 제거/흡인(suction)
  ① open suction system : ventilator circuit을 분리한 뒤 흡인 시행 → 흡인 동안 산소공급 중단
    (Cx ; <u>hypoxemia</u>, atelectasis, 기도손상, 오염/교차감염, 부정맥, IICP, 기침, 기관지수축)
    ↳ 예방 ; 흡인 전 100% 산소 투여, 흡인 시간 최소화(10~15초)
  ② closed (in-line) suction system : suction catheter가 보호관에 싸여서 ventilator circuit에 내장
    → 분비물이 많아 흡인을 자주해야 하거나, <u>PEEP 유지</u>가 중요한 환자에서 유용
    ┌ 장점 ; 흡인 중 인공호흡 지속 가능 → PEEP 유지 가능, hypoxemia 등의 부작용 감소
    └ 단점 ; 흡인 효과 $\downarrow$, catheter 자체의 오염 위험, catheter 무게로 인한 불편함
    (c.f., VAP 감소 효과는 없음)
- 영양공급 ; TPN보다는 NG (or orogastric) tube를 통한 enteral feeding이 좋다

기계호흡의 합병증

1. 호흡기 합병증

- barotrauma (m/c) (→ PCV mode로 전환!)
  ; <u>tension pneumothorax</u>, pneumomediastinum, subcutaneous emphysema, interstitial emphysema
- atelectasis ; 폐 용적 감소, 기도 폐쇄(e.g., mucus plug) 등에 의해 흔히 발생
  - 70% 이상의 oxygen은 <u>absorption atelectasis</u>를 유발 가능 (∵ N_2 washout)
- auto-PEEP → dynamic hyperinflation → venous return ↓(→ CO↓), 폐 용적↑(→ 호흡근 약화)
- respiratory alkalosis ; 심하면 confusion, seizure, arrhythmia 발생 가능
- oxygen toxicity ; oxygen free radical이 lung interstitium에 작용 diffuse alveolar damage (ARDS) 유발 가능, 48시간 이상동안 FiO_2 0.6 이상이면 risk 증가 (→ PEEP으로 예방)
- deconditioning of respiratory muscle (compliance↓)
- <u>tracheal stenosis</u> (∵ intubation 때문 – 약 1%에서 발생) ; 흡기시 wheezing↑
  (→ 대개 3주 이상 인공호흡이 필요하면 tracheostomy를 고려)
- ventilator-associated pneumonia (VAP)   (→ 4장 폐렴/예방 부분 참조)
  - endotracheal tube cuff 주위의 작은 틈을 통해 aspiration 되어 감염
  - 흔한 원인균 ; *P. aeruginosa,* enteric GNB (e.g., *Acinetobacter*), MRSA ...
  - 진단 ; BAL or PSB & quantitative culture
  - 예방 ; 보조 내강(→ 성문하 분비물을 지속적으로 흡인)을 가진 endotracheal tube 사용 등
          (e.g., Hi-Lo Evac)

2. 순환기 합병증

- hypotension (∵ 흉곽내압 증가에 따른 venous return 감소로)
  - 우선 auto-PEEP을 R/O 해야!
  - 대부분 intravascular volume 보충으로 호전됨
- 기타 hypotension의 원인 ; dynamic hyperinflation, pneumothorax, sedation, preexisting volume depletion, 갑작스런 $PaCO_2$ 감소에 따른 sympathetic tone의 감소 ...

3. 소화기 합병증

- diffuse GI mucosal injury : stress ulcer (⇨ 예방 ; sucralfate (carafate), H_2-RA, PPI 등 투여)
- delayed gastric emptying → promotility agents (e.g., metoclopramide)
- cholestasis
  ┌ mild (total bilirubin ≤4.0) : 흉곽내압 증가로 인한 portal vein pr. 증가 때문 (보통 자연 회복)
  └ moderate : primary hepatic process에 의할 가능성이 많다

4. 기타

- <u>DVT</u> ; pul. thromboembolism (⇨ <u>예방</u> ; heparin, LMWH, pneumatic compression boots)
- malnutrition, muscle deconditioning, depression ...
- decubitus ulcer (pressure ulcer, bedsore)
  - <u>예방</u> ; 자주 체위변화, 부드러운 매트리스, 에어 매트리스 등
  - 관리/치료 ; moist dressing, 소독제(antiseptics), 괴사조직 제거 등
    c.f) antiseptics ; iodine (e.g., povidone iodine[Betadine]), silver (e.g., silver sulfadiazine) 등
    (hydrogen peroxide, chlorhexidine gluconate 등은 독성으로 상처치유를 방해하므로 금기)
- endotracheal tube 내의 분비물 축적이나 acute bronchospasm으로 인해 기도저항이 증가되는 경우에는 peak inspiratory pr.가 갑자기 상승할 수 있음

* 발관(extubation) 직후
  - 의식이 완전하지 않는 환자는 성대 자극으로 인해 reflex laryngospasm 발생 가능
    (→ 환자가 완전히 의식이 있을 때 발관해야)
  - stridor ; laryngospasm, laryngeal/subglottic edema 때문
    ┌ 경미하면 cool aerosol, racemic epinephrine 희석액, edema 악화 예방에는 steroid도 도움
    └ 심하면 reintubation or tracheostomy

이탈 (weaning)

1. 이탈의 조건 (적응)

- FiO_2 0.5 이하에서 PaO_2 >60 mmHg (SaO_2 >90%) : PaO_2/FiO_2 ≥200 mmHg
- PEEP ≤5 cmH_2O
- $PaCO_2$ ≤50 mmHg, pH 7.35~7.4 (permissive hypercapnia는 예외)
- 흡기 노력 시작 가능 : intact ventilatory drive
- cardiovascular stability : MI 無, HR <140 bpm, 혈압 거의 정상
- 정신상태 정상, 체온 정상, 영양상태 정상, major organ system failure 無

* 위 기준에 맞는 환자는 단기간 자발 호흡을 시도해 봄 (<u>weaning index</u>로 평가)
  ⇨ RSBI (rapid shallow breathing index) = RR/TV (정상: 40~50 breath/min/L)
    : 기계호흡의 보조 없이 100 이하면 weaning 가능
    → <u>RR 35 bpm 이상</u>이거나 SaO_2 90% 미만이면 자발 호흡 시도 실패임 (→ weaning ×)

* 이탈 성공의 예측인자
  - vital capacity >10 mL/kg
  - maximum inspiratory pressure −30 cmH_2O 이상
  - minute ventilation <10 L/min
  - RSBI <100 ; RR (respiratory rate) <30 bpm, TV >5 mL/kg

2. 이탈 방법

① ventilator를 단기간 사용했고, 호흡근 reconditioning이 적게 필요한 경우
    ⇨ T-piece, CPAP

② ventilator를 장기간 사용했고, 단계적인 호흡근 reconditioning이 필요한 경우
    ⇨ SIMV, PSV, SIMV + PSV
        (weaning 중 RR 25 bpm 이상이면 호흡근 피로 → 운동과 휴식을 번갈아가며 weaning)

* 호흡기능이 호전되면 우선은 PEEP과 산소 공급량을 줄이고, PEEP 5 mmH₂O와 FiO₂ 0.5 이하에서
  동맥산소분압이 적절히 유지되면 그때 ventilatory support를 줄여나간다

3. 이탈 실패시의 원인

내경이 작은 endotracheal tube 사용시
상기도 폐쇄가 남아있거나, 기도 분비물이 많을 때
Aspiration이 계속될 때
Auto-PEEP (만성 폐질환 환자에서 이탈 기간이 길 때 문제)
Respiratory drive가 부족할 때 (e.g., 호흡중추 억제 약물, 신경병증)
호흡근의 피로, 과도한 work of breathing
영양실조 (but, 탄수화물 과잉 섭취시 CO_2 생성 증가되므로 주의)
감염, 발열, 장기부전(e.g., hypothyroidism)
전해질 (K^+, Mg^{2+}, Ph, Ca) 감소, metabolic alkalosis
좌심실부전 (∵ pul. edema, myocardial ischemia 등 발생)

비침습적 (양압)환기
NIV/NIPPV (noninvasive positive-pressure ventilation)

- NIV (noninvasive ventilation) : endotracheal or tracheostomy tube와 같은 인공기도를 이용하지
  않고 nasal mask, facial mask, helmet, hood 등을 이용하여 기계적 환기를 제공하는 것
  - ┌ nasal mask : 기침 및 말하는 능력↑ (단점 ; 구강으로 누출, 비강의 높은 저항, 비강 자극)
  - └ full facial mask : ventilation 효과 최고 (단점 ; dead space↑, aspiration↑, claustrophobia)
  - conventional ventilator (병원) or **portable (+) pressure ventilator** 이용 (e.g., CPAP, BiPAP)
  - 장점 ; 기관삽관의 합병증(e.g., 폐렴, 기관손상) 감소, 편리하고 가정에서도 사용 가능
  - 단점 ; 꽉 끼는 mask로 인한 환자의 불편함

- NIV의 mode (침습적 기계환기와 동일하지만, NIV에서 더 흔히 쓰이는 mode가 있음)
  - assist control (AC) : 확실한 minimal minute ventilation이 필요할 때 선호됨
  - pressure support ventilation (PSV) : 환자의 편안함과 synchrony가 중요할 때 선호됨
  - proportional assist ventilation (PAV) : PSV보다 더 synchrony 향상
  - CPAP (continuous PAP) : 생리적으로는 PEEP과 비슷한 개념, 폐쇄성 수면 무호흡 및
    cardiogenic pulmonary edema에 의한 급성호흡부전 환자에서 선호됨
  - BPAP (bilevel PAP) : m/c, 흡기시와 호기시 기도압을 다르게 하는 것, COPD 환자에서 선호됨

  c.f.) CMV, IMV, SIMV, PCV 등은 NIV에서는 거의 사용 안됨

- NIV의 효과
  ① vital signs : HR와 RR의 빠른 감소
     (1-2시간 뒤에도 RR가 감소하지 않으면 호흡부전이 임박했음을 시사)
  ② gas exchange : 1시간 이내에
     ┌ hypercapnic RF → $PaCO_2$ 5~10 mmHg 감소
     └ hypoxic RF → PaO_2 ↑↑
  ③ work of breathing, dyspnea sensation, anxiety 감소

- <u>NIV의 적용</u> (환자가 의식이 있어야 됨)
  : moderate acidosis (pH 7.3~7.35) & **hypercapnia** ($PaCO_2$ 45~60 mmHg)
     (COPD 환자는 좀 더 심한 경우도 가능 → 8장 COPD 편 참조)
  ① obstructive dz. ; <u>COPD</u>, 급성 천식, cystic fibrosis, 상기도 폐쇄, OSAHS
  ② <u>cardiogenic pulmonary edema</u> ⇨ CPAP
  ③ parenchymal dz. ; pneumonia, ARDS
  ④ restrictive lung dz. ; neuromuscular dz., obesity-hypoventilation syndrome,
                kyphoscoliosis 등의 흉벽 변형

  c.f.) acute hypoxemic respiratory failure 때는 intubation & conventional MV가 더 효과적임!
     - intubation이 필요하지 않은 시기에는 NIV보다는 HFNC 사용이 더 예후가 좋음
     - NIV or HFNC 모두 intubation이 필요한 시기를 지나쳐서 사용해서는 안됨

- <u>COPD의 급성악화</u> ⇨ BPAP (or PSV)
  - intubation, ICU 재원 기간, 폐렴 발생 등을 감소시켜 사망률을 줄일 수 있는 것이 증명되었음
    - ┌ acidosis가 심하면(pH <7.25) pH가 낮아질수록 NIV 실패율이 높아짐
    - └ acidosis가 경미하면(pH >7.35) 기존의 산소 & 약물치료보다 더 예후를 개선시키지는 못함
  - 퇴원 이후 HMV (home mechanical ventilation)로 사용해도 급성악화 및 사망률 감소

NIV의 금기
응급 기관삽관이 필요한 경우는 절대 금기임!
Cardiac or respiratory arrest
심각한 장기부전 (폐 이외의)
심한 뇌병증/의식저하 (e.g., GCS <10)
심한 위장관 출혈
혈역학적 불안정, 불안정한 부정맥 등
안면부 수술/외상/변형
최근의 식도 수술
협조 불가능, 기도보호 불가능, 분비물 제거 불가능, 흡인 고위험군 등
장기간의 기계환기 예상

17
폐암

개요

- 원발성 폐암 : 대개 호흡상피(기관, 기관지, 폐포)에 발생한 암을 의미함
- 우리나라 전체 암중 발생 빈도 4위 (남사 2위, 여자 5위)
- 암으로 인한 사망 원인 중 1위 (남녀 모두) - 우리나라 & 미국 모두
- 55~65세에 호발 (40→80세까지 유병률 증가), 남:여 = 2:1 (평생 발생률 남/여 = ~8%/~6%)
- 특이한 증상이 없으므로 초기 발견이 어려워, 진단시 localized dz.는 15% 뿐,
  25%는 regional LN 전이, 55% 이상은 원격 전이를 동반
  → 예후 나쁘다 (폐암 전체의 5YSR 약 16%)

원인/위험인자

1. Modifiable risk factors

(1) smoking (m/i)
- 폐암 환자의 85%가 현재/과거의 흡연자 (c.f., 나머지 15%의 비흡연자는 대부분 여성)
- 비흡연자 대비 흡연자는 폐암 발생 위험 10배 (지속 흡연자는 20배, 과거의 흡연자는 9배)
- 간접 흡연자도 폐암 발생 위험 20~30% 증가
- COPD 동반시 폐암 발생 위험 더욱 증가
- 모든 종류의 폐암이 흡연과 관련
  (폐암 세포에서 nicotine receptor 발현 → nicotine은 폐암 세포의 apoptosis를 방해)
- 총흡연량(pack-years)에 따라 폐암 사망률 증가 (e.g., 하루 2갑씩 20년 피운 사람은 60~70배↑)
- 금연하면 폐암 발생 위험 감소 (but, 비흡연자 수준으로는 안 됨!)
  - 중년 이전에 금연하면 담배에 의한 폐암 발생 위험 90% 이상 감소
  - 폐암 진단 이후에도 금연하는 것이 중요함 (∵ 생존율↑, 치료부작용↓, 삶의 질↑)
- 최근에는 비흡연자의 폐암도 증가 추세 ; 전체의 30%↑, 남자의 1/12, 여자의 1/5(우리나라는 90%)

(2) 직업적인 노출 ; asbestos, arsenic, bischloromethyl ether, mustard gas, 중금속(6가 크롬, 니켈), beryllium, polycyclic aromatic hydrocarbons 등

(3) 방사능 ; ionizing radiation (e.g., 원폭), radon (장기간 노출시 간접흡연 이상으로 위험)

(4) 식이 : 과일과 야채를 적게 섭취하는 군에서 폐암 발생 위험 높음

　　　(but, 무작위 연구에서는 retinoids [vitamin C]와 carotenoids의 폐암 예방 효과 증명 실패했음)

(5) 기존 폐질환 ; 미만성 폐섬유화 (14배↑), COPD (2배↑), 폐결핵, lung scar, asbestosis, silicosis,
　　　scleroderma, dermatomyositis ...　(COPD 환자는 담배를 끊어도 risk factor 임)

(6) 대기오염 : 화석 연료의 연소로 인해 발생하는 오염물질, 미세먼지 등

2. Nonmodifiable risk factors

(1) 성별, 민족 ; 같은 양의 흡연시 남성보다 여성이 1.5배 폐암 발생률 높음

(2) genetic susceptibility

- 일부에서 가족력을 보임
- 폐암 환자의 1차친척은 폐암 및 다른 암의 발생 위험 2~3배 증가 (상당수는 흡연과 관련 없음)
- *Rb, p53* 유전자 변이를 가진 경우 폐암 발생 증가
- 기타 폐암과 관련된 유전자들 ; 5p15.33 (*TERT-CLPTM1L*), 6p21.33 (*BAT3-MSH5*),
  15q25.1 (*CHRNA5-CHRNA3*), nicotinic acetylcholine receptors (nAChRs) gene cluster,
  telomerase activity (e.g., *hTERT, NOVA1*), *EGFR* T790M germline mutation, 염색체 6q 등
  　　　　　　　　　　　　　　　　　└ 비흡연자에서 폐암 발생 증가 ┙

(3) 폐암 pathogenesis와 관련된 유전자 이상

	SCLC	NSCLC
종양유전자(oncogene) 활성화 [driver mutations]		
RAS mutation (대부분 *KRAS*)	<1%	15~25% (주로 adenoca.)
EGFR mutation	<3%	10~20% (주로 adenoca.)*
FGFR mutation/amplification	1%	5% (주로 SSC)
ALK rearrangement	1%	3~6% (주로 adenoca.)
MYC family overexpression	>50% (*MYC, MYCN, MYCL*)	10~35% (*MYC = c-myc*)
BCL-2 family overexpression	>75%	>50%
종양억제유전자(recessive oncogene, tumor suppressor gene) 불활성화 등		
3p allele loss (3p-)	100%	>90%
FHIT (fragile histidine triad) mutation	75%	75%
RASSF1A methylation	90%	40%
RB mutation	>90%	20%
17p (p53/*TP53*) mutation	>90%	>50% (SSC>adenoca.)
9p (p16/*CDKN2*) mutation/-	10%	>50%
Promotor hypermethylation	>80%	>80%

*우리나라(동아시아)는 약 40~60%로 서양보다 *EGFR* mutations이 많음

	흡연자	비흡연자
연령	>60세	<60세
성별	남>여	남<여
인종	백인	동아시아인
조직형	All	주로 adenocarcinoma
유전자이상	*KRAS, PIK3CA, RB, p53*	*EGFR, ALK*

- 종양유전자(oncogene) 활성화 [driver mutations] ; *EGFR, ALK, RAS, ROS1, MET, RET* 등
- 종양억제유전자의 비활성화 ; *TP53, CDKN2A/RB, STK11, PTEN* 등
- 기타 ; 후성변경(epigenetic alteration), angiogenesis, microRNA, telomerase overactivity 등

■참고: erbB (HER) family : EGFR로 통칭하기도 함

┌ erbB1 (*EGFR, HER1*)
│ erbB2 (*HER2/neu*)　　　　NSCLC의 최대 70%에서 EGFR 단백의 overexpression 또는 *EGFR* 유전자의
│ erbB3 (*HER3*)　　　　　　amplification이 관찰됨 → EGFR의 세포내 TK (tyrosine kinase) 영역이
└ erbB4 (*HER4*)　　　　　　새로운 분자표적치료제(e.g., erlotinib, gefitinib)의 target이 됨

분류

참고: 폐 종양의 WHO 분류 (2015)

Epithelial tumors
　Adenocarcinoma (m/c, 거의 1/2)　　　<u>Lepidic</u>*, Acinar, Papillary, Solid, Micropapillary 등이 주요 형태
　　　　　　　　　　　　　　　　　　　　기타 Invasive mucinous, Colloid, Fetal, Enteric, Minimally invasive

　Squamous cell carcinoma (SCC)　　　Keratinizing, Non-keratinizing, Basaloid

Neuroendocrine tumors
　Small cell carcinoma (SCLC)
　Large cell neuroendocrine carcinoma　　c.f.) 과거의 large cell ca.는 여러 subgroup으로 나뉨
　Large cell carcinoma　　　　　　　　　　Bronchioloalvelar carcinoma (BAC)은 삭제됨
　Carcinoid tumors

Mesenchymal tumors, Lymphohistiocytic tumors, Tumors of ectopic origin, Metastatic tumors

　*Lepidic : 비침습적으로, 온전한 폐포 벽을 따라 한 층으로 선암세포(atypical cuboidal cells)가 자란 형태.
　　　　　과거의 bronchioloalveolar carcinoma (BAC) pattern

전통적인 폐암의 조직학적 분류

조직학적 type	빈도(%)	5YSR (%)
Non-small cell lung cancer (NSCLC)		
<u>Adenocarcinoma</u> (m/c)	32~40	17
Squamous cell (epidermoid) carcinoma	25~30	15
Large cell carcinoma	8~16	11
Bronchioloalvelar carcinoma	~3	42
Small cell lung cancer (SCLC)	15~18	5
Carcinoid	~1.0	83
Total	100	14

* 우리나라도 2007년경부터는
　SCC보다 adenocarcinoma가 많아졌음
　(adenoca. 34.8% > SCC 32.1%
　> SCLC 17%)

※ ┌ central ; squamous cell ca, SCLC (→ bronchoscopy로 발견)
　 └ peripheral ; adenocarcinoma, large cell ca. (→ chest X-ray상 nodules)

1. 비소세포폐암 (NSCLC, Non-small cell lung cancer)

(1) 편평상피세포암 (squamous cell carcinoma, SCC)
- central airway에서 발생 (type Ⅱ epithelial cells or alveolar epithelial cells이 기원으로 추정)
- 흡연자에서 가장 흔하게 발생 → 흡연자의 감소로 빈도 지속적으로 감소
- cavity 형성 가능 (cavitary forming tumor의 95%) ; wall이 두껍고 불규칙
  (c.f., SCC와 large-cell ca.의 10~20%에서 cavity 형성)
- SCLC보다 천천히 자라며 전이를 늦게 함
- 조직학적 특징 ; keratinization (keratin "pearl") and/or intercellular bridges

(2) 선암 (adenocarcinoma)
- 수술로 절제된 폐 선암의 70~90%는 invasive adenocarcinoma임
  (c.f., 주로 lepidic pattern인 non-/minimally invasive adenocarcinoma는 5YSR 거의 100%)
- 비흡연 여성 or 45세 이하에서 호발, 계속 빈도 증가하여 폐암 중 m/c (거의 ~50%)
- 흡연과 가장 관련이 적지만, 흡연과 무관한 것은 아님
- periphery에서 발생, 증상이 없는 경우가 많음, 원격전이가 흔함
- 고립성폐결절(SPN) 형태로 발견된 폐암의 약 60% 차지
- 가끔 lung scar와 관련되어 발생 (scar cancer)
- 조직학적 특징 ; glandular 분화 or mucin 생산 / lepidic, acinar, papillary, or solid patterns
                                          (good Px.)   (poor Px.)

(3) 세기관지폐포암 (bronchioloalveolar carcinoma, BAC)
- adenocarcinoma의 subtype (lepidic pattern), 남=여, 비흡연자에서 더 흔함
  → 현재는 안 쓰는 용어, adenocarcinoma에 포함됨 (AIS, MIA, invasive adenoca. 등)
- 폐포벽을 따라 증식하며 경계가 불분명, gas exchange의 장애를 일으킴
- Sx ; dyspnea, hypoxemia, sputum (→ 폐렴과의 감별이 어려울 수 있음)
- CXR/CT ; multiple small nodules or ground-glass 양상 (폐렴과 비슷)

(4) 대세포암 (large-cell carcinoma)
- SCC나 adenoca.의 형태학적 특징을 갖지 않으면서 세포질이 풍부한 종양
- 주로 periphery에서 발생하며, 원격전이(e.g., 뇌)가 흔함
- WHO 2015 분류에서는 다른 여러 아형으로 나뉘어졌음

c.f.) Pulmonary **invasive mucinous adenocarcinoma (IMA)**
  - 과거의 mucinous bronchioloalveolar carcinoma (BAC), 폐 선암의 1% 정도
  - 세포질 내 mucin 물질이 풍부한 goblet cell histology (→ TTF-1 양성이 적음)
  - 영상검사 ; lobar or segmental consolidation이 대부분 (multicentric, multilobar가 흔함)
  - 대부분 KRAS mutations (+) / EGFR mutation은 드묾
  - 폐포가 mucin으로 가득 차있음 → 기도 폐쇄, 하얀 점액성 가래 (심하면 양↑)

2. 소세포폐암 (small cell lung cancer, SCLC)

- neutroendocrine cells에서 기원, 흡연과 관련성 높음 (비흡연자에서는 드묾)
- central airway에서 발생, obstructive pneumonia 동반 가능
- 폐암 중 가장 악성도가 높고 증식 속도가 빠름! → high proliferative rate (Ki-67, MIB-1)
- 조기에 전이를 일으켜 진단 당시 약 2/3에서 흉부외 원격전이 존재 (간, 뇌, 뼈, 부신 등에 호발)
  → 다른 폐암과 달리 chemotherapy가 우선
- paraneoplastic syndromes이 흔함 ; ACTH, ADH (AVP, vasopressin), ANP, calcitonin,
  bombesin (gastrin-releasing peptide), neuronal autoAb. 등을 분비
- 신경내분비적 분화의 특징을 가짐 ; dense-core granules, neuron-specific enolase (NSE),
  CD56 (NCAM), synaptophysin, chromogranin, CD57 (Leu7) 등 (+)

폐암이 면역조직화학염색(IHC)

	TTF-1	Nap-A	CK7	CK20	기타
Adenoca.	+	+	+	−	세포질내 mucin, PAS-D 등 (+)
SCC	−	−	−	−	p40, p63*, desmoglein 등 (+)
SCLC	+	−	+	+	Ki-67, CD56 (NCAM), NSE 등 (+)
Metastasis	−	−	유방, 난소, 전립선, 신장	대장, 전립선	유방→ER, 난소→ER, inhibin 전립선→PSA, 신장→CD10 등

*세포검체(needle aspiration)로 진단에 유용
TTF (thyroid transcription factor-1), Nap-A (Napsin-A), CK (cytokeratin)
c.f.) Mesothelioma ; CK7/20, CK5/6, calretinin, Wilms tumor gene-1 (WT-1) 등 양성

▶ 참고 : 폐암 및 정상 폐의 조직 사진

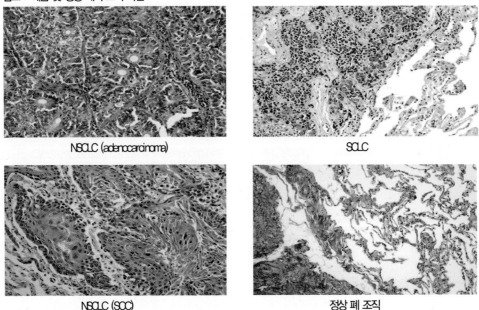

NSCLC (adenocarcinoma)

SCLC

NSCLC (SCC)

정상 폐 조직

임상양상

* 5~15%는 무증상일 때 발견됨 (대개 routine CXR/CT 검사로)

1. Primary lesion에 의한 증상

(1) central or endobronchial tumors
; <u>cough</u> (m/c, 50~75%), <u>hemoptysis</u> (25~50%), <u>dyspnea</u> (25%), wheezing/stridor, postobstructive pneumonitis (fever, productive cough) 등

(2) peripheral tumors
; <u>chest pain</u> (20%, 흉막 또는 흉벽 침범), dyspnea (∵ restrictive), 종양괴사에 의한 폐농양 등

2. Local invasion에 의한 증상

- tracheal obstruction → dyspnea
- esophageal compression → dysphagia
- recurrent laryngeal N. 침범 → 쉰소리(hoarseness), 성대마비 [→ T4]
  (좌측 폐암에 의한 aortic arch 근처의 Lt. R. laryngeal N. 침범이 대부분)
- phrenic N. 침범 → 편측 횡격막 상승, dyspnea
- inferior cervical sympathetic ganglion 침범 → <u>Horner's syndrome</u>
            (unilateral facial anhidrosis, enophthalmos, miosis, ptosis)

- *Pancoast's syndrome* (superior sulcus tumor) [→ T3]
  - apex에서 발생 (우상엽), 대개 squamous cell ca.
  - Sx ① inf. cervical sympathetic ganglion 침범 → *Horner's syndrome* 동반
        ② brachial plexus 침범 → upper extremity paralysis, paresthesia
        ③ intractable pain ; shoulder, scapula, upper chest, arm
             (ulnar distribution으로 radiating)
  - Tx : preop. RTx + 수술 + postop. RTx or intraop. brachytherapy
  - Px (3YSR) : SCC 42%, adenoca. & large cell ca. 21%

- *SVC (superior vena cava) syndrome*
  - 원인 : 악성 종양이 90% 이상, 주로 central type lung ca.   → 혈액종양내과 참조
    ; SCLC (m/c)와 SCC가 전체 악성 종양의 85% 이상 차지
  - Sx : 호흡곤란, 두통, 안면홍조(plethora), 얼굴과 팔의 부종, 경정맥 확장
  - CXR : sup. mediastinum의 확장 (주로 우측), pleural effusion (25%)
  - Tx ① radiotherapy (즉시 치료해야!, medical emergency는 아님)
        ② 원래 cancer에 대한 CTx (e.g., SCLC, lymphoma)
        ③ stenting, bed rest with head elevation, 산소, 이뇨제, salt restriction 등

- 흉벽/흉막/뼈 침범 → pleural effusion, chest pain, bone pain (or fracture)
- 심장/심막 침범 → tamponade, arrhythmia, heart failure

- lymphatic obstruction → pleural effusion
- lymphangitic spread → hypoxemia, dyspnea

3. Extrathoracic metastasis에 의한 증상

- 부검시 SCC의 50% 이상, adenoca.와 large cell ca.의 80%, SCLC의 95% 이상에서 원격전이 발견
- 증상이 있어 진단된 폐암 환자의 약 1/3에서 원격전이 존재 ; brain, bone, liver, BM, adrenal 등
- brain (10~20%) ; 두통, N/V, 경련, 신경장애, 의식장애 ...
  - 뇌는 primary tumor보다 metastatic tumor (lung, breast 등)가 훨씬 많음
  - 증상을 보이는 뇌 전이종양의 70%가 폐암
- bone (NSCLC의 20%, SCLC의 30~40%) [척추, 갈비뼈, 골반, 사지 등] ; 통증, 병적 골절, ALP↑
- liver ; 간비대, RUQ pain, 발열, 식욕부진 등 (간기능장애나 담도 폐쇄는 드묾)
- BM ; cytopenia, leukoerythroblastosis
- LN ; supraclavicular, axilla, groin 등에
- adrenal ; 흔하지만 증상이나 부신 부전이 나타나는 경우는 드묾
- spinal cord compression syndrome (∵ epidural or bone metz.) → Tx : RTx, steroid

4. 부종양 증후군 (paraneoplastic syndrom)

* 수술의 금기는 아니며, 수술/CTx. 후 호전되는 경우가 많음

(1) 원인을 모르는 증상

- 식욕부진, cachexia, 체중감소 (환자의 30%에서 동반), fever, 면역저하 ...
- 10% 이상의 체중감소는 poor Px. sign

(2) Hypercalcemia (& hypophosphatemia)

- PTH or PTH-related peptides (더 흔함) 생산 때문, 주로 SCC에서 발생
- Sx : N/V, constipation, polyuria, weakness, coma, shortening QT interval
- Tx : N/S으로 hydration (∵ 탈수 상태), bisphosphonate
     (euvolemia되면 furosemide를 추가할 수 있음)
* bone 전이에 의한 hypercalcemia도 발생 가능

(3) SIADH (syndrome of inappropriate secretion of ADH) : hyponatremia

- vasopressin (AVP, ADH)의 ectopic secretion 때문, SCLC의 10~45%에서 동반
- hyponatremia, serum osmolarity ↓, urine osmolarity > serum osmolarity, urinary sodium excretion ↑
- 대부분 CTx. 시작 1~4주 뒤 호전됨
- Tx. ① 수분 제한, loop diuretics (furosemide) → serum Na$^+$ 128 mEq/L 이상 유지
     ② hypertonic saline (3%) : 생명 위험시 (confusion, coma ...)
     ③ demeclocyline (ADH의 작용을 억제)
     ④ vasopressin receptor antagonists (e.g., tolvaptan) : 부작용 위험(간 손상, 신경 손상)
* ANP (atrial natriuretic peptide) 분비에 의한 hyponatremia도 발생할 수 있음 (SCLC)

(4) Cushing's syndrome

- 주로 SCLC에서, ACTH의 ectopic secretion은 ~50%에서
- 급격히 발병하여, 전형적인 외형 변화는 나타나지 않고, hypokalemia같은 전해질 이상만 나타남
- 실제 Cushing's syndrome은 1~5%에서만 → poor Px. (CTx.로 인한 기회감염 증가도)
- Tx. ① SCLC 자체를 치료하는 가장 효과적
  ② bilateral adrenalectomy : 매우 심한 경우 고려
  ③ 일반적인 치료(e.g., metyrapone, ketoconazole)는 대개 효과 없음 (∵ cortisol level↑↑)

(5) skeletal-connective tissue syndrome

① clubbing ; 30%, 주로 NSCLC에서 발생

② hypertrophic pulmonary osteoarthropathy (HPOA)

- 1~4%, 대개 adenocarcinoma에서 발생, VEGF의 overexpression 때문?
- Sx ; nail clubbing, synovitis, long bones의 periosteal inflammation (→ 통증, 압통, 부종)
- 주로 발목, 무릎, 손목, 팔꿈치 등을 침범 (metacarpal, metatarsal, phalangeal bones도 가능)
- X-ray : periosteal new bone formation / bone scan : diffuse pericorticall linear uptake
- Tx ; aspirin, NSAID

(6) neurologic-myopathic syndrome (1%)

┌ SCLC ; Eaton-Lambert syndrome, retinal blindness
└ all type ; peripheral neuropathy, subacute cerebellar degeneration,
　　　　　　cortical degeneration, polymyositis

- 대부분 자가면역(autoAb.)에 의해 발생
- **Eaton-Lambert syndrome** (Lambert Eaton myasthenic syndrome, LEMS)
  - SCLC의 1~3%에서 발생 (보통 Ca. 발견 4년 전부터 발생)
  - 기전 : anti-voltage-gated calcium channel (VGCC) autoAb. 생성 (SCLC의 5~8%에서)
    → neuromuscular junction 에서의 Ach. 분비 감소
  - Sx : proximal muscles의 progressive weakness (휴식시 심함, 운동시 호전 → MG와의 차이),
    DTR 감소 or 소실, automonic dysfunction (e.g., dry mouth)
  - myasthenia gravis (M.G.)와의 감별점
    ① DTR ↓
    ② minimal cranial nerve involvement
    ③ EMG : high rate stimulation에 점증형
    ④ Tensilon test (−)
    ⑤ Ach. receptor antibody (−)
  - Tx : plasmapheresis, IVIG, pyridostigmine, 3,4-diaminopyridine, guanidine
- neuronal autoAb. (e.g., anti-Hu [ANNA1], anti-Ri [ANNA2, Nova-1], anti-Yo [PCA-1],
  anti-ANNA3, anti-CV2 [CRMP5]) → 매우 다양한 신경 증상 ; sensory neuropathies,
  autonomic overactivity, cerebellar degeneration, brainstem encephalitis, limbic encephalitis...
  c.f.) anti-Hu ; SCLC의 ~20%에서 발견되지만 대부분은 무증상
- DM/PM ; 폐암은 DM 진단 1년 내 발생 암의 약 18%, PM 진단 5년 내 발생 암의 20% 차지

(7) 기타

- 혈액학적 이상 (1~8%) ; migratory venous thrombophlebitis (Trousseau's syndrome) nonbacterial thrombotic (marantic) endocarditis + arterial emboli, DIC, anemia, leukocytosis, eosinophilia, thrombocytosis (흔함) ... (thrombotic Cx. → poor Px.)
- 피부증상(e.g., dermatomyositis, acanthosis nigricans)과 신장증상(e.g., NS, GN)은 드묾(<1%)

폐암의 Paraneoplastic syndromes ★

	Syndrome	흔한 조직형
Endocrine & metabolic	SIADH, Cushing's syndrome, hypercalcitoninemia	SCLC
	Hypercalcemia	SCC
	Gynecomastia	Large cell ca., adenoca.
Connective tissue & osseous	Clubbing	NSCLC
	Hypertrophic pulmonary osteoarthropathy	Adenoca., large cell ca.
Neuromuscular	Myasthenia (Eaton–Lambert syndrome)	SCLC
	Peripheral neuropathy (sensory, sensorimotor)	모두
	Subacute cerebellar degeneration	모두
	Dermatomyositis	모두
Cardiovascular	Thrombophlebitis (Trousseau's syndrome)	Adenocarcinoma
	Nonbacterial thrombotic (marantic) endocarditis	
Hematologic	Anemia, DIC, eosinophilia, thrombocytosis	모두
Cutaneous	Acanthosis nigricans, erythema gyratum repens	모두

■ 폐암에서 의식혼탁을 초래하는 원인

; SIADH, hypercalcemia, respiratory alkalosis, brain metastasis (→ electrolytes, ABGA, brain CT 등을 check 해야 함)

진단과 병기판정

1. 조기진단 (screening)

- sputum cytology & chest X-ray (1 cm 넘어야 발견 가능)
  - screening으로 폐암이 발견된 환자의 90%는 무증상
  - but, screening을 안한 군과의 폐암에 의한 사망률 차이가 없음! → 현재 권장되지 않음
- low-dose spiral CT (LDCT) : 조기 폐암의 진단 민감도가 높아 (특히 peripheral lesions에서), CXR보다 폐암 사망률을 20% 감소시키지만, 위양성률이 높고 비용이 많이 드는 것이 문제
  - 다른 더 뛰어난 방법은 없으므로 screening이 필요한 경우나 SPN의 evaluation에 많이 이용
  - 대상 ; 55~74세, 30갑년 이상의 흡연력 (금연했다면 15년 경과×) → 매년 1회 LDCT 시행
- 종양표지자 ; CEA, SCC-Ag, CYFRA 21-1, NSE 등 모두 진단 민감도와 특이도가 부족함
  → 폐암 screening 용으로는 권장 안됨

2. 조직학적 확진 (tissue diagnosis)

- 분자유전검사 등을 위해 충분한 양의 조직을 얻는 것이 좋음 (core [needle] biopsy가 가장 좋음)
- fiberoptic <u>bronchoscopy</u> (m/i) ; 특히 <u>central</u> (e.g., SSC, SCLC) or endobronchial lesions
  (e.g., carcinoid tumor)의 진단에 유용 → overall sensitivity 85~90%
  - cytology : washing, brushing, BAL, tranbronchial FNA (가장 sensitive)
  - bronchial or transbronchial lung biopsy (TBLB, TBB)
  - <u>EBUS</u> (endobronchial US)-guided transbronchial biopsy (TBB) or needle aspiration (<u>TBNA</u>)
    - ┌ sensitivity & specificity 높고, 안전하게 시행 가능
    - └ 종격동/폐문부 LN 및 기관지 주변 폐실질에 대한 조직학적 진단 가능
  - peripheral lesions이라도 staging을 위해 필요할 수 있음
- (CT-guided) <u>transthoracic needle biopsy (TTNB)</u> or aspiration (TTNA) ; <u>peripheral</u> lesions
  (e.g., adenocarcinoma, large cell ca.)의 진단에 유용 (but, pneumothorax 합병 위험)
- 우선 원격전이가 R/O되면 LN 평가 실시 (imaging and/or FNA/조직검사)
- LN biopsy/cytology ; <u>EBUS</u>, mediastinoscopy, VATS (thoracoscopy), TBNA, TTNA, EUS 등
  - 정확한 N stage가 필요할 때는 반드시 시행 (e.g., stage I~III에서 N2 or N3 결정시)
  - 영상검사 만은 민감도/특이도 낮음 (위양성/위음성 많음) ; CT 55%/62%, PET-CT 81%/90%
  - CT or PET-CT에서 LN 전이 의심시 (NSCLC의 1/4~1/2) 조직검사로 확진 권장
- sputum cytology ; sensitivity 20~70% (크고 중앙에 위치한 SSC, SCLC에서 높음), 3회 이상 실시

3. 병기판정을 위한 검사 (staging procedures)

(1) 모든 환자에서 권장

- Hx, P/Ex ; performance status, weight loss, ENT examination ...
- CBC, electrolytes, glucose, calcium, phosphorus, renal & liver function tests
- EKG, chest X-ray, <u>TB skin test</u> (or IGRA)
- <u>CT</u> : chest, abdomen (liver와 adrenal 전이 여부 보기 위해)
  - SCLC에서는 RTx. 설계, 치료반응 평가, F/U에 매우 유용
  - 종격동 조직의 침범을 보는 데는 spiral chest CT or MRI가 좋음
    (but, 치료방침 결정에 영향을 미치는 병변은 조직검사가 필요)
- (PET or) <u>PET-CT</u> scan ; 종격동 LN 평가 및 원격전이 발견 위해 모든 환자에서 시행
  - 고립폐결절(SPN)의 진단 : sensitivity 90~95%, specificity 85~90%
  - 종격동 LN 전이 판정 : sensitivity & specificity 95% 이상
  - standardized uptake value (SUV) 2.5 이상이면 악성 가능성 높음
  - 위음성 ; DM, 병변 크기<8 mm, 천천히 자라는 종양(e.g., carcinoid, well-diff. adenoca.)
  - 위양성 ; 일부 감염 및 육아종성 질환(e.g., TB)
- MRI ; CNS (뇌, 척수), 부신, 종격동(혈관, 지방, 기관, 식도), 흉벽 등의 전이 확인에 m/g,
  superior sulcus tumors, brachial plexus 침범 R/O 때도 유용
- spinal cord compression or leptomeningitis 의심시 → spinal CT/MRI, CSF cytology
- radionuclide bone scan ; 골 전이 의심시 (e.g., 압통, ALP↑) → PET가 특이도 더 좋음
- PFT & ABGA : 호흡부전의 증상/징후 있을 때

- **의심되는 병변의 biopsy** ; 조직학적 진단이 되지 않았거나, 치료 또는 병기판정에 영향을 미치는 경우 반드시 시행! (e.g., mediastinal LN - NSCLC 진단시 1/4~1/2에서 전이 존재)

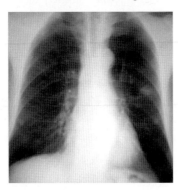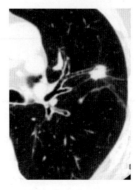

좌측 폐 주변부에 nodule 존재

(2) 수술/방사선치료에 금기가 없는 NSCLC 환자

- stage Ⅲ의 경우 PET-CT에 추가로 더 많은 검사 권장 (brain CT/MRI 등)
- PFT & ABGA, coagulation tests
- cardiopulmonary exercise test : performance status or PFT에서 경계군
  - 수술 예정인 환자 : mediastinoscopy 또는 개흉술시 mediastinal LN 평가
  - 수술 고위험군 or RTx 예정 환자 : bronchoscopy에서 음성이면 TTNA/TTNB or TBLB

(3) SCLC 또는 advanced NSCLC 환자

- SCLC가 증명된 환자
  - underline: brain CT/MRI (약 10%에서 뇌 전이 존재)
  - BM biopsy (약 20~30%에서 전이) : isolated BM 전이는 드물어 routine으로는 권장 안됨
- NSCLC 또는 조직형을 모르는 경우
  - 의심되는 병변의 biopsy
  - transthoracic biopsy or TTNA : bronchoscopy에서 음성이고, 조직학적 진단을 위한 다른 검체를 얻을 수 없을 때
  - thoracentesis : pleural effusion 존재시 cytology 확인 (→ 음성이면 여러번 반복)

원격전이를 시사하는 소견	
병력	체중감소 (>4.5 kg) 국소 뼈 통증 두통, 실신, 경련, 사지근력 약화, 최근의 의식 변화
진찰	Lymphadenopathy (>1 cm) Hoarseness, SVC syndrome Bone tenderness Hepatomegaly (>13 cm) Focal neurologic signs, papilledema Soft tissue mass
기본검사	Anemia : Hct <40% (남), <35% (여) ALP, GGT, AST, calcium 상승

*위 소견들이 모두 없으면 원격전이가 있을 확률은 <10%

4. 생리학적 평가 (수술가능성 검토)

- 수술 전 폐기능 평가 : 폐활량검사(spirometry) – <u>FEV$_1$</u> & 폐확산능검사(DL$_{CO}$) 필수

  ┌─ FEV$_1$ <u>≥2 L (or 80% predicted)</u> & DL$_{CO}$ ≥80% ⇨ Pneumonectomy(폐절제술) 포함한 수술 가능

  ┊   (FEV$_1$ >1.5 L ⇨ Lobectomy 가능)

  └─ FEV$_1$ <2 L (or 80% predicted) or DL$_{CO}$ <80%

          ⇨ 절제 후 폐기능: predicted postoperative (PPO) FEV$_1$ & DL$_{CO}$ 계산!

- 수술 후 감소되는 폐 % 평가 ; <u>quantitative perfusion lung scan</u>, CT, 해부학적 계산(segments 수)

  (= preop. FEV$_1$ or DL$_{CO}$ × 수술 후 남을 폐 부위의 perfusion %)

- predicted postoperative (PPO) FEV$_1$, DL$_{CO}$ 60%와 30%를 기준으로 위험도 분류, 필요시 추가로 정식 심폐기능검사(cardiopulmonary exercise test, CPET)로 최대산소섭취량(VO$_2$max) 측정 or stair climb or shuttle walk test 시행

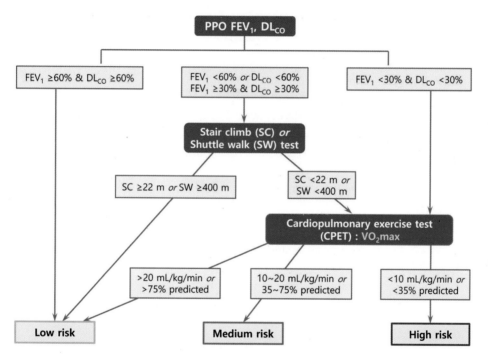

┌─ low risk : 수술 관련 사망률(예상) 1% 미만

┊ medium risk : 수술의 이득과 위험은 환자에 따라 평가

└─ high risk : 사망률 10% 이상, minimally invasive surgery, minor resections, 비수술적 치료 고려

수술의 생리학적 절대 금기 (stage와 관계없이) ★
1. 거동이 불가능한 performance status (ECOG ≥2)
2. AMI후 3개월 이내 (6개월 이내의 MI는 relative C/Ix)
3. 조절되지 않는 major arrhythmia
4. Severe pulmonary HTN
5. CO_2 retention (PaCO$_2$ >45 mmHg) ⋯ hypoxemia보다 중요
6. FEV$_1$ <1 L, FVC <1.5 L, DL$_{CO}$ <40%
7. Maximal breathing capacity (MVV) <40% predicted

5. 폐암의 staging (⇨ NSCLC, SCLC, bronchopulmonary carcinoid tumors)

TNM classification (8th edition, 2016) ★

	Tumor Size (T)
TX	원발종양을 평가할 수 없음 *or* 객담/기관지세척액에서 암세포는 존재하지만 영상검사/기관지내시경에서 보이지 않는 경우
T0	원발종양의 증거가 없는 경우
Tis	상피내 암종(carcinoma in situ) Squamous cell carcinoma in situ (SCIS) **Adenocarcinoma in situ (AIS)**: 직경 ≤3 cm, pure lepidic pattern의 선암
T1	종양직경 ≤3 cm & 폐 또는 내장측 흉막에 둘러싸여있고 　기관지내시경상 lobar bronchus보다 상부(i.e., main bronchus)를 침범하지 않았을 때 T1a ≤1 cm,　T1b 1<종양직경≤2 cm,　T1c 2<종양직경≤3 cm **T1mi** (minimally invasive adenocarcinoma, MIA) : 종양직경 ≤3 cm, 　주로 lepidic pattern, stromal invasion ≤0.5 cm
T2	3<종양직경≤5 cm *or* <u>아래 중 하나</u> 　크기에 관계없이 main bronchus를 침범 (carina에서의 거리는 관계×, carina는 침범×) 　내장측 흉막(visceral pleura)을 침범 (PL1 or PL2) 　폐문부까지 퍼진 atelectasis 또는 obstructive pneumonitis 동반 T2a 3<종양직경≤4 cm,　T2b 4<종양직경≤5 cm
T3	5<종양직경≤7 cm *or* <u>아래 중</u> 하나 이상을 직접 침범(direct invasion) 　벽측 흉막(parietal pleura, PL3), <u>흉벽(superior sulcus tumor 포함)</u>, phrenic nerve, 벽측 심장막 *or* 원발종양과 같은 폐엽의 separate tumor nodule(s)
T4	종양직경 >7 cm *or* 크기에 관계없이 <u>아래 중</u> 하나 이상을 침범 　횡격막, 종격동, 심장, 대혈관, 기관, 식도, 척추, 기관분지부(carina), recurrent laryngeal nerve *or* 원발종양과 동측 폐의 다른 폐엽에 separate tumor nodule(s) 존재

	Regional Lymph Nodes (N)
NX	Regional LN 평가 불가능
N0	Regional LN에 전이 없음
N1	동측 peribronchial LN *and/or* hilar LN 전이 (원발종양의 직접 침범 포함)
N2	동측 <u>mediastinal</u> LN *and/or* subcarinal LN 전이
N3	반대측 mediastinal LN *and/or* hilar LN, 동측/반대측 scalene *or* supraclavicular LN 전이

	Distant Metastasis (M)
M0	Distant metastasis 없음
M1a	원발종양과 반대측 폐에 separate tumor nodule(s) 존재 *or* Pleural/pericardial nodules or <u>malignant pleural/pericardial effusion</u>을 동반한 종양
M1b	흉곽외 한 장기의 단일 전이 (단일 non-regional LN 전이 포함)
M1c	흉곽외 한 장기의 다발성 전이 *or* 여러 장기의 전이

* satellite nodules (multiple pul. nodules)
→ 확진을 위해 경피적 세침생검(FNA) or VATS를 이용한 조직검사 필요

Regional LNs의 분류

Mediastinal (N2) nodes
Superior mediastinal nodes
1. Highest mediastinal (supraclavicular)
2. Upper paratracheal
3. Prevascular & retrotracheal
4. Lower paratracheal (azygos nodes 포함)
Aortic nodes
5. Subaortic (aortopulmonary window)
6. Para-aortic (ascending aortic or phrenic)
Inferior mediastinal nodes
7. Subcarinal
8. Paraesophageal (carina 아래)
9. Pulmonary ligament

Bronchopulmonary (N1) nodes
10. Hilar
11. Interlobar　　12. Lobar
13. Segmental　　14. Subsegmental

*EBUS-TBNA : (5) Subaortic, (8) Paraesophageal, (9) Pul. ligament LN는 불가능
*EUS-FNA : (8), (9)에 적합 / (4), (7)은 EBUS-TBNA or EUS-FNA / (5)는 논란

폐암의 TNM staging 및 예후(5YSR)

Stage	T	N	M	5YSR
ⅠA1	T1a			90~92%
ⅠA2	T1b	N0	M0	83~85%
ⅠA3	T1c			77~80%
ⅠB	T2a	N0	M0	68~73%
ⅡA	T2b	N0	M0	60~65%
ⅡB	T1a~T2b	N1	M0	53~56%
	T3	N0		
ⅢA	T1~T2b	N2	M0	36~41%
	T3	N1		
	T4	N0~1		
ⅢB	T1~T2b	N3	M0	24~26%
	T3~4	N2		
ⅢC	T3~4	N3	M0	12~13%
ⅣA	Any T	Any N	M1a,b	~10%
ⅣB	Any T	Any N	M1c	0%

	N0	N1	N2	N3
T1a	ⅠA1			
T1b	ⅠA2			
T1c	ⅠA3			
T2a	ⅠB			
T2b	ⅡA	ⅡB	ⅢA	ⅢB
T3	ⅡB			
T4		ⅢA	ⅢB	ⅢC

* <u>mediastinal N2 dz.</u>는 임상적으로 2 groups으로 구분
　┌ nonbulky (minimal) N2 : 수술전(clinical) N2 미만 & 수술후 조직검사로 진단된 N2 nodes(+)
　│　　　　　　　(mediastinoscopy 상에서는 음성이었더라도)
　└ bulky (advanced, clinical) N2 : 수술 전 조직/영상검사에서 확연한 LN 전이(>2~3 cm) or
　　　　　　　multiple smaller LNs group, 피막외 침범, 2개 이상의 LN 부위(station) 침범

- 진단시...
  - 약 1/3은 localized dz. (Ⅰ, Ⅱ, 일부 ⅢA) … 수술/RTx로 완치가 가능
  - 약 1/3은 locally advanced dz. (일부 ⅢA, ⅢB)
  - 약 1/3은 (약 40%) advanced dz. : distant metastasis (Ⅳ)

6. SCLC의 staging

- NSCLC와 생물학적 특성이 많이 다르므로 간단한 2-stage system이 선호됨

(1) LD : **limited stage dz.** (약 35%) : tumor 및 LN 침범이 one hemithorax 내에 존재
   - mediastinal, contralateral hilar & supraclavicular LN 침범 포함
   - SVC syndrome, recurrent laryngeal nerve 침범 등도 포함됨

(2) ED : **extensive stage dz.** (약 65%) : limited stage를 벗어난 것 (양쪽 폐실질 침범) or
   - distant metastasis, cardiac tamponade, malignant pleural effusion
   - <u>cervical</u>, <u>axillary</u> LN 침범도 포함됨

- limited stage는 curative chemoRTx. or RTx. 가능 (∵ single tolerable RTx. port)
- 최근에는 연구, 등록, 미래의 변화 대비 등을 위해 TNM system도 같이 이용함,
  특히 curative resection이 가능한 경우 가장 유용 → stage Ⅰ (T1~2N0)

치료

1. Occult & stage 0 carcinoma

- 정의 : sputum or bronchial washing에서는 암세포가 보이나, 영상검사는 정상 (TX stage)
- localization : fiberoptic broncoscopy (90% 이상 가능)
  - differential brushing or washing cytology, biopsys
  - carcinoma in situ or multicentric lesions이 흔히 발견됨
- Dx, W/U시 ENT exam.도 해야! (∵ sputum cytology가 꼭 lung origin의 세포만은 아니므로)
- Tx : conservative surgical resection (가능한 폐실질을 적게 절제) → 5YSR >90%
- 2ndary primary lung ca. 발생위험이 높으므로 (매년 5%), 주의 깊게 F/U 해야
- hematoporphyrin 투여 후 bronchoscopic phototherapy도 연구 중

2. NSCLC

■ <u>Stage Ⅰ, Ⅱ</u>

- <u>수술</u>(surgical resection)이 원칙 (TOC)
  - <u>adjuvant CTx</u> : stage <u>Ⅱ~ⅢA</u>에서 권장 → survival 약간 증가 (5YSR 약 5~6%↑)
    - stage ⅠA에서는 오히려 survival↓, ⅠB는 이득 논란
    - high-risk stage ⅠB (e.g., 절제 병변 ≥4 cm, lymphovascular invasion)는 권장

* cisplatin-based doublet 사용 : platinum + vinorelbine (SSC) or pemetrexed (non-SSC)
    (↳ 독성으로 사용 못하면[e.g., 신기능저하, 신경병, 청력장애] carboplatin)
        ⇨ 수술 6~12주 뒤 시작, 4 cycles 이하로
  - adjuvant targeted therapy나 immunotherapy는 시행 안함
  - postop. RTx는 (–)margins에서는 효과 없고, intraoperative brachytherapy도 효과 없음!
  - neoadjuvant CTx : 일부에서 survival 약간 증가 → 절제 가능한 stage ⅢA의 일부에서 고려
      (특히 superior sulcus tumors or chest wall invasion의 N1, single-station N2 dz.)
• 수술을 거부하거나 불가능하면 curative RTx. 시행

■ Stage ⅢA

• limited (nonbulky) N2 이하 ⇨ 수술(surgical resection) + adjuvant CTx ± PORT
  - PORT (postop. RTx) : N2에서는 survival 향상에 큰 도움 (N0~1에서는 도움×)
• bulky N2~3 ⇨ concurrent chemoRTx (platinum-based CTx + full-dose RTx)동시항암화학방사선치료
      : 순차치료(sequential CTx→RTx)보다 효과 좋음
  - performance status (PS) 좋은 경우에만 시행 (PS 나빠서 CTx가 어려우면 RTx만 시행)
  - neoadjuvant chemoRTx : chemoRTx 뒤에 수술, lobectomy로 완전절제 가능하면 survival↑
      (완전절제를 위해 pneumonectomy가 필요한 경우엔 수술이 도움 안됨)
• T4N0~1 ⇨ 완전절제 가능하면, 수술 + adjuvant CTx ± PORT
      (완전절제 불가능 or T4N2 [ⅢB]면 수술 금기)
• 일부 T3 stage tumors의 치료
  ① chest wall 침범 ⇨ 수술(종양과 침범된 흉벽의 en bloc resection) + postop. RTx
  ② superior sulcus (Pancoast's) tumor ⇨ neoadjuvant chemoRTx : chemoRTx 이후에 수술
      (종양 침범부위[폐, 흉벽]의 en bloc resection) ··· N2 미만이면 예후 좋음 (5YSR >50%)
      - N2 이상이면 수술이 도움 안되므로 chemoRTx만 시행
• 수술 불가능한 ⅢA ; 완전 절제 불가능, multistation or bulky N2~3, extracapsular nodal dz.

■ Stage ⅢB

• concurrent chemoRTx (CCRT) : performance status 좋으면
      (performance status 나쁘면 RTx만 or sequential CTx 뒤에 RTx 시행)

■ Stage Ⅳ (advanced NSCLC)

• performance status가 좋은 경우 (ECOG ≤2) combination CTx and/or immunotherapy,
  targeted therapy 등 → survival 증가 (PS 나쁘면 supportive care만)
• Sx-based palliative therapy (RTx, pain control 등) → dyspnea 등의 증상 완화, 삶의 질 향상
• 특정 전이 부위의 치료
  - oligometastatic dz. : 원발 폐암의 완전절제가 가능한 일부 isolated metastasis 또는
      단일 부위의 재발은 수술(surgical resection) and/or RTx가 도움 (e.g., 뇌, 부신)
  - bone metz. : 원래의 치료 + RTx or 수술
      (osteoclast inhibitor ; denosumab or zoledronate → 골격계 증상 발생 감소)
  - leptomeningeal metz. : RTx and/or intrathecal CTx는 별 도움 안됨

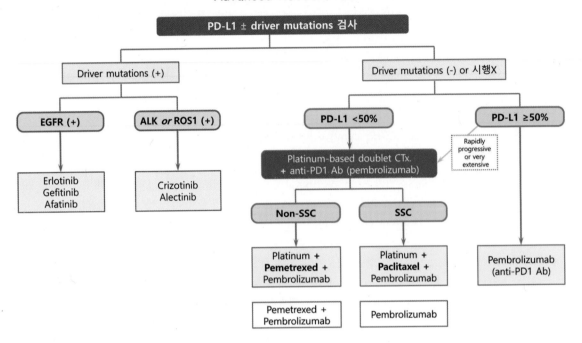

Advanced NSCLC의 치료

(1) 수술(resection)
- 전체 폐암 환자의 약 40%에서 개흉술(thoracotomy) 시행
  - 75% : definite resection 시행 (→ 5YSR stage Ⅰ 60~80%, stage Ⅱ 40~50%)
  - 12% : palliative procedure 시행
  - 12% : exploration만 시행
- 수술 방법
  ① 전폐적출술(pneumonectomy) : 아주 중심부 or 여러 엽 침범시, 수술 사망률 6~8%
    * sleeve lobectomy : 폐엽과 함께 main stem bronchus의 일부도 절제하는 것,
       제한된 폐기능 때문에 pneumonectomy를 시행하기 어려운 경우 고려, 사망률 2~11%
  ② 폐엽절제술(lobectomy) : 가장 선호됨 (국소재발↓, 사망률 2~4%), VATS로도 가능

Lobectomy 후의 합병증
1. Persistent atelectasis (m/c)
2. Air leak (대부분 자연 치유)
3. Bronchopulmonary fistula
4. Infection ; pneumonia, empyema, sepsis
5. 기타 ; AMI, arrhythmia, pul. embolism ...

  ③ limited resection (wedge resection, segmentectomy) : 제한된 폐기능 때문에 full
     lobectomy를 시행하기 어려운 경우 고려, VATS로 가능, 사망률 1.4%
     → 재발률이 높으므로 폐기능이 나쁜 작은(≤3 cm) 말초 병변에서만 시행
  ④ chest wall invasion (stage ⅡB, T3N0) → en-bloc resection
  ⑤ complete mediastinal LN dissection : stage Ⅰ~ⅢA에서 LN sampling에 비해 survival 향상
- NSCLC에서 resection margins (+)면 (R1) postop. RTx.도 시행 → survival 향상

근치적(curative) 수술의 주요 금기 ★
1. SCLC (mediastinal LN를 침범하지 않은 stage Ⅰ or Ⅱ SCLC는 수술할 수도 있음) 2. 원격전이, 광범위한 chest wall 침범, malignant pleural effusion 3. 반대측 폐, 반대측 mediastinal LN, 동측/반대측 scalene or supraclavicular LN 침범 4. Recurrent laryngeal N. (쉰소리, 성대마비) or phrenic N. 침범 5. Carina, trachea, esophagus, pericardium (cardiac tamponade), 대혈관 등의 침범 6. SVC syndrome (→ RTx), Horner's syndrome 7. Proximal main stem bronchi 침범 종양 (<u><2 cm from carina</u>) (→ ChemoRTx) 8. Bilateral endobronchial tumor (→ RTx) 9. Spinal cord compression syndrome (→ RTx, steroid)

(2) 방사선치료

① 근치적 방사선치료 (curative RTx.)

- stage Ⅰ or Ⅱ에서 수술을 거부하거나 불가능할 때
- stage Ⅲ 일부

- SBRT (stereotactic body radiation therapy, 정위적체부방사선치료)
  ; 5 cm 이하의 단일 폐 종양에서 시행 → dz. control rate >90%, 5YSR ~60%
- conventionally fractionated RTx. ; SBRT의 적응을 넘는 폐암, 5YSR 13~39%

② 고식적 방사선치료(palliative RTx.)가 효과가 있는 경우

Disseminated NSCLC or CTx에 반응이 없는 SCLC 환자에서
Dyspnea, cough, hemoptysis Endobronchial obstruction (atelectasis, pneumonia) SVC syndrome Cardiac tamponade (→ RTx + pericardiocentesis) Painful bone metastasis Brain metastasis or spinal cord compression (→ RTx + steroid) Brachial plexus 침범 Stage Ⅰ~Ⅲ중 physiologic staging상 수술이 불가능할 때

- 증상이 없는 환자에서 brain CT screening 및 prophylactic cranial irradiation은 효과 없음

③ radiation pneumonitis (방사선 폐렴)

- RTx 1~6개월 (주로 <u>2~3개월</u>) 후에 주로 발생 (5%에서)
- 발생 위험인자 ; RTx 기간, 방사선조사 <u>총량</u> (일회 방사선량은 아님)
  - MLD (mean lung dose) : 폐 용적당 평균 방사선량, 20 Gy 이상이면 발생 위험↑
  - V_{20} : 20 Gy 이상을 조사받는 정상 폐 용적, 30% 이상이면 발생 위험↑
  - 방사선 총량이 4000 Gy를 넘으면 100% 발생
  - 고령, performance status↓, 폐기능↓, 흡연, COPD, ILD, 유방암에 대한 호르몬치료 등
  - bleomycin, adriamycin, mitomycin 등의 항암제에 의해 폐손상이 더 악화될 수 있음
- 임상양상 ; dyspnea, dry cough, chest fullness/pain, weakness, fever,
  fine high-pitched "Velcro rales" / leukocytosis, ESR↑ / PFT에서 DL_{CO}↓
- CXR/CT : 주로 방사선 조사 부위에 발생 (but, 다른 부위나 반대편 폐에서도 발생 가능)
  ① alveolar / nodular infiltrate : 경계가 선명 (↔ 다른 dz.와 D/Dx)
  ② ground-glass opacification (GGO)
  ③ air bronchograms

- Tx. (증상이 없거나 경미하면 경과관찰)
  ① aspirin, cough suppressants, bed rest
  ② steroid : 효과 좋음, 심한 경우엔 가능한 빨리 투여해야 (예방적 투여는 효과는 없음!)
  ③ 항생제는 감염의 증거가 없을 때는 투여할 필요 없다

  * 기타 RTx.의 부작용 ; acute radiation esophagitis (m/c, 대개 self-limited), pulmonary fibrosis (수개월~수년 뒤, radiation pneumonitis 없이도 발생 가능), spinal cord injury (영구적일 수 있음)

(3) 세포독성 항암화학요법(cytotoxic CTx.) … advanced NSCLC

- initial CTx. (4~6 cycles) … "platinum-based doublet CTx."가 표준
  ⇨ cisplatin/carboplatin + paclitaxel, docetaxel, pemetrexed, gemcitabine, vinorelbine 등
  ┌ non-SCC → carboplatin + pemetrexed 권장
  └ SCC → carboplatin + paclitaxel (or nabpaclitaxel, docetaxel) 권장
  - cisplatin이 효과는 약간 더 좋지만, 독성이 심해 일반적으로 carboplatin이 더 선호됨
  - SSC에서는 pemetrexed의 표적 중 하나인 thymidylate synthase (TS)의 농도가 높아 반응↓
- maintenance CTx. (nonprogressing) ; single-agent CTx., bevacizumab, or pembrolizumab 등
  - platinum의 장기간 사용은 독성 증가와 삶의 질 저하 (→ 보통 single-agent CTx.로)
  - switch maintenance Tx. ; 완전히 새로운 약제 사용
  - continuation maintenance Tx. ; platinum은 제외하고 initial Tx.의 항암제 계속 사용

(4) 분자표적치료(molecular targeted therapy) 및 면역치료(immunotherapy)

■ somatic driver mutations

① *EGFR* mutations (→ PCR, NGS [c.f., 혈액의 cell-free DNA로도 검사 가능: "liquid biopsy"])
  - NSCLC 환자의 약 15%에서 존재 (동양인에서는 더 높음, 22~62%), 여성/비흡연자/adenoca.의 약 70%에서 (+) (but, 남성/흡연/adenoca.의 약 30%에서도 (+))
  - exon 19 deletion (45%)과 exon 21의 L858R point mutation (40~45%)이 m/c
    ⇨ EGFR-TKI : 1세대(gefitinib [Iressa®], erlotinib [Tarceva®]) 2세대(afatinib [Gilotrif®]) *or* anti-EGFR Ab (e.g., cetuximab [Erbitux®])에 반응 좋음
  - 기존의 platinum-based doublet CTx보다 반응률 및 생존율 약 2~3배 높고, 부작용도 적음 (c.f., EGFR-TKI의 부작용 ; skin rash, diarrhea, 드물게 interstitial pneumonitis)
  - but, 대부분 10~14개월 뒤에 병이 다시 진행 → 약제 내성 발생 때문 ; exon 20의 T790M (약 50%) or exon 20 insertion이 흔함
    ⇨ 3세대 EGFR-TKI (e.g., osimertinib [Tagrisso®])가 효과적 … 초치료부터 권장되기도 함
    ↳ EGFR과 T790M이 target (부작용도 매우 적음)

  (c.f., necitumumab [anti-EGFR] : squamous NSCLC에서 1st line Tx로 cisplatin/gemcitabine/necitumumab 병합요법 허가를 받았었지만, 현재는 면역관문억제제의 도입으로 거의 사용안함)

② *EML4-ALK*(anaplastic lymphoma kinase) gene rearrangement (→ FISH, IHC, NGS로 검사)
  - NSCLC의 3~7%, adenoca. (signet ring cells↑), 젊은 연령, 흡연력 적거나 없음, 남≥여
  - ALK inhibitors에 반응 좋음 ; alectinib (Alecensa®), crizotinib (Xalkori®), ceritinib 등
  - 차세대 ALK inhibitors (brigatinib, lorlatinib) : 기존의 ALK inhibitors보다 반응 더 좋음 (brigatinib은 특히 뇌 전이에 효과적, lorlatinib은 기존의 ALK inhibitors 실패시 사용)

③ *ROS1* fusion (rearrangement) (→ FISH, NGS로 검사)
- NSCLC의 ~1%, 젊은 연령, 흡연력 적거나 없음
- ALK & ROS1 kinase inhibitor에 반응 좋음 ; crizotinib (Xalkori®)

④ 기타 ; *KRAS, BRAF, PIK3CA, NRAS, AKT1, MET, MEK1 (MAP2K1), NTRK, RET* 등
- *KRAS* GTPase mutations ; NSCLC의 ~20%, 아직 분자표적치료제가 없음
- BRAF inhibitors (dabrafenib, vemurafenib)
- RET inhibitors (cabozantinib, vandetanib)

■ PD-L1 (programmed death ligand-1) protein expression
- immune checkpoint inhibitors : T cells과 암세포의 상호작용을 차단하여 T cells 활성화↑
  - ↳ 암세포 표면의 PD-L1이 T cells 표면의 PD-1과 결합하면 T cells은 암세포를 공격 안함
  - ▷ PD-L1 or PD-1에 대한 항체로 둘의 결합을 방해하면 T cells은 활성화하여 암세포를 공격함

  ┌ anti-PD-1 Ab ; pembrolizumab (Keytruda®), nivolumab (Opdivo®)
  └ anti-PD-L1 Ab ; atezolizumab, avelumab, durvalumab

- IHC로 검사, 모든 폐암 환자에서 검사 권장 (∵ *PD-L1*의 genomic alterations과는 관련 없음)
  ┌ ≥50% ⇨ anti-PD-1 Ab (pembrolizumab) monotherapy가 표준
  │　 - 종양이 크거나 급격히 진행하는 경우엔 doublet CTx. + pembrolizumab [triple Tx.]
  └ <50% ⇨ doublet CTx. + anti-PD-1 Ab (pembrolizumab) [triple Tx.]

- 조직형(SCC, non-SCC)에 관계없이 효과적이고 (수명↑), 대부분의 연구에서 PD-L1 발현에
  큰 관련 없이 효과적이었지만, 우리나라는 PD-L1 (+)시에만 보험 적용됨 (약 30%가 해당됨)
  (c.f., PD-L1 expression IHC 검사는 표준화가 안 되어있는 것이 문제 → 뒷부분 참조)

- 다른 면역관문억제제인 anti-CTLA-4 (ipilimumab [Yervoy®])와의 복합요법
  - nivolumab + ipilimumab : 1st line으로 사용시 기존 치료보다 반응↑ & 장기 생존율↑
  - 면역관문억제제의 치료반응 예측 biomarker로 TMB (tumor mutational burden) 사용
    ┌ TMB : targeted NGS로 검사 (c.f., TMB와 MSI는 반비례 관계로 나옴)
    └ TMB-high ⇨ anti-PD-1/PD-L1 및 anti-CTLA 치료에 반응 좋음!
  - NSCLC 환자에서 TMB-high면 nivolumab + ipilimumab 치료 권장 가능

■ angiogenesis inhibitor
- anti-VEGF mAb (bevacizumab, Avastin®), anti-VEGFR-2 mAb (ramucirumab, Cyramza®)
- doublet CTx에 추가시 survival 더욱 향상
  → 최근엔 대신 anti-PD1 Ab (pembrolizumab)를 추가하는 것이 더 효과적으로 보임
- Cx ; 출혈(m/i), 고혈압, 단백뇨
- C/Ix ; SCC (∵ 출혈↑), 뇌 전이, 객혈, 출혈 경향, 항응고제 필요 환자

■ second-line Tx : combination CTx, targeted therapy, immunotherapy 등에 반응이 없는 경우
- 연구 중이지만 보통 single-agent CTx.를 시행하며 ramucirumab 추가 고려
  ┌ non-SCC → 이전에 사용한 적이 없으면 pemetrexed (or docetaxel) ± ramucirumab
  └ SCC → docetaxel + ramucirumab

c.f.) PD-L1 IHC assays

	Pembrolizumab	Nivolumab		Atezolizumab	Durvalumab
회사	Dako	Dako	Ventana	Ventana	Ventana
Ab clone	22C3	28-8	SP263	SP142	SP263
측정 부분(세포)	TC	TC	TC	TC, IC	TC
(+) 기준	≥50% (미국) ≥1% (EU)	≥1%	≥1%	TC3/IC3 ≥50%/≥10% TC2/IC2 5~49%/5~9% TC1/IC1 1~4%/1~4%	≥25%
보험기준(한국)	≥50%	≥10%		TC ≥5% or IC ≥5%	

(5) 기타

- malignant pleural effusion (RTx는 안함!)
  ① chest tube drainage (thoracentesis) & intrapleural sclerosing agent
      (e.g., talc, bleomycin, TC)
  ② indwelling pleurex catheter
  ③ VATS : large malignant effusion의 경우
- central airway obstruction의 치료
  (1) acute ┌extrinsic compression → stent placement
            └endobronchial obstruction → laser therapy (80~90% 반응),
                electrocautery, photodynamic therapy, rigid bronchoscopic debulking
  (2) subacute ; 위의 치료 외에 brachytherapy (local RTx)도 고려할 수 있음

3. SCLC

* <u>combination CTx.가 TOC</u> : cisplatin (or carboplatin) + etoposide (or irinotecan)
  - 성장속도가 매우 빠르기 때문에 CTx/RTx에 반응이 좋음, LD stage라도 micrometastasis 존재
  - 일단 CTx에 반응이 있으면 CTx를 더 오래해도 이점은 없다
  - 3주마다 4 cycles 시행 뒤 (90일 뒤), initial response 파악 (restaging)
    ① CR (complete response/remission) : 종양 및 부종양증후군의 완전 소실
    ② PR (partial response/remission) : 종양이 50% 이상 감소
    ③ no response or progression (10~20%) : CTx-resistant dz.
        ⇨ 2nd-line CTx. 시도 (e.g., topotecan ± paclitaxel)

(1) performance status가 좋은 경우 (0~1)

① <u>limited stage</u> ⇨ <u>concurrent</u> CTx (cisplatin + etoposide) + thoracic RTx (TRT)
                        ↳ CTx 초기(1st or 2nd cycle)에 TRT 시행
  - TRT : accelerated hyperfractionation (총 45 Gy를 1.5-Gy fractions으로 하루에 2번씩, 30일 동안)
  - clinical stage I (invasive mediastinal LN 평가 이후) ⇨ 수술 + adjuvant CTx
② <u>extensive stage</u> ⇨ CTx만 시행
  - RTx는 주로 palliative 목적(e.g., bone pain, bronchial obstruction)

③ prophylactic cranial irradiation (PCI)
- 모든 stage에서 CTx로 CR/PR된 이후 권장 (PCI 안하면 약 2/3에서 전이 발생)
- brain metastasis 발생 감소 (약 1/2로) 및 survival 약간 향상 (5.4%↑)

(2) performance status가 나쁜 경우 (≥2)
- modified-dose combination CTx
- palliative RTx

(3) 예후
- CTx에 반응률은 높지만 예후는 매우 나쁨
- 5YSR ┌ limited stage : 6~12%
       └ extensive stage : 2%
- median survival ┌ limited stage : 12~20개월
                  └ extensive stage : 7~11개월
- 치료 3개월 이내에 재발한 경우 특히 예후 나쁨 (CTx-resistant dz.)

Performance status (ECOG) grade	
0	무증상
1	증상은 있지만 가벼운 정상 활동 가능
2	하루 50% 이하로 bed rest 필요, 노동 불가능
3	하루 50% 이상 bed rest 필요
4	bed ridden (완전 무능력)

폐암의 예방

(1) 금연 : 가장 효과적 (but, 지원자의 5~20%만 성공) → 1장 참조
(2) 조기 진단법 (screening) : 고위험군에서만 LDCT 고려 → 앞부분 참조
(3) chemoprevention : 현재는 효과적인 것 없음, 연구 중
   (c.f., vitamin E와 β-carotene은 흡연자에서 오히려 폐암 발생 위험을 증가시킴)

전이성 폐암 (Metastatic lung cancer)

- 폐 전이가 흔한 암 ; 신세포암, 융모막 암종, Wilms 종양, 골육종, 흑색종, Ewing 육종, 고환암 ...
- CXR 소견
  - sharp margin의 multiple spherical nodules
  - 대부분 직경 5 cm 이하
  - 보통 bilateral, 위치는 폐 하부 말초(peripheral or subpleural)에 호발

  ┌ cavity → primary가 squamous cell ca. 시사
  └ calcification → primary가 osteosarcoma 시사

  - lymphangitic carcinomatosis의 경우는 interstitial pattern도 보일 수 있음

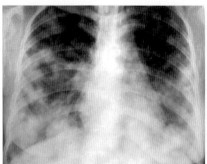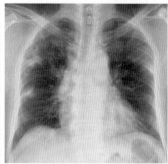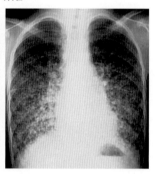

- 신장암, 대장암 등이 폐로 전이하는 경우엔 기관지내 병변을 잘 만듦
- 폐 이외의 원발암이 있으면서 폐에 SPN 존재시 (특히 35세 이상 흡연자인 경우)
  → 원발성 폐암의 가능성도 있으므로 폐암에 준하여 W/U (∵ 보통 폐암이 경과 더 나쁨)
- 원발암 외에 유일하게 폐 전이만 있다면 resection도 가능
- 완치를 목적으로 폐 전이를 성공적으로 resection할 수 있는 종양
  ① osteogenic & soft tissue sarcoma
  ② colon, rectal, uterine, cervix, corpus tumors
  ③ head & neck, breast, testis, salivary gland cancers
  ④ melanoma
  ⑤ bladder & kidney tumors
- 5YSR는 대개 20~30% (특히 osteogenic sarcoma의 경우는 치료 성적이 매우 좋다)

폐의 양성 종양

1. 기관지 선종 (bronchial adenoma)

- 폐 양성 종양의 50% 차지 (endobronchial, 80%가 central)
  ┌ carcinoids : 80~90%
  │ adenocystic tumors (cylindromas) : 10~15%
  └ mucoepidermoid tumors : 2~3%

- 15~60세 (평균 45세)에 발생하고, 보통 몇 년 동안 증상을 호소
- chronic cough, recurrent hemoptysis, localized wheezing, atelectasis, pneumonia, abscess ...
- carcionoids : SCLC와 같이 APUD system (Kulchitsky cell) 유래
  - SCLC와 같은 paraneoplastic syndrome을 일으킬 수 있음 (e.g., ACTH, AVP 분비)
  - 드물게(약 5%) 전이되어 (대개 간) carcinoid syndrome 유발 가능 (↔ SCLC는 안 일으킴)
  - 조직형이 나쁜 atypical carcinoids는 약 70%에서 전이 (국소 LN, 간, 뼈 등)
  - 일반적인 CTx에 반응 없음
- Dx : broncoscopy & biopsy (hypervascular 하므로 출혈에 주의)
- Tx : surgical excision (∵ potentially malignant!)

2. 과오종 (hamartoma)

- 60대에 호발, 남>여, peripheral, clinically slient & benign
- 특징적인 방사선 소견 ("popcorn" calcification)을 보이는 경우를 제외하고는, 감별진단을 위해 resection (e.g., VATS) 시행 (특히 흡연자인 경우)
- 약 60%에서 macroscopic <u>fat</u>을 보이며, 일부에서만 popcorn calcification을 보임
  ↳ central fat attenuation (대개 −40 ~ −120 HU의 저음영)

고립성 폐결절 (Solitary pulmonary nodule, SPN)

1. 정의

- 정상 폐실질로 둘러싸인 3 cm 이하의 영상검사상 density (3 cm 이상은 mass → resection)
- 성인에서는 35%가 악성이지만, 35세 미만 비흡연자의 경우는 1% 미만만 악성

2. 악성 위험이 있는 소견 (⇨ 조직검사)

① 남자, 45세 이상 (특히 60세 이상)
② 흡연 (또는 발암물질에 노출된 과거력/직업력) ; 특히 하루 한 갑 이상
③ 결절 직경이 1.5 cm 이상 (특히 <u>2.3 cm</u> 이상)
④ 지난 2년 동안에 크기가 커졌을 때 (m/i)
⑤ calcification이 없거나 / stippled or eccentric calcification
⑥ 불규칙한 형태 (<u>spiculated margin</u> [corona radiata sign], lobulated shape, peripheral halo)
⑦ cavity : 불규칙한 내면, 두꺼운 벽(≥15 mm)
⑧ GGO (ground-glass opacities) → AAH, AIS, adenoca. 등일 가능성 높음
  - partial (semiopaque) GGO ; slow-growing, atypical adenomatous hyperplasia (AAH)
  - solid GGO ; fast-growing, 대개 typical adenocarcinoma
⑨ PET scan (+)
⑩ chest Sx, atelectasis, pneumonitis, adenopathy 등을 동반
⑪ 암의 과거력 (가족력은 아님)

3. 양성을 시사하는 소견

① 35세 이하, 담배 및 다른 발암물질에 노출된 과거력 없음

② well-defined smooth margin

③ doubling time이 4주 미만 (→ infection) or 18개월 이상 (→ benign)

④ 지난 2년 동안 크기의 증가가 없음 ★

⑤ 특징적인 calcification ★

    ┌ central dense nidus
    │ multiple punctate foci
    │ "Bull's eye" (granuloma)
    └ "Popcorn ball" (hamartoma)

    • peripheral calcification은 양성이 많으나, 악성의 가능성도 있다

⑥ CT상 SPN 내의 지방조직 (-40 ~ -120 HU의 저음영)

    → 다른 악성을 시사하는 다른 소견이 없으면 hamartoma로 추정할 수 있음

    (c.f., 드물게 liposarcoma나 RCC의 전이일 수도 있음)

⑦ PET scan (-)

⑧ satellite lesions : 양성에서 더 흔하지만 큰 도움은 안됨

* SPN의 80~90%는 양성 ; infectious granuloma (m/c, 결핵 등), 양성 종양은 5% 미만

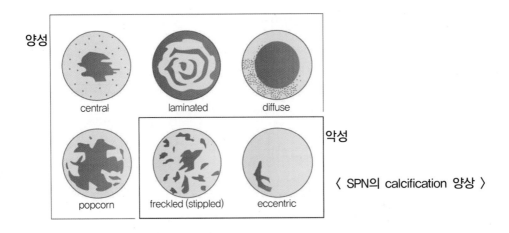

〈 SPN의 calcification 양상 〉

4. 감별진단

• chest CT : 20 HU 이상으로 조영 증강되면 악성 가능성 높음

  * noncalcified nodules의 분류 : nodule attenuation (density)

    ┌ solid (m/c) : dense & homogeneous, 8 mm 이상이면 악성 위험
    └ subsolid : 지속되면 solid보다 악성 가능성 높음

        ┌ pure GGO (GGN, ground-glass nodule) : solid component 없음, AAH가 흔함
        └ part-solid (mixed GGO) : solid component 동반 → 전암성/악성 가능성 높음
          (nodule 중심부 solid part의 크기가 클수록 악성 확률↑ : invasive adenoca.)

• MRI는 대개 필요 없다

• <u>PET</u> : 크기가 7~8 mm 이상인 경우 유용, SUV 2.5 이상이면 악성
• sputum cytology, sputum AFB stain & culture
• bronchoscopy : 중심성 병변의 진단에 이용 (말초 병변은 진단율 떨어짐)
   → TBB, TBNA, EBUS-guided TBB (transbronchial biopsy) 등
• CT-guided transthoracic needle biopsy (TTNB) : 말초 병변의 진단에 이용

5. 처치 or F/U

(1) Solid SPN

① old X-ray (or CT)와 비교 (m/i)
   ┌ 2년 이상 변화가 없거나, CT에서 benign 소견 ⇨ Benign lesion, No F/U
   └ new or growing lesion ⇨ Malignant 의심 → biopsy or resection

② old X-ray (or CT)가 없고, 특징적인(benign) 석회화 소견이 안 보이는 경우
   • <u>nodule <6 mm</u> ⇨ Malignancy likelihood 계산 (통일된 계산법은 없음) ; 연령, 성별, 가족력,
      과거력(e.g., COPD), 흡연력/기간, 객혈, nodule 크기/모양, 위치, 성장속도 등 반영
   ┌ Low probability (<5%) → No F/U (or 18~24개월 뒤 CT 시행)
   └ Intermediate (5~65%) & High probability (>65%) → No F/U or
      크기 평가가 불분명하거나 고위험군은 12개월 뒤 CT
         ┌ 변화가 없거나 작아짐 → No F/U
         └ 커짐 (2 mm 이상의 크기 증가) → biopsy or resection
   • <u>nodule 6~8 mm</u> ⇨ 6~12개월 뒤 CT 시행
   ┌ 커짐 (2 mm 이상의 크기 증가) → biopsy or resection
   └ 변화 없음 → Malignancy likelihood 계산 ; Low → No F/U,
      Intermediate/High → 18~24개월 뒤 CT 시행 → 커지면 biopsy or resection
   • <u>nodule >8 mm</u> ⇨ Malignancy likelihood 계산, PET 고려
   ┌ Intermediate/High → biopsy or resection
   └ Low → <u>3개월</u> 뒤 CT 시행
         ┌ 커짐 (2 mm 이상의 크기 증가) → biopsy or resection
         └ 변화 없음 → <u>9개월</u> 뒤 CT ; 커지면 biopsy/resection, 변화 없으면 <u>24개월</u> 뒤 CT

(2) Subsolid SPN

• <6 mm GGO or part-solid → No F/U
• ≥6 mm GGO → 6~12개월 뒤 CT 시행 (이후 2년 마다, 5년 동안), 커지면 biopsy/resection
   (20 mm 이상의 GGO는 resection도 고려할 수)
• ≥6 mm part-solid → 3~6개월 뒤 CT 시행 (solid portion >8 mm면 PET도 고려)
   ┌ 커짐 (2 mm 이상의 크기 증가) → biopsy or resection
   └ 변화 없음 ┌ solid portion >8 mm → biopsy or resection
               └ solid portion ≤8 mm → 매년 CT F/U ; 커지면 biopsy/resection

(3) Multiple pulmonary nodules

- 가장 큰 nodule <6 mm → No F/U
- 가장 큰 nodule ≥6 mm → 3~6개월 뒤 CT 시행
  - 커짐 (2 mm 이상의 크기 증가) → biopsy or resection
  - 변화 없음 & solid → Malignancy likelihood Intermediate/High면 9개월, 24개월 뒤 CT
  - 변화 없음 & subsolid nodules
    - GGO → 6~12개월 뒤 CT 시행 (이후 2년 마다, 5년 동안), 커지면 biopsy/resection
    - part-solid → 3~6개월 뒤 CT ; 커지거나 solid portion >8 mm면 biopsy/resection

■ Atypical adenomatous hyperplasia (AAH)

- AIS와 함께 전암성 병변임, 폐암 수술 뒤 우연히 발견되는 경우가 흔함 (빈도 5~20%)
- pure GGO, 대부분 5 mm 미만, 폐 말초 부위에 호발, multiplc이 흔힘
- nonmucinous AIS, MIA, lepidic-predominant adenocarcinoma 등과 감별해야 됨
- 다른 소견의 동반 없이 단독으로 발견된 AAH → close F/U
  (폐암 수술 뒤 발견된 AAH는 대부분 예후에 영향 없고, 기존 폐암의 치료 진행)

c.f.) doubling time (직경이 아니라, 부피가 2배가 되는 시간)
- SCLC : 약 30일 … 성장 속도 매우 빠름~
- SCC, large cell ca. : 약 100일
- adenocarcinoma : 약 180일
- 400일 이상이면 대부분 benign

18
흉막 및 종격동 질환

흉막 삼출 (Pleural effusion)

1. Pleural fluid
- 정상 : 5~15 mL, 생성 속도 0.01 mL/hr
- 생성
  ① parietal pleura의 capillaries에서 여과되어 (主)
  ② lung의 interstitial space로부터 (visceral pleura를 통해)
  ③ peritoneal cavity로부터 (diaphragm의 작은 구멍을 통해)
- 흡수 : parietal pleura의 lymphatics로 (정상 생성양의 20배까지 흡수 가능)
- pleural effusion의 발생 : pleural fluid의 생성 > 흡수

2. 발생기전
- microvascular circulation의 수압 증가 (e.g., CHF)
- microvascular circulation의 oncotic pr. 감소 (e.g., LC, hypoalbuminemia)
- microvascular circulation의 permeability 증가 (e.g., pneumonia)
- pleural space로부터의 lymphatic drainage 장애 (e.g., malignant effusion)
- pleural space 내 압력 감소 (e.g., complete lung collapse)
- peritoneal space로부터 fluid의 이동 (e.g., ascites)

3. 증상
- pleuritic chest pain ; 보통 unilateral, 기침이나 흡기시 악화
- dyspnea, cough (sputum은 거의 없음)

4. 진찰소견
- 흉막삼출의 양에 따라 다양 (300 mL 이하면 대개 특별한 소견이 없음)
- chest wall motion lag (호흡운동 감소)
- breath sound 감소 or 소실
- pleural friction rub (흉막삼출의 양이 증가하면 소실됨)
- percussion : dull or flat
- 성음진탕(vocal fremitus) 감소

5. 영상 소견

- 300 mL 이상 고여야 chest PA view에서 판독 가능
- 위로 오목한 fluid level : "meniscus sign" (c.f., hydropneumothorax시는 편평)
- CPA (costophrenic angle)의 둔화/소실
- 다량(>1 L)의 흉막삼출시 종격동의 반대쪽으로의 이동
- subpulmonic (infrapulmonic) effusion
  - hemidiaphragm elevation
  - 위장내 가스와 좌하엽 간의 거리 증가 (>2 cm)
- pseudotumor : fluid가 interlobar fissure에 고여서 tumor처럼 보이는 것

* 소량의 pleural fluid를 확인하는 방법
  ① lateral decubitus view (150 mL만 고여도 확인 가능) → 대부분 US로 대치되었음
  ② chest US, CT
    - localization에 이용하면 thoracentesis시 안전, 편리 (특히 US : 응급실, ICU 등에서)
    - loculated pleural effusion 찾는데 유용

6. 흉강천자(Thoracentesis) & pleural fluid analysis

- diagnostic thoracentesis : 30~50 mL 뽑음
  - 늑골 상연을 따라 조심히 실시 (∵ 늑골 하연에는 신경과 혈관이 통과)
  - diagnostic approach ; 제일 먼저 transudate or exudate를 구분!
  - relative C/Ix ; bleeding diathesis, anticoagulation, small volume, mechanical ventilation, low benifit-to-risk ratio... (absolute C/Ix은 없다)
- therapeutic thoracentesis
  - 1회에 1000~1500 mL 이상은 안됨 (∵ re-expansion pul. edema 발생 위험)

■ Exudate의 감별(Light's criteria)

① 흉수/혈청 protein >0.5 (m/i) (절대값 >3.0 g/dL)
② 흉수/혈청 LD >0.6 (절대값 >200 IU/L)
③ 흉수 LD가 혈청 정상 상한치의 2/3 (약 200) 이상

┌ exudate : 3개중 1개 이상에 해당되면
└ transudate : 3개중 아무것도 해당되지 않아야

* 위 기준을 따르면 transudate의 약 ~25%가 exudate로 잘못 분류됨
  ⇨ 임상양상은 transudate가 의심되는데 exudate criteria에 1개 이상 해당되면
     혈청 - 흉수 protein gradient 측정
       ↳ 차이가 3.1 g/dL 이상이면 위 기준에 관계없이 transudate로 분류함
     (c.f., **혈청 - 흉수 albumin gradient** → 차이가 1.2 g/dL 이상이면 transudate)

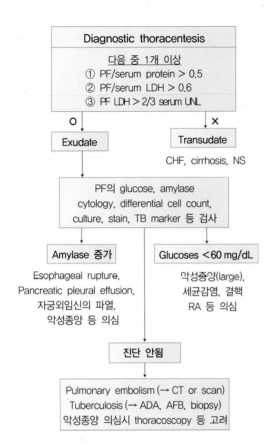

흉수검사의 참고치	
세포	1000~5000
중피세포	3~70%
단핵구	30~75%
림프구	2~30%
과립구	10%
Protein	1~2 g/dL
Glucose	= serum
LDH	$< \frac{1}{2} \times$ serum

* ADA : 암 14.4 ±8.6
　　　세균 38.0 ±11.9
　　　결핵 65.5 ±17.9

* 흉수가 혼탁하면 원심분리 시행
　┌ 상층액이 맑으면 (cells or debris가 원인)
　│　　⇨ empyema (pyothorax)
　└ 상층액이 혼탁하면
　　　　⇨ chylothorax or pseudochylothorax

■ Pleural effusions의 원인

Transudates (여출성 흉막액)	Exudatives (삼출성 흉막액)
CHF (m/c)	감염 ; 세균성 폐렴, 결핵, viral or mycoplasma 폐렴
LC (hepatic hydrothorax)	종양 ; lung ca., metastatic ca., lymphoma, mesothelioma
Hypoproteinemia	Pulmonary infarction/embolism
(e.g., nephrotic syndrome)	류마티스 질환 ; RA, SLE, DLE, immunoblastic lymphadenopathy,
Glomerulonephritis	Sjögren's syndrome, Wegener's granylomtosis, Churg-Strauss
Pericardial disease	symdrome ...
Peritoneal dialysis	위장관 질환 ; 식도 파열, 췌장 질환, 복강내 농양, 복부 수술,
SVC obstruction	diaphragmatic hernia, endoscopic variceal sclerotherapy ...
Myxedema	Post-cardiac injury syndrome
Pulmonary embolism (PE)	Asbestos에의 노출, Sarcoidosis
Urinothorax	Uremia, Meigs' symdrome, Yellow nail syndrome
Sarcoidosis	Trapped lung, Radiation therapy, Electrical burns
	Hemothorax, Chylothorax, Iatrogenic injury
	Ovarian hyperstimulation syndrome (PCOD)
	약물 ; Nitrofurantoin, Dantrolene, Methysergide, Bromocriptine,
	Procarbazine, Amiodarone ...

* 흔한 순서 : CHF > 세균성폐렴 > 악성종양(폐암, 유방암, lymphoma 등) > 폐색전증 ...
* bilateral pleural effusion의 원인 : CHF (m/c), 악성종양, SLE, RA, NS, LC, PE, 결핵, 식도파열, 약물

Pleural fluid (exudate)의 소견과 원인 질환

소견	원인 질환
pH <7.2	부폐렴성 흉수, 암, 식도파열, SLE, RA, 결핵, 폐렴, 혈흉, urinothorax, paragonimiasis, 췌장늑막누공, Churg-Strauss syndrome (CSS, EGPA), systemic acidosis
Glucose <60 mg/dL	부폐렴성 흉수, 암, 감염, 결핵, SLE, RA, 식도파열, 혈흉, urinothorax, paragonimias, CSS (EGPA)
Amylase >200 μ/dL	식도파열, 췌장염, 췌장늑막누공, 암, 자궁외 임신의 파열
LDH >1000 IU/L	세균성 농흉, paragonimias, 아메바, septic emboli, RA
RF, ANA, LE cells, Complement ↓	SLE, RA
RBC >5000/μL	외상, 암, 폐경색
Neutrophil 증가	세균성폐렴, 폐색전증, 췌장염, 복강내 농양, 초기 결핵
Eosinophil 증가 (>10%) (8~35%는 idiopathic)	흉막강 내 공기(m/c) ; 이전의 흉강천자, 기흉 흉막강 내 혈액 ; 혈흉, 폐색전증, 폐경색 기타 ; 암(폐암이 m/c), 감염, 결핵, 기생충, 호산구성 폐렴, 폐석면증, RA, CSS (EGPA), sarcoidosis, 약물(warfarin, propylthiouracil, nitrofurantoin, dantrolene 등)
Lymphocyte 증가	결핵, sarcoidosis, lymphoma, leukemia, 전이암
ADA 증가 (>40 μg/L)	결핵, 일부 농흉, 암, RA
Chylous effusion (TG >110 mg/dL)	Thoracic duct의 손상 ; 외상, 암
Biopsy (+)	암, 결핵

7. Invasive procedures

(1) percutaneous needle pleural biopsy

- 악성종양이나 결핵성 흉수의 진단에 중요
  - 악성종양 : 조직검사상 40~60%에서 양성 (but, cytology에서도 50~90% 양성)
  - 결핵 : granuloma (50~80%) + 조직 배양검사 → 진단율 약 95%
- 금기 ; small or loculated effusion, anticoagulation or 출혈성 질환, 비협조적인 환자
- 합병증 ; 기흉, 혈흉

(2) thoracoscopy

- 악성 흉수의 진단에 효과적 (진단율 85%)
- 악성 종양이 의심되나 cytology에서 음성이면 시행
  (thoracoscopy가 없거나 불가능하면 needle biopsy 시행)
- 장점 ; 직접 흉막을 관찰 가능, 많은 양의 조직을 채취 가능, 폐조직도생검 가능,
  흉막유착술(pleurodesis)도 시행 가능

(3) bronchoscopy

: 폐실질의 병변이 있거나 객혈이 있는 경우만 시행

8. CHF (LV failure)

- pleural effusion의 m/c 원인, CHF 입원 환자의 50~90%에서 동반
- 대개 양측성으로 발생(60~85%), 단측성인 경우에는 우측:좌측 = 2:1
- LV failure → LA pr.↑ → pulmonary edema → 폐간질액이 흉막강으로 누출
  ; visceral pleura를 통해 빠져나오는 fluid의 양이 parietal pleura의 흡수 용량을 초과할 때 발생
- 심부전 환자에서 <u>diagnostic thoracentesis의 적응</u>
  ① unilateral effusion
  ② bilateral이지만 크기가 서로 많이 다른 경우
  ③ fever, pleuritic chest pain
  ④ cardiomegaly가 없을 때
  ⑤ 심부전 치료(e.g., 이뇨제)에 반응이 없을 때
- 흉수의 Light's criteria에 따르면 ~30%는 exudate로 분류됨 (→ 앞부분 참조)
  – 이유 ; exudate의 원인 공존(m/c, 폐렴), 이뇨제 치료(→ 흉수의 LDH와 단백질 농축) 등
- 흉수의 <u>NT-pro BNP</u>가 1500 pg/mL 이상이면 CHF에 의한 이차성 흉수로 진단 가능
- 대개 CHF 치료(e.g., 이뇨제)를 하면 호전됨, 호전되지 않으면 therapeutic thoracentesis 시행

9. 간경변증

- 복수를 동반한 LC 환자의 최대 5%에서 pleural effusion 발생
- 횡경막의 작은 구멍을 통한 복수의 직접 이동이 주요 기전
- 오른쪽에 호발하며, 호흡곤란을 일으킬 정도로 다량인 경우가 흔함

10. 부폐렴성 흉수 (Parapneumonic effusion)

(1) 정의

- 폐렴, 폐농양, 기관지확장증 등 폐 감염과 관련되어 발생한 모든 종류의 exudative fluid
- 폐렴 환자의 약 40%에서 동반, exudative pleural effusion의 m/c 원인
  - uncomplicated parapneumonic effusion : 폐렴의 항생제 치료만으로 호전되는 경우 (대부분)
  - complicated parapneumonic effusion : 관해를 위해 tube thoracostomy가 필요한 경우
  - empyema : 부폐렴성 흉수의 말기 단계로 흉강에 gross pus가 고인 상태
    (aspiration pneumonia에 동반되는 경우가 흔함, 대개 혐기성 & 호기성 혼합감염)

(2) 원인균

- 혐기성균보다 호기성균이 좀 더 많이 배양됨
- 호기성균 : *S. pneumoniae, S. aureus, S. milleri, Klebsiella, Pseudomonas, Haemophilus* 등
- 혐기성균 : 존재해도 36~76%만 배양됨, 부패성 냄새가 나면 Gram stain이 도움
  (*Fusobacterium nucleatum, Prevotella* spp, *Peptostreptococcus* spp, *Bacteroides fragilis* 등)

(3) 진단 및 치료

- thoracentesis (흉강천자/가슴천자) : 대개 US-guided로 시행
  - lateral decubitus view, CT 등에서 fluid가 (폐~흉벽 사이) <u>1 cm</u> 이상 고이면 시행
  - diagnostic thoracentesis : 21~22G needle, 병기와 치료방침 결정에 가장 중요
  - therapeutic thoracentesis : 16~18G needle
- <u>tube thoracostomy drainage</u> (가슴관삽입/가슴창냄술/흉강삽관 배액) 적응★ (아래로 갈수록 중요)
  - ① loculated pleural effusion
  - ② pH <7.2
  - ③ glucose <60 mg/dL
  - ④ Gram stain or culture에서 균 발견
  - ⑤ gross pus의 존재
  - pH가 7.2~7.3이거나 LD >1000 U/L일 때도 강력히 고려
  - WBC count나 protein 농도는 이때는 별 의미 없음 (∵ empyema가 심하면 WBC가 분해됨)
- tube thoracostomy의 적응이 아니거나 결정하기 어려운 경우
  → 항생제를 투여하면서, 천자를 반복하며 F/U (serial thoracentesis)
- tube thoracostomy로 잘 치료되지 않을 때
  - ① intrapleural fibrinolysis (e.g., t-PA 10 mg) + DNase (deoxyribonuclease 5 mg, 점성↓)
  - ② 흉강경(thoracoscopy, VATS)을 이용한 adhesion lysis, debridement
  - ③ 흉막 박피술(decortication) : 위의 치료 실패시 (매우 규모가 큰 수술임)
  - ④ 개방 배액법(open drainage)

11. 결핵성 흉막염/흉수 (tuberculous pleuritis/pleurisy)

- exudative pleural effusion의 흔한 원인중 하나
- 폐결핵 환자의 ~30%에서 동반, 결핵성 흉막염 환자의 대부분은 폐결핵을 가지고 있음
  - ① <u>소수</u>의 결핵균이 흉막강으로 유출 → 항원(tuberculin protein) 분비
    → intrapleural delayed hypersensitivity response에 의해 흉막염 발생
    ⇨ 흉수 <u>AFB 양성은 드물고</u>, 배양도 50% 미만에서만 양성 (액체배지로 배양하면 ~63-75%)
    (c.f., 객담에서의 배양 양성률이 더 높음)
  - ② 드물게 흉막 파열로 다량의 결핵균이 흉막강으로 유출되어 결핵성 농흉을 일으킬 수 있음
- 흉수(PF) 검사
  - WBC 1000~6,000/μL : lymphocyte가 주(60~90%), mesothelial cell은 5% 이하
    (eosinophilia도 동반될 수 있지만 드묾)
  - protein↑, glucose↓~N
  - <u>ADA↑(>43 IU/L)</u>, IFN-γ↑(>140 pg/mL), PCR (+)
- 흉막 조직검사(granuloma : 50~80%), 흉막/흉수 AFB 염색 & 배양검사, thoracoscopy
  (조직검사 + 객담/흉수 배양검사로 결핵 진단율 95%까지 가능)
- 폐결핵과 똑같이 치료, adjuvant steroid는 논란 (증상이 매우 심하면 고려 가능, AIDS에서는 금기)
- ~50-70%에서 1년 뒤 mild pleural thickening (fibrosis) 합병됨

→ 6장 결핵 편 참조

12. 악성 흉수 (malignant effusion)

(1) 개요
- exudative pleural effusion의 2nd m/c 원인
- 원인 ; lung ca. (m/c, 30%), breast ca. (25%), lymphoma (20%), ovarian ca.
- 대부분 dyspnea를 효소 (흉수의 양에 비해 심한 경우가 흔함)
- 종양이 크면 glucose level 감소 가능 (<60 mg/dL), pH <7.3, CEA↑

(2) 진단
- 흉수 cytology : 50~60%에서 양성 (→ 3회 시행하면 ~90%)
  - needle biopsy보다는 sensitivity 높음 (∵ 흉막의 암세포가 떨어져 나옴)
  - 암의 종류에 따라 sensitivity 다름 (e.g., 폐선암은 >90%, HD는 <25%)
  - specificity는 문제될 수 (e.g., reactive mesothelial cells or atypical lymphocytes와 혼동 가능)
    → 정확한 진단을 위해 특수염색, FISH, PCR 등 고려
- thoracoscopy : cytology에서 음성이거나 애매하면 시행 (sensitivity >90%)
  - 진단 및 pleurodesis도 가능 (pleurodesis 효과를 높이기 위해 pleural abrasion도 시행)
  - thoracoscopy가 없거나 불가능하면 needle biopsy 시행

(3) 치료
- 대증적 치료 (∵ 흉수의 존재는 대부분 원격전이 때문에 curable CTx 불가능을 의미)
- 양이 적고 증상이 없으면 경과관찰만
- 치료적 흉강천자(thoracentesis) : 흉수가 천천히 발생되고, 기대수명이 짧거나 PS가 낮으면 권장
- 반복적인 흉강천자로도 계속 흉수가 발생되는 경우 ⇨ indwelling catheter, pleurodesis,
  pleurectomy, pleuroperitoneal shunt 등 고려 (흉막의 RTx는 효과가 거의 없음)
- indwelling pleural catheter (e.g., PleurX™)
  - 덜 침습적이라 선호됨, 환자/보호자도 조절 가능
  - 기대수명 짧은 경우(<6개월), 외래 치료 원할 때, 다른 치료(pleurodesis 포함) 실패시 권장
  - 27~70%에서는 2~12주 뒤 자연 pleurodesis 됨 (catheter로 sclerosant도 주입 가능)
- 흉막유착술(pleurodesis, chemosclerosis) : lung entrapment 없으면 90% 이상에서 성공
  - 흉강삽관(tube thoracostomy), VATS, thoracoscopy 등으로 폐를 팽창시킨 후 유착술 시행
    (chest tube or catheter로 나오는 배출액이 100 cc/day 미만일 때 시행 가능)
  - 적응 : dyspnea 심하고, thoracentesis로 증상 호전이 있고, mediastinal shift는 없는 환자에서
    6개월 이상의 생존 가능성이 있을 때 (→ 증상 호전이 목적이며, 생명 연장 효과는 없음)
  - pleurodesis가 성공할 확률이 낮은 경우 ⇨ pleurodesis 금기
    ① thoracentesis로 증상의 호전이 없는 경우
    ② thoracentesis로 lung expansion이 되지 않을 때(entrapped or trapped lung)
      ; 종양에 의한 bronchus 폐쇄, 흉막에 대량의 종양 전이, bronchopulmonary fistula 등
  - pleurodesis 시행시 사용하는 agents (sclerosant) ; talc or doxycycline을 흔히 이용
    ① antibiotics : tetracycline, doxycycline (효과와 안전성은 우수하지만, 재발이 많음)
    ② anti-cancer drug : bleomycin, nitrogen mustard
    ③ sclerosing agent : talc (가장 효과적이지만, 독성 위험 및 드물게 호흡곤란/폐렴 발생 가능)

13. Meigs' syndrome

- benign fibroma or other ovarian tumors
- ascites
- large pleural effusions

14. 폐색전증 (pulmonary embolism)

- pleural effusion의 감별진단 중 가장 간과하기 쉬운 질환
- 흉수는 대개 exudate (약 25%는 transudate)
- 대개 PE의 치료로 7일 이내에 흉수는 소실됨
- 치료 후에도 흉수의 양이 증가하거나 반대쪽에 새로 생길 때의 원인
  ; PE의 재발, hemothorax or pleural infection 등의 합병증 발생...

15. 유미흉/암죽가슴증 (chylothorax)

- 흉관(thoracic duct)이나 부행 림프관의 파열로 chyle (lymph + TG)이 유출되어
  pleural space에 고인 것 (막걸리, 우유색)
- 원인 ┌ 외상 (m/c, 약 50%) : 대부분 iatrogenic (e.g., cardiothoracic surgery)
  │ 악성 종양 (20~46%) ; 대부분 lymphoma (기타 lung ca., mediastinal ca. 등)
  └ 기타 ; 선천성, 결핵, AIDS, LC, CHF, NS, filariasis, SVC syndrome, goiter ...
- 흉수(pleural fluid) 소견
  - TG >110 mg/dL
  - cholesterol ≤200 mg/dL, 흉수 cholesterol/혈청 cholesterol <1
  - chylomicron 양성 (cholesterol crystal은 없다)
  - lymphocytes >70%, protein↑ (→ Light's criteria로는 대부분 exudate로 분류됨), LDH↓
- 외상이 원인이 아닌 경우에는 lymphangiogram 및 chest CT 시행
- 치료 (치료 안하면 사망률 높음)
  ① 흉관삽입 배액 & octreotide (or somatostatin) 투여 (TOC) : chyle leaks 적을 때(<1 L/day)
     - octreotide (or somatostatin) → thoracic duct로 유입되는 chyle의 양을 감소시킴
     - but, 장기간의 흉강삽관은 금기 (∵ Ig, 영양분 들이 빠져나가 면역/영양 결핍 초래)
  ② 보존적 치료(흉관 배액)에 반응이 없거나 적을 때 ⇨ minimally invasive therapies ; pleurodesis,
     경피적 TDE/TDD (thoracic duct embolization/disruption), TDL (thoracic duct ligation)
  ③ pleuroperitoneal (or pleurovenous) shunt : 위 치료들에 실패시 (chylous ascites 없을 때)
  ④ iatrogenic, chyle leaks 많을 때(>1 L/day) ⇨ 조기에 thoracic duct repair 수술
  ⑤ TPN (hyperalimentation) or 저지방 식이요법 (e.g., medium-chain TG)
     → thoracic duct로 유입되는 chyle의 양을 감소시킴

- **가성유미흉(pseudochylothorax)**
  - effusion이 오래되어 cholesterol만 남은 것
  - 원인 ; tuberculosis, rheumatoid effusion 등의 만성 염증
  - 흉수 소견 ; cholesterol↑ (>200 mg/dL), cholesterol crystal (+), TG <50 mg/dL

16. 혈성흉수/혈흉 (hemothorax)

- 정의 : pleural fluid의 hematocrit가 말초혈액의 50% 이상일 때
- 원인
  ① trauma (m/c)
  ② iatrogenic (e.g., cardiothoracic surgery, catheter insertion, thoracentesis, biopsy)
  ③ spontaneous hemothorax (nontraumatic, non-iatrogenic)
    - 악성종양 ; pleural malignancy (e.g., mesothelioma), lung ca., breast ca. ...
    - pulmonary embolism or infarction (항응고요법의 부작용으로)
    - dissecting aorta (← Lt-sided pneumothorax) or HCC 등 복강 내 장기의 rupture
    - TB, collagen vascular dz., hematologic disorder
- 치료
  ① 흉관삽관(tube thoracostomy) : 36 Fr 이상의 큰 chest tube로
    - 흉강내 혈액을 완전히 배출 가능
    - 흉막 손상에 의한 출혈은 재팽창된 폐가 흉막을 압박하여 지혈 (혈관 출혈도 지혈 가능)
      → 전체 혈흉의 약 85% 정도가 치료됨
    - 합병증(pyothorax, fibrothorax 등) 예방
    - 흉관으로 배출된 혈액을 다시 수혈 가능
  ② 개흉술(thoracotomy), thoracoscopy, angiographic embolization 등의 적응
    ┌ 출혈량이 시간당 200 mL 이상
    │ 흉관 삽입 직후 배출되는 혈액량이 1000 mL 이상
    └ 흉관으로 잘 배출이 되지 않는 응고된 혈액

17. 요흉 (urinothorax)

- obstructive uropathy 또는 interventions에 의해 흉강 내에 urine이 존재하는 것
  (urine이 횡격막의 림프관 or 결손을 따라 후복막강에서 흉강으로 유출)
- 원인 ; 신장의 낭종/결석/외상, 방광 열상, 후복막 섬유화/종양, interventions (e.g., biopsy, nephrolithotomy, nephrostomy, ESWL, 신장이식)
- 대개 환측에 일측성으로 발생
- 흉수 소견 ; 소변 냄새, transudate, glucose↓, pH↓, 흉수/혈청 Cr >1 (대부분>10)
- reno-pleural fistula 확인 ; IV indigo carmine, IVP, RGP, renal scan
- 치료 ; obstruction의 해결

주요 Exudative pleural effusion의 특징

	Gross Appearance	WBC (cells/μL)	Diff.*	RBC (cells/μL)	Glucose	Comments
Malignant effusion	Turbid~bloody 때때로 serous	1000~ 100,000	M	100~ 몇십만	Serum levels과 동일 15%는 <60 mg/dL	Eosinophilia는 드물다 Cytologic exam. (+)
Uncomplicated parapneumonic effusion	Clear~turbid	5000~ 25,000	P	<5000	Serum levels과 동일	Tube thoracostomy 불필요
Empyema	Turbid~purulent	25,000~ 100,000	P	<5000	Serum levels보다 낮다 흔히 very low	Drainage 필요 섞는 냄새는 혐기성균 감염 시사
Tuberculosis	Serous~ serosanguineous	5000~ 10,000	M	<10,000	Serum levels과 동일 때때로 <60 mg/dL	Protein >5 g/dL, ADA↑↑ Eosinophils(>10%) 이나 mesothelial cells(>5%) 이면 가능성 떨어짐
Rheumatoid effusion	Turbid Greenish-yellow	1000~ 20,000	M or P	<1000	<40 mg/dL	Secondary empyema 흔해 RF↑, LDH↑, complement↓, cholesterol crystals 등
Pulmonary intarction	Serous~ grossly bloody	1000~ 50,000	M or P	100~ 10만⇧	Serum level과 동일	다양
Esophageal rupture	Turbid~purulent Red-brown	<5000 ~ >50,000	P	1,000~ 10,000	대개 low	Amylase↑ (salivary origin) 25%에서 pneumothorax 대개 왼쪽이 effusion site ; pH <6.0 이면 강력히 의심
Pancreatitis	Turbid~ serosanguineous	1000~ 50,000	P	1,000~ 10,000	Serum levels과 동일	대개 왼쪽에서 발생 Amylase↑

* M = mononuclear cell (e.g., lymphocyte)이 주, P = PMN leukocyte (neutrophil)가 주

기흉/공기가슴증(Pneumothorax)

* 정의 : 흉막강(pleural space)에 공기가 찬 것

1. 자연/자발 기흉 (spontaneous pneumothorax)

: trauma 없이 자연적으로 발생한 기흉

(1) 원인

① 원발성 자연기흉(primary spontaneous pneumothorax, PSP) : m/c
  - 기저 폐질환 없이, high (−) intrapleural pr.에 의해 subpleural apical bleb이 파열되어 발생
  - 위험인자 ; 흡연, 키 크고 마른 젊은 남자, 가족력
  - Rt. lung에 더 잘 발생
  - 약 50%에서 재발 : 남자, 흡연자에서 더 재발이 흔함
  - initial Tx → observation (O_2) or needle aspiration

② 속발성 자연기흉(secondary spontaneous pneumothorax, SSP)
  - 기저 폐질환이 있을 때 발생한 자연기흉
  - COPD (emphysema; m/c), tuberculosis, asthma, ILD, cystic fibrosis, pneumonia, neoplasm 등 거의 모든 폐질환에서 발생 가능
  - 기저 폐질환으로 인해 더 치명적 : initial Tx → tube thoracostomy

(2) 임상양상

- 흉통 및 호흡곤란이 주증상 (보통 증상의 정도는 기흉의 크기와 비례)
- 운동이나 일할 때 보다는 안정시에 주로 발생
- 환측의 호흡운동↓, 호흡음↓, vocal fremitus ↓, hyperresonance (tympanic)
- 환측 흉부의 expansion, 종격동은 병변 반대쪽으로 이동

(3) 진단 : chest X-ray

- 흉막선(visceral pleural line)을 찾아 봄, 기흉 공간은 검은색의 공기 음영
- 반드시 호기로 촬영할 필요는 없음
- 기흉의 크기 = total hemithorax volume − 남아있는 lung volume
  = (hemithorax의 반지름)^3 − (collapsed lung의 반지름)^3
- chest CT ; 작거나 복잡한 기흉도 발견 가능, 기립 CXR 촬영이 어려운 환자에서 유용, 지속/재발생 기흉의 원인 파악에 도움 → 점점 더 많이 이용

(4) 치료

① 관찰(observation) 및 산소 공급
  - 적응 : new small (<15~20%) unilateral pneumothorax, stable (asymptomatic) 환자
    ↳ interpleural distance ≤3 cm (apex), ≤2 cm (anywhere)
  - 24시간 F/U 이후 퇴원, 보통 7~12일 뒤면 자연 흡수됨
  - high oxygen ; 흉강내 공기의 absorption 촉진
    (기전 : 혈중의 산소 분압↑, 질소 분압↓ → 흉강내 공기(질소가 80%)의 흡수 속도 증가)

  * 속발성 자연기흉(SSP)도 매우 작고 stable하면 ⇨ close observation 가능

  (or needle aspiration 이후 작은 catheter 유치)

② 단순 공기흡인법(simple needle aspiration) = 흉강천자(thoracentesis), 바늘흉강감압술
  - 15~20% 이상 크기의 stable 원발성 자연기흉의 initial Tx.
  - midclavicular line 2번째 늑간에 작은(16~18 G) catheter-over-the-needle 삽입 후 공기 흡인
    ; Seldinger technique (guidewire 사용), one-way valve (e.g., Heimlich flutter valve) 등
  - 자연기흉의 60~70%는 이 방법으로 치료 가능 (but, 재발은 예방×)

③ 흉관삽입법(tube thoracostomy) : clinically unstable하면 크기에 관계없이
  - 적응 ┌ 원발성 자연기흉 : 40~50% 이상이거나, 단순 공기흡인법이 실패하거나, 재발한 경우
        └ 속발성 자연기흉에서는 initial Tx.!
  - 대개 water seal device (3-bottle system)에 연결, suction은 지속성 기흉의 경우에만 시행
  - 흉관은 폐가 팽창하고 공기누출이 멈춘 뒤 24시간 관찰 후 CXR로 재발 없음을 확인하고 제거
  - 속발성 자연기흉 및 재발한 원발성 자연기흉(1st relapse)은 재발이 흔하므로 공기누출이
    멈추고 폐가 완전히 팽창되었으면 VATS and/or 흉막유착술(pleurodesis)도 시행(e.g., DC)

④ thoracoscopy (VATS) : bleb stapling/suture/resection & pleurodesis → 95% 이상 예방 가능

자연 기흉에서 thoracoscopy (VATS)의 적응증

1. Aspiration or tube thoracostomy 실패시
   - air leak 지속 or 3일 이후에도 lung reexpansion 안될 때
   - 3일 이후에도 bronchopleural fistula 존재시
2. Recurrent (3회 이상) pneumothorax
3. Bilateral pneumothorax
4. Chest X-ray에서 bullae, cyst 보일 때
5. 75% 이상 collapse 시
6. 등산가, 잠수부, pilot 등 압력변화가 많은 직업 종사자

---

⑤ 개흉술(open thoracotomy) : VATS가 불가능하거나 VATS에 실패한 경우, 거의 100% 예방

2. 외상성 기흉 (traumatic pneumothorax)

- trauma에 의해 발생한 기흉
- 대부분 누워서 처음 CXR을 찍으므로 작은 기흉은 놓치는 경우가 많고,
    기흉과 혈흉을 감별하기 어렵다 → 심한 외상 환자는 CT가 진단에 유용
- 매우 작은 기흉을 제외하고는, 반드시 흉관삽입법(tube thoracostomy)으로 치료
- hemopneumothorax의 경우에는 2개의 chest tubes를 이용
    ┌ hemithorax 상부의 tube → air 배출
    └ hemithorax 하부의 tube → blood 배출
- 응급 개흉술이 필요한 경우 ; 기관/기관지 파열, 식도 천공

■ 의인성 기흉(iatrogenic pneumothorax)
  - 원인 ; transthoracic FNA, thoracentesis, subclavian catheter insertion, (+) pr. ventilation ...
  - 증상이 경미하고 기흉이 작으면(<15%) observation 가능
  - 증상이 있거나, 기흉이 크거나 계속 증가하는 경우에는 대개 simple aspiration 시행
    → 실패하면 흉관삽입법(tube thoracostomy)

- mechanical ventilation에 의해 발생한 경우는 응급 흉관삽입술! (∵ 긴장성 기흉 발생 예방)
- 자연기흉과 달리 재발 위험이 적으므로 흉막유착술은 안해도 됨

3. 긴장성 기흉 (tension pneumothorax)

• 정의 : 호흡 주기 전기간 동안 pleural pressure가 양압 (대기압보다 높음)
• 보통 mechanical ventilation이나 trauma (e.g., CPR) 때 발생
• Sx ; 심한 dyspnea, tachycardia, 청색증, 저혈압, 의식저하, 피하기종(→ crepitus), 경정맥확장
    ((+) pleural pressure → venous return ↓ → CO ↓ → 死)
• P/Ex ; 기흉이 생긴쪽 가슴이 반대쪽보다 커짐 & 호흡음 감소/소실,
    mediastinum or trachea는 반대쪽으로 shift
• ABGA ; severe hypoxia, respiratory acidosis
• ventilator 사용 중 기흉 발생하면...
  ┌ volume ventilation ⇨ 기도내압(PIP)↑ (더 심한 기흉 발생)
  └ pressure ventilation (기도내압 일정) ⇨ tidal volume↓ (확인이 어려울 수)
• Tx − medical emergency!
  ① large−bore (12~16 G) needle aspiration (2nd ICS, midclavicular line에서)
  ② 이후에 흉관삽입법(tube thoracostomy) 시행

■ 기흉 환자의 일차 치료

자연기흉					외상성 기흉	의인성 기흉			긴장성 기흉
원발성(PSP)				속발성 (SSP)		인공 호흡기 사용	무증상 or <15%	심한 증상 or >15%	
<15%	>15%	>50% or 심한 증상	재발						
경과관찰 산소투여	Simple aspiration	흉관삽입 + Pleurodesis				경과관찰 산소투여	Simple aspiration		응급 aspiration 이후 흉관삽입

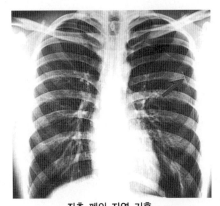

좌측 폐의 자연 기흉

(화살표 : visceral pleural line)

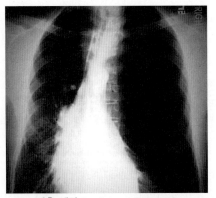

좌측 폐의 tension pneumothorax

기관, 대혈관, 심장 등의 종격동 구조물이
오른쪽으로 치우쳐 졌고, 좌측 폐는 거의 보이지 않음

■ **흉관 삽입/배액(chest tube drainage) 3-bottle system**

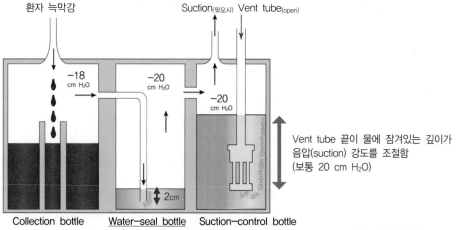

환자 늑막강   Suction(필요시)   Vent tube(open)

-18 cm H_2O -20 cm H_2O

-20 cm H_2O

Vent tube 끝이 물에 잠겨있는 깊이가 음압(suction) 강도를 조절함 (보통 20 cm H_2O)

2cm

Collection bottle   Water-seal bottle   Suction-control bottle

(└ 공기가 환자로 역류되는 것 방지, suction-control bottle로 환자 체액이 넘어가는 것 방지)

■ **흉관 삽입의 부작용**

; re-expansion pul. edema, lung trauma or infarction, subcutaneous emphysema, bleeding, infection ...

* **재팽창성 폐부종(re-expansion pulmonary edema)**
  - 기흉 또는 흉막삼출액에 의해서 허탈되었던 폐가 급격히 재팽창 되었을 때 주로 동측에 폐부종이 발생되는 것
  - 원인 : reperfusion injury
    (재관류에 의해 O_2 free radical 생성 → 폐손상 → 폐혈관의 투과성 증가 → 폐부종 발생)
  - 이차성 기흉보다 원발성 기흉에서 흔하다
  - 증상 : cough, dyspnea, PaO₂↓
  - 치료 : O_2 투여
    - 때때로 기계호흡이 필요하기도 하며 심하면 사망도 가능 (사망률 약 20%)
    - 저혈압/oliguria시 이뇨제는 금기!
  - 예방 : 흉관삽관시 음압펌프 없이 under-water seal drainage 시행
    (24~48시간 동안 재팽창성 폐부종 없으면, 그 때 흉강내 음압을 가할 수 있음)
  - 실제로 흉관삽관 후 나타나는 음영의 상당수는 재팽창성 폐부종보다는 울혈성 무기폐
    (→ 대부분 경과 양호)가 더 흔하다

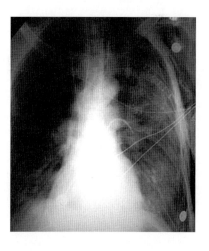

* **피부밑공기증, 피하기종(subcutaneous emphysema)**
  - 갑자기 가슴 상부, 목, 얼굴 등이 부으면서 만지면 crepitus가 들림
  - 치료 : 보통 self-limited, ventilatory pressures 감소 등
    (매우 심해 compartment syndrome이 발생한 경우엔 surgical decompression)

종격동 종괴 (Mediastinal mass)

1. 개요

- 종격동의 3 compartments
  ① anterior mediastinum ; thymus, internal mammary A. & V.
  ② middle mediastinum ; heart, ascending aorta, aortic arch, vena cavae, brachiocephalic
     A. & V., phrenic N., trachea, main bronchi, pulmonary A. & V.
  ③ posterior mediastinum ; descen. aorta, esophagus, thoracic duct, azygous & hemiazygous V.
- 전체적 빈도 (순서)
  ① neurogenic tumor (19~39%, m/c) : 대부분 post. mediastinum에서 발생
     (소아에서는 종격동 종양의 약 35%를 차지)
  ② thymoma (20%) : 대부분 ant. mediastinum에서 발생
  ③ lymphoma (17%) : ant. mediastinum에 많이 발생하나 어느 부위에도 가능,
     Hodgkin lymphoma가 더 흔함 (예후는 NHL가 나쁨)
  ④ germ cell tumor/teratogenic tumor (10%) : ant. mediastinum에서 호발
  c.f.) 노인에서는 metastatic cancer가 m/c 원인 (bronchogenic carcinoma가 m/c)
- 진단 ; CT (m/g), barium swallow (post. mediastinal lesion시), ^{131}I scan (갑상선 의심시)
- 확진 ; VATS (mass 제거도 가능), mediastinoscopy, ant. mediastinotomy, percutaneous FNA,
  endoscopic transesophageal or endobronchial US-guided biopsy

Mediastinal mass의 원인

Anterior	Middle	Posterior
Thymoma & benign thymic disorders	Lymphoma	Neurogenic tumors
Lymphoma	Germ cell tumors (teratoma, teratocarcinoma, seminoma)	Lymphoma
Germ cell tumors (teratoma, teratocarcinoma, seminoma)	Benign LN enlargement	Diaphragmatic hernias (Bochdalek)
Thyroid tumors	Cancer	Meningocele, meningomyelocele
Soft tissue tumors (benign tumors, sarcomas)	Mediastinal cysts (bronchogenic, enteric, pericardial)	Mediastinal cysts (bronchogenic, gastroenteric, thoracic duct)
Pericardial cysts	Aneurysms & vascular malformations	Pheochromocytoma
Benign LN enlargement	Hernia (Morgagni)	Esophageal ca. & diverticula
Parathyroid aneurysms	Lipoma	Aortic aneurysms
		Soft tissue tumors

2. 흉선종/가슴샘종 (thymoma)

- 30~40대에 호발, 남=여, 소아에서는 드물지만 증상 발생은 흔함
- ant. mediastinum의 primary tumor중 m/c : ant. superior mediastinum에 발생
  (c.f., ant. mediastinum의 m/c 종양은 metastatic tumor)
- 주위 구조물로의 invasion 정도에 의해 malignancy 결정
  (조직학적 소견으로는 양성-악성 구별 못함)

- paraneoplastic (parathymic) syndrome
  ① <u>myasthenia gravis (MG)</u> : 40~50%에서 동반 ; 안검하수, 복시, 연하장애, 근무력증 ...
    - 증상은 아침에 가장 경미하고, 시간이 지날수록 심해짐
    - MG가 동반된 환자는 없는 환자보다 상대적으로 초기임 (∵ 신경근육증상으로 조기에 발견)
    - MG 환자의 5~15%에서만 thymoma, 85%에서 thymic hyperplasia 동반
  ② 기타 ; pure red cell aplasia (5~15%), hypogammaglobulinemia, SLE, Cushing's syndrome,
     thymoma-associated multiorgan autoimmunity (TAMA) 등
- 진단 : chest X-ray (심장 위쪽의 large smooth mass), CT (m/g)

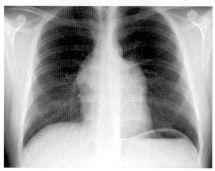
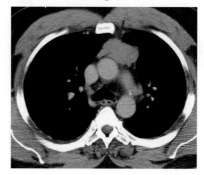

- 치료 : 수술이 TOC (대부분 흉강경으로 시행)
  - PORT (postop. RTx) : stage Ⅱ 이상 thymoma 또는 thymic carcinoma에서 권장
  - hypogammaglobulinemia는 치료해도 호전 안 됨
- 예후 : 성장이 느린 종양이라 좋은 편임, complete resectability와 invasion 정도가 가장 중요
  (5YSR ; stage Ⅰ~Ⅱ는 70~90%, stage Ⅲ~Ⅳ는 35~55%)
- 사인 : cardiac tamponade 등의 심폐 합병증

3. 신경(원)성종양 (neurogenic tumor)

- 성인에서 m/c mediastinal primary tumor, <u>척추 주변에 발생</u> (post. mediastinal tumor 중 m/c)
- peripheral nerves, nerve sheaths, sympathetic ganglion 등에서 유래
  (성인의 75% 이상은 nerve sheaths 유래, 소아의 85%는 ganglion 유래)
- schwannoma (neurilemmoma)와 neurofibroma가 m/c ; benign, slow-growing, 대개 무증상

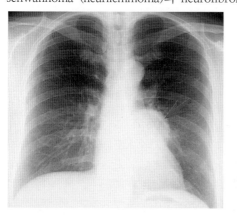
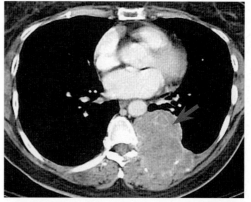

4. 생식/배아 세포 종양 (germ cell tumor)

- 기형종(teratoma) ; solid or cyst, 외배엽 성분(피부, 털, 땀샘, 치아 등)이 주를 이룸

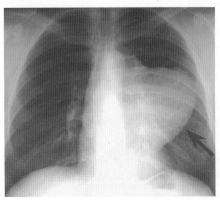
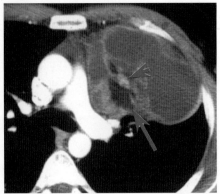

Anterior mediastinum의 teratoma   Fat (긴 화살표), calcification (짧은 화살표)

종격동염/세로칸염(Mediastinitis)

1. 급성 종격동염

(1) 원인
- 주변 장기 (식도, 기관, 기관지)의 파열에 따른 세균감염 (m/c)
- 다른 곳의 감염이 전파
- 외상 ; 심장수술(median sternotomy), 관통상

(2) 임상양상
- 오한, 발열, 탈진, 의식저하, 흉통, 호흡곤란, 빈백, 빈호흡 ...
- 쇄골 상부 피하조직의 팽창
- 청진 ; 흉골하부 주위의 마찰음(Hamman's sign), mil wheel ⓜ

(3) 진단
- chest X-ray/CT ; 광범위한 종격동 음영 확장, 종격동 기종, 지방층의 소실,
  흉막염도 흔히 동반됨
- esophagography, mediastinal needle aspiration ...

(4) 치료
- 응급 수술(surgical debridement)
- 광범위 항생제 투여(2~6주), 수액요법 등의 보존적 치료
- 예후는 원인 및 수술시기에 따라 좌우, 사망률 >20% (수술이 늦어지면 사망률 >50%)

2. 만성 종격동염

- 원인 ; TB, histoplasmosis, sarcoidosis, silicosis, 기타 진균감염 등
- granulomatous inflammation (LN) : 대부분 무증상
- 심하면 fibrosing mediastinitis : 주변 장기 압박에 의한 증상
  → SVC syndrome, 기관지/폐혈관 폐쇄, 신경마비 (recurrent laryngeal N., phrenic N.) 등
- 대부분 특별한 치료법이 없으며, 압박증상이 심하면 airway or vascular stents, 수술

종격동기종 (Pneumomediastinum)

1. 원인

① 폐포의 파열에 의한 공기의 종격동 유입
② 식도, 기관, 기관지 등의 천공/파열
③ 목 또는 복부 공기의 종격동으로의 파급

2. 임상양상

- 심한 흉통(substernal) ± 목/팔로 radiation
- 쇄골 상부의 피하기종(subcutaneous emphysema)
- Hamman's sign
  - 심박동에 일치하는 crunching or clicking noise
  - Lt. lateral decubitus position에서 가장 잘 들림

3. 진단

- CXR ; 목 부위까지 포함하여 촬영, lateral chest X-ray가 좋음
- US ; 응급 상황에서 유용
- chest CT ; 기저 폐질환이 있는 경우에만

4. 치료

- 대개는 치료 필요 없음(observation)
- 고농도 산소 흡입 (→ 종격동 공기 흡수 촉진)
- needle aspiration : 종격동내 구조물이 압박되었으면

혈액종양
내과

1 서론 및 빈혈

■개요

1. 생리

(1) 조직의 산소화 결정 요소
① blood flow
② O_2 carrying capacity (Hb 농도)
③ Hb의 O_2 affinity

- anemia시 ┌ blood flow ↑
  └ 2,3-DPG ↑ (→ Hb의 O_2 affinity ↓ → O_2 release ↑)

(2) anemia에 대한 신체의 보상기전
① 심박동수 ↑, 혈압 ↑, 심박출량 ↑
② 혈장량(plasma volume) ↑
③ erythropoietin ↑ (→ RBC 합성 ↑)
④ O_2 dissociation curve : shift to the right (∵ 2,3-DPG ↑)
⑤ 체내 혈류의 재분포(redistribution)
  - acute blood loss ; peripheral vasoconstriction, central vasodilation
  - chronic blood loss ; systemic small vessel vasodilation (→ 전신 혈관저항↓ → CO↑)

2. Hemoglobin의 구조
- Hb : α-like globin chain (α와 ζ) 한쌍과 non-α chain (ε, γ, δ, β) 한쌍으로 구성된 globin의 tetramer
- 정상 성인의 Hb 구성
  ┌ HbA ($\alpha_2\beta_2$) : 97%
  │ HbA$_2$ ($\alpha_2\delta_2$) : 3%
  └ HbF (태아 혈색소, $\alpha_2\gamma_2$) : 1% 미만

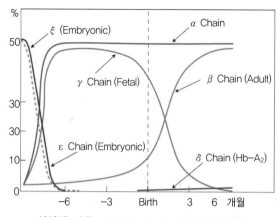

성장에 따른 globin chains의 구성 변화

3. 빈혈 환자의 접근

(1) initial laboratory tests

1. CBC (complete blood count)
   Hb (Hematocrit)
   RBC index ; MCV, MCHC, RDW
   WBC count & differential
   Platelet count
2. Reticulocyte count (망상적혈구수)
3. Peripheral blood smear/morphology (말초혈액도말검사)
4. Serum iron, TIBC, ferritin
5. Stool OB test (대변잠혈검사)

   * 4, 5는 이차 검사로 보기도 함

- 용혈성 빈혈이 의심되면 Coombs test도 시행
- BM exam : 가장 나중에 시행

(2) reference ranges

	남성	여성
Hematocrit (%)	41~53	36~46
Hemoglobin (g/dL)	13.5~17.5	12.0~16.0
RBC ($\times 10^6$/μL)	4.5~5.9	4.0~5.2
MCV (fL)	80~100	
MCHC (g/dL)	32~36	
RDW	<15	
WBC (/μL)	4,000~11,000	
Neutrophil (%)	40~70	
Lymphocyte (%)	20~44	
Monocyte (%)	2~11	
Eosinophil (%)	0~8	
Basophil (%)	0~3	
Platelet (/μL)	140,000~430,000	

- RBC의 수명 : 평균 120일

(3) RBC indexes

① MCV (mean cell volume) : RBC의 size를 반영, 참고치 90 ±8 fL (대략 80~100)

$$= \frac{Hct\ (\%) \times 10}{RBC\ (million/mm^3)} : fL\ (\times 10^{-15}\ L)$$

② MCH (mean cell Hb) : 참고치 30 ±4 pg

$$= \frac{Hb\ (g/dL) \times 10}{RBC\ (million/mm^3)} : pg\ (\times 10^{-12}\ g)$$

③ MCHC (mean cell Hb concentration) : chromacity를 반영, 참고치 34 ±2 g/dL (32~36)

$$= \frac{MCH \times 100}{MCV} = \frac{Hb\ (g/dL) \times 100}{Hct\ (\%)} : g/dL$$

* <u>RDW</u> (red cell distribution width)적혈구분포폭 : 적혈구 크기가 다양한 정도 (참고치 <15)

  ↳ 증가되면 (적혈구 크기가 다양해지면) anisocytosis(적혈구부동증)라고 부름

(4) 망상적혈구 (reticulocyte count)

: BM의 적혈구 조혈 상태를 반영, hemolysis의 m/g indicator

① absolute reticulocyte count = reticulocyte (%) × total RBC count

  – 참고치 : $50 \times 10^9/L$ (circulating RBC의 약 1%)

② corrected reticulocyte count (%) = reticulocyte (%) × $\dfrac{환자의\ Hct.}{정상\ Hct.\ (45)}$

  – 빈혈 때 대개 old RBC가 먼저 파괴(감소)되므로 빈혈에 의한 reticulocyte (%)의
    과대 평가를 교정하기 위해 고안된 공식

③ reticulocyte production index (RPI) = $\dfrac{corrected\ reticulocyte\ count}{reticulocyte\ maturation\ time}$ ★

Hct (%)	reticulocyte maturation time
45	1.0
35	1.5
25	2.0
15	2.5

  ⎡ RPI ≥2.5 → **hemolysis**, hemorrhage, hemoglobinopathy
  ⎣ RPI <2 → hypoproliferation (e.g., AA), maturation defect (e.g., IDA)

  – reticulocytes의 혈중에서 normal maturation time이 1일 이므로 (BM에서는 3일),
    reticulocytes (erythrocytes) production도 약 $50 \times 10^9/L/day$가 됨

  – marrow에서의 release 증가 → reticulocytes의 혈중 maturation time (혈중에 머무르는
    시간)이 증가 (shift) → reticulocyte (%)의 과대평가를 방지하기 위해 (shift의 교정)
    maturation time으로 나누어 줌

(5) 말초혈액도말검사 (peripheral blood smear/morphology, PBS)

정상 RBC	Target cell	Macroovalocyte	Tear-drop cell

Spherocyte	Echinocyte	Acanthocyte	Schistocyte

Hypersegmented neutrophil
: segment (lobe)가 5개 이상인 neutrophil이 5% 이상 or
6개 이상인 neutrophil이 하나라도 있을 때

	주요 원인	기타 원인
Macro-ovalocytes	Megaloblastic anemia (cobalamin, folate deficiencies)	MDS, myelofibrosis, autoimmune hemoylsis
Hypersegmented neutrophils	Megaloblastic anemia (cobalamin, folate deficiencies)	Renal failure, IDA, CML, congenital hypersegmentation
Tear-drop cells (dacrocyte)	Myelofibrosis	Myelophthisic anemia, thalassemia major
Spherocytes	Autoimmune hemolytic anemia, hereditary spherocytosis	Microangiopathic hemolysis, hypophosphatemia, 심한 화상
Sickle cells	Hemoglobin SS, SC, S-thalassemia	Hemoglobin C Harlem
Red cell fragments (schistocytes)	Microangiopathic or traumatic hemolysis ; DIC, TTP, HUS, SLE, 인공심장판막	IDA, megaloblastic anemia, cancer chemotherapy, 심한 화상
Target cells	Liver disease, thalassemias, hemoglobin C, SC	Artifact, SS disease, IDA, splenectomy
Elliptocytes	IDA, hereditary elliptocytosis	Myelofibrosis, megaloblastic anemia
Burr cells (echinocytes)	Renal failure	Artifact, pyruvate kinase deficiency
Spur cells (acanthocytes)	Liver disease, abetalipoproteinemia	
Howell-Jolly body	Splenectomy, megaloblastic anemia	Hemolytic anemia
Heinz body	Unstable Hb, oxidant stress	
Rouleaux formation	Paraproteinemia (monoclonal gammopathy)	
Agglutinated cells	Cold agglutinin disease	

4. Anemia의 분류

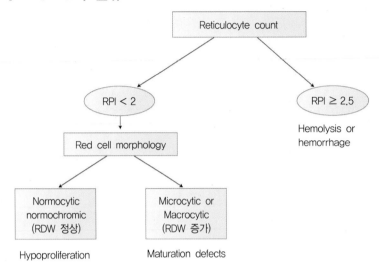

	Hypoproliferation (BM에서 생산 감소)	Maturation defects (Ineffective erythropoiesis)		RBC survival 감소 (Hemolysis/hemorrhage)
RPI	<2	<2		≥2.5
M:E ratio (G:E ratio)	>2-3:1 (<1:2-3)	≤1:1 (≥1:1)		<1:1 (>1:1)
RDW	정상	증가		정상 or 증가
PB smear	Normocytic normochromic	Microcytic hypochromic	Macrocytic	Normocytic or slightly macrocytic, Polychromasia
예	IDA (mild~moderate) Stimulation (EPO) ↓ inflammation renal disease hypometabolic state ; 단백영양실조, 내분비결핍 Marrow damage aplasia infiltration fibrosis	**Cytoplasmic maturation defect** IDA (severe) Thalassemia Sideroblastic anemia	**Nuclear maturation defect** Folate deficiency Vitamin B_{12} deficiency Drug toxicity MDS (e.g., RA)	Blood loss Intravascular hemolysis Metabolic disorder Membrane abnormality Hemoglobinopathy Autoimmune disorder Fragmentation hemolysis

c.f.) M:E ratio = BM에서 myeloid (granulocytic) cells : erythroid cells의 비율 (정상 = 2~4:1)
↳ 엄밀히 따지면 G:E ratio가 정확한 표현이지만, 통상 M:E ratio로 부름

MCV와 RDW에 의한 빈혈의 분류

	RDW 정상 (<15)	RDW 증가 (≥15)
Normocytic (MCV 80~100)	Chronic disease (ACD) Aplastic anemia Leukemia, Lymphoma Splenic pooling Acute hemorrhage (reticulocytosis 심하면 MCV↑, RDW↑)	Iron, vitamin B_{12}, folate 등의 deficiency 초기 Immune hemolytic anemia Sideroblastic anemia Myelofibrosis (심할수록 RDW 크게 증가) 심한 ACD에서도 RDW 약간 증가함
Microcytic	Heterozygous thalassemia Chronic disease (일부에서)	**Iron deficiency** Homozygous **thalassemia** Microangiopathic hemolytic anemia* (schistocyte 동반)
Macrocytic	만성 간담도계 질환 (RDW 약간↑) MDS Aplastic anemia (일부)	Vitamin B_{12} or folate deficiency Immune hemolytic anemia** (심한 reticulocytosis 동반시)

* 적혈구의 크기는 정상이지만, 깨진 적혈구 조각들(schistocytes)로 인해 MCV는 낮아짐
* 미성숙적혈구(reticulocytes, 적혈구보다 큼!)의 증가로 인해 MCV가 높아짐

철 평형 (Iron balance)

* iron : <u>Hb, myoglobin</u>, 일부 enzymes (e.g., cytochrome) 등의 필수 성분
  ↳ O_2 운반

1. Transport & storage

- 정상인의 체내 iron 총량은 3~4 g 정도
- 분포 ; RBC [Hb] (약 2/3) > storage [ferritin] > myoglobin > enzyme > transferrin
- excess iron은 세포내에서 ferritin이나 hemosiderin의 형태로 저장됨 (약 23%) ; 간, 비장, 골수
- plasma내의 iron은 대부분 transferrin에 결합되어 있음
- transferrin-bound iron ; half-clearance time 매우 빠름 (60~90분), 거의 대부분 erythroid marrow로 전달됨
- 인체는 excess iron을 효과적으로 배설하는 기전이 없으므로, <u>장의 iron 흡수</u> 조절을 통해서만 iron balance를 유지함
  - erythropoiesis 증가시 (→ iron 요구량↑) iron clearance time은 더 짧아짐
  - erythropoiesis 억제시 (→ iron 요구량↓) iron clearance time 길어짐 (→ plasma iron level↑)
- RBC의 평균 수명은 120일 → 매일 0.8~1.0%의 RBC가 RE system에서 파괴됨
  (→ iron은 재활용되어 transferrin과 결합해서 방출되거나, 저장됨)

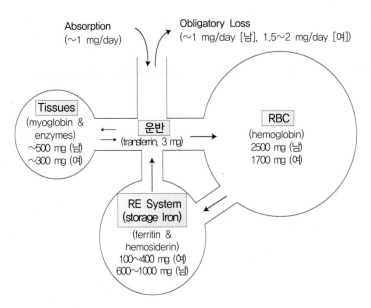

2. Iron absorption

- 주로 duodenum (m/i) & upper jejunum에서 흡수됨
  - DMT1 (divalent metal iron transporter 1)을 통해 enterocytes 내로 유입됨
  - enterocytes 내의 iron은 ferritin으로 저장되거나, 세포 외로 release되어 transferrin과 결합함
- 하루 섭취량 (10~20 mg)의 6~12% 정도만이 흡수됨 : 0.5~2 mg
  - ┌ nonheme iron : 식이 iron의 85~90%, 흡수된 iron의 약 2/3 차지
  - └ heme iron : 식이 iron의 10~15%, 흡수된 iron의 약 1/3 차지 (더 잘 흡수됨)
- (nonheme) iron 흡수에 영향을 미치는 인자 ★

흡수 감소	흡수 증가
식사 후	공복시
제산제, H_2-RA, PPI	위산(HCl)
Vitamin C 이외의 다른 vitamins	Vitamin C
EDTA	Amino acid, sugars, citrate
Phosphates	Porto-caval shunt
Phytate (콩류, 곡물, 쌀)	Hemosiderosis
Polyphenols (과일, 야채, 커피, 홍차, 포도주)	Erythropoiesis↑, Iron deficiency
Duodenal mucosal injury	육류/생선 (heme iron도 함유)

- iron loss ; 혈액 소실 or 피부/위장관/비뇨생식관에서 상피세포의 소실을 통해 방출됨

3. Iron homeostasis 관련 단백

* cellular iron efflux (release) → systemic iron homeostasis 유지의 주 조절 포인트

(1) transferrin receptor (TfR1)

- iron-bearing transferrin의 receptor-mediated endocytosis를 통해 세포내로 iron 유입
- erythroid precursors (최대), rapidly dividing cells, activated lymphocytes 등에 많음

(2) ferroportin

- iron export molecule, *SLC40A1, SLC11A3, IREG1, MTP1* genes
- 대부분의 세포 표면에 존재 (특히 enterocytes, RES, liver에 많이 존재)

(3) hepcidin

- ferroportin과 결합 → ferroportin의 internalization & degradation 유도
  - → 십이지장의 enterocytes와 RES의 macrophage에서 iron release 억제
  - → 철분 흡수와 저장철의 release 감소 → <u>serum iron↓</u>
- hepcidin gene (*HAMP*: hepcidin anti-microbial peptide) ; 염색체 19q13.1에 존재
- 간에서 주로 합성되지만, macrophages, neutrophils, fat cells, cardiomyocytes 등에서도 합성됨
- 임상적 이용
  - ① IDA와 AOI (ACD)의 감별
    - ┌ IDA 때는 감소 (∵ iron 흡수 촉진 위해)
    - └ AOI 때는 증가 (∵ inflammation → 간에서 hepcidin 합성 촉진)
  - ② hereditary hemochromatosis (HH)의 screening, monitoring, prognosis
  - ③ CKD 환자의 EPO 치료 monitoring (erythropoiesis↑ → hepcidin↓)

(4) HFE (hemochromatosis Fe)

- hereditary hemochromatosis의 m/c 원인 mutation
- non-classic MHC class I molecule, 대부분의 조직에 존재(특히 간에 많이 존재)
- hepcidin 합성을 증가시키는 역할 (HFE mutations → hepcidin↓ → body iron↑)

(5) TfR2

- hepcidin, HFE와 마찬가지로 간세포에 많이 존재
- TfR1처럼 transferrin-bound iron을 receptor-mediated endocytosis할 수도 있지만 주 기능은
  아님 (TfR2 mutation시 간세포의 iron 축적 발생)
- TfR2 mutations → hepcidin이 부적절하게 감소
  (HFE와 TfR2는 같은 regulatory pathway의 일부분임을 시사)

(6) hemojuvelin

- 주로 근육과 심장에, 간에는 소량 존재
- *HFE2* gene (hemojuvelin) mutations → juvenile hemochromatosis
  (hepcidin이 부적절하게 감소 → hemojuvelin도 hepcidin 합성에 필요)

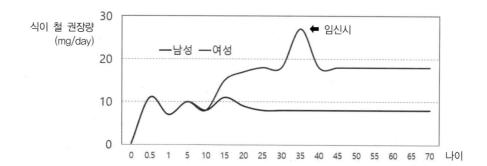

철결핍빈혈 (Iron Deficiency Anemia, IDA)

* m/c anemia, 여자>남자

1. 원인

Iron 이용/필요량 증가
유아(생후 5~6개월), 사춘기, 임신
Erythropoietin 치료

Iron 소실 증가
월경 과다
GI bleeding (e.g., ulcer, tumors)
Genitourinary bleeding
Pulmonary hemosiderosis
Intravascular hemolysis, PNH
Phlebotomy, 잦은 헌혈

Iron 섭취/흡수 감소
철분이 부족한 식사 (모유, 우유, 곡물)
채식주의자, 이식증(pica), 빈곤층, 노약자
Malabsorption ; gastrectomy, sprue, CD ...
Acute/chronic inflammation

• chronic blood loss가 m/c 원인

　(e.g., 남자 → GI bleeding, 여자 → menstrual loss, 후진국 → hookworm)

• gastrectomy시 IDA의 발생 기전 : malabsorption

　┌ HCl (위산) ↓ (∵ HCl은 iron 흡수를 촉진시킴)
　│ transit time 빨라져 → 흡수 감소
　└ bypass of duodenum (∵ duodenum에서 iron 흡수가 가장 왕성)

2. 임상양상

• 빈혈 증상은 보통 Hb이 7 g/dL 이하인 경우에 나타남

　– fatigue, headache, dizziness, exertional dyspnea, pallor
　– 빈혈 증상은 빈혈의 발생 속도와 깊은 연관이 있음

• 철 결핍 (IDA)의 증상 및 징후

　① 이식증(pica) ; 얼음, 흙, 곡식 낱알, 페인트 등을 먹음
　② 상피세포 이상 ; angular stomatitis, glossitis, atrophic rhinitis, dyspepsia, malabsorption ...
　　　　　　　　↳ 입꼬리염(구각염, cheilosis) … advanced IDA의 소견 (but, 다른 원인도 많음)
　　　* Plummer-vinson syndrome ; hypopharynx와 식도 경계부의 mucosal web (→ dysphagia),
　　　　glossitis, IDA (advanced) → IDA가 호전되면 회복됨
　③ 스푼형손톱(koilonychia) : 숟가락 모양으로 오목해진 손발톱 (손발톱이 얇아지고 부드러우며
　　　갈라지기 쉬움)… advanced IDA의 소견 (but, 다른 원인도 있음)

• achlorhydria, menorrhagia (→ IDA의 원인 & 결과 될 수)

⇨ 진단은 혈액검사로 ; CBC, PBS, serum iron, TIBC, ferritin

3. 검사소견/진행단계

IDA의 stage에 따른 변화

	Normal	Mild	Moderate	Severe
Hemoglobin (g/dL)	≥13 (女≥12)	13	10	5
MCV	80～100	↓	↓	↓↓
MCHC	32～36	N	↓	↓↓
Marrow Iron stores	≥2+	↓	↓↓	↓↓
Serum Iron	50～150	N	↓	↓↓
TIBC	250～370	N or ↑	↑	↑↑
Ferritin	≥15 (女≥10)	↓	↓	↓↓
RBC protoporphyrin	30～50	N	↑	↑↑

① Stage I : storage iron depletion (negative iron balance)
- BM : 철염색(prussian blue stain)에서 storage iron의 감소
- serum ferritin ↓   (정상: 남자 24~400, 여자 12~200 μg/L)
  → 가장 sensitive! (저장 철을 가장 잘 반영), 15 미만이면 BM iron store 고갈을 의미!
- ferritin은 acute phase reactant이기 때문에 염증, 암 등에서도 흔히 상승됨
  (→ IDA와 공존하면 ferritin level이 정상일 수 있으므로 해석에 주의)

② Stage II : iron-deficient erythropoiesis
- serum iron (SI) ↓   (정상: 50~150 μg/dL)
- TIBC (≒ transferrin) ↑   (정상: 250~370 μg/dL)
- transferrin saturation (= SI/TIBC) ↓↓   (정상: 20~45%)
  (15% : erythropoiesis에 필수적인 최소 level, IDA <15%)
  → 15~20% 이하로 떨어지면 Hb 합성이 감소하게 됨
- sTfR (soluble TfR) ↑   (정상: 4~9 μg/L)
- ZPP (zinc protoporphyrin, free erythrocyte protoporphyrin [FEP]) ↑ (정상: 10~99 μg/dL)
  - iron 공급↓(→ Hb 생성↓)로 인해 heme의 전구물질인 protoporphyrin이 RBC 내에 축적됨
  - but, 염증, 납중독, 용혈 빈혈 등에서도 증가될 수 있음
- RBC : normal (or microcytic hypochromic), RDW↑
- hypochromic reticulocyte : CHr (reticulocyte Hb content) ↓
  → iron-deficient erythropoiesis (functional iron deficiency 포함)의 marker!

③ stage III : IDA
- serum iron↓, TIBC↑ (sTfR↑), ferritin↓ 등이 매우 심해짐
- microcytic hypochromic RBCs와 poikilocytosis가 현저해짐 (형태 변화가 가장 마지막 단계!)

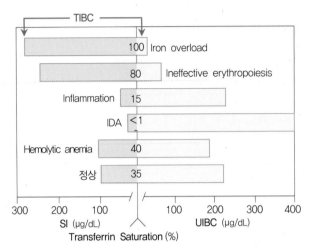

TIBC = unsaturated iron-binding capacity (UIBC) + serum iron (SI)
Transferrin saturation (%) = SI×100 / TIBC

c.f.) Transferrin은 보통 면역검사로 직접 transferrin 농도를 측정하는 것이고 (조금 비쌈),
TIBC는 화학검사로 transferrin을 간접적으로 측정하는 것이므로, 같은 의미로 보면 됨

* peripheral blood smear (PBS) 및 CBC 소견
  - microcytic hypochromic anemia (MCV↓, MCHC↓)
  - poikilocytosis (e.g., elliptocytes, target cells), anisocytosis (RDW↑, 많은 빈혈에서 초기 소견)
  - reticulocyte : %로는 보통 정상이지만, 절대수는 대개 감소
  - WBC 정상, platelet은 종종 증가

* BM 소견
  - 다른 혈액 질환의 R/O위해 필요하며, IDA의 진단에는 필요 없음!
  - 초기에는 hypoproliferation, severe IDA로 진행되면 erythroid hyperplasia (normoblasts↑)
  - 철염색(prussian blue stain) → 철결핍의 확진 가능 (c.f., 염색 상태의 신뢰도가 부족해 실제로는 별로임)
    ┌ macrophage 내의 iron 감소
    └ sideroblast (siderotic [= iron] granules을 함유한 normoblast) 감소 (정상: 20~50%)
  c.f.) iron overload를 보는데는 BM iron보다 serum ferritin이 더 좋다

* sTfR (soluble TfR)
  - cellular TfR의 양을 반영, erythropoiesis 증가 및 IDA 때 증가 (정상: 4~9 μg/L)
  - 염증의 영향을 받지 않음 → ACD (AOI)에서는 정상으로 감별에 큰 도움!
  - erythropoietin 치료의 monitoring에도 이용됨 (erythropoiesis↑ → sTfR↑)

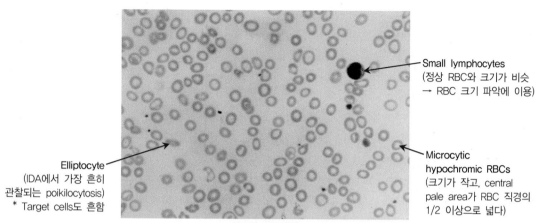

IDA의 PB 사진

- **Small lymphocytes** (정상 RBC와 크기가 비슷 → RBC 크기 파악에 이용)
- **Microcytic hypochromic RBCs** (크기가 작고, central pale area가 RBC 직경의 1/2 이상으로 넓다)
- **Elliptocyte** (IDA에서 가장 흔히 관찰되는 poikilocytosis) * Target cells도 흔함

4. 감별진단

	IDA	ACD (AOI)	Thalassemia	Sideroblastic anemia
PBS (RBC 형태)	Microcytic hypochromic, Elliptocytes	보통 normocytic normochromic	Microcytic hypochromic, 다양한 형태 이상	다양
Serum iron	↓	↓~N	N~↑	N~↑
Serum TIBC	↑	N~↓	N	N
Transferrin saturation	<10%	10~20%	30~80%	30~80%
Serum ferritin	↓	N~↑	N~↑	N~↑
sTfR	↑	N	N	N
ZPP (FEP)	↑	↑	N	↑
Hb electrophoresis	정상	정상	비정상	정상

5. 치료

(1) IDA의 원인을 밝히고 이를 치료하는 것이 가장 중요!

(2) 적혈구 수혈 : 심한 빈혈로 심혈관 불안정이 있는 경우나, 심한 출혈이 지속되는 경우에만 고려

(3) **경구용 철분제(oral iron)**
- Hb level에 관계없이 iron deficiency가 있으면 iron 보충 치료!
- 2가철 제제(e.g., ferrous sulfate)를 가장 흔히 사용
  : 325 mg (elemental iron은 65 mg 함유) × 3~4회/day 투여
  → elemental iron 200~300 mg/day 공급 → 최대 50 mg/day이 흡수됨
- m/c 부작용 : 위장 장애 (15~20%) → dose 줄이면 해결 (but, 치료 효과↓)
  ; dyspepsia, nausea, constipation, diarrhea ...
- 식전(공복)에 복용해야 흡수율이 높지만, 위장 장애로 계속 복용을 못하는 경우가 많으므로, 식후 즉시 복용 or 취침 전 복용 / 매일 복용보다는 격일로 복용이 더 흡수가 잘 됨

- vitamin C (ascorbic acid) : 철을 환원 상태로 유지하여 흡수를 향상시킴
- 치료 시작 전 반드시 baseline reticulocyte count, ferritin level 측정
- 치료에 대한 반응
  - 증상 호전, 세포내 iron enzyme 보충 : 12~24시간
  - BM에서 erythroid hyperplasia : 36~48시간
  - reticulocyte 증가 : 4~7일에 시작, 10일에 peak
  - Hb level 정상화 : 2개월 (2주 후에 상승하여, 2개월에 정상화)
  - 호전순서 : Sx. & cellular iron enzyme → reticulocyte → MCV → Hb
    → TIBC (transferrin saturation) → serum ferritin (저장철)
  - 치료반응(호전속도)은 erythropoietic stimuli와 철 흡수 속도와 관련
    (빈혈의 심한 정도와는 관련 없음)
- Hb 정상화 이후에도 iron store 충전을 위해 6~12개월 더 복용해야 됨!

Oral Iron 치료 반응이 나쁜 경우의 원인

Noncompliance (m/c), 철분제 용량 부족, 치료 기간 부족, 출혈 지속 (e.g., aspirin, NSAID, steroid 복용)
철의 흡수 및 이용 저하 ; Alcohol, Calcium, Lead, CKD, 감염, 염증, 암, Aluminum intoxication (투석 환자)
 - 위산 저하 ; Antacids, H_2-RA, PPI, 위절제, 위질환(e.g. 위축성위염, *H. pylori* 감염)
 - 소장 질환 ; IBD, 소장절제
잘못된 진단 ; ACD, Thalassemia, 납중독, 구리결핍, Folate/vitamin B_{12} 결핍 동반, MDS, Sideroblastic anemia
Iron refractory iron deficiency anemia (IRIDA) : *TMPRSS6* mutation (→ hepcidin↑)에 의한 선천적 철 흡수 장애

---

(4) 비경구용 철분제(parenteral/IV iron)

- Ix
  - oral iron의 부작용을 견딜 수 없는 환자
  - iron 흡수장애 (e.g., IBD, 위/소장 절제)
  - 혈액 소실이 지속되거나, iron store를 빨리 올려야할 때
  - EPO (erythropoietin) 치료를 받는 경우 (∵ iron 요구량↑)
  - 심한 빈혈인데(e.g., Hb <6 g/dL) 수혈을 할 수 없는 경우 등
    - 일반적인 임신은 적응 아님
    * active infection이 있으면 치료 이후로 연기 (∵ 세균 등 미생물도 성장에 iron 필요)

> 철 요구량 = 체중(kg) × 2.3 × (15 - Hb)
> + 500 or 1000 mg (for stores)

- 효과는 oral iron과 비슷하지만 훨씬 많은 양 투여 가능, 빠른 증상 호전, compliance 좋음
- HMW(고분자량) iron dextran ; anaphylaxis 발생 위험(0.6~0.7%) → 현재는 거의 안씀
  - allergy 과거력이 있거나 이전에 dextran allergy가 있는 경우 발생 위험 증가
  - 소량(test dose)을 먼저 투여 or 천천히 주사 (anaphylaxis 증상 발생시 즉시 중단)
  - 수일 뒤 발생하는 arthralgia, skin rash, 미열 등의 전신증상은 계속 사용해도 됨
- 부작용 적은 새로운 제제들 ⇨ parenteral iron 사용 증가 (특히 EPO 사용이 늘면서)
  - LMW(저분자량) iron dextran (INFeD®), ferric gluconate (Ferrlecit®), iron sucrose (Venofer®),
    ferumoxytol (Feraheme®), ferric carboxymaltose (Ferinject®, Injectafer®),
    iron isomaltoside (Monofer®) 등
  - anaphylaxis 매우 드묾 (그래도 주입 종료 후 30분 이상 부작용 여부 관찰해야 됨)
    → drug allergy 병력자를 제외하고는 투여 전 test dose 시도할 필요 없음
      (LMW iron dextran 첫 투여 때는 필요), antihistamines 등의 premedication도 필요 없음

(5) 예방적 치료 ; 저체중 유아, 임산부, 반복 헌혈자 등

만성질환빈혈(Anemia of Chronic Disease, ACD) ≒ Anemia of inflammation (AOI)

- 2nd m/c anemia (입원 환자 중에서는 m/c)
- 공통기전 ; 저장 철의 이용능 장애, 골수의 부적절한 기능 저하, 적혈구의 수명 단축
- 진단
  ① 다른 anemia의 원인을 R/O
  ② serum iron 및 TIBC가 모두 감소/정상 (↔ IDA와 차이)
  ③ BM iron store (or ferritin)는 감소되어 있지 않음

Hypoproliferative anemia의 특징

	철결핍성 빈혈 (IDA)	만성질환에 의한 빈혈(ACD)			참고치
		염증/감염	신장질환	대사저하	
Anemia severity	mild~severe	mild	mild~severe	mild	
MCV (fL)	60~80	78~90	90	90	80~100
Serum iron	<30	<50	정상	정상	50~150
Serum TIBC	>360	<300	정상	정상	250~370
Transferrin saturation	<10%	10~20%	정상	정상	20~45
Serum ferritin (ng/mL)	<20	200~2000	100~2000*	정상	24~400**
Iron store	0	2~4+	1~4+	정상	2~4+

* CKD 환자는 염증, 감염, 종양, IDA or iron overload 등의 동반이 흔하기 때문에 다양한 양상을 보임
** 여성은 약 1/2 정도로 봄 ⇨ 12~200 ng/mL

1. 염증/감염에 의한 빈혈

(1) 원인
  ① 급성/만성 감염 ; viral, bacterial, parasitic, fungal
  ② 종양
  ③ 자가면역질환 ; RA, SLE, vasculitis, sarcoidosis, IBD ...
  ④ 기타 ; 장기이식 후 만성거부반응, CKD, LC, CHF ...

(2) 발생기전
  ① inflammatory cytokines
  ┌ 세균감염, 종양 ; TNF (INF-β를 통해 erythropoiesis 억제)
  └ RA, vasculitis ; IL-1 (INF-γ를 통해 erythropoiesis 억제)
  → 신장에서 EPO 생산↓, RES에 iron 저장↑(→ 혈중 iron↓), erythropoiesis 억제
  ② EPO에 대한 반응↓ (erythroid precursors의 EPO receptors↓)
  ③ iron homeostasis dysregulation
  - hepcidin : storage iron regulator (간에서 합성됨)
  → 염증시 합성 증가 → iron 흡수 및 storage iron 방출 억제 → serum iron↓

• RES의 iron uptake & retention 증가 → serum iron↓ → iron-restricted erythropoiesis

④ RBC survival (life span) 감소 (∵ erythrophagocytosis↑, RBC damage)

⇨ chronic hypoproliferative anemia (iron availability↓)

* 급성 감염/염증에서는 수명이 다한 RBC의 용혈도 초기 anemia 발생에 많이 관여함

(3) 검사소견

① Hb : 보통 9~11 g/dL (8 이하는 드물다)

② 대부분 normocytic normochromic anemia

  * 장기간의 active RA, 만성감염(e.g., 결핵) 등은 microcytic hypochromic anemia도 가능

③ BM : hypoproliferative, erythroid maturation은 정상, sideroblast↓,

    macrophage 내의 iron↑ (hemosiderin↑)

④ corrected reticulocyte count↓

⑤ serum iron↓, TIBC (transferrin)↓, transferrin saturation 15~20%

  (c.f., TIBC는 negative acute phase reactant로서 감염/염증 때 감소함)

⑥ FEP (red cell protoporphyrin)↑

⑦ serum ferritin 정상~↑ (IDA와 구별되는 가장 큰 특징!)

⑧ ESR↑, fibrinogen↑

* IDA와 공존시 (e.g., chronic blood loss 동반) 진단 어렵다!

  – serum ferritin↓ (<60 μg/L)

  – serum transferrin (TIBC)은 보통 정상치까지 상승

  – serum sTfR (m/g), hepcidin 등으로 감별

2. 만성신장질환(CKD)에 의한 빈혈

(1) 발생기전

① 신장에서 EPO (erythropoietin) 생산↓ (m/i)

  → moderate~severe hypoproliferative anemia

② 요독성 물질 축적 → BM 기능 저하 (antiproliferative effect)

③ RBC의 수명↓, RBC의 iron 이용↓, ineffective erythropoiesis

④ 투석시 blood or folate loss

⑤ ESRD에서는 투석, 감염 등에 의한 만성염증으로 AOI의 전형적인 iron homeostasis 이상 소견

c.f.) HUS에 의한 ARF는 용혈에 대한 반응으로 EPO↑, ADPKD는 신부전에 비해 EPO 감소
  정도가 덜함 (↔ DM, MM의 경우에는 신부전에 비해 EPO 감소 정도가 심함)

(2) 검사소견

① normocytic normochromic anemia : 심하다 (Hb : 4 g/dL까지도 떨어질 수 있음)

  – 빈혈의 정도는 신부전의 severity와 비례

  – DM : 신부전 정도에 비해 EPO 감소가 더 심함

② burr cells (= echinocyte) : 작고 규칙적인 돌기를 가진 RBC (1/3에서)

③ reticulocyte↓

④ serum iron, TIBC, ferritin 등은 정상! (but, 투석이나 출혈경향으로 인해 IDA 동반 흔함)

3. 대사 저하에 의한 빈혈

(1) endocrine deficiency

- thyroxine, testosterone, anabolic steroids, GH 등은 erythropoiesis를 촉진하는 역할
  (→ 결핍된 hormone을 보충하면 대개 빈혈은 회복됨)
- 예　① hypothyroidism (myxedema)
  ② Addison's dz. (adrenal cortical hormone deficiency)
  ③ hypogonadism (testosterone↓)
  ④ panhypopituitarism (GH↓)
  ⑤ hyperparathyroidism (hypercalcemia → EPO↓, ineffective erythropoiesis)

(2) protein starvation

- metabolic rate↓ → EPO↓ (∵ O_2 demand↓)
- 다른 영양소의 결핍도 동반 가능 (e.g., iron, folate, vitamin B_{12})
  → 섭취 재개시 RBC index가 개선되면 반드시 의심

(3) liver diseases

- 발생기전 : RBC 수명 감소, erythropoietic compensation (EPO 생산) 부족
- 검사소견
  ① normocytic or slightly macrocyte
  ② plasma volume↑ → Hct↓
  ③ PB : target cells, stomatocytes, acanthocytes (불규칙한 돌기)
  　(∵ lecithin cholesterol acyltransferase↓ → 세포막에 cholesterol 축적)
- alcoholic liver dz. : 다양한 기전이 관여하여 복잡한 양상을 보일 수 있음
  ① alcohol → 직접 erythropoiesis를 억제
  ② BM : RBC & WBC precursors 세포질의 vacuoles, ringed sideroblast (특히 영양결핍자에서)
  ③ folic acid 섭취 감소 흔함 → megaloblastic anemia
  ④ GI blood loss 위험증가 (e.g., gastritis, varices, PUD) → IDA

4. 치료

(1) 기저 질환의 치료

- 대부분 기저 질환이 치료되면 Hb은 정상으로 회복됨
- 기저 질환 치료가 어려운 경우 ; ESRD, 악성종양, 만성염증성질환 등

(2) 수혈

- 심한 심혈관계 또는 호흡기 질환이 없으면 대개 Hb 8 g/dL까지는 수혈을 안 해도 괜찮음
- 증상이 심한 환자는 Hb 11 g/dL 이상 유지가 필요할 수도 있음
- pack RBC 1 unit → Hb level 1 g/dL 상승

(3) EPO (erythropoietin)

- hypoproliferative anemia (e.g., CKD, 만성염증)처럼 EPO가 부적절하게 감소된 경우 특히 유용
- iron deficiency가 공존하면 반드시 교정 필요 (iron deficiency 없을 때는 iron 투여 금기)

- iron : 세포면역의 일부 억제, toxic radicals 생산↑, 종양/미생물에 이로울 수 있음
    - CTx 중인 암 환자, 투석 환자에서는 parenteral iron 투여 (→ EPO에 대한 반응↑)
- CKD : 1주일에 3회, 50~150 U/kg IV (epoetin-α), 목표 Hb 10~12 g/dL (너무 높으면 나쁨)
    → 90%가 반응 (4~6주 내에), 목표 Hb에 도달하면 EPO 감량
- CTx 중인 암 환자 : 더 고용량 필요 (~300 U/kg), 약 60%만 반응, CTx 종료시 EPO도 중단
    - EPO의 Cx ; 혈전색전증, 종양 증식 (c.f., lymphoma 환자는 아님)
- long-acting EPO (darbepoetin-α) : 1~2주에 1회 투여 가능
- EPO에 대한 반응을 감소시키는 원인 ; infection (감염이 치료될 때까지 EPO 중단), IDA 동반,
    aluminum toxicity, hyperparathyroidism ...

c.f.) Anemia of aging

- 65세 이상 노인에서는 빈혈도 흔함 ; 약 11% (요양병원은 ~40%), 약 1/3은 원인 모름
- 기전 (정확히 모름)
    - inflammatory cytokines↑ (but, AOI 때 만큼 높지는 않음)
    - EPO는 대개 normal range (→ 더 높아야 정상), EPO에 대한 상대적 저항성
        (∵ 정상 Hb을 유지하기 위한 EPO level은 나이가 들수록 증가)
    - RBC 수명은 정상임
- 검사소견 : ACD와 유사 (but, 만성 질환은 없음)

거대적아구성/거대적혈모구 빈혈 (Megaloblastic Anemia, MA)

- 병인 : DNA 합성장애 → 핵-세포질 발달의 불일치(RNA > DNA) → 조혈세포들의 거대화
- 대부분 cobalamin (vitamin B_{12}) or folate deficiency가 원인
    (흡수장애 시에는 cobalamin보다는 folate deficiency가 더 흔히 발생)
- macrocytosis (MCV↑)의 원인

> 거대적아구성빈혈(cobalamin or folate 결핍, 대사이상)
> Antifolate 약물 ; methotrexate
> DNA 합성을 방해하는 약물 ; cytosine arabinoside, hydroxyurea, 6-MP, azidothymidine (AZT, Zidovudine)
> 혈액질환 ; MDS, 일부 AML, reticulocytosis (e.g., 용혈) ...
> 비혈액질환 ; 간질환(LC, alcoholic liver dz.), 폐쇄성 황달, 갑상선기능저하증(myxedema)
> 생리적 변화 ; 신생아 (생후 4주까지는 대개 macrocytic)
> 기타 원인을 모르는 경우 ; 임신, 만성 폐질환, 호흡부전, 흡연, 악성종양
> 자동 혈액분석기의 artifacts ; cold agglutinins, leukocytosis, severe hyperglycemia, hyponatremia,
>   stored blood, warm antibody to RBC

1. Cobalamin (vitamin B_{12}) deficiency

(1) cobalamin (vitamin B_{12})

- 체내에서 합성되지 않으므로 반드시 외부에서 공급되어야 한다
- 동물성 식품(고기, 생선, 유제품)에만 존재 (식물에는 없음!)
- 1일 최소 필요량 2~2.5 μg, 체내 cobalamin store 약 4 mg (간에 m/c, 2 mg)

• cobalamin의 흡수

 ┌ 수동적 흡수 : GI 점막 전체에서 흡수, 빠르지만 매우 비효율적임 (1% 미만만 흡수됨)
 └ 능동적 흡수 : 회장에서 흡수, 매우 효율적 (cobalamin 흡수의 대부분 차지)

  ① **위**에서 <u>위산</u> 및 pepsin에 의해 음식물에서 분리된 뒤, R-protein와 결합하여 complex 형성
   *R-protein(factor) [= haptocorrin (HC), transcobalamin-1 (TC-1)] : 구강의 타액선에서 생성됨
  ② **십이지장**에서 <u>pancreatic enzyme</u>에 의해 R-protein이 파괴된 뒤, <u>intrinsic factor (IF)</u>와 결합
   cobalamin-IF complex 형성 (IF : <u>위의 parietal cells</u>에서 분비됨, HCl의 분비와 비례)
  ③ **회장 말단(distal ileum)**에서 cobalamin-IF complex가 점막의 receptor에 결합되어 흡수됨
  ④ 회장 점막에서 IF는 분해되고, cobalamin은 transcobalamin Ⅱ (TCⅡ)와 결합하여
   순환되다가 간, BM 등에 흡수됨

• cobalamin의 이동

  ① TC (<u>transcobalamin = TC-2</u>) : chief transport protein, 새로 흡수되는 cobalamin의 90%
   이상이 결합, 혈중 cobalamin의 10~30%가 결합되어 있음 (→ 여러 조직에 운반 역할!)
  ② HC (haptocorrin = TC-1) : reservoir 역할, 혈중 cobalamin의 70~90%가 결합되어 있음
  ③ TC-3 : isoprotein of TC Ⅰ

 − transcobalamin (TC-2) 결핍시 심한 MA 발생 (haptocorin 결핍은 MA 별로 문제 안됨)
 − 상당량(0.5~5.0 μg)의 cobalamin은 enterohepatic circulation도 거침
  (→ 흡수장애시 cobalamin deficiency가 더 빨리 발생)
 − 체내 cobalamin store (2~5 mg)는 섭취가 전혀 없어도 3~4 년간은 유지 가능

(2) cobalamin 결핍의 원인

 ① 식이성 섭취 부족 (드묾) : 엄격한 채식주의자
 ② 흡수장애 (거의 대부분)
  (a) 음식물에서 cobalamin 분리 감소 ; 무위산증(e.g., atrophic gastritis), 위부분절제술,
   위산분비 억제제
  (b) intrinsic factor (IF) 생산 감소 ; <u>위전절제술(m/c)</u>, <u>악성빈혈</u>(pernicious anemia) 등
  (c) 회장 말단의 장애 ; 회장절제술, 종양 및 육아종성질환(e.g., 결핵),
   선택적 cobalamin 흡수장애, Imerslund's syndrome, sprue, HIV 감염, GVHD
  (d) cobalamin 갈취 ; 촌충(D. latum), 세균(e.g., blind loop syndrome)
  (e) 췌효소 결핍 ; 만성췌장염, ZES (과다한 위산이 췌효소를 불활성화)
  (f) 약물 ; 경구혈당강하제(metformine, biguanide), cholestyramine, p-aminosalicylic acid,
   colchicine, neomycin, cytotoxic drugs, 항경련제 ...
 ③ transcobalamin (TC-2) deficiency
 ④ cobalamin이 이용되지 못하는 대사질환
  (a) 선천성 ; homocystinuria, methylmalonic aciduria
  (b) 후천성 ; nitrous oxide (N$_2$O) 가스 흡입

(3) 병태생리

 ① megaloblastic myelopoiesis : DNA 합성↓ → S phase↑ → cell division 방해 → megaloblast
 ② <u>ineffective erythropoiesis</u> (& hemolysis) : erythroid precursors가 BM 내에서 과도하게 파괴됨
  (심한 경우 90%까지 파괴됨 [정상은 10~15%] → erythroid precursor/reticulocyte ratio↑

┌ BM에선 erythroid hyperplasia (주로 immature precursors↑) : cellularity↑
└ 말초에선 reticulocytes↓ & anemia

③ DNA 합성장애 : 증식이 빠른 세포에서 → 혀, 위, 장점막의 atrophy (→ IF 생산↓ → 악순환)

④ neuropathy : demyelination → axonal degeneration → neuronal death

(4) 악성빈혈(pernicious anemia, PA)

- 서양에서 cobalamin deficiency의 m/c 원인 (우리나라는 2nd m/c 원인)
- hereditary autoimmune disorder
- type A or atrophic gastritis와 관련
- 평균 70~80대에 발생 (약 10%만 40세 미만), 남<여
- 위 점막의 위축(atrophy) → parietal cells 파괴 (∵ complement-fixing Ab 때문, 세포면역도 관여)
  - IF 분비↓↓ (→ cobalamin 흡수↓), pepsin↓, pepsinogen I↓
  - 무산증(pentagastrin-fast achlorhydria), gastrin↑
- autoantibodies
  ① anti-parietal cell Ab : 90%에서 (+), specificity 낮음 (노인 여성의 ~16%에서도 발견)
  ② anti-IF Ab : 50~70%에서 (+), 매우 specific! (c.f., 위액의 ~80%에서도 발견됨)
    ┌ 차단항체(type I) : cobalamin과 IF의 complex 형성을 방해 (~55%)
    └ 결합항체(type II) : cobalamin-IF complex가 회장말단부에 결합되는 것을 방해 (~35%)
  ③ thyroid Ab : 50%에서 (+)

악성빈혈의 진단기준 (Hershko, 2006)

A. Schilling test 이상 or anti-IF Ab (+)

B1. 공복시 혈청 cobalamin <181 pg/mL
B2. 공복시 혈청 gastrin↑
B3. anti-parietal cell Ab (+)
B4. 내시경으로 확인된 위축성 위염
B5. cobalamin 치료로 megaloblastic anemia가 정상화됨

확진: A + B 3개
잠정진단: B 4개

- pathology
  ① gastric atrophy : fundus 만 (→ parietal cells↓↓)
  ② megaloblastoid alteration (∵ cobalamin 결핍 때문)
- 위암 발생 위험 2배 증가, polyps도 잘 생김
- 다른 autoimmune dz. 동반 흔함 ; Hashimoto's thyroiditis, Grave's dz., myxedema, vitiligo, type 1 DM, adrenal insufficiency (Addison's dz.), hypoparathyroidism
- hypogammaglobulinemia 동반도 흔함
- Tx ; cobalamin 보충, steroid에 의해 일부 호전됨

■ 위절제술(gastrectomy) 후의 anemia

① megaloblastic anemia
- cobalamin deficiency : total gastrectomy 뒤 5년 이후에 발생 (∵ 5년 동안은 IF가 저장되어 있어 별 이상 없음), partial gastrectomy 이후에도 드물게 발생 가능
- folate deficiency : anorexia로 인해 발생할 수 있음

② IDA (m/c) → 경구형 철분 제제에는 잘 반응함
- 원인 : 장운동 증가로 철 흡수 부위인 소장 근위부를 빨리 통과, achlorhydria로 철 흡수 감소
- IDA와 megaloblastic anemia가 동반되는 dimorphic anemia시에는 macrocytic RBCs와 microcytic hypochromic RBCs가 섞여서 보일 수 있음

2. Folate deficiency

(1) 엽산 (folate, folic acid)
- source : 과일, 채소 (FDA에서 엽산의 식품 첨가 권고 이후, 정상적인 음식 섭취시 결핍은 드묾)
- 흡수 : 상부 공장(upper jejunum), 대개 섭취량의 약 50%가 흡수됨
- 1일 최소 필요량 : 50 μg (임신 등 때는 필요량 증가)
- 체내 folate store : 5~20 mg (간에 m/c) → 공급이 중단되면 3~4개월 이내에 folate 결핍 발생

(2) folate 결핍의 원인
① 섭취 부족 (m/c) ; 노인, 알코올중독자, 마약중독자, 인스턴트식품만 먹는 경우,
　유아에서 산양젖 또는 엽산결핍 엄마의 수유 ...
② 요구량 증가 → folate의 예방적 투여가 권장됨!
　; 조혈증가(e.g., chronic HA, thalassemia, MPN), 혈액/복막투석, 악성종양, 염증성질환
　(e.g, TB, CD, 만성 박탈성 피부염, 건선), homocystinuria, 임신, 수유, 영아 등
　　　　　　태아의 neural tube defects 예방에도 필요 ↵
③ 흡수장애 ; sprue, gluten-induced enteropathy, extensive jejunal resection, CD, partial gastrectomy, CHF, Whipple's dz., scleroderma, amyloid, DM enteropahty, 전신 세균 감염, lymphoma, salazopyrine
④ 엽산길항제(dihydrofolate reductase [DHFR] 억제제) ; 항경련제(e.g., phenytoin, pirimidone, barbiturates), sulfasalazine, nitrofurantoin, TC, methotrexate, trimethoprim, pyrimethamine, triamterene, pentamidine ...
⑤ 복합 원인 ; 간질환, 알코올중독자, ICU 입원 환자
c.f.) cobalamin 결핍 환자들의 약 25%는 장상피의 변화로 인한 이차적인 folate 결핍도 동반함

■ Cobalamin & folate deficiency의 임상양상
- 전신적으로 모든 기관/조직에 영향을 미치므로 매우 다양한 증상을 보일 수 있음

심혈관계	운동시 호흡곤란, 빈맥, 전신무력, 협심증, 심부전증, 부종, 기립성 저혈압
위장관계	설염(→ smooth beefy red, 혀의 통증), 인후통, 구내염, 식욕부진, 체중감소, 만성 복통, 설사, 변비, 오심
피부	과다멜라닌색소침착, 백반증(vitiligo), 조기백발(early graying)
근골격계	자가면역 골관절통, 야간 경련통
비뇨생식계	방광기능장애(→ 방광염), 발기부전, 자궁경부 형성이상(dysplasia), 불임 임산부의 folate 결핍 ⇨ 미숙아, 신경관결손(NTD), 구개열, 구순열 발생 위험 증가
신경계	다양한 중추 및 말초신경 관련 이상 증상 (cobalamin 결핍에서만 발생) Folate 결핍 알코올 중독자에서는 thiamine (vit B$_1$) 결핍에 의해 Werniches aphasia와 말초신경병증 발생 가능

- 빈혈은 매우 심할 수 있어서 Hct 15~20%인 경우도 있지만, 서서히 진행하므로 증상은 대개 경미
- 정신장애 ; mild irritability, 조울증, 기억장애, 불면증 …
- 신경 증상 (myelin synthesis defect = methionine defect) : cobalamin 결핍에서만!!
  - 빈혈 정도와 관계없이 나타나며, 오히려 역관계를 보임 (Hb, RBC index 정상이어도 발생 가능!)
  - 상하지의 numbness & paresthesia : 가장 먼저 발생
  - weakness, ataxia, sphincter disturbances (배뇨 곤란)
  - reflexes↑ or ↓, Romberg & Babinski sign (+), positional & vibration sense 감소
- folate 결핍 ; cobalamin 결핍 환자보다 영양결핍이 더 흔함, 신경 증상은 없음

3. 기타 megaloblastic anemia의 원인

(1) DNA 대사에 영향을 미치는 약물

  ① 항바이러스제 ; acyclovir, zidovudine 등

  ② 항암제 ; azathioprine or 6-mercaptopurine, capecitabine, cladribine, cytosinc arabinoside, 5-fluorouracil, hydroxyurea, imatinib, sunitinib, methotrexate, procarbazine 등

(2) 유전성 (드묾)

  ① hereditary orotic aciduria

  ② congenital dyserythropoietic anemia

  ③ thiamine-responsive megaloblastic anemia (*SLC19A2* gene mutation)

(3) refractory megaloblastic anemia (MDS의 일종)

4. 검사소견/진단

(1) PB/PBS

- RBC ; macro(-ovalo)cytes, basophilic stippling, Howell-Jolly bodies, nucleated RBC …
  - macrocytosis (MCV >100 fL) → 다른 원인들을 R/O 해야
    (MCV >110 fL면 megaloblastic anemia일 가능성이 높음)
  - IDA, thalassemia 등이 동반되면 MCV가 커지지 않을 수도 있음
- pancytopenia, reticulocytes↓ (∵ ineffective erythropoiesis)
- hypersegmented neutrophil ⋯ 특징적! (초기부터 출현) /but, MDS에서도 나타날 수 있음

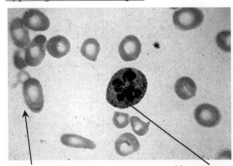
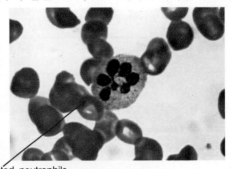

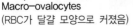

Macro-ovalocytes
(RBC가 달걀 모양으로 커졌음)

Hypersegmented neutrophils
(정의: 5개 이상의 lobes를 가진 neutrophils이 5% 이상 or
6개 이상의 lobes를 가진 neutrophils이 하나라도 있으면)

(2) BM

① hypercellularity (정상 : 40~60%) ← ineffective hematopoiesis (BM 내 apoptosis↑)

② erythroid hyperplasia = M:E ratio 감소 (정상: 2~4:1)

③ stainable iron은 충분

④ erythroid precursors가 비정상적으로 크고(megaloblasts), 세포질의 성숙에 비해 핵은 미성숙
  (nuclear-cytoplasmic asynchrony/dyssynchrony)

⑤ giant metamyelocytes, giant band neutrophils (∵ neutrophil precursors도 영향 받아)

⑥ megakaryocytes 감소 및 모양이상(크기↑)

* MDS와 BM 소견이 비슷하므로 감별에 주의해야 됨 (MDS는 dysplasia가 훨씬 더 심함)

(3) 생화학적 검사

① ineffective erythropoiesis (주로 BM 내에서 mature erythroblasts 파괴↑)
  ↳ 용혈은 BM & 말초 모두에서 일어남 (RBC 수명 30~50% 감소) ⇨ 경미한 용혈 소견
  ; LD↑, unconjugated bilirubin↑, haptoglobin↓, urine urobilinogen↑, hemosiderin(+),
    serum iron↑, transferrin saturation↑
  (DAT도 약양성으로 나올 수 있으므로, AIHA와 혼동되지 않도록 주의)

② serum/plasma cobalamin *or* folate ↓
  • folate는 식사의 영향을 받지만, cobalamin은 받지 않음 (→ RBC의 folate level 측정이 도움)
  • false↑/↓가 많으므로, 이것만으로는 진단할 수 없다!
    (cobalamin or folate 투여로 증상이 호전되어야 임상적 확진)
  • 심한 cobalamin deficiency 및 bacterial overgrowth 때는 folate도 상승

  * RBC folate : 체내 folate store를 반영
    – 심한 cobalamin deficiency 환자의 약 2/3에서도 감소됨
    – false normal ; 최근의 수혈, reticulocytosis

③ serum holoTC
  • holoTC : 혈중에서 transcobalamin (TC)과 결합되어 있는 cobalamin ("active cobalamin")
  • functional cobalamin status를 더 잘 반영함 → cobalamin deficiency 진단에 이용 증가
  • cobalamin absorptive capacity도 반영

④ serum/plasma MMA & Hcy
  ┌ <u>methylmalonic acid (MMA)</u>↑ : cobalamin deficiency에서만
  └ <u>homocysteine (Hcy)</u>↑ : cobalamin & folate deficiency 모두에서
  • cobalamin과 folate 농도 측정만으로는 감별진단이 애매할 때에 유용!
  • 매우 sensitive (조직의 vitamin stores를 반영) → subclinical cobalamin deficiency 진단 가능
    (Hb과 cobalamin은 정상이어도, MMA & Hcy 상승시 정신신경증상 발생 가능)
  • MMA는 cobalamin deficiency가 없는 신부전 때도 경미하게 상승 가능
  • homocysteine은 상승되는 다른 경우가 많음 (e.g., 신부전, 알코올중독, 흡연, pyridoxine def.,
    hypothyroidism, steroid, cyclosporine, HRT, 경구피임약 복용 등)
    → cobalamin or folate deficiency의 진단에는 이용 못함
  • 치료 F/U에도 이용 : 치료 시작 후 5~10일이면 정상화됨!

	참고치	Deficiency		
		Cobalamin	Folate	Cob. & Folate
Cobalamin	200~1000 ng/L (pg/mL)	↓	N	↓
Folate	2~20 μg/L (ng/mL)	N~↑	↓	↓
RBC folate	160~640 μg/L	N~↓	↓	↓
Methylmalonic acid	70~270 nmol/L	↑↑	N	↑↑
Homocysteine	4~14 μmol/L	↑↑	↑↑	↑↑

(4) cobalamin 흡수 검사 (결핍 원인 파악)

- Schilling test : 과거 cobalamin deficiency 원인 확인의 gold standard

  (복잡하고, radioactive cobalamin이 없어져서 현재는 사용 안됨)

> ① 1st stage : 공복 후 radioactive cobalamin 경구 투여 & 2시간 뒤 unlabelled cobalamin IM
>   → 24hr urine sample에서 urinary radioactive cobalamin의 배설량 측정
>   ▷ 요중 배설 ┌ 정상 : 7% 이상
>   └ 비정상 → 흡수장애 → 2nd stage
> ② 2nd stage : IF에 결합된 radioactive cobalamin 투여
>   ▷ 요중 배설 ┌ 정상(↑) → 위가 원인("pernicious anemia")
>   └ 비정상 → 소장이 원인 → 3rd stage
> ③ 3rd stage : 항생제 투여 후 반복검사
>   ▷ 요중 배설 증가(정상화) → "bacterial overgrowth" (blind loop syndrome)
> ④ ileal resection, fistula, 점막질환, TC deficiency 등에서는 모든 단계에서 정상화되지 않음

- 기타 ; Cobasorb test (cobalamin 투여 후 holoTC의 변화 측정), [14C]-cyanocobalamin 활용 등
  ⇨ 확립된 검사법은 없어서.. 내시경검사, anti-parietal cell Ab, anti-IF Ab 등을 주로 사용

5. 치료

(1) cobalamin deficiency

- cobalamin (vitamin B_{12}) replacement ; <u>cyanocobalamin</u>, hydroxocobalamin
  - 거의 대부분 흡수장애가 원인이므로 (초기에는) 비경구적으로 투여 (IM)
    ; 1000 μg/week (8주, 부하요법) → 1000 μg/month (유지요법, 평생!)
  - 경구 투여도 효과는 동일함 (고용량 1~2 mg/day → 1~2%가 수동확산으로 흡수됨)
    ; 섭취 부족, 흡수장애, PA 등 모든 cobalamin 결핍 환자에서 효과적
      (특히 출혈경향 등으로 IM이 어려운 환자에서 선호됨)
  - IM & oral B_{12} 모두 거부하는 환자는 sublingual therapy 고려
- 치료 초기에 <u>hypokalemia</u>와 <u>salt retention</u>이 나타날 수 있음
- 신경학적 증상은 치료에 반응이 늦거나, 호전되지 않을 수도 있음
    (12~18개월 치료해도 호전되지 않으면 대개 회복 불가능)
- 다량의 folate 투여에 의해서도 혈액학적 소견은 호전될 수 있지만, 신경학적 증상은 호전되지
  않거나 악화될 수도 있으므로 주의 → 검사를 통해 반드시 cobalamin deficiency를 R/O!

* subnormal B_{12} & MCV 정상, hypersegmented neutrophil 無, IF Ab(-) 환자
  - 일부(약 15%)는 haptocorrin (TC-1) deficiency가 원인
  - homocysteine & MMA 검사 (검사 불가능하고 GI 기능 정상이면 6~12개월 뒤 B_{12} F/U)

(2) folate deficiency

- folate replacement : oral 1~2 mg/day (흡수장애시에는 5~15 mg/day)
- 치료 기간은 원인에 따라 다름
   (투석, 만성 hemolytic anemia, 흡수장애, 만성 영양실조 등의 경우에는 평생 투여)
- 대개 1~4개월 뒤면 folate 결핍 RBCs가 folate가 충분한 RBCs로 교체되어 호전됨
- 비경구적 투여는 대부분 필요 없음 (경구가 불가능한 환자나 증상이 매우 심한 경우 IV 고려)
- folinic acid (5-Formyl-THF, leucovorin) : fully reduced folate의 stable form,
   DHFR inhibitors (e.g., methotrexate)의 부작용을 치료하기 위해 투여

(3) 기타

- 수혈은 거의 필요 없고, 권장 안됨 (심한 빈혈로 응급 수혈이 필요한 경우 소량의 RBC 수혈)
- 치료에 대한 반응
  ① BM 소견의 호전 (수시간 ~ 2-3일)
  ② 전신 증상의 호전 (PB 소견 호전보다 먼저 발생)
  ③ reticulocytosis (3~5일에 시작, 7일경 peak), WBC & platelet count 정상화
  ④ Hb (1~2달 뒤에 정상화)
- 일부에서 치료 초기에 hypokalemia가 발생할 위험이 있으므로 K^+ 보충 권장
- 때때로 치료 1~2주에 platelet count가 크게 상승될 수도 있음
  (→ 80만 이상으로 상승되면 aspirin 같은 antiplatelet therapy 시행)

	Vitamin B_{12} (cobalamin) 결핍	Folate 결핍
History		
Nutrition	거의 정상	Poor
Age	중년~노년	Any
Race	Caucasian	Any
Family Hx.	가끔 (+)	(−)
Alcoholism	관련 없음	관련 많음
Sx & sign		
Neurologic	+	−
Loss of pigment (머리, 피부)	+	−
Defecation	변비	설사
Lab. findings		
Gastric juice	Achlorhydria	정상
Schilling test	비정상	정상
Serum vitamin B_{12}	↓	N~↓
Serum folate	N~↑	↓
Methylmalonic acid	↑	정상
Homocysteine	↑	↑
Urinary excretion	Methylmalonic acid	FIGlu

예방적 투여가 필요한 경우

Vitamin B$_{12}$ (cobalamin)	Folate
채식주의자	임신, 수유, 미숙아
Gastric or bariatric surgery	신경관결손이 있는 아이의 출산 위험이 있는 임산부
소장 질환/절제	혈액투석을 받고 있는 CKD 환자
Cobalamin 결핍 산모에서 태어난 영아	Hemolytic anemia, MPN
선천성대사이상으로 특별식을 받고 있는 영아	Methotrexate 치료 중인 환자
Nitrous oxide (N$_2$O) gas 노출	Hyperhomocysteinemia와 연관된 혈전색전증 위험

혈색소이상증 (Hemoglobinopathy)

I. Hereditary
1. Structural hemoglobinopathies (globin chain의 구조 이상)
   1. Sickle cell anemia
   2. Unstable hemoglobins
   3. Hemoglobins with abnormal oxygen affinities
   4. Methemoglobins (M hemoglobins)
2. Thalassemias (globin chain의 합성 감소)
   1. α Thalassemias
   2. β Thalassemias
   3. $\delta\beta$, $\gamma\delta\beta$, $\alpha\beta$ Thalassemias, HPFH (hereditary persistence of fetal Hb)
3. Thalassemic hemoglobin variants (위 두가지 장애가 공존)
   1. HbE
   2. Hb Constant Spring
   3. Hb Lepore
4. Hereditary persistence of fetal hemoglobin

II. Acquired
1. Toxic carboxyhemoglobinemia ; CO poisoning
2. Toxic methemoglobinemia ; benzocaine, aniline, nitrites, NO gas, nitrobenzene, dapsone, pyridium ...
3. Toxic sulfhemoglobinemia
4. HbH in erythroleukemia
5. Erythroid stress 및 BM dysplasia 상태에서 HbF의 증가

* autosomal recessive/codominant 유전 → homozygote면 심한 증상, 여러 composite 양상도 가능
* 진단법 ; <u>Hb electrophoresis (EP)</u>, isoelectric focusing, HPLC, Hb profile 정량검사, <u>DNA sequencing</u>, spectrophotometer (carboxyHb, metHb에 대한 응급검사) ...

1. 지중해빈혈(thalassemia) 증후군

• m/c hemoglobinopathy ; 지중해 연안, 동남아, 아프리카 일부, 인도, 중동 등에서 호발
  ≒ 열대열 말라리아 유행지역 (우리나라는 매우 드묾 → 외국인 유입으로 점점 증가 추세!)
• $\alpha_{(or\ \beta)}$-globin gene 이상 ⇨ $\alpha_{(or\ \beta)}$-globin↓ ⇨ Hb↓ ⇨ microcytic hypochromic anemia,
  심할수록 serum iron↑, TSAT↑, ferritin↑ (∵ ineffective erythropoiesis 및 수혈로 인한 iron overload)

- β-thalassemia major   (c.f. α-thalassemia가 더 많지만 대부분 경미하기 때문에 β~가 임상적으로 문제됨)
  - β-globin gene mutation이 원인 (대부분 point mutation)
  - 소아때 심한 빈혈 (Hb 2~3 g/dL) 및 간비종대, HbF 및 HbA2의 증가
  - PBS 소견 ; severe IDA와 비슷하지만 (Hb 정도에 비해 microcytic hypochromic이 심함)
      target cells, tear-drop cells, basophilic stippling, nRBCs 등이 매우 많음
  - 지속적인 수혈 필요! (Hct 27~30% 유지) → erythropoiesis 억제
- β-thalassemia intermedia ; major와 비슷하지만, 수혈 없이도 Hb 6 g/dL 이상은 유지됨
- β-thalassemia minor (trait) ; mild anemia (Hb은 대개 9 g/dL 이상)
  - ⇨ IDA로 오진하지 않도록 주의! (임신, 만성출혈 등 꼭 필요한 경우만 철분 복용)
- α-thalassemia trait ; 빈혈은 없이 microcytic hypochromic RBCs (HbF와 HbA2도 정상)
- 치료 ; 수혈(+ iron chelator), folic acid 보충, HCT (유일한 완치법), gene therapy (연구중)

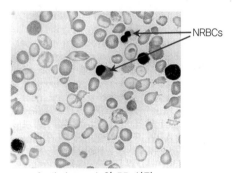

β-thalassemia의 PB 사진
: Microcytic hypochromic하면서,
anisocytosis 및 poikilocytosis가 매우 심함

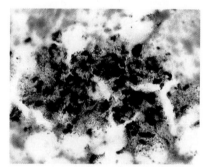

β-thalassemia의 BM (iron stain) 사진
: iron↑ (파란색이 iron-laded macrophages 임)
잦은 수혈로 인해 iron overload가 발생됨

2. 겸상적혈구 증후군 (sickle cell syndrome)

- β-globin gene의 mutation ($\beta^{6Glu \to Val}$) → HbS : 특징적인 sickle cells 모양 형성
- stiff, viscous sickle cells
  → ⎧ vasoocclusive crisis ; 허혈, 통증, 장기부전
    ⎩ 수명 감소 (hemolytic anemia)
- 흑인에서 많고 열대열 말라리아 유행지역에서 호발 경향 (c.f., 미국 흑인의 약 3%), 우리나라는 無
- sickle cell anemia의 임상양상 (vasoocclusive crisis)
  - spleen, CNS, bone, liver, kidney, lung 등을 잘 침범
  - painful crisis (m/c) ; 신체 모든 부위에서 발생 가능, 수시간~2주까지 지속
  - splenic crisis, hand-foot syndrome, acute chest syndrome (lung) ...
  - 기타 ; 망막혈관폐색, 신유두괴사(등장뇨, CKD), CVA, priapism ...
  - 감염 위험 증가 (∵ spleen 기능↓, 면역저하)
- 검사소견 ; normocytic normochromic anemia (Hb 5~9 g/dL), 심한 reticulocytosis, sickle cells, target cells, nRBCs, Howell-Jolly bodies, WBC 약간 증가
- 진단 ; PBS, Hb EP, sickling test, DNA 검사
- 합병증 및 사망률이 증가되는 경우 ; 1년에 3회 이상 입원이 필요, chronic neutrophilia, splenic crisis or hand-foot syndrome의 병력, 2회 이상의 acute chest syndrome 병력

- 치료
  - 철저한 예방접종, 수혈에 의한 iron overload 방지 위해 desferroxamine 투여
  - painful crisis ; 수액공급, 진통제, 감염 등의 유발인자를 찾아 교정
  - acute chest syndrome (내과적 응급) ; 수액, 산소, 수혈(교환수혈)
  - hydroxyurea → HbF 생성 유도 및 혈액학적 이상 호전 (수명도 연장됨)
  - HCT ; 유일한 완치법, 소아에서만 효과적이고 안전

	Vasoocclusive crisis	Hb (g/dL)	MCV (fL)	Hb EP	
				HbS:A	기타
Sickle cell trait	−	정상	정상	40:60	
Sickle cell anemia	+	7~10	80~100	100:0	HbF 2~5%
S/β° thalassemia	+	7~10	60~80	100:0	HbF 1~10%
S/β+ thalassemia	−	10~14	70~80	60:40	
Hemoglobin SC	−	10~14	80~100	50:0	HbC 50%

3. Methemoglobinemia

- Hb의 2가철이 3가철로 산화되어 O_2 affinity가 비정상적으로 높아진 것
- 원인 ; 선천적(globin or metHb 환원 효소[e.g., metHb reductase, NADP diaphorase]의 mutation) 후천적-toxins (e.g., nitrate or nitrate 함유 물질)
- PaO_2가 높은데도 불구하고 hypoxia 증상 & 청색증처럼 보이면 의심
- metHb level이 15% 이상이면 cerebral ischemia Sx 발생, 60% 이상이면 사망
- 혈액이 매우 탁하고 청갈색이면 의심(muddy brown), 진단은 metHb 검사
- 치료 ; 응급시엔 methylene blue IV, 이후 or 경미할 때는 oral methylene blue or ascorbic acid

HEME 합성 장애

1. 철적아구성 빈혈 (sideroblastic anemia, SA)

- heme 합성 장애로 Hb 형성이 감소된 질환
  - → iron이 mitochondria에 과다 축적됨 (total body iron 증가)
  - → erythroid precursors의 핵 주위에 iron-laden mitochondria가 분포 ("ringed sideroblast")
- 정확한 원인은 모름 (c.f., X-linked SA의 경우는 ALA synthase 변이)
- BM : iron store↑, ringed sideroblast (특징!), erythroid hyperplasia
  - RBC 생산↓ (ineffective erythropoiesis)
- PB : microcytic (or normocytic) hypochromic anemia (dimorphism), nucleated RBC
- serum iron N~↑, TIBC 정상, transferrin saturation↑

• 원인

```
1. Hereditary sideroblastic anemia (매우 드묾)
    X-linked sideroblastic anemia (XLSA)
    Autosomal sideroblastic anemia
    Mitochondrial sideroblastic anemia

2. Acquired sideroblastic anemia
    MDS (RARS) → 5장 MDS 편 참조
    Drugs & toxins (e.g., alcohol, lead, INH, PZA, cycloserine, chloramphenicol)
    Alkylating agent chemotherapy (e.g., cyclophosphamide)
    Neoplastic (e.g., carcinoma, leukemia, lymphoma)
    Inflammatory disease, rheumatoid arthritis
```

• 약 10%에서 intractable AML 발생

• 치료

① 기저 질환의 치료, offending drugs & toxins 중단

② pyridoxine (vitamin B6), folic acid

③ androgen, GM-CSF, IL-3, erythropoietin

④ transfusion 등의 supportive therapy

⑤ iron overload → phlebotomy (anemia 안 심할 때), desferroxamine

2. 포르피린증 (porphyrias)

(1) 개요

• heme 합성단계의 효소들이 유전적 or 후천적으로 결핍되었을 때 그 전 중간대사물이 축적되어 발생하는 질환군 (대개 환경/유발인자가 동반되었을 때 증상 발생)

• 중간대사물이 축적되는 주요 장소에 따라 hepatic or erythropoietic으로 분류

┌ hepatic porphyria (e.g., AIP, PCT) ; 대개 성인 이후에 유발인자 노출시 증상 발생
└ erythropoietic porphyria (e.g., CEP, EPP) ; 어릴 때부터 skin photosensitivity 발생

```
Glycine+SuccinylCoA
    ↓    ⇐ ALA-synthase
δ-Aminolevulinic acid (ALA)
    ↓    ⇐ ALA-dehydratase
Porphobilinogen (PBG)
    ↓    ⇐ Hydroxymethylbilane (HMB)-synthase [PBG deaminase] → AIP
    ↓    ⇐ Uroporphyrinogen (URO)-synthase              → CEP
Uroporphyrinogen III
    ↓    ⇐ Uroporphyrinogen (URO)-decarboxylase          → PCT
Protoporphyrin IX
    ↓    ⇐ Ferrochelatase                                → EPP
    Heme
```

(2) Acute intermittent porphyria (AIP)

• HMB-synthase (HMBS) activity가 1/2로 감소 (→ ALA와 PBG 축적), AD 유전

• 여성에서 흔함, 대개는 무증상이며 특히 사춘기 이전에는 거의 대부분 증상 발생 안함

• acute attack의 유발인자 ; steroids, 월경, 약물, 알코올, 흡연, low-calorie diet .. (임신은 아님)

- acute attack의 임상양상
  - 소화기 증상 (∵ 자율신경계 기능장애에 의한 신경내장증상) ; 복통(m/c), ileus, 복부팽만, 장음감소, N/V, 변비, 설사 ...
  - 교감신경계 활성 증가 ; 빈맥, 고혈압, 발한, 불안, 떨림 ...
  - 신경 증상 ; 말초신경병증(주로 <u>운동신경</u>을 침범), 근력약화, 호흡 및 연수 마비, 경련 ...
  - hyponatremia : ADH 분비↑(SIADH), N/V/설사 등에 의한 소실 때문
- 검사/진단 ; 혈장/소변에서 ALA 및 PBG level↑, RBC HMBS↓, HMBS mutations
- 치료 (유발인자 회피)
  - 증상 조절 ; narcotic analgesics, phenothiazines, chloral hydrate, benzodiazepines ...
  - IV glucose loading : mild attack 때
  - IV heme (hematin) : severe attack or glucose loading 1~2일 뒤에도 반응 없는 mild attack
  - 월경 때마다 attack이 반복될 때 → GRH analogue (배란 및 progesterone 생산 억제)

AIP, acute porphyria 유발/악화 위험 약물	Alcohol, Barbiturates, carbamazepine, Carisoprodol, Clonazepam, Danazol, Diclofenac 등의 NSAIDs, Ergots, Estrogens, Ethchlorvynol, Glutethimide, Griseofulvin, Mephenytoin, Meprobamate, Methyprylon, Metochlopramide, Phenytoin, Primidone, Progesterone, Pyrazinamide, Pyrazolones, Rifampin, Succinimides, Sulfonamide, Valproic acid ...
안전한 약물	AAP, Aspirin, Atropine, Bromides, Cimetidine, EPO, Gabapentin, Glucocorticoids, Insulin, Narcotics, Penicillin & derivatives, Phenothiazines, Ranitidine, Streptomycin, Vigabatrin

(3) Porphyria cutanea tarda (PCT)

- m/c porphyria, hepatic uroporphyrinogen (URO)-decarboxylase 결핍 (20% 이상 결핍되어야)
  - type 1 (sporadic) : 대부분(~80%)
  - type 2 (familial) : heterozygous *UROD* (uroporphyrinogen decarboxylase) mutations 가짐
    (↳ 유전자 침투도는 낮으므로 대부분 가족력은 없음)
- 유발인자 ; HCV, HIV, 알코올, iron↑, estrogens, 피임약 ...
  (acute porphyria를 유발/악화할 수 있는 모든 약물들은 PCT에서는 안전함!)
- 임상양상 ; <u>blistering skin lesions</u> (등과 손에 m/c), skin friability, milia, photosensitivity, 만성 간질환(때때로 LC), HCC 발생위험↑,
- 치료 ; 유발인자 회피, phlebotomy (excess iron 제거)-TOC, hematin (IV heme), low-dose chloroquine or hydroxychloroquine (excess porphyrin과 결합하여 배설 촉진), ESRD 환자는 erythropoietin도 투여함

(4) Congenital erythropoietic porphyria (CEP)

- AR 유전, URO-synthase 결핍 → uroporphyrin I 및 coproporphyrin I isomers 축적
- hemolytic anemia (∵ RBC porphyrin의 심한 증가 때문) → splenomegaly
- 심한 피부 광과민성(photosensitivity)

(5) Erythropoietic protoporphyria (EPP)

- 2nd m/c porphyria, ferrochelatase 결핍
- 피부 광과민성(photosensitivity) : 햇빛에 노출 된 직후 angioedema 비슷한 병변 발생
- hemolytic anemia는 없거나 경미함

2
용혈성 빈혈(hemolytic anemia)

개요

1. 정의 및 검사소견

- hemolytic anemia (HA) : RBC 수명이 반복적 또는 지속적으로 감소되어 발생한 빈혈
  (RBC 감소 속도가 매우 빠르거나 BM의 보상능력 장애시 빈혈 발생)

  ┌ RBC의 평균 수명 : 120일
  └ RBC 생산 중단시 → Hct는 하루에 1/100 씩 감소 (1주일에 약 3%)

- 용혈(RBC 파괴 증가)에 의한 검사 소견
  ① unconjugated bilirubin 증가 (indirect hyperbilirubinemia의 m/c 원인)
     → 황달, 짙은 소변색 (∵ urobilinogen↑)
  ② LD 증가 (intravascular HA시엔 최대 10배까지), AST 증가
  ③ haptoglobin 감소 [N: 30~200 mg/dL]
     ┌ hemolysis시 free Hb과 결합 → haptoglobin ↓ or 0
     │ 간에서 생성됨 (hepatocellular dz.시 감소)
     └ inflammation시엔 증가 (∵ acute-phase reactant) → 해석에 주의

- reticulocytosis (RPI >2) : BM에서 RBC 생산 증가 (∵ EPO↑)
  - 용혈(hemolysis)의 single most useful indicator
  - MCV↑ (∵ reticulocyte는 RBC보다 큼), polychromasia, 때때로 nRBC도 출현

- compensated hemolysis : erythropoiesis (EPO↑) 증가로 anemia는 발생하지 않은 상태
  → decompensation이 유발되면 (e.g., 임신, folate 결핍, 신부전, 감염) anemia 발생 가능

- hemolytic anemia에서는 대개 BM biopsy까지는 할 필요 없다

c.f.) *ineffective erythropoiesis*
- 정의 : BM 내에서 erythroid precursors가 조기에 (or 과도하게) 파괴되는 것
- 원인 : megaloblastic anemia, sideroblastic anemia, thalassemia, MDS, severe IDA,
         congenital erythropoietic porphyria, myelofibrosis, PV, lead poisoning ...
- 검사소견 : unconjugated bilirubin↑, LD↑, haptoglobin↓, urine hemosiderin (+),
           때때로 PB에서 nucleated RBC (nRBC)도 보일 수 있음

2. 병인 및 분류

┌ intrinsic to RBC (membrane, enzyme, Hb)
└ external factors

1. RBC 내부의 이상	Enzyme defects Hemoglobinopathies	Intracellular defect (대개 hereditary)
2. RBC membrane의 이상	Hereditary spherocytosis PNH (acquired)	
	Spur cell (acanthocyte)	Extracellular defect (대개 acquired)
3. Extrinsic factors	Splenomegaly Antibody (immune hemolysis) Microangiopathic hemolysis Infections, toxins	

■ Extravascular v/s Intravascular Hemolysis

① **extravascular hemolysis** (더 흔함) → splenectomy가 효과 있다

　: spleen, liver의 RES (macrophage)에 의해 RBC가 파괴됨

　예) • autoimmune hemolytic anemia (AIHA, warm Ab)
　　　• hereditary spherocytosis
　　　• thalassemias, sickle cell dz.
　　　• splenomegaly

② **intravascular hemolysis** → splenectomy 효과 없다

　예) • microangiopathic hemolytic anemia (MAHA)
　　　• PNH, PCH, hemolytic transfusion reaction, AIHA (cold Ab)
　　　• RBC membrane의 화학적 변화 (e.g., toxin, drug)
　　　• RBC enzyme disorders (e.g., G6PD deficiency)

		Extravascular	Intravascular
혈액	Polychromasia	+	++
	Reticulocyte count	↑	↑↑
	Poikilocytosis	Spherocytes	Schistocytes
혈장(혈청)	Unconjugated bilirubin	↑	N~↑
	Plasma (free) Hb	N~↑	↑↑
	LD	↑	↑↑
	Haptoglobin	↓	Absent
	Hemopexin	↓	↓↓
소변	Urobilinogen	↑	↑
	Hemosiderin	–	+
	(free) Hemoglobin	–	+ (severe)

Intravascular hemolysis의 특징적인 검사소견
Hemoglobinemia (plasma Hb↑), LD↑, Haptoglobin↓↓
Hemosiderinuria
Hemoglobinuria (심할 때)
Methemalbuminemia (심할 때)
* bilirubin은 정상이거나 약간 증가

→ pigment-induced injury (e.g., ARF, DIC) 가능

시간에 따른 intravascular v/s extravascular HA의 검사소견

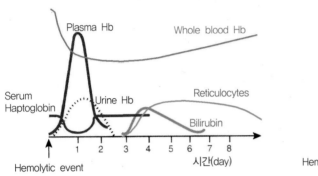

Intravascular HA

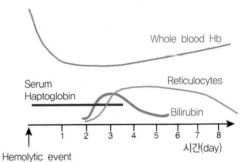

Extravascular HA

■ Hemolytic Anemia의 원인

Inherited	Acquired
Membrane abnormalities	Membrane abnormalities
Spherocytosis	Paroxysmal nocturnal hemoglobinuria (PNH)
Pyropoikilocytosis	Spur cell anemia (e.g., liver disease)
Stomatocytosis	External toxins (e.g., 거미독, 구리, 유기물)
Elliptocytosis	Immune hemolytic anemias
Hemoglobinopathies	Autoimmune forms (e.g., SLE, CLL)
Abnormal variants (e.g., hemoglobin S, C)	Drug-induced forms
Defective synthesis (e.g., thalassemia)	Isoimmune forms (hemolytic transfusion reaction,
Unstable hemoglobins	hemolytic disease of newborn)
RBC enzyme deficiencies	Traumatic (microangiopathic) hemolysis
Embden-Meyerhof pathway defects	TTP, HUS, DIC, Eclampsia
(e.g., pyruvate kinase, hexokinase)	Mechanical prosthetic valves
Hexose monophosphate shunt defects	Malignant hypertension
(e.g., G6PD deficiency)	Scleroderma, Vasculitis (e.g., SLE)
	Infection
	Malaria, Clostridia, Bartonellosis, Babesiosis
	E. coli O157
	Miscellaneous
	Burns, Toxins, Drugs, Wilson's disease
	Hypersplenism (splenomegaly)

유전 적혈구막 질환

1. 유전구형적혈구증 (Hereditary spherocytosis, HS)

(1) 개요

- 적혈구 막을 구성하는 spectrin, ankyrin, protein 4.2, band 3 등의 단백질 구조 이상
  → 구형 모양 (∵ RBC surface/volume ratio 감소) → deformability 감소
  → spleen을 통과할 때 쉽게 파괴됨 (extravascular hemolysis)

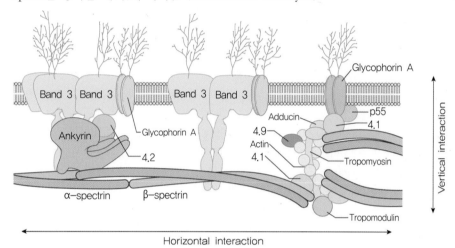

Horizontal interaction

단백질	유전자	염색체상 위치
Ankyrin (m/c)	ANK1	8p11.2
Band 3 (25%)	SLC4A1	17q21
Protein 4.1 (5%)	EPB41	1p33–p34.2
Protein 4.2 (3%)	EPB42	15q15–q21
α–Spectrin	SPTA1	1q22–q23
β–Spectrin	SPTB	14q23–q24.1
Rhesus antigen	RHAG	6p21.1–p11

- 유전 양상 ; 약 75%는 AD 유전, 25%는 AR or spontaneous mutation (가족력 無)
- 유병률 약 1/5000 (유전성 용혈빈혈 중 m/c), 소아 용혈빈혈 중 m/c, 대개 성인이 되어야 발견됨

(2) 임상양상

- anemia, jaundice, splenomegaly (∵ 만성 용혈 때문) ; 증상의 출현 시기, 심한 정도는 다양함
- gallstones : pigment type (∵ bile pigment 생성 증가로) … F/Hx.
  - 특히 담석 환자가 가족력이 있거나 젊은 나이면 HS를 의심
  - 간질환으로 오인하지 않도록 주의
- "aplastic crisis" (특히 parvovirus B19 등의 virus 감염시) : 빈혈 증상/소견이 심해짐
- chronic leg ulcers, spinal cord dysfunction, cardiomyopathy 등은 드묾
- 용혈이 심한 경우(e.g., aplastic crisis) vitamin B_{12}, folate 결핍도 발생 가능

(3) 검사소견/진단

- MCHC↑, MCV↓, reticulocytosis
- PBS ; spherocytosis (가장 특징적!, 다른 원인에 의한 spherocyte와 달리 모양과 크기가 매우 일정함), polychromasia ...

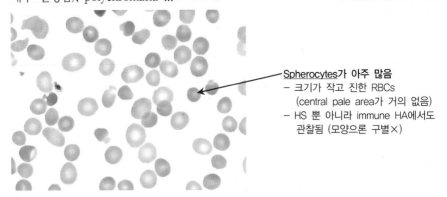

Spherocytes가 아주 많음
- 크기가 작고 진한 RBCs
  (central pale area가 거의 없음)
- HS 뿐 아니라 immune HA에서도
  관찰됨 (모양으론 구별×)

- hyperbilirubinemia (indirect), LD↑ (∵ hemolysis)
- Coombs' test (−) → AIHA에 의한 spherocytosis와의 차이점
- 삼투압취약성검사 : osmotic fragility (OF)↑ (spheroidicity를 정량적으로 평가)
  - 정상인보다 높은 농도의 생리식염수에서 용혈 발생
  - sensitivity 낮음, 경미한 경우는 정상일 수도 있음
    (→ 실온에서 24시간 incubation한 뒤에 검사하면 sensitivity↑)
  - 다른 경우에도 OF 증가할 수 있음 ; AIHA, 수혈, G6PD deficiency, unstable Hb 등
- pink test (glycerol lysis test) : classic osmotic fragility test를 간단하게 변형한 것
    (pH 6.66의 glycerol 용액에서 RBC가 용혈되는 속도를 측정함)
- 자가용혈검사 : autohemolysis↑ (정상 : 0.2%~2.0% hemolysis), specificity는 떨어짐
- EMA (eosin-5-maleimide) binding test : flowcytometry를 이용한 적혈구막 단백 정량검사
    ↳ 적혈구막 단백(특히 band 3, Rh-related proteins)에 결합
  - 삼투압취약성검사(OF)보다 sensitivity & specificity 좋음, 적혈구막 질환 screening에 유용
  - HS는 ↓, AIHA는 N/↑, hereditary pyropoikilocytosis (elliptocytosis)는 ↓↓
  - 전형적이지 않은 경우(e.g., MCV ≥90 fL) 시행 권장
- 기타 ; cryohemolysis test, RBC 수명 단축 (^{51}Cr study), plasma iron turnover rate 증가
- 확진을 위한 검사
  - 적혈구막 단백 분석 : SDS-PAGE (gel electrophoresis), mild한 경우엔 sensitivity 떨어짐
  - HS 원인 단백질들의 gene study (DNA sequencing) … 보통은 필요 없음

(4) 치료

- 5세 이전 ⇨ conservative Tx. (∵ splenectomy시 감염 위험↑)
- 5세 이후 ⇨ splenectomy (∵ spleen은 RBC 파괴의 주 장소이며, RBC spheroidicity를 악화시킴)
  - splenectomy 2주 전까지는 pneumococcus, meningococcus, *H. influenzae* 등에 대한
    예방접종을 마쳐야 하고, folic acid도 투여해야 됨
  - splenectomy 이후에도 spherocytes는 계속 남지만, RBC 수명은 정상화 됨

(→ RBC 수명이 정상화 안되면 accessory spleen 또는 다른 질환 의심)
- splenectomy 후 18세까지는 prophylactic antibiotics (효과는 논란)
- 성인에서 발견된 mild case에서는 가능하면 splenectomy는 피함
- 흔히 cholecystectomy도 같이 시행하게 됨!
• 만성 용혈의 경우 folic acid 보충도 필요함 (∵ 골수 조혈 요구량↑) → Hb level ↑
• steroid는 효과 없다! (∵ 면역학적 기전이 아니므로)

2. 유전타원적혈구증 (Hereditary elliptocytosis)

• 원인 : 적혈구막을 구성하는 spectrin, protein 4.1, glycophorin C 등의 단백질 구조 이상
• 유병률 1/2000~4000, 아프리카와 지중해연안에 흔함 (우리나라 적혈구막 질환의 6%), AD 유전
• HS에 비해 경미하여 대부분 빈혈은 없음 (Hb >12 g/dL, reticulocyte <4%)
• 10~15%에서만 HA 동반 (Hb 9~12 g/dL, reticulocyte ~20%)
• 임상양상 및 검사소견은 HS와 비슷, PBS에서 elliptocytes가 15% 이상
• 치료 : HA가 없으면 치료할 필요 없음
  - HA 동반시 → 수혈, chronic hemolysis → folate 보충
  - splenectomy : Hb <10 g/dL & reticulocyte >10%면 고려

적혈구 효소 이상

1. Glucose-6-phosphate dehydrogenase (G6PD) deficiency

• 지중해연안, 아프리카, 중국 남부, 미국 흑인 등에서 흔함, XR 유전
• 평상시에는 정상(무증상), oxidant drugs or infections에 의해 episodic hemolysis 발생
• 유발인자 ; 감염, 발열, acidosis, hypoxia, drugs (aspirin, antimalarials, dapsone, doxorubicin, nitrofurantoin, primaquine, sulfonamide [TMP-SMX], tafenoquine, 수용성 vitamin K ...)
• PB 이상 소견은 경미함 (e.g., "bite cell" = Heinz body [brilliant cresyl blue 염색])
• Tx : 특별한 치료는 필요 없음, oxidant causes 제거, 심한 HA시에는 수혈

2. Pyruvate Kinase (PK) deficiency

• AR 유전, 대개 유아~소아 때 HA 증상 발생
• reticulocytosis 매우 심함, Heinz body는 없음

자가면역 용혈빈혈 (Autoimmune hemolytic anemia, AIHA)

1. 개요

- immune HA : antibody에 의해 발생하는 hemolytic anemia, 후천적 HA의 m/c 원인
  - 자가항체(autoantibody) : 자기 자신의 RBC에 반응(결합)하는 Ab
  - 동종항체(alloantibody) : 다른 사람의 RBC에 반응(결합)하는 Ab
    (e.g., 수혈된 RBC, 임신부의 태아 RBC에 대한 Ab)
- antibody와 결합된 RBC는 혈관외에서(e.g., spleen, liver, BM) macrophages에 의해 파괴됨
  cold Ab (대개 IgM)의 일부는 혈관내에서 complement activation에 의해 파괴 가능
- 유병률 약 1/10만 (ITP보다 적음), 남<여, 중년에서 호발
- AIHA의 50~70%에서는 원인을 밝힐 수 없음

	Warm AIHA	Cold AIHA
1. Ig class	IgG (드물게 IgM or IgA)	IgM (예외; PCH는 IgG)
2. Optimal reactivity	37℃	<30℃
3. Specificity	대개 anti-Rh	대개 auto-anti-I (PCH는 anti-P)
4. 용혈 기전	Self RBC에 대해 반응하는 IgG Ab가 생성되어 RBC에 부착되고, Ab-RBC는 spleen, macrophage에 의해 파괴됨 (extravascular hemolysis)	Self RBC에 반응하는 IgM Ab가 생성되어 RBC에 부착되고, complement도 활성화하여 부착되어 주로 extravascular hemolysis 유발, 심한 경우 intravascular hemolysis도 발생 가능
5. 연령, 성	Younger, 남<여	Older, 남>여, 매우 드묾 (AIHA의 약 1/5)
6. 원인	Idiopathic Neoplasm (ovary, stomach) **Collagen vascular dz.** (SLE-m/c, RA) **Lymphoproliferative dz.** (CLL, NHL, HL) Viral infections, chronic inflammation Drugs 　1. α-methyldopa type 　2. penicillin type (stable hapten) 　3. quinidine type (unstable hapten)	**Cold hemagglutinin disease (CHD)** 　Primary - idiopathic (m/c) 　Secondary - infection (*Mycoplamsa*, infectious mononucleosis [EBV], CMV, malaria ...) 　lymphoproliferative dz. (lymphoma) 　benign monoclonal gammopathy Paroxysmal cold hemoglobinuria (PCH)
7. 임상양상	매우 다양 (mild~very severe) **Anemia, jaundice, splenomegaly** 때때로 venous thrombosis도 발생 가능	감염에 의한 경우 : self-limited hemolysis Idiopathic lymphoma에 의한 경우 지속적 용혈 추위 노출시 painful acrocyanosis, hemoglobinuria
8. 검사소견	WBC & platelet 정상 PBS : spherocytosis, anisocytosis, polychromatophilia, reticulocyte 증가 Urine hemosiderin (-) Direct Coombs test (+) Indirect Coombs (±)	Mild reticulocytosis PBS : RBC agglutination 혈액측정기에서 false MCV↑, RBC count↓ Complement fixation test (+) Cold Ab titer 증가 Direct Coombs test (+) : complement에 대해서만

c.f.) Coombs tests (= antiglobulin tests)

① direct Coombs test (direct antiglobulin test, DAT)

- RBC 막에 IgG나 complement (C3d)가 부착되어 있는지를 보는 검사

  (C3d : IgM 등에 의한 complement activation 때 나타남)

- 환자의 washed RBC에 antiglobulin serum (시약)을 첨가하여 반응을 봄

  → 환자의 RBC 막에 IgG나 C3d가 부착되어 있으면 응집 발생 (+)

- 사용하는 시약에 따라 anti-IgG, anti-C3d 등이 있다

Anti-IgG	Anti-C3d (IgM)	원인
+	−	α−methyldopa나 penicillin에 의한 용혈
+	+	Warm AIHA, glycoprotein 항원에 대한 Ab, SLE
−	+	Cold-reactive Ab, 대부분의 drug-related Ab, IgM Ab, low-affinity IgG Ab, IC에 의한 complement 활성화

② indirect Coombs tests

- 혈청 중에 있는 RBC에 대한 autoAb들이 RBC 막에 결합은 하지만 응집을 유발하지 못하는 경우가 있다

- 환자의 혈청 + O형 RBC → antiglobulin serum (시약)을 첨가하여 반응을 봄

  → 환자 혈청 내에 Ab가 있으면 응집 발생 (+)

③ Coombs test (−)인 경우 ⇨ immune 원인이 아님

  ; PNH, sickle cell dz., HS, hypersplenism, MAHA (e.g., TTP, HUS, DIC) ...

* 드물게 Coombs-negative AIHA도 있을 수 있음

  ┌ 원인 ; IgA autoAb, low-affinity IgG autoAb, 기술적인 문제
  └ 예 ; lymphoma, CLL ...

Direct Coombs test (DAT)

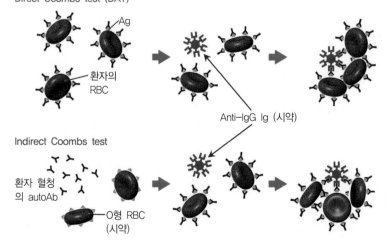

Indirect Coombs test

2. Warm Ab에 의한 AIHA

- 대부분 체온(37℃)에서 가장 잘 반응하는 IgG autoAb에 의한 HA
- 약 10%에서는 immune thrombocytopenia도 동반됨 (Evans syndrome)
- direct <u>Coombs test</u> : 98%에서 양성 (IgG ± C3)

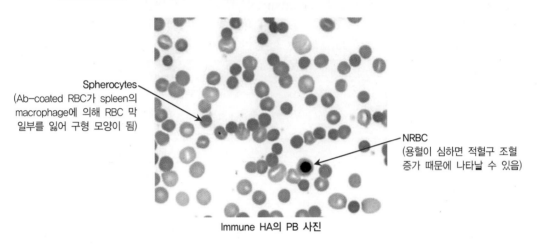

Spherocytes
(Ab-coated RBC가 spleen의 macrophage에 의해 RBC 막 일부를 잃어 구형 모양이 됨)

NRBC
(용혈이 심하면 적혈구 조절 증가 때문에 나타날 수 있음)

Immune HA의 PB 사진

- 치료 (원인 질환을 교정하는 것이 중요)
  - mild → 필요 없음 (경과 관찰)
  - moderate~severe → prednisone (1 mg/kg/day)
  - very severe → prednisone IV + splenectomy (or rituximab)

① glucocorticoids (e.g., prednisone) : TOC
  - steroid의 작용기전
    - Ab가 RBC에 결합하는 것을 억제
    - macrophages가 IgG-coated RBC를 파괴하는 것 (phagocytosis) 억제
    - Ab 합성 자체를 억제 (late effect)
  - 3~4일 뒤 Hb 상승 (대부분 1~2주 이내에는 상승)
  - 약 75%가 반응 (but, 이중 약 1/2은 재발)

② IV γ-globulin : 일반적인 치료에 반응 없거나 매우 심할 때만 고려, 매우 높은 용량이 필요함
  (but, ITP 때 보다는 효과 많이 떨어짐!, 약 40%만 반응, 대개 일시적)

③ splenectomy : steroid에 반응 없거나 의존적인 chronic AIHA 환자에서 시행, 장기간 효과적

④ rituximab (anti-CD20) : splenectomy 불가능/거부시, 심할 때는 초기부터 steroid와 병용
  - 기전 : pathogenic autoAb를 생산하는 B cells 억제 + 다른 기전
  - 90% 이상에서 반응 (c.f., 소아에서는 2nd line Tx로 splenectomy보다 먼저 선호됨)

⑤ 면역억제제 : steroid & splenectomy/rituximab에 반응 없으면 고려
  - cyclosporine, cyclophosphamide, azathioprine, 6-MP 등 → 약 ~50%에서 반응

⑥ 수혈 : 빈혈이 심해 적응이 되면 수혈! (→ 대부분 문제 안 생김), 교차시험에는 주의 필요
  - autoAb는 대개 panagglutinin이므로 거의 모든 헌혈 혈액과 반응
    → 교차시험(cross-matching)에서 적합한 혈액을 찾기가 불가능
    → autoadsorption (환자의 RBC로 autoAb를 흡착) 후 검사

- 혹시 alloAb도 동반되었는지 검사해야 됨
    - 부작용 발생 여부를 면밀히 관찰하면서 천천히 수혈
  ⑦ 교환수혈(exchange transfusion), plasmapheresis (IgG는 효과 별로) 권장×
- 예후는 대개 원인 질환에 의해 좌우됨
- 사망원인
  ① 매우 심한 용혈에 의한 빈혈
  ② 치료에 의한 면역저하 (steroid, splenectomy, 면역억제제 등)
  ③ 심한 혈전증 동반

3. Cold Ab에 의한 AIHA (Cold agglutinin disease, CAD)

- 매우 드묾 (AIHA의 약 1/5), 대부분 60세 이상
- 정상인에서도 저농도의 cold Ab (cold agglutinin)는 존재 가능
- 주로 anti-I IgM → RBC의 I Ag과 결합 → complement activation 발생
  ┌ monoclonal Ab : lymphoid malignancies or chronic CAD
  └ polyclonal Ab : infection → 대개 자연 소실됨
- 체온보다 낮은 온도에서 활성화됨 (RBC에 대한 affinity↑)
- 임상양상
  ① cold-induced Sx (intravascular agglutinin)
    - acrocyanosis, livido reticularis, or Raynaud phenomenon 등
    - 체온이 낮은 신체 부위에서 발생 가능 (손가락, 코, 귀)
    - 따뜻하게 해주면 소실됨
  ② AIHA : 주로 extravascular hemolysis (대개 경미함), 심한 경우 intravascular hemolysis도 가능
- hemolysis의 정도를 결정하는 요인
  ① Ab titer (대개 1:2000↑, 채혈후 검사 전까지 37℃ 유지 필수)
  ② Ab의 thermal amplitude (Ab가 RBC와 반응하기 시작하는 가장 높은 온도)
    - 대부분 23~30℃
    - 높을수록 hemolysis↑ (∵ 체온에 가까워지므로)
  ③ 주위 환경의 온도 : 낮을수록 hemolysis↑
- 치료 : 원인 질환이 있으면 교정하는 것이 우선
  ① 추위에의 노출을 피함
  ② plasmapheresis or IVIG : acute severe HA에서 고려
  ③ monoclonal cold agglutinin
    ┌ lymphoid malignancies → rituximab + bendamustine (or fludarabine, prednisone)
    └ monoglonal gammopathies → bortezomib
    - 위 치료에 실패하면 chlorambucil, cyclophosphamide, IFN-α 등 고려 (효과는 별로)
  ④ anti-complement therapies (연구중) : sutimlimab (anti-C1s), eculizumab (anti-C5)
  * 대부분의 CAD에서 steroid나 splenectomy는 효과 없음! (∵ monoclonal Ab)

4. 발작한랭혈색소뇨증 (paroxysmal cold hemoglobinuria, PCH)

- ⌐ acute form : viral infection 뒤에, 대부분 소아에서 발생 (5세 이하 소아 AIHA의 약 1/3 차지)
- ⌐ chronic form : congenital syphilis와 관련
- 원인 : Donath-Landsteiner Ab (anti-P IgG Ab) ; 저온에서 RBC에 결합 (4℃에서 최대)
    - → 37℃로 되면 complement-mediated lysis (intravascular hemolysis) 유발
- Coombs test ; reagents가 anti-complement activity를 가지고 있을 때만 (+)
- 진단 : cold-reacting IgG Ab의 확인 (lytic test, special antiglobulin test)
- 치료
    - ① 보존적 치료 ; 수혈, 추위에의 노출을 피함
        - (c.f., syphilis에 의한 경우 → syphilis 치료하면 회복됨)
    - ② severe chronic PCH → steroid or 면역억제제(azathioprine, cyclophosphamide, rituximab)
    - * splenectomy는 대개 효과 없고, plasmapheresis로도 Ab 잘 제거 안 됨

약물에 의한 면역용혈빈혈

1. 적혈구막에 immune complex가 흡착 (innocent bystander)

- drug-induced Ab (보통 IgM) → drug와 immune complex를 이룬 뒤 적혈구막에 결합
    - → complement fixation → RBC lysis
- intravascular hemolysis, hemoglobinemia, hemoglobinuria
- direct antiglobulin test (+) : anti-C3에 대해서만
- diagnosis ; patient's serum, offending drug, target erythrocytes를 같이 incubation
    - → agglutination, lysis, sensitization of RBCs 관찰

2. 약물이 적혈구막에 흡착 (hapten)

- penicillin, cephalosporin 등
- RBC membrane에 정상적으로 존재하는 protein과 drug가 결합 → haptenic groups 형성
    - → immune response 유발 (Ab. 생성)
- IgM과 IgG 모두 형성되나, IgG Ab만 immune hemolysis와 관련 (complement는 관여 안 함)
- IgG Ab-coated erythrocytes → splenic macrophages의 Fc receptors에 의해 제거

3. 약물이 autoantibody 생산을 유도

- α-methyldopa, L-Dopa, procainamide, mefenamic acid 등
- warm Ab에 의한 AIHA와 유사
- T-lymphocyte suppressor activity를 억제
    - → B cells에서 autoantibody 생산 증가 (type II hypersensitivity)

- methyldopa 사용 환자의 15%에서 direct antiglobulin test (+)
  - → 실제 hemolytic anemia는 1%에서만 발생

4. 적혈구막의 변화 (비면역학적 Ig 흡착)

- cephalosporins → 적혈구막을 변화시킴 → nonspecific (non-immune) adsorption of plasma proteins to RBCs surface (IgG와 IgM Ig도 RBC membrane에 약하게 결합)
- direct antiglobulin test (+)

Type	Immune Complex (innocent bystander)	Hapten (drug adsorption)	AutoAb induction (α-methyldopa-type)	Membrane modificaiton
Role of Drug/Drug Metabolites	Drug combines with a plasma protein to form an antigenic complex in plasma; Ag-Ab-complement complex forms in plasma	Cell-bound hapten	Triggers formation of anti-erythrocyte antibody	Modification of cell membrane
Nature of Attachment of Antibody to Erythrocyte	Adsorption of Ag-Ab-complement complex to cell membrane	Binds to cell-bound drug	Binds to native antigens on erythrocyte	Nonspecific attachment of proteins as well as IgG and complement (non-immune)
Direct Antiglobulin test (Coombs test)	Positive (대개 C3)	Positive (대개 IgG)	Positive (대개 IgG)	Positive (다양)
Mechanism of Cell destruction	Complement lysis	Adhesion to macrophages via Fc & phagocytosis	Adhesion to macrophages via Fc and phagocytosis	No hemolysis
Durgs	Stibophen, p-Anunoalicyclic acid, Quinidine, Aminopyrine, Anhistine, Cefotaxime, Ceftazidime, Ceftriaxone, Chlorambucil, Chlorpromazine, Dipyrone, Doxepin, Fluorouracil, Insecticides, Isoniazid, Nomifensine, Rifampicin, Sulfonamides, Sulfonylurea, Suprofen, Teniposide, Thiazides, Tolmetin, Phenacetin, Quinine, Quinidine,	Penicillin, Cephalosporin, Tetracycline	α-methyldopa, Levodopa, Mefenamic acid, Procainamide	Cephalosporin

동종면역 용혈빈혈 (Isoimmune hemolytic anemia)

┌ 주로 신생아에서, maternal anti-fetal RBC Ab가 placenta를 통과하여 발생
└ 확인법 ; 신생아 RBC의 DAT(+), Ab elution & identification

1. Rh 혈액형 부적합 (incompatibility)

- isoimmune HA가 발생하기 위해서는, 예전의 "sensitization"이 필요
  ① 이전의 임신시, Rh(D) fetal RBCs가 placenta를 통과하여 Rh(-) 산모의 circulation에
     들어갔을 때 주로 발생
  ② Rh 음성인 산모가 예전에 Rh 양성인 혈액을 수혈 받았을 때
- maternal anti-fetal RBC Ab (IgG) 생성 → 다음 임신시 fetal RBCs가 다시 maternal circulation에
  들어오면 Ab response가 restimulation → anti-Rh(D) Ab가 태반을 통과 fetal RBCs를 lysis 시킴
- 임상증상은 매우 다양 ; only mild jaundice ~ markedly pale, jaundice,
  prominent hepatosplenomegaly, bleeding diathesis, kernicterus
- blood ; normoblasts↑ ("erythroblastosis fetalis"), reticulocyte↑, macrocytic anemia,
  leukocytosis with shift to the left
- marrow ; 심한 erythroid hyperplasia
- 신생아 RBC의 direct antiglobulin test (+)

2. ABO 혈액형 부적합 (incompatibility)

- O형 산모에서 이미 존재하던 anti-A or anti-B Ab (IgG class)가 placenta를 통과하여
  첫 임신시에도 fetal RBCs (A or B형)를 용혈시킬 수 있음 (sensitization 필요 없다)
- O형 산모에서 태어난 A or B형 신생아에서 발생한 unexplained hyperbilirubinemia시 의심
- Rh incompatibility보다는 hemolysis가 덜 심함 (∵ ABO Ag의 성숙 속도가 느림)
- mild anemia, modest reticulocytosis (Rh incompatibility보다 spherocytosis는 심함)
- direct antiglobulin test ; weakly (+)

발작성 야간혈색소뇨증
(Paroxysmal nocturnal hemoglobinuria, PNH)

1. 개요

- 드묾 (AA의 약 1/5~1/10), 남=여, 평균 발생 연령 40세
- acquired stem cell disorder로 complement에 민감한 RBC, WBC, platelet 들이 생산됨
  (preneoplastic dz. → aplastic anemia, MDS, AML로 진행 가능)

- 병인 : X 염색체의 *PIGA* (phosphatidylinositol glycan anchor biosynthesis, class A) gene의
  acquired mutations, self-renewing hematopoietic stem cells에서 발생하여 clonal expansion
  (정상 조혈의 억제 + PNH clone의 대량 증식으로 인해 classic PNH 발병)
    → glycophosphatidyl inositol (GPI) anchor 생성에 장애
    → 방어역할을 하는 GPI-linked proteins (e.g., CD59, CD55)이 세포막에 결합 못하고 소실됨
    → complement에 의한 적혈구들의 파괴 증가 (intravascular and/or extravascular hemolysis)
    ┌ CD59 (m/i) : C5 fragments 방어, 결핍시 intravascular hemolysis 발생 (PNH의 주 병인)
    └ CD55 : C3 fragments (e.g., C3d) 방어, 결핍시 extravascular hemolysis 발생
            (intravascular hemolysis보다 mild anemia, C3d에 대한 Coombs test 양성일 수)

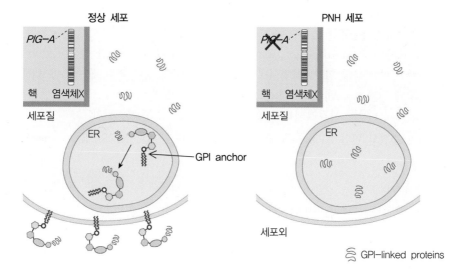

- 일반적으로 clone size와 PNH의 severity는 비례하지만, 일치하지 않는 경우도 있음
  (clone size가 작아도 PNH의 전형적인 증상 동반 가능)
- 다른 stem cell disorder와 동반될 수도 있음 ; aplastic anemia (m/c, 20~30%), myelofibrosis,
  MDS, MPN 등 (aplastic anemia의 ~50%, low-risk MDS의 ~15%에서 PNH clone 존재)

2. 임상양상

- 특징 ┌ deficient hematopoiesis (pancytopenia)
       │ hemolytic anemia (chronic intravascular hemolysis)
       └ thrombosis
- episodic hemolysis 반복 (수면, 감염, 수술, 활동증가시 ↑)
    → episodic jaundice *and/or* gross hemoglobinuria (특히 자고난 뒤 아침 첫 소변)
        (∵ 수면 중 mild respiratory acidosis 발생 → complement 활성화↑)
- fatigue : 대부분 빈혈 정도에 비해 심함 (∵ 혈관내 용혈 → free Hb↑ → NO depletion)
- smooth muscle dystonia (∵ NO depletion → 과도한 smooth muscle 수축)
    → 복통 (thrombosis에 의해서도 가능), dysphagia/odynophagia, 발기부전 등

3. 합병증

- **thrombosis** (m/i) ; 20~40%에서 발생, 동맥보다는 정맥 침범이 훨씬 많음
  - complement 활성화 → platelet 활성화, 혈관내 용혈에 의한 free Hb, RBC fragments 등
    → 응고촉진 & 혈전형성
  - 복부내 정맥 침범이 m/c (약 2/3)
    - mesenteric vein thrombosis 등 → 복통!
    - hepatic vein thrombosis → <u>Budd-Chiari syndrome</u>
    - portal or splenic vein, IVC thrombosis → congestive <u>splenomegaly</u>
  - DVT, pulmonary thromboembolism
  - 피부정맥 (→ 발적, 부종, 통증), 뇌 정맥 (→ 두통, 신경장애 등) ...
- infection, hemorrhage, IDA ...
- pulmonary HTN (∵ NO depletion and/or pulmonary emboli) ; 심한 경우 ~50%에서 동반
- renal failure ; 심한 급성 혈관내용혈시에는 free heme 등에 의한 직접 신 독성에 의해 AKI 가능,
  만성 용혈에 의한 free Hb, iron, hemosiderin 등의 신장내 축적으로 CKD 발생 (~64%에서)
- aplastic anemia (~30%, 과거에 AA의 병력도 드물지 않음), MDS, AML ...

c.f.) PNH에서 빈혈의 원인 ; PNH clone의 용혈, BMF (e.g., AA, MDS), IDA, splenomegaly

4. 검사소견

- normo(~macro)cytic normochromic anemia (Hb은 대개 8~10 g/dL)
  - intravascular hemolysis의 소견 ; plasma Hb↑, serum LD↑↑, haptoglobin↓,
    hemoglobinuria, hemosiderinuria ...
  - 장기간의 hemoglobinuria & hemosiderinuria로 인하여 IDA도 흔히 동반됨 (→ MCV↓)
- reticulocytosis (but, hemolytic anemia의 정도에 비해서는 낮다)
- pancytopenia 흔함 (∵ WBC나 platelet도 complement에 민감) ··· hemolytic anemia 중 유일!
- BM : 대개 normo~hypercellular (aplastic anemia 동반시 hypocellular), erythroid hyperplasia
- <u>Coombs test (−)</u>, low LAP score, low RBC acetylcholinesterase

5. 진단

(1) sucrose hemolysis test (Hartman test) ; sensitivity↑, specifictiy↓ (screening)

(2) Ham's test (acidified serum test) ; specificity↑ (diagnostic)

(1), (2) ⇨ complement에 대한 sensitivity 증가를 의미 (flowcytometry로 대치되어 거의 시행 안 됨)

(3) <u>flowcytometry</u> (FCM) : 확진, Ham's test보다 더 sensitive & specific
  - markers (GPI-linked protein or GPI-anchor)의 결핍으로 진단
    ① CD55 (decay accelerating factor, DAF) : RBC, granulocyte, platelet
    ② CD59 (membrane inhibitor of reactive lysis, MIRL) : RBC (CD55보다 선호됨)
    ③ FLAER (fluorescent aerolysin) : GPI-anchor에 직접 결합하는 항체로 결핍되면 백혈구에
        GPI-anchor가 없음을 의미, CD55/59보다 더 sensitive & specific (RBC에는 잘 결합 안함)

- 이용되는 markers의 조합 (high-sensitivity/multicolor FCM) ⋯ 3 계열 모두 시행 권장
  ① RBC ; CD55/CD59, glycoporinA/CD59 (c.f., reticulocyte에선 PNH clone size 더 크게 나옴)
    ↳ 치료받지 않는 PNH 환자는 용혈 and/or 수혈로 인해 WBC clone size보다 작게 나옴
  ② neutrophil ; FLAER/CD24,CD15,CD66b,CD55,CD59 → RBC PNH clone size보다 크게 나옴
  ③ monocyte ; FLAER/CD14,CD55,CD59 → neutrophil PNH clone size와 비슷하게 나옴
- 보고방식 (markers의 결핍 정도에 따라 분류)
  - PNH clone (%) = type Ⅱ + type Ⅲ cells
    - type Ⅰ cells : normal population (RBC 수명 120일)
    - type Ⅱ cells : partial deficiency PNH clone (RBC 수명 중간 정도)
    - type Ⅲ cells : complete deficiency PNH clone (RBC 수명 10~15일)
  - classic (임상적으로 심각한) PNH = PNH neutrophil (or monocyte) clone size ≥50%
  - 다른 BMF (AA, MDS)에서 동반되는 PNH clone size는 대개 작음(<30%)

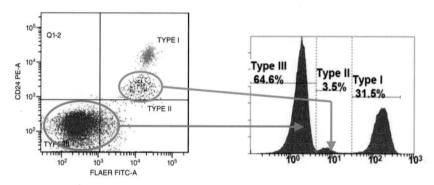

6. 치료

(1) anti-complement agent : eculizumab (Soliris®)

- FDA 승인된 최초의 PNH 치료제 (2007년), 2주마다 IV로 투여, 매우 비쌈
- 적응 : PNH 증상이 심하거나, large PNH clone (>20%)인 경우
- C5에 대한 monoclonal Ab. : C5가 C5a와 C5b로 분해되는 것 차단 → MAC 형성 억제
  → PNH의 근본 병인인 complement-mediated intravascular hemolysis를 효과적으로 억제함!
- C3 fragments에는 결합 안함 → CD55 결핍에 의한 extravascular hemolysis는 억제 못함
  → mild anemia (C3d Coombs test+) 지속 가능 (대개 수혈이 필요할 정도로 심하지는 않음)
- PNH 합병증(e.g., thrombosis) 크게 감소, 삶의 질 향상 → 장기 생존율 증가
- 수막알균 감염 위험이 높아지므로, 치료 시작 최소 2주 전에 수막알균 백신 접종 필수

  * ravulizumab : eculizumab과 효과/부작용 비슷하면서 반감기 긺, 8주마다 투여 (2018년 FDA 허가)

(2) 보존적/기타 치료

- 수혈 ; 반드시 WBC-depleted (e.g., filtered) or washed RBC
  - 혈중 Hb level 상승, BM에서 새로운 RBC가 생산되는 것을 억제
  - 장기간 수혈 치료시 수혈 부작용 및 삶의 질 저하
- folic acid 보충 (∵ anemia)
- iron 보충 (∵ IDA) : 새로운 RBC 생산을 증가시켜 일시적으로 hemolysis가 증가될 수 있음
  (→ prednisone 투여 또는 수혈로 최소화)

- steroid (e.g., prednisone) : 효과가 별로 없고 부작용 위험이 크므로 권장 안됨
  (염증이 용혈을 악화시키는 경우에만 단기간 사용 고려 가능)
- acute thrombosis → anticoagulation (e.g., LMWH, warfarin), fibrinolytics (tPA)
  - prophylactic anticoagulation은 권장 안됨 (∵ 효과 적고, 출혈 부작용 위험)
  - thromboembolism 발생 이후에는 eculizumab으로 2차 예방 권장
  - eculizumab을 사용 못하는 경우에는 평생 anticoagulation (예외: very small PNH clone)
  - 혈전 성향을 높이는 약물은 복용 금기 (특히 경구피임약)
- BM hypoplasia (aplastic anemia) 동반시 (PNH-AA syndrome)
  - ALG or ATG (antithymocytic globulin) + cyclosporine A : SCT donor 없을 때
  - allogenic HCT (유일한 완치법) : eculizumab 도입 후 HCT는 많이 감소되었지만,
    젊고 심한 PNH or PNH-AA 환자에서는 고려

7. 예후

- 만성 경과, 대부분 결국엔 합병증 발생, 치료 안하면 진단 후 평균 10~20년 생존
  → eculizumab 도입 이후 생존율 훨씬 향상된 것으로 예상됨 (거의 정상인 수준)
- 사인 ; thrombosis (28%), pancytopenia (15%), MDS (5%), acute leukemia (5~15%)
- 예후가 나쁜 경우
  ① 진단시 55세 이상
  ② thrombosis … m/c 사망원인(40~67%)
  ③ renal failture (CKD)
  ④ pancytopenia로 진행 (c.f., AA 이후에 PNH가 발생된 경우는 예후 좋음)
  ⑤ MDS or acute leukemia 발생
  ⑥ 진단시 thrombocytopenia

TRAUMATIC HEMOLYSIS

- 기계적 손상에 의해 intravascular hemolysis가 발생하는 질환군으로, 대부분 말초혈액에서
  RBC fragments (schistocytes)가 관찰됨
  - macrovascular traumatic hemolysis (e.g., artificial heart valve)
  - microvascular traumatic hemolysis : MAHA

■ Microangiopathic hemolytic anemia (MAHA)미세혈관병 용혈빈혈

Thrombotic microangiopathy (TMA)혈전미세혈관병증

↳ 미세혈관의 thrombosis ▶ MAHA + thrombocytopenia

Thrombotic microangiopathy (MAHA)의 분류/원인 ★
TTP : Autoimmune (ADAMTS13 Ab)

TTP : Autoimmune (ADAMTS13 Ab)
Congenital TTP (Upshaw–Schulman Syndrome) : *ADAMTS13* mutations
STEC–HUS : Shiga Toxin–Producing *E. Coli* (EHEC)
aHUS (atypical HUS) : ADAMTS13 or Shiga Toxin/EHEC와 관련 없음
    Primary ; Complement–mediated HUS, Non–complement gene mutations (e.g., *DGKE, PLG, MMACHC*)
    Secondary ; *Streptococcus pneumoniae* 등   functional cobalamin deficiency ↵

Secondary Thrombotic Microangiopathy
  Disseminated intravascular coagulation (DIC)
  감염 ; bacterial (e.g., *Streptococcus pneumoniae*), viral (e.g., HIV), fungal
  장기이식 관련 ; CTx, RTx, Rejection, GVHD
  암 ; 위암, 유방암, 폐암, 간암 등
  임신 관련 ; Preeclampsia, Eclampsia, HELLP (hemolysis, elevated liver enzymes, low platelet count)
  자가면역질환 ; SLE 및 기타 혈관병, APS
  Cavernous hemangioma (Kasabach–Merritt syndrome)
  Malignant HTN
  Mechanical hemolysis (e.g., Prosthetic heart valves)
  Drug–induced thrombotic microangiopathy (DITMA)
    Immune ; Gemcitabine, Oxaliplatin, Sulfisoxazole, TMP–SMX, Quetiapine, Quinine, Ticlopidine
    Toxic ; <u>Bevacizumab</u>, Bortezomib, Carfilzomib, Docetaxel, Imatinib, Ixazomib, <u>Mitomycin</u>, Palbociclib,
       Pentostatin, Ponatinib, <u>Sunitinib</u>, Cyclosporine, Everolimus, Interferons, IVIG, Sirolimus, Tacrolimus,
       Gemcitabine, Valproic acid, Cocaine, Oxymorphone ER, Oxycodone ...
  Toxins ; Carbon monoxide, Bee sting, Arsenic, Iodine ...

*SLE는 autoimmune HA와 MAHA 모두 발생 가능

원인	Schistocyte	Hemolytic anemia	Thrombocytopenia
TTP	++++	++++	++++
HUS	++++	++++	++++
DIC	++	±	++++
Prosthetic heart valves	+++	++	−
Vessel disease*	+++	+	+

* Malignant HTN, eclampsia, renal graft rejection, hemangioma, immune disease (scleroderma)

1. 혈전혈소판감소자색반병
(Thrombotic thrombocytopenic purpura, TTP)

(1) 개요/병인

- 비교적 드문 질환, 남:여 = 2:3, 30~40대에 호발, 대부분 idiopathic/primary TTP임
- primary TTP : 만성 재발성 (ADAMTS13 deficiency)
- secondary TTP : ADAMTS13 activity를 억제하는 항체 존재 or direct endothelial injury
  (임신, estrogen 복용, SLE, Sjögren's syndrome, scleroderma, metastatic ca.,
  high-dose CTx., mitomycin C, ticlopidine 등)
  c.f.) 유전성 TTP는 매우 드묾(<5% of TTP) ; 대개 소아 때 발병, plasma infusion으로 치료
- ADAMTS13 (plasma metalloproteinase) : UL (unusually/ultra large)-vWF를 분해하는 효소!
  (↳ A Disintegrin And Metalloprotease with a ThromboSpondin type 1 motif, member 13)
  → 결핍되거나 Ab에 의해 activity가 억제되면 UL-vWF↑
  → 병적인 platelet adhesion & aggregation → thrombosis 유발됨 (→ TTP)
- endothelial injury → endothelial cell에서 vWF와 다른 procoagulant 유리↑
  → 다양한 장기의 arterioles에서 thrombotic lesions 발생

(2) 임상양상

① severe thrombocytopenia (<20,000/mm^3) → purpura, petechiae 등 전반적인 출혈 증상
  - platelet-associated IgG와 complement는 정상
  - coagulation test (PT, PTT, FDP 등)는 정상 (or 약간 연장) ↔ DIC와 차이!
    (∵ DIC에서와 같은 과도한 응고활성화 및 fibrinolysis는 없으므로)
② microangiopathic hemolytic anemia (>96%)
  - PB ; schistocytes (fragmented RBCs ; helmet cell, triangle cell), marked reticulocytosis,
    nucleated RBCs ...

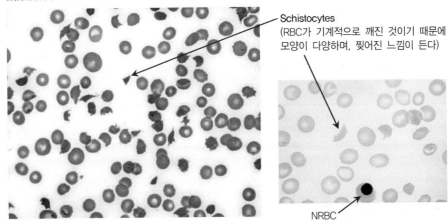

Schistocytes
(RBC가 기계적으로 깨진 것이기 때문에
모양이 다양하며, 찢어진 느낌이 든다)

NRBC

  - intravascular hemolysis ; indirect hyperbilirubinemia (→ jaundice), LD↑, haptoglobin↓ ...
  - direct Coombs test (DAT) 음성! (∵ 면역학적 기전이 아니므로)
③ fever (98%)

④ CNS 침범 : <u>neurologic Sx.</u> (>92%)

- 두통, 의식장애, 착란, 혼수 ...
- focal neurologic deficits ; seizure, hemiparesis, aphagia ...

⑤ 신장 침범 (88%) ; proteinuria, hematuria, azotemia, casts ...

- 보통 mild (creatinine이 3 mg/dL를 넘는 경우는 드물다)
- renal failure시 → reversible!

(3) 감별진단

- HUS, DIC, malignancy, vasculitis, SLE 등 ⇨ 우선 2ndary thrombotic microangiopathy를 R/O
  - HUS → 신장 침범(ARF)이 주 증상, ADAMTS13 정상, EHEC/Shiga toxin(+)
  - TTP → 신경 침범이 주 증상, <u>ADAMTS13 level↓</u>

	Autoimmune disorders	DIC	TTP/HUS
PBS	Microspherocytes	Schistocytes (+)	Schistocytes (+++)
Reticulocyte	↑↑↑	정상 or ↑	↑↑↑
Coombs test	(+)	(−)	(−)
응고검사(PT, PTT)	정상	비정상	정상

(4) 진단

① 대개 임상양상 및 검사소견(e.g., schistocytes)으로 진단

② ADAMTS13 activity ; fluorescence resonance energy transfer (FRET)-based assay

③ 침범된 장기(e.g., skin, muscle, gingiva, LN, BM)의 biopsy

   ; arteriole, capillary 내에서 hyaline platelet thrombi (+ fibrin) deposit

(5) 치료

* 치명적이므로 빨리 치료해야 됨(medical emergency)

① <u>plasmapheresis (plasma exchange) with FFP</u> : TOC (70~90% cure)

- 기전 ┌ 비정상 UL-vWF 및 ADAMTS13 inhibitor Ab의 제거
       └ 부족한 정상 protease (ADAMTS13)의 공급
- 의식상태는 즉시 회복되며, platelet count는 수일 후에 회복됨
- CR (신경증상 소실, Hb/<u>platelet</u>/<u>LD</u>/bilirubin/Cr 등의 정상화)될 때까지 매일 1~2회 시행

② 면역억제치료

   ┌ secondary TTP에서 ADAMTS13에 대한 Ab 생성 억제/차단
   └ 대개 plasmapheresis에 반응 없는 **refractory TTP**에 사용 (심하면 처음부터 사용)

- <u>high-dose steroid</u> (prednisone) ; 처음부터 plasmapheresis에 보조적으로 단기간 사용, refractory TTP에서는 intensified regimen (methylprednisolone, SoluMedrol)으로 사용
- <u>caplacizumab</u> (anti-vWF mAb) ; vWF-platelet 결합을 차단하여 microthrombi 형성 억제, 생명을 위협하는 severe TTP에서는 처음부터 사용 권장 (∵ 빠른 효과로 사망률↓)
- <u>rituximab</u> (anti-CD20) ; 처음부터 사용 경향 (∵ 악화 및 재발↓ 효과)
- 위 치료들에 반응 없으면 cyclophosphamide, bortezomib, cyclosporine, mycophenolate, N-acetylcysteine (NAC), splenectomy 등 고려

③ 기타
- platelet clot에 대한 치료 (e.g., 항혈소판제) : 현재는 거의 이용 안함
- platelet transfusion은 생명을 위협하는 심한 출혈(e.g., 뇌출혈) 위험 때 외에는 금기
  (∵ thrombosis를 악화시켜 MI, CVA 유발 가능)

(6) 예후
- 치료 안하면 사망률 90% (대부분 3개월 내에 사망)
- plasmapheresis를 시행해도 사망률은 약 15%
- 초기에 잘 치료되면 residual renal or neurologic dz. 없이 완전히 회복됨
- 약 12~42%에서는 재발 가능 (severe ADAMTS13 deficiency에서 재발 더 흔함)

2. 용혈요독증후군 (Hemolytic uremic syndrome, HUS)

(1) 개요
- 대개 5세 미만 소아에서 발생 (성인에서는 드묾), 남≒여
- TTP와 임상양상 및 검사소견이 비슷함 (but, ADAMTS13은 대부분 정상)
- TTP와 달리 신장을 주로 침범하고, 신경 증상은 거의 없음
- 분류/원인
  ① STEC-HUS (과거 D+ HUS) : 주로 소아에서 혈성설사 후 발생 (소아 HUS의 90%)
    - 원인균 ; STEC/EHEC (*E. coli* O157:H7-m/c, O104:H4 등 다른 혈청형들도 많음),
           Shigella dysenteriae type 1, *Salmonella, C. jejuni, Y. enterocolitica, C. difficile* ...
    - Shiga toxin (Stx) → 혈관/내피세포 손상 유발   (→ 감염내과 Ⅲ-1장 참조)
  ② atypical HUS (aHUS) : 5~10%, 설사와 관련 없이 발생, TTP와 유사, 주로 성인에서 발생
    (1) primary : *hereditary (genetic, familial) HUS*
       - aHUS의 ~60%, 예후 나쁨 (사망률 54%, 일부는 지속적인 투석 필요)
       - complement alternative pathway 조절단백의 결함(mutations)
         ; factor H (*CFH*), complement regulatory protein (*CD46*), *C3*, factor I (*CFI*) 등
         → complement activation 과다 → 내피세포 손상
       - non-complement gene mutations (e.g., *DGKE, PLG, MMACHC*)
    (2) secondary
       - 기타 감염(e.g., *S. pneumoniae, Bartonella*, virus), 악성종양
       - 내피세포 손상 유발 약물 ; calcineurin inhibitors (e.g., tacrolimus, cyclosporine),
         cytotoxic drugs (e.g., mitomycin C, cisplatin, bleomycin), gemcitabine, anti-VEGF
       - 임신, HELLP syndrome, 악성 고혈압, 사구체질환, SLE, APS 등

(2) 임상양상
- 장출혈성 위장관염 선행 ; 발열, 구토, 복통, 혈성설사 등
- acute renal failure (BUN & Cr↑, oliguria), HTN, fever
- MAHA (schistocytes), thrombocytopenia (mild~moderate) : TTP보다는 덜 심함
- coagulation test (PT, PTT) 정상, Coombs test (−)!
- reticulocyte↑, direct bilirubin↑, haptoglobin↓, hyperkalemia (용혈 및 ARF 때문)
- LD↑ (진단 및 치료반응을 보는데 중요) : TTP보다는 낮음

(3) 진단

- 임상양상(e.g., 혈성설사의 병력, TMA, AKI)
- 원인균 검출 : 대변 배양, Shiga toxin gene [*stx1(vt1), stx2(vt2)*] PCR 등
- hereditary (complement-mediated) HUS ; complement proteins or antibodies, genes
  (*CFH, CD46, CFI, C3, CFB, THBD, CFHR1, CFHR5, CFH-H3, DGKE, MCP* 등)
- 병리소견 : 신장 생검
  - vasoocclusive process : afferent arteriole과 glomerular capillary에 hyaline thrombi가 보임
  - renal cortex의 ischemic necrosis, arteriolar microaneurysm, glomerular infarction ...

(4) 치료

① STEC-HUS : 소아는 대부분 self-limited
  - 주로 supportive care (신기능 보전을 위한 수액, 전해질 균형 유지, 투석 등)
  - 항생제의 사용은 주의 (∵ Shiga toxin 방출↑로 HUS 유발 위험) → sepsis 이외에는 금기
  - plasmapheresis, steroid, Ig, Stx-binding agent (Synsorb) 등은 효과가 없거나 불확실함!

② aHUS : 치료 안하면 ESRD로 진행 위험 매우 높음
  - complement-mediated aHUS ⇨ eculizumab (anti-C5 mAb)이 효과적임
    - eculizumab을 사용할 수 없으면 plasmapheresis (권장 /but, TTP보다는 효과 적음), plasma 주입
    - 심한 경우에는 combined liver-renal transplantation 고려
  - *DGKE* mutations ⇨ eculizumab과 plasma Tx 효과 없음 (C3 감소시 plasma Tx 고려)
  - *S. pneumoniae*에 의한 aHUS ⇨ 항생제로 원인 치료
  - steroid, dextran, heparin, splenectomy 등의 효과는 불확실

(5) 예후

- mortality : 소아의 STEC-HUS는 5% 미만, 성인의 aHUS은 약 26%
- 생존자의 약 20~30%에서 ESRD 발생, 재발은 약 20~25%

전형적인 HUS와 TTP의 특징

	TTP	HUS
소아에서 발생	드묾	흔함
Case clustering	−	+
가족력	드묾	때때로
E. coli O157;H7과 관련	−/+	+
ADAMTS13 activity	⇩	대개 정상
빈혈, 혈소판감소증	심함	덜 심함
신부전	드묾, 경미함	흔함, 심함
신경 증상	현저함	드묾
설사 선행	−	흔함
사망률	10~30%	<5% (aHUS는 26%)
재발	약 30%	20~25%

3 골수부전(Bone Marrow Failure, BMF)

조혈 (HEMATOPOIESIS)

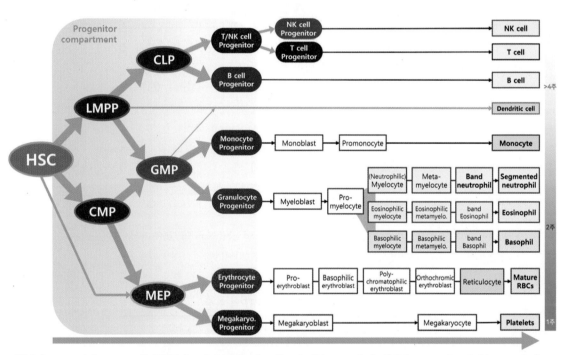

HSC (hematopoietic stem cell), LMPP (lymphoid-primed multi-potential progenitor), CLP (common lymphoid progenitor), CMP (common myeloid progenitor), GMP (granulocyte-monocyte progenitor), MEP (megakaryocyte-erythroid progenitor)

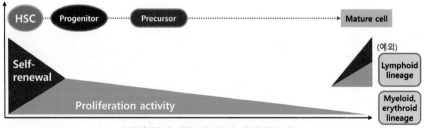

분화/성숙에 따른 세포들의 상대적인 기능

- 골수내 미성숙세포들의 상대적인 양 ; HSCs <1%, Progenitors 약 2%, <u>Precursors</u> 97.5%
  (HSCs로부터 증식/분화를 거치면서 성숙세포의 양은 기하급수적으로 늘어남)   ↳ ~blasts부터 2~4단계의 세포들
- Blood cells의 반감기(half life) : neutrophils 6~8시간, platelets 5~7일, RBCs 120일 [∝ 수명(survival, life span)]

1. Hematopoietic stem cells (HSC) & Progenitors

- stem cells의 기본 특징 : self-renewal(자가복제) & differentiation(분화)
  - → 장기간 동안, 다양한 성숙세포들을 만듦
- 분화단계: hematopoietic stem cells (HSC) ➜ Progenitors ➜ Precursors ➜ Mature effector cells
  - 초기에는 약간의 reversibility도 있지만, 분화가 더 될수록 불가능해짐
  - 분화가 될수록 증식능력(proliferation capacity)은 감소됨 ; mature granulocytes는 증식 불가능
    (예외 ; 일부 조직의 macrophages 및 lymphoid cells)
  - 모든 HSCs이 모든 종류의 세포로 분화 가능한 것은 아님 (일부는 이미 특정 lineage로 치우쳐 있음)
- hematopoietic Progenitors (수명 짧음) ➜ Mature cells : 10~14일
- HSCs 수 = 3,000~10,000개 (3달~3년에 한번 세포분열함) ➜➜ mature cells 1.4×10^{14}개/yr 생산

2. Cytokines & hormones

- SCF (stem cell factor) : 모든 lineages의 조혈모세포 증식↑, basophils & mast cells 성장↑
- G-CSF : neutrophilic progenitors 증식↑ (neutrophilic lineage의 주 성장인자)
- M-CSF (macrophage colony-stimulating factor, CSF-1) : monocytic progenitors 증식↑
- GM-CSF : granulocyte & macrophage progenitors 증식↑, macrophages 활성화
- erythropoietin (EPO) : erythroid progenitors의 증식 자극
- thrombopoietin (TPO) : HSCs & megakaryocytic progenitors 증식↑
- IL-1 : 면역계 조절(fever, acute phase protein, tissue repair, cytotoxicity), 다른 cytokines 생산↑
- IL-2 : T cell growth factor, IFN-γ↑, B cell & NK cell 자극/활성화,
  GM colony 형성 및 erythropoiesis 억제
- IL-3 (multi-CSF) : 다양한 myeloid cells의 성장↑, delayed type hypersensitivity에 관여
- IL-4 : B cell 성장, Ig 합성 자극, dendritic cell 증식/분화 자극, monocyte cytokine 생산 억제
- IL-5 : eosinophil의 증식/성장/활성화 자극
- IL-6 : megakaryopoiesis 자극, IL-1,2,3,4, GM-CSF, CSF-1과 함께 myeloid 증식 자극,
  plasma cell 증식↑, 간세포의 단백 합성↑, fever와 acute phase response의 중요 mediator
- IL-7 : lymphocytes 초기 성숙의 주요 조절자
- IL-8 : granulocyte의 chemotactic factor, stem cell을 말초로 유리
- IL-9 : Th2 (CD4+) lymphocytes에서 생산되어 다양한 myeloid cells의 성장↑, apoptosis↓
- IL-10 : T cell의 IFN-γ 생산 억제, cytotoxic T cell 전구체/기능↑
- IL-11 : IL-6와 기능 비슷, platelet maturation↑ 등
- IL-12 : NK cell 자극 인자, IL-2와 함께 cytotoxic T cell 생산, NK/T cell에서 IFN-γ 생산↑
- IL-13 : B cell과 monocyte에 대한 작용은 IL-4와 비슷,
  large granular lymphocyte에서 IFN-γ 생산↑, T cell 자극
- IL-14 : B cell 증식↑, Ig 합성 억제
- IL-15 : T & NK cells의 활성화와 증식↑
- IL-21 : B, T, NK cells의 성숙/분화↑
- CXCL12 (stromal cell-derived factor 1, SDF1) : CXCR4 receptor와 결합하여 HSCs을 모음

■ 기타

- kit ligand : hematolymphopoietic growth factor와 동일, 여러 cytokines과 함께 HPP-CFC를 자극, IL-7과 함께 pre-B cell 생성 자극, primitive stem/progenitor cells에 작용
- FLT-3 : relatively primitive stem/progenitor cell에 작용, dendritic cell 형성 자극
- b-FbF : primitive marrow cell, megakaryocyte progenitor, marrow stromal cell 자극
- LIF : IL-3 dependent cell line DA-1의 증식 촉진
- TGF-β : early stem cell은 억제, progenitor cell은 자극
- Mip-1α : stem cell의 세포분열을 억제하여 정지시킴
- pentapeptide : stem/progenitor cell의 S phase 제거
- tetrapeptide : stem cell의 S phage 차단
- PDGF : erythroid & granulopoietic progenitor에 작용
- hepatocyte growth factor : 다른 growth factors와 함께 progenitor cell에 작용

c.f.) BM failure시 감소되는 순서
  ; granulocyte → platelet → RBC → lymphocyte

골수검사 (BM examination)

- 정상 골수(bone marrow, BM)
  - 세포충실도(cellularity) : 40~60% (연령 증가에 따라 감소)

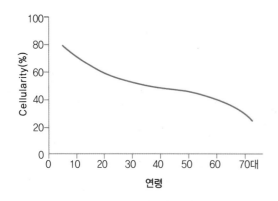

  - M:E (myeloid:erythroid) ratio = 2:1~4:1 (total granulocytes / total erythroblasts)
    - ↑ ; infection, CML, erythroid hypoplasia
    - ↓ ; leukopoiesis depression, erythroid hyperplasia
    (M이 실제로는 Granulocytes기 때문에 G:E ratio가 정확한 표현이긴 하지만 통상 M:E ratio를 사용함)
  - 철적모구(sideroblasts) : 세포질 내에서 염색된 iron granules (siderotic granules)이 관찰되는 적혈모구(normoblasts), 골수에서 erythroblasts의 40~60% 정도 차지

골수검사의 적응
원인을 모르는 anemia, leukopenia, thrombocytopenia, pancytopenia
말초에서 leukoerythroblastosis, tear-drop cells → myelofibrosis 의심
말초에서 혈액학적 악성질환이 의심되는 immature cells
MPN or MDS 의심시 (e.g., dysplastic cells)
Paraproteinemia나 paraproteinuria의 evaluation (e.g., myeloma)
Storage diseases 의심 (e.g., Gaucher disease, Niemann-Pick)
Granulomatous diseases의 evaluation
Lymphomas의 staging (적응이 될 때)
SCLC의 staging (적응이 될 때)
Leukemia 치료 후 F/U
FUO, BM culture

- BM aspiration & biopsy 부위 – 대부분 iliac crest (PSIS)에서 시행
  → 불가능하거나 부적절하면 sternum에서도 시행 가능

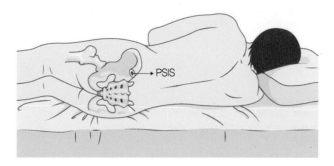

재생불량빈혈 (Aplastic anemia, AA)

1. 개요

- 정의 : 다양한 원인에 의한 골수 기능상실(BM failure)로, 골수의 세포충실도 감소(hypocellularity)
  및 지방으로의 대치와 함께 말초혈액에서 범혈구감소증(pancytopenia)을 나타냄
- 발생률 : 서양은 연간 100만 명당 약 2명 (우리나라는 2~3배 더 높음)
- 15~30세 및 60세 이상에서 호발, 남=여

- BM failure는 조혈모세포(HSC)의 심한 손상으로 인해 발생 (CD34+ stem cells의 심한 감소)
- pathogenesis (서로 복합적으로 작용)
  ① 자가면역기전 (대부분) : cytotoxic T cells activation 등에 의한 조혈모세포 파괴
      → myelosuppressive cytokines (IFN-γ, TNF-α)↑ → 조혈모세포의 apoptosis 촉진
  ② 조혈모세포의 직접 손상 : drug, chemical, virus, irradiation 등
  ③ 조혈모세포의 기질적인 이상 (clonal & genetic disorders)
  ④ 골수 미세환경의 이상으로 인한 조혈기능 방해

2. 원인

Pancytopenia의 원인

① Aplastic anemia (BM hypocellularity)
  (1) 후천성(acquired)
    1. Idiopathic (m/c, 60~80%)
    2. Secondary
      (a) Radiation (초기 부작용은 AA / 후기 부작용은 MDS, leukemia)
      (b) Drugs & Chemicals
        ⓐ *Dose-related* : **benzene**, alkylating agents, anthracyclines, antimetabolites (folate antagonists, purine & pyrimidine analogues), mitotic inhibitors, inorganic arsenicals
        ⓑ *Idiosyncratic reactions* (드묾) : chloramphenicol, NSAIDs, phenylbutazone, cephalosporins, sulfonamides, antithyroid drugs, antidiabetes drugs, antihistamines, carbonic anhydrase inhibitors, penicillamine, antiepileptics & psychotropics, cardiovascular drugs, 중금속(gold, arsenicals, bismuth, mercury), insecticides
      (c) Infections ; virus (e.g., hepatitis, EBV, HIV-1 [AIDS], parvovirus B19), miliary TB
      (d) Immune diseases ; eosinophilic fasciitis, hypoimmunoglobulinemia, SLE, RA, GVHD in immunodeficiency, thymoma & thymic carcinoma
      (e) PNH (20~30%에서 AA 동반)
      (f) MDS (일부에서 hypoplastic BM를 보임, AA-PNH와도 약간 비슷)
      (g) Pregnancy (매우 드묾, 출산 뒤 회복됨)

  (2) 선천성(hereditary)
    ; Fanconi's anemia, dyskeratosis congenita, Schwachman-Diamond syndrome, reticular dysgenesis, amegakaryocytic thrombocytopenia [thrombopoietin (*THPO*) or thrombopoietin receptor (*MPL*) mutation], familial AA/leukemia predisposition syndromes (e.g., monosomy 7, Down's syndrome, *GATA2, RUNX1, CTLA4* 등의 mutations)

② BM cellularity가 정상이거나 증가된 pancytopenia
  (1) *Primary BM disorders*
    Myelodysplastic syndromes (MDS), PNH, 일부 aleukemic leukemia, myelophthisis, myelofibrosis, BM lymphoma, hairy cell leukemia
  (2) *Secondary to systemic disorders*
    Megaloblastic anemia (e.g., vitamin B_{12}, folate 결핍)
    Hypersplenism, SLE, sarcoidosis
    알코올, 매우 심한 감염, 결핵, AIDS, brucellosis, leishmaniasis

③ BM replacement (myelophthisis)
  Hematologic malignancies ; leukemia, lymphoma, myeloma ...
  Non-hematologic metastatic tumors
  Storage cell disorders
  Osteopetrosis
  Myelofibrosis

- hepatitis에 의한 aplastic anemia
  - 감염 중 m/c 원인 (대부분의 감염에서는 일시적인 경미한 혈구 감소가 흔함), AA의 약 5% 차지
  - 20세 이하에서 많다 (대부분 젊은 남자)
  - 원인 : seronegative (non-A, non-B, non-C, non-G) hepatitis … 아직 발견 못했음
  - hepatitis 감염에 의해 유도된 면역 반응이 주된 발생 기전
  - acute hepatitis에서 회복 후 약 1~2개월 뒤에 발생 (hepatitis의 severity와는 무관)
  - pancytopenia가 매우 심하고, 예후도 나쁨

· SLE : stem cells에 대한 IgG autoantibody에 의해 발생
· drugs, chemicals, radiation : stem cells을 직접 손상시킴
· Fanconi's anemia
  - 선천성/체질성(constitutional) 재생불량빈혈, AR 유전
  - *FANCA* gene mutation (type A Fanconi's anemia)이 m/c
  - intrinsic stem cells defect 및 hematopoietic stell cells 감소
  - 저신장, 머리크기↓, 엄지손가락/요골/비뇨기계 기형, café au lait spots ...
  - MCV↑, HbF↑, MDS or AML 동반 흔함
  - 선별검사 ; chromosome breakage study (diepoxybutane or mitomycin C에 의해 염색체 손상)

3. 임상양상

(1) thrombocytopenia : 출혈 증상이 m/c 초기 증상
  - 쉽게 멍듦, 잇몸 출혈, 코피, 월경 과다, 점출혈(petechiae), 얼룩출혈(ecchymosis) ...
  - 대량의 출혈은 드묾 (but, 소량으로도 심각한 뇌/망막 출혈은 발생 가능)
(2) anemia ; 피로, 권태, 쇠약감, 숨참, 귀를 두드리는 느낌, 창백 ...
(3) neutropenia ; infection (fever) - 초기에는 드묾
    (agranulocytosis의 경우는 초기에 인두염, 항문주위감염, 패혈증도 발생 가능)
* hepatosplenomegaly나 lymphadenopathy는 없다!

4. 검사소견/진단

(1) PB : pancytopenia (relative lymphocytosis)가 특징!
  · normocytic normochromic anemia (RDW는 정상)
  · macrocytosis (MCV↑)도 나타날 수 있음 (∵ erythropoietin↑)
  · corrected <u>reticulocyte count</u> : ↓↓ or 0

  ┌ immature cells (blasts) 존재시엔 leukemia or MDS를 의심
  └ nucleated RBC (erythroblast) 존재시엔 marrow fibrosis or tumor invasion을 의심

(2) BM
  · aspiration : 말초혈액으로 dilution (marrow particles이 없음)
  · <u>biopsy</u> : hypocellular (<25%), fat으로 replacement (abnormal cells은 없음)
    - 매우 심한 경우에는 100% fat만 나올 수도 있음
    - cellularity와 dz. severity의 관련성은 불완전
      (나이가 들면 cellularity 감소, sampling 부위가 전체 marrow 상태와 일치하지 않을 수 있음)
    - megakaryocytes는 매우 감소되거나 없음
  · stem cells (CD34+) 크게 감소

(3) serum iron↑, transferrin 정상 → transferrin saturation↑
    : RBC의 철 이용률 저하, plasma iron clearance 지연
(4) pancytopenia를 일으킬 수 있는 다른 질환들을 R/O하기 위한 검사들도 시행
    ; 염색체검사 (MDS R/O), flowcytometry (PNH R/O), viral markers, FANA, RF ...

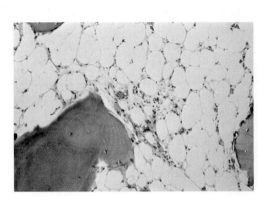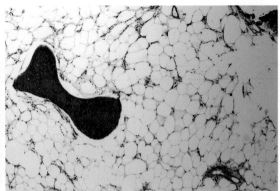

AA의 BM biopsy 사진

: Marrow space (분홍색 뼈 사이의 공간)가 대부분 fat (하얀 부분)으로 대치되어
조혈세포들은 거의 남아있지 않다. cellularity는 5% 미만으로 볼 수 있음
(c.f., AA의 PB 사진은 RBC, WBC, platelet 들의 수만 심하게 감소하고, 형태는 정상임)

c.f.) leukemia와의 차이

- PB smear : 혈구의 수만 감소되고, 모양은 대개 정상임 (blasts와 NRBCs는 관찰 안됨)

- hepatosplenomegaly는 없음

- 흉골압통, 체중감소 등은 leukemia에서 특이한 소견임

c.f.) hypocellular MDS와의 차이

: MDS는 대부분 dysplastic change와 cytogenetic abnormalities가 존재함

5. 예후

■ AA의 severity ★

Severe AA (2개 이상)	BM cellularity <25% + 다음 중 2개 이상 1. Neutrophil <500/μL 2. Platelet <20,000/μL 3. Corrected reticulocyte <1% (or absolute reticulocyte <3~40,000/μL)
Very-severe AA	Severe AA 조건 + Neutrophil <200 /μL

c.f.) absolute reticulocyte >25,000/μL) & lymphocytes >1,000/μL ⇨ IST에 좋은 반응

- <u>neutropenia</u>의 severity가 예후에 가장 중요함!
- 5YSR : 면역억제치료시 75%, BMT시 90% 이상
- 합병증 : AA의 경과중 비정상 clone은 항상 발생 가능 (e.g., 10~20%에서 PNH 발생)

6. 치료

* 소아에서는 HCT의 치료 효과가 매우 우수하므로, 적합한 형제가 있으면 반드시 HCT 시행

* 성인에서 두 치료법 사이의 선택은 연령, 전신상태, neutropenia 정도가 가장 중요

┌ 고령(>50세) or HCT 불가능 ⇨ IST
└ 50세 이하 & HCT 가능 (특히 20세 이하) ⇨ HCT

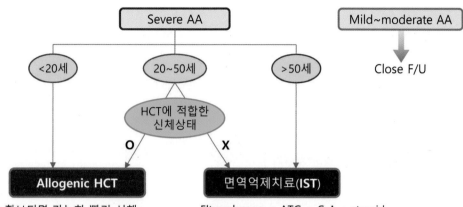

(1) 동종조혈모세포이식(allogenic HCT)

- HLA-matched 형제가 있는 <u>젊은 환자(<50세)에서 TOC!</u>
  ; 이식의 발전으로 과거 50~65%였던 장기 생존률이 75~90%로 향상됨 (특히 소아)
- but, HLA-matched 형제 공여자는 없는 경우가 대부분임
- 고령의 환자는 합병증(e.g., chronic GVHD, 심한 감염) 발생 위험 증가
- 비혈연(타인)간 (HLA-matched unrelated donor) 이식
  - 과거에는 HLA-matched 형제간 이식에 비해 성적이 매우 안 좋았으나, 고해상도 HLA
    matching, 저독성 전처치, GVHD 예방 등 이식 요법의 발전으로 성적이 매우 향상됨
  - 생존율은 거의 matched 형제간 이식 수준으로 발전, 부작용(e.g., GVHD, 감염)은 더 많음
  - 50세 이하에서 matched 형제가 없으면 바로 HLA-matched 비혈연 공여자 탐색 권장!
    (eltrombopag ± IST 치료하면서)
- 반일치(HLA-haploidentical) 형제간 이식 ; 다양한 T cells 제거 기법의 발전 등으로 이식 성적이
  크게 향상되어, 점점 현실적인 치료 옵션으로 사용하고 있음

(2) 면역억제치료(immunosuppressive therapy, IST)

- HCT의 대상이 안 되는 경우 TOC! (대부분)
- ATG (or ALG) + cyclosporine (CsA) 병합요법이 기본
  - <u>ATG</u> (antithymocyte globulin) or ALG (antilymphocyte globulin) ; polyclonal Ab임,
    비정상적인 T cell clone 파괴, rabbit보다 horse ATG가 더 효과적임 (IV로 4일간 투여)
  - <u>cyclosporine</u> (CsA) : T cells 활성화 억제 및 IL-2 억제하여 T cells 증식↓, ATG와 병용시
    효과↑, oral로 보통 6개월간 투여
- 60~70%에서 혈액학적 반응 (수혈이 필요 없고, 감염을 방어할 수준의 neutrophil count 회복)
  - 이중 20~30%는 완전 반응, 특히 소아에서 더 성적 좋음
  - 대개 치료 후 2달 이내에 반응(granulocyte 증가), ~6개월까지는 반응 평가
- steroid (e.g., prednisone) : ATG와 동시에 시작해 10~14일간 병용
  (∵ serum sickness의 부작용 방지위해 / AA 자체에는 효과 없음)

- 최근에는 ATG + CsA에 eltrombopag도 추가한 병합요법이 initial IST로 권장됨!

  | Eltrombopag + ATG + CsA + steroid | (∵ 혈액학적 반응↑, 생존율↑)

- ATG (or ALG)의 부작용

  ① 클론성 혈액질환 ; 10~20%에서 치료 몇 년 뒤 MDS, AML 발생

  ② serum sickness ; fever, skin rash, arthralgia

  - 치료 시작 후 약 10일 뒤에 발생 /Tx ; steroid (→ avascular joint necrosis 발생 위험)

  - 예방 ; 투여 전 skin test로 horse serum에 대한 hypersensitivity 확인,

    2주간 steroid의 예방적 투여, ATG IV 직전 AAP와 diphenhydramine 투여

- CsA의 부작용 ; 신독성, 고혈압, 경련, 기회감염 등

  (특히 *P. jirovecii* → inhaled pentamidine 예방적 치료 권장)

- 재발률 : 처음 IST에 반응했던 환자는 약 10% (15년 뒤에는 ~35%)

  - 연령이나 AA severity와는 관련 없음, 재발이 꼭 사망률 증가를 의미하는 것은 아님

  - 처음 IST에 반응했다가 재발한 경우 대개 같은 요법으로 재치료함 → 대개는 다시 반응함!

    (horse ATG를 사용했으면 rabbit ATG로 대치)

- refractory AA ; eltrombopag, alemtuzumab, cyclophosphamide (부작용 심함), HCT 등

(3) 기타 치료

① eltrombopag (Revolade®) : thrombopoietin receptor에 작용하여 platelet 생성을 증가시키는

  약제였으나, anemia와 neutropenia에도 효과가 있는 것으로 알려져 severe AA에도 사용됨

  (TPO mimetics), oral 제제, IST와 동시에 시작, 6개월간 투여 (매일)

② alemtuzumab : anti-CD52 mAb (mature lymphocytes가 타겟)

③ androgen : 대부분 유의한 효과가 없어 사용×

④ G-CSF, GM-CSF : neutropenia가 심한 경우 감염의 예방을 위해 고려 가능,

  severe AA의 초치료로는 권장 안됨, IST에 추가해도 반응률이나 생존율 향상 없음

  c.f.) EPO는 AA에 효과 없음, IFN-γ는 골수기능을 저하시킴

⑤ splenectomy : 재발하거나 치료에 반응이 없는 경우에서 때때로 혈구 수를 증가시킬 수 있음

⑥ SLE에 의한 aplastic anemia → plasmapheresis + high-dose prednisone

(4) 수혈

① RBC transfusion : Hb <7 g/dL or Hb <8 g/dL & 증상 있을 때

  - Hb 7 g/dL (심폐질환 존재시엔 9 g/dL) 이상으로 유지

  - nonfunctioning BM 환자에서 정상적인 소실의 보충 : 2주마다 2 units

  - 적혈구 1 unit는 철 200~250 mg 함유 → 철 과다축적(2ndary hemochromatosis) 방지 필요

    ⇨ ferritin monitoring : >1000 ng/mL이면 (or 20~50번 수혈 때 마다) iron chelator 투여

      : deferoxamine (Desferal®, SC/IV) or deferasirox (Exjade®, oral)

② platelet transfusion : platelet count <10,000 /μL or 임상적 출혈 있을 때

  - platelet count 10,000/μL 이상으로 유지

  - active bleeding or infection시에는 20,000/μL 이상으로 유지! (DIC R/O도 필요)

  - 단일 공여자로부터의 수혈(apheresis platelets성분채집 혈소판) or HLA-일치 혈소판 수혈 권장

③ HCT 예정 환자는 HLA에 대한 sensitization (→ graft rejection↑)에 주의
  − 가족으로부터는 수혈 받지 않는다!
  − 혈액제제의 수혈시 leukocyte-depleting filter를 사용
  − 가능한 수혈을 많이 받기 전 조기에 HCT를 시행해야 됨!

(5) 보존적 치료
  • infection (fever) : 감염균 확인 전에 적극적인 경험적 항생제 치료
    − fever 없으면 prophylactic antibiotics는 권장 안됨 (∵ 효과 無, 내성균↑)
    − 항생제/항진균제에 반응 없는 심각한 neutropenia (<200/μL) 환자 일부는
       granulocytes 수혈이 도움될 수도 있음
    − 비흡수성 항생제를 이용한 장관오염제거는 효과 없음
  • 근육 주사는 피한다 (∵ 출혈 경향)
  • aspirin 및 NSAIDs는 금기 (∵ 혈소판 기능 억제)
  • 여성은 월경을 억제 ; oral estrogen, nasal FSH/LH antagonists

  c.f.) fibrinolysis inhibitors (e.g., aminocaproic acid) : 점막 출혈 감소효과 없음

순수적혈구무형성증(pure red cell aplasia, PRCA)

1. 개요
  • BM에서 RBC만 선택적으로 생산 못하는 상태 (WBC와 platelet count는 정상)
  • severe normochromic normochromic anemia & reticulocytopenia
  • BM : normocellular, 형태적으로는 정상, erythroid precursor만 심하게 감소되거나 없음
    (M:E ratio → 10:1~200:1)
    c.f.) aplastic anemia는 hypocellular marrow, MDS는 비정상 형태 (dysplasia)

2. 원인/분류

(1) hereditary PRCA (Diamond-Blackfan syndrome)
  : AR 유전, 대부분 생후 1년 이내 증상 발생, 흔히 steroid에 반응함

(2) acquired PRCA
  : AA 처럼 다양한 원인/기전에 의해 발생 (성인은 대부분 면역학적 기전)

Primary (Idiopathic) PRCA
Secondary PRCA
Thymoma (~5%에서)
Lymphoid malignancies ; CLL (~6%에서), LGL (~7%에서), lymphoma, myeloma 등
Myeloid malignancies ; hypoplastic MDS (특히 5q- syndrome), CML, PMF 등
Autoimmue ; SLE, RA, AIHA, rEPO에 대한 Ab, ABO-부적합 HCT 이후 ABO에 대한 Ab
Virus ; parvovirus B19, hepatitis, EBV, HIV, adult T-cell leukemia virus
Paraneoplastic syndrome, Pregnancy
Drugs ; phenytoin, TMP-SMX, zidovudine, azathioprine, chloramphenicol, procainamide, INH, MMF

$$\left[\begin{array}{l}\text{PRCA 환자의 1/2에서 thymoma 동반} \\ \text{thymoma 환자의 5~10\%에서 PRCA 동반}\end{array}\right.$$

* 소아/태아에서도 parvovirus 감염과 관련되어 발생 가능
    - BM : giant pronormoblast (parvovirus 감염의 특징)
    - nonimmune hydrops fetalis (자궁내 parvovirus B19 감염)
    - transient aplastic crisis of hemolysis (급성 parvovirus B19 감염)
    - transient erythroblastopenia of childhood
    - parvovirus 감염의 진단 : 혈중 viral DNA 검출 (항체는 대개 없다)

3. 치료

- 원인이 밝혀진 경우에는 원인 치료
    - thymoma 있는 경우 → thymectomy (but, anemia는 호전 안 될 수도 있음 → 면역억제제)
    - parvovirus B19와 관련 → high-dose IV immunoglobulin (IVIG)에 거의 대부분 반응
    - 원인 약물의 중단 등
- supportive care (RBC transfusion & iron chelation)만으로도 장기간 생존 가능
- idiopathic (or immune-mediated) PRCA : 대부분 면역억제제에 잘 반응

$$\left[\begin{array}{l}\text{1st-line ; steroid,} \\ \text{2nd-line ; cyclosporine, cyclophosphamide} \\ \text{3rd-line ; IVIG, ATG, azathioprine, rituximab, alemtuzumab, daclizumab (anti-IL2-R)}\end{array}\right.$$

- 예후는 좋은 편임 (대부분 10~20년 이상 생존)

골수치환빈혈 (Myelophthisic anemia, Secondary myelofibrosis)

1. 개요

- 정의 : BM에 fibrosis, tumor, granuloma 등이 침윤되어 심한 혈구감소(cytopenia)가 발생한 것
- 병태생리
    ① myelofibrosis : BM에서 fibroblasts의 증식 (∵ growth factor 생산 조절의 이상으로)
    ② hematopoiesis의 확장 (myeloid metaplasia)
        ⇨ long bones, extramedullary (spleen, liver, LN 등)
    ③ ineffective erythropoiesis

2. 원인

1. Myelofibrosis (→ 다음 장 참조)
   1. Primary myelofibrosis
   2. Secondary

2. Neoplastic infiltration
   1. Hematologic malignant diseases
      Leukemias, Lymphomas, Plasma cell myeloma
   2. Nonhematologic malignant diseases
      Carcinomas (특히 breast, prostate, lung, stomach ca.)
      Neuroblastoma

3. Granulomatous infections
   1. Mycobacteria (TB, NTM)
   2. Fungal infections

4. Metabolic abnormalities
   1. Lipid storage diseases (e.g., Gaucher's disease)
   2. Osteopetrosis

3. 검사소견

(1) PB

- normocytic normochromic anemia
- leukoerythroblastosis (백적아구증)이 특징 ($\because$ extramedullary hematopoiesis)
  : immature myeloid cells과 normoblasts (nRBC)가 동시에 PB에 나타나는 것
- tear-drop cells (누적세포) → myelophthisis, myelofibrosis의 특징!
- WBC 및 platelet counts는 증가되는 경우가 흔함
  (때때로 leukemoid reaction 비슷한 양상을 보이며, giant platelets도 흔함)

(2) BM

- aspiration : "dry tap"
  - myelofibrosis 및 종양의 골수전이 등으로 packed marrow시 발생
  - 때때로 tumor cells 등이 나올 수도 있음
- biopsy ; fibrosis, tumor, granuloma 등

4. 치료/예후

- 원인 질환의 치료 (특히 TB, fungus 같이 치유될 수 있는 질환)
- 보존적 치료 : 수혈 등
- 경과는 원인 질환에 따라 다름

4
골수증식종양(MPN)

- myeloproliferative neoplasms (MPN) : 조혈세포(hematopoietic cells)의 악성변화(clonal changes)로 인한 질환군으로, 정상적인 성숙(maturation)을 거치는 효율적(effective) 조혈로 인해 말초에서 myeloid 계열(granulocytic, erythroid, or megakaryocytic) 성숙 세포의 양적 증가를 초래하는 질환
- 대부분 splenomegaly를 동반하며, 만성적인 경과를 밟음

Myeloid neoplasms의 WHO classification (2016, Revision 4th)
Myeloproliferative neoplasms (MPN)
Chronic myeloid leukemia (CML), *BCR-ABL1*–positive
Chronic neutrophilic leukemia (CNL)
Polycythemia vera (PV)
Primary myelofibrosis (PMF)
Primary myelofibrosis, prefibrotic/early stage (prePMF)
Primary myelofibrosis, overt fibrotic stage
Essential thrombocythemia (ET)
Chronic eosinophilic leukemia (CEL), not otherwise specified (NOS)
Myeloproliferative neoplasm, unclassifiable
Mastocytosis
Myeloid/lymphoid neoplasms with eosinophilia and abnormalities of *PDGFRA, PDGFRB, FGFR1, or PCM1-JAK2*
Myelodysplastic/myeloproliferative neoplasms (MDS/MPN)
Chronic myelomonocytic leukemia
Atypical chronic myeloid leukemia, *BCR-ABL1*–negative
Juvenile myelomonocytic leukemia
Myelodysplastic/myeloproliferative neoplasm with ring sideroblasts and thrombocytosis (MDS/MPN-RS-T)
Myelodysplastic/myeloproliferative neoplasm, unclassifiable
Myeloid neoplasms with germline predisposition

* Acute leukemia와 MDS는 해당 chapeter에서

만성골수성백혈병 (Chronic myeloid leukemia, CML)

1. 개요

- 정의 : Philadelphia (Ph) chromosome 상의 *BCR-ABL1* fusion gene을 동반한 MPN으로 말초의 granulocytosis (neutrophilic leukocytosis)가 특징임
- myeloid cells은 well differentiated, 기능도 거의 정상 (effective hematopoiesis)
- 성인 백혈병의 15~20% 차지, 남자가 약간 더 많음, 평균 50~60세에 발생

- 병인 : 9번 염색체($ABL1$)와 22번 염색체(BCR)의 장완간의 balanced reciprocal translocation
  : t(9;22)(q34.1;q11.2) ⇨ 짧아진 <u>22번</u> 염색체에서 $BCR-ABL1$ fusion gene 생성
  (↳ Philadelphia chromosome이라고 부름)
  - oncogenic activation 발생 (∵ $ABL1$: protooncogene)
  - BCR-ABL1 fusion oncoprotein → kinase activity↑ → CML cells proliferation↑, apoptosis↓
  - 대부분 $M-BCR$ (major breakpoint)에서 절단이 일어나 translocation됨
    → 분자량 210 kDa인 p210$^{BCR-ABL1}$ fusion protein 생성 [e13a2 or e14a2]
    ; BCR 유전자 exon 13 (or 14)와 ABL 유전자 exon 2가 결합되어 e13a2 (b2a2) or e14a2 (b3a2)라고 명칭
  - 2~5%는 breakpoint 변화에 따라 분자량이 다른 BCR-ABL1 oncoprotein 생성
    ① minor-BCR region ($mBCR$) → p190$^{BCR-ABL1}$ (e1a2) ; poor Px. (주로 Ph+ ALL의 2/3에서 나옴)
    ② micro-BCR region ($\mu-BCR$) → p230$^{BCR-ABL1}$ (e19a2) ; <1%, more indolent CML course
    ⇨ routine real-time PCR에서는 검출 안 될 수도 있음

  c.f.) $BCR-ABL1$은 정상인의 25~30%에서도 매우 낮은 농도로 양성으로 나올 수 있음
  (연령이 증가할수록 양성률 높음, 대부분 악성 혈액암으로 진행은 안 함)
- 원인 (대부분은 모름) ; 원폭 수준의 대량 radiation만 유일한 위험인자 (cytotoxic drugs나 virus는
  관련 없음), 가족력 없음 (쌍둥이에서 발병 증가×), 흡연은 CML의 진행을 촉진시킴
- chronic leukemia의 95% 차지 (전체 성인 leukemia의 약 20% 차지)
- 발생률 10만 명당 약 1~2명 (우리나라 약 0.55명), 40~50대 이후에 호발, 남자가 약간 많음

2. 임상양상

- 처음 진단시 대부분(90~95%) 만성기(chronic phase) 임
- 만성기의 증상은 뚜렷하지 않음 (20~40%는 무증상으로 검사 중 우연히 발견)
- fatigue, night sweats, low-grade fever, 체중감소 ...
- splenomegaly (90%, LUQ 불쾌감/복통, 조기 포만감), hepatomegaly (50%)
- 드물게 granulocyte/platelet dysfunction에 의한 infection, thrombosis, bleeding 등이 발생 가능
- leukostasis로 인한 Sx (드묾) ; vasoocclusive dz., CVA, MI, venous thrombosis, priapism,
  respiratory distress, blurred vision ...
- CML이 진행하면 증상도 악화됨 ; fever, 심한 체중감소, bone & joint pain (e.g, sternal
  tenderness), bleeding, thrombosis, infections → accelerated or blastic phase를 시사
- WBC count, tumor mass, spleen 크기 등은 서로 연관
- p230$^{BCR-ABL1}$(+) CML : 진행이 더 느림, 현저한 neutrophil 성숙과 thrombocytosis가 특징임
- lymphadenopathy 및 myeloid sarcoma는 드묾 (→ 존재시 poor Px.)

3. 검사소견

(1) PB

- 심한 leukocytosis (가장 특징적!) : 평균 100,000/ μL (12,000~1,000,000)
  - 모든 성장 단계의 myeloid cells이 다 보임 (left-shifted), 형태이상(dysplasia)은 없음
  - 그 중에서도 myelocytes와 neutrophils이 m/c, basophilia와 eosinophilia도 특징
  - blasts는 5% 미만, "blast + promyelocyte"는 10% 미만

- RBC ; normal ~ mild normocytic normochromic anemia, 약간의 normoblast (nucleated RBC)
- platelet count : 대부분 증가 (c.f., acute leukemia에서는 거의 대부분 감소)

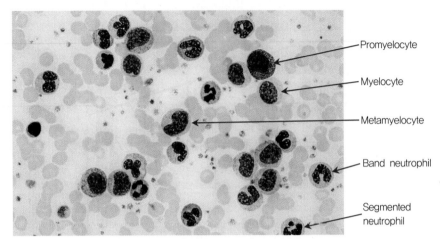

CML의 PB 사진
: 다양한 성숙 단계의 neutrophilic granulocytes가 대부분을 차지하며,
BM aspiration 사진도 PB와 거의 비슷한 양상을 보임

(2) BM

- cellularity ↑↑, M/E ratio ↑, megakaryocytes ↑
- myeloblast는 증가하지 않음 (<5%)
- 약 50%에서 reticulin fibrosis 보임 (collagen fibrosis는 비교적 드묾)

(3) 기타

- LAP (NAP) score (정상 : 30~130점) : ↓~0 … CML의 특징! (but, 최근엔 거의 이용 안함)
  - accelerated or blastic phases에서는 증가 (infection시도 ↑)
  - 감소되는 질환 ; CML (chronic phase), PNH, AML (약 1/3), PMF (약 1/5) ...
- serum vitamin B_{12} ↑↑ (∵ WBC에서 transcobalamin I, III 생산 증가 때문)
- serum vitamin B_{12}-binding protein (capacity)도 증가됨
- serum LD, uric acid, lysozyme ↑
- phagocytic function : 만성기에는 대개 정상
- histamine 생산↑ (∵ basophilia) : 말기에 증가 (→ pruritus, diarrhea, flushing)

(4) 염색체/유전자검사 … 확진

- Ph chromosome [t(9;22)(q34.1;q11.2)] ; G-band karyotyping (CBA), 90~95%에서 (+)
- Ph(-) CML : 5~10%에서   [chromosome banding analysis]
  - karyotyping에서 검출 안되는 cryptic or variant translocations (e.g, t(9;14;22))
  - FISH (BCR-ABL1 fusion gene 검출) or RT-PCR (BCR-ABL1 fusion mRNA 검출)에서는 대부분 (+)
    ↳ variant를 포함한 다양한 molecular fusions (e.g., e13a2, e14a2, e1a2) 검출 가능, Ph(-)시 반드시 시행!
  - qualitative RT-PCR ; transcript의 종류 확인 (추후 RQ-PCR 검사에서 검출 가능한 지 여부 포함)
- real-time quantitative PCR (RQ-PCR) : 가장 예민 (→ MRD monitoring에 유용!),
  일부 kit는 variant transcripts를 검출 못할 수도 있음 (→ 위음성 → FISH로 monitoring)
- * 모든 검사에서 BCR-ABL1 (-)면 다른 MPN 고려 (e.g., CNL, atypical CML, PV, ET)

4. CML의 자연경과

(1) chronic phase (CP, >90%)

- splenomegaly 이외의 특별한 증상이 없음, BM 기능 정상
- 치료 안하면 평균 2~5년 지속되다가 accelerated or blastic phase로 전환(transformation)

(2) accelerated phase (AP)

- Sx, anemia, splenomegaly 등 심해지고 WBC count control이 점점 어려워짐
- 5~10%는 de nove AP or BP로 처음 진단됨
- TKI 치료로 드물어졌고(AP+BP ≤1%/yr), AP는 TKI 치료에도 장기 반응도 좋음
  (e.g., de nove AP는 8YSR 75%, CP에서 전환된 AP는 4YSR 70%)

Accelerated phase (AP)의 진단기준 (WHO 2016) : 다음 중 한 개 이상

1. 치료에 반응 없이 leukocytosis (>10,000/μL) 지속되거나 악화
2. 치료에 반응 없이 splenomegaly 지속되거나 악화
3. 치료에 반응 없이 thrombocytosis (>100만/μL) 지속
4. 치료와 관계없이 thrombocytopenia (<10만/μL) 지속
5. PB에서 basophils 증가 (≥20%)
6. PB/BM에서 blasts 증가 (10~19%)
7. 진단시 Ph+ cells에 추가적인 클론성 염색체 이상 존재 ; "major route" abnormalities (2nd Ph, trisomy 8, isochromosome 17q, trisomy 19), complex karyotype, or 3q26.2 abnormalities
8. 치료 중 발생하는 Ph+ cells의 모든 새로운 클론성 염색체 이상 (clonal evolution)
9. 심한 reticulin or collagen fibrosis를 동반한 small abnormal megakaryocytes의 군집

Provisional: **Response to TKI Criteria**
- 1st TKI 치료에 hematologic resistance *or*
- 2 sequential TKIs 치료에 hematologic, cytogenetic or molecular resistance *or*
- TKI 치료 중 *BCR-ABL1*에서 2개 이상의 mutations 발생

* 5,6은 blast phase로의 진행도 시사함

---

(3) blast phase (BP, blastic crisis)

- 갑자기 발생 : (1)→(2)→(3) or (1)→(3) or (3)
- 진단기준 ; PB/BM에서 blasts ≥20% (acute leukemia와 비슷)
  or BM biopsy에서 large blast clusters *or* 골수 외 blast 침윤(chloroma or myeloid sarcoma)
- 약 70%는 myeloid, 20~30%는 lymphoid blast phase (50~80%는 myeloid markers도 발현)
- lymphoid BP는 매우 갑자기 발생하므로, PB/BM에서 lymphoblast가 약간 증가하면 바로 의심
  → anti-ALL CTx + TKI에 반응은 좋음 (CR 60~70%, median survival 2~3년)
- myeloid BP는 CTx.에 반응 나쁘고, 예후 더 안 좋음!

5. 치료

* 치료 목표 : complete cytogenetic response (CCyR)의 달성 및 유지

- TKI 치료로 CCyR이 계속 유지되면, 대부분 정상인과 거의 비슷한 수명을 갖게 됨
- TKI 치료 중 지속적인 반응 평가를 통해, 실패하면 약제 변경 등으로 오랜 반응 유지 가능
  (처음부터 강력한 TKI 제제를 사용할 필요는 없음 → 순차적 TKI 치료 권장)
- TKI는 평생 복용하는 것으로 여겨졌으나, complete MR (molecular cure)이 2~3년 이상
  유지되면 중단도 고려 가능 (∵ 비용, 부작용)

★ CML의 response criteria	Hematologic R. (HR)	Complete (CHR)	WBC <10,000/μL (immature cells 없음) Platelet count <450,000/μL Splenomegaly 정상화	첫 1개월은 1~2주마다 이후 CCyR 획득까지 1개월마다 CCyR 이후 3개월마다
	Cytogenetic R. (CyR) : BM metaphases with t(9;22)의 % CBA [Ph(−)시 FISH]	Complete (CCyR) Partial (PCyR) Minor (mCyR) Minimal (minCyR) No CyR	0% Ph+ metaphases 1~35% Ph+ metaphases 36~65% Ph+ metaphases 66~95% Ph+ metaphases 96~100% Ph+ metaphases	진단시, 3 & 6개월째 이후 CCyR 획득까지 6개월마다
	Molecular R. (MR)* : PB RQ-PCR**에서 *BCR-ABL1/ABL1* (%)	$MR^{4.5}$: complete MR^4 MR^3: Major (MMR) MR^2	4.5 log 이상 (≤0.0032%) 감소 4 log 이상 (≤0.01%) 감소 3 log 이상 (≤0.1%) 감소 2 log 이상 (<1%) 감소	MMR까지 매 3개월마다 이후 3~6개월마다 1 log 이상 증가시에는 1~3개월 내에 재검

*$MR^{4.5}$와 MR^4를 deep molecular response (DMR), $MR^{4.5}$를 complete MR (CMR)로도 부름

**RQ-PCR: real time quantitative RT-PCR ; 대조 유전자(*ABL1, BCR* 등) 대비 *BCR-ABL1* mRNA transcript %
⇨ 각 환자의 치료 전 level이 아닌 International Scale (IS)의 표준 baseline에서의 log 감소 값을 사용함

처음 진단된 CML 환자의 치료 반응 평가(monitoring) ★

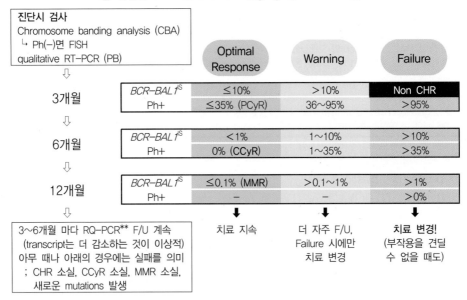

진단시 검사
Chromosome banding analysis (CBA)
└ Ph(−)면 FISH
qualitative RT-PCR (PB)

		Optimal Response	Warning	Failure
3개월	$BCR-BAL1^{IS}$	≤10%	>10%	Non CHR
	Ph+	≤35% (PCyR)	36~95%	>95%
6개월	$BCR-BAL1^{IS}$	<1%	1~10%	>10%
	Ph+	0% (CCyR)	1~35%	>35%
12개월	$BCR-BAL1^{IS}$	≤0.1% (MMR)	>0.1~1%	>1%
	Ph+	−	−	>0%

	Optimal Response	Warning	Failure
	치료 지속	더 자주 F/U, Failure 시에만 치료 변경	**치료 변경!** (부작용을 견딜 수 없을 때도)

3~6개월 마다 RQ-PCR** F/U 계속
(transcript는 더 감소하는 것이 이상적)
아무 때나 아래의 경우에는 실패를 의미
; CHR 소실, CCyR 소실, MMR 소실,
새로운 mutations 발생

(1) TKI (tyrosine kinase inhibitor)
- 처음 진단된 CML 환자의 TOC (cure는 아니지만, 매우 장기간 안전하게 dz. control 가능)
- 과거 치료제들(e.g., IFN-α, cytarabine, hydroxyurea)보다 훨씬 효과 좋고, 부작용 적음
- 기전 ; BCR-ABL 단백의 inactive ABL kinase domain의 ATP site에 결합하여 ABL TK를
    특이적으로 억제함 ⇨ BCR-ABL(+) 종양세포의 성장 억제 (apoptosis 유발)
  - imatinib ; BCR-ABL, PDGFR, c-kit 등의 TK (tyrosine kinase) 억제
  - nilotinib ; imatinib과 구조 비슷함 (30배 강력한 효과)
  - dasatinib, bosutinib ; ABL 이외에 SRC family TK도 억제 (300배 / 30~50배 강력)
  - ponatinib ; ABL1 이외에 다양한 신호전달체계 억제 (c.f., VEGFR 억제 → HTN)

TKI	약제	적응(초치료)			표준용량 (CP/AP,BP)	신장/간기능에 따른 용량 조절	부작용
		CP	AP	BP			
1세대	Imatinib (Gleevec®)	◎	○	○	400 mg/day 600 mg/day	○(신장,간)	N/V (m/c), 설사, 체액저류(부종-특히 <u>눈주위</u>) 체중증가, 피부발진, 뼈/근육통증, 피곤 등 BM억제 (흔하지만 대부분은 mild)
2세대	Nilotinib (Tasigna®)	◎	○	○	300 mg/day 400 mg/day	○(간) 공복시 복용	<u>고혈당</u>(10~20%), 가려움, 피부발진, 두통, bilirubin↑, <u>QT↑</u>(2~33%, <u>SCD 위험!</u>)
	Dasatinib (Sprycel®)	◎	◎	◎	100 mg/day 140 mg/day	×	다른 부작용은 적은 편이나... <u>BM억제</u>[1](20~30%), 심장막삼출(≤5%), <u>흉수</u>[2](~30%), <u>폐고혈압</u>(<5%), QT↑(2%)
	Bosutinib (Bosulif®)	○	◎	◎	500 mg/day	○(신장,간)	설사(70~85%, 대개 자연 회복됨), <u>간독성</u>
3세대	Ponatinib (Iclusig®)		○	○	30~45 mg/day	○(간) CYP3A inhibitors 병용시에도 조절	고혈압(50~60%, 20%는 심함), 췌장염(10%), 피부발진(10~15%), <u>동맥폐쇄성질환/혈전증</u>(심장, 뇌, 말초혈관)[3]

c.f.) 국내 개발 신약으로 2세대 TKI인 **radotinib** (Supect®)도 있음 (다른 2세대 대비 부작용 적은 듯)

1) BM 억제 : 모든 TKIs에서 가능 (→ 일시 중단 후 회복되면 동일용량으로 재투여), dasatinib이 m/c
   ↳ ANC <1000, platelet <5만이 되면 치료 중단! (심하면 수혈, anemia가 매우 심하면 ESA도 투여 고려)
2) Dasatinib의 폐 부작용 ; 흉수(→ 심하면 중단, steroid, 회복되면 낮은 용량으로 재투여), 폐고혈압(→ 영구 중단)
3) 동맥폐쇄성질환 : 모든 TKIs에서 가능하지만 ponatinib (m/c) > nilotinib, dasatinib >> imatinib
   ↳ 드물지만 발생시 survival에 영향을 줄 만큼 심각함
* 장기 부작용 ; 신기능↓(Cr >2-3 mg/dL, imatinib과 bosutinib, 감량/중단하면 대개 회복됨)

- CP-CML 초치료(1st-line) ⇨ <u>imatinib</u> or <u>nilotinib</u> or <u>dasatinib</u> (high-risk는 2세대 권장)
  - 어느 약을 더 권장하는 기준은 없음 → dz. risk 약제부작용, 동반질환, 가격 등을 고려해 선택
    (2세대 TKIs가 초기 반응과 transformation↓에 더 효과적이지만, 장기 survival은 비슷함)
  - 표준용량보다 더 고용량을 사용해도 대부분 효과가 증가되지는 않음
  - 1st-line TKI에 불내성(intolerance)시 → 다른 1st-line TKI로 교체
  - imatinib에 실패시 → 2/3세대 TKI로 교체
  - 2세대 TKIs에 실패시 → 다른 2/3세대 TKI로 교체, alloSCT도 고려
  - 2가지 이상의 TKIs에 실패 or 불내성시 → 남은 TKIs, omacetaxine, alloSCT (권장)
- imatinib (Gleevec®) ; 2001년 CML 치료제로 승인(FDA), 인류 최초의 성공적인 표적 항암제
- 2세대 TKI ; nilotinib, dasatinib, bosutinib, radotinib
- 3세대 TKI ; ponatinib → T315I mutation이 존재하거나, 2가지 이상의 TKIs에 실패시 권장
- imatinib 내성(resistance) ⋯ 불규칙한 복용 or 낮은 용량이 m/c 원인
  - primary resistance : 처음부터 적절한 반응에 도달× (cytogenetic resistance는 15~25% 발생)
  - secondary resistance : 적절한 반응을 보인 뒤 소실되는 경우 (2년 뒤 약 8%에서)
  - BCR-ABL 비의존성(independent) ; P-glycoprotein에 의한 drug efflux, OCT(Organic Cation Transporter)1↓,
    다른 signal pathway (특히 SRC family TK) 활성화, clonal evolution 등
  - BCR-ABL 의존성(dependent)
    ① *BCR-ABL1* gene amplification↑ (overexpression) ⇨ imatinib 투여기간↑ or 용량↑
    ② *BCR-ABL1* kinase mutations (→ imatinib과 결합↓) ⇨ 작용 부위가 다른 TKI 사용
      예) <u>T315I mutation</u> (→ ponatinib 제외 모든 TKI에 내성), P-loop mutation (m/c, 예후는 논란)
        (c.f., ABL은 ATP-binding P-loop과 activation loop, 두 개의 flexible loops를 가짐)

- TKI 치료의 실패(failure) 및 재발(e.g., MMR 유지되다가 소실[*BCR-ABL1* % ↑])
  or AP/BP 환자는 TKI 약제 선택을 위한 *BCR-ABL1* kinase <u>mutation analysis</u> 시행!

Mutations	권장 치료
Y253H, E255K/V, F359V/C/I	Dasatinib
F317L/V/I/C, T315A, V299L	Nilotinib
E255K/V, F317L/V/I/C, F359V/C/I, T315A, Y253H	Bosutinib
<u>T315I</u> (모든 1/2세대 TKIs에 내성!!)	<u>Ponatinib</u>, omacetaxine, alloSCT

- **■ omacetaxine** mepesuccinate (Synribo®, formerly homoharringtonine) : SC
  - 개비자나무에서 추출한 물질로 강력한 TKI (단백질 합성 초기의 elongation 단계를 억제함)
  - BCR-ABL을 더 특이적으로 억제, T315I mutation에도 효과적임
  - Ix ; 2가지 이상의 TKIs에 실패 or 불내성인 CP/AP CML 환자 (2012년 FDA 허가)
  - BM toxicity 심함 (77%에서 thrombocytopenia, 44%에서 neutropenia, 39%에서 anemia)

(2) 동종 조혈모세포이식 (allogenic SCT, alloSCT)

- 유일한 완치법 : 장기 생존률(≒완치) CP 때 시행시 50~85% (2nd CP 때는 40~50%),
  AP 때는 30~40% (clonal evolution 만으로 시행시 40~50%), BP 때는 5~15%
  (but, 10~15%는 재발보다는 이식의 합병증으로 사망)
- TKI 치료 이후에 시행해도 SCT 치료 성적에는 영향 없음
  (but, high-risk 환자에서 늦게 시행하면 dz. progression↑ → close F/U해야)
- 적응 : 65~70세 이하, TKI 치료에 실패하거나 불내성(intolerance)으로 사용할 수 없을 때
  - 3rd-line으로 ; 1st 및 2nd TKIs 치료에 모두 실패시
  - 2nd-line으로 ; clonal evolution, unfavorable mutations, 2nd TKI 치료 1년 이후에도
    cytogenetic response 부족 등
  - BP에서는 CML burden 최소화 후 가능한 빨리
- 공여자 : HLA-identical 가족 or HLA-matched 비혈연
  - PBSCT : 생착(engraftment)이 빠르고 공여자에게 덜 위험, graft-versus-tumor effect↑
    - 비혈연간 이식에서는 BMT와 효과 동일
    - 가족간 이식은 BMT보다 재발률은 낮고, chronic GVHD 발생률은 높음
    * CP에서는 기관에 따라 BMT or PBSCT, AP/BP에서는 PBSCT 선호
  - 제대혈(umbilical-cord blood transplantation, UCBT) : HLA가 완전히 일치하지 않아도 되고,
    GVHD도 적음 (but, 성인에서 이식하기에는 양이 부족)
- 전처치
  - myeloablative ; IV busulfan + cyclophosphamide (가능하면 선호)
  - NST (non-myeloablative SCT) or RIC (reduced intensity conditioning)
    : 전처치 강도↓ (BM 전체보다는 lymphocyte만 제거) → 독성↓ (→ 고령에서도 시행 가능)
- 이식편대숙주질환(GVHD)
  - grade I GVHD : GVHD가 없을 때보다 재발률 낮다
    (∵ donor T-lymphocyte의 GVL [graft-versus-leukemia] effect)
  - grade II GVHD : 이식관련 사망률이 크게 증가

- 이식 후 관리 및 치료
  - MRD/relapse monitoring … *BCR-ABL1* RQ-PCR (PB)
    - CP에 SCT 시행한 경우 → close monitoring (첫 2년은 3개월마다, 이후 6개월마다)
    - AP/BP에 시행한 경우 → SCT 이후 2년간 TKI 치료 권장 (특히 전처치로 NST 시행시)
  - SCT 이후 재발 ⇨ TKI, DLI (donor lymphocyte infusion), 면역억제제 감량, 2nd SCT 등
- 자가조혈모세포이식(autologous SCT)는 대부분 재발하므로 권장 안됨

(3) 기타

- chemotherapy : 주로 palliative 목적 (WBC count 또는 증상의 빠른 호전), 완치(cure)는 불가능
  ; hydroxyurea (oral, DOC), busulfan, cytosine arabinoside (Ara-C) …
- leukapheresis : leukostasis (WBC >200,000/μL)로 심각한 합병증(e.g., 호흡 부전, CVA)
  발생 위험시(e.g., 호흡곤란, 두통) or 임신 초기 다른 치료가 불가능할 때 고려
- splenectomy : 수술의 위험성이 크므로 일반적으로는 시행 안함
  - Ix. ; TKIs or CTx에 반응없는 painful splenomegaly,
    hypersplenism에 의한 심한 anemia/thrombocytopenia

(4) blastic phase (crisis)의 치료

- TKI 단독 치료는 CP 때에 비해 반응 나쁨
  ; CHR은 AP 때 30~50%, BP 때 20~30% / CCyR은 드물고(10~30%) BP에서는 일시적임
- remission induction (TKI는 2/3세대 권장)
  - lymphoid BP ⇨ TKI + anti-ALL CTx (반응 좋음 ; CR 60~70%, median survival 2~3년)
  - myeloid BP (CTx에 반응 안 좋음) ⇨ de novo myeloid BP는 TKI 단독 권장,
    TKI 치료 중 진행된 BP는 TKI + anti-AML CTx (CR 30~50%, median survival 9~12월)
- remission 이후 minimal CML burden (or 2nd CP) 때에 <u>alloSCT</u> 시행
- alloSCT 불가능한 환자 (예후 나쁨) ⇨ TKI 유지요법 (드물게 장기 생존 가능) or clinical trials

  * AP는 TKI 단독 치료로 장기 생존 가능 (de nove AP는 8YSR 75%, CP→AP는 4YSR 70%)
    ↳ 예외; AP/BP의 T315I mutation은 alloSCT 고려 (∵ ponatinib의 장기 효과 정보 부족)

6. 예후

- TKIs의 도입 이후 생존율 크게 향상됨
  - 사망률 약 2%/yr (CML에 의한 사망은 1%/yr 미만)
  - 10YSR 85% (CML 관련 사망만 계산하면 93%)
- <u>prognostic indicators</u> (risk scoring system)
  - Sokal score ; circulating blasts%, spleen size, platelet count, age
  - Hasford (or Euro) score ; Sokal score에 eosinophils% & basophils% 추가
    (→ 위 2개는 imatinib 도입 전에 만들어진 system이지만, imatinib 치료 환자에도 적용 가능)
  - EUTOS score ; imatinib 이후 만듦, basophils%와 spleen size만으로 계산
  - EUTOS long-term survival score (ELTS) ; circulating blasts%, spleen size, platelet count, age

- 가장 중요한 예후 인자는 TKI (e.g., imatinib) 치료에 대한 반응임
  - complete cytogenetic response (CCyR) 달성 (m/i) → 유일하게 survival↑와 관련
  - major molecular response (MMR) → relapse & transformation↓ (survival↑과는 관련×)
  - BCR-ABL1 transcript 검출× (특히 2~3년 이상 유지시) → Tx-free remission 확률↑
    → 필요한 경우(e.g., 임신을 원하는 여성) 치료를 일시적으로 중단도 가능
  * major or complete MR 달성 실패가 치료 실패를 의미하는 것은 아님 (→ 치료 변경×)
  - CCyR 이후에는 위의 scoring system들의 예후인자는 재발 위험과 관련 없음

■ CML의 감별진단

(1) Leukemoid reaction (reactive neutrophilia)

: 감염, 염증, 암 등에 의한 이차적인 leukocytosis (≥5만/μL) with left-shifted neurophils

	Leukemoid reaction	CML
Ph or *BCR-ABL1*	−	+
LAP score	N or ↑	↓
Vitamin B$_{12}$	N	↑
Basophil, eosinophil %	N or ↓	↑
PB의 myelocyte	few	many
Splenomegaly	−	+
Sternal tenderness	−	+

(2) 다른 대표적 MPN들과의 비교

	BCR-ABL1(+)	*BCR-ABL1*-negative MPN		
	CML	PV	ET	PMF
Hematocrit	N~↓	↑	N	↓
WBC count	↑↑↑	N~↑	N~↑	↑~↑↑
Platelet count	↑~↓	↑	↑↑↑	↑~↓
Splenomegaly	+++	++	+	+++
Marrow fibrosis	±	±~+	±	+++
Megakaryocytes 형태	Small, hypolobulated, monolobulated	약간 hyperlobulated, 크기 다양, atypical 형태	Uniform, large~giant, hyperlobulated (사슴 뿔 모양)	크기 다양, atypical 형태 심함, 핵이 구름 모양 or 둥글납작
Genetics	*BCR-ABL1* (거의 100%)	*JAK2* V617F (~95%), *JAK2* exon 12 mutation (~5%)	*JAK2* ~60% *CALR* ~23% *MPL* ~7%	*JAK2* ~55% *CALR* ~27% *MPL* ~7%

(3) Chronic neutrophilic leukemia (CNL)

CNL의 진단기준 (WHO 2016)

1. PB leukocytosis (≥25,000/μL)
   - Segmented & band neutrophils ≥80%
   - Neutrophil presursors (promyelocytes, myelocytes, metamyelocytes) <10%
   - Myeloblasts 거의 없음
   - Monocytes <1,000/μL
   - Dysgranulopoiesis 없음
2. Hypercellular BM
   - Neutrophil granulocytes 증가(% & number)
   - Neutrophil maturation 정상
   - Myeloblasts <5% of nucleated cells
3. *BCR-ABL1*(+) CML, PV, ET or PMF의 WHO criteria에 해당 안 됨
4. *PDGFRA, PDGFRB, FGFR1, or PCM1-JAK2* rearrangement 없음
5. *CSF3R* T618I or other activating CSF3R mutation 존재
   ———————— OR ————————
   CSFR3R mutation 음성이면 persistent neutrophilia (3개월 이상), splenomegaly &
   Reactive neutrophilia의 원인 없음(plasma cell neoplasm 포함)
   or 원인 있으면 세포/분자유전검사에서 myeloid cells의 clonality 입증

(4) MDS/MPN (myelodysplastic/myeloproliferative neoplasms)

: 모두 Ph chromosome (−) & *BCR-ABL* (−)

① atypical CML, *BCR-ABL1* negative (aCML)

aCML의 진단기준 (WHO 2016)

1. Leukocytosis with neutrophilia
   & neutrophil precursors (promyelocytes, myelocytes, metamyelocytes) ≥10% of WBC
2. Dysgranulopoiesis (abnormal chromatin clumping도 포함)
3. Basophils <2%   4. Eosinophils <10%
5. Hypercellular BM with granulocytic proliferation & dysplasia
6. PB/BM blasts <20%
7. *PDGFRA, PDGFRB, FGFR1, or PCM1-JAK2* rearrangement 없음
8. *BCR-ABL1*(+) CML, PV, ET or PMF의 WHO criteria에 해당 안 됨

- myeloid cells의 현저한 dysmorphic features (myelodysplastic change)
- thrombocytopenia, monocytosis (but, eosinophilia or basophilia는 없음)
- ~1/3에서 *SETBP1* and/or *ETNK1* mutations 양성, CNL의 *CSF3R* mutation은 드묾(<10%)
- blastic phase로의 전환은 드묾, 예후 나쁨 (평균 11~18개월 생존)

② CMML (chronic myelomonocytic leukemia)

CMML의 진단기준 (WHO 2016)

1. 지속적인 말초혈액의 monocytosis (≥1000/μL & ≥10%)
2. *BCR-ABL1*(+) CML, PV, ET or PMF의 WHO criteria에 해당 안 됨
3. *PDGFRA, PDGFRB, FGFR1, or PCM1-JAK2* rearrangement 없음 (특히 eosinophilia 동반시)
4. PB/BM에서 blasts 20% 미만*
5. 하나 이상의 myeloid 계열에서 dysplasia 존재
   Myelodysplasia가 없거나 경미하면 (1) clonal cytogenetic or molecular abnormality 존재**
   or (2) monocytosis가 3개월 이상 지속 & monocytosis의 다른 원인 없으면 CMML로 진단

* Blasts & blast equivalents = myeloblasts, monoblasts, promonocytes
** *TET2, SRSF2, ASXL1* (poor Px), *SETBP1* 등의 mutation이 흔함 (but, 정상 노인에서도 나타날 수)

③ JMML (juvenile myelomonocytic leukemia)

JMML의 진단기준 (WHO 4th, modified from Locatelli & Niemeyer, 2014)

Ⅰ. 임상적 & 혈액학적 기준 (4개 모두 만족)
   1. PB monocytosis (≥1000/μL)
   2. PB/BM에서 blasts (promonocytes 포함) 20% 미만
   3. Splenomegaly
   4. Ph chromosome or *BCR-ABL1* 음성

Ⅱ. 유전검사 (한 개 이상 양성)
   1. *PTPN11, KRAS or NRAS*의 somatic mutation (germline mutation은 안 됨)
   2. *CBL*의 germline mutation & *CBL*의 heterozygosity loss
   3. 임상적으로 NF1 진단 or *NF1* mutation 양성

Ⅲ. 유전검사 음성이면, 임상혈액학적 기준(Ⅰ) + 아래에 해당
   1. Monosomy 7 등의 염색체 이상 *or*
   2. 다음 중 2개 이상에 해당
      (1) 연령에 비해 Hb F 증가
      (2) 말초혈액의 myeloid or erythroid precursors 증가
      (3) colony assay에서 GM-CSF hypersensitivity
      (4) STAT5의 hyperphosphorylation

④ MDS/MPN-RS-T (MDS/MPN with ring sideroblasts and thrombocytosis)

MDS/MPN-RS-T의 진단기준 (WHO 2016)

1. Anemia + Erythroid dysplasia, Ring sideroblasts ≥15%, Blast <1% (PB) & <5% (BM)
2. 지속적인 thrombocytosis (≥45만/μL)
3. *SF3B1* mutation 양성* or
   음성이면, MDS/MPD 양상의 원인이 되는 cytotoxic or growth factor therapy 과거력 없음
4. *BCR-ABL1, PDGFRA, PDGFRB, FGFR1, or PCM1-JAK2* rearrangement 없음;
   (3;3)(q21;q26), inv(3)(q21q26) or del(5q) 없음
5. MPN, MDS (MDS-RS 제외) or 다른 유형의 MDS/MPN 과거력 없음

* *JAK2* V617F, *CALR* or *MPL* mutations도 동시에 가지고 있으면 MDS/MPN-RS-T 거의 확실
** PMF or ET와 비슷한 형태의 megakaryocytes

c.f.) 단백질티로신키나제(protein tyrosine kinase, PTK)

: 사람은 약 90개의 PTK 관련 유전자가 있으며 RPTK가 58개, CPTK가 32개 있음

(1) receptor PTK (RPTK) ; PDGFR (platelet derived growth factor receptor), stem cell factor receptor (ckit), FGFR (fibroblast growth factor receptor), VEGFR (vascular endothelial growth factor receptor), fms-related tyrosine kinase 3 (Flt3) 등이 대표적

(2) cytoplasmic PTK (CPTK) ; Janus family kinase [JAK1, JAK2, JAK3, tyrosine kinase 2 (TYK2)], SRC family kinase, ABL kinase가 대표적

진성적혈구증가증 (Polycythemia vera, PV)

1. 개요

- 정의 : 정상적인 적혈구 생산 조절기전(physiologic stimuli)과는 무관하게, 주로 적혈구 생산이 증가되는 MPN으로, 거의 모두에서 *JAK2* mutations을 동반함
- chronic MPN중 m/c (발생률 : 10만 명당 약 2~3명)
- 평균 60세에 진단, 남자가 약간 더 많음, 가족력은 매우 드묾
- 대부분 원인 및 위험인자 모름
- 유전적 이상 : Janus kinase 2 (*JAK2*) gene(9번 염색체 단완에 위치)의 mutations
  - → JAK2 tyrosine kinase의 구조적 활성화(constitutive activation)
    (ㄴ 거의 모든 조혈세포에 존재하며 여러 조혈촉진인자에 반응하여 증식신호를 전달)
  - → EPO-independent erythroid colony↑, EPO를 포함한 조혈성장인자에 대한 hypersensitivity, apoptosis↓ → erythropoiesis ⇧ (granulopoiesis와 megakaryopoiesis도 약간 증가됨)
- *JAK2* mutations은 거의 모든 PV에서 발견되지만, PV에만 특이적인 것은 아님! / 다른 MPN에서도 흔하고(ET의 ~60%, PMF의 ~55%에서), 드물게 AML, MDS, CMML 등에서도 나타날 수 있음
  - → *JAK2* mutations이 PV 발병의 only/initiating lesion은 아님 (아직 모르는 다른 것이 더 관여)

■ **2ndary erythrocytosis** : 다른 원인에 의한 RBC mass 증가 (모두 EPO↑와 관련)

> **1. Chronic tissue hypoxia에 대한 생리적 반응**
> High altitude
> Chronic lung disease
> Alveolar hypoventilation, sleep-apnea syndrome
> Cardiovascular right-to-left shunt
> Carbon monoxide intoxication
> High-oxygen-affinity hemoglobinopathy
> Carboxyhemoglobinemia ("smoker's erythrocytosis")
> Congenitally decreased erythrocyte 2,3-DPG
>
> **2. EPO의 병적 과다분비 (tissue oxygenation은 정상)**
> Erythropoietin이나 다른 erythropoietic growth factors를 생성하는 종양
> ; RCC, HCC, Cerebellar hemangioblastoma, Meningioma,
>   Uterine fibromyoma, Ovarian ca., Adrenal adenoma, Pheochromocytoma
> Renal diseases
> ; Cysts (e.g., ADPKD), Hydronephrosis, Bartter's syndrome, NS,
>   Renal artery stenosis, 신장이식, 장기간의 혈액투석
> Exogenous androgens, erythropoietin, cobalt
> Familial ; von Hippel-Lindau mutations, EPO receptor mutations,
>   BPG (biphosphoglycerate) mutase deficiency

c.f.) relative (spurious, stress) erythrocytosis [Gaisböck's syndrome]
- plasma volume의 감소로 인해 상대적으로 RBC 농도가 증가된 것
  (RBC mass는 정상, Hct 보통 60% 미만)
- 원인 ; dehydration - diuretics (m/c), smoking, hypertension, stress ...

2. 임상양상

- PV는 특별한 증상이 없이 서서히 진행
- 무증상일 때 검사 중 우연히 발견되는 경우가 m/c (Hb or Hct ↑)
  (수인성 가려움증 외에는 2ndary erythrocytosis와 구별되는 증상이 없음)
- 혈액순환장애에 의한 증상이 m/c ; 두통, 어지러움, 귀울림, 시력장애, 감각이상, 홍조
  (얼굴이나 점막이 검붉음), TIA, systolic HTN ...
- generalized pruritus : 특히 더운물로 목욕한 뒤에 악화! (∵ basophil↑ → histamine 분비 때문)
- splenomegaly : 3/4에서 존재 (secondary erythrocytosis에는 없다!)
  → splenic infarction, progressive cachexia
- 일부에서는 venous or arterial thrombosis가 첫 증상일 수도 있음
- 때때로 출혈증상(e.g., easy bruisability, epistaxis, GI bleeding)도 발생 가능
- 기타 ; 체중감소, 발한, 발의 통증 ...

3. 검사소견/진단

PV의 진단기준 (WHO 2016)

Major Criteria
1. Hb >16.5 (女 16.0) g/dL *or* Hct >49% (女 48%) *or* red cell mass (RCM) 증가*
2. BM biopsy** ; hypercellularity, trilineage growth (panmyelosis) with pleomorphic mature megakaryocytes (크기 다양)
3. *JAK2* V617F or *JAK2* exon 12 mutation 존재

Minor Criteria
Serum erythropoitin (EPO) ↓

진단 : Major 1~3 모두 만족 *or* Major 1~2 + Minor criteria 만족

* >25% above mean normal predicted value
** BM biopsy : Major 3. (*JAK2* mutation) + Minor criteria (EPO↓)를 만족하면서, 지속적인 Hb >18.5 (女 16.5) g/dL or Hct >55.5% (女 49.5%)를 보이는 경우 필요 없을 수 있음
But, initial myelofibrosis (~20%, post-PV MF로의 빠른 진행 시사)를 파악할 때는 필요함

(1) absolute erythrocytosis의 증명

- red cell mass 증가 : 남성 ≥36 mL/kg, 여성 ≥32 mL/kg
  (정상치 ; [남성] 26~34 mL/kg, [여성] 21~29 mL/kg)
- 검사법 : isotope dilution (환자의 ^{51}Cr-labeled RBC 이용)
- 필요한 이유
  ① PV에서는 plasma volume이 흔히 증가되어 있음 (특히 여성에서)
    → red cell mass 증가를 감출 수 있음 (특히 severe splenomegaly 존재시)
  ② relative erythrocytosis (Gaisböck's syndrome) R/O
- Hct >60% (여성은 >55%) 이면 red cell mass 측정 없이도 erythrocytosis로 진단 가능

* but, PV 진단에 *JAK2* 유전자검사가 주로 쓰임에 따라, 다른 특수 검사들은 잘 이용 안됨
  ⇨ 보통 Hb 증가된 환자에서 EPO가 감소되어 있으면 *JAK2* 유전자검사로 진단
    (전형적이면 BM study도 거의 필요 없음, *JAK2* mutations 음성이면 시행)

(2) secondary erythrocytosis R/O

- serum EPO (erythropoietin) level
  - ↓ : PV
  - ↑ : secondary erythrocytosis
- ABGA : 동맥혈 산소포화도 (PV는 정상)
  - 92% 미만 → hypoxia에 의한 secondary erythrocytosis를 시사
  - 92% 이상 → 흡연력(COHb), Hb O_2 affinity 측정, EPO 생산 종양 등에 대해 검사
    - (→ IVP, renal US, abdominal/pelvic CT, brain CT 등)
- Hct↑(>55), Hb↑(>18), thrombocytosis & leukocytosis, splenomegaly 등이 PV 진단에 도움

(3) *JAK2* 유전자검사

- *JAK2* mutations은 정상인과 2ndary erythrocytosis에서는 음성이므로 PV 진단에 매우 유용함
  (but, ET 및 PMF에서도 흔하므로, 보통 *CALR* 및 *MPL*과 함께 triple markers로 검사)
- *JAK2* exon 14의 V617F mutation (*JAK2*[V617F]) : PV의 95~97%에서 (+)
  - 검사법 ; allele-specific quantitative PCR (qPCR), droplet digital PCR (ddPCR), NGS 등
  - 9p mitotic recombination (uniparental disomy, UPD)에 의한 loss of heterozygosity (LOH)
    → homozygosity for *JAK2*[V617F] (PV와 PMF의 약 1/3에서 보임, ET는 드묾)
  - c.f.) *JAK2*[V617F] allele burden (%) = $\dfrac{CN_{(copy\ numbers)}-V617F}{CN-V617F + CNwt_{(wild-type)}} \times 100$
    - high (>50%) burden → Hb↑, 전신증상↑, splenomegaly↑, thrombosis↑, myelofibrosis로 진행↑
    - PV와 PMF는 allele burden이 비슷하게 높고, ET는 낮음 (homozygosity for *JAK2*[V617F]에서처럼)
- *JAK2* exon 12의 mutation : PV의 3~5%에서 (+)
  - *JAK2*[V617F]과 비교하여 PV 진단시 연령↓, Hb↑, WBC & platelet count↓
  - thrombosis 발생, myelofibrosis로 진행, leukemia 발생, 사망률 등은 비슷함

(4) 기타

- PB ; RBC↑ (대개 normocytic normochromic, RDW↑), WBC와 platelet도 증가된 경우가
  흔하고 모양은 대개 정상, mild basophilia도 동반 가능
- BM : PV에 특이적인 소견은 없음 (ET/PMF와 약간 비슷 or 정상일 수도 있음)
  - hypercellular, 모든 hematopoietic elements의 증식 (panmyelosis)
  - 형태는 대개 정상, 다양한 크기의 mature megakaryocytes, myeloblasts는 증가되지 않음
  - 약 15%에서는 mild (grade 1) reticulin fibrosis도 보임
  - iron store 고갈 (∵ 증가된 RBC mass로 iron이 이동)
- 염색체 이상 ; 약 20%에서 존재, PV에 특이적인 염색체 이상은 없음
- 혈소판 기능은 비정상일 수 있으나, BT 및 응고검사는 정상
- LAP↑, uric acid↑, vitamin B_{12} or vitamin B_{12}-binding capacity↑ ...

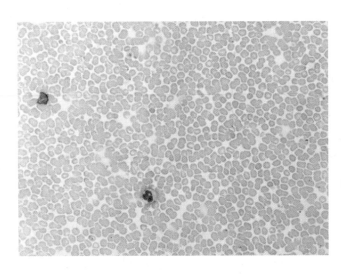

PV의 PB 사진
: RBC들이 증가되어 빽빽하게
보임 (떡 뭉친 모양)

4. 합병증

- <u>thrombosis</u> (m/c, 약 1/3에서 발생) ; 주요 사인, 1/2~3/4는 arterial thrombosis
  - 원인 ; 혈액 점도↑, erythrocytosis와 비례 (thrombocytosis와는 관련 없음!)
  - MI, CVA, splenic infarction, pulmonary embolism, DVT, superficial thrombophlebitis ...
  - 복강내 venous thrombosis가 흔함 (e.g., hepatic vein → Budd-Chiari syndrome [~10%에서])
  - 특히 심한 splenomegaly에서 thrombotic Cx 발생 증가
    (∵ plasma volume의 증가로 RBC mass 증가를 늦게 발견)
  - 새로운 thrombosis 발생의 위험인자 ; 고령(>60세), thrombosis의 과거력
- extreme thrombocytosis (platelet count >150만/μL)는 출혈의 위험인자임 (thrombosis와는 관련 없음)
  ↳ acquired von Willebrand dz. 발생 위험 (∵ vWF가 증가된 혈소판에 결합↑)
- hyperuricemia (∵ blood cells의 turnover↑) → secondary gout, uric acid stone, PUD
- erythromelalgia (지단홍통증) : 하지의 홍반, 온감, 통증, 손/발가락의 경색
- acute leukemia (5%에서 AML 발생) : PV 자체보다는 치료와 관련되어 발생
- 나중에는 post-PV myelofibrosis (MF)로 진행 [spent phase]
  - 보통 15년 뒤 (빠르면 몇 년 뒤) RBC 생산↓ → 사혈술(phlebotomy) 감소 → anemia 발생
  - BM fibrosis와 splenomegaly 심해짐 → PMF와 비슷한 임상양상(e.g., leukoerythroblastosis)

참고: Post-PV myelofibrosis의 진단기준 (WHO 2008)

필수 기준
1. 이전에 PV로 진단되었음
2. BM fibrosis grade 2~3 (0-3 scale) *or* grade 3~4 (0-4 scale)

추가 기준 (2개 필요)
1. Anemia (또는 erythrocytosis 치료를 위한 phlebotomy or cytoreductive Tx. 필요 없어짐)
2. PB에서 leukoerythroblastic reaction (∵ myeloid metaplasia)
3. Splenomegaly 증가(기존보다 5 cm 이상) or 새로운 splenomegaly 발생
4. 다음 중 두개 이상의 증상 발생
   ; 체중감소(6개월에 10% 이상), 야간발한(night sweat), 설명되지 않는 발열(>37.5℃)

- 말기에는 fibrosis와 extramedullary hematopoiesis로 인해 pul. HTN도 발생 가능

5. 예후/치료

- 치료 안하면 평균 18개월 생존, 치료하면 13년 이상 생존 (그래도 정상인보다는 수명 짧음)
- 주요 사인 ; thrombosis, myelofibrosis, acute leukemia 등
- poor Px factor ; 고령(≥67세), WBC↑(≥15,000/μL), venous thrombosis, atypical karyotype
- 완치는 불가능하지만, erythrocytosis를 조절하고 합병증(thrombosis 등)을 예방하는 것이 치료 목표
  ⇨ 남성은 Hb 14 g/dL (Hct 45%), 여성은 Hb 12 g/dL (Hct 42%) 이하로 유지

Low-risk PV (<60세 & thrombosis의 과거력 無)
  ⇨ 합병증 monitoring, 심혈관계 위험인자 조절 (HTN, hypercholesterolemia, DM, 흡연 등),
    low-dose Aspirin, Phlebotomy
  ⇨ 3~6개월마다 F/U
    적응이 되면 cytoreductive therapy도 고려 (Hydroxyurea or IFN)
      ↳ 새로운 thrombosis, phlebotomy 횟수↑, splenomegaly↑, WBC↑, platelet↑,
        PV에 의한 심한 출혈 or 증상(e.g., pruritus, night sweats, fatigue)

High-risk PV (≥60세 or thrombosis의 과거력 有) ★
  ⇨ low-dose Aspirin, Phlebotomy, cytoreductive therapy (Hydroxyurea or IFN)
  ⇨ 3~6개월마다 F/U
    적응이 되면 치료 변경 고려 (Ruxolitinib or 전에 사용 안했으면 Hydroxyurea or IFN or Anagrelide)
      ↳ Hydroxyurea/IFN의 반응이 부족하거나 효과 없음, 나머지는 위의 low-risk 경우와 동일

---

(1) 사혈술(phlebotomy) - TOC

- Hct 낮추는데 가장 효과적, thrombotic Cx.의 예방 위해 모든 신환에서 시행함
- 1주일에 1 unit (500 cc)씩 빼다가, IDA 상태에 이르면 3개월마다 시행
- 이차적으로 thrombocytosis가 발생하지만 thrombosis와는 관련 없다

(2) aspirin (low-dose)

- thrombosis의 예방 및 자연혈소판응집으로 인해 발생되는 microvascular painful syndrome (erythromelalgia)의 치료에 효과적
- 금기(e.g., 출혈경향)가 없으면 모든 PV, ET 환자에서 저용량(80~100 mg/day)으로 사용!
- 혈소판수가 100만/μL 이상이면 vWD에 대한 검사 시행, vWD면 aspirin 금기

(3) cytoreductive therapy

- Ix (high-risk PV) : phlebotomy에 반응이 없거나 불가능할 때, severe leukocytosis or thrombocytosis, intractable pruritus, symptomatic splenomegaly, thrombosis Hx 등
- 약제 ; hydroxyurea (선호), busulfan (AML 발생 위험으로 권장 안됨)
- radioactive phosphorus (^{32}P)와 alkylating agents (e.g., chlorambucil)는 acute leukemia를 일으킬 위험이 높으므로 금기
- hydroxyurea도 드물지만 leukemia를 일으킬 수는 있으므로 가능한 단기간만 사용

(4) IFN (IFN alfa-2b, pegIFN alfa-2a, or pegIFN alfa-2b)

- 40세 미만이나 임산부에서는 hydroxyurea 대신 초치료로 권장
- high-risk PV/ET 환자에서 hydroxyurea를 사용할 수 없거나 반응이 없을 때도 사용
- 약 80%에서 hematologic remission, JAK2 burden↓ (5~10%는 complete molecular remission)
- 단점 ; 고가, 주사제, 약 20%는 부작용으로 중단하게 됨 (AML 등 2차 암을 유발하지는 않음)

(5) ruxolitinib (nonspecific JAK2 inhibitor)

- Ix : 증상이 심한 high-risk PV 환자에서 1st line Tx (hydroxyurea or IFN)에 반응이 없거나 불내성(intolerant)일 때 고려
- splenomegaly와 증상 감소, 삶의 질 향상에 효과적 (blood count와 JAK2 burden은 약간만 감소)
- Cx ; 기회감염↑ (특히 TB, HBV, HSV 등)

(6) 기타

- anagrelide (Agrylin$^{®}$) : phosphodiesterase Ⅲ inhibitor
  - platelet의 생산과 aggregation 억제 (WBC와 Hb에는 영향 없음)
  - thrombocytosis 심하면 고려, 부작용이 많고 PV에서의 효과는 논란 (ET에서 주로 사용)
  - 약 30%의 환자는 fluid retention, palpitation, 신경/소화기 부작용으로 복용 못함 (hydroxyurea 대비 BM toxicity가 적고 venous thrombosis도 예방 가능한 것은 장점)
- anticoagulants : 일반적으로는 사용하지 않음 (thrombosis 발생시에만 사용), Hb 높은 경우 검사상 문제로 PT/PTT monitoring이 어려움
- hyperuricemia → 증상 없으면 치료 안함 / CTx. 예정인 경우에는 반드시 allopurinol 투여
- severe pruritus → antihistamines, antidepressants (e.g., doxepin) → 반응 없으면 ruxolitinib, IFN-α, psoralens with UV-A (PUVA), hydroxyurea 등
- symptomatic splenomegaly → ruxolitinib, IFN-α → 반응 없으면 splenectomy 고려
- elective surgery는 PV control 2개월 후로 연기 (∵ 수술시 출혈 및 혈전 합병증 위험 크게 증가)
- allogenic HCT : 젊은 환자에서는 완치도 가능하지만, PV에서는 거의 이용 안됨

진성고혈소판증 (Essential thrombocythemia, ET)

1. 개요

- 주로 megakaryocytes가 증식되는 MPN으로, 지속적인 thrombocytosis 및 large, mature megakaryocytes의 증가가 특징인 질환 (원인은 모름)
- 발생률 10만 명당 약 1~2.5명, 50~60대에 호발, 남<여 (약 1:1.5)
- megakaryocytes : 다른 조혈세포와 달리 endomitosis를 통해 amplification됨 (ploidy↑, 매우 커짐)
- thrombopoietin (TPO) : 조혈모세포의 megakaryocytes로의 분화, megakaryocytes의 증식/성숙, 혈소판 생산 등을 촉진함
  - 간에서 주로 (신장에서도 일부) 생산됨 (c.f., 간부전시 TPO↓ → thrombocytopenia)
  - megakaryocyte progenitor cells 양 및 혈중 platelet count와 반비례 관계 (negative feedback)
  - megakaryocytes와 혈소판의 TPO receptor (MPL)를 통해 작용함
- ET의 병인 : 잘 모름
  - TPO와 TPO receptor (MPL)의 결합 이상 → serum TPO level은 부적절하게 정상 or 상승
  - 매우 드물게 가족력을 보이기도 함 (AD 유전, TPO or MPL genes의 mutations)

```
┌──────────────────────────────────────────────────────────┐
│          혈소판증가증(thrombocytosis)의 원인                │
├──────────────────────────────────────────────────────────┤
│ ① Primary thrombocytosis                                  │
│     MPN (myeloproliferative neoplasm) ; ET, PV, CML, PMF  │
│                                                            │
│ ② Secondary (reactive) thrombocytosis (>80%)              │
│     Iron deficiency                                        │
│     Infection (m/c)                                        │
│     Inflammation ; IBD, LC, RA, sarcoidosis 등의 CTD       │
│     Metastatic ca., MPN, lymphoproliferative d/o.          │
│     Splenectomy 수술 뒤                                     │
│     Hemolytic anemia                                       │
│     Drugs ; Epinephrine, Vincristine                       │
│     출혈, 운동, 스트레스, 알코올 남용                         │
│     Myelosuppressive drugs 치료 후 회복기                    │
│     Vitamin B₁₂ or folate deficiency 치료시                │
│     Familial ; TPO overproduction, constitutive Mpl activation │
└──────────────────────────────────────────────────────────┘
```

2. 임상양상/합병증

- 무증상일 때 검사 중 thrombocytosis로 우연히 발견되는 경우가 m/c (>50%)
- 증상이 나타나는 경우는 혈전 또는 출혈 경향에 의한 것임 (but, ET에 특이적인 증상/징후는 없음)
- **vasomotor Sx** (m/c, 13~40%)
  - arterial microvascular thrombosis 때문
  - 두통(m/c), 어지러움, 실신, atypical 흉통, 말단 감각이상, livedo reticularis, erythromelalgia (홍색사지통증), 일시적 시력 장애 등
- 큰 혈관의 thrombosis (9~29%) ; 정맥 < 동맥
  - TIA, stroke, MI, angina, leg ischemia, splenic/hepatic/portal vein thrombosis, DVT, PE superficial thrombophlebitis, digital ischemia, renal vein thrombosis (→ NS) 등
  - arterial thrombosis 발생의 위험인자 ; thrombosis 병력, >60세, *JAK2* mutations (+), 심혈관계 위험인자 존재(e.g., 흡연, HTN, DM), WBC >11,000/μL 등
- hemorrhage (3~11%)
  - GI bleeding (m/c), 코피, 쉽게 멍듦, 피부/점막 출혈, 작은 수술이나 시술 이후에 출혈 지속 …
  - 혈소판 수 100만/μL 이상 환자 대부분은 acquired vWD (AvWS)로 인해 출혈 발생 (∵ vWF multimers가 증가된 혈소판에 흡착되어 소실됨)
  - 혈소판 수 150만/μL 이상이면 출혈 위험 크게 증가
- plaetelet count와 출혈/혈전 증상과의 관련성 (c.f., platelet count보다는 다른 기전들이 더 관여하는 듯)
  - ┌ ≥100만/μL → 주로 출혈 증상과 관련 (∵ acquired vWD)
  - └ <100만/μL → 혈전 증상과 더 흔히 관련
- PV 대비 혈전증은 적고, 출혈은 많음
- mild splenomegaly (→ 심하면 PV, PMF, CML 등의 다른 MPN을 의심)

c.f.) *CALR*-mutated ET ; *JAK2*-mutated ET 대비 thrombosis 위험은 낮지만, 생존율 차이는 없음
     (→ IPSET-thrombosis score나 치료방침에 영향 없음)

3. 검사소견/진단

ET의 진단기준 (WHO 2016)

Major Criteria

1. Platelet count ≥450,000/μL
2. BM biopsy ; 주로 megakaryocytes의 증식 (large mature, hyperlobulated nuclei), neutrophil granulopoiesis or erythropoiesis의 심한 증가나 left-shift 없음, minor (grade 1) reticulin fibrosis 매우 드묾
3. *BCR-ABL1*(+) CML, PV, PMF, MDS 및 기타 myeloid 종양의 WHO criteria에 해당 안 됨
4. *JAK2, CALR or MPL* mutation 존재

Minor Criteria

다른 <u>clonal markers</u>의 존재 **or** Reactive thrombocytosis의 원인 없음
(*ASXL1, EZH2, TET2, IDH1/IDH2, SRSF2, or SR3B1* mutations)

진단 : Major 1~4 모두 만족 **or** Major 1~3 + Minor criteria 만족

- anemia는 드물지만, mild neutrophilic leukocytosis는 흔함
- LAP 정상 or↑, pseudohyperkalemia (∵ 응고 중 platelet에서 K⁺ 유리)
- platelet count (보통 >60만/μL)
  - PB에서 다양한 크기와 모양의 platelets 보임 (일부는 매우 큼 = giant platelet)
  - APR (e.g., CRP, ESR, ferritin, fibrinogen) 상승시 2ndary thrombocytosis (감염/염증) 의심
- 혈소판 기능 장애 ; BT 연장, PFA-100(200)에서 C/Epi와 C/ADP 모두 연장, aggregation 장애 (epinephrine, ADP, collagen 등에는 반응↓ / arachidonic acid와 ristocetin에 대한 반응은 정상)
  - but, ET에만 특이적인 소견은 아니며, 출혈/혈전 증상과의 관련성도 부족함
  - epinephrine에 대한 1차 wave 감소, 2차 wave 소실은 특징적임
- 응고검사(PT, PTT)는 정상
- gene mutations ; *JAK2* mutation 약 60%, *CALR* mutation 약 25%, *MPL* mutation 약 5%에서
  - 약 10%는 3가지 모두 음성인 (triple-negative) mutation-negative ET
  - 2가지 이상의 mutations이 중복되어 존재하는 경우는 거의 없음
- BM ; hypercellular, megakaryocytic hyperplasia/hypertrophy, mild reticulin fibrosis, iron은 존재

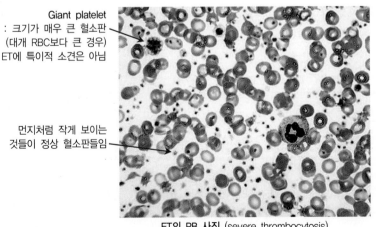

Giant platelet
: 크기가 매우 큰 혈소판
(대개 RBC보다 큰 경우)
ET에 특이적 소견은 아님

먼지처럼 작게 보이는
것들이 정상 혈소판들임

ET의 PB 사진 (severe thrombocytosis)

4. 예후/치료

- mutations 여부에 관계없이 대부분 <u>정상 수명</u>을 갖고, acute leukemia로의 진행도 거의 없으므로 증상 조절 및 합병증(혈전, 출혈) 예방이 주목표임
- 무증상이고 심혈관계 위험인자가 없으면 특별한 치료 필요 없음!
- 3~6개월 마다 F/U, 심혈관계 위험인자(e.g., HTN, DM, 흡연) 있으면 적극적으로 조절

International Prognostic Score of ET (IPSET)-thrombosis (WHO)

Risk	>60세	*JAK2*	Thrombosis 병력	치료
Very low	×	×	×	Low-dose aspirin (심혈관계 위험인자 존재시에만)
Low	×	O	×	Low-dose aspirin*
Intermediate	O	×	×	Low-dose aspirin*
High	O	*or*	O	Cytoreductive therapy + (arterial thrombosis 병력시) low-dose aspirin *and/or* (venous thrombosis 병력시) anticoagulation

*심혈관계 위험인자 or vasomotor Sx 존재시 하루 2회 투여

- cytoreductive therapy
  - 적응 ; <u>고위험군</u>(혈전증 병력, 60세 이상 *JAK2*+) ··· 목표 혈소판 수 : 약 40만/μL 이하로

    > ■ 증상이 있는 저위험군에서도 다음의 경우는 cytoreductive therapy 고려
    > - 새로운 thrombosis, acquired vWD, ET와 관련된 심한 출혈 발생
    > - Splenomegaly, leukocytosis, severe thrombocytosis
    > - ET와 관련된 증상 ; pruritus, night sweats, fatigue 등
    > - aspirin에 반응 없는 미세혈관장애(vasomotor Sx) ; 두통, 흉통, erythromelalgia 등

  - 약제 ; hydroxyurea, anagrelide, IFN-α (특별히 더 효과적인 것은 없지만 hydroxyurea 선호)
    ① <u>hydroxyurea</u> : TIA 예방 및 거의 모든 면에서 좀 더 효과적 (드물게 AML 유발 위험)
    ② <u>anagrelide</u> : venous thrombosis 예방에만 더 효과적, 출혈 위험↑ (AML 유발 위험은 없음)
       ↳ hydroxyurea에 반응이 없거나 부작용으로 사용할 수 없을 때 or 혈전증 위험이 높은 젊은 연령에서 고려
    ③ INF-α : 임신시 사용 가능 (∵ hydroxyurea와 anagrelide는 절대 금기)
  - but, 혈소판수를 정상화해도 arterial/venous thrombosis를 완전히 예방은 못함
  - leukemia로 진행은 ET 자체보다는 cytoreductive therapy 때문일 가능성이 더 많음
- <u>low-dose aspirin</u>
  - vasomotor Sx 완화, thrombotic Cx 예방, 심혈관계 위험↓ 등을 위해 투여
    (very low-risk ET 환자는 증상이나 심혈관계 위험인자가 있을 때에만 투여)
  - 혈소판 수 100만/μL 이상이면 반드시 acquired vWD R/O (e.g., ristocetin cofactor activity↓)
    → acquired vWD 발생시 aspirin은 금기! (∵ 출혈 위험↑) → cytoreductive therapy 고려
  - anagrelide와 병용시엔 GI bleeding 위험↑
- 혈소판수 증가와 관련된 출혈 (acquired vWD) → ε-amino caproic acid
  (elective surgery 전후 예방적으로 투여)
- platelet pheresis ; acute life-threatening thrombosis or severe bleeding처럼 응급으로 혈소판 수를 낮춰야 할 때만 고려 (but, 효과가 일시적이라 잘 이용 안함)
- splenectomy는 도움 안 됨!

ET와 reactive thrombocytosis와의 차이

	Essential (clonal) Thrombocytosis	Reactive (2ndary) Thrombocytosis
Platelet 증가가 만성적	+	−
Platelet 형태	Giant platelets 많음	Giant platelets 적음
Platelet 기능	흔히 비정상 (BT 연장 등)	정상
Thrombosis or hemorrhage	+	−
Splenomegaly, Hepatomegaly	+	−
BM reticulin fibrosis	+	−
BM megakaryocytes 형태	Large & mature Clusters	정상
기저 전신질환 (감염, 염증 등)	−	흔함
Acute phase reactants 증가	−	+
Spontaneous colony formation	+	−

일차골수섬유증 (Primary myelofibrosis, PMF)

1. 개요

- 골수의 섬유화(fibrosis)와 cytopenias, 골수외조혈(extramedullary hematopoiesis)이 특징인 clonal hematopoietic stem cell disorder
- 과거 chronic idiopathic myelofibrosis (CIMF), myelofibrosis with myeloid metaplasia (MMM), agnogenic myeloid metaplasia (AMM) 등으로도 불리었음
- fibrosis 정도와 extramedullary hematopoiesis 정도는 관련 없음
- 원인은 모름, growth factors 등의 분비 증가와 관련, megakaryocytes가 병태생리에 중요
  - PDGF, TGF(transforming growth factor)−β, TIMPs(tissue inhibitors of metalloproteinases) → fibrosis
  - osteoprotegerin (osteoclast inhibitor) ↑ → osteosclerosis
  - fibroblasts는 neoplastic clone이 아님 (polyclonal)
- 드묾(10만 명당 약 1명), 남≒여, 60~70대에 호발

2. 임상양상

- 임상양상이 매우 다양하고, 특이적인 증상/징후가 없다
- 무증상인 경우가 많아 (약 30%), 대개 비장비대로 또는 혈액검사 중 우연히 발견됨
- anemia (mild) ; 피곤, 운동시 숨참 …
- extramedullary hematopoiesis에 의한 증상
  - splenomegaly (약 90%) ; 복부압박감, 조기 포만감, 복통 … PMF에서 가장 골치인 증상
    (→ splenic infarction, portal HTN도 발생 가능)

- mild hepatomegaly (약 50%)
- 기타 ; ascites, pul. HTN, intestinal or ureteral obstruction, intracranial HTN, pericardial tamponade, spinal cord compression, skin nodules ...

3. 검사소견/진단

Prefibrotic/early primary myelofibrosis (prePMF)의 진단기준 (WHO 2016)

Major criteria
1. Megakaryocytic proliferation and atypia & grade 2 이상의 reticulin fibrosis 없음 & BM cellularity 증가, granulocytic proliferation, 흔히 erythropoiesis 감소
2. *BCR-ABL1*(+) CML, PV, ET, MDS 및 기타 myeloid 종양의 WHO criteria에 해당 안 됨
3. *JAK2, CALR or MPL* mutation 존재 **or** 다른 clonal marker 존재*
   or reactive minor (grade 1) reticulin fibrosis 없음**

Minor criteria : 아래 중 한 개 이상에 해당, 2회 연속으로
1. 다른 기저 질환과 관련 없는 anemia
2. Leukocytosis ≥11,000/μL
3. Palpable splenomegaly
4. LDH 증가(>UNL)

진단 : Major 1~3 모두 만족 + Minor criteria 1개 이상

Primary myelofibrosis (PMF)의 진단기준 (WHO 2016)

Major criteria
1. Megakaryocytic proliferation and atypia & reticulin and/or collagen fibrosis grade 2~3 동반
2. ET, PV, *BCR-ABL1*(+) CML, MDS 및 기타 myeloid 종양의 WHO criteria에 해당 안 됨
3. *JAK2, CALR or MPL* mutation 존재 **or** 다른 clonal marker 존재*
   or reactive myelofibrosis의 원인 없음**

Minor criteria : 아래 중 한 개 이상에 해당, 2회 연속으로
1. 다른 기저 질환과 관련 없는 anemia
2. Leukocytosis ≥11,000/μL
3. Palpable splenomegaly
4. LDH 증가(>UNL)
5. Leukoerythroblastosis

진단 : Major 1~3 모두 만족 + Minor criteria 1개 이상

 * 다른 clonal mutations으로는 *ASXL1, EZH2, TET2, IDH1/IDH2, SRSF2, SF3B1* 등이 흔한 편
** 감염, 자가면역질환 or 기타 만성염증성질환, hairy cell leukemia 등의 lymphoid neoplasm, metastatic malignancy, toxic (chronic) myelopathies 등에 이차적인 myelofibrosis

Myelofibrosis의 Grading

MF-0	정상 BM ; linear reticulin 산재, 교차(cross-over) 없음
MF-1	Reticulin이 느슨한 그물망 형성 (교차 많음), 특히 혈관 주위로
MF-2	Reticulin이 전반적으로 밀도 높게 증가 (교차 현저함), 때때로 두꺼운 섬유의 거친 다발 (대부분 collagen) and/or focal osteosclerosis
MF-3	Reticulin이 전반적으로 밀도 높게 증가 (교차 현저함), 두꺼운 collagen 섬유의 거친 다발, osteosclerosis 동반 흔함

 * MF 2~3의 평가를 위해서는 추가로 trichrome (MT) stain도 필요함

- anemia : ineffective erythropoiesis, folate/iron 결핍, GI bleeding, 용혈 …
- WBC와 platelet counts는 다양 (진행되면 thrombocytopenia가 두드러짐)
- PBS … extramedullary erythropoiesis (myeloid metaplasia)의 소견
  - RBC : tear-drop cells (漏籍細胞)
  - leukoerythroblastosis : 미성숙 myeloid & erythroid cells (e.g., myelocyte, nRBC)이 동시 출현
  - abnormal giant platelets or megakaryocytes
- BM : 다른 MPN과 구별되는 특이적인 소견은 없음
  - aspiration : 대개 건성 천자("dry tap") - aspiration 실패
  - biopsy ; fibrosis (reticulin & collagen), hypercellular (→ fibrosis가 진행되면 cellularity 감소), megakaryocytes의 증식 및 atypia (CD61 IHC)

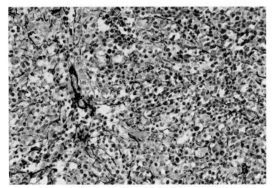

Reticulin stain (silver stain)
: reticular fibers (검정색), 주로 type III collagen
으로 구성, early form of collagen

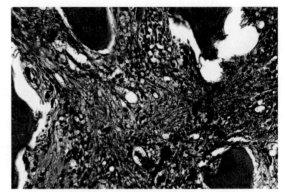

Masson's Trichrome (MT) stain
: mature type I collagen fibers (파랑색)
주로 MPN에서 관찰됨, CBC 이상 및 예후와 관련성 더 높음

- LAP score (다양) : ↑ (m/c) or N or ↓
- LD↑, ALP↑, hyperuricemia (→ 2ndary gout)
- vitamin B_{12} : ↑ or N
- autoimmune 이상이 나타날 수 있음 ; IC, ANA, RF, (+) Coombs' test 등
- 다른 MPN에 비해 말초 CD34+ cells이 크게 증가될 수 있음 (원인은 모름)

4. 예후

- 중앙 생존 기간(median OS) : 약 6년 (PV나 ET보다 훨씬 예후 나쁨)
- 진행되면 marrow failure (e.g., anemia 심해지고, organomegaly↑) 증가
- 약 10%에서는 acute leukemia 발생 (보통 치료 불가능)
- 사인 ; 골수부전(감염, 출혈), 혈전색전증, portal HTN, 심부전, AML 등
- 나쁜 예후 인자 ; age (>70세), anemia (Hb <10 g/dL), thrombocytopenia, PB blasts, BM fibrosis 정도, constitutional Sx. (발열, 야간발한, 체중감소), 염색체/유전자 이상 등

* **risk 평가** (통일된 기준은 없지만 DIPSS-plus, GIPSS, MIPSS70+ 2.0 등이 선호됨)

	IPSS (2009)	DIPSS (2010)	DIPSS+ (2011)
Anemia (<10 g/dL)	1점	2점	DIPSS-low 0점
Leukocytosis (>25,000/μL)	1점	1점	DIPSS-int.1 1점
PB blasts (≥1%)	1점	1점	DIPSS-int.2 2점
Constitutional Sx.	1점	1점	DIPSS-high 3점
Age (>65세)	1점	1점	
Thrombocytopenia (<10만/μL)			1점
수혈 의존적			1점
Unfavorable karyotype*			1점

* complex karyotype or trisomy 8, 7/7q-, i(17q), 5/5q-, 12p-, inv(3), or 11q23 rearrangement 등을 포함하는 1~2개의 abnormalities

Risk group	IPSS (2009)	DIPSS (2010)	DIPSS+ (2011)
Low	0점	0점	0점
Intermediate-1 (int.1)	1점	1~2점	1점
Intermediate-2 (int.2)	2점	3~4점	2~3점
High	≥3점	5~6점	4~6점

(IPSS: International Prognostic Scoring System, DIPSS: Dynamic IPSS)

MIPSS70+ 2.0 version (2018)		
Clinical risk factors	Severe anemia : Hb <9 g/dL (女 <8)	2
	Moderate anemia : Hb 9~10.9 (女 8~9.9)	1
	PB blasts (≥2%)	1
	Constitutional Sx.	2
Karyotype	Very high risk (VHR)*	4
	Unfavorable	3
Mutations	≥2 high molecular risk (HMR) mutations**	3
	One high molecular risk (HMR) mutations	2
	type1/type 1-like *CALR* mutations 無	2

Risk	MIPSS70 plus 2.0	5YSR (median OS)
Very low	0점	86% (F/U 중)
Low	1~2점	50% (10.3년)
Int.	3~4점	30% (7년)
High	5~8점	10% (3.5년)
Very high	≥9점	<3% (1.8년)

(MIPSS: Mutation-enhanced International Prognostic Scoring System)
* VHR → 다음 표 참조
** High molecular risk (HMR) mutations ; *ASXL1* (38%), *SRSF2* (14%), *U2AF1*Q157 (8%)
(↔ type 1/type 1-like *CALR* mutations은 good Px)

GIPSS (2018)		
Karyotype	Very high risk (VHR)	2
	Unfavorable	1
Driver mutations	type 1-like *CALR* 無	1
High molecular risk (HMR) mutations	*ASXL1* mutation	1
	SRSF2 mutation	1
	*U2AF1*Q157 mutation	1

Risk	GIPSS	5YSR (median OS)
Low	0점	94% (26.4년)
Int.-1	1점	73% (10.3년)
Int.-2	2점	40% (4.6년)
High	≥3점	14% (2.6년)

(GIPSS: Genetically Inspired Prognostic Scoring System)

참고: PMF의 cytogenetic abnormalities

Very high risk (VHR)	-7, i(17q), inv(3)/3q21, 12p-/12p11.2, 11q-/11q23 등의 단독~다중 이상 +8/+9를 제외한 autosomal trisomies (e.g., +21, +19)
Favorable	정상 핵형 +9, 13q-, 20q-, chromosome 1 translocation/duplication 등의 단독 이상 -Y를 포함하는 성염색체 이상
Unfavorable	다른 모든 이상

PMF의 driver mutations

	빈도	median OS
JAK2	57~65%	5.9년
CALR	20~25%	15.9년 (good Px)
MPL	5~10%	9.9년
Triple-negative	10~12%	2.3년 (poor Px)

CALR (calreticulin) mutations
- survival↑, *JAK2*(+) 대비 thrombosis↓
- type 1/type 1-like mutations : 다른 유전자 이상들 보다 survival↑
- type 2 mutation 및 다른 이상들도 많음

5. 치료

Low-risk PMF : GIPSS score 0점 / 1~2점이면서 MIPSS70+ 1~4점
(1) 무증상 ⇨ 경과관찰!
(2) 증상 ; 피곤, 조기포만감, 복부불편감, 야간발한, 소양증, 뼈통증, 발열, 체중감소, 활동저하 등
　⇨ symptom-directed treatment
　　(a) 빈혈 only ┬ serum EPO <500 mU/mL ⇨ ESA (rEPO, darbepoietin-α 등)
　　　　　　　　└ serum EPO ≥500 mU/mL ⇨ Danazol, low-dose thalidomide/lenalidomide (± steroid)
　　(b) 다른 증상들 ┬ 혈소판수 >5만/μL ⇨ Ruxolitinib (JAK2 inhibitor) or hydroxyurea 등
　　　　　　　　　└ 혈소판수 ≤5만/μL ⇨ 다른 보존적 치료(e.g., splenectomy)

High-risk PMF : GIPSS score 3점 이상 / 1~2점이면서 MIPSS70+ 5점 이상
(1) 이식에 적합 ⇨ allogenic HCT
(2) 이식 부적합 ⇨ symptom-directed treatment (위와 비슷), 가능하면 clinical trial 참여 권장

- 특별한 치료법이 없음, 보존적 치료가 주된 치료 (증상이 없는 low risk는 경과관찰)
- anemia : 대개 수혈로 치료하게 됨, iron 및 folate 부족하면 보충
  - androgen (Danazol), EPO 등 : 40~60%에서 반응하나, 지속적인 효과는 없음
  - EPO : serum EPO >125 mU/L면 효과 적음, 골수외조혈을 촉진하여 splenomegaly 악화 가능
- JAK2 inhibitors (ruxolitinib) : splenomegaly 감소 및 전신증상 호전에 효과적, 생존율↑
  - *JAK2* mutations 여부에 관계없이 효과를 보임
  - anemia와 thrombocytopenia 부작용 흔함 (dose-dependent, 시간 지나면 호전 가능)
  - 심한 감염시에는 금기 / thrombocytopenia, 간기능↓, 신기능↓, CYP3A4 inhibitors 병용시 주의
- hydroxyurea : ruxolitinib보다는 덜 효과적, 약 40%에서 organomegaly와 cytosis 호전, 전신증상 & 뼈통증 감소에 유용, 저용량으로 시작 (고용량에서는 골수억제에 의해 cytopenias 발생 위험)
- steroid (± low-dose thalidomide/lenalidomide) : 전신증상 및 autoimmune Cx.의 치료, anemia 및 splenomegaly도 호전 가능
- IFN-α : 효과가 불확실하고 고령에서는 부작용이 큼
- allopurinol : 심한 hyperuricemia 치료

- splenectomy
  - 적응 ; severe Tx-refractory cytopenias, 심한 압박 증상, painful splenic infarction 등
  - but, 수술 사망률이 높고, 수술 뒤 심각한 합병증 발생이 흔함 ; 출혈, rebound leukocytosis & thrombocytosis, hepatomegaly, blastic transformation (AML) 등 (그래도 적응이면 시행함)
- splenic irradiation ; 수술이 불가능하거나 악화되는 경우 고려 (but, 3~6개월의 일시적 효과 뿐), cytopenias, nausea, 감염, 출혈 등의 부작용, 4~6개월 뒤 spleen이 더 커짐
- allogenic HCT : only curative (50%에서 long-term survival), 젊거나 고위험군에서 권장
- HCT 부적합이고 ruxolitinib/hydroxyurea에 반응 없거나 부작용 등으로 사용 못하면 clinical trials
  - 2nd-line JAK inhibitors ; momelotinib, pacritinib 등
  - telomere RT inhibitor (imetelstat), mTOR inhibitor (everolimus), HDAC inhibitor ...

---

c.f.) Secondary myelofibrosis의 원인

1. Hematologic malignancies
   Lymphoma, hairy cell leukemia, acute leukemia
   Multiple myeloma, CML, PV, ET, mastocytosis, MDS
2. Metastatic carcinoma ; 위암, 전립선암, 폐암, 유방암 등
3. Nonmalignant conditions
   Infections ; mycobacteria (e.g., TB), fungi, HIV
   Radiation therapy, radiomimetic drugs
   Thorium dioxide (thorotrast) exposure
   Hyperparathyroidism, renal osteodystrophy, vitamin D deficiency
   SLE, sarcoidosis, gray platelet syndrome

호산구증가증(eosinophilia)

- normal eosinophils ; PB 50~500/μL, BM 1~6%
- eosinophilopoietic cytokines ; IL-5 (m/i), IL-3, GM-CSF
  - 주로 activated T lymphocytes, mast cells, stromal cells에서 생산됨
  - reactive eosinophilia 때 주로 증가됨
- eosinophilia의 정의 : 말초혈액의 absolute eosinophil count (AEC) ≥500/μL
  - mild eosinophilia : 500~1500/μL
  - moderate (or marked) eosinophilia : 1500~5000/μL
  - severe (or massive) eosinophilia : >5000/μL
  - * hypereosinophilia (HE) : >1500/μL

- eosinophilia의 분류/원인
  (1) primary eosinophilia
    ① clonal (neoplastic)
      - AML, MDS, CML, MDS/MPN, mastocytosis 등에 동반된 eosinophilia
        (e.g., AML-Eo, CML-Eo ...) → 원래 종양의
      - Myeloid/lymphoid neoplasms (MLN) with eosinophilia and abnormalities of
        PDGFRA, PDGFRB, FGFR1, or *PCM1-JAK2* (MLN-Eo)
      - Chronic eosinophilic leukemia, NOS (CEL-NOS)
    ② idiopathic (NOS) : secondary & clonal eosinophilia에 해당 없음 (e.g., HES)
  (2) secondary eosinophilia (eosinophilia 정도)

기생충 감염 (moderate ~ high)
기타 감염 ; RSV, HIV, HTLV-1, TB (드묾)
알레르기 질환 (mild) ; 알레르기 비염, 아토피 피부염, 두드러기, 천식 등
종양 (moderate ~ high)
Myeloid neoplasms
Lymphomas (대개 T-cell or HL)
Solid tumors (폐암, 기타 특히 전이/괴사를 수반한 것)
위장관 질환 (mild) : 보통은 tissue eosinophilia만 동반
Eosinophilic gastroenteritis/esophagitis
Celiac disease
Inflammatory bowel diseases (UC, CD)
폐 질환 (mild ~ high) → 2-10장 참조
Chronic eosinophilic pneumonia
Eosinophilic granulomatosis with polyangiitis (EGPA, Churg-Strauss syndrome)
Bronchiectasis/cystic fibrosis (대개 asthma or APBA와 관련)
육아종성 질환 ; Eosinophilic granulomatosis, Wegener's granulomatosis, Sarcoidosis
내분비 질환 ; Addison's disease (hypoadrenalism), Hyperthyroidism
피부 질환 ; Bullous pemphigoid, Eosinophilic cellulitis, Skin lymphoma
약물 (mild ~ high) ; 항생제, NSAIDs, 항정신병약 등이 흔한 원인 (복용 중단하면 정상화됨)
기타 ; Addison dz., GVHD, 방사선 조사, 비장 적출, 혈액투석, IL-2 치료 ...

* 흔한 원인 ; 기생충, 알레르기, 약물

c.f.) eosinophil이 감소하는 경우 ; stress (e.g., 급성감염, AMI), steroid 투여

■ 정상 PB의 백혈구들 (% 높은 순서)

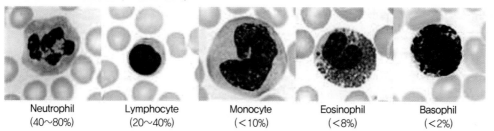

| Neutrophil (40~80%) | Lymphocyte (20~40%) | Monocyte (<10%) | Eosinophil (<8%) | Basophil (<2%) |

* ~phil로 끝나는 neutrophil, eosinophil, basophil을 granulocytes라고 부르며,
lymphocyte와 monocyte는 함께 mononuclear cells이라고도 부름

- unexplained eosinophilia의 evaluation
  - 호산구에 의한 조직/장기 침범(organ dysfunction) 여부 파악이 중요함
  - CBC, PBS, 일반화학검사(LFT, Cr 등), UA, serum IgE, troponin, vitamin B$_{12}$ (MPN에서↑),
    tryptase (mastocytosis 및 myeloid neoplasms에서↑), EKG, CXR, 기생충, 알레르기 등 검사
  - clonal d/o. R/O ; BM 검사, flow cytometry, 세포유전검사, 분자유전검사(FISH or RT-PCR)
    → *PDGFRA, PDGFRB, FGFR1, PCM1-JAK2, BCR/ABL1, KIT* 등 확인
    (↳ platelet-derived growth factor receptors *α*)
  - 기타 ; 자가면역질환/면역겹핍에 대한 검사, ANCA (EGPA), cortisol (Addison dz.),
    CT 및 LN biopsy (lymphoma), virus 검사 ...

■ Idiopathic hypereosinophilic syndrome (HES)

- idiopathic eosinophilia의 subcategory (secondary나 clonal eosinophilia가 아님!)
- 드묾, 남:여 = 9:1, 대부분 20~50대에 진단됨
- 정의

Definition & criteria	
Hypereosinophilia (HE)	Eosinophils >1500/μL (1달 이상 간격으로 2회 검사) and/or tissue HE (아래 기준) 1. BM eosinophils 20% 이상 and/or 2. 조직의 심한 eosinophilis 침윤 and/or 3. 특수염색에서 eosinophil granule proteins의 심한 침착
Hypereosinophilic syndrome (HES) (3기준 모두 만족해야)	1. Persistent (>6개월) hypereosinophilia (HE) 2. Tissue HE에 의한 <u>organ damage and/or dysfunction</u>* 3. Organ damage를 일으킬 수 있는 다른 질병/원인 없음

* **Organ damage and/or dysfunction** (아래 중 1개 이상)
　① fibrosis (e.g., lung, heart, digestive tract, skin, and others)
　② thrombosis ± thromboembolism
　③ cutaneous (including mucosal) erythema, edema/angioedema, ulceration, or eczema
　④ peripheral or central neuropathy
　⑤ 기타 드문 장기의 침범 (e.g., 간, 췌장, 신장)

- multisystem organ dysfunction의 임상양상 (모든 장기를 다 침범 가능)
  - <u>blood & BM</u> 침범(eosinophilia) 및 조직의 eosinophils 침윤 (형태는 비교적 mature)
  - <u>심장</u> 침범 ; TV anomaly, endocardial fibrosis, RCM, thrombosis ...
  - 기타 <u>피부</u>, 폐, 간, 비장, 신경계(말초신경병증이 m/c) 등도 침범 가능
    ↳ pruritus 흔함 (종종 erythematous papules 및 urticaria도 동반)
  - weakness, fatigue, cough, dyspnea, myalgia, angioedema, rash, fever, rhinitis, splenomegaly ...
  - eosinophils 침윤에 의한 독성물질의 분비에 의해 발생
- 주로 Churg-Strauss syndrome (CSS)과 혼동될 수 있음
  (→ CSS보다는 HES가 eosinophil count 높음)
- 증상이 없는 경우는 치료할 필요 없다 (3~6개월 마다 F/U)
- 치료
  ① <u>steroid</u> (TOC) : 약 70%에서 반응, moderate~high dose로 시작, 매우 천천히 tapering
     (+ steroid-sparing agents ; hydroxyurea or IFN-α)
  ② steroid에 반응 없으면 ; anti-IL-5 (e.g., mepolizumab, reslizumab), anti-CD52
     (alemtuzumab), cyclosporine ...
- m/c 사인 - 심장과 뇌의 침범 (뇌색전증도 대개 심장내 혈전이 원인)
  → 특히 심장질환에 대한 monitoring 필요, 심장침범 시엔 <u>steroid + hydroxyurea</u>로 치료
- angioedema 동반시엔 예후 좋음! (기전은 모름)

■ Myeloid/lymphoid neoplasms with eosinophilia and abnormalities of *PDGFRA, PDGFRB, FGFR1,* or *PCM1-JAK2* (MLN-Eo)

- morphology (e.g., BM)에서 다른 myeloid neoplasms에 해당하지 않으면, RT-PCR or FISH로 eosinophilic neoplasms의 clonal marker 검사 시행!
- *PDGFRA* rearrangements (4q21) ; tryptase↑, BM mast cells↑, <u>*FIP1L1-PDGFRA*</u>가 m/c
- *PDGFRB* rearrangements (5q31-32) ; CMML과 유사한 monocytosis를 보일 수
  * <u>*PDGFRA*</u>, <u>*PDGFRB*</u> mutations ⇨ <u>imatinib</u>(TKI, tyrosine kinase inhibitor)이 매우 효과적!
    - 심장 침범 등이 진행할 위험이 있으므로 진단된 모든 환자에서 치료 시작
    - imatinib에 반응이 없으면 다른 TKI (e.g., dasatinib, nilotinib, or sorafenib), HCT 고려
- *FGFR1* rearrangements (8q11) ; T-ALL or AML로 발현 흔함, TKI에 반응× (예후 나쁨)
- *PCM1-JAK2* rearrangements ; t(8;9)(p22;p24.1), BM에서 left-shifted erythroid predominance, lymphoid aggregates, myelofibrosis, T-LBL or B-ALL로 발현 흔함, *JAK2* inhibitors에 반응?

■ Chronic eosinophilic leukemia, NOS (CEL-NOS)

Chronic eosinophilic leukemia의 진단기준 (WHO)

1. Hyperosinophilia (AEC ≥1,500/μL)
2. Ph chromosome or *BCR-ABL1*, 다른 MPN (PV, ET, PMF), MDS/MPN (CMML, aCML) 등이 없음
3. *PDGFRA, PDGFRB, FGFR1, or PCM1-JAK2* 등이 없음 (MLN-Eo 아님)
4. AML은 아님 ; PB/BM blasts <20%, inv(16)(p13q22) or t(16;16)(p13;q22) 등이 없음, 기타 AML의 특징들 없음
5. Clonal cytogenetic/molecular genetic abnormality* 존재 or blasts >2% (PB) or >5% (BM)

---

* trisomy 8 (m/c), t(10;11), t(7;12), t(1;5), t(2;5), t(5;12), t(6;11), 8p11 등등
NGS의 발전으로 다른 gene mutations도 많이 발견됨 (e.g., *TET2, ASXL1, EZH2*)

- 매우 드묾, MPN의 일종, 50대에 호발, 남>여
- 지속적인(>6개월) hypereosinophilia를 보이면서 (HES 비슷한 임상양상) 원인을 모르고 (reactive eosinophilia R/O) 다른 myeloid neoplasm 및 MLN-Eo에 해당하지 않는 경우 진단
- BM and/or PB에서 eosinophils ≥30% & myeloblasts <20%
- mild eosinophilic dysplasia나 Charcot-Leyden crystals이 관찰될 수 있음
- serum tryptase↑ (>11.5 ng/mL), vitamin B_{12}↑ (흔히 >2000 pg/mL), IgE 정상 (MLN-Eo도 비슷한 양상을 보임) ⇨ secondary (reactive) eosinophilia와 감별에 도움
  c.f.) idiopathic HES는 blasts 증가×, clonal cytogenetic/molecular genetic abnormality 無
- 예후/경과 ; HES 비슷 (심장 or 뇌 침범으로 사망), AEL or AML로도 진행 가능
- 치료 (eosinophil count 감소, 증상 조절, 합병증 예방 등이 치료목표)
  - TKI (imatinib)에는 반응× → 다른 MPN의 치료와 비슷 (e.g., hydroxyurea)
  - 반응 없으면 HES처럼 steroid, anti-IL-5, anti-CD52 등도 고려 가능
  - allogenic HCT (완치 가능, 다른 치료들에 반응 없으면 고려)

■ Histopathologic classification

Acute eosinophilic leukemia (AEL)	HE* & BM eosinophils >30% & BM/PB myeloblasts >20% (↳ immature form이 많음)
Chronic eosinophilic leukemia (CEL)	HE* & BM eosinophils >30% & BM/PB myeloblasts <20% (↳ 주로 mature form) & No underlying stem cell-, myeloid or lymphoid neoplasm
Other myeloid neoplasm (MN) or stem cell neoplasm with HE: MPN-eo, MDS-eo, SM-eo ...	HE* & WHO or FAB 진단기준으로 MN or stem cell neoplasm but, BM eosinophils <30%

* hypereosinophilia (HE) >1500/μL

5
골수형성이상증후군 (Myelodysplastic syndrome, MDS)

개요

- 정의 : malignant clonal hematopoietic stem cell d/o.로 <u>dysplasia (dysmorphology)</u>,
  <u>ineffective hematopoiesis</u>, <u>cytopenia(s)</u> 등이 특징인 질환, AML로의 진행 위험이 높음
  (└ apoptosis↑ → cytopenias 발생에 기여)
- 원인/위험인자
  (1) **primary or de novo MDS** (60~70%)
      ; 화학물질(특히 benzene), 방사선, 흡연, 농약, 유기용매, 미만, AA, PNH, 선천성 혈액질환
      (e.g., trisomy 21, Fanconi's anemia, Bloom syndrome, ataxia telangiectasia) 등
  (2) **secondary or therapy-related MDS (t-MDS)**

Therapy-related myeloid neoplasms의 원인
1. **Alkylating agents** ; melphalan, cyclophosphamide, nitrogen mustard, chlorambucil, busulfan, carboplatin, cisplatin, dacarbazine, procarbazine, carmustine, mitomycin C, thiotepa, lomustine ...
2. **Ionizing radiation therapy** ; BM를 포함한 넓은 영역 (대개 5~7년 뒤 발생)
3. **Topoisomerase II inhibitors** ; etoposide, teniposide, doxorubicin, daunorubicin, mitoxantrone, amsacrine, actinomycin (c.f., topoisomerase II inhibitors는 lymphoblastic leukemia도 유발 가능)
4. **Antimetabolites** ; thiopurines, mycophenolate, fludarabine
5. **Antitubulin agents** (대개 다른 약제와 병용시) ; vincristine, vinblastine, vindesine, paclitaxel, docetaxel

  * hydroxyurea, radiosiotopes, L-asparaginase, 조혈성장인자 등의 관련성은 확실치 않음

- 유병률 : 10만 명당 약 10명, 증가 추세 (∵ 수명↑, 진단↑, 항암치료↑)
- idiopathic (primary) MDS는 고령에서 호발 (평균 70세), 남>여
- cytogenetic abnormalities
  - 약 50~70%에서 관찰됨 (t-MDS는 90~100%에서 존재)
  - translocation보다 aneuploidy (e.g., deletion, trisomy)가 훨씬 더 흔함
- familial MDS (드묾) ; *RUNX1, ANKRD26, CEBPA, DDX41, ETV6, TERC, TERT, SRP72,*
  GATA2 등의 germ line mutations과 관련
  c.f., *GATA2* 결핍 증후군 ; AD 유전, MDS (m/c), AML, 면역저하(→ 기회감염↑특히 virus, NTM,
  사마귀wart 등), pul. HTN, pul. alveolar proteinosis, 감각신경성 난청, 림프부종 등

  c.f.) childhood MDS
  - MDS의 1% 미만, 주로 소아에서 pancytopenia를 보임
  - hypocellular BM를 보이며, AA와의 차이는 dysplasia가 존재하는 것

■ 임상양상

- 약 1/2은 asymptomatic (검사 중 우연히 발견됨)
- anemia에 의한 증상이 대부분 ; 쇠약, 어지러움, 두통, 창백, 빈맥 ...
- thrombocytopenia ; 쉽게 멍듦, 과다 월경 ...
- neutropenia에 의한 감염은 흔하지 않음
- organomegaly (hepatomegaly, LN enlargement)는 드묾 (splenomegaly는 약 20%에서)
- fever, weight loss → MDS보다는 MPN을 더 시사함
- 병력 ; 이전의 항암 CTx, RTx 등이 중요, sideroblatic anemia or Fanconi's anemia의 가족력, Down syndrome 소아도 MDS 발생 위험 증가

■ 검사소견

1. PB

- severe anemia (MCV는 정상~↑) : 대개 수혈에 의존하게 됨
- poikilocytosis 심함 ; target cells, teardrop cells, acanthocytes, elliptocytes ...
- WBC ; N~↓, left-shifted (소수의 promyelocyte나 blast도 보일 수 있음)
- neutropenia, thrombocytopenia (c.f., monocytosis → CMML)
- platelet ; 크고 granules이 없음, 기능 이상도 심할 수 있음

2. BM

- cellularity : 대부분 증가 or 정상 (↔ AA는 심하게 감소)
- 한 계열(lineage) 이상의 조혈세포에서 다양한 dysplasia (dysmorphic change)를 보임 - m/i
- iron store↑ (∵ 수혈, mitochondrial dysfunction으로 mitochondria 내에 iron 축적)

  c.f.) hypocellular MDS
    - MDS의 5~10% 차지, BM cellularity <30% (노인은 <20%)
    - 심한 cytopenias를 보임, 대부분 MDS-SLD (refractory anemia)
    - therapy-related MDS, childhood MDS, 여성 등에서 흔함

3. 유전검사

- MDS의 진단 (AML과의 감별) 및 예후 예측에 필수 (세포유전검사는 필수, 분자유전검사는 권장)
- 세포유전검사(karyotyping, FISH) : 약 1/2에서 이상을 보임
- 분자유전검사(RT-PCR, targeted NGS) : 80~90%에서 somatic (i.e., acquired) mutations 존재
  - *SF3B1, TET2, ASXL1, DNMT3A, SRSF2, RUNX1, U2AF1, TP53* 등이 흔함(>10%)
  - *SF3B1* → ringed sideroblasts와 밀접하게 관련 ; MDS-RS (~80%), good Px.
  - *TET2* → hypomethylating agents (e.g., AzaC)에 반응 좋음 (82% ↔ 45%), survival은 비슷

- *TP53, RUNX1, NRAS* → poor Px ; blasts count↑, severe cytopenias
  ↳ complex karyotypes (~50%) 및 del(5q) (15%~20%)와 관련
- 많은 경우 다른 myeloid 종양(e.g.,, AML, CMML, JMML)에서도 같은 mutations이 나타날 수 있지만, 각 종양의 진단기준을 우선 따름
- 일부 mutations은 혈액종양의 진단기준에 해당 안 되는 CHIP or CCUS에서도 흔히 나타남
  ① clonal hematopoiesis of indeterminate potential (CHIP) ; 나중에 MDS 등이 발생하기도 하지만(0.5~1%/yr), 대부분은 별 문제 안 됨 → F/U
  ② clonal cytopenia of undetermined significance (CCUS) ; CHIP과 MDS의 중간쯤 경과
  c.f.) idiopathic cytopenia of undetermined significance (ICUS) ; dysplasia와 세포유전이상 없이 지속적인 cytopenia를 보이는 경우, MDS 등으로 진행할 위험이 조금은 있음

종양/종양억제유전자	*RUNX1, TP53, NRAS, KRAS, ETV6, NF1, MPL* 등
DNA (CpG island) 메틸화 유전자	*TET2, DNMT3A, IHD1, IDH2* 등
히스톤 변형 관련 유전자	*ASXL1, EZH2* 등
RNA splicesome 유전자	*SF3B1, SRSF2, U2AF1, ZRSR2* 등
기타	*STAG2, JAK2, CALR, CBL, GATA2, RPS14* 등
Good Prognosis	*SF3B1*
Poor Prognosis	*TP53, RUNX1, NRAS, ASXL1, EZH2, SRSF2, U2AF1, ZRSR2, STAG2, ETV6, GATA2, IDH2, BCOR, FLT3, WT1, NPM1* 등
CHIP & CCUS에서 흔한 유전자	*TET2, DNMT3A, ASXL1, PPM1D* 등

4. Flow cytometry

- MDS 진단에는 보조적으로 이용 가능
  - myeloblasts 확인 (e.g., CD13, CD33, CD117), 객관적인 blasts % count
  - PNH clone or LGL clone (e.g., CD56/CD57) 확인
  - CMML-associated monocytic aberrancies 확인 (e.g., CD64/CD14, CD16 loss/dim)
  - 일부 dysgranulopoiesis도 확인 가능 (e.g., hypogranular myelocytes, CD16/CD10- neutrophils)
- but, dysmegakaryocytopoiesis는 확인할 수 없고, FCM 검사시 적혈구를 용혈시키므로 dyserythropoiesis도 확인하기 어려움

분류/진단 (WHO 2016)

- 크게 2가지 groups으로 분류
  ① De novo MDS
  ② Therapy-related MDS : ①과 같이 분류하되 "therapy-related"를 붙임
- 기본적으로 (1) PB/BM의 blasts %, (2) dysplasias의 정도/계열, (3) ringed sideroblasts %로 MDS를 진단/분류하고 (4) 세포유전이상은 예후 예측 및 일부 아형의 진단에 이용

분류 ★	빈도(%)	PB 소견		BM 소견			Leukemia 발생(%)	(중앙) 생존기간
		Blast(%)	Cytopenia*	Blast(%)	RS(%)**	Dysplasia		
MDS–SLD	10~20	<1 (No AR)	1~2계열	<5 (No AR)	<15	1계열만	2~6	66개월
MDS–MLD	30	<1 (No AR)	1~3계열	<5 (No AR)	<15	2~3계열	10	30개월
MDS–RS–SLD	3~11	<1 (No AR)	1~2계열	<5 (No AR)	≥15	1계열만	1~2	69~108개월
MDS–RS–MLD		<1 (No AR)	1~3계열	<5 (No AR)	≥15	2~3계열		
MDS–EB–1	20	2~4 (No AR)	1~3계열	5~9 (No AR)		0~3계열	25	16개월
MDS–EB–2	20	5~19 or AR	1~3계열	10~19 or AR		0~3계열	33	9개월
MDS–del(5q)	드묾 남<여	<1 (No AR)	1~2계열	<5 (No AR)		1~3계열	<10	145개월
MDS–U (un-classifiable) with 1% blood blasts		1***(No AR)	1~3계열	<5 (No AR)		1~3계열	?	?
MDS–U with SLD & pancytopenia		<1 (No AR)	3계열	<5 (No AR)		1계열		
MDS–U MDS 관련 세포/유전이상(+)		<1 (No AR)	1~3계열	<5 (No AR)	<15	0		
Refractory cytopenia of childhood (RCC)		<2	1~3계열	<5	0	1~3계열		

(SLD: single lineage dysplasia, MLD: multilineage dysplasia, RS: ringed sideroblast, EB: excess blasts, AR: Auer rods)

* Cytopenias의 기준: Hb <10 g/dL, absolute neutrophil <1,800/μL, platelet <10만/μL (드물게 이 기준보다 높은 mild anemia or thrombocytopenia를 보일 수도 있음), PB monocyte는 반드시 <1,000/μL
** *SF3B1* mutation이 존재하면 ringed sideroblast (RS) 기준은 15%에서 5%로 낮아짐
*** 1% PB blasts는 반드시 2회 이상 확인되어야 됨

c.f.) 이전 WHO 2008년 분류에서의 변화
  - MDS 분류에는 dysplasia 정도와 blast %가 중요하고, dysplasia를 보이는 계열(lineage)과 cytopenia를 보이는 계열이 일치하지 않는 경우가 흔함 → 특정 cytopenia 이름 대신 MDS를 용어로 사용함
    ┌ RCUD (refractory cytopenia with unilineage dysplasia) ⇨ MDS–ULD
    │ RCMD (refractory cytopenia with multilineage dysplasia) ⇨ MDS–MLD
    │ RARS (refractory anemia with ringed sideroblast) ⇨ MDS–RS
    └ RAEB (refractory anemia with excess blasts) ⇨ MDS–EB
  - MDS–U (MDS, unclassifiable)가 세분화됨
  - MDS–del(5q) (MDS with isolated del(5q), "5q– syndrome") : 세포유전이상으로 del(5q)만 존재 or (monosomy 7/del(7q)를 제외한) 추가 세포유전이상 1개 더 존재, 예후 좋음
  - ringed sideroblast (RS)와 관련된 *SF3B1* mutation이 양성이면 진단에 필요한 RS 수(%)가 낮아짐 (→ 예후 좋음)

- PB/BM의 blasts가 20% 이상이면 acute leukemia!
- cytopenia 환자에서 'MDS-defining 세포유전이상'이 존재하면 dysplasia가 없어도 presumptive MDS로 진단 (→ F/U) : 단 FISH or sequencing이 아닌 karyotyping에서 발견된 경우에만 (예외 ; +8, -Y, del(20q)는 dysplasia가 있을 때만 MDS-defining 세포유전이상으로 취급)
- 의미 있는 dysplasia : 그 계열 세포의 <u>10% 이상</u>에서 <u>dysplastic features</u>를 보일 때

Dyserythropoiesis	Dysgranulopoiesis	Dysmegakaryocytopoiesis
Nuclear budding Internuclear bridging Karyorrhexis Multinuclearity Nuclear hyperlobation Megaloblastic changes Ringed sideroblasts Cytoplasmic vacuolization PAS(+) cytoplasm	크기가 작거나 비정상적으로 큼 Nuclear hypolobation (pseudo Pelger-Huët anomaly) Irregular hypersegmentation Hypogranulation, agranularity Pseudo Chediak-Higashi granules Auer rods	Micromegakaryocytes* Nuclear hypolobation Multinucleation (separated nucleus) * 비교적 MDS에 특이적이고 재현성(reproducibility)이 높음

c.f.) 다른 원인에 의해서도 dysplasia는 나타날 수 있음!! (대개는 MDS보다 경미하고 한 계열에만 국한됨)
; 거대적혈구빈혈(vitamin B_{12} or folate 결핍), 기타 영양소 결핍(e.g., 구리, vitamin B_6), 중금속(특히 비소), 선천성혈액질환(e.g., congenital dyserythropoietic anemia), HIV or parvovirus B_{19} 등의 바이러스 감염, 심한 알코올 중독자, 약물(e.g., cotrimoxazole), 항암화학요법제, G-CSF, PNH ...

- MDS-defining 세포유전이상(chromosomal abnormalities)

Abnormality	primary MDS	t-MDS
Unbalanced		
+8*	10~20%	
-7 or del(7q)	10~15%	50%
-5 or del(5q)	10~25%	40%
del(20q)*	5~8%	
-Y*	1~5%	
+21	1~5%	
i(17q) or t(17p)	3~5%	
-13 or del(13q)	3%	
del(11q)	3~7%	
del(12p) or t(12p)	3%	
del(9q)	1~2%	
idic(X)(q13)	1~2%	
Complex karyotype (≥3)	15%	
Balanced		
t(11;16)(q23;p13.3)		3%
t(3;21)(q26.2;q22.1)		2%
t(1;3)(p36.3;q21.2)	1%	
t(2;11)(p21;q23)	1%	
inv(3)(q21q26.2)	1%	
t(6;9)(p23;q34)	1%	

[참고]
t(8;21)(q22;q22); *RUNX1-RUNX1T1*
inv(16)(p13.1q22) or t(16;16)(p13.1;q22)
 ; *CBFB-MYH11*
t(15;17)(q24.1;q21.1); *PML-RARA*
등의 세포유전이상이 발견되면 blast count에 관계없이 AML로 진단함!

*Dysplasia가 있을 때만 MDS-defining 세포유전이상으로 취급함!
▶나머지 이상들은 cytopenia가 있으면 dysplasia가 확실하지 않아도 MDS로 가정함

치료

1. 보존적 치료

- 다른 원인에 의한 빈혈을 철저히 R/O 해야됨 (e.g., IDA, MA, ACD)
- 모든 환자에서 기본적으로 시행, aplastic anemia 때와 같은 원칙 (수혈, 항생제 등)
- hematopoietic growth factors (HGF)
  ; 다른 BMF와 마찬가지로 pancytopenia가 덜 심할수록 효과적 (low~intermediate MDS에서 사용)
  ① rEPO : low EPO (≤500 mU/mL) 환자에서 (특히 저위험군에서) 적극적으로 사용
      (e.g., epoetin alfa, epoetin alfa-epbx, darbepoetin alfa)
    - 초치료부터 정기적인 수혈보다는 rEPO 투여가 좋음 (∵ 증상 호전↑, 부작용↓)
    - 40~60%에서 반응 (대부분 6~8주 이내 반응) → 수혈↓ & 삶의 질↑, survival↑
      (AML로의 전환율을 높이지는 않음)
    - 치료 목표는 Hb 12 g/dL 이하로 (∵ 12 g/dL 초과하면 혈전색전증↑)
    - ringed sideroblasts가 15% 이상인 환자는 rEPO에 반응 약함 ⇨ rEPO + G-CSF로
  ② G-CSF : 심각한/불응성 세균감염을 동반한 neutropenia 환자에서나 고려
      (e.g., filgrastim, filgrastim-sndz, tbo-filgrastim)
  ③ thrombopoietin mimetics (e.g., romiplostim, eltrombopag)
    - 혈소판 상승효과는 미미하고, 부작용 위험(특히 high-risk MDS에서 AML로 전환↑)
    - low-risk MDS 환자에서 thrombocytopenia가 심각한데 수혈이나 antifibrinolytic agents에
      모두 실패한 경우에나 고려 가능
- EPO 높거나(>500 mU/mL) 실패한 환자는 chronic transfusion therapy
- 정기적으로 수혈을 받는 환자는 iron overload 위험 (ferritin↑ → poor Px)
  → ferritin 1000 ng/mL 이상이면 oral iron chelating agent (e.g., deferasirox)로 치료
- 출혈 ⇨ 혈소판 수혈, antifibrinolytic agents (e.g., aminocaproic acid) 등

2. Hypomethylating agents (epigenetic modulators)

- azacitidine (AzaC, Vidaza®) : 75 mg/m²/day SC로 7일간, 4주 간격으로 반복
- decitabine (Dacogen®) : 좀 더 강력, 20 mg/m²/day IV로 5일간, 4주 간격으로 반복
- DNA methytransferase을 억제하여(methylation inhibitor) 종양세포주의 사멸을 유도
- 고용량에서는 cytotoxic activity도 있지만, 저용량의 cell differentiating potential 때문에 투여
  ⇨ high-risk MDS에서 주로 사용하지만, low-risk MDS에서도 효과적이므로 고려 가능
- 두 약제의 효과는 비슷한 편 : 약 50%에서 혈액학적 반응, 약 20%에서 완전 반응, leukemic
  transformation 지연, 삶의 질 향상 (but, survival 향상은 아직 azacitidine에서만 약간 보고됨)
- 치료를 지속해야 반응이 유지되며, 결국에는 대부분 불응성이 됨(refractory)
- 주요 부작용 ; myelosuppression (cytopenia 악화)

3. 면역조절제(immunomodulatory drug, IMiD)

- 다양한 기전이 있지만, 정확히 어떤 기전으로 효과가 있는지는 불확실함
- thalidomide : MDS 환자의 빈혈 호전에 효과적
- lenalidomide (Revlimid®) : thalidomide 유도체로 더 강력하면서 독성은 적음, 경구 투여
  - low-risk MDS (특히 5q- syndrome)에서 효과적, 약 2/3에서 blood count 호전
  - blood count 뿐 아니라 cytogenetic abnormalities도 정상화 가능
  - 대부분 치료 시작 3개월 이내에 호전됨
  - 부작용 ; myelosuppression (neutropenia or thrombocytopenia), DVT & PE

4. 면역억제치료(IST)

- ATG (± cyclosporine), anti-CD52 mAb (alemtuzumab, Campath®) 등
- 일부 MDS에서 효과적 ; young (<60세), 수혈의존기간 짧음, IPSS 저위험군, BM blasts <5%, HLA-DR15 (+), PNH clone (+), *STAT3* mutant T cell clone (+), hypocellular MDS 등 (c.f., *STAT3* mutation : LGL-관련 MDS에서 발생, immune BMF와 관련)
- steroid는 사용 안함

c.f.) 급성 백혈병에 대한 conventional CTx는 효과 적고 부작용만 큼 (다른 치료들에 실패시 고려)

5. allogenic HCT

- 유일한 완치법, 대개 70세 이하에서 고려, 30~50% cure (5YSR 약 40%)
- matched unrelated donor와 sibling donor와의 치료 성적은 비슷함
- PBSCT가 BMT보다 회복속도 빠르고, 부작용도 적다
- but, 고위험군에서는 재발 및 이식관련 합병증(사망률)이 매우 높음, 고령일수록 동반질환↑
  (↔ 저위험군은 부작용은 적지만, 다른 치료들로도 잘 생존 가능) → 결국 일부에서만 HCT 시행

MDS의 치료 정리

IPSS/WPSS <u>very low ~ intermediate risk</u>
⇨ 5q- 존재 ┌ O lenalidomide
           └ ✕ → ┌ serum EPO ≤500 mU/mL → rEPO (+ G-CSF*) → 반응 없으면 lenalidomide 추가 등
                  └ serum EPO >500 mU/mL (or 심각한 thrombocytopenia, neutropenia, BM blasts↑)
                     └┌ IST의 적응 (본문 참조) → ATG ± cyclosporine A
                       └ IST의 적응✕ → azacitidine or decitabine (or lenalidomide) or clinical trials

IPSS/WPSS <u>(very) high risk</u> or therapy-related
⇨ intensive therapy 가능 ┌ O → donor 있으면 allogenic HCT / 없으면 azacitidine or decitabine or clinical trials
                          └ ✕ → azacitidine or decitabine or 보존적치료 등

  * ringed sideroblastic type인 경우

예후

- 경과는 다양함, 완치되기 어려워 예후는 나쁨 (수개월~수년 생존)
- 대부분 BMF (pancytopenia)의 합병증으로 사망 (e.g., 감염, 출혈)
- 예후가 나쁜 경우
  ① pancytopenia의 악화
  ② 새로운 염색체 이상의 발생
  ③ blasts의 증가
  ④ therapy-related MDS
- 형태학적 분류만으로는 예후 예측 및 치료방침 결정에 부족하므로, 임상양상 및 세포유전소견 등을 종합한 예후 점수체계를 이용함

- IPSS (International Prognostic Scoring System, 1997) ★

Risk Group	Score	Leukemia 발생률	AML/25%(년)*	5YSR	평균생존기간(년)
Low	0	19%	9.4	55%	5.7
Intermediate-1	0.5~1.0	30%	3.3	35%	3.5
Intermediate-2	1.5~2.0	33%	1.1	8%	1.1
High	≥2.5	45%	0.2	0	0.4

*치료 안했을 때 해당 환자군의 25%에서 AML이 발생하는 평균 기간

Score point	BM blasts (%)	Cytopenia*	Karyotype ★
0	<5%	0~1계열	Good; 정상, -Y, del(5q), del(20q)
0.5	5~10%	2~3계열	Intermediate; 모든 다른 이상
1.0			Poor; complex (≥3개) or 염색체 7번의 이상
1.5	11~20%		
2.0	21~30%		

* cytopenia의 기준 ; Hb <10 g/dL, ANC <1,800/μL, platelet <100,000/μL

• IPSS-R (Revised International Prognostic Scoring System, 2012) ★

Risk Group	Score	평균생존기간(년)	AML/25%(년)*
Very low	score ≤1.5	8.8	>14.5
Low	1.5< score ≤3.0	5.3	10.8
Intermediate	3.0< score ≤4.5	3	3.2
High	4.5< score ≤6.0	1.6	1.4
Very high	6< score	0.8	0.73

*해당 환자군의 25%에서 AML이 발생하는 평균 기간

Score point	세포유전이상	BM blast %	Hb (g/dL)	Platelet (/μL)	ANC (/μL)
0	Very good	≤2%	≥10	≥10만	≥800
0.5				5~10만	<800
1	Good	2~5%	8~10	<5만	
1.5			<8		
2	Intermediate	5~10%			
3	Poor	>10%			
4	Very poor				

세포유전이상 scoring system	
Very good	−Y, del(11q)
Good	Normal, del(5q) with/without other anomaly, del(12p), del(20q)
Intermediate	del(7q), +8, +19, +21, i(17q), 기타 1~2개의 이상, 2개 이상의 독립적인 clones
Poor	inv(3)/t(3q)/del(3q), −7, double with del(7q), complex (3 abnormalities)
Very poor	Complex (>3 abnormalities)

C.f.) Differentiating Variables for Survival (추가 변수)*			
Performance Status/ECOG Score	0 [−0.8]	1 [+0.2]	2~4 [+1.0]
Serum Ferritin (ng/mL)	≤350 [−0.4]		>350 [+0.5]
Serum LDH (g/mL)	Normal [−0.2]		High [+0.5]
Serum β−2 Microglobulin (g/mL)	≤2 [−1.0]		>2 [+0.5]
Marrow Fibrosis	통계적 의미가 없어 적용 안 함		

*한 번에 하나의 변수만 IPSS-R의 scoring에 반영함 [추가로 더하거나 뺌]

- WPSS (WHO classification-based Prognostic Scoring System, 2007)
  : cytopenias가 빠졌지만, 임상경과 중 다양한 시점에서 예후 평가가 가능함 (IPSS/IPSS-R이 더 선호됨)

Risk Group	Score	5YSR	평균생존기간(년)	AML로 진행 평균기간(년)
Very low	0	90%	11.6	–
Low	1	70%	9.3	14.7
Intermediate	2	50%	5.7	7.8
High	3~4	20%	1.8	1.8
Very high	5~6	<10%	1.1	1.0

Score point	WHO 분류	수혈 필요성*	Karyotype
0	MDS-SLD, MDS-RS, MDS-del(5q)	×	Good; 정상, -Y, del(5q), del(20q)
1	MDS-MLD	O	Intermediate; 모든 다른 이상
2	MDS-EB-1		Poor; complex (≥3개) or 염색체 7번의 이상
3	MDS-EB-2		

  * 수혈 필요성: 4개월 이상의 기간 동안, 8주마다 1회 이상의 수혈이 필요한 경우
   (→ severe anemia와 비슷한 개념: 남성 Hb <9 g/dL, 여성 Hb <8 g/dL)
  ** BM fibrosis (grade 2~3) 동반시에는 한 단계 높은 risk group으로 간주함

■ 일반적인 MPN, MDS, AML의 특징 비교

	BM cellularity	BM blast%	Maturation	Morphology	Hematopoiesis	Blood count	Organomegaly
MPN	↑↑	N~↑(<10%)	O	비교적 정상	효율적	대개 상승	흔함
MDS	N~↑↑	N~↑(<20%)	O	Dysplasia	비효율적	감소	드묾
AML	↑↑	↑↑(≥20%)	대개×	정상 or dysplasia	효율/비효율	WBC는 다양 RBC,plt는 감소	드묾

*MDS-MPN은 MDS (dysplasia)와 MPN의 특징을 같이 가지고 있는 질환군임

6
백혈병

1. 정의

: immature myeloid or lymphoid precursors (blasts)의 클론성 증식에 의해 골수 조혈기능의 장애 및 여러 장기의 leukemic cells 침윤을 특징으로 하는 혈액 악성종양

2. 역학

- acute leukemia (87%) ; AML (70%), ALL (30%)
- chronic leukemia (13%) ; CML (95%), CLL (5%)
  (c.f., 서양은 CLL이 m/c leukemia)
- 소아 (1/4) ; ALL (80%), AML (20%)
- 성인 (3/4) ; AML (80%), ALL (20%)
- 남:여 ; acute leukemia = 3:2, chronic leukemia = 2:1
- 성인의 AML 및 ALL은 나이가 들수록 발생 증가, 최근 10년 동안 AML은 크게 증가되었음
  (미국: AML 모든 암의 ~1.2%, 평균 진단 연령 67세, 5YSR 27%)
- ALL의 75%는 6세 이하 소아에서 발생 (사회경제적 수준이 높은 군에서 더 흔함)

3. 원인

(1) genetic factor

- acute leukemia 발생이 증가하는 congenital disorders ; Down, Klinefelter, Patau, Bloom, Kostmann (congenital neutropenia), Wiskott-Aldrich syndromes, Fanconi's anemia, ataxia telangiectasia ...
- 일부에서 가족력 보임 (e.g., 일란성 쌍생아에서 높은 질병 일치율)
- MDS도 AML로 진행할 수 있음

c.f.) Down syndrome-associated AML ; 4세 미만, acute megakaryocytic subtype (FAB M7), *GATA1* gene과 관련, 예후는 좋음 (but, CTx.에 대한 독성이 크므로 용량조절 필요)

(2) environmental factor

- high-dose radiation (e.g., 원폭) → CML, AML, T-ALL 등의 발생 위험 증가
  - CLL이나 hairy cell leukemia는 관계없다
  - RTx는 거의 leukemia를 안 일으킴 (but, alkylating agent에 노출된 경우는 위험↑)
- chemicals & other exposure
  - 벤젠(benzene) → marrow aplasia (→ AML↑)
  - 흡연, 유제품, 페인트, 방부제, ethylene oxide, 제초제, 살충제, 전자기장 등 → AML↑
- drugs (항암제가 therapy-related myeloid neoplasms의 주요 원인!) → 앞 장 참조
  - alkylating agents (e.g., nitrogen mustard, procarbazine, chlorambucil, cyclophosphamide, melphalan, busulfan, nitrosourea, thiotepa)
    → 4~6년 후 AML (dysplasia도 동반) or MDS 발생↑
  - topoisomerase II inhibitor (e.g., etoposide, teniposide) → 1~3년 후 AML 발생↑, monocytic subtype (FAB M4, 5)이 흔함, 11q23 이상과 관련
  - chloramphenicol, phenylbutazone, chloroquine, methoxypsoralen → BM failure (→ AML)

(3) virus

- AML은 virus와 관련 없음
- HTLV-I (human T cell lymphotropic virus-I) → ATL (adult T cell leukemia/lymphoma)
- EBV (Epstein-Barr virus) → ALL L3 (Burkitt lymphoma), aggressive lymphoma

급성 백혈병 (Acute leukemia)

1. 개요

- 정의 : BM and/or PB에서 <u>blasts 20% 이상</u> (정상 BM <3%, PB 無)
  - blast equivalent도 포함됨 ; monocytic leukemia에서는 promonocyte, APL에서는 promyelocyte
  - c.f., 과거의 FAB 분류에서는 blasts 30% 이상이었음

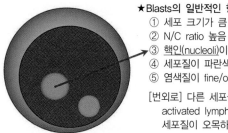

★Blasts의 일반적인 형태
① 세포 크기가 큼
② N/C ratio 높음 (세포질에 비해 상대적으로 핵이 큼)
③ <u>핵인(nucleoli)</u>이 뚜렷하게 보임 (보통 1~3개)
④ 세포질이 파란색(basophilic)
⑤ 염색질이 fine/open pattern

[번외로] 다른 세포들에 비해 바위처럼 매우 단단해 보임, activated lymphocytes는 적혈구 등의 세포와 인접하면 세포질이 오목하게 들어가지만 blasts는 자신의 형태 유지

- 원인 : 대부분 idiopathic
  (유전[germline mutation], 방사능, 화학물질, 직업적노출, 약물 등 원인이 밝혀진 경우는 드묾)

- genetic predisposition : 대부분 sporadic somatic mutations (inherited predisposition은 드묾)
  - 70세 이상 정상인의 5~6%는 말초혈액에 potentially "premalignant" mutations 존재
    → 추가적인 자극들에 의해 malignant로 진행 (아직 자세히 모름)
  - myeloid neoplasms (AML, MDS, MPN 등) 발생 위험이 증가되는 germline mutations

Myeloid Neoplasms with Germline Predisposition의 WHO 분류 (2016, Revised 4th edition)
Myeloid neoplasms with germline predisposition without a preexisting disorder or organ dysfunction
Acute myeloid leukemia with germline *CEBPA* mutation
Myeloid neoplasms with germline *DDX41* mutation
Myeloid neoplasms with germline predisposition and preexisting platelet disorders
Myeloid neoplasms with germline *RUNX1* mutation
Myeloid neoplasms with germline *ANKRD26* mutation
Myeloid neoplasms with germline *ETV6* mutation
Myeloid neoplasms with germline predisposition and other organ dysfunction
Myeloid neoplasms with germline *GATA2* mutation
Myeloid neoplasms associated with bone marrow failure syndromes
Myeloid neoplasms associated with telomere biology disorders
Myeloid neoplasms associated with Noonan syndrome
Myeloid neoplasms associated with Down syndrome

2. 진단 및 분류

(1) 형태학적 진단/분류

		AML	ALL
Cytochemical stains	MPO, SBB, SE	(+)	(−)
	NSE	(+): M5, M4	(−)
	PAS, TdT	(−)	(+)
Blasts의 형태	Auer rods, granules	(±)	(−)
	Nuclear/cytoplasmic ratio	relatively low	very high (L1)
	Nucleoli	2~5, prominent	0~2, indistinct
	Myelodysplasia	(±)	(−)

- <u>Auer rods</u> : blast와 promyelocyte 세포질 내의 eosinophilic needle-like inclusion
  - myeloblasts에 특이적인 소견임! (→ 다른 검사들 없이도 AML로 진단 가능)
  - AML에서 흔함(특히 FAB M3, M2) / MDS에서 보이면 무조건 MDS-EB subtype!
  - Auer rods 외 blast의 크기/형태는 AML/ALL 감별에 절대적이지 않음
- MPO (myeloperoxidase), SBB (Sudan black B), SE (specific esterase)
  → myeloid (granulocytic) 계열의 AML (FAB M1, M2, M3, M4)에 염색됨 (+)
- NSE (nonspecific esterase) → monocytic 계열의 AML (FAB M4, M5)에 염색됨 (+)
- PAS (periodic acid schiff) → ALL의 약 1/2에서 (+), 덩어리 형태(dot block pattern)로 염색됨
- TdT (terminal deoxynucleotidal transferase) → ALL의 95%에서 (+)
  - L3 ALL, CLL, hairy cell leukemia, lymphoma 등에서는 음성임
  - AML의 5~10%에서도 양성 가능 (FAB M0 or M1)
- 전자현미경(EM)상 platelet peroxidase (+) → FAB M7
- L3 (= Burkitt lymphoma) : 세포질 내에 많은 공포(vacuoles) 존재 → oil red O에 의해 염색됨

■ 참고: FAB classification (1976~) : 급성백혈병의 기준이 blast ≥30% 였었음

FAB 분류	빈도(%)	진단기준 (형태학적 특징)	MPO/SBB	NSE	PAS	Immunophenotype
M0 : Minimally differentiated	2~3	Type I blasts가 ANC의 30% 이상	−	−	−	CD13, 33(±), 34, 117 HLA−DR(+)
M1 : AML without maturation	20	Type I & II blasts가 ANC의 30% 이상, NEC의 90% 이상	++	−	−	CD13, 33, 34, 117 HLA−DR(+)
M2 : AML with maturation	25~30 (m/c)	Type I & II blasts가 ANC의 30% 이상, NEC의 90% 미만	+++	−	−	CD13, 15, 33, 34, 117, HLA−DR(+)
M3 : Acute promyelocytic leukemia (APL)	8~15	Blasts와 abnormal hypergranular promyelocytes가 30% 이상 Multiple Auer rods (Faggot cell) Hypogranular variant (M3V)	+++	−	±	CD13, 15, 33, HLA−DR(−)
M4 : acute myelomonocytic leukemia	15~25	Type I & II blasts가 ANC의 30% 이상, Monoblast, promonocyte, monocyte는 NEC의 80% 미만 M4Eo (M4 + eosinophil 증가)	++	++	−	CD11, 13, 14, 15, 33, 34, 64 HLA−DR(+)
M5 : acute monocytic leukemia	10~20	Monoblast, promonocyte, monocyte는 NEC의 80% 이상 M5a (undifferentiated) : monoblasts가 monocytic cells의 80% 이상 M5b (differentiated) : ~ 80% 미만	±	+++	±	CD11, 13(±), 14, 15, 33, 64 HLA−DR(+)
M6 : acute erythroleukemia	3~4	Erythroblasts가 ANC의 50% 이상 Myeloblasts도 NEC의 30% 이상	±	−	+++	CD13, 33, 36, 71 HLA−DR(±) glycoprotein A(±)
M7 : acute megakaryoblastic leukemia	1	ANC의 30% 이상이 megakaryoblasts or leukemic cells	−	−	++	CD13 & 33(±), 34, 41, 42, 61, 71(±), HLA−DR(±), glyco−protein Ib, IIb/IIIa
ALL L1	75 (m/c)	작고 둥근 blasts, scanty cytoplasm, inconspicuous nucleoli	−	−	+++	CD10, 19, 34, TdT
ALL L2	20	다양하고 큰 blasts (myeloblast 비슷), prominent nucleoli	−	−	+++	CD10, 19, 34, TdT
ALL L3 (Burkitt lymphoma)	5	큰 blasts, abundant & basophilic cytoplasm (with many vacuoles)	−	−	+++	CD19, CD20, sIg

c.f.) blasts의 3 types
- type I : cytoplasmic granules이 없음
- type II : primary (azurophilic) granules이 적게(<20) 존재
- type III : primary (azurophilic) granules이 많이(≥20) 존재

Monocytic markers (CD14, CD64, CD11, CD4, CD36, CD68, CD163, Lysozyme) : M4~5에서 양성 (M5는 2개 이상)

* 현재 FAB (형태학적) 분류를 완전히 안 쓰는 것은 아니고 WHO 분류를 우선으로 하되, 염색체/유전자 이상이 없거나 시행을 못한 경우 FAB 분류를 기반으로 진단에 활용함 → WHO 분류로는 AML−NOS에 해당됨

림프구성 백혈병들은(e.g., ALL, CLL, PLL) 림프구계 악성세포가 BM를 주로 침범 or BM에서 발생한 것이며, 다른 림프조직(e.g., LN, spleen)을 주로 침범하여 고형 종양의 형태를 취하면 "림프종" 이라 부름

WHO 분류로는 림프구계 종양(림프종, 림프구성 백혈병, 형질세포질환)은 한 chapter로 묶는 것이 합당하지만, 임상양상/학습편의에 따라 ALL과 CLL은 백혈병 chapter에, 형질세포질환은 독립 chapter로 구성했습니다. CML은 이름은 만성백혈병이지만 분류상 MPN에 속하므로 MPN chapter에 있습니다.

(2) 급성 백혈병의 WHO 분류

Acute leukemia의 WHO 분류 (2016, Revised 4th edition)

Acute myeloid leukemia and related neoplasms
1. <u>Acute myeloid leukemia with recurrent genetic abnormalities</u>
    AML with t(8;21)(q22;q22.1); *RUNX1-RUNX1T1* (previous *AML1-ETO*)
    AML with inv(16)(p13.1q22) or t(16;16)(p13.1;q22); *CBFB-MYH11*
    APL with *PML-RARA* ··· t(15;17) 이외도 가능하기 때문에 이름이 바뀌었음 / FAB의 M3
    AML with t(9;11)(p21.3;q23.3); *MLLT3-KMT2A* (previous *MLLT3-MLL*)
    AML with t(6;9)(p23;q34.1); *DEK-NUP214*
    AML with inv(3)(q21.3q26.2) or t(3;3)(q21.3;q26.2); *GATA2-MECOM* (previous *RPN1-EVI1*)
    AML (megakaryoblastic) with t(1;22)(p13.3;q13.3); *RBM15-MKL1*
    AML with mutated *NPM1*
    AML with biallelic mutations of *CEBPA*
    AML with mutated *RUNX1**
    AML with *BCR-ABL1**
2. Acute myeloid leukemia with myelodysplasia-related changes
3. Therapy-related myeloid neoplasms
4. <u>Acute myeloid leukemia, NOS (AML-NOS)</u>
    AML with minimal differentiation (FAB의 M0)
    AML without maturation (FAB의 M1)
    AML with maturation (FAB의 M2)
    Acute myelomonocytic leukemia (FAB의 M4)
    Acute monoblastic/monocytic leukemia (FAB의 M5)
    Pure erythroid leukemia (FAB의 M6) ··· "Erythroleukemia, erythroid/myeloid" 는 삭제됨
    Acute megakaryoblastic leukemia (FAB의 M7)
    Acute basophilic leukemia
    Acute panmyelosis with myelofibrosis
5. Myeloid sarcoma
6. Myeloid proliferations related to Down syndrome
    Transient abnormal myelopoiesis
    Myeloid leukemia associated with Down syndrome

Acute leukemias of ambiguous lineage
  Acute undifferentiated leukemia
  Mixed phenotype acute leukemia with t(9;22)(q34.1;q11.2); *BCR-ABL1*
  Mixed phenotype acute leukemia with t(v;11q23.3); *MLL* rearranged
  Mixed phenotype acute leukemia, B/myeloid, NOS
  Mixed phenotype acute leukemia, T/myeloid, NOS

Precursor lymphoid neoplasms
  B lymphoblastic leukemia/lymphoma, NOS
  B lymphoblastic leukemia/lymphoma with recurrent genetic abnormalities
    B lymphoblastic leukemia/lymphoma with t(9;22)(q34.1;q11.2); *BCR-ABL1* (Ph-ALL)
    B lymphoblastic leukemia/lymphoma with t(v;11q23.3); *KMT2A* rearranged (previous *MLL*)
    B lymphoblastic leukemia/lymphoma with t(12;21)(p13.2;q22.1); *ETV6-RUNX1* (previous *TEL-AML1*)
    B lymphoblastic leukemia/lymphoma with hyperdiploidy
    B lymphoblastic leukemia/lymphoma with hypodiploidy
    B lymphoblastic leukemia/lymphoma with t(5;14)(q31.1;q32.3); *IL3-IGH*
    B lymphoblastic leukemia/lymphoma with t(1;19)(q23;p13.3); *TCF3-PBX1* (previous *E2A-PBX1*)
    B lymphoblastic leukemia/lymphoma, *BCR-ABL1*-like (Ph-like ALL)*
    B lymphoblastic leukemia/lymphoma with *iAMP21**
  T lymphoblastic leukemia/lymphoma
    Early T-cell precursor lymphoblastic leukemia*
  Natural killer (NK) cell lymphoblastic leukemia/lymphoma*

(WHO[2016]에서 추가된 것) (WHO[2008]/과거 대비 유전자 이름이 바뀌거나 동의어 or 유전자 종류가 바뀐 것)
* Provisional entities

- 염색체/유전자이상 + morphology + 면역표현형 + 임상양상 등의 정보를 종합하여 분류
  (↳ 치료약제 선택, 예후/경과 예측에 중요)
- acute leukemia의 진단기준이 blast 30% (FAB 분류)에서 20%로 낮춰짐!
  c.f.) t(8;21), inv(16), t(15;17) 등은 blasts가 20% 미만이라도 AML로 진단 가능
- AML은 크게 4가지 groups으로 분류됨
  ① 특정 염색체/유전자 이상과 관련된 AML
    - AML에 특이적인 유전자/염색체 이상 존재시
    - 대개 특이한 상호전좌(balanced reciprocal translocations/inversions)를 가짐
      ; t(8;21), inv(16) or t(16;16), t(15;17), t(9;11) 등
      ⇨ FISH, RT-PCR 방법 등으로 검출 가능
    - 주로 소아와 젊은 성인에서 발생, 예후 좋은 편

  ② MDS (myelodysplasia) 관련 변화를 동반한 AML (AML-MRC)
    - 연령이 높을수록 발생 증가, 예후 나쁨
    - 진단기준 : (1) PB/BM blast ≥20% + (2) + (3)
      (2) 치료와 관련 없음, AML의 진단기준(위 group ①)에 포함된 세포유전 이상 없음
      (3) MDS (or MDS/MPN)의 과거력 or MDS-관련 세포유전 이상 존재
          or multilineage dysplasia (2계열 이상, 세포의 50% 이상에서 dysplasia 존재)

c.f.) MDS (AML/MRC)-defining 세포유전(염색체) 이상		
Balanced abnormalities	Unbalanced abnormalities	Complex karyotype (독립적인 이상이 3개 이상 존재)
t(11;16)(q23.3;p13.3)	−7/del(7q)	
t(3;21)(q26.2;q22.1)	del(5q)/t(5q)	
t(1;3)(p36.3;q21.1)	i(17q)/t(17p)	
t(2;11)(p21;q23.3)	−13/del(13q)	
t(5;12)(q32;p13.2)	del(11q)	
t(5;7)(q32;q11.2)	del(12p)/t(12p)	
t(5;17)(q32;p13.2)	idic(X)(q13)	
t(5;10)(q32;q21.2)		
t(3;5)(q25.3;q35.1)		

MDS 진단에 사용되는 이상과 조금 다름

c.f.) del(9q)는 NPM1 or biallelic CEBPA mutations과 관련이 있기 때문에 빠졌음
* NPM1 or biallelic CEBPA mutations 양성이고 MDS-defining 세포유전 이상이 없으면
multilineage dysplasia가 있더라도 예후가 좋아 ②AML-MRC로 분류하지 않고, ①로 분류함

  ③ 치료 후 발생한 골수종양(t-MNs) ; t-AML, t-MDS, t-MDS/MPN … 예후 나쁨

  ④ 상세불명 AML (AML-NOS [not otherwise specified])
    - 상기 3군에 속하지 않으면 (염색체/유전자 이상 無 or 시행×) 형태(morphology)와
      면역표현형을 기반으로 과거 FAB처럼 분류함 (단, blasts %는 20% 이상)

c.f.) WHO 4th Revision (2016)에서 바뀐 점
    - myeloblast count의 기준이 모두 골수의 all nucleated cells (ANC) 중에서로 통일됨!
    - 따라서, 과거 acute erythroid leukemia, erythroid/myeloid type은 삭제됨
          (진단기준: ANC의 50% 이상이 erythroblasts이면서, NEC의 20% 이상은 myeloblasts)
      ⇨ 새 분류에서는 MDS-EB에 해당됨 (∵ myeloblasts가 20% 미만으로 되므로) &
        pure erythroid leukemia (acute erythroid leukemia, pure erythroid type)만 남음
          (진단기준: ANC의 80% 이상이 erythroblasts [따라서 myeloblasts는 ANC의 20% 미만])

(3) 면역표현형 (immunophenotyping, cell markers)

- acute leukemias 및 lymphoma의 진단/분류에 중요, 악성세포의 계열을 빨리 확인할 수 있음!

	표현되는 세포 계열 (or 의미)	혈액종양에서의 관련성
ALK	Anaplastic lymphoma kinase	Anaplastic large cell lymphoma (ALCL)
BCL-2	B/T cell	B/T lymphoma (e.g., follicular lymphoma [FL])
BCL-6	B cell	B lymphoma (e.g., FL, DLBCL)
CD1a	Langerhan's cell	Langerhan's cell histiocytosis (LCH), 일부 T-ALL
CD2	T cell, NK cell	T lymphoma/leukemia, NK cell lymphoma
CD3	T cell receptor complex	T lymphoma/leukemia
CD5	pan-T-cell Ag, 일부 B cell	T lymphoma/leukemia, B-CLL, MCL, sMZL
CD7	T cell receptor for IgM-Fc	T lymphoma/leukemia
CD10 (CALLA)	Immature B (or T) cell	B lymphoma/leukemia (일부 T lymphoma/leukemia)
CD13	Granulocyte, monocyte	AML
CD14	Monocyte, dendritic cells	Monocytic leukemia
CD15	RS cell, granulocyte, monocyte	Hodgkin lymphoma, monocytic leukemia
CD19	B cell	B lymphoma/leukemia
CD20	B cell, neoplastic mature B cell	B lymphoma/leukemia
CD22	Mature B cell	B lymphoma/leukemia
CD23	Mature B cell	B-CLL, 일부 B lymphoma
CD30	RS cell, activated T/B cell	Hodgkin lymphoma, ALCL
CD33	Granulocyte, monocyte	AML
CD34	Hematopoietic progenitor cell	Acute leukemia (AML, B-ALL, T-ALL)
CD38	Plasma cell, activated T/B cell	Plasma cell myeloma (PCM)
CD41a (GPIIb/IIIa)	Megakaryocyte/platelet	Acute megakaryoblastic leukemia
CD43	T cell	T/B Lymphoma, myeloid sarcoma
CD45 (LCA)	All leukocytes	Lymphoma, leukemia (blast의 gating에 주로 사용됨)
CD56	NK cell, 일부 activated T cell	NK/T-cell lymphoma/leukemia, CMML, PCM
CD61 (GPIIIa)	Megakaryocyte/platelet	Acute megakaryoblastic leukemia
CD64	Monocyte, Dendritic cells	Monocytic leukemia
CD68, CD163	Histiocyte, monocyte	Histiocytic neoplasm, monocytic leukemia
CD79a	B cell	B lymphoma/leukemia
CD117 (C-kit)	Hematopoietic stem cell, mast cell	AML (monoblastic은 제외), mast cell dz., GIST
CD138	Plasma cell, B cell	Plasma cell myeloma, B lymphoma
CD207 (langerin)	Langerhan's cell	Langerhan's cell histiocytosis (LCH)
Cyclin D1	Neoplastic mantle cells	Mantle cell lymphoma (MCL), 일부 PCM, HCL
FLAER	Fluorochrome-linked proaerolysin	PNH에서 negative
FMC7	Epitope of CD20 (strong CD20 때만)	B lymphoma/leukemia (CLL은 음성)
HLA-DR	Hematopoietic progenitor cell	AML, B-ALL, 일부 T-ALL, 일부 PCM
Kappa/Lamda	Plasma cell, B cell	Plasma cell myeloma, B lymphoma
Ki-67	Proliferative fraction	임상적인 악성도, 예후 예측
MPO (myeloperoxidase)	Granulocyte	AML
MUM1 (IRF4)	Plasma cell, 일부 T/B cell	PCM, 일부 lymphoma /MUM-1 (multiple myeloma oncogene 1)
PAX5/BSAP	B cell	Lymphoma
TdT	Precurosr T/B cell	ALL
TRAP	Lymphoid cell	Hairy cell leukemia (HCL), 일부 splenic MZL

- PB/BM aspiration (액체 검체)은 **flow cytometry (FCM)**로, LN/BM biopsy (고체 검체)는 **immunohistochemistry (IHC)**로 검사함
  - 급성 백혈병은 대부분 BM aspiration의 flow cytometry (marker study)로 진단
  - 일부 BM fibrosis 등으로 인해 aspiration이 실패하면 biopsy의 immunohistochemistry로 진단 (c.f., FCM와 IHC에 사용되는 Ab는 거의 동일하지만, 일부 Ab는 제조사에 따라 한쪽에서만 사용 가능함)
- FCM의 장점 ; 한 tube에서 여러 개의 Ag을 동시에 분석할 수 있음(multi-color), 객관적이고 정량적인 해석 가능, 검사 시간이 짧음 (but, 신선한 검체가 필요함)
- IHC의 장점 ; Ag expression과 분포 형태를 동시에 볼 수 있음, 보관된 검체(paraffin section)로 언제나 검사 가능 (but, 검사에 FCM보다 긴 시간이 필요함, 한 slide에 한 marker만 가능)

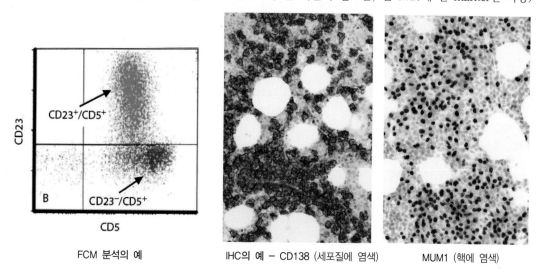

FCM 분석의 예   IHC의 예 – CD138 (세포질에 염색)   MUM1 (핵에 염색)

■ 면역표현형에 의한 혈액종양의 분류 (간략)

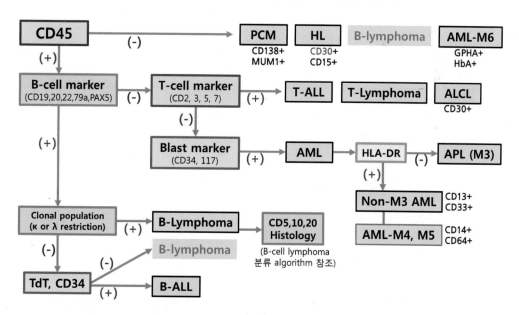

급성 백혈병의 계열 확인에 사용되는 표지자 ★

	AML	B cell-ALL	T cell-ALL
Definitive (specific)	cMPO (cytoplasmic MPO)	–	cCD3, surface CD3, T cell receptor
Strongly associated	CD117	cCD79a, cCD22, CD19, CD20 (strong)	CD7 (strong)
Moderately associated	CD13, CD33	TdT (~strong)	CD5, CD2

c.f.) MPAL에서 계열 정의에 사용되는 것은 조금 다름 (→ 다음 표 참조)

★ 편의상 <u>CD13, 33, 117</u>을 먼저 기억 ⇨ <u>AML</u>!! (추가로 CD11, 14, 64는 monocytic lineage)
⇨ AML이 아니면 ALL (TdT+) ; CD19, 22, 79a는 B-cell / CD3, 7은 T-cell

c.f.) CD68과 CD163도 monocytic lineage marker이기는 하지만 monocytic leukemia에서는 sensitivity와
specificity가 떨어지고, 주로 histiocytic maliganancy의 진단에 사용됨
APL은 HLA-DR(-), CD34(-), CD33(++), CD117(+)가 특징 / 나머지 AML은 대개 HLA-DR(+)

■ ALL의 immunologic subtype ★

Lineage/Subtype		공통	추가 소견	소아(%)	성인(%)	특징
B	Pro-B (early B-precursor)	TdT CD19 CD22 CD79a	Myeloid co-expression 흔함	5	12	WBC count⇑⇑, CNS 침범 多, poor Px
	Intermediate (common)		CD10(+)	63	50	Favorable Px
	Pre-B		C(cytoplasmic)Ig(+)	16	10	WBC count⇑⇑, 흑인에 많음
	Mature B (Burkitt)*		S(surface)Ig(+):κ/λ	3	4	CNS(10~15%)및 장기 침범 多
T	Early Pro/Pre-T (ETP-ALL)**	TdT cCD3 (cytoplasmic) CD7 CD2(±)	<u>CD1a(-)</u>, 대개 CD2(-) Myeloid or stem cell coexpression 흔함	2	6	10~20대, 남:여=2:1 WBC count⇑⇑ 80% 이상이 advanced stage
	Cortical (thymic)		CD1a(+) CD4 & 8 모두(+)	1	12	종격동 종괴(50~75%) CNS 침범 多(~10%)
	Medullary (mature)		S(surface)CD3(+) CD4 or 8 (+)	10	6	Poor Px (ETP-ALL이 가장 나쁨)

* 다음 장의 Burkitt's lymphoma 부분 참조
** Early T-Precursor ALL (**ETP-ALL**) ; CD1a(-), CD8(-), CD5(week)이면서 myeloid or stem cell markers
(CD117, CD34, HLA-DR, CD13, CD33, CD11b, CD65) 1개 이상 양성인 경우, 매우 다양한 유전자 이상 有,
현재의 치료에 반응 매우 안 좋고, 새로운 치료도 없음 (→ 1st CR 이후 HCT 권장)

c.f.) Acute leukemia of ambiguous lineage (WHO 2016)
① acute undifferentiated leukemia (AUL) : markers 표현× (HLA-DR, CD34 정도만 양성)
② mixed phenotype acute leukemia (MPAL) : 2 lineage 이상의 동시 표현 (아래 표 참조)
- MPAL with t(9;22)(q34.1;q11.2);*BCR-ABL1* (m/c) ; 대부분 M & B 표현,
TKI를 포함한 치료에 반응 좋은 편
- MPAL with t(v;11q23.3);*MLL* rearranged ; 대개 M (보통 mono) & B 표현, poor Px
- MPAL, B/myeloid, NOS / MPAL, T/myeloid, NOS

MPAL을 진단을 위한 계열(lineage) 기준 (WHO 2016)	
Myeloid	<u>Myeloperoxidase</u> : flowcytometry or 특수/면역조직화학(IHC)염색에서 양성 **OR** <u>Monocytic</u> : NSE, CD11c, CD14, CD64, lysozyme 중 2개 이상 양성
T-lymphoid	Cytoplasmic <u>CD3</u> 강양성* (with antibody to CD3 epsilon chain) **OR** Surface CD3 (MPAL에서는 드묾)
B-lymphoid	<u>CD19</u> 강양성(strong) + CD79a, cytoplasmic CD22, CD10 중 1개 이상 강양성* **OR** CD19 약양성(week) + CD79a, cytoplasmic CD22, CD10 중 2개 이상 강양성*

    * 강양성(strong +) = 정상 B or T cells과 같거나 더 강함
   ** 정의에 해당하지 않으면 이상항원발현(aberrant antigen expression)으로 간주함
 *** CD13, CD33, CD117 등의 myeloid Ag은 MPAL로 정의할 만큼 특이적이지는 못함

c.f.) immunologic marker shift : 질병의 경과 중 면역표현형이 변하는 경우
  – B-ALL의 72%, T-ALL의 75%에서 나타남
  – ALL 재발시 10%에서 intralineage 변화, 5%에서 interlineage 변화 (lineage switch) 발생

 * lineage switch : 질병의 경과 중 다른 계열의 면역표현형을 나타내는 것
   (∵ biclonal에서 한 clone 선택 or 백혈병 세포의 항원발현 변화)

(4) 유전자/염색체 이상

- 원발성 AML의 약 2/3, 이차성 AML의 거의 모든 예에서 관찰됨
- 검사법 ; karyotyping, FISH, DNA fragment analysis, multiplex PCR, sequencing, NGS 등
- AML의 진단, 치료 전 예후 판정, 치료방침 결정 등에 가장 중요 ★★

Risk Category*	Genetic Abnormalities	
Favorable 저위험군	t(15;17); *PML–RARA* ···m/g t(8;21)(q22;q22.1); *RUNX1–RUNX1T1* inv(16)(p13.1q22) or t(16;16)(p13.1;q22); *CBFB–MYH11* Mutated *NPM1* <u>without</u> *FLT3*–ITD** or with *FLT3*–ITD^{low} (normal karyotype) Biallelic mutated *CEBPA* (normal karyotype)	4YSR 60~80% ↑
Intermediate 중간위험군	Mutated *NPM1* and *FLT3*–ITD^{high} (normal karyotype) Wild–type *NPM1* without *FLT3*–ITD or with *FLT3*–ITD^{low} (normal karyotype) (without adverse–risk genetic lesions) t(9;11)(p21.3;q23.3); *MLLT3–KMT2A(MLL)* 기타 Favorable or Adverse로 분류되지 않는 세포유전(염색체) 이상! [Normal karyotype : 전체 AML의 약 40~50%, 전통적으로 Intermediate로 분류되었었지만, gene mutation 및 microRNA expression 연구의 발전으로.. 현재는 다양한 spectrum으로 봄]	4YSR 20~50%
Poor/ Adverse 고위험군	t(6;9)(p23;q34.1); *DEK–NUP214* t(v;11q23.3); *KMT2A(MLL)* rearranged t(9;22)(q34.1;q11.2); *BCR–ABL1* inv(3)(q21.3q26.2) or t(3;3)(q21.3;q26.2); *GATA2–MECOM(EVI1)* –5 or del(5q); –7; –17/abn(17p) Complex karyotype (≥3 clonal abnormalities***), monosomal karyotype Wild–type *NPM1* with *FLT3*–ITD^{high} (normal karyotype) Mutated *RUNX1*, Mutated *ASXL1* → 예후 나쁜 환자군에서만(e.g., 고령, 과거력, +다른 이상) Mutated *TP53* → very poor Px, complex & monosomal karyotype과 관련	4YSR <10~15%

  * Favorable은 대개 CTx로 치료 종결 / 그 이상은 이식(HSCT)도 고려
 ** <u>FLT3–ITD allelic ratio</u> 검사(DNA fragment analysis) 불가능한 경우 FLT3 mutation(+) & NPM1(–)는 adverse로 분류
    ↳ FLT3–ITD mutant의 AUC를 FLT3–wild type의 AUC로 나눔 ; low allelic ratio (<0.5), high allelic ratio (≥0.5)
*** WHO criteria에 있는 염색체 이상은 제외하고 3개 이상의 다른 염색체 이상 존재시

▶ Good Px. : inv(16), t(8;21), t(15;17), mutated *NPM1*, mutated *CEBPA*

> 외우는 법 → "016-821-1517" (전화번호처럼)　(but, 이제는 유전자 이름들도 추가로 외워야 됨ㅠ)

- t(8;21) : M2의 특징, 21번 염색체의 core-binding factor $\alpha 2$ (*CBFA2*) gene (= *AML1*, *RUNX1*)과 8번 염색체의 *ETO* (*RUNX1T1*) gene이 융합하여 *RUNX1-RUNX1T1* fusion gene (AML1-ETO fusion protein) 생성 → CBFA-CBFB-controlled gene transcription 차단
  - 젊은 연령에서 호발, neutrophil 세포질이 분홍색, Auer rods 및 eosinophilia 흔함, CD19+
- inv(16) or t(16;16) : M4Eo의 특징, 16q22의 core-binding factor β (*CBFB*) gene과 16p13의 myosin heavy chain (*MYH11*) gene이 융합하여 *CBFB-MYH11* fusion gene 생성
  - 젊은 연령에서 호발, monocytes 증식 및 eosinophilia (large basophilic granules)
- 위 두 가지를 함께 CBF (core-binding factor) AML이라고도 부름
- t(15;17) : 15q24의 *PML*promyelocytic leukemia gene과 17q21의 *RARA*retinoic acid receptor α gene이 융합하여 *PML-RARA* fusion gene 생성(→ myeloid cells 분화가 promyelocytes에서 억제됨)
  - APL (FAB M3), 중년층에서 호발, HLA-DR 및 CD34 (-), ATRA 치료에 반응, good Px.
  - * Variant *RARA* translocation APL : *RARA* gene이 15q24의 *PML* gene 말고 다른 유전자와 전위 된 것
    - t(11;17)(q23;q21); *ZBTB16/RARA* : 약 1%, granules 작거나 없음, ATRA에 반응×, poor Px.
    - der(17); *STAT5B/RARA* : 드묾, ATRA에 반응×, poor Px.
    - t(5;17)(q35;q21); *NPM/RARA* : <0.5%, 주로 소아, ATRA에 반응 (but, 재발↑), good Px.
- *MLL* translocations : 11q23의 *MLL* (mixed-lineage leukemia or myeloid/lymphoid leukemia) gene이 관련된 다양한 translocations (*MLL*-rearranged leukemia)
  (→ 최근엔 각각 독립된 entity로 분류, *MLL*은 *KMT2A*로 이름 바뀜)
  - 80가지 이상의 translocations 존재, AML과 ALL 모두에서 발생
  - monoblastic AML (M4, M5)에서 흔함 ; t(9;11)(p22;q23): *MLLT3-KMT2A(MLL)* [m/c], t(11;19)(q23;p13.1): *KMT2A(MLL)-ENL* 등 (topoisomerase II 치료 후에도 자주 관찰됨)
  - ALL의 약 5%에서도 관찰됨 ; t(4;11)(q21;q23), t(11;19)(q23;p13.3) 등
  - 특히 1세 이하 영아의 acute leukemia에서 매우 흔함 (60~80%)
  - t(9;11)만 중간의 예후를 보이고, 나머지는 모두 예후 나쁨 → t(9;11)만 독립되어 분류됨
- inv(3)(q21.3q26.2) or t(3;3)(q21.3;q26.2); *GATA2-MECOM(EVI1)*
  - 관련 유전자가 *RPN1*이 아닌 *GATA2*인 것으로 밝혀졌음
  - FAB로는 M3 (APL) 빼고 거의 다 가능 ; M7, M4, M1 등이 흔함
  - platelet N~↑, dysplastic megakaryocytes, 다른 AML보다 hepatosplenomegaly 흔함
  - inv(3) or t(3;3) → karyotyping에서 발견하기 어려움 ⇨ multiplex PCR (Hemavision)
- t(9;22) ; *BCR-ABL*, Philadelphia (Ph) chromosome
  - p210$^{BCR-ABL}$: 대부분의 CML에서 관찰됨
  - p190$^{BCR-ABL}$: ALL 10~25%, AML 1~5%에서 관찰됨 ⇨ 예후 나쁨

■ Gene mutations (molecular aberrations)
- 염색체 정상인 환자[CN (cytogenetically normal)-AML]에서도 많이 발견됨(~45%)
- *FLT3* (FMS-like tyrosine kinase 3) gene mutations ; AML의 30~33%에서 발견 (m/c)
  - juxtamembrane domain의 internal tandem duplication (ITD) [*FLT3*-ITD+] : 대부분(77%)
  - D835의 point mutations (tyrosine kinase domain [TKD] mutations) : 예후 관련성 불확실

- *FLT3*-ITD : 특히 CN-AML 환자의 예후에서 매우 중요함, *FLT3*-ITD^{high}는 poor Px!
  - → *FLT3*-ITD allele ratio (AR) : low-AR <0.5, high-AR ≥0.5 (poor Px)
  - c.f.) 반복 삽입된 ITD 서열의 길이가 다양하기 때문에, 일반 PCR or sequencing 기법보다는
    - 반복된 길이도 측정할 수 있는 DNA fragment analysis (반정량) or hybrid capture 방식의 NGS로 검사
- tyrosine kinase inhibitor (FLT3 inhibitor) 치료에 대한 반응 좋음 (e.g., midostaurin)
- *NPM1* gene mutation ; AML의 25~27% (CN-AML의 50% 이상)에서 발견 (2nd m/c), good Px., (but, *NPM1* (+)라도 *FLT3*-ITD^{high} (+)면 예후 나쁨)
- *DNMT3A* gene mutation ; 20~26% (3rd m/c), R882 missense mutation이 m/c, 고령에서 다른 gene mutations과 함께 잘 발견됨, 예후 관련성은 불확실함
- *IDH1/2* gene mutation ; 15~20%, intermediate-risk AML, 고령, *NPM1* 동반 등에서 흔함
- *ASXL1* gene mutation ; 10~20%, 이전의 혈액종양, 고령, *RUNX1* 동반 등과 관련, poor Px.
- *RUNX1* gene mutation ; 10~15%, 이전의 혈액종양 or 2ndary AML 및 고령에서 흔함
- *CEBPA* gene mutation ; 6~10%, 주로 젊은 CN-AML에서 흔함, good Px.
- *TP53* tumor suppressor gene mutations ; therapy-related AML or AML-MRC의 ~15%에서 발견, complex cytogenetics, 고령, chemoresistance 등과 관련, very poor Px.
- *MLL* gene의 partial tandem duplication (PTD) [*MLL*-PTD+] ; AML의 6~8%에서 발견, 고령 및 FAB M1/2에서 흔함, poor Px.지만 intensive Tx.시 예후 차이 없어짐
- *KIT* gene mutation ; AML의 약 6%, CBF-AML [t(8;21) or inv(16)]의 20~30%에서 발견, CBF-AML은 원래 예후가 좋지만 *KIT* mutations 동반시엔 예후 나빠짐
- WT1 gene mutation ; AML의 약 8%, CN-AML의 약 13%에서 발견, 일부에서 poor Px.
- apoptosis inhibitors (e.g., BCL2, survivin) overexpression → poor Px.
  - apoptosis promoter (BAX) overexpression or BAX/BCL2 ratio↑는 good Px.

■ **Deregulation of expression**
- overexpression of genes ; brain and acute leukemia, cytoplasmic (*BAALC*), ETS-related gene (*ERG*), meningioma 1 (*MN1*), MDS1 & EVI1 complex locus (*MECOM*) 등 → poor Px.
- deregulated expression of microRNAs
  - overexpression of *miR-155* and *miR-3151* → poor Px.
  - overexpression of *miR-181a* → good Px.

◧ **처음 진단된 AML 환자에서 권장되는 검사**
① cytogenetics (karyotyping) : 염색체 이상을 screening하는 표준검사
② FISH (cytogenetics보다 해상도 높음) : cytogenetics normal, complex karyotype, 특이한 염색체 이상 의심 등 때 고려 ; t(15;17), t(8;21), inv(16), *MLL(KMT2A)* 등
③ qualitative multiplex RT-PCR (e.g., Hemavision®) : WHO 진단기준에 포함되는 AML과 ALL 유전자(염색체) translocations의 대부분을 빠른 시간에 선별(screening) 검사 가능
④ 예후/치료방침에 영향을 주는 mutations 검사 ; *NPM1, CEBPA, FLT3*-ITD, *RUNX1, ASXL1, TP53, IDH1/2, cKIT* 정도는 필수적으로 권장됨
⇨ NGS의 보급으로 ③, ④를 묶어 AML panel로 검사하기도 함 (but, 보고에 1주 이상 소요)
⑤ quantitative real-time PCR : MDR (minimal residual dz.) monitoring을 위해서는 확인된 유전자 이상에 대해 처음 진단 시에도 시행 권장 (e.g., *PML-RARA, CBFB-MYH11, RUNX1-RUNX1T1, NPM1$_c$/FLT3*-ITD -, *NPM1$_c$/FLT3*-ITD+)

c.f.) PCR 기반의 유전자 이상/전위 검사는 미리 정해진 것만 검출 가능하지만,
　　　 FISH 검사는 해당 유전자(염색체)의 모든 전위를 검출할 수 있음

■ ALL의 염색체/유전자 이상

- ALL도 유전자이상에 따라 예후/치료방침이 다르고, 효과적인 표적치료제(e.g., TKI)도 있으므로
  FISH, sequencing (NGS) 등 자세한 염색체/유전자검사가 권장됨
- t(9;22)(q34.1;q11.2); *BCR-ABL1* ⋯ Ph(+) ALL
  - Ph chromosome, *BCR-ABL1*(+), 성인에서 m/c (25%), 나이 들수록 증가, 소아는 2~4% 뿐
  - 소아는 주로 p190$^{BCR-ABL1}$을 생성 (성인은 약 1/2에서), 나머지는 p210$^{BCR-ABL1}$ (CML과 같은)
  - intermediate (common)와 pre B-ALL에서 주로 동반, poor Px였으나 TKI 도입으로 좋아졌음
- *BCR-ABL1*-like (**Ph-like ALL**)
  - *BCR-ABL1* 비슷한 유전자 이상들, 예후 나쁨, 표적치료제 연구 중　　→ 뒤 치료 부분 참조
  - 소아 ALL의 10%, 젊은 성인(AYA)의 25~30%에서 존재 (더 나이 들어도 증가하지는 않음)
- (v;11q23.3); *KMT2A* rearranged (previous *MLL*) ⋯ 11q23.3 translocations
  - ALL의 8~10% (주로 B-ALL) /T-ALL의 4~8%, AML$_{M4/5}$, MPAL 등에서도 동반됨
  - 1세 이하 영아에서 m/c (특히 6개월 미만 유전자 이상의 50% 차지), 예후 나쁨
  - 100개 이상의 유전자와 재배열됨, t(4;11)(q21;q23); *KMT2A-AFF1* (m/c),
    　　 t(11;19)(q23;p13.3); *KMT2A-MLLT1* 등　　↳ Pro-B ALL, WBC↑↑, myeloid co-expression
- t(12;21)(p13.2;q22.1); *ETV6-RUNX1* (previous *TEL-AML1*)
  - 미세 유전자 이상으로 karyotyping으로는 발견× → FISH or PCR
  - 소아 B-ALL에서 2nd m/c (15~25%), 성인 B-ALL의 3~4%, T-ALL에는 없음
  - 예후 좋음! (but, 임상적인 risk factors로는 상당수가 poor Px에 속함 → aggressive Tx하면 안됨)
- t(1;19)(q23;p13.3); *TCF3-PBX1* (previous *E2A-PBX1*)
  - 소아 pre B-ALL의 약 30%에서 존재 (성인에서는 드묾), WBC count 높음, 예후는 좋은 편
    　　 ↳ cytoplasmic Ig mu-chain (Cmu) expression이 특징
  - CD19+, CD10+ (CALLA+), CD22+, CD34-, CD20(±) 등이 특징
- intrachromosomal amplification of *RUNX1* (chromosome 21) (iAMP21)
  - 드묾(B-ALL의 1~3%), 예후 나쁨
  - 진단 ① karyotyping (cytogenetics) : 21q의 길이 증가 등 다양한 구조이상 (sensitivity 낮음)
    　　　② FISH : interphase FISH의 한 핵에서 *RUNX1* 5 copy 이상 or
    　　　　　　　 metaphase FISH의 한 염색체에서 *RUNX1* 3 copy 이상
    　　　③ 분자유전기법 ; copy number array (e.g., SNP Array 6.0), targeted sequencing,
    　　　　　　MLPA (Multiplex Ligation-dependent Probe Amplification) 등
- hyperdiploidy : 염색체 수가 증가하는 이상, 염색체 4, 10, 16 등이 추가되면 예후 좋음
  - 소아에서 m/c (약 25%), 성인은 7%
- hypodiploidy : 한 개 이상의 염색체가 소실되는 이상, 예후 나쁨, 드묾(1~2%)
- t(5;14)(q31.1;q32.3); *IL3-IGH* : 드묾, 심한 eosinophilia 동반, 예후는 나쁜 편
- t(8;14) ; 드묾, 노인, 주로 남자, CNS 침범↑, 주로 mature B-cell (FAB-L3), 예후 나쁨

* T-ALL ; 남>여, 예후 나쁨(e.g., mediastinal mass, high WBC count, CSF 침범),
　　14q11.2 등의 *TCR* genes 부근에서 자주 발생, 예후/치료방침과는 거의 관련 없음

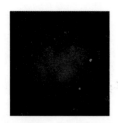

FISH 검사의 예
ETV6–RUNX1 FISH
(연두) (빨강)
ETV6–RUNX1은 관찰되지 않고 (연두–빨강이 붙어야 됨)
4개의 RUNX1 신호(copy)가 관찰됨 → iAMP21

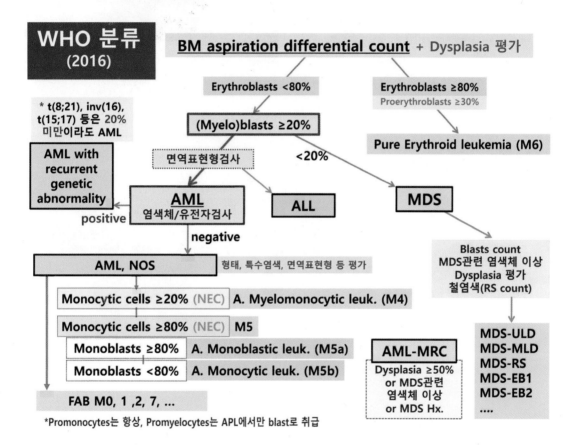

WHO 분류 (2016)

BM aspiration differential count + Dysplasia 평가

Erythroblasts <80%

Erythroblasts ≥80%
Proerythroblasts ≥30%

(Myelo)blasts ≥20%

Pure Erythroid leukemia (M6)

* t(8;21), inv(16), t(15;17) 등은 20% 미만이라도 AML

면역표현형검사

<20%

AML with recurrent genetic abnormality

AML 염색체/유전자검사

ALL

MDS

positive

negative

AML, NOS 형태, 특수염색, 면역표현형 등 평가

Blasts count
MDS관련 염색체 이상
Dysplasia 평가
철염색(RS count)

Monocytic cells ≥20% (NEC) **A. Myelomonocytic leuk. (M4)**

Monocytic cells ≥80% (NEC) **M5**

Monoblasts ≥80% A. Monoblastic leuk. (M5a)

Monoblasts <80% A. Monocytic leuk. (M5b)

AML-MRC
Dysplasia ≥50%
or MDS관련
염색체 이상
or MDS Hx.

MDS-ULD
MDS-MLD
MDS-RS
MDS-EB1
MDS-EB2
....

FAB M0, 1 ,2, 7, ...

*Promonocytes는 항상, Promyelocytes는 APL에서만 blast로 취급

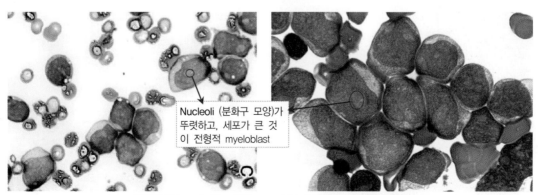

Nucleoli (분화구 모양)가 뚜렷하고, 세포가 큰 것이 전형적 myeloblast

AML의 BM aspiration 사진 ; myeloblasts가 20% 이상을 차지함

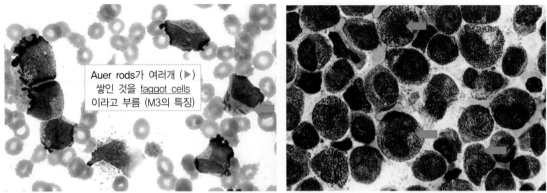

APL (FAB M3)의 PB 및 BM aspiration 사진 ; abnormal promyelocytes가 대부분을 차지
(비정상적인 hypergranular promyelocytes가 APL의 종양세포임)

Auer rods가 여러개 (▶)
쌓인 것을 faggot cells
이라고 부름 (M3의 특징)

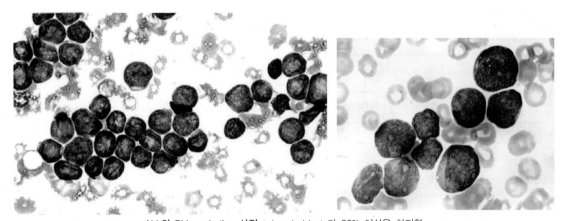

ALL의 BM aspiration 사진 ; lymphoblasts가 20% 이상을 차지함
[좌] FAB L1 (작고 N/C ratio가 매우 높음, 돌맹이/건포도 느낌), [우] FAB L2 (myeloblast와 비슷하게 생겼음)
→ 형태만으로는 확진을 할 수 없으며, 세포화학염색(PAS)이나 면역표현형(CD marker)으로 진단

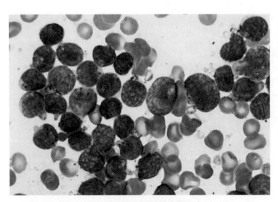

B-ALL with iAMP21 (모양은 L1)

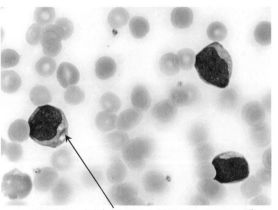

AML의 PB 사진 (Auer rod가 있으므로 myeloblast임)

3. 임상양상

(1) hematologic features

- PB : anemia, thrombocytopenia, circulating blasts 증가
  - RBC ; 대개 normocytic normochromic anemia, reticulocyte↓, 수명↓
  - WBC count ; 평균 약 15,000/μL (25~40%는 <5000/μL, 20%는 >100,000/μL)
  - platelet count ; 75%는 <100,000/μL, 25%는 <25,000/μL
  - ~10%에서는 PB에서 blasts가 안 보일 수도 있음 ("aleukemic leukemia")
- BM : 대부분 hypercellular, blasts ≥20%

(2) BM failure에 의한 증상

- anemia ; 피곤, 쇠약감, 숨참, 식욕부진, 체중감소 ...
- granulocytopenia ; fever (infection) … 진단시 10%에서 존재
  - ANC <500/μL (특히 <200)→ 감염 위험 크게 증가
- thrombocytopenia ; 출혈 증상, 쉽게 멍듦 … 진단시 5%에서 존재
  - APL ; 심한 위장관, 폐, 뇌 출혈 발생 가능
  - 망막출혈(retinal hemorrhage) : ~15%에서 존재 (AML에서 더 흔함)
  - platelet <20,000/μL시 spontaneous bleeding 위험 증가

(3) 골수외 침범(extramedullary involvement)

- lymphadenopathy, splenomegaly & hepatomegaly … ALL에서는 흔하지만, AML에서는 드묾 (특히 T-cell ALL의 50%는 ant. mediastinal mass를 보임)
- bone & joint pain & tenderness … ALL의 80%에서 예) 흉골압통(sternal tenderness)
- CNS 침범 (leptomeningitis) … ALL에서 흔함 (→ lumbar puncture)
  - N/V, headache, lethargy, convulsion, papilledema, cranial nerve palsy
  - CSF : glucose↓, protein↑, blasts 출현
  c.f.) AML에서는 드묾 ; 치료 전 lumbar puncture 금기 (∵ CNS 파급 위험) → 의심 될 때에만 시행
     ↳ monocytic leukemia (M4, M5), APL relapse, hyperleukocytosis 등 때 침범↑
- gingiva, skin, soft tissue 등의 침범 … monocytic leukemia (M4, M5) 및 11q23 이상에서
- granulocytic (myeloid) sarcoma or chloromas (녹색종) : localized tumor mass
  - 드물지만 연조직, 유방, 자궁, 난소, 뇌/척수막, 위장관, 폐, 종격동, 뼈 등에 종괴 발생 가능
  - AML (M2) : t(8;21)(q22;q22)에서 호발

(4) leukostasis (symptomatic hyperleukocytosis)

- hyperleukocytosis : circulating leukemic cells count >5만~10만/μL
  - ↳ AML의 10~20%, ALL의 10~30%, CLL, CML 등에서 발생 가능
     ↳ FAB M5, M4, M3v 등에서 흔함　　↳ 40만/μL이 넘지 않으면 증상은 드묾
- leukostasis (medical emergency)는 AML과 CML blast crisis에서 호발
- blood viscosity↑ → circulation 장애 → 주로 lung, brain에 hypoperfusion 초래
  ; respiratory distress, headache, confusion, CVA, blurred vision ...
- Tx ┌ induction CTx가 우선 / CTx 지연시 hydroxyurea + 증상 있으면 leukapheresis도 추가
     └ tumor lysis syndrome 예방 조치 (hydration, allopurinol, rasburicase 등)
- packed RBC 수혈은 leukostasis 증상을 악화시킬 수 있으므로 가능한 연기

(5) 신기능 장애 - 원인

① leukemic infiltration

② urate nephropathy (← hyperuricemia)

③ lysozyme↑ (monocytic AML) → reanl tubular dysfunction

④ uric acid stone이나 enlarged LN에 의한 ureteral obstruction

⑤ infectious or hemorrhagic Cx.

(6) 기타 검사소견

① uric acid↑, LD↑ (∵ cell turnover 증가로 인해 발생)

② muramidase↑ - monocytic AML (M4, M5b)에서

③ lactic acidosis - 심한 hyperleukocytosis나 ALL L3에서

④ hyponatremia, hypokalemia (∵ lysozyme에 의한 renal tubular damage로)

⑤ DIC - M3 (APL)에서 ; PT, aPTT, BT 연장, fibrinogen↓, FDP↑, D-dimer↑

■ Acute Promyelocytic Leukemia (APL)급성전골수구수백혈병 : FAB M3 ★

- AML의 5~15% 차지, 다른 AML과 많이 다름, medical emergency! (∵ 출혈)
- t(15;17) translocation → *PML-RARA* (retinoic acid receptor-α) fusion gene
- promyelocytes 내에 multiple Auer rods (faggot cell) 관찰 (없어도 진단을 배제는 못 함)
- WBC count : 증가보다는 감소가 더 흔함
- immunophenotyping에서 HLA-DR과 CD34는 음성인 경우가 많음!
- 출혈경향이 주 증상(e.g., 잇몸 출혈), 진단 당시 또는 CTx. 초기에 DIC가 잘 생김
  (hypercoagulability < hyperfibrinolysis 때문) → 초기에 뇌출혈 등으로 사망 가능(10~20%에서)
  ↳ APL cells 파괴시 procoagulant 유리   ↳ APL cells에서 annexin Ⅱ 발현↑ → plasmin 활성화↑
- 재발 시에는 10% 이상에서 CNS 침범 (m/c extramedullary relapse site)
  (↳ 대부분 진단 당시 high-risk : WBC ≥10,000/μL)
- hypogranular APL variant (M3v) : 일반 염색에서는 promyelocytic granules이 안 보이는 아형
  (SBB나 MPO 등 특수염색에서는 염색됨), 전형적인 APL보다 PB WBC count가 매우 높음
  → APL 진단을 놓칠 수 있으므로 주의

4. 치료

(1) 개요

① 치료 반응의 정의(response criteria)

- morphologic leukemia-free state : BM blasts <5% (Auer rods 無)
- 완전관해(complete remission, CR)의 기준

Morphologic CR ★	수혈이 필요 없으면서.. Absolute neutrophil (ANC) ≥1,000/mm³, Platelet ≥100,000/mm³, BM blast <5% (Auer rods 無), 골수외 침범(extramedullary leukemia) 소견 無
Cytogenetic CR	이전에 염색체 이상이 있었던 환자에서 염색체 정상화
Molecular CR	이전에 유전자 이상이 있었던 환자에서 분자유전검사 음성
CRi*	CR with incomplete hematologic recovery : 수혈은 필요 없지만 cytopenia 지속 ANC <1,000/mm³ or Platelet <100,000/mm³, BM blast <5% (Auer rods 無)

*일부 임상시험(특히 고령 or 이전의 MDS)에서 사용

- 부분관해(partial remission) : 위 CR 기준의 말초혈액(PB) count 기준을 만족하면서
  BM blasts는 50% 이상 감소하여 5~25%에 해당 (주로 phase I 임상시험에서만 사용됨)
- CR 이후의 재발(relapse) : PB blast 재출현 or BM blasts ≥5% or 골수외침범 재발
- induction failure : 2회 이상의 intensive induction therapy 이후에도 CR에 도달 못함
- MRD (minimal/measurable residual disease) : AML에선 아직 통일된 기준 無
  - CR 이후 혹시 남은 작은 leukemic cells도 검출, 조기 재발 예측 및 치료방침 결정에 유용
  - real-time quantitative PCR, NGS, multi-parameter flow cytometry 등으로 검사

② acute leukemia 치료의 분류

  ① *관해유도요법(induction therapy)* : 완전관해(CR)를 빨리 얻기 위해 실시하는 intensive CTx.

  ② *관해후 치료(post-remission therapy)* : CR 이후에 완치(cure) 및 생존율 향상을 위해
     시행하는 치료 (residual leukemic cells 제거 → 재발 방지)

     (a) *공고요법(consolidation therapy)* 또는 강화요법(*intensification therapy*) : CR 직후에
         실시하는 intensive CTx. or HCT (→ AML의 예후에 중요)

     (b) *유지요법(maintenance therapy)* : low-dose CTx.로 보통 수년간 계속 실시
         (→ ALL의 예후에 중요, AML에선 추가적인 이득 없음)

  * cure : 5년을 CR 상태시

	AML (APL은 제외)	Ph− ALL	Ph+ ALL
Induction CTx. (3~4주)	Cytarabine (Ara-C) + Anthracycline (daunorubicin, idarubicin)	Vincristine + Steroid + Anthracycline + L-asparaginase (+ Cyclophosphamide)	+ TKI 추가
Consolidation (post-remission therapy)	저위험군 ⇨ IDAC/HiDAC (intermediate~high-dose cytarabine) 중간~고위험군 (or induction CTx. 실패) ⇨ allogenic HCT, IDAC, clinical trials 등	High-dose MTX (methotrexate) High-dose cytarabine (Ara-C) Cyclophosphamide	
CNS prophylaxis	안 한다 (∵ survival에 관계없음)	Intrathecal CTx (MTX, Ara-C, steroid)	
Maintenance CTx. (2~3년)	No benefit (APL만 예외)	매일 6-MP + 매주 MTX + 매월 Vincristine/Steroid	+ TKI 추가 (1년 이상)

- ALL의 CTx.가 AML의 CTx.보다 덜 myelosuppressive 함
- AML은 maintenance CTx.가 효과 없는 이유
  - AML : M phase 多 → 단기전에 파괴 → consolidation Tx. 중요
  - ALL : G0/G1 phase 多 (숨어있다) → 장기전 → 유지요법이 중요

* tumor lysis syndrome   (→ 16장 참조)
  - tumor의 크기가 크거나 leukemic cells의 count가 높을 때 발생↑
  - chemotherapy시 rapid cell lysis로 잘 발생

* 임신시의 치료
  - 1st trimester : teratogenic effect가 크므로 인공 유산 이후에 치료
  - 2nd, 3rd trimester : intensive CTx. 시행 (태아에 거의 영향 없지만 조산, 주산기 사망↑,
    저체중아와 관련), ATRA도 사용 가능, vaginal delivery 권장

(2) AML의 치료 (APL:M3 이외의)

① induction CTx. (intensive CTx.)

- cytarabine (Ara-C) 7일 & anthracycline 3일 : "7+3" 요법
  - ↳ S-phase-specific antimetabolite   ↳ DNA intercalator   ⇨ 함께 topoisomerase II 억제하여 DNA 파괴
  - 40년 이상 쓰인 용법, anthracycline은 daunorubicin or idarubicin을 선호함
  - 1차 induction 실패시 같은 용법(or 약간 변형)으로 2차 induction 시행
  - but, 많은 AML 환자는 고령이라서 intensive CTx.가 불가능한 경우가 흔함!
- CD33(+) AML은 gemtuzumab ozogamicin (Mylotarg®)을 추가해볼 수 있음 → 생존율 향상
  - ↳ anti-CD33 + calicheamicin(세포독성항암제), 2017년 FDA 재허가 (우리나라×)
- *FLT3* mutation(+) AML은 midostaurin (Rydapt®)을 추가해볼 수 있음 → 생존율 향상
  - ↳ multi-targeted protein kinase inhibitor, 2017년 FDA 허가 (우리나라×)
  - c.f.) 다른 FLT3 inhibitor인 quizartinib과 gilteritinib은 R/R AML에서 고려, sorafenib은 1st line or R/R
- primary AML의 CR rate는 65세 이하에서 60~80%, 65세 이상에서는 33~60%
  - (2/3는 1회 치료 후 CR, 1/3은 2회 치료 후 CR)
- CR에 실패하는 경우 1/2은 drug-resistant leukemia, 1/2은 CTx. 부작용(e.g., aplasia) 때문
  - CR 실패율이 높은 경우 ; 고령, 이전의 혈액질환(e.g., MDS, MPN), 다른 암의 CTx.
  - 2회 치료 후에도 CR에 실패하거나 재발하면 allogenic HCT 고려
    (HLA-compatible donor가 있고, 환자의 연령이 75세 이하면) or clinical trials 시도

* 고위험군은 보다 강력한 induction CTx. or new drugs
  - CPX-351 : dual-drug (cytarabine + daunorubicin) liposomal encapsulation [Vyxeos®]
    - ↳ 2ndary AML, t-AML, AML-MRC 등에 적응, 기존보다 CR 및 OS 향상 (2017년 FDA 허가)
  - high-dose Ara-C [cytarabine] (HiDAC) ± anthracycline (60세 미만) 등

* 고령으로 intensive CTx. 부적합/거부 *or* adverse-risk cytogenetics 존재시 고려
  - low-dose cytarabine (LDAC)
  - low-intensity therapy … hypomethylating agents (HMA) ; azacitidine, decitabine,
    guadecitabine (2세대, 반감기 긺) 등
  - venetoclax [Venclexta®, Venclyxto®] ± LDAC (or HMA)
    - ↳ oral BCL2 (antiapoptotic protein) inhibitor : 암세포의 apoptosis 유도, 2015년 R/R CLL 치료제로
      허가 되었고, 2018년 75세 이상 or intensive CTx. 불가능한 AML에도 허가됨 (FDA), 매우 효과적
      (CR 70% 이상), HMA를 추가하면 효과는 좀 더 좋아지지만 부작용도 증가 (PS 좋으면 고려)
  - glasdegib [Daurismo®] + LDAC : 안전하고 효과적임
    - ↳ hedgehog (Hh) signal pathway의 Smoothened (SMO) receptor inhibitor, 2018년 FDA 허가
  - CD33(+) → gemtuzumab ozogamicin, *FLT3*-ITD(+) → HMA + sorafenib,
  - *IDH1*(+) → ivosidenib [Tibsovo®], *IDH2*(+) → enasidenib [Idhifa®]
  - 기타 ; clofarabine ± anthracycline, FLAG (fludarabine, cytarabine, G-CSF) 등
    - ↳ nucleoside analogue로 R/R ALL에만 허가되었지만, 저/중간위험군 AML에도 사용해볼 수

② post-remission Tx. (first CR 이후) : consolidation (공고, 鞏固) of remission

- 목표 : 남아있는 백혈병세포 제거, 재발 방지, 생존율 향상 (안 하면 거의 다 재발함)
- 저위험군(favorable-risk)
  - ⇨ CTx. : IDAC (intermediate-dose cytarabine) 3~4 cycles (>65세는 2~3 cycles)
    - (↳ 젊으면 HiDAC)   ± gemtuzumab ozogamicin *or* midostaurin 등

• 중간~고위험군(intermediate~adverse risk) or 고령(>65세)

  - allogenic HCT (75세 미만일 때) : 40~60% cure, 현재 AML 재발 방지에 m/g

  - HLA-matched donor가 없으면 alternative donor HCT or HiDAC[60세 미만] 고려

  - 75세 이상 or allogenic HCT 불가능 ⇨ reduced-intensity HCT, CTx., clinical trials 등

  - 중간위험군 젊은 환자에서는 논란 : allogenic HCT와 high-dose CTx.의 생존율이 비슷함

    (∵ allogenic HCT가 관해 기간은 더 길지만, 대신 합병증에 의한 사망률이 높음)

* HCT의 합병증 ; GVHD, 재발, 간질성 폐렴, 기회감염, graft failure ...

* HCT의 종류

  (a) allogenic HCT : 75세 이하만 가능, 재발은 적지만 합병증에 의한 사망 위험(~30%)

  (b) autologous HCT

    ┌ 장점 : donor 구할 필요 없음, 합병증(e.g., GVHD) 적음

    └ 단점 : 재발률 20~60%로 높음 (∵ graft-versus-leukemia effect 無, 종양세포의 오염)

    → 연구차원으로 or (autologous HCT보다) intensive CTx. 반복에 의한 부작용 위험이
      더 클 때(e.g., severe platelet alloimmunization 환자) 고려

③ 재발 및 불응성 AML (relapse/refractory, R/R AML) : 완치 어렵다

참고: 새로운 or 연구중인 AML의 치료제

Protein kinase inhibitors

  FLT3 inhibitors ; midostaurin, sorafenib, quizartinib, gilteritinib, crenolanib

  KIT inhibitors   (↳ VEGFR, KIT, RAF, FLT3 등 억제)

  PI3K/AKT/mTOR inhibitors, SRC & HCK inhibitors, Syk inhibitor

  Aurora & polo-like kinase inhibitors, CDK4/6 inhibitors, CHK1, WEE1, MPS1 inhibitors

Epigenetic modulators

  New hypomethylating agents (HMA) ; guadecitabine (2세대, 반감기 긺)

  Histone deacetylase (HDAC) inhibitors ; SAHA (vorinostat), MS275, LBH589

  IDH1 inhibitor (ivosidenib), IDH2 inhibitor (enasidenib)

  DOT1L inhibitors, BET-bromodomain inhibitors

Mitochondrial inhibitors ; Bcl-2, Bcl-xL, Mcl-1 inhibitors, Caseinolytic protease inhibitors
          ↳ venetoclax

Oncogenic proteins targeting ; Fusion transcripts, EVI1, NPM1, Hedgehog inhibitor (glasdegib)

항체 및 면역치료

  Anti-CD33 conjugates ; gemtuzumab ozogamicin (GO)

  PD-1/PDL-1 Checkpoint Inhibitors ; nivolumab 등

  Chimeric antigen-receptor (CAR) T-cells (e.g., anti-CD123 CAR-T) → 가장 기대됨

Cellular signaling pathways

  Induction of apoptosis (Bcl-2 mRNA 억제) ; oblimersen

  BCR-ABL PDGFR/KIT ; imatinib, dasatinib, nilotinib

  Proteasome inhibition ; bortezomib

Angiogenesis

  RTK inhibitors (PTK/ZK) : VEGFR-1 & -2 억제

  Bevacizumab (Avastatin) : Anti-VEGF monoclonal antibody

  CC5013 (Lenalidomide, Revlimid) : thalidomide analog

Others

  CPX-351 : dual-drug (cytarabine + daunorubicin) liposomal encapsulation

  Arsenic trioxide (ATO) : 분화 및 apoptosis 유도, 증식 및 angiogenesis 억제

  Novel nucleoside analogues ; clofarabine, troxacitabine

  Telomerase inhibition ; GRN163L (imetelstat)

• 가능하면 allogenic HCT / 불가능하면 new drugs or clinical trials 시도
• 재발시의 치료 반응에 영향을 미치는 요인
  ; 이전의 CR 기간, 초기의 induction CTx 횟수, post-remission Tx의 종류
      ↳ first CR 12개월 이상이면 (처음과 같은 용법의) CTx.로도 다시 CR될 확률 높음

(3) APL (FAB M3)의 치료

① remission induction therapy : ATRA (all-trans-retinoic acid, tretinoin)
  • 기전 : t(15;17)에 의해 생성된 PML-RARA 단백에 결합 → APL cells의 분화와 성숙 유도
  • APL의 90% 이상에서 관해(CR) 가능, DIC도 대개 치료 며칠 이내에 교정 가능
   (APL이 의심되면 유전자검사로 확진되기 전이라도 우선 ATRA 경구 투여 시작)
  • ATRA만 사용하면 거의 다 재발하므로 (유지가 안됨), CTx와 병합요법 시행 (90~95% CR)
  ┌ low-risk (WBC ≤10,000/μL) ⇨ ATRA (tretinoin) + ATO (arsenic trioxide) 우선 권장 or
  │   [ATO를 사용할 수 없으면] ATRA + CTx:anthracycline (idarubicin)
  └ high-risk (WBC >10,000/μL) ⇨ ATRA + ATO or ATRA + gemtuzumab ozogamicin (GO)
        or ATRA + daunorubicin + cytarabine or ATRA + idarubicin 등
     *심장문제(e.g., EF↓) ⇨ ATRA + ATO + GO / QT prolong 존재 ⇨ ATRA + GO
  • arsenic trioxide (As$_2$O$_3$, ATO) : 단일 제제로는 APL에 가장 효과적, 80~90%에서 반응
   – low-dose는 APL cells의 maturation 유도, high-dose는 APL cells의 apoptosis 유도
   – Cx ; 출혈, APL differentiation syndrome, QT prolongation, 부정맥
  • 젊은 환자에서는 anthracycline으로 daunorubicin보다 idarubicin이 효과적
  • CTx.는 ATRA 투여 후 3일 이내에 시작 (고위험군은 동시에 or 가능한 빨리)

■ Retinoic acid syndrome (differentiation syndrome, DS) ★
  • APL에서 ATRA 치료 시작 3주 이내에 발생 가능 (15~25%에서)
  • 기전 : maturing myeloid cells의 증가 & 조직 침윤, inflammatory cytokines 분비
  • 임상양상 ; 발열, 체중증가, 저혈압, 호흡곤란, 흉막/심장막 삼출, ARF, CXR 이상
      ⇨ 이중 3개 이상이면 진단 (4개 이상이면 severe DS)
  • Lab ; WBC↑ (median 31,000/μL), CXR에서 미만성 폐침윤(38~80%), 흉막삼출(27~58%) 등
  • 치료 : steroid (dexamethasone), 심하면 ATRA는 일시적으로 중단하고 CTx.는 지속
  • 사망률 약 10% (치료하면 1% 미만)
  c.f.) 다른 AML에서 IDH1/2(+)시 사용하는 ivosidenib와 enasidenib에 의해서도 DS 발생 가능 (~20%에서)

② consolidation CTx. → 이후에 MRD 평가 (90~99%에서 molecular remission)
  • ATRA + ATO로 CR 되었으면, ATO-based consolidation (약 4회)
  • ATRA + CTx로 CR 되었으면, ATO-based consolidation + [ATRA + daunorubicin] 2회
③ maintenance therapy
  • ATRA + ATO 치료 이후의 유지요법은 논란 → low-risk에서 MRD(−)[molecular CR]시엔 F/U
  • 다른 모든 경우에는 유지요법 권장! (재발률↓, survival↑) : intermittent single agent ATRA
    → 1차 관해(CR) 이후에는 이식치료(HCT) 필요 없음!!
④ R/R APL (약 5~10%에서 재발 가능)
  • ATO 2 cycles + HCT 권장 (MRD-negative면 autologous HCT 먼저 고려)
  • MRD(+)면 ATO, gemtuzumab ozogamicin, allogenic HCT 등 고려
⑤ DIC에 대한 대책
  • 보충요법(replacement therapy) ; platelet, FFP, cryoprecipitate (→ fibrinogen↑)
  • low-dose heparin (thrombosis가 주증상일 때 / 예방적 투여는 routine으로 권장 안 됨)

(4) ALL의 치료

　┌ 소아 ALL의 치료 성적은 매우 좋음 : CR rate 95%, cure rate 85~90%
　└ 성인은 소아보다 나쁨 : CR rate 85%, cure rate 40~50% (∵ high-risk karyotype 多)

- Ph(+) ALL : 성인 ALL의 20~30%, 소아 ALL의 2~3% 차지
  - WHO 분류에서는 ALL with t(9;22)(q34;q11.2); *BCR-ABL1*로 치료방침이 다름
    ⇨ <u>TKI</u> + CTx가 치료의 기본
  - 과거에는 very poor Px.였으나, TKI 도입 이후 거의 Ph(-) ALL과 비슷해졌음
- Ph-like ALL : 성인 ALL의 25~30%, 소아 ALL의 10% 차지 ⇨ 표적치료 연구중

> ABL-class gene fusions ; *ABL1, ABL2, CSF1R, LYN, PDGFRA, PDGFRB* (특히 *PDGFRB* kinases rearranged)
> 　⇨ ABL1 inhibitor (imatinib), dual ABL1/SRC inhibitor (<u>dasatinib</u>) 치료에 반응 좋음
> Activated JAK-STAT signaling ; *CRLF2*-rearranged ± *JAK* mutations, *JAK2* fusions, *EPOR* rearranged 등
> 　⇨ type I JAK inhibitor (ruxolitinib), type II JAK inhibitor (CHZ868) 치료에 반응 좋음
> TRK (tropomyosin receptor kinase) fusions ; *ETV6-NTRK3*
> 　⇨ TRK inhibitor (<u>larotrectinib</u>) 치료에 반응 아주 좋음　　　　　　　　　　　참고

	Ph(+) ALL		Ph(-) ALL	
	AYA[a]	Adult	AYA	Adult
Induction therapy	<u>TKI + CTx</u> or TKI + steroid	<u>TKI + CTx</u>[b] or TKI + steroid	CTx (pediatric inspired)	CTx or (고령/PS나쁘면) Palliative steroid
Consolidation therapy	Allogenic HCT or TKI + CTx 지속	TKI + CTx 지속 or Allogenic HCT[c]	MRD(-) ; CTx 지속 or allogenic HCT 고려[d] MRD(+) ; allogenic HCT (B-ALL은 blinatumomab 이후)	좌동 (65세 미만) (고령/PS 나쁘면) CTx 지속
Maintenance therapy	post-HCT TKI 고려 TKI + CTx 지속	TKI + CTx 지속 post-HCT TKI 고려	maintenance CTx (CTx로 consolidation한 군)	좌동
R/R ALL	*ABL1* domain mutation 검사! TKI ± CTx (or steroid) Blinatumomab, Inotuzumab ozogamicin CAR-T (25세 이하 난치 or 2회 이상 재발 & TKIs 실패), HCT 등		Blinatumomab Inotuzumab ozogamicin CAR-T (25세 이하 난치 or 2회 이상 재발) CTx HCT 등	

(a) AYA = older Adolescent & Young Adult (대략 15~39세, 확립된 연령 기준은 없고 환자 상태에 따라 고려)
(b) 65세 이상, 나쁜 PS, 심한 동반질환 등시에는 용량조절 필요 / CTx를 시행할 수 없는 경우는 steroid 고려
(c) 공여자가 있는 경우, 젊은 연령 & PS 좋을 때 고려
(d) 특히 고위험군에서 ; poor-risk cytogenetics, MRD (+), WBC count↑ 등 → 뒷부분 표 참조
* *BCR-ABL1* mutations에 따른 TKI 제제 선택은 4장. 골수증식종양의 CML 치료 부분 참조

① induction therapy : combination CTx.가 backbone (정해진 단일 요법은 없음)

Vincristine	Steroid	Anthracycline	Asparaginase	Cyclophosphamide	Rituximab
관해유도에 중요 신경독성이 문제	Prednisone, dexamethasone 등	Daunorubicin, doxorubicin 등 관해유도에 중요	관해유지기간↑	종양 부하를 빠르게 감소시키는 효과 T-ALL의 관해율↑	CD20(+) ALL에서 치료 성적 향상

- BFM(Berlin-Frankfurt-Münster Group)/COG(Children's Oncology Group) 고강도 소아 요법이 근간이 됨
  = vincristine + corticosteroid + anthracycline + L-asparaginase 4제 기본의 복합요법

- hyper-CVAD = cyclophosphamide + vincristine + anthracycline (doxorubicin) + dexamethasone)
- CALGB(Cancer and Leukemia Group B) = vincristine + prednisone + daunorubicin
  + cyclophosphamide + pegaspargase(asparaginase보다 좀 더 효과적) 외에도 다양한 요법들이 있음
- CD20 양성인 경우 rituximab 추가 고려
- Ph(+) ALL은 CTx에 <u>TKI</u> (e.g., imatinib, <u>dasatinib</u>, nilotinib, ponatinib) 추가! → survival↑
  - 보통 dasatinib이 초치료로 권장되고, ponatinib (3세대)은 모든 TKIs에 내성인 경우 고려
  - CTx 요법은 BFM, hyper-CVAD 등 구성은 비슷하나 저강도로 시행 (∵ 추가 독성)
  - 일반적인 CTx가 어려운 경우에는 TKI + steroid (+ vincristine)도 가능

B-ALL의 세포유전학적 위험도 ★

Good risk	Poor risk
Hyperdiploidy (51~65 chromosomes, trisomy 4, 10, 16 등이 좀 더 좋음) t(12;21)(p13;q22); *ETV6-RUNX1*	Hypodiploidy (<44 chromosomes) *KMT2A* ([previous] *MLL*) rearranged ; t(4;11) *KMT2A/AFF1* 등 t(v;14q23)/IgH Complex karyotype (≥5 chromosomal abnormalities) Ph-like ALL Intrachromosomal amplification of chromosome 21 (iAMP21) [t(9;22)(q34;q11.2): *BCR-ABL1* ⋯ TKI 도입 이전에는]

<u>High-risk</u> (아래중 하나 이상) / 모두 없으면 Standard-risk

1. Poor-risk cytogenetics (위 표 참조)
2. MRD (+)
3. WBC >30,000/μL (B-ALL), >100,000/μL (T-ALL)

⇨ Ph(-) ALL (65세 이하)에서 consolidation therapy로 allogenic HCT 고려시 분류 필요

② post-remission therapy
- 미세잔류 암세포 제거 & 재발 방지가 목적 (시행 안하면 거의 다 금방 재발함)
- 공고요법(consolidation or intensification therapy) ; 보통 induction 때와 다른 제제로 시행
  - <u>cytarabine (Ara-C), MTX,</u> anthracyclines, alkylating agents, etoposide 등 (요법은 다양)
    ↳ BBB 통과 → CNS 예방 효과
  ┌ 저위험군 : high-dose MTX + Ara-C, modified hyper-CAVD 등
  └ 중간/고위험군 : high-dose MTX + mitoxantrone, high-dose Ara-C + idarubicin 등
- Ph(+) ALL은 CTx에 TKI 추가 (post-HCT CTx시에도 TKI 추가)
- allogenic HCT : 완치율은 높으나, 심한 부작용이 문제 → 대개 65세 이하 건강한 경우 고려
  - 일반적으로 1st relapse (2nd CR) 이후에 고려 (1st CR 이후 시행해도 CTx와 예후 비슷함)
  - 일부 <u>고위험군</u> 및 Ph(+) ALL은 1st CR 이후에 바로 시행하는 것이 권장됨!
  - 21세 이하의 Ph(+) ALL에서는 CTx + TKI 치료보다 우월하지 않을 수도 있음
- 유지요법(maintenance CTx.)
  - Ph(-) ALL ⇨ 6-MP[매일] + MTX[매주] + [매월]vincristine/prednisone pulse (2~3년)
  - Ph(+) ALL ⇨ TKI ± 매월 vincristine/prednisone pulse (최소 1년 이상)
  - 6-MP 및 MTX의 용량은 WBC 2,000/μL 이상이 되도록 유지
  - 6-MP 투여 전에는 *TPMT* activity or gene polymorphism 검사 필요
    ↳ thiopurine 분해효소로, 결핍시 active drug↑ → BM toxicity↑

③ CNS 및 고환 침범
- 진단 당시 <u>CNS 침범</u> 빈도 : 5~10% (특히 mature B-cell ALL과 T-ALL에서 높음)
  - └ CSF에 leukemic blasts 존재
- <u>CNS prophylaxis</u> ··· induction CTx. 초기부터 IT CTx.도 병행!
  - <u>intrathecal (IT) CTx.</u> ; MTX or cytarabine (Ara-C) or "MTX + cytarabine + steroid"
    (c.f., dexamethasone이 prednisone보다 CSF에서 반감기가 길고, 세포독성이 더 강함)
  - systemic high-dose CTx. (Ara-C, MTX) → 대개 표준 CTx regimen에 포함되어 있음
  - cranial irradiation : IT CTx.가 효과 비슷하므로 거의 이용 안함 (∵ 신경계 부작용 위험)
    - └ 신경 침범 증상이 있으면 고려 (가능한 low-dose로)
  - 시행 안하면 추후 ALL 재발시 30~40%에서 CNS 침범 (→ 치료 어려움)
- CNS 침범시 치료 ⇨ intrathecal CTx. ± cranial irradiation (2400 cGy)
  - └ CSF에서 2회 연속 blast 음성일 때까지 2~3주 이상 시행
  - c.f.) CNS 침범을 치료한 뒤에 더 강력한 치료(e.g., alloHCT)가 필요한 지는 불확실함
- 고환 : BBB와 비슷한 blood-testis barrier 존재 → 재발시에만 치료 목적의 RTx. 시행

④ **재발 및 불응성(R/R) ALL** ; 소아의 약 20%, 성인의 약 60%는 1st CR 이후 재발함
- allogenic HCT만이 완치가 가능 : 모든 ALL에서 2nd CR (1st relapse) 이후에는 고려
  (but, 부작용이 심하고[사망률 ~20%], 삶의 질이 떨어지는 등의 단점도 고려)
- R/R T-ALL ⇨ cytotoxic CTx and/or novel agents
  - nelarabine [Arranon®] : prodrug로 (특히 T cells에서) araGTP (purine analog)로 전환됨
  - vincristine sulfate liposome injection (VSLI, Marqibo®) : liposomal vincristine, 반감기↑
- R/R B-ALL은 CAR-T 등 획기적인 치료법들이 가능함
- <u>inotuzumab ozogamicin</u> [Besponsa®] : **anti-CD22 mAb** + calicheamicin(cytotoxic agent)
  - R/R B-ALL에서 CR 66%, 이중 78%는 molecular CR (MRD negativity)
  - 간독성(e.g., 치명적인 hepatic veno-occlusive dz.) 및 HCT 받은 환자의 비재발사망률
    (non-relapse mortality, NRM) 증가가 문제
- <u>blinatumomab</u> [Blincyto®] : bi-specific T-cell engager (BiTE), **anti-CD19 & CD3 이중항체**
  - → ALL B세포(CD19)와 T세포(CD3)를 연결, T세포를 활성화하여 ALL 세포에 대한 cytotoxic activity⇧
  - R/R B-ALL에서 CR 43%, 이중 82%는 molecular CR
  - MRD(+) 환자의 80%에서 MRD(-) 반응, 수명도 일부 연장됨 (HCT 없이도)
  - CRS (cytokine release syndrome), 신경독성 등 심한 부작용 위험
- <u>chimeric antigen receptor (CAR) T-cells therapy</u>
  - tisagenlecleucel [Kymriah®] : 25세 이하의 R/R B-ALL 환자에 허가 (FDA 2017년)
  - CD19(+) R/R ALL에서 매우 효과적 ; CR 67~91%, 이중 60~81%는 molecular CR
  - CAR-T 치료 이후에 추가 HCT 시행의 효과는 확실하지 않음
  - 10~20%에서는 CD19(-) relapse (→ 치료법이 거의 없음)

참고: CAR-T cells therapy

■ 개요   ↗ CD19에 대한 연구가 가장 많이 되어 있음
- 암세포 표면의 특정 항원을 인지하는 합성 수용체(chimeric antigen receptor)가 환자 자신의 T cells에서
  발현되도록 (체외에서) 유전자재조합 & 배양하여 주입해주는 치료법 (면역 + 유전자 + 세포 치료)

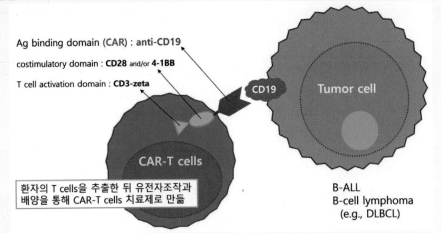

Ag binding domain (CAR) : **anti-CD19**

costimulatory domain : **CD28** and/or **4-1BB**

T cell activation domain : **CD3-zeta**

CD19

Tumor cell

CAR-T cells

환자의 T cells을 추출한 뒤 유전자조작과
배양을 통해 CAR-T cells 치료제로 만듦

B-ALL
B-cell lymphoma
(e.g., DLBCL)

- 과정 ; leukapheresis로 환자의 말초혈액에서 mononuclear cells 채집 → monocytes 및 B cells 제거 →
  anti-CD19 CAR transgene 주입 (inactive lentivirus를 형질도입 벡터로 사용) → T cells 염색체에 삽입됨
  [chimeric antigen receptor]-Ag binding domain
  + co-stimulatory domain : T cells을 활성화시키는 신호전달 역할, CD28 or 4-1BB (CD137) 등
       → 체내에서 암세포를 인식한 CAR-T cells이 잘 활성화 & 많이 증식되도록 하는 역할
  + essential signaling domain (or T cell activation domain) : CD3-zeta
  → 증식/배양(ex vivo) → CAR-T cells 선별, 정량화 → 환자에 주입(infusion)
- 세포치료제는 회사에서 제작되므로(3~4주), 환자는 bridging CTx 및 lympho-depleting CTx를 받으며 준비
  (c.f., 전신상태가 매우 나쁘거나 위독한 경우는 불가능)
- 기존 항암치료에 비해 CR 및 관해유지기간이 월등히 우수함. 1회로 치료 끝 (but 매우 고가, 약 3~5억)

■ 현황/적응
① tisagenlecleucel [Kymriah®] : CD19 + 4-1BB
     ⇨ 25세 이하의 R/R B-ALL (2017년 최초로 FDA 허가), 성인 R/R DLBCL (2018년 FDA 허가)

② axicabtagene ciloleucel [Yescarta®] : CD19 + CD28
     ⇨ R/R DLBCL, primary mediastinal B-cell lymphoma, transformed follicular lymphoma (2017년 FDA 허가)

③ 기타 ; CLL 및 multiple myeloma에 대한 CAR-T도 조만간 허가 예정
     ↳ BCMA (B-cell maturation Ag)가 target : myeloma cells에서 많이 발현됨

■ 부작용
① cytokine release syndrome (CRS) : CAR-T cells에 의해 여러 cytokines이 분비되어 발생하는 전신증상
- high fever, flu-like symptoms, A/N/V, hypotension, mental status changes 등
- 혈청에서 IL-6, IFN-γ , ferritin 등도 상승
- 대부분에서 발생하지만 잘 조절됨, 투여 초기(3일~28일)에 발생, 평균 1주일 정도 지속
- Tx ; anti-cytokine therapy (e.g., **tocilizumab** [IL-6R mAb]), steroid 등
② neurotoxicity (원인 잘 모름) ; 혼동, 섬망 등 → tocilizumab은 효과 없고 steroid 고려
③ 기타 ; B cell aplasia, cytopenias, macrophage activation syndrome (MAS), 감염, TLS, DIC 등
     (∵ CD19는 정상 B cells에서도 발현됨)

(5) supportive care

　1 infection … induction & post-remission CTx 중 m/c 사망 원인

　　① bacterial infection

　　　• 흔한 원인균 ; G(−) enteric bacilli인 *Pseudomonas aeruginosa, E. coli, Klebsiella,*
　　　　G(+)의 *S. aureus, S. epidermidis* 등

　　　• neutropenia에서 fever가 발생하면 배양검사 결과 안 기다리고 바로 <u>경험적 광범위항생제</u>
　　　　투여 (fever가 없을 때의 투여는 논란)

　　　　- antipseudomonal 3/4세대 cepha (e.g., cefepime), antipseudomonal penicillin
　　　　　(e.g., piperacillin-tazobactam), carbapenem (e.g., imipenem-cilastin, meropenem) 등

　　　　- β-lactam allergy시 vancomycin + aztreonam으로 대치

　　　　- ceftazidime은 viridans streptococci, *S. pneumoniae*, ESBL+ G(−)에 효과 떨어져 권장×

　　　• vancomycin 추가 ; G(+)균 감염 의심시, 경험적 항생제 치료 3일 이후에도 fever 지속,
　　　　점막염(mucositis) 발생시 등 때

　　　• 항생제(or 항진균제)는 neutrophil count가 증가될 때(ANC >500/μL)까지 투여!

　　　• neutropenia 시에는 폐렴이 발생하더라도 chest X-ray 상 침윤이 보이지 않을 수 있다

　　　• 적절한 항생제 치료에도 불구하고 세균감염이 지속되면
　　　　→ indwelling catheter 제거, hematopoietic growth factor 투여 고려

　　　• selective GI decontamination도 감염을 감소시키는데 도움
　　　　예) ciprofloxacin, bactrim + colistin

> **Typhlitis** (= necrotizing colitis, neutropenic colitis, necrotizing enteropathy, ileocecal syndrome, cecitis)
> • 면역저하자에서 fever, RLQ pain/tenderness, diarrhea (혈성도 흔함) 등의 임상양상이 발생한 것
> • cytotoxic agent로 CTx 받은 neutropenia 환자에서 특징적으로 발생 (특히 acute leukemia 환자)
> • 성인보다는 소아에서 약간 더 호발
> • 진단 ; <u>CT</u>/MRI/US에서 두꺼워진 맹장벽 확인
> • 대부분 내과적으로 치료 (광범위 항생제, 특히 GNB에 대한), 재발은 드묾
> 　; <u>Piperacillin-tazobactam</u>, Cefepime + metronidazole, Imipenem-cilastatin, Meropenem 등
> • 수술 (면역저하로 일반적으로는 시행 못함) ; 천공(free air), 지속적 GI bleeding, 항생제에 무반응,
> 　다른 수술의 적응(e.g., appendicitis) 등 때 시행

　　② fungal infection

　　　• fever가 떨어졌다가 다시 발생 시는 fungal infection을 의심

　　　• 경험적 항생제 투여 4~7일 이후에도 fever 지속되면 항진균제 투여!
　　　　┌ itraconazole, posaconazole, or voriconazole : 독성이 적어 선호됨
　　　　└ caspofungin, liposomal amphotericin B : 1차 약제 실패 또는 부작용시

　　　• hepatosplenic candidiasis : neutropenia에서 회복되는 acute leukemia 환자에서 호발

　　③ 면역저하상태에서 발생할 수 있는 다른 감염들

　　　• CMV → CMV(−) 환자는 수혈시 CMV(−) 혈액 사용 (→ 없으면 WBC 제거 혈액 사용)

　　　• Herpes simplex, disseminated varicella zoster → acylovir

c.f.) acute leukemia 환자의 primary antifungal prophylaxis
- CTx로 severe oral and/or GI mucositis 발생 위험이 예상되는 환자
  → *Candida* 예방을 위해 oral fluconazole 투여 권장
- CTx로 severe neutropenia (ANC <500, 7일 이상) 발생이 예상되는 AML or MDS 환자
  → *Candida*와 invasive mold (e.g., *Aspergillus*, mucormycosis) 예방을 위해
    posaconazole or voriconazole 투여 권장 (delayed-release posaconazole tablet 선호)
- ALL 환자 ; *Pneumocystis jirovecii* 예방을 위해 TMP-SMX 투여 권장

2 bleeding
① spontaneous bleeding risk는 thrombocytopenia의 정도와 비례함!
② platelet transfusion
- platelet count를 최소한 10,000~20,000/μL 이상으로 유지
  (fever, active bleeding, DIC 등 때는 더 높게 유지)
- unselected donor → 30~50%에서 platelet refractoriness 발생
- HLA-matched donor에서 platelet pheresis로 얻은 platelet을 수혈하여
  platelet refractoriness를 방지!
③ 출혈증상이 심할 때는 ε-aminocaproic acid의 사용을 고려할 수 있음
④ IM injection 및 trauma의 방지, 피임약으로 월경 억제 등

3 anemia → packed RBC transfusion : Hb 8 g/dL 이상 유지
  (active bleeding, DIC, CHF 등 때는 더 높게 유지)

4 **tumor lysis syndrome의 예방/치료** ; hydration, urine alkalization, allopurinol, rasburicase

* WBC 제거 혈액 사용 → alloimmunization, 발열반응, CMV 감염 등 예방 가능
* transfusion-induced GVHD : rash, low-grade fever, LFT 악화, cell counts↓ ...
  (→ 수혈 전에 혈액제제를 3,000 cGy로 irradiation 하여 예방)
* hematopoietic growth factor (G-CSF, GM-CSF)
  - neutrophil recovery 시간 단축 (평균 5~7일)
  - but, 기회감염을 크게 감소시키지는 못하고, CR rate나 생존율에도 영향 없음
  - 임상적 사용은 논란 (intensive CTx 받는 노인, uncontrolled infection 등에서만 사용 고려)

* 예후 ; 전체적인 AML 환자의 5YSR는 약 30%
  - 50세 미만은 50~55%, 50~54세는 40~47% → 예후 좋은 편
  - 55~64세는 22~30%, 65~69세는 12~20%, 70세 이상은 5~10% → 예후 나쁨

* acute leukemia의 사망원인 : infection (m/c), bleeding

5. 예후인자(clinical risk factors)

(1) AML

	양 호	불 량
염색체/유전자 이상★	→ 앞부분의 Risk Category 표 참조	
연령	Young	Old (기준은 55, 60, 65세 등 다양)
Performance status	높음	낮음
FAB subtype	M2, M3, M4Eo	M5, M6, M7
Auer rods	+	−
CD marker	CD2 or CD9	CD13, CD14, CD33
WBC count	<20,000/μL	>100,000/μL
발열 또는 출혈	−	+
LD level	low	high
CNS 침범	−	+
진단 전 cytopenia 증상 기간	짧음	긺(>3개월)
혈액질환 과거력(eg, MDS, MPN)	−	+
치료관련(2ndary) AML	−	+

- **연령**과 **염색체/유전자 이상**이 치료 전 예후 결정에 가장 중요!
- 장기 예후는 빠른 CR의 획득 및 유지가 가장 중요
- 고령에서 예후가 나쁜 이유 ; unfavorable cytogenetics 多, multidrug resistance 多, treatment-resistant disease 多, 동반질환 多, poorer performance status

(2) ALL

	양 호	불 량
연령	2~10세	1세 이하, 35세 이상 (특히 50세 이상)
인종	백인	비백인
성별	여자	남자
진단시 WBC count (B-ALL)	<3~5만/μL	>3~5만/μL (T-ALL은 큰 관련×)
Lymphadenopathy	−	+
진단시 CNS, 고환 침범	−	+
Hemoglobin	>10 g/dL	<7 g/dL
Platelet count	>10만/μL	<10만/μL
Mediastinal mass	−	+
형태 (FAB, PAS 염색)	L1, +	L3, −
Immunophenotype	B-ALL, CD10(+)	CD10(−), CD20(+), CD13/33(+) Mature B-cell, T-ALL
염색체/유전자 이상	→ 앞부분 표 참조	
치료에 대한 반응	14일째 blast가 5% 이하	14일째 blast가 25% 이상 29일째 MRD(+) CR까지 4주 이상 소요

만성림프구백혈병 (CLL/SLL)

1. 개요

- mature B lymphocytes의 종양, 98%가 <u>B-cell</u> CLL (T-cell CLL은 드묾)
- indolent, slowly progressive, long-lived small lymphocytes가 증가 (면역기능은 떨어져 있음)
- 서양에서는 m/c leukemia (전체 백혈병의 22.6%), 우리나라에서는 드묾 (백혈병의 0.4~0.5%)
  ↳ 고령화에 따라 조금씩 증가 추세
- 대부분 60세 이상, 남:여 = 2:1, 백인>흑인

CLL/SLL, MBL의 진단기준 (WHO 2016)	
CLL (chronic lymphocytic leukemia)	3개월 이상의 PB <u>monoclonal</u> small B-lymphocytosis ≥5000/μL (flow cytometry에서 CLL phenotype 확인)
SLL (small lymphocytic lymphoma)	BM는 침범하시 않고 (monoclonal B-lymphocytes <5000/μL) 림프조직만 침범한 경우
MBL (monoclonal B-cell lymphocytosis)	Monoclonal B-lymphocytes <5000/μL이면서 림프조직 침범도 없는 경우 (매년 1~2%는 CLL로 진행 위험)
Tissue-based MBL (nodal MBL)	정상 CBC를 보이면서, 정상 크기의 LN (CT scan에서 1.5 cm 미만)에 CLL phenotype lymphocytes 침윤이 있고 proliferation center는 없는 것

 ┌ high-count MBL (CLL cells 500~5000/μL) ; 대부분 CLL/SLL로 진행하게 됨, 매년 F/U
 └ low-count MBL (CLL cells <500/μL) : CLL/SLL로 진행 거의 안함, F/U 필요 없음

 * 과거에는 PB lymphocytes <5000/μL & 림프조직 침범이 없어도, cytopenias or disease-related Sx이 있으면
   CLL로 진단했었으나, WHO 2016 분류에서는 제외되었음

2. 임상양상/합병증

- 대부분 무증상 → 검사 중 우연히 "lymphocytosis"로 발견되는 경우가 많음!
- 피곤, 식욕저하, 체중감소, 운동능력저하 등의 비특이적 증상
- 80%에서 lymphadenopathy 동반 (특히 경부, 쇄골상부 LN)
- 진행되면 면역저하, BM failure (cytopenias), lymphocytes의 장기침범 등에 의한 Cx 발생
  ; 감염(m/c 사망원인, 30~50%, typical & atypical 병원균 모두↑), 간비종대, 위장관 폐쇄 등
- autoimmune cytopenias ; AIHA (m/c, 4~10%), ITP (2~5%), PRCA (0.5~6%) 등
  - ITP의 ~1/3은 AIHA도 동반 (Evan's syndrome)
- 2ndary malignancy
  - more aggressive histology로 진행 (5~10%)
    ; DLBCL (Richter's transformation), prolymphocytic leukemia (PLL) 등
  - therapy-related myeloid neoplasms ; 특히 alkylating agents 사용시
  - solid tumors ; <u>skin cancer</u> (m/c, 8~15배↑), larynx, lung, prostate, breast 등
        (↳ Kaposi sarcoma, malignant melanoma)

3. 검사소견

- PB smear ; <u>absolute lymphocytosis</u>가 특징, 손상된 형태(smudge or basket cells)도 흔함

  ↳ CLL cells : small & "mature" (정상 small lymphocyte와 형태 비슷), monoclonal

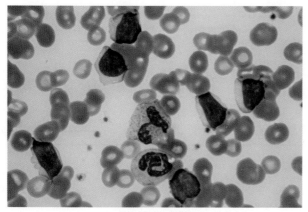

CLL의 PB 사진
: CLL cells은 거의 정상 small lymphocytes와 모양이 비슷함
(노인에서 absolute lymphocytosis를 보이면 의심)

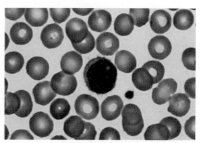

참고 : SMZL cells
(splenic marginal zone lymphoma)
: CLL 비슷한 모양이지만
villous projections을 가짐 (털 같은 느낌),
CD5(-)이 CLL과의 큰 차이임

- RBC & platelet count : 발견시는 대개 정상
- BM : small lymphoid cells (CD5+ monoclonal B-cells)의 다양한 침윤 → CLL로 확진
- hypogammaglobulinemia (매우 흔함, 50~80%) : advanced dz.일수록 더 흔함, 감염 위험↑↑
  (→ 주로 피부점막감염 ; sinusitis, bronchitis, UTI 등)
- LN의 pathology : small lymphocytic lymphoma (diffuse pattern)
- immunophenotyping (PCM or IHC) : CLL 진단의 핵심 … 대개 말초혈액으로 시행
  - ┌ Positive for <u>CD5</u> (T-cell marker), **CD19**, **CD23**, **CD200** (다른 T-cell markers는 음성임)
  - └ Weak/negative for CD20, CD22, CD79b (SN8), FMC7, surface IgM (SmIgM κ / λ)
  - c.f.) B-cell 종양이면서 CD5도 양성인 경우 ; B-CLL/SLL, mantle cell lymphoma (MCL)

참고: CLL의 immunophenotyping scoring system (Matutes, 1997)		* 우리나라는 서양에 비해 CD22 양성 및 FMC7 양성이 많음!
CD5 + CD23 + CD79b or CD22 − FMC7 − (or CD20 weak) SmIg weak/−	각각에 해당되면 1점씩 CLL은 대부분 4~5점 (다른 B-cell 종양들은 대개 0~2점)	** SmIg은 정확도가 떨어지므로, 대신 CD200 양성을 반영하는 것도 좋음

- 염색체 이상 ; CLL cells은 증식이 느려 일반적인 G-banding karyotyping에서는 잘 발견 안 되어
  FISH or <u>CpG-stimulated (metaphase) karyotyping</u>으로 검사함
  ↳ CpG-oligonucleotide (CpG-ODN) ; B-cell mitogen, CLL cells 증식 촉진, 염색체 이상 검출↑
  - <u>del(13)(q14.3)</u> ; 40~50%, 종양억제유전자 *DLEU2/MIR15A/MIR16A* locus → good Px
  - <u>del(11)(q22.3)</u> ; 15~20%, ataxia telangiectasia mutated (*ATM*) gene locus → poor Px
  - <u>del(17)(p13.1)</u> ; 10~15% → very poor Px
  - trisomy 12 (+12) ; 10~20% / normal karyotype → intermediate Px
  - ▷ 치료 안하고 F/U 중에도 염색체 이상의 변화가 흔하므로, 치료가 결정되면 반드시 재검 필요

4. 감별진단 : chronic B-cell leukemia/lymphoma

	CD5	SIg	CD20	FMC7	CD23	CD10	CD103	CD79b	CD200
Chronic lymphocytic leukemia (CLL)	+	low/−	low/−	−/+*	+	−	−	low/−	+
Mantle cell lymphoma (MCL)	+	high	high	+	−/low	−	−	+	−/low
Prolymphocytic leukemia (PLL)	− (20~30%는 +)	high	+	+	−	−	−	+	−/low
Hairy cell leukemia (HCL)	−	high	high	+	−	−	+	+	+/high
Follicular lymphoma (FL)	−	+	high	+	−/+	+/−**	−	+	−
Marginal zone lymphoma (MZL)	− (10~20%는 +)	+	high	+	−	−	−/+ (splenic)	+	−/+

(low = dim, weak / high = bright, strong)
  * 우리나라 CLL은 FMC7 양성이 많음(약 50%) ↔ 서양은 80%가 음성
 ** BM에서는 대개 음성임

5. Staging 및 Prognostic marker

• CLL은 주로 Rai staging을 사용하고, SLL은 Lugano staging을 사용함(→ 뒤의 lymphoma 부분 참조)

Modified Rai Clinical Staging System (미국)

Stage	Risk Level	Clinical Features	치료 필요 없는 환자	평균생존기간
0	Low	Lymphocytosis (≥5000/μL) only	59%	12.5년
1	Intermediate	Lymphocytosis + LN enlargement	21%	8.4년
2		Lymphocytosis + spleen/liver (S/L) enlargement ± LN	23%	5.9년
3	High	Lymphocytosis + anemia (<11 g/dL) ± LN or S/L enlargement	5%	1~2년
4		Lymphocytosis + thrombocytopenia (<10만/μL) ± LN or S/L enlargement	0%	1~2년

Binet Clinical Staging System (유럽)

Stage	Rai	Clinical Features	평균생존기간(년)	환자 %
		Lymphocytosis (≥5000/μL) +		
A	0~2	Nodal area* enlargement가 2개 이하	>10	15
B	1~2	Nodal area* enlargement가 3개 이상	7	30
C	3~4	Nodal area* enlargement 수에 관계없이 anemia (<10 g/dL) or thrombocytopenia (<10만/μL)	2	55

* Nodal area : LN (axillary, cervical, inguinal ; 각각 uni- or bilateral), spleen, liver

CLL의 예후인자

Good Px	Poor Px ★
Rai or Binet stage 낮음	Rai or Binet stage 높음
Tumor burden 낮음 (침범 LN 수 or 크기↓)	Tumor burden 높음 (침범 LN 수 or 크기↑)
BM의 interstitial or nodular pattern infiltration	BM의 diffuse pattern infiltration
Lymphocyte doubling time ≥12개월	Lymphocyte doubling time <12개월
CD38(−)	CD38(+)
ZAP−70 negativity (low levels)	ZAP−70 positivity (high levels)
Wild−type *TP53*	Mutated *TP53*
Mutated *IGHV* (Ig heavy chain variable genes)	Unmutated *IGHV*
단독 del(13q)	Del(17p), del(11q), complex karyotype
	TNF−alpha, β₂−microglobulin, IL−6, IL−8, IL−10, LDH, VEGFR−2, CD20, CD52 등의 상승

- ZAP-70 (zeta-chain-associated protein kinase-70) ; 정상 T/NK cells에서 발현되는 T-cell 신호 단백으로, *IGHV* unmutated CLL cells의 대부분에서 발현됨 (전체의 약 45%) → poor Px
  - CD38과 함께 IGHV mutation의 대리표지자(surrogate marker)로 사용됨, FCM로 검사
  - but, 측정이 까다롭고 재현성도 나쁨 (대신 *ZAP-70* methylation status를 검사하기도 함)
- *IGHV* (Ig heavy chain variable genes) ; sequencing으로 검사하는 것이 m/g
  - mutation ≥2% (50~60%) ; more mature, indolent → good Px!
  - mutation <2% (40~50%) ; more rapid progression → poor Px
- 기타 유전자 이상(mutation) ; 다른 혈액종양들과 달리 통일된 유전자 이상은 없음
  - *SF3B1* (10~15%) ; *NOTCH1*과 상호배타적, rituximab에 반응↓, intermediate or poor Px
  - *TP53* (5~13%) ; del(17)(p13.1)과 동반 흔함 → poor Px
  - *NOTCH1* (10~13%) ; trisomy 12 (+12)와 동반 흔함, anti-CD20 Ab 치료에 대한 반응↓, DLBCL로 전환(Richter's transformation) 위험↑
  - *ATM* (8~11%) ; del(11)(q22.3)과 동반 흔함 → poor Px
  - *MYD88* (4~8%) ; IGHV mutated CLL에서 호발 → good Px.

검사		Good Px	Poor Px
FISH and/or CpG−stimulated karyotype		del(13p) 단독	del(17p) del(11q) Complex karyotype
DNA sequencing	*TP53*	Wild−type	Mutated
	IGHV	≥2% mutation	<2% mutation
Flow cytometry	CD38	<30%	≥30%
	Zap−70	<20%	≥20%
	CD49d	<30%	≥30%

6. 치료

- CLL/SLL 환자의 대부분은 진단시 early stage임 ⇨ 치료의 적응이 아니면 <u>경과관찰!</u>
- 치료의 적응 ; advanced stage, active dz., high tumor burden, repeated infections

Active dz. (치료의 적응)
Progressive BM failure ; anemia and/or thrombocytopenia 악화
Massive (좌측 늑골연 아래로 6 cm 이상) or progressive/symptomatic splenomegaly
Massive (장축[LDi] 10 cm 이상) or progressive/symptomatic lymphadenopathy
Lymphocyte count가 2개월 동안 50% 이상 증가 or 6개월 이내에 2배 증가
Steroid 등의 표준 치료에 반응 없는 autoimmune anemia and/or thrombocytopenia
심한 림프절외 침범(e.g., 피부, 신장, 폐, 척추)
심한 전신증상 : 아래 중 1개 이상
체중감소 (6개월 동안 10% 이상)
심한 피곤 (ECOG PS 2 이상; 일상적인 활동 불가능)
발열 (2주 이상 동안 38℃ 이상)
야간 발한 (1개월 이상)

LDi = longest transverse diameter, 장축의 길이　(c.f., SDi = LDi에 직각인 단축의 최대 길이)

(1) CLL의 치료제

① chemotherapy
- alkylating agent ; chlorambucil (부작용 적어 고령에서 선호), cyclophosphamide (더 효과적), bendamustine (nitrogen mustard 비슷, fludarabine 및 chlorambucil 보다 좀 더 효과적)
- fludarabine (purine analog) : 효과적이지만 면역억제의 부작용, AIHA 및 ITP 발생 위험↑

② immunotherapy (monoclonal Ab, mAb) … CTx와 병용시 (chemoimmunotherapy) 효과↑
- rituximab ; <u>type Ⅰ</u> chimeric anti-CD20, 첫 표적 항암제(1997년)
  ↳ complement-dependent cytotoxicity (CDC) 및 Ab-dependent cell-mediated cytotoxicity/phagocytosis (ADCC/ADCP)
  　*<u>FCR</u> (fludarabine, cyclophosphamide, rituximab)로 한동안 CLL의 표준요법이었었음
  　– del (17p)/*TP53* mutation 환자에서 반응 좋음 (PFS 10년 이상)
  　– <65세는 <u>BR</u>보다 효과적이지만, ≥65세는 BR의 독성이 낮아 전체 예후는 비슷함
  　　　　(bendamustine + rituximab)
- ofatumumab ; type Ⅰ humanized anti-CD20 (rituximab과 target epitope 다름), rituximab보다 CDC 효과 강력
- obinutuzumab ; type Ⅱ humanized anti-CD20, rituximab보다 더 효과적
  　　　　↳ 기전 : direct cell death & ADCC/ADCP (CDC는 감소)
- anti-CD20의 부작용 ; infusion reactions이 가장 문제 (첫 투여 때 m/c), HBV 재활성화 등
- alemtuzumab (anti-CD52) : 고위험군에서 효과적이었으나, 면역억제 부작용이 심하여 (B & T cells 모두 파괴) 중증 감염 위험 (CMV 재활성화 등), bulky dz.에는 효과↓
  → CLL에서는 더 이상 권장 안됨

③ Bruton's tyrosine kinase (BTK) inhibitor
- <u>ibrutinib</u> ; 현재 CLL에 가장 효과적, 거의 모든 대상에서 1차 및 2차 치료에 DOC!
  – 전체 생존율 83% / 병기, 이전의 치료 횟수, 유전적 위험인자 등과도 무관
  – rituximab을 추가해도 예후는 유의한 차이 없음
  – 대부분에서 투여 첫 몇 주 동안 일시적인 absolute lymphocytosis 발생 (질병 진행 아님)
  – 간에서 대사되므로 moderate~severe 간부전 환자에서는 금기

　　　 – 부작용 ; <u>출혈위험</u>↑, rash, diarrhea, dyspepsia, AF 등의 부정맥, pneumonitis …
　　　　　　　 ↳ warfarin과 병용 금기, 수술/시술 전에는 중단
　　　 – ibrutinib 사용 중 질병이 진행되면 빨리 다른 치료제로 바꿔야 됨 (∵ resistance)
　　　　　 ; <i>BTK</i> (C481S) (→ acalabrutinib도 금기) 및 <i>PLCG2</i> mutations이 내성 발생과 관련
　　　 • acalabrutinib ; 2세대 BTK inhibitor (more specific), 1세대보다 부작용 적을 것으로 기대
　　④ phosphoinositide-3-kinase (PI3K) inhibitor → R/R CLL에 사용
　　　 • idelalisib ; p110 delta isoform-specific PI3K inhibitor, 대개 rituximab과 병용
　　　 – 대부분에서 투여 첫 몇 주 동안 일시적인 absolute lymphocytosis 발생 (질병 진행 아님)
　　　 – 부작용 ; ALT-AST↑, diarrhea, colitis, pneumonitis, rash, CMV 재활성화 등
　　　 • duvelisib ; delta & gamma isoforms-specific PI3K inhibitor
　*③,④는 "small-molecule inhibitors"에 속함
　　⑤ venetoclax ; oral BCL2 (antiapoptotic protein) inhibitor
　　　 • R/R CLL에 사용, 대개 rituximab과 병용
　　　 • MRD(−) 및 CR을 포함한 very deep response도 가능 (50~60%에서)
　　⑥ immunomodulatory agents (e.g., lenalidomide)
　　　 • lenalidomide (± rituximab)는 R/R CLL에 or 유지요법으로 고려할 수 있음 (초치료는 ×)
　　　 • tumor flare reaction (통증성 LN 비대, lymphocytosis, rash, bone pain) 발생 가능
　　⑦ 세포/면역치료
　　　 • allogenic HCT   (c.f., autologous HCT는 별 효과 없음)
　　　 – 불량한 예후인자를 가진 젊은 환자의 경우 조기 시행하면 생존율 향상 및 완치도 기대할 수
　　　　 있으나 부작용이 심하고, 대부분 고령이어서 시행 어려움
　　　 – reduced intensity conditioning (RIC) HCT ; ~75세까지도 성공적, 일부 완치도 가능
　　　 • chimeric antigen receptor (CAR) T-cell therapy ; clinical trials 중 → 앞의 ALL 부분 참조

(2) SLL

　┌localized (stage I ~ 일부 II) → local RTx (ISRT)
　└advanced → CLL처럼 systemic therapy

(3) CLL의 systemic therapy (CLL-directed therapy)

　• 치료가 결정되면, 치료방침 결정(고위험군 분류)을 위한 검사 재시행
　　; FISH, CpG-stimulated karyotyping, DNA sequencing, flow cytometry 등
　• del(17p)/<i>TP53</i> mutation이 없는 환자의 치료

	65세 미만	65세 이상 or PS 나쁜 경우
1st line therapy	<u>ibrutinib</u> ▷ 권장 bendamustine + anti-CD20 mAb (e.g., BR) <u>FCR</u> (fludarabine, cyclophosphamide, rituximab) FR (fludarabine + rituximab)*	<u>ibrutinib</u> ▷ 권장 bendamustine + anti-CD20 mAb chlorambucil + anti-CD20 mAb 　　　　　　 (obinutuzumab 권장)
R/R therapy	권장 ; ibrutinib, <u>VR (venetoclax + rituximab)</u>, IR (idelalisib + rituximab), duvelisib 등 기타 ; acalabrutinib, alemtuzumab ± rituximab, CR (chlorambucil + rituximab), BR, 　　　 ofatumumab, venetoclax, allogenic HCT, CAR-T therapy 등	

　　　* del(11q) 있으면 권장 안됨 → FCR로
　　　** anti-CD20 mAb ; rituximab, ofatumumab, obinutuzumab

- del(17p)/ *TP53* mutation을 가진 환자의 치료

	권장	기타
1st line therapy	ibrutinib	alemtuzumab ± rituximab HDMP (high-dose methylprednisolone) + rituximab obinutuzumab
R/R therapy	ibrutinib venetoclax ± rituximab idelalisib + rituximab duvelisib	acalabrutinib, ofatumumab, alemtuzumab ± rituximab HDMP + rituximab lenalidomide ± rituximab, allogenic HCT, CAR-T 등

- 초치료에 불응성이거나, 반응지속 기간이 6개월 미만이거나, 나쁜 예후 인자를 가진 경우에는 2차(R/R) 치료시 가능하면 초치료에 사용하지 않았던 약제를 사용 or clinical trials 고려
- maintenance (or consolidation) therapy : 효과 불확실 (일반적으로는 시행 안함)
  - 초치료 이후 고위험군(말초혈액 MRD $\geq 10^{-2}$ or unmutated *IGHV*는 $10^{-4} \sim 10^{-2}$)에서는 lenalidomide 유지요법 고려 가능
  - 2차(R/R) 치료 이후 CR/PR을 위해 lenalidomide (or ofatumumab) 유지요법 고려 가능
- 치료 목표(기간)은 MRD (measurable/minimal residual disease) negativity가 이상적이지만, 현실적으로는 쉽지 않기 때문에 CR 획득까지 or 정해진 cycles이 있으면 그 만큼 시행

		완전관해(CR)	부분관해(PR)	진행성 질환(PD)
Group A tumor load	LN 종대	1.5 cm 이상 無	50% 이상 감소	50% 이상 증가
	간비대	無	50% 이상 감소	50% 이상 증가
	비장비대	無	50% 이상 감소	50% 이상 증가
	lymphocyte	<4,000/μL	50% 이상 감소	50% 이상 증가
	BM	Normocellular, <30% lymphocytes, no B-lymphoid nodules Hypocellular marrow → CRi (CR with incomplete marrow recovery)	BM 침범 크기 or B-lymphoid nodules 50% 이상 감소	
Group B 조혈 기능	platelet	>100,000/μL	>100,000/μL or 50% 이상 증가	50% 이상 감소
	Hb	>11.0 g/dL	>11.0 g/dL or 50% 이상 증가	>2 g/dL이상 감소
	neutrophil	>1,500/μL	>1,500/μL or 50% 이상 증가	

(4) 합병증의 치료

- AIHA ; steroid (효과 별로) → rituximab → CLL-directed therapy (대부분 효과적)
- ITP ; 보통 platelet 2만~3만/ μL로 감소, 출혈, 수술/시술 등 때 치료
  - steroid & IVIG, rituximab, thrombopoietin receptor agonists (romiplostim, eltrombopag)
  - 대부분 CLL-directed therapy 없이도 잘 조절됨
- hypogammaglobulinemia ; regular (monthly) IVIG 투여, 수명 연장 효과는 없지만 세균 감염↓
- skin cancer 예방을 위한 자외선차단 및 정기적인 피부과 검진 필요

기타 림프구성 백혈병

1. Hairy cell leukemia (HCL)털세포백혈병

- indolent, B-lymphocyte의 neoplasm으로 비장과 골수를 주로 침범
- 드물다, 고령의 남성에서 발생 (평균 50세, 남:여 = 5 : 1)
- massive splenomegaly와 pancytopenia가 특징 (lymphadenopathy는 매우 드묾)
- PB에서 특징적인 "hairy cell" 관찰 가능
  - 세포질 : 다수의 hair-like projections & frayed borders
  - TRAP (tartrate-resistant acid phosphatase) 염색 (+)가 특징

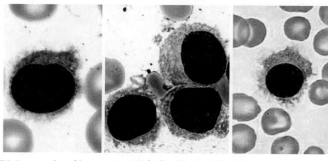

PB의 hairy cells
- 털 모양의 특징적인 세포질 돌출
- 핵은 대개 동그랗지만, 일부는 indentation으로 콩 모양일 수 있음

- BM reticulin fibrosis & 종양세포의 미만성 침윤 → BM aspiration은 대부분 실패(dry tap)
- 면역표현형 ; CD22, CD25, CD103 등에 강양성, soluble CD25 (dz. activity의 marker)
- 특이적인 염색체 이상은 없고, 대부분 *BRAF* activating mutation V600E이 발견됨
- 드문 감염 호발(e.g., TB, NTM, fungi … 심한 monocytopenia와 관련), systemic vasculitis
- 치료 : CLL처럼 적응이 될 때만 치료 시작 (적응 아니면 F/U),
  - purine analogs (DOC) ; 효과 매우 좋음, 2년 이후 재발시엔 동일한 purine analog 사용 가능
    - 2-chlorodeoxyadenosine (cladribine) : 90% 이상 CR, 재발률 20%
    - deoxycoformycin (pentostatin) : 80% 이상 CR, 재발률 20~30%
  - 반응 있으면 다시 치료의 적응이 발생할 때까지 F/U
  - 반응 없거나 2년 이내 재발시 ; 다른 종류의 purine analogs ± rituximab, IFN-α, rituximab, vemurafenib (BRAF inhibitor), clinical trials 등 고려
  - splenectomy : splenic infarcts or massive splenomegaly 환자에서만 고려

2. Prolymphocytic leukemia (PLL)전림프구백혈병

- 매우 드묾, 고령의 남성에서 발생 (평균 70세, 남:여 = 1.6:1), CLL 및 MCL와 감별해야
- 매우 심한 lymphocytosis (보통 >10만/μL, 평균 35만/μL)
- massive splenomegaly (lymphadenopathy는 B-PLL은 거의 없고, T-PLL은 흔함)
- Dx : PB lymphoid cells의 55% 이상이 prolymphocytes (nucleoli가 뚜렷한 large lymphocytes)
  → acute leukemia 비슷한 모양 (80%는 B-PLL, 20%는 T-PLL)
- 면역표현형
  - B-PLL ; CD19, CD20, CD22, FMC7 등 양성 / CD23(-), 1/3에서 CD5(+)
  - T-PLL ; CD2, CD3, CD7, CD52, TCL1 등 양성 / TdT(-)

- 치료 ; 적응이 되면 치료 시작, 예후 나쁨 (평균 생존: B-PLL 30~50개월, T-PLL 12개월)
  - B-PLL ; CLL처럼 치료하지만 반응은 떨어짐
  - T-PLL ; <u>alemtuzumab</u> (DOC), <u>FMC</u> + alemtuzumab, pentostatin + alemtuzumab 등
    [anti-CD52]   (↳ fludarabine, mitoxantrone, cyclophosphamide)

c.f.) 림프구증가증 (lymphocytosis)

- absolute lymphocytosis : PB에서 lymphocytes >4,000 (or 5,000)/mm^3
  (소아의 경우는 대개 >9,000/mm^3)
- mild~moderate lymphocytosis의 m/c 원인은 viral infection
  (일반적으로 세균성 감염은 lymphocytosis보다는 mild lymphopenia or neutrophilia가 더 흔함)
- severe lymphocytosis (>15,000/mm^3)의 대표적 원인
  ① infectious mononucleosis (EBV 감염 등)
  ② pertussis (*Bordetella pertussis* 감염)
  ③ acute infectious lymphocytosis
  ④ CLL 및 ALL variants
- atypical (activated) lymphocytes : 정상 lymphocyte보다 크며, 파란 세포질 (low N/C ratio),
  크고 불규칙한 형태의 핵을 가지고, 인접한 적혈구에 의한 indentation이 흔함
  - atypical lymphocytosis : lymphocytes의 20% 이상 (or WBC의 10% 이상)일 때
  - infectious mononucleosis (EBV)가 대표적 원인 → 감염내과 편 참고
    (또한 A형 간염, HFRS 등에서 심하고, 많은 virus 감염에서 흔히 관찰됨)

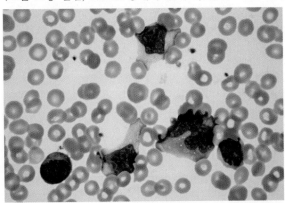

Reactive (activated, atypical) lymphocytes
; 크고 모양이 불규칙해짐, 적혈구와 접한
부분의 세포질은 오목하게 들어가고 진해짐,
간혹 blast or plasma cell과 비슷해 보일 수
있지만 덜 악성스러움 (low N/C ratio,
inconspicuous nucleoli, 슬라임 느낌)

7 림프종(Lymphoma)

■ 개요

1. 정의/분류

- lymphoid cells의 악성종양 (lymphoid malignancies)
  - lymphocytic leukemia : 주로 BM를 침범한 경우 → 말초혈액에 많은 종양세포 출현
  - lymphoma : 주로 solid lymphoid organs (e.g., LN, spleen)을 침범한 경우
  - plasma cell disorder (dyscrasia) : B-cells 분화과정 마지막 단계인 plasma cells에 발생된 종양
    (lymphatic tissues ; LN, spleen, thymus, adenoid, tonsil, BM, 위장관 등)
- lymphoma (LN biopsy로 진단)
  - Hodgkin lymphoma (HL) : Reed-Sternberg cells 존재시 (우리나라 5.5%)
  - Non-Hodgkin's lymphoma (NHL) : Reed-Sternberg cells 없음 (우리나라 94.5%)
- 서양인보다 동양인에 많다 (우리나라: 전체 암의 2~3% 차지, 백혈병보다 많음)

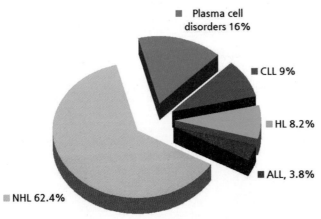

전체 lymphoid malignancies의 빈도

- Plasma cell disorders 16%
- CLL 9%
- HL 8.2%
- ALL, 3.8%
- NHL 62.4%

■ NHL subtypes (서양) ; <u>DLBCL</u> (31%) > FL (22%) > Mature T-cell lymphoma (7.6%), MALT lymphoma (7.6%) > Small lymphocytic lymphoma (6.7%) > Mantle cell lymphoma (6%) ...

　* 우리나라 ; DLBCL (44.2%) > MALT (19.6%) > Extranodal NK/T cell, nasal (6.5%), Peripheral T cell (6.5%) > Anaplastic large cell (3.2%) > Follicular (3.0%) > T-ALL (2.4%), Mantle cell (2.4%) > Burkitt (2.1%) ...

　　c.f.) 소아 ; 성인보다 상대적으로 HL 많음(14.8%), NHL에서는 NK/T-cell이 성인보다 많음(46% [B-cell 52%]), Burkitt lymphoma, T & B-lymphoblastic lymphoma (ALL), ALCL, DLBCL 등이 대부분을 차지

Mature lymphoid, histiocytic and dendritic neoplasms의 WHO classification (2016, Revision 4th)

MATURE B-CELL NEOPLASMS
Chronic lymphocytic leukemia/small lymphocytic lymphoma
Monoclonal B-cell lymphocytosis*
B-cell prolymphocytic leukemia
Splenic marginal zone lymphoma
Hairy cell leukemia
Splenic B-cell lymphoma/leukemia, unclassifiable**
    Splenic diffuse red pulp small B-cell lymphoma
    Hairy cell leukemia-variant
Lymphoplasmacytic lymphoma
Waldenström macroglobulinemia
Monoclonal gammopathy of undetermined significance
    (MGUS), IgM*
MGUS, IgG/A*
Mu heavy chain disease
Gamma heavy chain disease
Alpha heavy chain disease
Plasma cell myeloma
Solitary plasmacytoma of bone
Extraosseous plasmacytoma
Monoclonal immunoglobulin deposition diseases*
Extranodal marginal zone lymphoma of mucosa-associated
    lymphoid tissue (MALT lymphoma)
Nodal marginal zone lymphoma
    Pediatric nodal marginal zone lymphoma**
Follicular lymphoma
    In situ follicular neoplasia*
    Duodenal-type follicular lymphoma*
Pediatric-type follicular lymphoma*
Large B-cell lymphoma with IRF4 rearrangement*/**
Primary cutaneous follicle center lymphoma
Mantle cell lymphoma
    In situ mantle cell neoplasia*
Diffuse large B-cell lymphoma (DLBCL), NOS
    Germinal center B-cell (GCB) type*
    Activated B-cell (ABC) type*
T cell/histiocyte-rich large B-cell lymphoma
Primary DLBCL of the CNS
Primary cutaneous DLBCL, leg type
EBV(+) DLBCL, NOS*
EBV(+) Mucocutaneous ulcer*/**
DLBCL associated with chronic inflammation
Lymphomatoid granulomatosis
Primary mediastinal (thymic) large B-cell lymphoma
Intravascular large B-cell lymphoma
ALK(+) large B-cell lymphoma
Plasmablastic lymphoma
Primary effusion lymphoma
HHV8(+) DLBCL, NOS*/**
Burkitt lymphoma
Burkitt-like lymphoma with 11q aberration*/**
High grade B-cell lymphoma, with *MYC* and *BCL2* and/or
    BCL6 rearrangements*
High grade B-cell lymphoma, NOS*
B-cell lymphoma, unclassifiable, with features intermediate
    between DLBCL and classical Hodgkin lymphoma

> * WHO 2008 분류에서 변화된 것
> ** Provisional entities

MATURE T-AND NK-NEOPLASMS
T-cell prolymphocytic leukemia
T-cell large granular lymphocytic leukemia
Chronic lymphoproliferative disorder of NK cells**
Aggressive NK cell leukemia
Systemic EBV+ T-cell Lymphoma of childhood*
Hydroa vacciniforme-like lymphoproliferative disorder*
Adult T-cell leukemia/lymphoma
Extranodal NK/T-cell lymphoma, nasal type
Enteropathy-associated T-cell lymphoma
Monomorphic epitheliotropic intestinal T-cell lymphoma*
Indolent T-cell lymphoproliferative d/o of the GI tract*/**
Hepatosplenic T-cell lymphoma
Subcutaneous panniculitis- like T-cell lymphoma
Mycosis fungoides
Sezary syndrome
Primary cutaneous CD30(+) T-cell lymphoproliferative d/o
    Lymphomatoid papulosis
    Primary cutaneous anaplastic large cell lymphoma
Primary cutaneous gamma-delta T-cell lymphoma
Primary cutaneous CD8(+) aggressive epidermotropic
    cytotoxic T-cell lymphoma**
Primary cutaneous acral CD8(+) T-cell lymphoma*/**
Primary cutaneous CD4(+) small/medium T-cell
    lymphoproliferative disorder*/**
Peripheral T-cell lymphoma, NOS
Angioimmunoblastic T-cell lymphoma
Follicular T-cell lymphoma*/**
Nodal peripheral T-cell lymphoma with TFH phenotype*/**
Anaplastic large cell lymphoma, ALK(+)
Anaplastic large cell lymphoma, ALK(−) *
Breast implant-associated anaplastic large cell lymphoma*/**

HODGKIN LYMPHOMA
Nodular lymphocyte predominant Hodgkin lymphoma
Classical Hodgkin lymphoma
    Nodular sclerosis classical Hodgkin lymphoma
    Lymphocyte-rich classical Hodgkin lymphoma
    Mixed cellularity classical Hodgkin lymphoma
    Lymphocyte-depleted classical Hodgkin lymphoma

POST-TRANSPLANT LYMPHOPROLIFERATIVE DISORDERS (PTLD)
Plasmacytic hyperplasia PTLD
Infectious mononucleosis PTLD
Florid follicular hyperplasia PTLD*
Polymorphic PTLD
Monomorphic PTLD (B- and T/NK-cell types)
Classical Hodgkin lymphoma PTLD

HISTIOCYTIC AND DENDRITIC CELL NEOPLASMS
Histiocytic sarcoma
Langerhans cell histiocytosis
Langerhans cell sarcoma
Indeterminate dendritic cell tumour
Interdigitating dendritic cell sarcoma
Follicular dendritic cell sarcoma
Fibroblastic reticular cell tumour
Disseminated juvenile xanthogranuloma
Erdheim/Chester disease*

Lymphomas & Lymphoblastic leukemias의 비교

	NHL	HL	Lymphoblastic leukemia
Cell origin	90% B cell 10% T cell	B cell	80% B cell 20% T cell
침범 부위			
Localized	드물다	흔하다	드물다
Nodal spread	불연속적	연속적	불연속적
Extranodal organs	흔하다(1/3)	드물다	흔하다
Mediastinal	드물다(<10%)	흔하다(50%)	흔하다(T cell)
Abdominal	흔하다	드물다	드물다
BM	흔하다	드물다	항상
염색체 이상	흔하다 (translocations, deletions)	흔하다 (aneuploidy)	흔하다 (translocations, deletions)
치료 가능	30~50%	>75~90%	40~60%

2. 원인

Lymphoma 발생의 위험인자

1. Infections ★
    EBV ; Burkitt's lymphoma, post-organ transplant lymphoma, primary CNS diffuse
        large B cell lymphoma, extranodal T/NK cell lymphoma (nasal type), HL
    HTLV-I ; adult T-cell leukemia/lymphoma
    HCV ; lymphoplasmacytic lymphoma, marginal zone lymphoma
    Human herpesvirus 8 (HHV-8) ; primary effusion lymphoma, Kaposi sarcoma,
        multicentric Castleman's disease
    HIV ; diffuse large B cell lymphoma, Burkitt's lymphoma, HL
        (HIV 자체보다는, AIDS에 의한 다른 virus 활성화가 주요 기전)
    Helicobacter pylori ; gastric MALT lymphoma

2. Chemical or Drugs
    Benzene, Phenytoin, 농약(e.g., dioxin, phenoxyherbicides), Radiation
    Prior chemotherapy & RTx. (azathioprine, cyclophosphamide, steroid)

3. Autoimmune diseases
    Sjögren's syndrome, RA, SLE, Celiac sprue

4. Inherited immunodeficiency diseases
    Klinefelter's syndrome, Chédiak-Higashi syndrome
    Ataxia telangiectasia syndrome, Wiscott-Aldrich syndrome
    Common variable immunodeficiency disease

5. Acquired immunodeficiency diseases
    Iatrogenic immunosuppression (e.g., 장기이식), AIDS (HIV infection)
    Acquired hypogammaglobulinemia, Transplantation, Sezary's syndrome

Lymphoma와 관련 있는 염색체/유전자 이상

종류	염색체 이상	발견빈도(%)	관련 유전자
B cell lymphoma			
Burkitt lymphoma	t(8;14)(q24;q32)	95	*MYC, IgH*
	t(2;8)(p12;q24)	1	*MYC, IgK*
	t(8;22)(q24;q11)	4	*MYC, IgL*
Follicular lymphoma	t(14;18)(q32;q21)	80	*BCL2, IgH*
Diffuse large cell lymphoma (DLCL)	t(14;18)(q32;q21)	30	*BCL2, IgH*
	t(3;22)(q27;q11)	48	*BCL6, IgL*
	t(3;14)(q27;q32)	5	*BCL6, IgH*
Mantle cell lymphoma (MCL)	t(11;14)(q13;q32)	30~50	*BCL1, IgH*
Lymphoplasmacytoid lymphoma (LPL)	t(9;14)(p13;q32)		*PAX5, IgH*
CLL/Small lymphocytic lymphoma	11q22-23 del.		*ATM*
	17p del.		*p53*
	+12, 13q14 del.		?
MALT lymphoma	t(11;18)(q21;q21)		*API2, MALT1*
	t(1;14)		*BCL10, IgH*
T cell lymphoma			
(Ki-1+) anaplastic large T/null cell lymphoma (ALCL)	t(2;5)(p23;q35)	75	*ALK, NPN*

* HL (RS cells)는 대부분에서 다양한 염색체 및 유전자 이상을 보임

3. 진단 및 병기판정 (staging)

- Dx : 충분한 양의 LN or tumor biopsy가 필수
  - excisional biopsy 권장 (접근이 쉬운 곳에서), 불가능하면 core-needle biopsy (FNA는 권장 안됨!)
  - immunophenotyping (IHC), 염색체/유전자 검사 등
- anatomic staging system

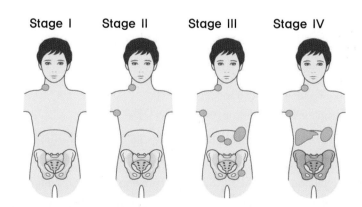

Stage I   Stage II   Stage III   Stage IV

Revised Ann Arbor Staging (with Cotswolds modifications) ★	
Stage I	하나의 LN region or lymphoid structure (e.g., spleen, thymus, Waldeyer's ring) 침범
Stage II	횡격막을 중심으로 동측에 2개 이상의 LN regions 침범 (e.g., mediastinum과 hilar LN는 별개) * Anatomic sites의 수를 아래첨자로 표기 (예; II_2)
Stage III	횡격막을 중심으로 양측의 LN regions or lymphoid structures 침범 III_1 : 횡격막 하부에서 splenic, splenic hilar, celiac, or portal LN 침범 III_2 : III_1 + para-aortic, iliac, or mesenteric LN 침범
Stage IV	E에서 지정한 곳을 벗어나는 extranodal site(s) 침범 2개 이상의 extranodal sites 침범 Liver or BM 침범

■ 모든 stage에 적용되는 designations
　　A : No Sx.
　　B : B Sx. ; 발열(>38℃), 체중감소(6개월 동안 10% 이상 감소), 야간/심한 발한(sweats)
　　X : Bulky disease ; 한개 혹은 뭉쳐진 림프절(mass)의 최대 직경이 10 cm 이상
　　　　　　　　　　 or mediastinal mass는 (T5/6 level에서 안쪽) 흉곽 폭의 1/3 이상
　　E : Localized, single extranodal site의 침범 (liver와 BM는 제외)
　　CS : Clinical stage
　　PS : Pathologic stage

*Lymphoma 병기에 널리 쓰였으나, 원래 Hodgkin lymphoma를 위해 개발되어 NHL (특히 extranodal)에는 한계
　→ 현재 NHL은 Lugano classification을 주로 쓰고, HL는 아직 Ann Arbor를 사용함

■ Lugano Classification (2014) Modification of Ann Arbor Staging ★

Stage		림프절(nodal) 침범	림프절외(extranodal) 침범 → 뒤에 E 붙임
Limited	I	하나의 LN or LN region or lymphoid structure (tonsils, Waldeyer's ring, spleen)	LN regions/structures 침범 없이 하나의 림프절외(extranodal) 침범
	II	횡격막을 중심으로 동측에 2개 이상의 LN regions/structures 침범	림프절 침범은 stage I ~ II이면서 인접한 림프절외(extranodal) 침범 동반
	II bulky	조직형에 따라 정의*	−
Advanced	III	횡격막 양측의 LN regions/structures 침범	−
	IV	인접하지 않은 림프절외(extranodal) 침범 (e.g., liver, BM, lung)	−

*Stage II bulky : nodal mass ≥10 cm for Hodgkin lymphoma (mediastinal mass는 그 level 흉곽 폭의 1/3 이상)
　　　　　　　　 6~10 cm for DLBCL, ≥6 cm for follicular lymphoma
　　　　　　　　 → 조직형 및 예후인자 수에 따라 limited or advanced로 치료

- anatomic staging은 Ann Arbor와 비슷함 + extranodal dz. 추가
- 접미사 A or B는 Hodgkin lymphoma에만 적용, E 이외의 접미사들은 제외됨
- LN, spleen, liver, BM(HL, DLBCL) ⇨ FDG-avid lymphoma(대부분)는 <u>PET-CT</u>로 평가(m/g)
　* non-avid lymphoma(6%)는 <u>CT</u>로 평가 (e.g., splenomegaly 기준 >13 cm)
　　↳ non-avid 비율이 높은 lymphoma ; MALT, CLL/SLL, lymphoplasmacytic lymphoma,
　　　 marginal zone lymphoma, cutaneous T-cell lymphoma (mycosis fungoides) 등

■ Staging procedures

NHL	HL
① 필수 검사	
1. Pathologic documentation 2. Physical examination 3. Laboratory evaluation : CBC, LFT, RFT, Uric acid, 　　Calcium, Serum PEP, LDH, β_2-microglobulin 4. PET-CT (non-avid lymphoma* 제외) 5. CT scan : chest, abdomen, pelvis 6. BM biopsy (DLBCL는 PET 음성일 때만)	1. Pathologic documentation 2. Physical examination 3. B symptoms 4. Laboratory evaluation : CBC, LFT, RFT, 　　Uric acid, ESR 5. PET-CT 6. CT scan : chest, abdomen, pelvis
② 일부 경우에만 필요한 검사	
1. HIV, HBV, HCV 2. Head CT/MRI, Lumbar puncture (CSF cytology, FCM) 3. EGD or upper GI (barium studies) 4. ENT examination 5. Skeletal imaging 6. Effusion의 cytologic examination	1. Skeletal imaging (bone scan) 2. CNS MRI (CNS 침범은 매우 드묾)

* CLL/SLL, lymphoplasmacytic lymphoma, marginal zone lymphoma, mycosis fungoides

- serum LDH, β_2-microglobulin level : severity 및 aggressiveness 보는데 유용
- BM biopsy : HL와 대부분의 DLBCL는 PET로 가능, 다른 NHL 및 PET(-)인 DLBCL에서 시행
- chest CT : 흉강내 병변은 HL의 80%, NHL의 30~40%에서 동반
- MRI : bone, BM, CNS 침범 발견에 유용
- skeletal imaging (e.g., x-ray, CT/MRI, bone scan) : bone 침범이 의심되는 소견이 있을 때만
  (e.g., 뼈 통증, 병적 골절) ⋯ NHL는 대부분 osteolytic, HL는 대부분 osteoblastic
- ENT examination : supra-hyoid cervical LN or GI tract 침범시
- EGD or upper GI series의 적응
  ① tonsil을 포함한 Waldeyer's ring 침범시 (→ 1/2에서 GI lymphoma 동반)
  ② GI lymphoma 의심되는 증상이 있을 때
  ③ mantle cell lymphoma
- CSF 검사(lumbar puncture)의 적응 ; cytology, flow cytometry
  ① highly aggressive NHL ; BL, ATLL, lymphoblastic lymphoma (ALL)
  ② CNS 침범 위험이 높은 aggressive NHL (DLBCL, FL grade 3b, MCL, PTCL 등)에서 BM,
     paranasal sinus, epidural space, 고환, 유방, 신장, 부신, 2개 이상의 extranodal sites 등을 침범
  ③ HIV-positive NHL
  ④ CNS 침범이 의심되는 신경학적 증상/징후가 있을 때

[참고] DLBCL에서 CSF 검사의 적응 (NCCN)
- HIV(+), 고환 침범, *MYC* and *BCL2* and/or *BCL6* translocations을 동반한 high-grade B-cell lymphoma
  (HGBL), HGBL-NOS
- CNS-IPI 평가에서 high-risk

─ low risk : 0~1개	
─ intermediate risk : 2~3개	
─ high-risk : 4~6개 or 신장/부신 침범	

연령 >60세	Stage Ⅲ~Ⅳ
Serum LDH↑	림프절외 침범 2개 이상
ECOG Performance status >1	신장 or 부신 침범

비호지킨 림프종 (Non-Hodgkin's Lymphoma, NHL)

1. 개요

- lymphoma중 HL (Hodgkin lymphoma)를 제외한 모든 lymphoma를 총칭
- 남>여, 40세 이후 증가 추세 (20~40세에서는 다른 암보다 상대적으로 흔함)
- 우리나라 : NHL이 전체 lymphoma의 95% 차지
  - DLBCL와 MALT lymphoma가 서양보다 많다 (각각 약 41%, 18%)
  - follicular lymphoma는 서양보다 적다 (약 3%)

2. 임상양상

- painless lymphadenopathy (m/c)
- centifugal LN involvement 많음   예) Waldeyer's ring, epitrochlear, mesenteric LN
- B Sx. (20%) : fever, weight loss, night sweats (→ HL보다 드물다)
- enlarged LN → lymphedema, intestinal obstruction, ureteral obstruction, epidural spinal cord compression, SVC syndrome, pleural effusion 등을 일으킬 수 있음
- Burkitt's lymphoma → abdominal pain / fullness
- 진단 당시 약 1/3에서 BM 침범

3. 병리학적 분류

- Tx. plan & Px에 가장 중요! (staging보다 중요)
- 서양은 B-cell type이 대부분 (90%)
- 우리나라와 일본은 서양에 비해 T-cell type이 흔함(25~40%) → 예후 나쁨

■ <u>indolent (low-grade) lymphoma</u> (e.g., follicular lymphoma)
  - 진행이 느림 (large cell의 비율이 적음)
  - 발견이 늦으므로 BM, liver, spleen 침범 흔함 (but, LFT는 대개 정상)
  - 전신증상(B Sx), extranodal 침범, CNS 침범 등은 드묾
  - 진단시 대부분 wide spread (stage IV) → intensive CTx.로 완치 어려움 (close F/U ~ minimal CTx. or RTx.로 치료)

■ <u>aggressive (intermediate~high-grade) lymphoma</u> (e.g., DLCL)
  - 진행이 빠름, extranodal 침범(e.g., GI) 및 전신증상(B Sx)이 흔함
  - 간비장비대(→ LFT 이상), CNS 침범 흔함 (특히 BM 침범시 risk ↑)
  - BM 침범은 low-grade보다는 드묾
  - 치료 안하면 예후 매우 나쁨, 진단 즉시 intensive CTx. 시행 (→ CR되면 예후 좋음)

■ NHL의 grade에 따른 분류(WHO/REAL)

Grade	B-cell	T-cell

Indolent	CLL/Small lymphocytic lymphoma
	Follicular lymphoma
	B-cell Marginal zone lymphoma
	  Extranodal (MALT lymphoma), Nodal, Splenic
	Primary mediastinal (thymic) large B-cell lymphoma
	Hairy cell leukemia
	Lymphoplasmacytic lymphoma
	Heavy chain diseases
	Plasma cell myeloma
		Mycoses fungoides/Sézary syndrome
		  (= cutaneous T cell lymphoma)
		T-cell large granular lymphocytic leukemia

Aggressive ~intermediate	B lymphoblastic leukemia/lymphoma (ALL) B-cell Prolymphocytic leukemia (PLL) Mantle cell lymphoma (MCL) <u>Diffuse large B-cell lymphoma (DLBCL)</u> – m/c Burkitt's lymphoma/leukemia Plasmablastic lymphoma Primary effusion lymphoma	T lymphoblastic leukemia/lymphoma (ALL) T-cell Prolymphocytic leukemia (PLL) Aggressive NK cell leukemia Peripheral T-cell lymphoma, NOS Angioimmunoblastic T-cell lymphoma Extranodal NK/T cell lymphoma, nasal type Enteropathy-associated T-cell lymphoma Hepatosplenic T-cell lymphoma Subcutaneous panniculitis-like T-cell lymphoma Anaplastic large cell lymphoma (ALCL) Adult T-cell leukemia/lymphoma

* 진하게 표시된 type은 우리나라에서 흔한 것 (약 1.5% 이상)
* REAL : Revised European-American Lymphoma

■ 면역표현형(IHC)에 의한 B-cell lymphoma의 분류

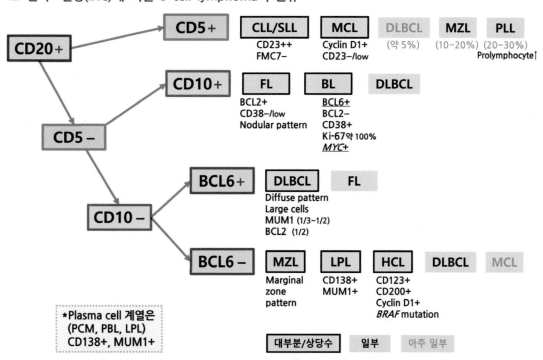

■ B-cell lymphoma의 immunophenotyping (IHC)

	CD5	CD10	BCL6	CD20	CD23	CD30	CD79	SIg	Cyclin D1	CD38/138	MUM1 (IRF4)	EBV
Chronic lymphocytic leukemia (CLL)/SLL	+	−	−	low	+	−	low/−	low	−	−	−	−
Mantle cell lymphoma (MCL)	+	−	−	high	−/low	−	+	high	+	−	−	−
Prolymphocytic leukemia (PLL)	−	−	−	+	−/+	−	+	high	−	+/−	−	−
Hairy cell leukemia (HCL)	−	−	−	high	−	−	+	high	+	−	−	−
Follicular lymphoma (FL)	−	+/−	−/+	high	−/+	−	+	+	−	−	−/+	−
Marginal zone lymphoma (MZL)	−	−	−	high	−	−	+	+	−	−	−/+	−
MALT−lymphoma	−	−	−	+	−/+	−	+	+	−	−	−/+	−
DLBCL−GCB (germinal center B cell)	−	+/−	+	+	−/+	−	+	+	−	−	−	−
DLBCL−ABC (activated B cell)	−	−	−/+	+	−/+	−/+	+	+	−	−	+	−/+**
Primary mediastinal large B−cell lymphoma (PMLBCL)	−	−	+/−	+	+	+	+	−	−	−	+	−
Burkitt lymphoma (BL)	−	+	+	+	−	−	+	+	−	−	−	−/+
Plasma cell myeloma (PCM)	−	−/+	−	−/+	−	−/+	+/−	+	−/+	+	+	−
Plasmablastic lymphoma (PBL)	−	−/+	−	−	−	+/−	+	+	−	+	+	+
Lymphoplasmacytic lymphoma (LPL)	−	−	−	+	−	−	+/−	+	−	+	+	−

* low = dim, weak / high = bright, strong
** EBV(+) DLBCL

■ T-cell lymphoma의 immunophenotyping (IHC)

	CD3	CD5	CD7	CD4	CD8	CD30	TCR	CD56	Cytotoxic granules	EBV
T−PLL (prolymphocytic leukemia)	+	+	++	+/−	−/+	−	αβ	−	−	−
T−LGL (large granular lymphocytic leukemia)	+	+	+	−/+	+/−	−	αβ	−	+	−
NK−LGL	−	−/+	+	−	−/+	−	-	+	+	+
Extranodal NK/T−cell lymphoma	cCD3	−/+	+	−	−	−	-	+	+	++
Hepatosplenic T−cell lymphoma	+	+	+/−	−	+/−	−	γδ > αβ	+	+	−
Enteropathy−associated T−cell lymphoma	+	−	+	−	+/−	+	αβ >> γδ	−	+	−
Mycosis fungoides (Sézary syndrome)	+	+	+/−	+	−	−	αβ	−	−	−
Subcutaneous panniculitis−like T−cell lymphoma	+	+	−	−	+	++	αβ	−	−/+	−
Primary cutaneous γδ T−cell lymphoma	+	−	+/−	−	−	−/+	γδ	−	+	−
Peripheral T−cell lymphoma (PTCL)−NOS	+	+	−	+	−/+	−/+	αβ > γδ	−/+	−/+	−/+
Angioimmunoblastic T−cell lymphoma	+/−	+	+	+	−/+	−	αβ	−	NA	+
Anaplastic large cell lymphoma (ALCL)	−/+	−/+	+/−	−/+	−/+	++	αβ	−	+	−

4. 일반적 치료 원칙

(1) 치료를 위한 stage 구분

Stage	Ann Arbor staging	B Sx.	Bulky tumor
Limited	I or II(침범 LN regions 3개 이하)	×	× (<10 cm)
Advanced	II(침범 LN regions 4개 이상), III or IV	O	O (≥10 cm)

(2) lymphoma 치료의 일반적인 guideline

- combination CTx. regimens

  ┌ CVP : <u>Cyclophosphamide</u>, <u>Vincristine</u> (<u>Oncovin</u>®), <u>Prednisone</u>

  └ CHOP (표준) : CV(O)P + Hydroxydaunomycin [= <u>doxorubicin</u> (Adriamycin®)]

  − B-cell lymphoma는 대개 <u>rituximab (anti-CD20)</u>을 추가한 <u>R-CHOP</u> regimen을 사용함!

  c.f.) EPOCH : Etoposide + Prednisone + Oncovin (vincristine) + Cyclophosphamide
  　　　　　　+ Hydroxydaunorubicin (doxorubicin)

Type (Grade)	Stage	Treatment
Indolent	Limited	IFRT (involved field radiation therapy)
	Advanced	증상이 없으면 close F/U 증상이 있으면 Chlorambucil or CVP, local Sx.에 대한 local RTx.
Aggressive*	Limited	R-CHOP ×3~4회 + IFRT
	Advanced	R-CHOP ×6~8회

* DLCL에서 BM 침범, peripheral T cell lymphoma, paranasal sinus/testicles/epidural tissue
침범 시에는 CNS prophylaxis 필요

- first relapse (second CR)시는 high-dose CTx. + autologous HCT
- high-risk lymphoma의 경우는 초기부터 autologous HCT 고려

5. 예후

- "paradox of NHL" : indolent NHL가 오래 생존 & 치료에는 반응이 좋으나 완치(cure)는 드물고
(재발 흔함), aggressive NHL가 강력한 치료는 필요하지만 완치될 확률은 더 높음
- 국제예후지표(IPI) : DLCL, peripheral T-cell, follicular lymphoma 등에서 유용

IPI (international prognostic index) ★

5 위험인자(risk factors)
1. Age >60세 2. Serum LDH 상승 3. Performance status (ECOG ≥2 or Karnofsky ≤70) 4. Stage III~IV 5. 2개 이상의 extranodal involvement

− lymphoma type에 따라 다르게 분류될 수 있음

① diffuse large B cell lymphoma의 IPI

Risk	위험인자 수	빈도(%)	CR rate (%)	5YSR (%)
Low	0~1	35	87	73
Low-intermediate	2	27	67	51
High-intermediate	3	22	55	43
High	4~5	16	44	26

* R-CHOP 치료 이후의 diffuse large B cell lymphoma (revised IPI)

Prognosis	위험인자 수	빈도(%)	5YSR (%)
Good	0	10	94
Intermediate	1~2	45	79
Poor	3~5	45	55

② follicular lymphoma의 IPI (FLIPI)

FLIPI : Risk factors	Risk goup	
1. 60세 이상		위험인자 수
2. Stage III~IV	Low	0~1
3. Hb <12 g/dL	Intermediate	2
4. Serum LDH 상승	High	3~5
5. 5개 이상의 nodes 침범		

FLIPI2 : Risk factors	Risk goup	
1. 60세 이상		위험인자 수
2. BM 침범	Low	0
3. Hb <12 g/dL	Intermediate	1~2
4. β_2-microglobulin >ULN	High	3~5
5. 최대 LN 직경 >6 cm		

*FLIPI2는 rituximab-based Tx.를 받는 군의 예후 평가에 유용함, FLIPI와 FLIPI2 모두 치료방침 결정에는 사용×

③ peripheral T-cell lymphoma, NOS의 IPI

Risk factors	Risk goup	
1. 60세 이상		위험인자 수
2. Serum LDH 상승	Group 1	0
3. Performance status (ECOG ≥2)	Group 2	1
4. BM 침범	Group 3	2
	Group 4	3~4

- 기타 예후인자 ; 종양의 부피, 면역표현형(e.g., aggressive T- or NK-cell), 세포유전학 소견 (e.g., 1, 7, 17 염색체의 이상), 세포분열 속도, β_2-microglobulin, BCL-2 단백 표현, p53 유전자 변이 등

6. 각 subtype별 특징

Subtype	빈도 (한국)	평균 연령	남성 (%)	Stage III/IV (%)	B Sx. (%)	BM 침범 (%)	GI 침범 (%)	5YSR (%)	기타 특징
B-cell CLL/small lymphocytic lymphoma	1.4%	65	53	91	33	>75	3	83	→ 6장 백혈병 편 참조
Mantle cell lymphoma	2.4%	63	74	80	28	64	9	30~60	t(11;14), CD5(+), slightly indented nucleus
Marginal zone B-cell lymphoma (MALT type)	19.6%	60	48	33	19	14	50	85	CD20(+), CD5(−), CD23(−)
Follicular lymphoma	3%	59	42	67	28	42	4	60~90	조직소견 : follicular pattern t(14;18), BCL-2 (+)
Diffuse large B-cell lymphoma (DLBCL)	44% (m/c)	64	55	46	33	16	18	60~70	CD20(+), CD3(−) t(14;18), t(3;22), BCL6(+)
Burkitt's lymphoma	2.1%	31	89	38	22	≥40	11	60	소아 NHL의 19% 차지 (m/c), t(8;14)−m/c, t(2;8), t(8;22)
Precursor T-cell lymphoblastic lymphoma	2.4%	28	64	89	21	50	4	48	소아 NHL의 17.4% 차지
Anaplastic large cell lymphoma	3.2%	34	69	49	53	13	9	60~90	CD30 (Ki−1) +, t(2;5) → ALK protein↑ (good Px)
Peripheral T-cell lymphoma, NOS	6.5%	61	55	80	50	36	15	20~70	대부분 CD4(+), 일부 CD8(+)

(1) 광범위 큰 B세포 림프종 (Diffuse Large B-Cell Lymphoma, DLBCL)

- <u>m/c NHL</u> (약 30~40%), 대표적인 aggressive (high-grade) type
- large mature B-cells의 diffuse infiltration을 기본으로 하는 <u>다양한</u> 형태의 lymphoma group

[참고] DLBCL 및 관련 종양의 분류: Variants & Subgroups (WHO 2016)

I. Diffuse large B-cell lymphoma, NOS (대부분)
  Morphologic variants
    1. Centroblastic (~80%)
    2. Immunoblastic (~10%)
    3. Anaplastic (~3%), Multilobated (~3%) ...
  Molecular/GEP** subgroups
    1. Germinal center B-cell (GCB) type
    2. Non-GCB/activated B-cell (ABC) type
  Immunohistochemical subgroups
    1. CD5(+) DLBCL
    2. Germinal center B-cell (GCB)
    3. Non-germinal center B-cell (non-GCB)

II. Diffuse large B-cell lymphoma subtypes
  T-cell/histiocyte-rich large B-cell lymphoma
  Primary DLBCL of the CNS
  Primary cutaneous DLBCL, leg type
  EBV(+) DLBCL, NOS
  EBV(+) mucocutaneous ulcer*

III. Other lymphomas of large B-cells
  Primary mediastinal (thymic) large B-cell lymphoma
  Intravascular large B-cell lymphoma
  DLBCL associated with chronic inflammation
  Lymphomatoid granulomatosis
  ALK(+) large B-cell lymphoma
  Plasmablastic lymphoma
  Primary effusion lymphoma
  HHV8(+) DLBCL, NOS*

IV. Borderline cases
  High-grade B-cell lymphoma (HGBL), NOS
  HGBL with *MYC* & *BCL2* and/or *BCL6* rearrangement
    ("double-/triple-hit lymphoma")
  B-cell lymphoma, unclassifiable (BCLU), with features
    intermediate between DLBCL and classic HL

*Provisional entities
**GEP: gene expression profiling

Cell of origin subgroups	< Hans' algorithm >			5YSR (− rituximab)	5YSR (+ rituximab)
	CD10	BCL6	MUM1		
GCB (germinal center B-cell)	+			60%	87~92%
	−	+	−		
ABC (activated B-cell)/Non-GCB	−	+	+	35%	44%
	−	−			

* Gene expression profiling (GEP)에 의한 molecular subtyping (but, 일부 기관에서만 시행 가능)
   ① germinal center B-cell-like (GCB) : normal germinal center B cells origin → good Px.
   ② activated B-cell-like (ABC)/non-GCB (NGC) : post-germinal center B cells origin
   ③ primary mediastinal B-cell lymphoma (PMBL) : thymic B cells origin

  − 대개 immunophenotyping (IHC)으로 분류함 (GEP와 83% 일치) ; Hans' algorithm (m/c)
  − GCB subtype이 훨씬 예후가 좋지만, 현재 기본 치료방침은 동일함
      c.f.) ibrutinib (BTK_Bruton's tyrosine kinase inhibitor)와 lenalidomide는 non-GCB에서 효과적
  − PMBL ; 젊음(20~30대), 주로 여성, GEP상 Hodgkin lymphoma에 가까움, CD30(+),
      large mediastinal mass, 다른 subtypes보다 chemoimmunotherapy에 반응 좋음

c.f.) DLBCL subtypes별 유전자 이상

Cytogenetic abnormalities	GCB	ABC/non-GCB	PMBL
BCL2 translocation, t(14;18)	40~50%	−	20%
Gain 12q12 (*HDAC7A*)	38%	14%	
BCL2 amplification, Gain 18q21-q22	10%	34%	16%
BCL6 translocation, t(3;V)(q27;V)	10%	25%	20%
3q amplification (gain)	−	25%	<5%
9q24 amplification	−	5%	45%
PRDM1 deletion/mutation, 6q21-22 ↓	−	25%	?
REL amplification (2p12-16)	15%	−	25%
Recurrent mutation	*EZH2, GNA13, BCL2*	*CARD11, MYD88, CD79B*	*PTPN1, SOCS1, STAT6*
MYC rearrangement, t(8;14)(q24;q32)	25~30% with t(14;18)(q32;q21)	5~10% of all DLBCLs	

• 진단 (염색체/유전자검사는 진단에 필수적은 아님)
  ┌ biopsy : small lymphocyte의 4~5배 크기, 균열이 있는 핵과 없는 핵이 섞여 있음,
  │   2~4개의 뚜렷한 핵소체(nucleoli)
  └ IHC : 대부분(98%) CD20, PAX5, CD79a 등의 pan-B-cell markers (+)

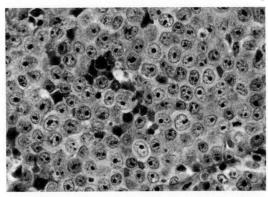

Large lymphoma cells이 diffuse하게 침범
− small lymphocyte의 4~5배 크기 (heterogeneity가 특징)
− 2~4개의 뚜렷한 nucleoli
− 세포질은 비교적 풍부함

- 기타 ; CD5 (5~10%), CD10 (30~60%), CD30 (10~21%), BCL2 (50%), BCL6 (60~90%), MUM1 (35~65%), MYC (14~17%), cyclin D1 (2%), EBV (4%), p53 (20~60%) 등 (+)
- 진단시 50~60%는 advanced stage ; extranodal site 침범 (GI, BM가 m/c)
- 모든 장기를 다 침범 가능 (뇌의 primary DLBCL도 증가 추세)
- BM 침범 (15%에서) : large cells보다 small cells에 의한 침범이 더 흔함
- 치료 : 모든 stage에서 아직 **R-CHOP**이 표준
  ① localized dz. (limited stage) : stage I, II (→ cure rate : stage I 85~90%, II 70~80%)
  ┌ nonbulky (<7.5 cm) ⇨ R-CHOP 3회 + ISRT (involved site RTx)
  └ bulky (≥7.5 cm) ⇨ R-CHOP 6회 ± ISRT
  ② advanced dz. : CTx (R-CHOP) 6회 (→ 약 70~80% CR, 이중 50~70%는 cure도 가능)
  *2~4회 이후 중간 재평가(restaging)
  ┌ 반응 ⇨ 총 6회까지 R-CHOP 지속
  └ 반응× or 진행 ⇨ R/R dz.에 준해 치료
  - GCB subtype ; 1st CR 이후 rituximab 유지요법 or HDT-ASCT 필요 없음
  - ABC/non-GCB subtype ; 예후 나쁨, clinical trials 고려
    예) R-CHOP + lenalidomide (or ibrutinib or bortezomib), R-ACVBP (rituximab, doxorubicin, cyclophosphamide, vindesine, bleomycin, prednisone) 등
  - double hit DLBCL ; *MYC & BCL2* (and/or *BCL6*) 재배열, 예후 나쁨, clinical trials 권장
    예) dose-adjusted (da)-EPOCH-R (etoposide, doxorubicin, vincristine, cyclophosphamide, prednisone, rituximab) 6~8회, R-HyperCVAD/MA, R-CODOX-M/IVAC 등
  ③ R/R (refractory/relapsed) dz. (약 30~40%) → salvage chemoimmunotherapy 필요

참고: DLBCL의 2nd-line therapy	
이식(ASCT) 예정	DHAP (dexamethasone, cisplatin, cytarabine) ± rituximab DHAX (dexamethasone, cytarabine, oxaliplatin) ± rituximab ESHAP (etoposide, methylprednisolone, cytarabine, cisplatin) ± rituximab GDP (gemcitabine, dexamethasone, cisplatin) ± rituximab or (gemcitabine, dexamethasone, carboplatin) ± rituximab GemOx (gemcitabine, oxaliplatin) ± rituximab ICE (ifosfamide, carboplatin, etoposide) ± rituximab MINE (mesna, ifosfamide, mitoxantrone, etoposide) ± rituximab
이식(ASCT) 예정×	Bendamustine ± rituximab / CD30(+)인 경우 <u>Brentuximab vedotin</u> CEPP (cyclophosphamide, etoposide, prednisone, procarbazine) ± rituximab CEOP (cyclophosphamide, etoposide, vincristine, prednisone) ± rituximab dose-adjusted EPOCH-R GDP ± rituximab or (gemcitabine, dexamethasone, carboplatin) ± rituximab GemOx ± rituximab / Ibrutinib (non-GCB DLBCL) Lenalidomide ± rituximab (non-GCB DLBCL) / Rituximab

  - ASCT (autologous HCT) : 최대 40%에서 장기 생존 가능 (chemo-sensitive 환자에서)
  - 2nd-line therapy에도 반응이 안 좋으면 clinical trials, allogenic HCT, <u>CAR-T cells</u>, palliative ISRT, best supportive care 등 고려
  * chimeric antigen receptor T cells (CAR-T cells) : durable remission도 증가됨
    ; axicabtagene ciloleucel (Yescarta®), tisagenlecleucel (Kymriah®) → 앞장 ALL 부분 참조
- 예후인자 ; IPI (m/i), cell of origin, 유전자이상, 혈중 cytokines & soluble receptors 농도
  - *BCL2* expression : 특히 ABC type에서 or *MYC* rearrangement 동반시 예후 나쁨

(2) 기타 DLBCL의 아형 및 다른 큰 B세포 림프종

- primary DLBCL of CNS, leg type DLBCL ; ABC type, CD10 (-)
- EBV-associated DLBCL ; 아시아에 더 흔함, poor Px, EBV (EBER) 양성, 대개 ABC type
- primary mediastinal (thymic) large B-cell lymphoma (PMLBCL) ; young (평균 37세), 남<여
  - pan-B-cell markers & 대부분 CD23, CD30^{weak}, MUM1 등 (+) / Ig은 표현 안함
  - classic HL^{CHL}와 감별해야 (GEP상 많이 겹침) ; CD30이 CHL는 strong, PMLBCL는 weak
    c.f.) TRAF-1 및 c-Rel ; PMLBCL과 CHL는 양성이 흔하지만, 다른 DLBCL에서는 드묾
  - Tx ; R-CHOP + IFRT *or* (RTx. 꺼려지면) da-EPOCH-R
- plasmablastic lymphoma (PBL) : 대부분 면역결핍(특히 AIDS)과 관련되어 발생
  - CD38, CD138, MUM1, Ki-67>90%, EMA, CD30, EBV, MYC 등 양성
  - CD56 or cyclin D1 (+) or BM 침범시에는 plasmablastic PCM를 더 시사함
- WHO 2008의 "BCLU with with features intermediate between DLBCL & BL"는 아래로 바뀜
  - ┌ HGBL with *MYC* & *BCL2* &/or *BCL6* rearrangement ("double-/triple-hit lymphoma")
  - └ high-grade B-cell lymphoma (HGBL), NOS : 위 유전자 이상이 없는 것
    - blastoid or BL-like morphology (e.g., starry sky), very aggressive　　→ BL 편 참조

(3) 점막관련 림프조직의 림프종
(Extranodal Marginal Zone Lymphoma [EMZL] of MALT type, MALT lymphoma)

- NHL의 약 8%를 차지 (우리나라는 약 18%), 주로 림프절외 장기에 발생, 평균 49세, 남≒여
- 대개 B-cell origin, low-grade, 예후 좋다 (5YSR ~85%)
- MALT lymphoma에서 발견되는 염색체 이상 (~40%에서)
  - t(11;18)(q21;q21);*API2(BIRC3)-MALT1* (m/c) ; NF-κB를 활성화,
    H. pylori-음성에서 흔함, 제균치료에 반응×, 예후는 좋음, 대개 DLBCL로 진행 안함
  - t(14;18)(q32;q21);*IGHV-MALT1* (2nd m/c) ; 위 이외의 MALT에서 흔함
  - 기타 ; t(1;14)(p22;q32);*IGH/BCL10*, t(3;14)(p13;q32);*IGH-FOXP1*, +8 등 → 예후 나쁨
- 대부분 stage Ⅰ/Ⅱ, 40%는 침범 장기에만 국한, 30%는 침범 장기 및 인접 LN에만 국한
- ~30%에서 BM 등으로의 원격전이도 발생 가능 (특히 DLBCL로 전환시)
- stomach (*H. pylori*), orbit, lung, skin, salivary gland (sjögren's syndrome), thyroid gland
  (Hashimoto's thyroiditis) 등에서 발생 가능
  - gastric lymphoma의 50% 이상, orbital lymphoma의 40%를 차지
  - autoimmune or inflammatory process 동반 흔함!
- 대부분(80~90%) 위에서 발생 (gastric MALT lymphoma) ; 95%에서 *H. pylori* 감염 동반,
  t(11;18) 음성인 경우가 흔함, t(11;18) 양성이면 *H. pylori* 제균치료가 효과 없음!
- gastric MALT lymphoma의 치료
  ① limited ⇨ *H. pylori* 양성이면 제균치료 → 대부분 완치 가능 (5YSR 90%),
     반응 없고 국소적이면 ISRT (local RTx) or RTx 불가능하면 (증상 발생시) CTx
     ; BR (bendamustine + rituximab), R-CHOP, R-CVP, rituximab + chlorambucil 등
  ② advanced (드묾) ⇨ *H. pylori* 양성이면 제균치료 + 증상 발생시 CTx
  - 수술은 확진이 필요하거나 출혈/천공의 합병증 발생시에만 시행
- non-gastric MALT lymphoma ; limited ⇨ local RTx / advanced ⇨ rituximab ± CTx

(4) Splenic Marginal Zone Lymphoma (SMZL)

- 드묾, 매우 indolent, splenomegaly (말초의 lymphadenopathy는 드묾)
- BM 침범이 흔함 → 말초 lymphocytosis (CLL 비슷한 모양이지만 villous projections을 가짐)
  ; CD19, CD20, CD22 (+) / <u>CD5</u>, CD10, <u>CD25, CD103, annexin A1</u> (−)
             ↳ CLL과 차이   ↳ HCL과 차이
- 약 35%에서 C형간염 동반, splenectomy로 진단되는 경우도 흔함 (→ 치료로도 효과적임)
- 치료 : 예후 좋음, splenomegaly와 증상이 없으면 F/U
  ① HCV(+) ⇨ HCV에 대한 antiviral therapy
  ② HCV(−) ⇨ 증상 있으면 rituximab [5YSR 73%], 반응 없으면 splenectomy [5YSR 77%]
      → 반응 없으면 rituximab + chlorambucil (or cyclophosphamide), BR 등 (FL 비슷)

(5) 외투세포 림프종 (Mantle Cell Lymphoma, MCL)

> ■ 참고: Molecular Pathogenesis
> - in situ mantle cell neoplasia (ISMCN) : WHO 2016 분류에서 추가되었음
>   − mantle zone 안쪽, t(11;14) cyclin D1(+), 진행 느림
>   − ISMCN에 추가적인 유전이상이 생기면(e.g., *ATM* mutation) classic MCL로 진행
> - classic MCL : IGHV−unmutated or minimally mutated B−cells (SOX11⁺)로 구성
> - blastoid or pleomorphic MCL : classic MCL에서 추가적인 유전이상이 생기면 진행, aggressive
> - leukemic nonnodal MCL
>   − ISMCN의 일부가 somatic hypermutation을 거쳐 IGHV−mutated SOX11⁻ B cells로 진행한 뒤 발생
>   (germinal center 내에서)
>   − 주로 PB/BM를 침범, 대개 indolent, 추가적인 유전이상이 생기면(e.g., *TP53*) aggressive해짐

- NHL의 약 6% 차지 (우리나라 약 1.5%), 고령에서 호발, 남>여
- 골수외 침범이 흔함 ; BM, Waldeyer's ring, <u>GI tract</u> 등을 흔히 침범

대장의 multiple lymphomatous polyposis의 m/c 원인
⇨ 처음 진단 시부터 <u>위장관 내시경</u> 검사 필수!

- 진단시 약 70%가 stage Ⅳ & PB/BM 침범 흔함 / localized (stage Ⅰ~Ⅱ)는 매우 드묾
- 특징 : <u>t(11;14)</u> → *BCL1* overexpression → <u>cyclin D1</u> (BCL−1 단백) (+), <u>CD5(+)</u>
- intermediate−grade로 경과/예후 다양 (5YSR 30~60%), CTx에 의한 CR rate 낮음(<50%)
- 치료
  ① indolent/nonnodal MCL ; CLL 비슷한 leukemic 양상, splenomegaly, lymphadenopathy↓,
    tumor burden↓, Ki67 proliferation fraction↓(<10%) … <u>SOX11(−)</u> [IGHV−mutated]
       ⇨ 예후 좋음, F/U하다가 증상이 발생하면 치료 고려
  ② typical/classic/aggressive MCL
    (a) 적극치료군 ; 65세 이하 ⇨ aggressive chemoimmunotherapy 이후 ASCT 시행
      − <u>BR (bendamustine + rituximab)</u> : 효과 좋고 독성이 적어 선호됨
      − alternating R−CHOP/R−DHAP(rituximab/dexamethasone/cytarabine/cisplatin), VR−CAP, R−CHOP 등
      − R−hyperCVAD(rituximab/hyperfractionated cyclophosphamide/vincristine/doxorubicin/dexa.)는 독성이 심해 권장×

(b) 표준치료군 ; 고령이면서 적극적 치료가 어려운 경우 ⇨ less-aggressive regimen
- BR (권장), VR-CAP(bortezomib/rituximab/cyclophosphamide/doxorubicin/prednisone), R-CHOP 등
- LR (lenalidomide + rituximab)도 효과적, 장기적인 반응도 우수할 것으로 기대됨

(c) 유지요법 ; rituximab (ASCT 이후엔 3년 동안, 표준치료 이후엔 진행/내성발성 때까지)

③ R/R MCL (2nd-line therapy) ; oral <u>BTK inhibitor</u> (acalabrutinib, ibrutinib) ± rituximab, LR, BR, VR, venetoclax (± ibrutinib), allogenic HCT 등

(6) 소포 림프종 (Follicular Lymphoma, FL)

- 2nd m/c NHL (약 22%, 우리나라는 3% 미만 뿐), 대표적인 indolent (low-grade) type
- 진단 : morphology (특징적인 follicular pattern 침범)만으로도 진단 가능
  - B-cell 표현형, CD38 low/(-), 85% 이상에서 <u>t(14;18)</u>(q32;q21) → *BCL2* overexpression

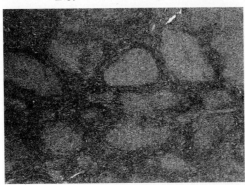

저배율에서
결절/소포(follicular)
모양으로 침범이 특징

- grade : large cells (centroblasts, immunoblast)이 차지하는 비율로 분류

Grade	Centroblasts/HPF	Centrocytes
1	0~5	많음
2	6~15	많음
3a	>15	존재
3b	>15 Soild sheets of centroblasts	없음

Pattern	Follicular 부분
Follicular	>75%
Follicular & diffuse	25~75%
Focally follicular	<25%
Diffuse	0%*

Grade 3 diffuse pattern은
DLBCL with FL로 보고함

- grade 1~2 (indolent)가 대부분(80~90%) ; 진단시 50%에서 BM 침범, 대부분 15~20년 생존
- <u>grade 3b</u>는 aggressive (예후 나쁨) ⇨ DLBCL처럼 치료 (e.g., R-CHOP)
- 대부분 painless lymphoadenopathy (multiple)로 발견되고, 증상(fever, sweat, weight loss) 없음
- 약 50%는 IPI score 낮음(0~1), high score (4~5)는 10% 미만
- 25%는 치료 안 해도 자연 소실됨 (대개는 일시적)
  → 증상이 없는 환자는 치료 없이 주의 깊게 관찰 (특히 고령에서)
- 오래 생존은 하지만, 결국 30~40%는 aggressive lymphoma (대개 DLBCL)로 변환됨 (약 3%/yr)
- <u>grade 1~3a FL</u>의 치료 : 치료에 대한 반응은 매우 좋지만, 완치는 어려움 (대부분 재발/진행)
  ① stage Ⅰ ⇨ RTx (RTx가 어렵거나 거부하면 advanced처럼 치료 or F/U)
  ② stage Ⅱ~Ⅳ ⇨ 적응이 되면 치료(criteria 1개 이상) / 증상 없고 stable하면 F/U!
      ↳ GELF or BNLI criteria

```
GELF (Groupe d-Etude des Lymphomes Folliculaires) criteria

큰 종양부하(high tumor bulk) ;
    3개 이상의 nodal site (모두 ≥3 cm) 침범
    ≥7 cm의 종양, 증상을 동반한 비장비대(CT 상으로는 ≥16 cm)
    장기 압박 증상, 복수 or 흉수
전신증상(B symptoms)
Cytopenias : WBC <1,000/mm³ and/or platelets <100,000/mm³        or
Leukemia (>5,000/mm³ malignant cells)
```

```
BNLI (British National Lymphoma Investigation) criteria

최근 3개월 이내에 전반적으로 빠른 진행
B symptoms or pruritus 존재
생명을 위협하는 장기 침범
신장 침범, 골 병변, 육안적 간 침범
Cytopenias : Hb <10 g/dL, WBC <1,000/mm³, <100,000/mm³
```

- bendamustine + anti-CD20 (rituximab or <u>obinutuzumab</u>) [BR, BO]
  : R-CHOP보다 효과 좋고 독성 적어 선호됨   (↳ rituximab보다 PFS 더 향상, 독성↑)
- 기타 anti-CD20 + CHOP (or CVP or lenalidomide) 등
- 고령, 나쁜 PS, low tumor burden 등은 rituximab 단독 치료도 고려
- maintenance/consolidation : rituximab or obinutuzumab
      ↳ PFS는 향상되지만, OS는 향상 안됨 / 환자 상태 및 독성에 따라 선택적으로 시행
③ R/R FL ; 대부분의 indolent한 경우는 재발하더라도 증상 없으면 close F/U
  - 나쁜 PS and/or indolent course는 rituximab 단독 권장 (∵ 독성↓)
  - bendamustine 사용 후 재발한 경우는 obinutuzumab + CHOP (or CVP or lenalidomide)
  - early Tx failure는 이식 가능하면 high-dose CTx + ASCT
  - 여러번 재발시 radioimmunotherapy (e.g., ibritumomab tiuxetan : anti-CD20 + ^{90}Y),
      PI3K inhibitors (idelalisib, copanlisib, duvelisib), allogenic HCT, CAR-T 등 고려
• 예후 나쁜 군 ; early Tx failure (1st CTx 이후 2년 이내 재발), 1st Tx에 대한 PET-CT 반응
  평가에서 metabolic CR 실패, high-risk FLIPI 등 → 보다 적극적인 치료

(7) Burkitt's Lymphoma (BL)

• 소아에서 흔함 (소아 NHL의 약 30~40%[m/c] 차지), 남>여, FAB ALL L3와 동일
• 분류
  ① endemic (african) BL ; 유소아에서 호발 / maxilla, mandible, orbit 등을 주로 침범
  ② sporadic (non-endemic) BL ; 소아청소년 및 성인에서 호발 / GI tract을 주로 침범
      (e.g., 위, 소장[특히 ileo-cecal area]) … 우리나라 거의 대부분!
  ③ immunodeficiency-associated BL ; LN 및 BM에 호발, 주로 HIV 감염자에서 발생
• EBV 발견율 ; endemic (african) BL의 95%, sporadic (non-endemic) BL의 20~30%
      (endemic BL의 대부분은 EBV 및 malaria와 관련 있지만 추가적인 기전도 관여)
• <u>성장/진행이 엄청나게 빠름!</u> (tumor doubling time 2~25시간)
    → spontaneous tumor lysis syndrome (TLS) 흔함 ; serum LDH ↑↑, uric acid ↑
• 큰 복부종괴 및 장폐색 호발, CNS에도 전이 가능, 약 1/3에서 BM 침범(→ PB에도 tumor cells)

- 거의 다 <u>MYC (8q24)</u> translocation을 가짐 ⇨ <u>t(8;14)</u>, t(2;8), t(8;22) 등의 염색체전위
  - ↳ proto-oncogene → FISH (break apart probe)로 검사
  - 14번 염색체의 Ig heavy chain gene과 전위 (80%) → t(8;14)
  - 2번 염색체의 kappa light chain gene과 전위 (15%) → t(2;8)
  - 22번 염색체의 lambda light chain gene과 전위 (5%) → t(8;22)

- 진단

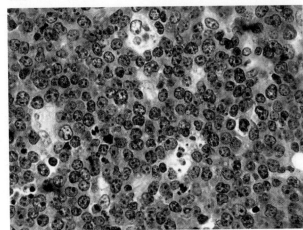

중간 크기의 lymphocytes가 diffuse하게 침범
; round nuclei, multiple nucleoli (2~5개)

"<u>starry sky appearance</u>" : 저배율에서
(∵ apoptotic cell debris를 섭취한
macrophages [CD68⁺] 때문)

* Aspiration (Wright stain)에서는
deep basophilic cytoplasm &
cytoplasmic vacuoles이 특징

- 매우 높은 (~100%) proliferation fraction (∵ *c-myc* deregulation) : Ki-67 Ab 등으로 염색
- pan-B-cell (CD19, <u>CD20</u>, CD22, CD79a, PAX5, CD38, <u>BCL6</u> 등 양성 + <u>CD10</u> 강양성)
- CD5와 <u>BCL2</u>는 음성!, blastic markers (CD34, TdT)도 음성
- endemic BL는 EBV(+), sporadic BL는 대부분 EBV(−)

- D/Dx : DLBCL ⋯ 대부분은 형태적으로 쉽게 구별되지만, 일부는 비슷할 수 있음!
  - FISH에서 *MYC* (8q24) translocation (−) → 다른 진단 고려(e.g., DLBCL, HGBL-NOS)
  - *MYC* translocation (+)면 *BCL2*와, *BCL6* FISH 시행
    - IHC에서 BCL2 week/(−), Ki-67 >95% → BL
    - IHC에서 BCL2(+), Ki-67 <95%, FISH에서 *BCL2* &/or *BCL6* rearrangement (+)
      → HGBL with *MYC* and *BCL2* and/or *BCL6* rearrangements로 진단
  - BL와 DLBCL의 중간 모양 & *MYC, BCL2, BCL6* rearrangements 모두 (−) → HGBL-NOS

- 치료 : 진단 48시간 이내에 빨리 치료 시작해야!
  ① intensive chemoimmunotherapy ; <u>R-CODOX-M/IVAC</u>, R-HyperCVAD, R-LMB 등
     (rituximab, cyclophosphamide, doxorubicin, vincristine, methotrexate, ifosfamide,
     etoposide, high-dose cytarabine + intrathecal cytarabine & methotrexate)
     → 반응 좋음, 빨리 치료하면 소아/성인 모두 70~80%에서 <u>완치(cure) 가능</u>! (5YSR >60%)
  ② 초치료가 실패하면 salvage therapy or HCT는 효과 거의 없음
  ③ <u>CNS prophylaxis</u> (e.g., intrathecal CTx) 및 <u>tumor lysis syndrome</u>에 대한 조치
     (e.g., aggressive hydration, rasburicase)도 필요함

(8) Adult T-Cell Leukemia/Lymphoma (ATLL)

- HTLV-1 retrovirus 감염이 원인 (모유가 m/c이지만 위험도는 2.5% 뿐 & 잠복기 55년), 일본에서 흔함
  → 감염자의 4%에서만 ATLL 발생
- 특징적인 tumor cells 형태 : 들쑥날쑥한 "꽃 모양"의 핵 (<u>flower cell</u> or clover leaf)

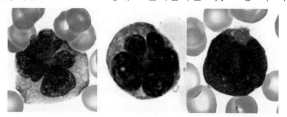

- 조직검사에서 진단되거나, PB에 tumor cells이 5% 이상이면 진단, serum anti-HTLV-1 (+)
- IHC ; CD2, CD4, CD5, CD25, CD45RO, CD29, TCR-$\alpha\beta$ (+) / CD7, CD8, CD26 (−)
- clinical variants
  ① <u>acute</u> (60%) ; aggressive한 경과, BM 침범 (PB tumor cells, cytopenias는 심하지 않은 편),
  　hypercalcemia, lytic bone lesions, lymphadenopathy, heptosplenomegaly, serum LDH↑
  ② lymphoma-type (20%) ; 현저한 lymphadenopathy (BM/PB 침범은 없음)
  　- acute & lymphoma-type은 치료 안하면 며칠~몇 주 이내 사망, 치료해도 4YSR 5~10%
  ③ chronic (15%) ; skin lesions, mild lymphadenopathy, lymphocytosis, 평균 2~5년 생존
  ④ smoldering (5%) ; 대개 무증상, PB tumor cells <5%, 치료 안하면 평균 약 3년 생존
- 치료 : CTx에 반응은 하지만 기간이 짧음, CR 드물고 예후 매우 나쁨
  ① acute, lymphoma-type, unfavorable chronic variants
  　- antiviral therapy (zidovudine) + IFN : 일부에서 효과적 (lymphoma-type은 효과 없음)
  　- combination CTx : <u>VCAP-AMP-VECP</u> + mogamulizumab (anti-CCR4) 권장
  　　(vincristine, cyclophosphamide, doxorubicin, prednisone, ranimustine, vindesine, etoposide, carboplatin)
  　　→ CHOP보다 반응률은 높지만, survival 차이 별로 없고, 독성은 심함
  　- R/R ATLL ; allogenic SCT, mogamulizumab, brentuximab vedotin (CD30+인 경우),
  　　lenalidomide, DHAP, ESHAP, GDP, GemOx 등 (가능하면 clinical trial 권장)
  ② chronic/smoldering variants ⇨ F/U *or* 피부치료(e.g., phototherapy, topical steroid,
  　topical mechlorethamine [nitrogen mustard]) *or* zidovudine + IFN 등

(9) Extranodal NK/T-cell Lymphoma, Nasal type (ENKL, 과거 Angiocentric T-cell Lymphoma)

- 아시아, 중미, 남미 등에서 호발, 남>여, 평균 60세에 발병, 대부분 <u>EBV</u>와 관련

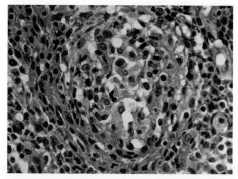

　- <u>angiocentric</u> & angiodestructive pattern
　- 심한 necrosis
　- lymphoma cells에 의한 혈관 폐색
　　; 크기 다양, irregularly folded nuclei
　- CD2, <u>CD56</u> (NK cells), cytoplasmic CD3,
　　EBV (EBER) 등 양성
　- surface CD3 음성

- extranodal site를 침범 ; 비강(m/c), 입천장, 비인두 등의 안면 중앙부, 피부, 연조직, 고환,
  상기도, 위장관 ...   ↳ 코막힘, 코피, destructive mass, 안구부종
- aggressive (→ 예후 나쁜 편, 치료 안하면 수개월 내 사망), 합병증으로 hemophagocytosis가 흔함
- Ann Arbor staging보다 TNM (특히 T) staging이 예후를 더 잘 반영함
- 치료 : CHOP 등의 CTx에 반응이 매우 나쁨
  ① localized (stage I ~ II) ⇨ CTx + RTx (intensity-modulated, 50~55 Gy) → 3YSR ~85%
    - DeVIC (dexamethasone, etoposide, ifosfamide, carboplatin), modified-SMILE 등
  ② advanced/disseminated ⇨ L-asparaginase 기반 CTx → 예후는 나쁨 (평균 4.3개월 생존)
    - SMILE (dexamethasone, methotrexate, ifosfamide, L-asparaginase, etoposide)
    - AspaMetDex (pegaspargase, methotrexate, and dexamethasone), P-GEMOX 등
  ③ R/R ENKL ⇨ clinical trial or 이전에 사용안한 CTx or best supportive care
    - anti-PD1 Ab (pembrolizumab or nivolumab)가 효과 좋음

(10) Cutaneous T-Cell Lymphoma (CTCL) ; Mycosis fungoides (MF), Sézary syndrome (SS)
- 드문 $CD4^+$ helper-inducer T cells의 악성종양, 50대에 호발, 흑인 및 남성에서 더 흔함
- indolent lymphoma로 피부를 주로 침범, 말기에는 LN 및 내장도 침범 가능
  (상피세포 침범시 종양세포는 상피 내에 모여 있음 → Pautrier 농양)
- mycosis fungoides (MF) ; m/c (CTCL의 50%), patch → plaque → tumors로 서서히 진행
- Sézary syndrome (MF의 leukemic variant) ; erythroderma, generalized lymphoadenopathy,
  PB/LN/피부에 종양세포(Sézary cell) 존재 [Sézary cell : 대뇌 모양의 핵이 특징]
- IHC ; CD3+, CD4+, CD45RO+, CD8- (→ mature helper-inducer T cells 비슷), CD7-, CD26-
- 치료 ; 평균 18년 생존, stage에 따라 예후가 다양함, 약 34%는 계속 진행
  ① localized (stage IA, 체표면의 10% 미만 침범) 환자 : 드묾, 예후는 매우 좋음
    ⇨ ISRT (local RTx) + skin-directed therapy (topical steroid or nitrogen mustard or
        retinoids [bexarotene, tazarotene] or imiquimod, phototherapy [UVB, $P_{psoralen}UVA$])
  ② generalized dz. ⇨ total skin electron beam therapy or systemic Tx.
                    (± skin-directed therapy)
  ③ Sézary syndrome (PB 침범) ⇨ systemic Tx. ± skin-directed therapy (5YSR 25~50%)
        ·; brentuximab vedotin, bexarotene, extracorporeal photopheresis, IFN, MTX,
          mogamulizumab (anti-CCR4), histone deacetylase inhibitor (romidepsin, vorinostat) 등
- advanced dz.는 만성/재발성 경과로, 치료 목표는 질병/증상 조절 및 aggressive dz.의 치료

(11) Peripheral T-Cell Lymphoma, not otherwise specified (PTCL, NOS)
- PTCL 중 m/c (약 30%), 전체 NHL의 약 6.5%, 고령에서 호발 (평균 65세)
  ↳ ALCL, AITL, ENKL (nasal type), subcutaneous panniculitis-like T-cell lymphoma 등
- 다른 T-cell lymphomas를 R/O한 뒤 진단
  - IHC ; 대부분 CD4/8(+/-), 일부는 CD4/8(-/-) or CD4/8(+/+), 약 1/2은 CD5 or 7 (-)
  - 때때로 TCR (T cell recepor) gene rearrangement 검사도 진단에 필요
- 대부분 진단시 advanced & 나쁜 예후인자 동반(80% 이상이 IPI score 2↑, 30% 이상은 4↑)
  - generalized lymphadenopathy, BM, 간, 비장, 피부 등 침범, B Sx. 및 pruritus도 흔함
  - aggressive 경과, 재발도 흔함, B-cell lymphoma보다 예후 나쁨 (5YSR 약 20~70%)

- 치료 ; CD30 발현율에 따라 다름
  ① 종양세포 10% 이상이 CD30(+) ⇨ BV-CHP (cyclophosphamide, doxorubicin, prednisone)
  　* brentuximab vedotin (BV, Adcetris®) : anti-CD30 + cytotoxic MMAE
  　　　　　　　　　　　　　　　　　　　　　　　　　　　(monomethyl auristatin E)
  　　　- Hodgkin 및 일부 T-cells lymphoma에 사용, 불응성 CD30(+) DLBCL에도 가능
  　　　- 기존의 CHOP보다 생존율 향상되면서 독성 증가는 없음
  ② 종양세포 10% 미만만 CD30(+) ⇨ CHOP (≤60세 & 건강하면 etoposide 추가: CHOEP)
  　* IPI score 높고, 젊은 환자는 1st remission 이후 ASCT 고려
  ③ R/R PTCL-NOS ⇨ belinostat, pralatrexate, romidepsin, brentuximab vedotin,
  　　bendamustine, gemcitabine, alemtuzumab, ASCT, allogenic HCT 등 고려
  　　(or clinical trials or palliative RTx and/or best supportive care)

(12) Angiolmmunoblastic T-cell Lymphoma (AITL)
(= Angiolmmunoblastic Lymphadenopathy with Dysproteinemia, AILD)
- PTCL 중 흔한 편 (서양에서 더 흔함, NHL의 4% [우리나라 1.7%]) , 평균 65~70세, 남=여
- 병리 : nodal architecture 소실, 미세혈관 증식, EBV(+), CD10(+)이 특징
- 광범위한 lymphadenopathy와 전신 B-증상(e.g., 발열, 발한, 체중감소)이 급성으로 발현
  - skin rash, hemolytic anemia, polyclonal hypergammaglobulinemia 등 동반 가능
  - 진단시 80% 이상이 advanced, BM 침범 흔함
- 치료 : PTCL-NOS와 비슷하지만 예후 나쁨 (대부분 3년 미만 생존)

(13) Anaplastic Large Cell Lymphoma (ALCL)역형성큰세포림프종
- T-cell lymphoma의 약 3% 차지 (서양은 6~24%), aggressive lymphoma 중 예후 가장 좋음!
- 특징적인 tumor cells (hallmark cells) : large cells, 핵은 nucleoli가 뚜렷하고 말발굽(U) 모양
- CD30 (Ki-1) 양성이 특징 (c.f., 과거에는 대개 malignant histiocytosis로 진단되었음)
- 2번 염색체의 *ALK* gene 전위 ; t(2;5), t(1;2)
  　　→ ALK (anaplastic lymphoma kinase) 단백 overexpression : ALK (+)
- 형태가 미분화 상태이고, 나쁜 예후인자를 가진 경우가 많으나 치료에는 잘 반응함
- ALK에 따라 2 subtype으로 분류함
  ┌ ALK(+) : 60~70%, 소아/젊은 성인에서 호발 (평균 34세), 치료 반응 좋음, 5YSR 70~90%
  └ ALK(-) : 30~40%, 중장년(40~65세)에 호발 (평균 58세), 치료 반응 나쁨, 5YSR 약 50%
- 대개 lymphadenopathy 동반, BM와 GI tract 침범은 드물고, 피부 침범은 흔함
- 일부 피부에만 국한된 경우(cutaneous ALCL) 예후 더 좋음 (5YSR >90%)
- 치료 : CD30 발현율에 따라 다름
  ① 종양세포 10% 이상이 CD30(+) ⇨ BV-CHP (cyclophosphamide, doxorubicin, prednisone)
  ② 종양세포 10% 미만만 CD30(+) ⇨ CHOP (≤60세 & 건강하면 etoposide 추가: CHOEP)
  ③ R/R ALCL ⇨ ASCT, GDP (gemcitabine, dexamethasone, cisplatin), ALK inhibitor
  　　(ceritinib or crizotinib, ALK 양성인 경우), pralatrexate, romidepsin, belinostat 등 고려

■ primary CNS lymphoma

- 대개 high-grade B cell lymphoma에서 발생 (e.g., DLBCL)
- 노인 또는 면역저하 환자에서 호발 (→ HIV 검사등 시행)
- 안구 침범이 흔하므로 반드시 slit lamp 검사도 시행
- parenchymal CNS lymphoma
  - high-dose MTX (+ leucovorine rescue) ± cytarabine 으로 치료
  - 일반적인 CHOP regimen은 별 효과 없음 (∵ CNS에 도달↓)
  - RTx. : 신기능 저하시 or 재발시 사용 가능 (but, leukoencephalopathy의 부작용이 흔함)
- leptomeningeal CNS lymphoma
  - 치료가 어렵고, 확립된 치료법도 없다
  - high-dose MTX (+ leucovorine rescue) or high-dose steroid
- 수술 : 치료에는 도움 안되고, 진단 목적으로는 시행 가능

■ 임신시의 NHL

- staging시 CT 대신 초음파를 이용
- 치료는 가능하면 출산 이후로 연기 고려 (but, 치유의 기회를 놓칠 수 있음)
- 2nd~3rd trimester에는 대부분 full-dose CTx (e.g., CHOP) 시행해도 안전한 편임

호지킨 림프종 (Hodgkin lymphoma, HL)

1. 개요

- "RS (Reed-Sternberg) cells"을 가지는 lymphoma (과거 Hodgkin's disease)
  - germinal center or post-germinal center B cells 유래
  - 종양에서 RS cells의 비율은 적고 (약 1%), 대부분은 non-malignant 염증세포들이 차지함
    (lymphocytes, macrophages, eosinophils, neutrophils, plasma cells, mast cells 등)
  - RS cells에 의해 염증세포들이 모이지만, PD-1 ligands 과발현 등을 통해 면역반응은 회피하고
    RS cells이 여러 신호체계의 변화를 일으켜 T cells 기능이상도 유발함
- 전체 lymphoma의 약 10% 차지 (우리나라는 약 5%)
  ; NHL가 증가 추세인데 비해, HL은 수십년간 일정함 (우리나라는 증가 추세)
- 호발연령(bimodal peak) : 성인기(15~35세) & 노년기(60세 이후) / 남>여, 백인>흑인
- 위험인자 ; HIV, EBV, 면역저하, 자가면역질환, 유전(가족력 有, 쌍생아 50~100배, 형제 6~7배) 등

2. 임상양상

- 대부분 무통성의 lymphadenopathy (연속적인 nodal spread)
  - 주로 목, 쇄골 상부, 액와부 등의 횡격막 상부 LNs를 침범
  - 1/2 이상에서 종격동 침범 (mediastinal adenopathy)
  - 횡격막 하부 침범은 10~20% 뿐 (노인에서는 침범↑)
- <u>B symptom</u> (약 40%에서 존재, NHL보다 흔함) → poor Px.
  ; fever, night sweats, weight loss (6개월 이내에 10% 이상)
- Pel-Epstein fevers : 발열(수일~수주) 및 정상 체온 기간이 반복되는 것
- 기타 드물게 나타날 수 있는 증상
  - generalized pruritus (10%) → poor Px.
  - 음주시 침범된 LN에서 pain 발생 (2~5%)
  - paraneoplastic syndrome (minimal change GN [lipoid nephrosis]이 m/c),
    immune HA & thrombocytopenia, hypercalcemia, erythema nodosum ...
- extranodal site 및 BM 침범은 드물다
- BM 침범 (5~15%) : B Sx., stage Ⅲ, mixed cellularity, pancytopenia,
  LD >400, ESR >40 등인 경우에 잘 동반 (c.f., NHL는 30~70% 침범)
- ESR : dz. activity 평가에 유용
- 예후가 좋기 때문에 장기 생존자에서는 치료에 따른 후기 부작용이 문제 (→ 뒷부분 참조)

3. 진단

- biopsy (needle aspiration은 안 됨)
- Hodgkin <u>RS (Reed-Sternberg) cells</u> (HRS cells) 발견
  - large cell, bi-/multi-lobed nucleus, prominent inclusion-like nucleoli : 부엉이 눈 모양
    (but, infectious mononucleosis나 NHL에서도 발견될 수 있음)
  - 98%가 germinal center 단계의 mature B cell로부터 기원
  - CD15 (85%) & **CD30** (100%, strong) 양성이 특징 / PAX-5 (+) 흔함 / CD45는 (-),
    CD19와 CD20 등의 다른 B-cell markers는 (-)~low

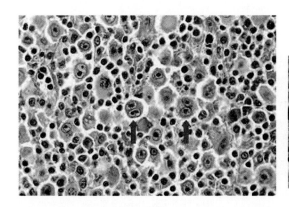
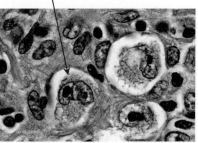

RS cells (부엉이 눈 모양)만 발견하면
Hodgkin lymphoma의 진단은 쉬움

4. 분류 (WHO classification)

(1) classical HL (cHL) [>95%] ⋯ Rye classification

Histologic subtype	서양 (%)	Pathology		Prognosis
		RS cell	기타	
1. Lymphocyte-rich (LRcHL)	5	Rare	Predominance of normal-appearing	Excellent
2. Nodular sclerosis (NScHL)	70	Frequent "lacunar variants"	Lymphoid nodules, collage bands	Very good
3. Mixed cellularity (MCcHL)	20~25	Numerous	Pleomorphic infiltrate	Good
4. Lymphocyte-depleted (LDcHL)	<1	Numerous, often bizarre	Lymphocytes, pleomorphic fibrosis	Poor

- 우리나라는 MCcHL (mixed cellularity)이 m/c, 젊은 연령에서는 NScHL이 대부분

(2) nodular lymphocyte predominant HL (NLPHL)
- small lymphocytes가 많고 RS cells은 적음, 전체 HL의 <5% 차지, 주로 남성(75%)
- RS cell (L&H cell : lymphocytic and/or histiocytic RS cell variant, popcorn cell) : 전형적인 RS cell과는 달리, CD15와 CD30은 음성이며 LCA (leukocyte common antigen, CD45), CD20을 포함한 다른 B cell 표지자와 J chain, epithelial membrane Ag (ema) 등을 발현함
- 주로 말초의 LN를 침범하며, 비장/종격동은 침범 안함 (대부분 localized)
- classical HL과는 임상양상이 다르고, NHL와 비슷한 특징을 보임
- 만성적이고 재발하는 경과를 취하며, 때때로(3~5%에서) DLBCL로도 전환 가능

	CD15	CD30	CD20	CD79a	T-cell Ag	EMA
Classical HL (cHL)	+	+	-/+	-/+	-	-/+
Nodular lymphocyte predominant HL (NLPHL)	-	-/+	+	+	-	+
T-cell rich large B-cell lymphoma	-	-	+	+	-	-
Anaplastic large cell lymphoma (ALCL)	-	+	-	-	+/-	+

5. 치료

- Tx. plan & Px. ┌ HL → clinical stage가 중요
  └ NHL → histologic subtype (grade)이 더 중요

Early Stage	Favorable-risk	Risk factors 없는 stage Ⅰ~Ⅱ	Risk factors - Mediastinal bulky dz.
	Unfavorable-risk	Risk factors 있는 stage Ⅰ~Ⅱ	- Extranodal dz.
Advanced Stage		Stage Ⅲ~Ⅳ	- 3개 이상의 LN region 침범 - ESR >50 (B Sx 존재시 >30) - 기타 ; 고령, B Sx 존재 ...

(1) Tx. recommendations

; 장기 생존율이 높으므로 RTx 부작용을 줄이기 위해 RTx를 줄이는 쪽으로 변화됨

① early stage favorable (low)-risk HL
- ABVD 3~4회 + involved-field RTx (30 Gy) ; 재발률↓ *or*
- ABVD 2회 + involved-field RTx (20 Gy) ; 부작용↓ *or*
- ABVD 4~6회 only ; 재발률은 조금 높지만, salvage Tx 효과가 좋으므로 장기 생존율은 비슷
  ↳ RTx 부작용을 피해야 하는 경우
- ABVD 2~3회 이후 PET-CT (−)면 excellent Px → RTx 생략 가능

② early stage unfavorable (high)-risk HL
- ABVD 4회 + involved-field RTx *or*
- ABVD 6회 only ; RTx를 피하는 것이 좋은 nonbulky 환자에서

③ advanced stage (Ⅲ~Ⅳ)
- International Prognostic Score (IPS)가 예후에 중요함
- ABVD 6회 only가 권장됨 (∵ 부작용 대비 효과 우수, 오랜 경험)
- CR 이후의 consolidation Tx.
  - RTx 추가 ; CR 이후에는 효과 없음, 일부(<10%) CR× & PET(+) 환자에서는 도움
  - high-dose CTx. + autoHCT ; 도움 안됨
- A+AVD, Stanford V, BEACOPP 등 ; 수명 연장 효과는 미미하면서 부작용↑ 위험
- nodular lymphocyte predominant HL (NLPHL)에서는 rituximab도 추가

(2) Chemotherapy regimens

① ABVD (m/c) : Adriamycin (doxorubicin), Bleomycin, Vincristine, Dacarbazine
- 장점 ; 효과 좋음, infertility와 leukemia의 부작용이 매우 적음
- 부작용 ; pulmonary toxicity (~30%, bleomycin 때문, 2%는 치명적)

② MOPP : Mechlorethamine (N. mustard), Oncovin (vincristine), Procarbazine, Prednisone
- 부작용 ; MDS or acute leukemia (m/i), infertility, AVN (steroid)
- ABVD 이전에 쓰던 요법, ABVD보다 효과 떨어져 최근엔 이용 안됨

③ Stanford V : Mechlorethamine, Adriamycin (doxorubicin), Vinblastine, Vincristine, Bleomycin, Etoposide, Prednisone + involved-field RTx (5 cm 이상 병변에)
- 미국에서 개발, 12주 동안 주 1회 투여 (가장 짧음), 효과는 ABVD와 비슷함
- RTx.와 함께 premature CAD, 2ndary malignancy 등의 치명적 부작용 위험이 단점

④ BEACOPP : Bleomycin, Etoposide, Adriamycin (doxorubicin), Cyclophosphamide, Oncovin (vincristine), Procarbazine, Prednisone
- 유럽에서 개발, 가장 효과 좋으나 대부분에서 infertility를 일으키고 2ndary malignancy (e.g., leukemia) 위험이 높으므로 고위험군(risk factor ≥4개)에서만 고려

⑤ A+AVD : ABVD에서 bleomycin 대신 A (Adcetris®, brentuximab vedotin, BV) 사용
- bleomycin에 의한 폐독성 고위험군(e.g., 고령, 폐질환, 흡연자)에서 고려

(3) 재발한 경우의 치료

① initial RTx. only 이후에 재발 → CTx.에 반응 좋음

② early stage에서 CTx. only 이후에 재발 → RTx. or salvage CTx 이후 RTx.에 반응 좋음

③ advanced stage에서 CTx. 이후에 재발 or CTx.에 불응 (R/R HL) : 약 20~30%

⇨ high-dose CTx. (HDT) + autologous SCT (HDT/ASCT) : 30~65%에서 장기 생존 가능

- 다른 종양과 달리 일차치료에 실패한 경우에도 완치 가능
- salvage CTx. regimen (2nd-line CTx.)의 예
  - ICE (ifosfamide, carboplatin, etoposide)
  - gemcitabine regimens ; GDP (gemcitabine, dexamethasone, cisplatin),
      GVD (gemcitabine, vinorelbine, pegylated liposomal doxorubicin) 등
- brentuximab vedotin (BV, Adcetris®) : anti-CD30 + microtubule antitoxin MMAE
    (monomethyl auristatin E) → cell cycle arrest & apoptosis
  - ASCT or 2회 이상의 CTx.에 실패하고 HCT 부적합일 때 허가 (FDA, 2011년)
    → advanced stage에서 CTx.와 병용하여 1st-line Tx로도 허가됨 (2018년)
  - ASCT 이후의 유지요법에도 효과적
- anti-PD-1 Ab (immune checkpoint inhibitors) ; nivolumab, pembrolizumab
    ↳ programmed cell death protein-1 (T cells 표면에서 발현되어 APCs 및 일부 암세포를 인식)
  - RS cells에서는 PDL-1/2가 과발현됨 → PD-1과 결합하여 T cells 활성화 억제
      ↳ PD ligand   ↳ 면역체계를 회피하여 암세포 성장
  - R/R HL (BV 실패 포함)에서 치료 반응이 매우 좋고 장기간 유지됨
- 기타 ; alloHCT (치료관련 사망률↑), CAR-T cells (CD30 target, 연구중) ...

(4) 임신 환자의 치료

- HL 호발연령이 가임기와 겹침
- 가임기 여성에서 HL 진단시 → 치료 전 임신반응검사 필수, 치료 중에는 피임
- 임신 중 HL 진단된 경우
  - 검사 ; chest X-ray (복부를 가리고), MRI, US (MRI 못하면), BM biopsy (B Sx 존재시)
      (PET scan, gallium scan, bone scan 등은 금기 / MRI와 US 불가능하면 CT는 고려 가능)
  - 1st trimester → 가능하면 2nd~3rd trimester까지 치료 연기
          (매우 심하거나 즉시 치료가 필요한 상태라면 ABVD만 시행 or 임신중절도 고려)
  - 2nd trimester → ABVD만 시행, very low-risk면 F/U & 분만 이후로 치료 연기 가능
          (횡격막 상부의 증상이 심한 local dz.는 RTx.도 고려 가능)
  - 3rd trimester 때 진단 → 가능하면 분만 이후로 치료 연기 권장, 치료 필요하면 ABVD

(5) nodular lymphocyte predominant HL (NLPHL)의 치료

- early stage ⇨ involved-field RTx (30~36 Gy) only
- advanced stage 및 stage Ⅱ에서 B-Sx or extensive abdomen dz.
  ⇨ CTx. : ABVD보다는 R-CHOP 사용 (∵ CD20+)
- classic HL보다 치료에 대한 반응 및 예후는 좀 더 좋음 (장기 생존율↑)

6. 예후

- localized HL은 90% 이상 완치(cure) 가능
- ABVD 2회 치료 이후에 반응 정도가 예후에 중요 (histologic subtype은 덜 중요함)
- 기타 poor Px factors ; 연령 ≥45~50세, 남성, 전신증상(B Sx) 존재, ESR↑,
  침범된 림프절 수 ≥3~4개, large mediastinal mass (>10 cm or 33.3%),
  MC (mixed cellularity) or LD (lymphocyte-depleted) 조직형 등

International Prognostic Score (IPS) - advanced HL	
나쁜 예후인자 (risk factors)	1. Stage IV 2. 남성 3. Age ≥45세 4. Hb <10.5 g/dL 5. WBC ≥15,000/μ L 6. Lymphocyte <800/μL or <6% 7. Serum albumin <4 g/dL

Risk factors 수	빈도 (%)	5년 후 PFS (%)	5년 후 OS (%)
0	8	88	98
1	26	84	97
2	26	80	91
3	21	74	88
4	12	67	85
5~7	7	62	67

* 대부분 완치/장기생존이 가능함에 따라, 치료에 의한 **지연부작용**이 더 문제 (10~15년 이후)
  - 이차종양과 심장질환이 가장 심각함
  - 폐암 ; m/c 이차종양, 주로 흉부 RTx.에 의해 발생 (→ 금연 필수)
  - 유방암 ; 젊은 여성이 흉부 or 액와절 RTx. 받은 경우
  - 심장질환(CAD) ; 일반인에 비해 사망률 3배↑, thoracic/mediastinal RTx. (>30 Gy)와 관련
  - cervical RTx. → carotid AS & stroke
  - hypothyroidism ; thoracic/cervical RTx. 이후 흔함(>50%) → 정기적으로 TSH F/U
  - Lhermitte's syndrome ; 흉부 RTx. 이후 ~15%에서 발생
    ↳ 목을 구부리면 척추/사지에 감전 비슷한 감각이 발생하는 것
  - AML ; CTx.에 의해 발생, 특히 alkylating agents의 누적 용량에 비례
    - alkylating agents가 포함된 MOPP, BEACOPP 이후 흔함
    - 발생↑ ; 불응/재발로 CTx. 반복, 고령(>60세)
  - infertility ; alkylating agents (ABVD에서는 매우 드묾) or 생식기관의 RTx.에 의해 발생
    ↳ 거의 모든 남성이 영구 무정자증 됨, 여성은 젊을수록 회복도 가능함
    → 임신 계획이 있으면 치료 전 정자나 난자를 미리 보관

조직구 질환 (Histiocytic disorders)

	CD1a	CD21	CD68	Lysozyme	S100	NSE
Histiocytic sarcoma (HC)	−	−	++	+	−/+	+
Langerhans cell histiocytosis (LCH)	++	−	+/−	+/−	++	−
Interdigitating cell tumors	−	−	+/−	−	++	−
Follicular dendritic cell tumors	−	++	−/+	−	−/+	−
Plasmacytoid dendritic cell tumors	−	−	++	−	−	−

1. 조직구 육종 (Histiocytic sarcoma, HS)

- 매우 드문 조직구의 악성 종양 (lymphoma의 0.1% 미만), 예후 나쁨, 대개 고령
- LN, skin, GI tract, soft tissue, spleen, liver, BM 등을 침범
  (여러 장기를 심하게 침범하면 "malignant histiocytosis"라 부르기도 함)
- morphology ; large & pleomorphic, foamy cytoplasm, prominent nucleoli, multinucleated
  → anaplastic large cell lymphoma (ALCL), DLBCL, malignant melanoma 등과 감별해야
- 면역표현형검사(IHC)에서 myeloid, lymphoid, Langerhans cell markers 음성이면서
  mono-histiocytic markers 양성이면 진단 (CD68, CD163, lysozyme, NSE 등)
- 일부 HCT로 치료되기도 하지만, 대부분은 조기에 사망함

2. 혈구포식성림프조직구증 (Hemophagocytic Lymphohistiocytosis, HLH)

- hyperstimulated ineffective immune response에 대한 fatal histiocytosis
- 드묾, 대부분 소아(특히 <3개월)에서 발생하지만 모든 연령이 가능, 남늑여, 약 1/4은 가족력 有
- primary (genetic) or secondary (acquired) ; 감염(e.g., EBV, CMV, parvovirus, HSV, VZV, measles, HHV-8, influenza, HIV, COVID-19), 염증, 악성종양, 류마티스질환, 면역결핍 등
  (c.f., 과거에는 infection-associated or reactive hemophagocytic syndrome으로 불리었음)
- 과활성화된 CD8+ T lymphocytes와 macrophages가 증식하여 여러 장기를 침범하는 발열성 질환
  → 발병 초기에는 보통의 감염, FUO, 간염, 뇌염 등과 비슷해 보일 수 있음

HLH의 진단기준

1. HLH에 합당한 gene mutations (primary HLH)
   (e.g., PRF1, UNC13D, STX11, STXBP2, Rab27A, SH2D1A, BIRC4, LYST, ITK, SLC7A7, XMEN, HPS)
   OR
2. 임상양상 및 검사 소견 (아래 8개 중 5개 이상에 해당)
   ① Fever
   ② Splenomegaly
   ③ Cytopenia (2계열 이상) ; Hb <9 g/dL, neutrophil <1000/μL, platelet <10만/μL
   ④ Hypertriglyceridemia (TG ≥265 mg/dL) and/or hypofibrinogenemia (fibrinogen <150 mg/dL)
   ⑤ Ferritin >500 ng/mL (c.f., 실제로는 >2000~3000, 매우 빨리 상승)
   ⑥ sCD25 (soluble IL-2 receptor) >2400 U/mL (or >UNL의 2배)
   ⑦ NK-cell activity 감소
   ⑧ BM, spleen, LN, or liver에서 hemophagocytosis 소견

- Tx ; 빠르게 악화되고 예후가 나쁘기 때문에 가능한 빨리 치료를 시작해야 됨 (약 1/2은 사망)
  - induction therapy (etoposide [VP-16] + dexamethasone) → 완전 호전되면 close F/U
  - refractory/relapse, CNS 침범, primary HLH ⇨ allogeneic HCT 고려
  - HCT 전의 가교치료로는 anti-IFN-γ mAb (emapalumab) + dexamethasone이 효과적임
    (emapalumab이 없으면 anti-CD52 Ab [alemtuzumab] 고려)
- Px ; 치료 안하면 사망률 매우 높음, 치료하면 약 50% 생존
    (poor Rx ; young age, CNS 침범, primary HLH, induction therapy 실패)

8 형질세포 종양 (Plasma cell neoplasms)

* 정의 : B-cells 분화 단계의 마지막인 plasma cells의 clonal expansion에 의해 monoclonal Ig (M-protein or paraprotein)이 분비되는 질환 ("monoclonal gammopathy")

Plasma cell neoplasms의 분류 (WHO, 2016)
Monoclonal gammopathy of undetermined significance (MGUS) 　IgM MGUS (대부분 lymphoid/lymphoplasmacytic), non-IgM MGUS (대부분 plasma cell) **Plasma cell myeloma** 　Variants; Asymptomatic (smoldering) myeloma, Non-secretory myeloma, Plasma cell leukemia **Plasmacytoma** 　Solitary plasmacytoma of bone, Extraosseous (extramedullary) plasmacytoma **Monoclonal immunoglobulin deposition diseases** 　Primary amyloidosis, Systemic light and heavy chain deposition diseases **Osteosclerotic myeloma** ; POEMS syndrome, TEMPI syndrome (provisional)

Plasma cell neoplasms의 진단기준 (IMWG, International Myeloma Working Group)	
Non-IgM MGUS* (모두 만족)	Serum M-protein <3 g/dL BM clonal plasma cells <10% Myeloma 관련 장기/조직손상(CRAB**) 또는 증상은 없음
IgM MGUS (모두 만족)	Serum M-protein <3 g/dL BM lymphoplasmacytic infiltration <10% Lymphoproliferative d/o.관련 증상 없음 　　(e.g., 빈혈, 전신증상, hyperviscosity, lymphadenopathy, or hepatosplenomegaly)
Smoldering **(asymptomatic) MM** (모두 만족)	Serum M-protein (IgG or IgA) >3 g/dL, or urine M-protein ≥500 mg/24hr 　　and/or BM clonal plasma cells 10~60% Myeloma 관련 장기/조직손상(CRAB) 또는 증상은 없음
MM	→ 뒷부분 참조
Light-chain MGUS (모두 만족)	FLC level↑ & abnormal ratio (kappa↑ & >1.65 or lambda↑ & <0.26) IFE (immunofixation EP)에서 heavy-chain (-) urine M-protein <500 mg/24hr, BM clonal plasma cells <10% Myeloma 관련 장기/조직손상(CRAB) 또는 증상은 없음
Solitary plasmacytoma (모두 만족)	조직검사에서 뼈/연조직의 clonal plasma cells 침윤 BM 정상 (clonal plasma cells 無) 영상검사에서 다른 뼈와 척추/골반은 정상 (primary solitary lesion은 제외하고) Myeloma 관련 장기/조직손상(CRAB) 또는 증상은 없음
Solitary plasmacytoma **with minimal marrow** **involvement**	Solitary plasmacytoma와 동일하면서 BM clonal plasma cells 침윤(<10%)만 차이

c.f.) 대부분의 림프계 종양은 WHO 분류/기준을 따르지만, 형질세포관련 종양은 IMWG 기준을 사용함

* MGUS : Monoclonal gammopathy of undetermined significance

** CRAB : HyperCalcemia, Renal insufficiency, Anemia, Bone lesions ★
　　　　이외에도 hyperviscosity, amyloidosis, recurrent infections 등을 <u>MM의 주요 증상으로 봄</u>

■ 형질세포골수종(Plasma cell myeloma)
[= 다발골수종 (Multiple myeloma, MM)]

Criteria for Diagnosis of Myeloma (IMWG, 2014) ★

1. BM clonal plasma cells ≥10% *or* biopsy-proven bony or extramedullary plasmacytoma
   &
2. Myeloma-defining events (아래 중 1개 이상)
   - **End-organ damage 증거 (CRAB)**
     - HyperCalcemia : serum calcium >11 mg/dL
     - Renal insufficiency : C_{Cr} <40 mL/min or serum Cr >2 mg/dL
     - Anemia : 정상하한치보다 2 g/dL 이상 낮음
     - Bone lesions : 영상검사에서 1개 이상의 osteolytic lesion
   - **Biomarkers of malignancy (아래 중 1개 이상)**
     - BM clonal plasma cells >60%
     - serum Free Light Chain (<u>FLC</u>) ratio ≥100
     - MRI에서 focal lesion (≥5 mm) 2개 이상 (bone & BM)

---

1. 개요

- 정의 : 단일 클론(single clone) plasma cells의 종양성 증식으로 주로 골수와 뼈를 침범하고
  monoclonal gammopathy를 나타내는 질환 (spleen, LNs, 위장관 림프조직 등의 침범은 드묾)
- 고령에서 발생 증가 (평균 68세), 남>여, 흑인>백인
- 비교적 흔한 hematologic malignancy (전체 혈액종양의 10~15% 차지)
  c.f.) 국내 혈액종양의 빈도 : NHL > AML > MM(최근 증가 추세) > ALL ...
- 원인 (잘 모름) : 대부분에서 뚜렷한 원인은 확인 안됨
  - chronic antigenic stimulation (감염, 만성질환)
  - 방사선(원폭), 농약, 살충제, 산림업, 금속관련업, 벤젠, 석유제품, 약제 등에의 노출
  - 흡연, 음주와는 큰 관련 없음
- 염색체/유전자 이상
  - 염색체 이상(>90%) ; t(11;14)(q13;q32), t(4;14)(p16;q32), del(13q14), del(17p13),
    11q abnormalities ... (14q32 : heavy chain gene *IGHα* 위치)
  - gene mutations ; *KRAS, NRAS, TP53, DIS3, FAM46C, BRAF* 등

2. 임상양상/병태생리

: 초기에는 대개 무증상이며, 질병이 진행될수록 증상 및 합병증 발생 (진행은 느린 편)

(1) bone destruction

- bone pain (70%, m/c Sx)
  - 주로 척추, 늑골, 골반 등을 침범 (e.g., 허리 통증)
  - 움직이면 악화, 누워도 아픔 (밤에는 악화되지 않음) (c.f., metastatic ca. : 밤에 악화됨)
- osteoporosis, pathologic fracture 등을 대부분 동반
- osteolytic lesions → hypercalcemia (진단시 28%에서 발견)
- 기전 : myeloma cells에서 OAF (osteoclast activating factor) 분비 → osteoclast 활성화
  - 촉진 ; IL-1, lymphotoxin, VEGF, RANK ligand, MIP-1α, TNF
  - 억제 ; glucocorticoid, IFN-α
- osteoblastic new bone formation은 드묾 (∵ myeloma cells에서 분비된 dickhoff-1$_{DKK-1}$에 의해 억제)

(2) 감염 호발

- 환자의 1/4은 진단시 관찰되며, 3/4은 병의 경과 중 심각한 감염 발생
- 폐렴 빛 신우신염(pyelonephritis)이 흔함
- 흔한 원인균
  - 폐렴 ; S. pneumoniae, S. aureus, K. pneumoniae
  - 신우신염 ; E. coli 등의 G(-) 균
- 원인 ① diffuse hypogammaglobulinemia (M component를 빼면)
  - : 정상 Ab 생산↓ (plasma cells 기능↓) 및 말초에서 파괴 증가 때문
  ② neutropenia & neutrophil의 기능 이상
  ③ CD4+ cell 기능 저하, complement 기능 이상 등
  ④ CTx. (e.g., steroid)에 의한 면역억제 효과

(3) 신기능 장애 (20~50%) : sCr↑

- 흔한 원인 ; hypercalcemia (m/c), light chain cast nephropathy
- 기타 원인 ; hyperuricemia (urate nephropathy), light chain (AL) amyloidosis (10~15%에서), light chain deposition dz. (LCDD), cryoglobulinemia, myeloma cells의 신장 침윤, pyelonephritis 등의 감염, 약물(e.g., NSAIDs, iodinated contrast dye, bisphosphonate) 등
- 과도하게 생산된 light chains의 통과/재흡수에 의한 tubular damage는 대부분에서 존재함
  → adult Fanconi syndrome (type 2 proximal RTA)이 초기 증상
- MM 환자는 특히 탈수시 ARF 발생 위험이 증가되므로 주의
- 단백뇨의 대부분은 light chains임 (Bence Jones proteinuria, dipstick test는 음성)

(4) 혈액학적 이상

- 빈혈 (~80%에서 동반) ; 대개 normocytic normochromic
  - 원인 ; 종양세포의 BM 침윤, 종양세포에서 생성된 인자에 의한 조혈 장애, 신장에서 EPO 생산 감소, RBC 수명 감소, mild hemolysis, blood loss (IDA)
  - 약 9%에서는 folate or vitamin B$_{12}$ 결핍에의한 macrocytosis (MCV >100 fL)도 동반
- granulocytopenia (~20%)와 thrombocytopenia (~5%)는 드묾!
- 출혈 경향 - 원인
  ① 혈소판 기능장애 (∵ M compenent가 혈소판을 coating)
  ② M component와 응고인자(I, II, V, VII, VIII)와의 상호작용
- DVT ; thalidomide (or lenalidomide)와 dexamethasone 병용시 발생 가능

(5) 신경학적 증상, 기타

- hypercalcemia → lethargy, weakness, depression, confusion, stupor
- bony damage & collapse → spinal cord compression, radicular pain, 위장관/방광 조절 장애
- Raynaud 현상 및 순환장애 (∵ M 단백에 의한 cryoglobulin 형성 및 hyperviscosity 때문)
- hyperviscosity syndrome ; headache, fatigue, visual disturbance, retinopathy ...
  - IgM (1/2 이상에서), IgG3, IgA subclass에서 흔함, 출혈도 동반 가능
  $\begin{bmatrix} \text{relative serum viscosity 5~6 이상에서 발생 (정상: 1.8)} \\ \text{IgM 4 g/dL, IgG3 5 g/dL, IgA 7 g/dL 이상에 해당} \end{bmatrix}$
  - Waldenström's macroglobulinemia에 비해서는 드묾 (<10%)
- 말초 신경의 amyloid 침윤 → carpal tunnel syndrome, other neuropathies
- 체중감소 (24%에서) ; 이 중 약 1/2은 9 kg 이상 감소

3. 검사소견/진단

* classic triad ; lytic bone lesions, serum and/or urine M protein, BM plasmacytosis

(1) PB/PBS

- normocytic normochromic anemia (WBC & platelet count는 대개 정상임!)
- RBC : rouleaux formation (>50%에서) → multiple myeloma에 매우 특징적인 소견!
- plasma(cytoid) cells (드묾) : RBC의 2~3배 크기, eccentric nucleus, perinuclear halo

(2) BM aspiration & biopsy

- plasma cell infiltration (5~100%) : 대부분 10% 이상, focal > diffuse pattern
  → 보통 aspiration보다는 biopsy에서 높게 나옴 (높은 쪽의 %를 진단 기준으로 사용함)
- clonal plasma cells ⋯ immunophenotyping (aspiration은 FCM, biopsy면 IHC)
  - <u>CD38</u>(+), <u>CD138</u>(+), CD19(-), CD45(-), CD56(±), <u>MUM1</u>/IRF4(+), cytoplasmic Ig(+)
    [↔ normal/reactive plasma cells은 CD38(++), CD138(±) CD19(+), CD45(+), CD56(-)]
  - surface Ig : <u>κ/λ (kappa/lambda) restriction</u> ⇨ clonal κ (>4:1) or λ (<1:2) 확인
    → reactive plasmacytosis (e.g., 결합조직질환, 전이 암, 간 질환, 감염)와의 감별에 도움

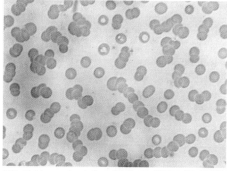
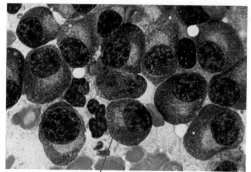

PB: <u>Rouleaux formation</u> (RBCs가 일렬로 붙어있음)

BM: <u>plasma cells</u> ↑ (매우 큼, N/C ratio ↓, 파란 세포질, <u>perinuclear halo</u> [∵ Golgi apparatus ↑] 등이 특징)

- BM plasma cells을 이용한 세포유전검사 → 예후 평가 및 치료방침 결정에 중요
  ; <u>interphase FISH</u> (m/c), cytoplasmic Ig enhanced FISH, NGS (RNAseq) 등

(3) M (monoclonal) 단백의 검출 ★

- serum & urine <u>PEP (protein electroporesis)</u> → M band (component, spike) 봄
  ; Ig (M 단백) 양이 500 mg/dL 이상 되어야 검출 가능 (→ 약 10^9 cells에 해당)
- <u>IFE (immunofixation EP)</u> ; M band의 종류 확인, 고해상도 EP로 150 mg/dL까지 검출 가능
- M (myeloma) component
  - 종류 ; IgG 52% (m/c), IgA 21%, IgD 2%, biclonal 2%, IgM 0.5%,
    16~20%는 light chain only (Bence Jones proteinuria)
  - serum M component를 가진 환자의 2/3는 urine light chains도 가짐

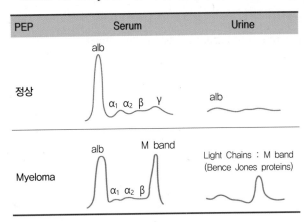

- <u>light chains</u>
  - 종류 ; κ 65%, λ 35% (예후는 λ가 훨씬 나쁨)
  - serum EP나 urine dipstick test로는 진단 어려움, Bence Jones protein test도 50%는 위음성
  - 24hr urine PEP & IFE도 sensitivity 낮음
  - <u>혈청 유리형 경쇄(serum free light chain, sFLC) 정량검사</u>
    ; 1.0 mg/dL 미만까지 검출 가능, 자동화장비로 검사 간편함, κ / λ ratio도 측정 가능,
    조기 진단 및 치료경과 monitoring에 유용, Bence Jones protein test를 거의 대치 가능
- PEP/IFE에서 M band가 없는 경우 (MM의 1~3%) → free light chain assay가 유용

  ① light chain myeloma

  ② IgD myeloma

  ③ nonsecretory myeloma

  ④ solitary bone plasmacytoma, extramedullary plasmacytoma

c.f.) Plasma cell neoplasms 이외에 M band를 보일 수 있는 질환
1. 다른 림프구 종양 ; CLL, lymphomas 2. 비림프구 종양 ; CML, 유방암, 대장암 3. 비종양성 질환 ; 간경변, 기생충감염, sarcoidosis, Gaucher disease, pyoderma gangrenosum 4. 자가면역 질환 ; RA, myasthenia gravis, cold agglutinin disease ...

* IgD myeloma
  - IgG와 IgA에 비해 M-protein 양이 적고, λ-type의 Bence Jones proteinuria가 흔함
  - amyloidosis와 extramedullary plasmacytoma가 더 흔함
  - 수명은 다른 형태의 myeloma에 비해 대개 짧음

(4) 영상검사

- bone X-ray

  ① multiple punched-out osteolytic lesions (주로 axial skeleton에서)
    - skull (lateral), ribs, spine, proximal long bone
    - bone mass의 30% 이상이 감소해야 osteolytic lesion으로 발견됨
      (→ bone destruction의 말기 단계)

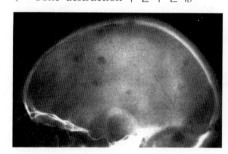 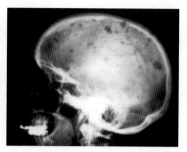

  ② generalized osteoporosis (diffuse osteopenia) : 골밀도 검사도 반드시 시행해야 됨

- CT

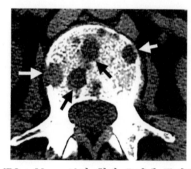

  MM 환자의 요추 CT 사진
  : 다른 악성종양과 달리
    red marrow space를
    침범하는 것이 특징임

- MRI : X-ray보다 훨씬 초기에 골병변(intramedullary focal tumor) 발견 가능
- PET : bone 및 extramedullary (e.g., liver, spleen) lesions 발견 가능
  → lymphoma에서처럼 치료반응 판정 및 F/U에 유용

* bone scan은 bone lesions 발견에 도움 안 됨!
  (∵ osteolytic lesions으로 osteoblastic activity가 없으므로)

* 정맥신우조영술(IVP)은 신부전을 유발할 수 있으므로 금기!

(5) 기타

- ESR↑
- serum calcium, BUN, Cr, uric acid↑
- total protein↑(∵ globulin 증가) ⇨ <u>A/G ratio 역전!</u> ··· 대개 MM을 처음 의심하게 되는 단서!
- <u>β_2-microglobulin</u> → single most powerful Px. factor (staging을 대신할 수도 있음)
- ALP는 대개 정상 (∵ osteoblastic activity는 없으므로)

4. 예후 평가(staging)

- Durie-Salmon staging ; 과거 화학요법 시대에 사용하던 것으로 현재는 사용 안됨

Stage	Tumor mass	1. RBC		2. Serum calcium (mg/dL)	3. M-component			4. Lytic bone lesion
		Hb (g/dL)	Hct (%)		IgG (g/dL)	IgA (g/dL)	urine LC (g/day)	
I	작음	>10	>32	<10.5	<5	<3	<4	없음
II	중간	I or III에 해당되지 않는 모든 경우						
III	큼	<8.5	<25	>12	>7	>5	>12	≥3개
신기능에 따른 세분류; A. creatinine <2 mg/dL, B. creatinine ≥2 mg/dL								

* LC : light chain (Bence-Jones protein)

- International Staging System (ISS)
  : serum β_2-microglobulin & albumin levels에 따른 분류

Stage	β_2-microglobulin (mg/L, μg/mL)		Albumin (g/dL)	빈도 (%)	평균생존기간 (개월)
I	<3.5	&	≥3.5	28	62
II	I or III에 해당되지 않는 경우			39	44
III	>5.5		Any	33	29

- Revised International Staging System (R-ISS) ★

R-ISS stage	ISS stage	염색체 이상		serum LDH	빈도(%)	PFS(月)	Median OS(月)
I	I	& Standard-risk	&	<UNL	28	66	not reached
II	I or III에 해당되지 않는 경우				62	42	83
III	III	& High-risk*	or	>UNL	10	29	43

	Standard-risk	High-risk*
Karyotyping	정상	비정상
FISH (권장)	t(11;14) t(6;14) Del(13) Trisomies	Del(17p) or 17p13 deletion t(4;14) t(14;16) t(14;20) Gain 1q or 1q34 amplification

Conventional Karyotyping
: MM cells은 증식력이 낮아 어려움
→ 20~30%에서만 이상 발견
(c.f., plasma cell leukemia에서는 68%)

*약 20% (예상 수명 2~3년)

- 기타 예후가 나쁜 경우 ; age ≥70세, poor performance status (3~4), serum albumin <3 g/dL, serum β_2-microglobulin↑ (m/i), Cr ≥2 mg/dL, calcium >11 mg/dL, Hb <10 g/dL, thrombocytopenia, IgG level >7 g/dL (IgA >5 g/dL, urine light chain >12 g/day), BM plasma cells >50%, PB에 plasma cells 존재, plasmablastic morphology, λ light chain, LDH↑, plasma cell labeling index ≥1%, thymidine kinase↑, IL-6↑, 3개 이상의 lytic bone lesions, extramedullary dz. 등

5. 치료

		MM의 Response Criteria (IMWG) ··· 치료 효과 monitoring
IMWG response criteria	sCR (stringent CR)	CR criteria + Serum FLC (free light chain) ratio 정상화 + BM biopsy에서 clonal plasma cells 無 [immunohistochemistry (IHC)에서 κ /λ ratio 정상화(0.5~4.0) = κ 환자면 ≤4:1 or λ 환자면 ≥1:2]
	CR (complete response)	Serum & urine M-protein의 완전 소실 (<u>PEP & IFE</u>에서 검출×) + BM의 plasma cells ≤5% + 연부조직의 모든 plasmacytomas 소실
	VGPR (very good PR)	Serum & urine M-protein이 IFE에서는 검출되나 PEP에서는 검출× or serum M-protein 90% 이상 감소 & urine M-protein <100 mg/day
	PR (partial response)	Serum M-protein 50% 이상 감소 + 24시간 urine M-protein 90% 이상 감소 or <200 mg/day M-protein 측정이 불가능하면 serum FLC level 50% 이상 감소 FLC도 측정이 불가능하면 (nonsecretory MM) BM plasma cells 50% 이상 감소 (치료전 BM plasma cells이 30% 이상이었던 경우) Plasmacytoma가 있었다면 크기(SPD) 50% 이상 감소
	MR (minimal response)	Serum M-protein 25~49% 감소 + 24시간 urine M-protein 50~89% 감소 Plasmacytoma가 있었다면 크기(SPD) 25~49% 감소
	PD (progressive dz.)	다음 중 하나 이상에 해당하는 경우 [치료 이후의 최저값 대비] Serum M-protein 25% 이상 (절댓값 0.5 g/dL 이상) 증가 [만약 최저값이 5 g/dL 이상이었다면 1 g/dL 이상 증가] Urine M-protein 25% 이상 (절댓값 200 mg/day 이상) 증가 M-protein 측정 불가능했으면 serum FLC 50% 이상 (절댓값 10 mg/dL) 증가 FLC도 측정 불가능했으면 BM plasma cells 25% 이상 (절댓값 10% 이상) 증가 새로운 병변 발생 or SPD 50% 이상 증가 or 최대 직경 50% 이상 증가 Circulating plasma cells 50% 이상 (절댓값 200/μL 이상) 증가
	SD (stable dz.)	위에 해당하지 않는 모든 경우, response 지표로의 사용은 권장 안됨
IMWG <u>MRD</u>* criteria	Flow MRD(−)	NGF에서 clonal plasma cells 無 (BM aspiration)
	Sequencing MRD(−)	NGS에서 clonal plasma cells 無 (BM aspiration)
	Imaging + MRD(−)	NGF or NGS에서 MRD(−) + ^{18}F-FDG PET-CT에서 치료전/이전의 모든 병소(tracer uptake) 소실 or 종격동 혈액 SUV 미만으로 감소 or 주변 정상 조직 미만으로 감소
	Sustained MRD(−)	1년 이상 골수 MRD (NGF and/or NGS에서) + imaging(−) 상태

* MM 치료의 발전으로 MRD (minimal residual dz., 미세잔류병변) 평가가 매우 중요해졌음 → 치료 1, 3, 6, 12개월째 검사 (일반적으로 정상 세포 10^5개당 암세포 1개 이하일 때를 MRD라고 함)

NGS: next-generation sequencing → 암세포 검출 예민도 가장 높음 = $1/10^6$
  - 타겟 ; specific clonal *IGH* gene (14q32) VDJ rearrangement, 특히 CDR3 (complementary determining region) 등
  - 최근에는 골수[invasive]가 아닌 말초혈액에서 circulating cf(cell-free)DNA or RNA를 검사하는 방법들도 연구중

NGF: next-generation (or multicolor, multiparameter) flow cytometry (5 color 이상, 보통 8~10 color)
  → 암세포 검출 예민도 = $1/10^5$ ($\sim 1/10^6$도 가능)

C.f.) Multiparametric flow cytometry panel 예

Marker	Normal plasma cells	Clonal/malignant plasma cells
CD38	+ bright	+ low (dim)
CD138	+	+
CD19, CD27, CD45, CD81	+	−
CD28, CD56, CD117	−	+

(1) 개요 및 골수종 치료제

- 진행이 느리고 증상(e.g., CRAB)이 없는 환자는 치료 안하고 경과관찰!
  (∵ 조기에 치료해도 이득이 없고, 진행된 뒤에 치료해도 생존율은 비슷함)
- 치료의 대상 : 진행이 빠르거나(e.g., serum M protein↑) 증상이 발생했을 때
  ⇨ 우선 이식(ASCT)에 적합한지에 따라 치료방침 결정 ★
    : 65~70세 이하, good performance status, 동반질환이 없거나 미미하면 ASCT 시행

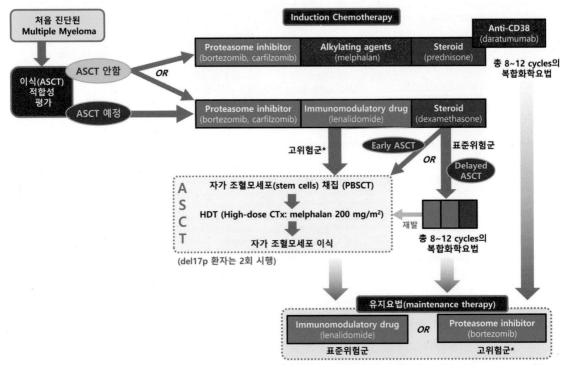

*고위험군; t(14;16), t(14;20), t(4;14), de17p13, 1q gain 등

- 약 50%는 initial therapy로 ASCT 대상군이 되고, 약 50%는 비대상군이 되어 CTx.를 받게 됨
- 치료에 잘 반응하는 것은 bone pain, hypercalcemia, anemia 등의 증상 호전
  - M protein 감소는 증상 호전보다 훨씬 나중에 발생 (대개 4~6주)
  - urine light chain excretion은 치료 1주 이내에 감소

Myeloma 치료제의 분류 및 약자 ★	
Immunomodulatory agents	Thalidomide (T), Lenalidomide (Revlimid®), Pomalidomide (P)
Proteasome inhibitor	Bortezomib (Velcade®), Carfilzomib (Kyprolis®), Ixazomib (I), marizomib
Antibodies	Daratumumab (Da), Elotuzumab (E)
Histone deacetylase inhibitor	Panobinostat (Pa)
Alkylating agents	Melphalan (M), Cyclophosphamide (C), Bendamustine (B)
Anthracycline	Doxorubicin (Adriamycin®)
Steroid	Dexamethasone (D), Prednisone (P)

- immunomodulatory drugs (IMiDs) ; thalidomide, lenalidomide (Revlimid®), pomalidomide
  - 기전은 아직 정확히 모름 (골수종세포, 골수미세환경, 혈관형성 등 억제)
  - Cx ; cytopenias, VTE (venous thromboembolism), SPM (2ndary primary malignancy) 등
  - IMiDs 사용시 VTE 예방을 위한 thromboprophylaxis 권장됨
    - 저위험군 (VTE의 다른 위험인자 無) → aspirin
    - 고위험군 (VET 위험인자 有 or 고용량 병합요법) → LMWH or warfarin (INR 2~3 유지)
- proteasome inhibitor ; bortezomib (Velcade®), carfilzomib (Kyprolis®), ixazomib, marizomib
  - 기전 ; proteasomes (세포 내부의 단백질 분해효소) 억제 ⋯→ 골수종세포의 apoptosis↑
    (bortezomib → 26S / carfilzomib & ixazomib → β5 / marizomib → 20S subunit 억제)
  - 단독으로는 효과가 적어 병합요법으로 사용, 대부분 내성 발생이 문제
  - Cx ; thrombocytopenia (m/c, 심하지는 않음), neutropenia, peripheral neuropathy[PN] 등
    (용량의존적(심하면 중단 or SC 제제 고려), neuroprotective agents로 예방 ↵)
    *virus 감염↑ (e.g., herpes zoster) → antiviral prophylaxis (e.g., acyclovir) 권장
  - carfilzomib (2세대) : bortezomib보다 더 효과적이고 PN은 적으나, 심혈관계 Cx↑ 위험
  - ixazomib (Ninlaro®) : oral proteasome inhibitor
- monoclonal antibodies : 역시 단독으로는 효과가 적어 병합요법으로 사용
  ① daratumumab (Darzalex®) : CD38에 대한 monoclonal Ab, 다른 제제와 병합시 효과↑↑
    - 2015년 R/R myeloma에 허가, 2018년 신환에도 D-VMP 요법으로 허가 (FDA)
    - 적혈구에도 CD38이 존재하므로 혈청으로 검사하는 일부 혈액은행검사(e.g., Ab screening)
      에서 위양성을 나타낼 수 있음 → DTT (dithiothreitol) 처리된 적혈구로 검사
  ② elotuzumab (Empliciti®) : SLAMF7 (CD319)에 대한 monoclonal Ab
- panobinostat (Farydak®) : histone deacetylase (HDAC) inhibitor, 2015년 R/R MM에 허가
  - PaVd (panobinostat + bortezomib + dexamethasone) 요법으로 사용
  - Cx 심함(fatal diarrhea, cardiac ischemia, severe arrhythmias 등) 및 다른 약제의 Cx도↑
    → 65세 이하 & good PS 환자에서, 다른 약제들 실패시 고려 (심장 위험인자 존재시 금기)

(2) ASCT 비대상자 : induction chemotherapy

- MP regimen (과거의 표준) : Melphalan (L-PAM: L-phenylalanine mustard) + Prednisone
  - steroid의 작용 기전 : plasma cells의 apoptosis 유도
  - 관해 50~60% (but, CR은 2~4% 뿐), 평균생존기간 28개월, 5YSR <30% (→ 거의 안씀)
- new agents와의 병합요법 (3제 이상 권장) : 기존 MP regimen보다 치료 반응↑ & 생존율↑
  - VMP (bortezomib [Velcade®] + MP) : CR ~30% → 얼마전 표준 (이제는 D-VMP 선호)
  - D-VMP (daratumumab + VMP) : VMP보다 훨씬 좋음 (CR ~50%, PFS↑, 사망률 ½↓),
    MRD-negativity도 VMP는 1.7%, D-VMP는 6.3%로 3배 이상 효과적임
  - VRD (bortezomib + lenalidomide + dexamethasone) ⋯ 나중에 이식(ASCT)도 가능
  - KRd (carfilzomib [Kyprolis®] + Rd), D-KRd, VRD + ixazomib 등등
  * 2제요법 : Rd (lenalidomide [Revlimid®] + low-dose dexa.), D-Rd (daratumumab + Rd)
    ↳ 고령(≥75세) or 허약자에서 고려   ↳ Rd보다 훨씬 효과적
- 이식(ASCT) 예정 환자는 alkylating agents (e.g., melphalan) 금기임! (∵ stem cells 손상)
- 일반적으로 병합요법 8~12 cycles 이후에 유지요법 시행

(3) ASCT자가조혈모세포이식 대상자 : induction CTx. + ASCT (HDT-ASCT)

1. Induction CTx. (3제 이상 병합요법) : new agents + steroid (이식 약 4개월 전) → tumor cytoreduction
   - Bortezomib / lenalidomide / dexamethasone (VRD)
   - Bortezomib / cyclophosphamide / dexamethasone (VCD, CyBorD) ; ARF 때 선호, 회복되면 RVD로
   - Bortezomib / doxorubicin / dexamethasone (PAD, VAD)
   - Bortezomib / thalidomide / dexamethasone (VTD)
   - Carfilzomib* / lenalidomide / dexamethasone (KRD) ; VRD보다 좀 더 효과 좋음
   - Ixazomib / lenalidomide / dexamethasone (IRD)
   - Carfilzomib* / cyclophosphamide / lenalidomide / dexamethasone (KCRD) ; 4제요법, 3제보다 효과 좋음

2. 자가 조혈모세포(stem cells) 채집 (PBSCT or BMT)
   c.f.) lenalidomide 사용시에는 lenalidomide에 오래 노출되기 전에 stem cells 채집 고려

3. HDT (High-dose CTx.: melphalan 200 mg/m^2) or lower-dose melphalan + total body RTx.
   (고령, 신부전 등의 고위험군은 melphalan 100~140 mg/m^2)

4. 자가 조혈모세포 이식

*Carfilzomib은 심장 및 폐 독성을 일으킬 수 있음 (특히 고령에서)

- CTx보다 관해율 및 생존기간 우수함! (CR 약 50%)
- initial or salvage therapy로 모두 유용 (→ 70세 이하면 우선적으로 고려)
- 고령(>65세)이라도 이전 치료기간이 12개월 이하이고 platelet 200,000/μL 이상이면 시행 가능
- C/Ix. ; 초고령(>70~75세), 심폐기능 저하, 간기능 손상, 정신장애 등의 심한 기저질환자
- stem cells collection은 PBSCT가 권장됨 (∵ 간편, engraftment 빠름, 종양세포 오염 적음)
- 표준위험군 환자에서 CTx (e.g., VRD, KRD) 이후 early ASCT ↔ delayed ASCT (추가 CTx, 총 8~12 cycles 이후 lenalidomide 유지요법) 사이의 생존율은 비슷함 (환자 상태에 따라 고려)
- tandem (double) ASCT : 첫 ASCT의 반응이 안 좋은 경우 추가로 ASCT 시행하면 생존율 향상
  - 고위험군에서 고려(e.g., del17p13), 1st ASCT 완료 6개월 이내에 2nd ASCT 시행
  - 표준위험군이나 첫 ASCT 반응이 좋았으면 consolidation Tx로 약물↔ASCT의 성적 차이 없음

c.f.) allogenic HCT
   - HLA 및 연령(<50세) 등의 제약 때문에 MM 환자의 90~95%는 대상이 안 됨
   - 이식관련 사망률이 높고(~40%), 이식 후 재발도 흔해 MM에서는 거의 시행 안 됨
   - nonmyeloablative allogenic SCT (NST) : 전처치(CTx)에 의한 독성을 줄이면서, graft-vs-tumor effect도 가능 (but, 그래도 이식관련 사망률이 높은 편)

(4) 유지요법(maintenance therapy)
- MRD를 제거하거나 억제하기 위해 장기간 저강도 CTx.를 지속하는 것 → PFS & OS 향상
- immune-modulating drug (e.g., lenalidomide)가 경구로 저용량 장기 복용에 편리함
  c.f.) 장기간 사용시 2ndary primary malignancy 발생 위험이 증가하지만 (e.g., skin cancer, solid tumors), MM 치료로 인한 수명연장 효과가 훨씬 큼

┌ 표준위험군 ⇨ lenalidomide
└ 고위험군 ⇨ proteasome inhibitor (e.g., bortezomib) ± lenalidomide
        (del17p 환자는 VRd or KRd 고려)

(5) Relapsed/Refractory (R/R) MM

- MM 환자는 치료에도 불구하고 재발률이 높음
- 3회 이상의 치료, 3가지 약제에(IMiD, PI, anti-CD38) 모두 불응인 경우 예후 매우 나쁨
- 이전에 사용 안했던 다른 약제들이 효과적일 수 있음 ; thalidomide, pomalidomide, carfilzomib, ixazomib, daratumumab, dlotuzumab, panobinostat 등 → 병합요법으로
- 연구 중 ; isatuximab (anti-CD38 Ab), filanesib (kinesin spindle protein inhibitor), dinaciclib (cyclin dependent kinase inhibitor), LGH-447 (pan PIM kinase inhibitor) 등
  - venetoclax (BCL-2 inhibitor) : BCL-2 과발현과 관련된 t(11;14) 환자에서 반응 좋음
  - nelfinavir (protease inhibitor) : proteasome activity↓ → bortezomib과 synergistic effect
  - oral selinexor (KPT-330) : nuclear export (SINE) XPO1 selective inhibitor
  - melflufen : peptide-conjugated alkylating agent (melphalan), myeloma cells 등 암세포에서 과발현되는 aminopeptidases를 이용하여 암세포에만 ~50배 농도로 침투하게 해줌
  - GSK2857916 : anti-BCMA Ab + MMAF (monomethyl auristatin F)
          (B cell maturation Ag)   ↳ antimitotic agent : tubulin polymerisation 억제
  - BCMA-directed CRT-T (chimeric antigen receptor T cells)

(6) 증상 및 합병증에 대한 보존적 치료

- hypercalcemia (bone destruction)
  ① hydration (N/S), diuretics, corticosteroid, calcitonin
  ② bisphosphonate (pamidronate or zoledronate) IV : 모든 환자에게 투여!
    - osteoclastic bone resorption 억제 → pathologic fracture 예방
    - performance status 및 삶의 질 유지 효과
    - antitumor effect도 있음 → sruvival 향상
  ③ anti-RANKL monoclonal Ab (denosumab) → osteoclasts의 분화/활성화 억제
    ; 매우 비쌈, bisphosphonate를 사용 못할 때 대신 투여(e.g., 신부전, 부작용)
  ④ gallium nitrate
  ⑤ 가능한 active하게 활동! (immobilization은 금기!) → osteopenia와 DVT 예방

  * 응급 (Ca^{2+} >12 mg/dL) ; high-dose steroid, calcitonin, mitramycin

- bone pain → 진통제(e.g., AAP, codeine), 반응 없으면 localized RTx.
- extradural plasmacytoma에 의한 척수압박 증상 → RTx. & dexamethasone
- 신기능 악화와 urate nephropathy 예방 → allopurinol, hydration
- ARF → plasmapheresis (light chains 제거에 매우 효과적)
- anemia → transfusion, hematinics (iron, folate, cobalamin), EPO
- hyperviscosity syndrome → plasmapheresis (TOC), hydration
    (packed RBC 수혈시엔 혈액점도가 더 상승하여 증상 악화)
- pneumococcal infection 예방 → vaccine (but, Ab 생성이 없을 수도 있음)
- 심한 감염 반복시 → 예방적 IV γ-globulin 투여
    (예방적 경구 항생제의 장기 사용은 권장 안됨)

6. 예후/경과

- 치료 후 ; <u>light chain</u> 1주일 이내 감소 (∵ 반감기 ~6시간) ⇨ 증상 호전
  (↳ serum FLC이 가장 먼저 감소, urine LC는 신기능의 영향을 받을 수 있음)
  ⇨ serum M protein은 4~6주 이후에 감소 (∵ 반감기 ~3주), 몇 달 지나야 50% 이하로 감소
  ↳ induction Tx. 기간에는 적어도 1달에 1회 이상 M protein monitoring 시행
- 치료의 발전으로 평균 8년 이상 생존, 젊은 환자는 10년 이상
- 치료 안하면 symptomatic MM 환자의 1년 미만 생존
- 급성 말기에 이르기 전까지 대개 2~5년간의 만성적인 경과를 밟음
  (급성 말기 : pancytopenia 및 치료에 불응성을 보임)
- 사망원인
  ┌ 만성기 (46%) ; MM의 진행 (16%), sepsis (14%), 신부전 (10%)
  └ 급성 말기 (26%) ; MM의 진행 (13%), sepsis (9%)
  - 약 5%는 therapy related AML or MDS로 사망
  - 약 1/4은 고령에 따른 동반질환(e.g., 심장/폐질환, DM, stroke)으로 사망

형질세포골수종(다발골수종)의 변형

1. Asymptomatic (smoldering) multiple myeloma

- 다른 MM의 진단기준에 해당하지만 증상(e.g., CRAB)은 없는 것 (BM plasma cells은 10~60%)
- MGUS와 active MM의 중간단계 (Durie-Salmon stage IA에 해당)
- active MM로 진행하는데 평균 26개월 소요
- MM로 진행 위험이 높은 경우
  ; BM plasma cells >10%, serum M protein >3 g/dL, free light chain κ / λ ratio 비정상
- 치료 : F/U (진행하지 않으면 치료 안함)

2. Non-secretory myeloma

- IFE에서 M-protein이 검출 안되는 MM, MM의 약 3% 차지
- 진단 : BM clonal plasma cells ≥10% or plasmacytoma 존재 (immunoperoxidase or immunofluorescence methods로 plasma cells 내에서 cytoplasmic M-protein 확인)
- 치료에 대한 반응이나 수명은 비슷하나, MM보다 신부전 및 hypercalcemia는 드물다

3. Plasma cell leukemia (PCL)

- 정의 : PB에서 clonal plasma cell 증가 (>2000/μL & >20% of WBC)
- 분류 ┌ primary PCL (60%) : 처음부터 leukemic phase로 발견되었을 때
       └ secondary PCL (40%) : multiple myeloma 진단 이후 PCL로 진행되었을 때

- 상대적으로 light chain only, IgD, IgE myeloma에서 흔함
- primary PCL의 특징
  ① younger
  ② hepatosplenomegaly & lymphadenopathy의 빈도 높다
  ③ high platelet count
  ④ fewer bone lesions
  ⑤ smaller serum M-protein component
  ⑥ longer survival : 7~11개월 (secondary PCL은 2~7개월)
- 치료 : 만족스럽지 못하다
  ① primary PCL ; high-dose CTx + HCT, bortezomib-based CTx
  ② secondary PCL : CTx.에 거의 반응 안함 (∵ 이전에 받은 CTx.로 인해서 내성이 생겼음)

4. Solitary bone / extramedullary plasmacytoma

- solitary bone plasmacytoma : MM에 해당하는 BM 소견 & M 단백 없는 single lytic bone lesion
- extramedullary plasmacytoma : MM의 BM 소견 & M 단백 없는 다른 부위의 plasmacytoma
  - 상기도 (80%) ; 주로 nasal cavity & sinuses, nasopharynx, larynx
  - 기타 ; GI tract, CNS, bladder, thyroid, breast, testes, parotid gland, LN
- 30% 미만에서만 소량의 M-component를 가짐
- MM보다 젊은 연령에서 발병하고, 예후 더 좋다 (평균 생존기간 10년 이상)
- 치료 : local RTx.에 매우 반응 좋다
- solitary bone plasmacytoma는 다른 부위에서 재발하거나 MM으로 진행할 수도 있지만,
  extramedullary plasmacytoma는 재발 및 MM으로의 진행이 드묾

5. Osteosclerotic myeloma (POEMS syndrome)

- 정의 ; *P*olyneuropathy, *O*rganomegaly, *E*ndocrinopathy, *M*-protein, *S*kin changes
- 드묾, 평균 약 50세, 남>여, 예후는 좋음 (평균 약 15년 생존)
- 대부분 소량의 M-protein을 가짐 (IgG λ or IgA λ) : serum은 약 80%, urine은 약 50% 미만
- 임상양상
  ① chronic inflammatory-demyelinating polyneuropathy (주로 motor 장애)
  ② sclerotic bone lesions
  ③ hepatomegaly & lymphadenopathy (2/3에서), splenomegaly (1/3에서)
  ④ hyperprolactinemia, type 2 DM (1/3에서)
  ⑤ amenorrhea, impotence, gynecomastia
  ⑥ 피부 변화 (2/3에서) ; hyperpigmentation, hypertrichosis, thickening, 손/발가락의 clubbing
  ⑦ Hb은 대개 정상 or 증가, thormbocytosis 흔함
  ⑧ BM plasma cells <5%
  ⑨ hypercalcemia와 renal insufficiency는 드물다
- 진단 ┌ osteosclerotic plasmacytoma (monoclonal plasma cells)가 특징적 소견
       └ lymphadenopathy : 약 2/3에서 Castleman's dz.와 비슷한 소견을 보임

- 치료 ⎡ limited area (1~3 isolated bone lesions) → RTx.
  ⎣ widespread (BM 침범 포함) → MM과 비슷하게 치료 (e.g., CTx, HDT-ASCT)

MGUS (Monoclonal Gammopathy of Undetermined Significance, 의미불명단클론감마병증)

- multiple myeloma보다 훨씬 흔함, 유병률 1% (>50세) ~10% (>75세), 남>여
- 대부분 무증상으로, 검사 중 우연히 발견됨 (혈청에서 M 단백이 검출된 환자의 50% 이상 차지)
- 진행이 매우 느림, 매년 약 1%만 myeloma를 포함한 B-cell 종양으로 진행
  → 질병 발생의 상대위험도 ; Waldenström's macroglobulinemia 46배, MM 25배, plasmacytoma 8.5배, primary amyloidosis 8.4배, 기타 NHL 2.4배 (CLL의 발생위험은 증가 안함)
- myeloma는 거의 다 MGUS 단계를 거쳐 발병함
- myeloma로 진행할 위험이 높은 경우 (3개 모두 존재시 20년 동안 60%가 MM로 진행, 모두 없으면 5%)
  ① serum M-protein >1.5 g/dL
  ② non-IgG subtype
  ③ free light chain κ / λ ratio 비정상
- 수명은 정상인보다 약 2년 짧음
  (1/2은 monoclonal gammopathy가 원인이 되어 사망, 1/2은 다른 원인으로 사망)
- 치료는 필요 없고, F/U이 중요 (보통 6개월마다, 안정적이면 2~3년마다)

Waldenström's macroglobulinemia (WM)

1. 개요

- IgM monoclonal gammopathy & BM 침범을 동반한 lymphoplasmocytic lymphoma
- familial (AD 유전), 고령에서 호발 (평균 64세), 남>여
- BM, LN, spleen 등을 침범
- multiple myeloma와의 차이
  - lymphadenopathy와 hepatosplenomegaly가 흔함
  - lytic bone lesions, hypercalcemia, renal insufficiency, amyloidosis 등은 드묾
  - MM 수준의 현저한 BM plasmacytosis는 없음
  - hyperviscosity syndrome이 주 증상

2. 임상양상

- hyperviscosity syndrome이 주 증상 (e.g., visual difficulty, neurologic Sx.)
- 출혈 경향 (e.g., 점막 출혈), cryoglobulinemia (10%에서 pure M component), Raynaud's phenomenon, purpura, arthralgia 등도 흔함

- Coombs (+) hemolytic anemia와 Rouleaux formation은 MM보다 더 흔함
- IgM M-component >3 g/dL (다른 Ig은 대개 정상/감소)
- urinary light chain은 20%에서만 발견 (80%가 κ) → 신장 합병증 드묾

3. 치료/예후

- 대부분은 진행 느림 → 증상이 없으면 경과관찰
- MM보다 예후 조금 더 좋음 (평균 수명 약 10년)
- poor Px ; age >65세, Hb <10 g/dL, platelet <10만/μL, IgM >7 g/dL, β_2-microglobulin ↑

WM에서 치료의 적응	
전신증상(발열, 발한, 피곤, 체중감소)	증상을 동반한 cryoglobulinemia
Hyperviscosity	Cold agglutinin anemia
크거나(≥5 cm) 증상을 동반한 lymphadenopathy	AIHA and/or ITP
증상을 동반한 간비장종대	WM에 의한 Nephropathy, Amyloidosis
Peripheral neuropathy	Hb <10 g/dL, platelet <10만/μL

- hyperviscosity Sx → plasmapheresis가 가장 효과적 (∵ IgM의 80%는 혈관내에 존재)
  c.f.) anti-CD20 투여시 IgM flare로 blood viscosity가 악화될 수 있으므로,
      IgM 4 g/dL 이상인 환자는 미리 plasmapheresis로 예방조치 시행 or anti-CD20 연기
- WM의 초치료 (CLL과 비슷)
  - anti-CD20 (e.g., rituximab, ofatumumab)-based regimens 선호
    ; BR (bendamustine + rituximab) or BDR (bortezomib + dexamethasone + rituximab)
  - ibrutinib (BTK_Bruton's tyrosine kinase inhibitor) ± rituximab
    ↳ mutated *MYD88* & wild-type *CXCR4* 환자에서 반응 좋음
  - 기타 ; fludarabine, cladribine, cyclophosphamide, carfilzomib 등
- R/R WM의 치료 (증상이 있으면)
  - 초치료 3년 이후의 재발 → 초치료 regimen 반복 (대부분 이전과 비슷하게 반응)
  - 초치료 3년 이내의 재발 → 다른 first-line regimen 단독 or 조합으로
  - 약물치료의 발달로 이식(HDT-ASCT)은 거의 필요 없어짐

9 지혈 및 응고 장애

개요

1. Physiology

(1) 지혈(hemostasis)의 과정

① vasoconstriction

② platelet adhesion & aggregation (primary hemostasis)
- injury site에서 platelet plug 형성
- injury 발생 수초 내에 발생하며, blood loss를 막는데 가장 중요

③ fibrin formation & stabilization (secondary hemostasis)
- plasma coagulation system의 작용, 몇 분 걸림

(2) 혈소판(platelet)의 역할

① 강력한 vasoconstrictor 분비 : thromboxane A2, serotonin

② 혈관 손상 부위에 adhesion, aggregation & plug 형성
- platelet adhesion → vWF, GP Ib-IX 필요
- platelet aggregation → fibrinogen, GP IIb-IIIa complex 필요

③ coagulation factor가 activation 되기 위한 surface 제공

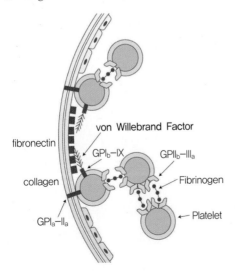

* 혈관에 부착(adhesion)된 platelet은 ADP, serotonin, Ca^{2+}, vWF, fibronectin 등을 분비

* platelet aggregation을 촉진하는 인자

   ① collagen, ADP, epinephrine, serotonin → platelet activation

   ② PGG_2 ; ADP-induced aggregation에 필요

   ③ thromboxane A_2 ; further platelet activation (fibrinolysis에 저항성↑)

   ④ 혈관확장물질 (EDRF, nitric oxide) 감소

   (c.f., aspirin → PG, thromboxane A_2 합성을 억제)

* platelet membrane glycoprotein (GP)

   ① GP Ⅱb-Ⅲa (CD41/CD61) ; fibrinogen receptor, 거핵세포계에만 존재

   ② GP Ⅰb-Ⅸ (CD42b/42a) ; vWF receptor, 거핵세포계에만 존재

   ③ GP Ⅰa-Ⅱa ; collagen receptor, 여러 세포에 존재

(3) 혈관내피(vascular endothelium)의 역할

• 정상 상태의 endothelial cells은 혈관이완/수축, 혈소판억제/활성화, 혈전형성억제/촉진 기능들이 서로 평형을 이루고 있음 (→ 여러 세포와 혈장이 잘 흐르도록 혈관벽을 매끄럽게 유지)

• endothelial cells에서 표현/분비되는 억제/촉진 인자들의 예

	억제	촉진/활성화
혈관수축	heparan sulfate nitric oxide (NO)	endothelin, PDGF basic fibroblast growth factor insulin-like growth factor Ⅰ
혈소판	prostacyclin, EDRF, ADPase, t-PA, NO	vWF, endothelin
응고(혈전형성)	heparan sulfate, dermatan sulfate thrombomodulin	tissue factor (thromboplastin)

• 혈관벽(endothelium)에 손상이 발생하면 혈관수축, 혈소판활성화, 혈전형성 촉진 인자들의 분비↑

(4) blood coagulation (3 key reactions)

① factor X의 활성화

   ┌ extrinsic pathway : 혈관손상으로 내피세포가 파괴되면 <u>tissue factor (Ⅲ)</u>가 유리

   │   → <u>factor Ⅶ</u> 활성화 → Ⅶa-TF complex가 factor X를 활성화시킴

   └ intrinsic pathway : plasma의 "contact factor" (Ⅻ, PK, HMWK) 활성화

        → factor Ⅸ 활성화 → Ⅸa-Ⅷa complex가 factor X를 활성화시킴

   • common pathway : factor X 활성화 이후의 과정

② thrombin (activated factor Ⅱ)의 생성

   • factor V, Ca^{2+}, phospholipid 존재 하에 prothrombin (factor Ⅱ)으로부터 활성화됨

   • master coagulation enzyme

     ┌ fibrinogen을 fibrin으로 전환시킴 (m/i)

     │ factor V, Ⅷ, ⅩⅢ, protein C 등을 활성화

     └ platelet aggregation & secretion 촉진

   • antithrombin Ⅲ : m/i coagulation inhibitor

③ fibrin 형성 : fibrin monomer → fibrin polymer → factor XIIIa (plasma transglutaminase)에
의해 cross-link가 형성되어 안정화됨 (fibrin clot)

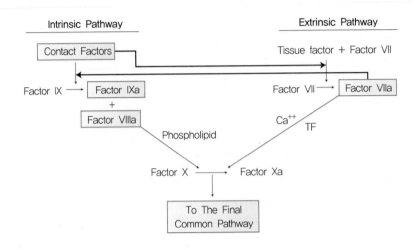

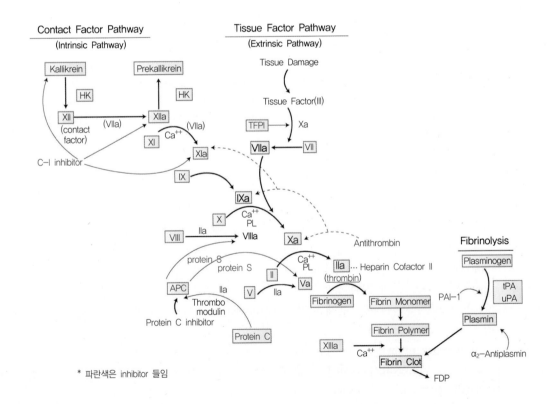

(5) fibrinolysis

- plasmin이 주관 → fibrin, fibrinogen 분해 (→ FDP 생성)
- 생성되는 FDP는 다시 coagulation을 억제하는 이중 효과를 나타냄

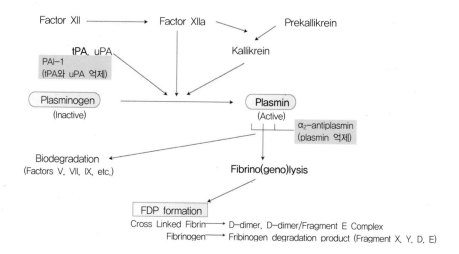

- fibrinolytic system의 activation (plasminogen → plasmin)
  ① tPA (tissue plasminogen activator) : m/i, 주로 endothelial cells에서 생산됨
  ② uPA (urinary plasminogen activator, urokinase)
  ③ 내인성 활성제(contact factors) ; XII, XI, PK, HMWK 등
    (→ 전체 fibrinolytic system의 약 15% 정도에 관여)
- plasmin의 역할 (plasminogen system)
  ① fibrinolysis & fibrinogenolysis → clot 분해, FDP 생성
  ② matrix metalloproteinase (MMP)를 활성화 → extracellular matrix (ECM) 분해
- fibrin(ogen)olysis는 국소적으로 발생하는 이유
  ① tPA (일부 uPA)는 fibrin clot에 흡수된 뒤 plasminogen을 더 효과적으로 활성화시킴
  ② fibrin(ogen)olysis 억제제
    - PAI (plasminogen activator inhibitor)-1 : tPA와 uPA의 일차적 억제제
      (혈중의 PAI-1은 대부분 platelets의 α granules에서 분비됨)
    - α_2-antiplasmin : 혈중 plasmin을 신속히 억제하고, fibrin clot 부위의 plasmin도 억제함
- 임상적 이용
  ① tissue type PA ; fibrin homeostasis에 관여
  ② urokinase type PA ; cell migration과 tissue remodeling에 관여

BLOOD COAGULATION과 FIBRINOLYSIS에 관련된 단백

단백	동의어	단백질 종류	기능
Factor I	Fibrinogen	Structural protein	교질화되어 clot 형성
Factor II	Prothrombin	Vitamin K-dependent zymogen of serine proteinase	I, V, VIII, XIII, protein C, platelets 등을 활성화
Factor V	Proaccelerin	Multifunctional binding protein	Xa의 II 활성화 보조
Factor VII	Stable factor	Vitamin K-dependent zymogen of serine protease	IX 및 X를 활성화
Factor VIII	Antihemophilic factor	Multifunctional binding protein	IXa의 X 활성화 보조
Factor IX	Christmas factor	Vitamin K-dependent zymogen of serine proteinase	X인자를 활성화
Factor X	Stuart-Prower factor	Vitamin K-dependent zymogen of serine proteinase	II인자를 활성화
Factor XI	Plasma thromboplastin antecedent	Zymogen of serine proteinase	IX인자를 활성화
Factor XII	Hageman factor	Zymogen of serine proteinase	XI 및 prekallikrein을 활성화, plasminogen → plasmin
Factor XIII	Fibrin-stabilizing factor	Zymogen of transglutaminase	Fibrin을 교차결합시켜 fibrin plug를 안정화시킴
von Willebrand factor	Factor VIII-related antigen	Multifunctional binding protein	VIII인자와 결합 안정화, platelet adhesion 매개
Tissue factor path. inhibitor (TFPI)	Extrinsic pathway inhibitor (EPI)	Kunitz-type protease inhibitor	Xa의 존재 하에 VIIa-TF complex 및 Xa 억제
Antithrombin III	Major antithrombin	Serpin	IIa, Xa 등의 응고인자 억제, heparin의 cofactor
Protein C	-	Vitamin K-dependent zymogen of serine proteinase	Va와 VIIIa를 불활성화
Protein S	-	Vitamin K-dependent protein	Protein C의 cofactor
Plasminogen	-	Zymogen of serine proteinase	Fibrin(ogen)olysis
Prourokinase	-	Zymogen of serine proteinase	Plasminogen 활성화
Tissue plasminogne activator	TPA	Serpin proteinase	Plasminogen 활성화
Plasminogen activator inhibitor-1	PAI-1	Serpin	tPA 및 urokinase 억제
Plasminogen activator inhibitor-2	PAI-2	Serpin	tPA 및 urokinase 억제
α_2-Antiplasmin	-	Serpin	Plasmin 억제

* 접촉인자(contact factors) ; factor XII, factor XI, prekallikrein (PK), high-molecular weight kininogen (HMWK) 등
  - 정상 지혈작용에서는 생리적 작용을 하지 않음
    → 결핍되어도 출혈 증상을 일으키지 않는다 (XI는 출혈증상 가능)
  - 1% 미만으로 감소되면 aPTT의 심한 연장을 나타냄
    → 증상은 없지만 aPTT가 연장된 경우 접촉인자 결핍을 의심

(6) 지혈억제 작용기전

① antithrombin III (AT III) (m/i) → 최근엔 그냥 antithrombin으로 부름
- 억제작용의 표적 ; thrombin, Xa, IXa, XIIa, XIa, kallikrein ...
- common & intrinsic pathway의 응고인자들을 억제 (예외 ; V, VIII)
- heparin은 AT III의 억제작용을 더욱 크게 강화시킴

② protein C 및 protein S
- vitamin K 의존인자의 일종, thrombin-thrombomodulin complex에 의해 활성화됨
- protein C ⇨ activation되면 protein S와 complex를 이룸
  - AT III가 작용 못하는 factor Va, VIIIa를 불활성화시킴
  - plasminogen activator에 의한 plasmin 활성화도 촉진(→ fibrinolysis)
  - protein C inhibitor에 의해 억제됨
- protein S : protein C의 cofactor

③ α_2-macroglobulin 및 α_1-antitrypsin
- AT III의 보조역할로서 억제작용 기전 중에는 아주 작은 역할에 불과

④ thrombomodulin
- endothelial cells의 transmembrane glycoprotein
- thrombin이 여기에 결합되면 substrate preference가 변화
  - procoagulant 물질 & platelet 활성화 능력은 크게 감소
  - 새롭게 protein C를 활성화

⑤ tissue factor pathway inhibitor (TFPI) : extrinsic pathway (VIIa-TF complex)를 억제

2. 출혈성 질환의 진단적 접근

(1) Hx. & P/Ex.

	Primary Hemostasis 장애 : 혈소판의 결함	Secondary Hemostasis 장애 : 응고계(혈장 단백)의 결함
출혈 부위	Superficial ; 피부, 점막, 코, 소화기, 비뇨기계 ...	Deep ; 관절, 근육, 후복막 ...
진찰 소견	점(상)출혈(petechia)이 흔함 얼룩출혈/반상출혈(ecchymosis) 은 작고 여러개	점(상)출혈은 드묾 반상출혈은 크고 단일 병변 혈종(hematomas), 관절강내/ 근육내 출혈이 흔함
외상후 출혈 시작 시간	즉시	지연(수시간~수일 뒤)
찰과상에 의한 출혈	다량의 지속적 출혈	소량의 출혈
가족력	드묾 (vWD-AD)	흔함(AR or XR)
치료에 대한 반응	즉시 (국소 처치로 효과적)	지속적인 전신적 치료 필요

* 자세한 병력 및 진찰이 출혈 위험성 예측에 가장 중요함
 - Hx ; 출혈병력, 투약병력, 기저질환, 가족력 등
 - P/Ex ; 출혈병변의 양상 (혈소판/혈관 ↔ 응고 장애), LN, 간비장비대 등

(2) bleeding time (BT)

- lancet으로 귀를 찌른 후 피가 멈출 때까지의 시간을 측정 (Duke method)
- platelet의 기능 및 혈관의 integrity를 반영
- 정상치 : 2~7분
- 연장되는 경우

① thrombocytopenia (→ PT, aPTT는 정상)

② inherited platelet function defect ; Bernard-Soulier syndrome, Glanzmann's thrombasthenia

③ acquired platelet function defect ; uremia, paraproteinemia

④ inherited plasma defect ; vWD, afibrinogenemia, factor V deficiency

⑤ platelet inhibitory drugs ; aspirin, NSAIDs

⑥ vascular abnormalities ; Ehlers-Danlos syndrome

⑦ Hct <20%

- 혈액응고장애의 경우는 정상임 (∵ BT는 혈액응고가 일어나기 전에 손상된 혈관에 platelet plug 가 생겨 일시적인 지혈만 되는 과정까지의 검사)
- sensitivity가 낮고 검사자에 따른 변이 문제로, 대부분 PFA-100(200)을 대신 이용하는 경향임

(3) prothrombin time (PT)

- citrated plasma (3.2% sodium citrate tube)에 complete thromboplastin (tissue factor)과 Ca^{2+}을 넣어 주고 fibrin clot이 생길 때까지의 시간을 측정
- extrinsic & common pathway를 반영 (특히 factor II, VII, X)
- 정상치 : 11~14초 (60~140%), INR <1.2   ↳ 반감기 가장 짧음 (약 5시간)
- 연장되는 경우

PT만 연장되는 경우 (PTT는 정상)	PT와 PTT가 모두 연장되는 경우
Liver disease Vitamin K deficiency (→ factor II, VII, IX, X) Warfarin therapy Factor VII deficiency	Liver disease (advanced) Vitamin K deficiency (PT가 더 연장됨) DIC Warfarin therapy (PT가 더 연장됨) Heparin therapy (PTT가 더 연장됨) Factor deficiencies (드묾) ; I (fibrinogen), II, V, X

- PT에서의 *INR (International Normalized Ratio)*
  - 시약/기기에 따른 변이를 보정하기 위해 고안된 단위로, 경구항응고제 복용 환자에서 PT monitoring에 주로 이용됨
  - 정의 : (환자의 PT / 정상인의 평균 PT)^{ISI}
  - ISI (international sensitivity index) : WHO에서 정한 reference thromboplastin에 대한 실제 사용하는 thromboplastin의 활성도 (1에 가까울수록 표준 시약에 근접한 좋은 시약임)

(4) activated partial thromboplastin time (aPTT)

- citrated plasma에 partial thromboplastin (phospholipid), 활성인자(e.g., kaolin, ellagic acid), Ca^{2+}을 넣어서 factor XI를 인공적으로 활성화시킨 후 fibrin clot이 생길 때까지의 시간을 측정
- 주로 "intrinsic" pathway를 반영 (c.f., common pathway 인자인 I, II, V, X에는 PT가 더 민감)
- 정상치 : 22~38초

• aPTT만 연장되는 경우 (factor VIII, IX, XI, XII 결핍)

> **Congenital factor deficiencies**
> Contact factors ; Factor XI, Factor XII, PK, HMWK
> Factor IX (hemophilia B)
> Factor VIII ; Hemophilia A, von Willebrand's disease (type 2N)
>
> **Anticoagulants**
> Heparin therapy
> Lupus anticoagulant (nonspecific inhibitor)
> Factor VIII, IX, XI 등에 대한 inhibitors

(5) thrombin time (TT)

• plasma에 thrombin을 넣어주고 fibrin clot이 생길 때까지의 시간을 측정
• 목적 : anticoagulant, fibrinogen의 존재 여부를 봄
• 연장되는 경우 (정상: 10~30초)
  ① fibrinogen deficiency ; DIC, dysfibrinogenemia, 심한 간질환 등
  ② heparin therapy (heparin → thrombin 억제)
  ③ FDP 증가시

* reptilase time (RT) : TT와 비슷하나 thrombin 대신 뱀독에서 추출한 reptilase를 사용
  (thrombin과 달리 heparin에 의해 억제되지 않음)
    → 연장된 TT의 원인으로 heparin을 R/O할 때 이용

(6) whole blood coagulation time (WBCT)

• 채혈 순간부터 혈액이 응고될 때까지의 시간
• intrinsic & common pathway 반영, sensitivity 매우 낮다

(7) 섬유소원 (fibrinogen)

• 희석한 plasma에 과량의 thrombin을 가한 후 calcium을 첨가하여 응고시간을 측정
  (fibrinogen의 농도는 응고시간과 반비례)
• 정상치 : 170~400 mg/dL
  ┌ 증가 ; 임신, 염증, 수술후 (acute phase reaction과 관련)
  └ 감소 ; DIC, liver dz., fibrinolytic therapy, hereditary hypofibrinogenemia,
            dysfibrinogenemia (면역학적 검사법으로는 fibrinogen 정상)

(8) fibrinogen degradation product (FDP) 및 D-dimer

• FDP의 정상치 : 4.9 ± 2.8 μg/mL (D-dimer는 검사방법에 따라 다양)
• FDP 및 D-dimer가 증가하는 경우 ; DIC, DVT, pul. embolism, hepatic dz., renal dz.,
  hyperthyroidism, malignancy, leukemia, pregnancy ...
  (DIC의 진단에서 FDP의 증가는 단지 혈중 plasmin의 존재만을 의미,
  역가는 진단에 의미가 없다)

	FDP	D-dimer
측정하는 것	fibrinogen과 fibrin의 모든 분해산물	cross-linked fibrin clot의 분해산물만
검체	serum (∵ fibrinogen의 영향 배제 위해)	plasma에서도 측정 가능
혈중상태의 반영	부정확 → 민감도와 특이도가 낮다 (위양성 및 위음성이 많다)	정확 → 특이도 높다 (민감도는 낮을 수 있음)
해석시 주의할 점	음성	양성
	fibrinolysis가 미약한 DIC, 국소적 점막 혈전 용해, D-dimer의 위양성 (e.g., cryoglobulinemia)	
	양성	음성
	감염, 임신, 간질환, FDP의 위양성, D-dimer 검사 한계치 이하의 D-dimer 존재, neutrophil elastase에 의한 분해산물의 증가	

(9) euglobin clot lysis time

- 목적 : fibrinolytic activity의 증가를 확인
- 원리 : plasma 중 euglobin fraction (fibrinogen, plasminogen, PA)을 1% acetic acid로 추출한 뒤 thrombin을 첨가하면 clot이 형성됨
  → 37℃에서 incubation하며 clot lysis될 때까지의 시간을 측정
- 정상 : 2~4시간
- 단축 (fibrinolytic activity 증가) : 2시간 미만
  → DIC, liver dz., 수술, 일부 종양, 생리중 또는 경구 피임약 복용중

(10) mixing test (inhibitor test)

- 목적 : PT/aPTT가 연장된 경우, 원인이 factor deficiency 인지 circulating inhibitors에 의한 것인지 구별하기 위해 가장 먼저 시행!
- 원리 : 환자의 plasma와 정상인의 plasma를 여러 다른 비율로 혼합한 뒤 응고검사 재시행
  ┌ factor deficiency → coagulation tests 결과가 정상으로 교정됨
  │   (∵ 정상인의 plasma가 부족한 응고인자를 공급)
  └ circulating inhibitor → coagulation tests 결과가 정상으로 교정되지 않음
        (∵ 환자의 circulating inhibitor가 정상인의 응고인자도 억제)
        예) SLE, antiphospholipid Ab., heparin, multiple myeloma, factor Ⅷ Ab

응고검사에 따라 추정되는 응급 출혈성 이상과 치료방법

Platelet	PT	aPTT	BT	질환	치료
N	N	N	N/↑	Vascular disorders	RBC 수혈
↓	N	N	↑	ITP TTP Marrow replacement	Steroids Plasmapheresis Platelet 수혈
N	N	↑	↑↑	von Willebrand's dz.	Desmopressin
			N	Hemophilia (VIII or IX def.)	Factor concentrates
↓	↑	↑	↑	DIC, Liver diseases	FFP, Cryoprecipitate, Platelet 수혈
N	↑↑	↑	N	Warfarin overdose Vitamin K deficiency	Vitamin K + FFP Vitamin K

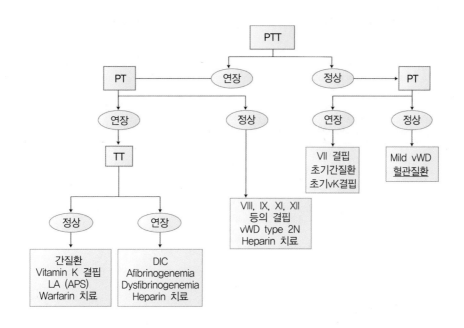

c.f.) Hemostasis에 영향을 미치는 drugs

① **Thrombocytopenia를 일으키는 것**
1. Immune mechanism proposed
   Quinine/quinidine , TMP/SMX, Ampicillin, Penicillin, Vancomycin, Acyclovir, Amphotericin B, Rifampin, Thiazide, Furosemide, Acetazolamide, Phenytion, α-Methyldopa, Valproic aicd, Digoxin, Amiodarone AAP, Aspirin, Aminosalicylate, Diclofenac, GPIIb/IIIa inhibitor (e.g., Abciximab, Eptifibatide, Tirofiban), Heparin, Ranitidine, Cimetidine, Danazol, Procainamide, Carbamazepine, Phenybutazone, Chlorpropamide, Acetaminophen, Octreotide, Tamoxifen, Levamisole, Arsenicals ...
2. Nonimmune mechanisms (hemolytic-uremic syndrome)
   Mitomycin C, Cisplatin, Cyclosporine, Ticlopidine, Clopidogrel
3. 기전을 모르는 것 ; Gold compounds, Indomethacin

② **Platelet function에 영향을 미치는 것**
1. Primary antiplatelet agents ; Aspirin, Sulfinpyrazone, Dextran, Ticlopidine
2. BT의 연장도 일으키는 것 ; NSAIDs, β-lactam antibiotics, ε-Aminocaproic acid (>24 g/day), Heparin, Plasminogen activators (streptokinase, urokinase, t-PA)

③ **Coagulation factors에 영향을 미치는 것**
1. 억제기능을 가진 Ab 생산을 유도
   Lupus anticoagulant ; Phenothiazines, Procainamide
   Factor VIII antibodies ; Penicillin
   Factor V antibodies ; Aminoglycosides
   Fator XIII antibodies ; Isoniazid
2. Vitamin K-dependent clotting factors의 합성 억제 (Factors II, VII, IX, X, proteins C and S)
   Coumarin compounds (Warfarin), Moxalactam
3. Fibrinogen synthesis 억제 ; L-Asparaginase

혈관 장애

1. **Hereditary**
   Hereditary hemorrhagic telangiectasia (HHT, Osler-Weber-Rendu disease)
   Cavernous hemangioma
   Connective tissue disorders ; Marfan's syndrome, Ehlers-Danlos syndrome,
      Osteogenesis imperfecta, Pseudoxanthoma elasticum

2. **Infection**
   Bacterial, Viral, Richettsial

3. **Allergic**
   Henoch-Schönlein purpura, Drugs, Food

4. **Monoclonal gammopathy**
   Waldenström's macroglobulinemia, Multiple myeloma, Amyloidosis, Cryoglobulinemia

5. **Atrophic**
   Senile purpura, Cushing's syndrome & steroid therapy, Scurvy (vitamin C deficiency)

6. **기타**
   Simple easy bruising, Factitious, Fat embolism, Autoerythrocyte sensitization

• BT, PT, PTT, platelet count 등 응고검사는 대개 정상임

* MAHA & thrombocytopenia (thrombotic microangiopathy) → 2장 용혈성 빈혈 편 참조

혈소판 장애

* platelet count (정상 : 140,000~430,000/μL)
  1. >50,000/μL : 대부분 무증상, severe trauma 시 정상인보다 BT 연장 가능
  2. 20,000~50,000 /μL : minor trauma시에도 bleeding이 발생하나 spontaneous bleeding은 드묾, easy bruising 발생 가능
  3. <20,000 /μL : spontaneous bleeding 발생 가능, petechiae & dry purpura
  4. <10,000 /μL : severe bleeding 발생 가능, wet purpura
  5. <5,000 /μL : 뇌출혈 등 심각한 내부 장기의 출혈 위험 높음
* platelet의 평균 수명 : 7~10일 (약 2/3는 혈중에, 1/3은 spleen에 존재)

혈소판 기능장애의 원인

Inherited disorders	
기전	예
Platelet adhesion의 장애	
Defects of adhesive proteins	von Willebrand disease
Defects of adhesion receptors	Bernard–Soulier syndrome (Gp Ib/IX defect)
	Platelet–type von Willebrand disease
	Glycoprotein (Gp) Ia or Gp VI (deficiency)
Platelet aggregation의 장애	
Deficiency of the ligand (fibrinogen)	Afibrinogenemia
Defects of the receptor (Gp IIb–IIIa)	
Defects of Gp IIb–IIIa quantity or quality	Glanzmann thrombasthenia and variants
Defects of Gp IIb–IIIa activation	Platelet activation defects; Bartter's syndrome
Storage pool defects	Storage pool disease; gray platelet syndrome
Platelet procoagulant activity의 장애	Scott's syndrome
Acquired disorders	
Drugs	
NSAIDs, aspirin (cyclooxygenase 억제)	
β–Lactam antibiotics (platelet coating)	
ADP–receptor antagnonists; Ticlopidine, Clopidogrel	
Glycoprotein IIb/IIIa receptor antagonists; Abciximab, Eptifibatide, Tirofiban ...	
Miscellaneous drugs	
Systmic Conditions	
CKD, hepatic failure	
Cardiopulmonary bypass	
Antiplatelet antibodies	
DIC	
Hematologic Diseases	
AML, MDS, MPN	
Multiple myeloma & other B–cell neoplasms (paraprotein → platelet coating)	
Antiplatelet antibodies	

1. Thrombocytopenia의 원인

- 정의 : platelet count <14만/μL (140×10^9/L)

Ⅰ. 혈소판 생성의 감소
  (1) Hematopoietic stem cells의 hypoplasia
      Aplastic anemia
      Drugs, chemicals, ionizing radiation, alcohol, infection 등에 의한 BM damage
      Congenital & hereditary thrombocytopenias
          Thrombocytopenia with absent radii syndrome
          Wiskott-Aldrich syndrome
          May-Hegglin anomaly
  (2) BM의 침윤(replacement)
      Leukemias
      Metastatic tumor (prostate, breast, lymphoma)
      Myelofibrosis
  (3) Ineffective thrombocytopoiesis (megakaryocytes 수는 증가/정상)
      Cobalamin or folate deficiency
      Hematopoietic dysplastic syndromes ; MDS

Ⅱ. 혈소판 파괴의 증가
  (1) Immune disorders
      Idiopathic immune thrombocytopenic purpura (ITP)
      2ndary ITP ; Cancer (CLL, lymphoma 등), Systemic autoimmune disorders
          (SLE, polyarteritis nodosa), Infection (infectious mononucleosis, CMV,
          HIV, *H. pylori* 등), Drugs (quinine/quinidine, rifampin, TMP-SMX, danazol,
          methylodopa, AAP, digoxin, heparin 등 → 앞의 표 참조)
  (2) Nonimmune disorders
      DIC, Cavernous hemangioma, TTP, HUS, Sepsis, Malaria, PNH, Vasculitis,
      청색증형 선천성 심장병, 인공 심장판막, 인공 혈관, 급성 신이식 거부반응

Ⅲ. Sequestration (distribution 장애)
      Hypersplenism : Congestive splenomegaly
      Liver diseases (portal HTN), Storage diseases, Tumors

Ⅳ. Dilutional
      Massive transfusion

- m/c 원인은 바이러스 및 세균 감염 - 여러 기전이 관여 ; 생산↓, 수명↓, 면역(e.g., 소아의 ITP)

■ **Pseudothrombocytopenia**
- <u>EDTA</u>, heparin 등의 항응고제 사용시 일부에서 platelet clumping이 발생하여 실제보다 platelet count가 낮게 측정되는 것 ⇨ PBS로 확인
- 조치 : sodium citrate tube에 채혈하여 재검 (but, 재검해도 계속 낮게 측정되는 경우가 많음), 경과관찰 (∵ in vitro 현상이고, 체내에서 문제되는 것은 아님)

■ **Heparin-induced thrombocytopenia (HIT)**
- heparin 투여 환자의 10~15%에서 발생 (LMWH보다 UFH에서 5~10배 더 호발)
- 발생기전 : heparin-PF4 (platelet factor 4) complex에 대한 Ab (<u>anti-heparin/PF4</u>)가 생성되고 이 Ab가 FcγRIIa receptor를 통해 platelets, monocytes, endothelial cells 등을 활성화시킴
- platelets 활성화 → intravascular platelet aggregation (→ thrombocytopenia), paradoxical <u>thrombosis</u> (white clot syndrome, 치명적) 등을 일으킬 수 있음 (출혈은 드묾!)
- 보통 thrombocytopenia는 심하지 않은 편임 (20,000/μL 이하는 드묾)
- anti-heparin/PF4 Ab ; titer는 HIT의 severity와 비례, heparin 노출 뒤 약 100일까지 존재

- 대부분 heparin 투여 후 <u>5~14일</u> 째 발생
  - ⌐ early-onset HIT (<5일) : anti-heparin/PF4 Ab가 이미 존재시
  - ⌐ delayed-onset HIT (>14일) : 드묾
- 진단 : 대개 임상양상으로 진단, 의심 환자는 영상검사도 권장 (최소한 하지 duplex Doppler)
- anti-heparin/PF4의 검사
  - ① ELISA ; sensitivity & specificity 낮음, 양성이라도 HIT 임상양상 없는 경우 많음
    - (IgG-specific ELISA : specificity↑, sensitivity↓)
  - ② platelet activation study ; specificity↑, sensitivity↓
- 치료 ; 즉시 heparin을 중단하고 다른 항응고제를 사용 (혈소판 수혈은 금기)
  - ① <u>direct thrombin inhibitors (DTI)</u> 선호 ; argatroban, lepirudin, bivalirudin
  - ② indirect Xa inhibitor ; fondaparinux, danaparoid
  - ③ thrombosis 존재시 → warfarin으로 전환 (보통 3~6개월간 치료 필요)
  - – thrombosis가 없더라도 발생 위험이 높으므로 항응고제는 반드시 사용
  - – LMWH은 금기 (∵ anti-heparin/PF4는 LMWH와도 교차반응)
  - – warfarin : thrombosis 위험을 증가시킬 수 있으므로 (∵ clotting activation, protein C/S↓)
    - 반드시 DTI or indirect Xa inhibitor와 병용

2. 특발성/면역성 저혈소판자반병
(Idiopathic ITP [immune thrombocytopenic purpura])

(1) 개요
- 정의 : 임상적으로 뚜렷한 원인이 없는 isolated ITP (c.f., 원인이 있으면 2ndary ITP)
- autoimmune 기전 : platelets에 autoantibody (대개 IgG)가 결합
  - → macrophage의 Fc receptor에 결합되어 파괴 (주로 spleen에서)
  - → platelets의 수명이 2-3일~수분으로 감소됨
- 자가면역질환과 관련이 많다

	Acute ITP	Chronic ITP
연령	소아 (2~6세에 호발)	성인 (20~50세에 호발)
성비	남 = 여	남 : 여 = 1 : 3~4
선행질환	상기도감염(viral infection) 1~3주 뒤	대부분 없음
혈소판감소 기간	6개월 이내 (보통 2~6주)	6개월 이상 (~수년) 지속
혈소판감소 정도	심함 (<20,000/μL)	30,000~80,000/μL
경과	대부분(80~90%) 자연회복!!	호전/악화 반복, 자연회복 드묾(10%)

(2) 임상양상
- easy bruising, mucocutaneous bleeding, 드물게 CNS 출혈도 발생 가능
  - ⌐ dry purpura ; 점출혈(petechiae), 반상출혈(ecchymosis) 등의 피하 출혈
  - ⌐ <u>wet purpura</u> ; 잇몸의 oozing, 구강내 blood blisters, 비출혈, 혈뇨, 월경과다 등의 점막 출혈
    - ↳ thrombocytopenia가 심할 때 더 잘 발생 → 심각한 출혈 위험↑

- no splenomegaly (만약 splenomegaly 있으면 다른 dz. 먼저 고려), no lymphadenopathy
- 출혈로 인한 사망은 드묾 (소아는 1% 내외에서 발병 1~2주 이내에 CNS 출혈로 사망 가능)

(3) 검사소견

- platelet count↓ / Hb, WBC는 대개 정상
- BT 연장 / 응고검사(PT, PTT 등)는 모두 정상!
- 반복되는 출혈이 동반되면 IDA도 발생 가능
- ITP의 10%에서 autoimmune hemolytic anemia도 동반 (Evans' syndrome)

(4) 진단

: thrombocytopenia를 일으키는 다른 질환, 약물 등을 R/O 한 뒤 진단

① <u>PBS</u> (말초혈액도말검사) → 가장 먼저 확인!
- platelet : 크기 정상 or 약간 증가 (현저한 giant platelet은 드묾)
- RBC, WBC는 정상 (반복된 출혈로 인한 mild anemia 동반 가능)
- pseudothrombocytopenia, MAHA (TMA) 등을 R/O

② BM study
- primary hematologic disorders (e.g., AA, leukemia, MDS)를 R/O 하기위해 시행
- <u>Ix</u> ; 60세 이상, 다른 혈액 질환이 의심되는 소견 존재(e.g., CBC 이상), 치료에 반응×
- megakaryocytes의 수 : 증가~정상 (증가되면 ITP일 가능성 높아짐)

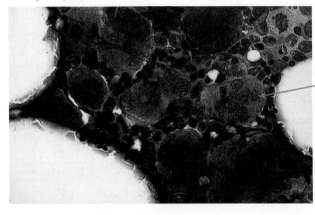

BM aspiration 사진
<u>Megakaryocytes</u>는 다른 조혈세포에 비해
크기가 매우 크므로 쉽게 찾을 수 있음
(핵은 endomitosis 때문에 생강 모양을 띔)
정상적으로 marrow cells의 1% 미만이므로
한 시야에 2~3개 이상만 눈에 띄어도 증가

③ antiplatelet Ab
- ITP 진단에 큰 도움은 안됨! (→ 권장×), thrombocytopenia의 severity와는 무관
- platelet-associated IgG (PAIgG) : 혈소판에 부착된 Ab
  - sensitivity는 높지만 (95%), specificity가 낮다 (50%)
  - 사실상 거의 모든 원인의 thrombocytopenia에서도 증가 가능
- platelet glycoprotien (GP)에 대한 serum Ab
  - GP Ia, GP IIb-IIIa, GP Ib-IX 등에 대한 Ab
  - PAIgG보다 sensitivity가 낮지만, specificity는 높음(~90%)
  - 임신/분만시에 태아에게 넘어가 태아에서도 ITP 발생 가능

④ SLE 등 자가면역질환 R/O (∵ SLE 초기에 thrombocytopenia만 발생 가능) ; <u>ANA</u>, anti-ENA

⑤ hypogammaglobulinemia, monoclonal gammopathy 등 R/O ; <u>serum Ig level</u>, <u>PEP</u>

⑥ hepatic/splenic enlargement, lymphadenopathy, atypical lymphocytosis 등이 있으면
　　　→ 혈청검사로 viral hepatitis, CMV, EBV, toxoplasma, HIV, HFRS 등을 R/O
⑦ anemia 동반시 → Coombs' test로 AIHA 동반 여부 R/O

* 소아에서는 antiplatelet Ab와 BM study가 거의 필요 없음

(5) 치료

- platelet 30,000/μL 이상이면 자연 출혈 가능성은 거의 없음! → 사망률 증가×
- 일반적인 치료의 적응 (적응 아니면 일단은 경과관찰!)
  - platelet ≤20,000/μL or platelet ≤30,000/μL & 출혈 지속
  - 심각한 출혈 발생 위험 (wet purpura, 망막 출혈)
  - 6개월 이상 지속시 : chronic ITP (platelet ≤20,000/μL or ≤50,000/μL & 점막출혈 동반)

① high-dose **steroid** (prednisone) : TOC
  - 80%에서 platelet count 정상화, 출혈경향은 치료 시작 1일 내에 회복 (∵ vascular integrity↑)
  - 기전 (1) macrophage가 platelet을 phagocytosis하는 것을 억제
  　　　(2) Ab 생산 억제 및 Ab가 platelet에 결합하는 것을 억제
  　　　(3) platelet 생산 촉진
  - 끊으면 대부분 재발 → platelet count 유지 위한 용량을 찾아야
  - 치료실패의 정의 : 4주 뒤에도 platelet count <50,000/μL
  - severe ITP ± bleeding Sx → 입원 & 병합요법 : steroid + IVIG, anti-RhD, rituximab 등

② high-dose IV γ-globulin (**IVIG**, IVIgG)
  - 90%에서 반응, 가장 작용이 빠르나(1~3일) 효과가 일시적이고(1~2주), 비쌈
  - Ix : platelet count를 빨리 올려야 할 때 (e.g., active bleeding, major surgery, delivery)
  - 기전 : macrophage Fc receptor를 block하여 phagocytosis 억제, complement 활성 물질 제거,
  　　　anti-inflammatory cytokines 유도, anti-idiotypic Ab 제공 (pathogenic autoAb 중화),
  　　　T & B-cells의 활성화 및 기능 억제 ...

③ anit-D [anti-Rh(D), RhoGAM]
  - Rh(D) 양성 환자에서 IVIG 대신 사용 가능, 작용 빠르고 효과적이나 일시적임
  - 기전 : anti-D-coated RBCs가 spleen의 macrophage Fc receptors를 포화시켜 platelet 수명↑
  - 일부 AIHA 부작용 발생, splenectomy 환자에서는 효과 없음

④ splenectomy
  - Ix : steroid에 반응이 없거나 의존적인 경우(과량 or 장기간 필요)
  　　⇨ 일부는 자연관해도 가능하므로, anti-D or IVIG 등으로 조절하면서 F/U하다가
  　　　　ITP 진단 6~12개월 이후에 시행 고려 (c.f., 시행 전 예방접종 등의 조치 필요)
  - spleen은 platelet 파괴가 일어나는 주 RES이고, Ab도 주로 spleen에서 생성되므로 매우 효과적
  - 1~2주 내에 혈소판수 상승 시작, chronic ITP의 85%가 반응 (60~70%는 관해 장기 유지)
  - splenectomy 후 반응이 없거나 재발한 경우는 residual spleen (특히 accessory spleen) 의심
  　　→ radionuclide spleen scan 시행 (c.f., 간에서도 platelet 파괴가 일어날 수 있음) or
  　　　　PB smear 시행 (spleen이 완전히 제거된 환자에서는 Howell-Jolly body가 관찰됨)

⑤ refractory ITP : 위의 치료들에도 반응이 없거나, 금방 재발하는 경우
- rituximab (anti-CD20 Ab) : antiplatelet Ab를 생산하는 B cells을 제거, 장기간 효과적
- thrombopoietin receptor agonists [TPO-RAs] (romiplostim, eltrombopag) ; 비쌈, 다른 모든 치료에 반응 없는 chronic ITP에서 고려 (특히 splenectomy 금기시)
- immunosuppressive agents ; azathioprine, cyclophosphamide, vincristine, vinblastine
- 기타 ; Danazole, pulsed high-dose dexamethasone, INF-α ...

⑥ platelet transfusion : 거의 사용 안 한다!
- exogenous platelet은 수명이 짧아 대부분 몇 시간 내에 파괴됨
- life-threatening bleeding (e.g., 뇌출혈)시엔 응급으로 사용할 수 있음

3. 이차성(secondary) ITP

자가면역질환(특히 SLE), CLL, 감염(e.g., HIV, HCV), 약물 등이 흔한 원인
대개 thrombocytopenia가 심하지는 않음 (기저 질환 먼저 치료 고려), 심하면 ITP처럼 치료

(1) SLE에 동반된 ITP
- ITP 환자의 5~15%는 초진시 SLE의 진단기준을 만족함
- platelet-specific Ab or IC에 의해 발생
- 치료는 ITP 단독의 경우와 동일

(2) virus 감염에 의한 ITP
- rubella, mumps, EBV, CMV 등 ; acute ITP와 비슷한 임상양상을 보임, splenomegaly도 동반 가능 (특히 EBV, CMV)
- HIV ; 면역기전에 의한 혈소판 파괴 증가 (초기) & 생산 감소 (말기), chronic ITP와 비슷한 임상양상을 보임, 일부에서 adenopathy와 splenomegaly도 동반 가능

(3) 약물에 의한 ITP
- thrombocytopenia와 출혈이 보통 급격히 심하게 나타남
- 진단기준
  ① 약물을 사용한 뒤 thrombocytopenia 발생, 끊으면 회복
  ② 원인되는 약물이 thrombocytopenia를 일으킨 유일한 약물
  ③ 다른 thrombocytopenia의 원인 R/O
  ④ 원인 약물 재투여시 thrombocytopenia 재발

4. 임신과 ITP

(1) 임신 중 발생하는 thrombocytopenia의 원인
① gestational thrombocytopenia (m/c)
② pregnancy-induced HTN
③ HELLP syndrome (Hemolysis, Elevated Liver function test, Low Platelet count)
④ ITP ; 비교적 드물다

(2) gestational thrombocytopenia
- 특이한 증상이 없는 mild thrombocytopenia, 분만 후 자연 회복됨
- 임신 전에는 thrombocytopenia가 없었고, 임신 후반기에 발생
- 태아의 thrombocytopenia와는 관련 없음
- ITP와의 D/Dx
  ① 임신전 thrombocytopenia의 유무가 중요 or
  ② platelet count ┌ 5만 이하 → ITP
                  └ 7만 이상 → gestational thrombocytopenia

(3) ITP
  ① 임신 중에 처음으로 ITP가 발생한 경우
    → 신생아에서 serious bleeding이 발생할 위험은 적다
  ② 임신 전부터 ITP가 있었던 경우
    → 신생아의 20%에서 severe thrombocytopenia 발생
      (intraventricular hemorohage, GI bleeding → death)
    → ITP의 Tx. (일반적인 ITP에 비해 치료기준을 높게 정함)
      + C/S (신생아의 뇌출혈 위험을 감소시키기 위해)

5. von Willebrand's disease (vWD)

(1) 개요
- m/c 유전성 출혈질환 : 선별검사 상 약 1% (but, symptomatic vWD의 유병률은 약 0.01% 뿐)
- 다양한 발현을 나타내는 복잡한 질환, 대부분 AD 유전 (type 2N과 3은 AR 유전), 남≒여
- platelet adhesion의 장애 (platelet aggregation은 정상)
- vWF (factor VIII-related Ag)의 기능
  : vascular endothelial cell과 megakaryocyte/platelet에서 합성됨 (→ multimer)
  ① platelet과 subendothelium의 adhesion을 매개 (접착제 역할) : large vWF multimer가 관여
    (vWF → platelet의 GP Ib receptor와 결합)
  ② factor VIII과 결합하여, VIII의 분해 방지 & carrier 역할
    (vWF 결핍시 factor VIII도 결핍되어 응고장애가 발생할 수 있으나, 심한 경우는 드묾)

(2) 분류(subtypes)
- type 1 (classic vWD) : m/c (70~80%), vWF가 경도~중등도로 감소
- type 2A : 2nd m/c (15~20%), vWF의 기능장애 (multimer의 감소)
  - ADAMTS13에 의한 large vWF 분해 증가 or 세포에서 large vWF 분비 감소 때문
- type 2B : vWF의 기능장애 (vWF가 platelet GP Ib receptor에 과도하게 결합되어 함께
  RES에 의해 제거됨 → plasma vWF↓, platelet도 감소 가능)
- type 2M : platelet과 결합하는 vWF의 기능장애 (multimur는 존재함)
- type 2N : platelet adhesion은 정상이나, factor VIII와의 결합력 감소 ⇨ factor VIII level↓
  (혈우병 A와 비슷한 양상을 보임), AR 유전 ("autosomal hemophilia")
  → 혈우병으로 오진 가능, 혈우병 의심 환자에서 가족력이 애매하면 반드시 vWD 2N을 R/O

• **type 3** (severe vWD) : vWF 거의 없음 (대개 <10%), factor VIII도 크게 감소되어 심부 출혈 증상도 보임, AR 유전 (대개 부모가 모두 무증상 mild type 1 vWD)

* pseudo-vWD (platelet-type vWD) : platelet membrane의 이상 (GP Ib/IX mutation)으로 vWF가 과도하게 platelet에 결합 → plasma vWF↓ (type 2B vWD와 임상양상은 비슷함)

(3) 임상양상

• 대부분 mild ; 평상시에는 문제없다가, 수술/발치/외상 이후에 출혈 발생
• mucocutaneous bleeding (e.g., epistaxis, gum bleeding, menorrhagia), easy bruising
• 심한 경우 ; spontaneous bleeding, GI bleeding, genitourinary bleeding ...
  (type 3 vWD에서는 hemarthrosis, muscle hematoma 등의 심부 출혈도 발생 가능)
• 특징적으로, 임신이나 estrogen 복용시 bleeding 감소
• aspirin, NSAIDs 복용시 출혈 증상 악화됨

(4) 검사소견/진단

① **BT ↑** (BT 정상인 경우는 aspirin 투여하면 BT ↑), PT는 정상
  * but, BT는 sensitivity와 재현성이 낮아, 최근에는 PFA-100(200) 같은 혈소판기능검사기가 screening에 주로 이용됨 (type 2N을 제외한 vWD에서 closure time 연장됨)

② vWF:Ag ↓
  • anti-vWF Ab를 이용한 EIA 방법으로 vWF를 정량 측정
  • vWF Ag level은 변동이 심하고, 다른 인자의 영향을 많이 받음
    - ↑ ; endothelial injury, Valsalva maneuver, inflammation, AB/A/B형 혈액행, aging, estrogen, pregnancy
    - ↓ ; O형 혈액형 (약 25% 낮음), hypothyroidism ...

③ vWF의 biologic activity ↓
  • ristocetin cofactor activity (vWF:RCo), collagen binding activity (vWF:CB) 등
  • vWF:RCo를 선호, 치료 효과를 추적하기 위한 검사로도 이용됨
  • vWF:Ag level의 영향을 받을 수 있으며, mild vWD에서는 정상일 수 있음
  • vWF:RCo/vWF:Ag ratio : 정상(0.7~1.2)이면 type 1, 감소되면(<0.7) type 2

④ 혈소판응집검사(platelet aggregation test)
  • standard agonist (ADP, collagen, thrombin, Epi.) 투여 → 정상 (응집)
  • ristocetin 투여 (RIPA : ristocetin-induced platelet aggregation) → 비정상 (응집×), type 2B에서는 low-dose에서 GP Ib에 대한 affinity↑ (type 2B 진단에 유용)

⑤ factor VIII:C level ↓ (→ 25% 미만으로 감소시 aPTT도 ↑) : 심한 경우 및 type 2N에서
⑥ vWF multimer analysis (EP) : subtype 분류에 유용 (e.g., 2A, 2B, 2M)
⑦ factor VIII binding assay (vWF:FVIIIB) : vWF의 exogenous factor VIII 결합능 검사
⑧ vWF 유전자검사 : PCR or sequencing

* platelet의 수와 모양은 정상! (type 2B에서는 platelet 감소 가능)

von Willebrand's disease의 분류 및 검사소견

	BT	aPTT	vWF:Ag	vWF:RCo	Factor VIII Activity	vWF Multimer Pattern (EP)	vWF EP
Type 1	↑	N~↑	↓	↓	N~↓	N	
Type 2A	↑	N~↑	↓	↓↓	N~↓	high & inter ↓	
Type 2B	↑	N~↑	↓	↓↓	N~↓	high ↓	
Type 2M	↑	N~↑	↓	↓↓	N~↓	N	
Type 2N	N~↑	↑↑	N~↓	N~↓	↓↓	N	
Type 3	↑↑	↑↑	0	0	0	0	
Pseudo-vWD	↑↑	N~↑	↓~N	↓~N	↓~N	high ↓	
Hemophilia A	N	↑↑	N	N	↓↓	N	

* vWF:RCo ; ristocetin cofactor activity

vWD 아형의 감별진단

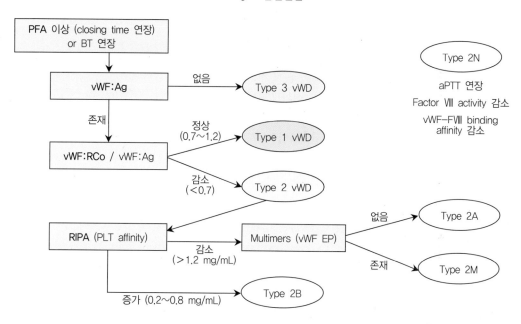

Type 2N

aPTT 연장
Factor Ⅷ activity 감소
vWF-FⅧ binding
affinity 감소

(5) 치료

* 대부분 mild → 치료 필요 없다
* Ix. ┌ surgery, dental procedure, major trauma
      └ severe epistaxis, severe menorrhagia, recurrent GI bleeding

① desmopressin (DDAVP: deamino-D-arginine-vasopressin)
  • mild <u>type 1</u> vWD에서 TOC (IV or nasal spray)
  • 기전 : endothelial cells에 저장되어 있던 vWF & factor VIII의 분비 촉진

- type 2와 3에서는 효과 없음, 특히 type 2B에서는 금기 (∵ vWF multimer ↑↑
  → intravascular platelet aggregation → thrombocytopenia 발생 위험)
- 일부 type 2A와 2M 환자에는 minor procedure 전에 사용 가능
② vWF multimer가 포함된 factor VIII concentrate (Humate-P®, Alfanate®)
  - 순도가 높고 virus 제거 처리가 된 것을 사용, 매우 효과적
  - Ix ; 증상이 있는 type 3 vWD, DDAVP에 반응이 없는 severe type 1 or 2 vWD,
    major procedure 전
③ cryoprecipitate
  : factor VIII과 vWF가 풍부하지만, virus 전염의 잠재적 위험 때문에
    처리되지 않은 형태로는 더 이상 사용하지 않음
④ platelet 수혈
  - platelets에서도 vWF의 약 15% 정도가 생산됨
  - 다른 치료에 반응이 없는 일부 vWD 환자에서 도움 가능
⑤ antifibrinolytic agent
  - EACA (ε-aminocaproic acid), tranexamic acid
  - DDAVP와 병용시 mucosal bleeding 예방/치료에 특히 효과적 (e.g., dental procedure 때
    보조적으로 사용, 발치 뒤 재출혈 예방, 월경과다, tonsillectomy, prostate procedure)
  - 상부 요로 출혈시에는 금기 (∵ 요로 폐쇄 유발 위험)
⑥ menorrhagia → hormonal suppression (경구피임약)

c.f.) 우리나라의 선천성 응고질환 환자 현황 (2016년)
  - VIII 결핍 (71.5%) > IX 결핍 (17.8%) > vWD (5.4%) > VII 결핍 (1.7%) …
  - vWD의 경우 대부분 경미하여 실제보다 매우 적게 발견(진단)됨

■ Acquired vWD (AvWD)
- 일부에서 후천적으로 vWD 발생 가능

Acquired vWD를 일으킬 수 있는 질환
1. Lymphoproliferative d/o (48%) ; lymphoma, CLL, MGUS, MM
2. Cardiovascular d/o (21%) ; AS, LVAD, HOCM, PDA, MV stenosis …
3. Myeloproliferative neoplasm (15%) ; ET, PV
4. Other neoplastic (5%)
5. Autoimmune d/o (2%) ; SLE, MCTD, GVHD
6. Thyroid d/o 2%
7. Drug effect

- 기전 (다양)
  ① anti-vWF Ab 생산 (lymphoproliferative d/o, Autoimmune d/o)
  ② 종양세포의 vWF 흡착 (ET 등의 MPN)
  ③ high sheer stress에 의한 vWF multimers의 분해↑ (심혈관질환)
  ④ vWF 합성↓ (갑상선질환)
- 치료 : 원인 질환의 치료 및 기전에 따라 DDAVP, EACA, 보충요법 등

6. Platelet membrane receptors의 장애

* 모두 AR 유전, 심한 지혈장애, 반복되는 점막 출혈 등이 특징

(1) Bernard-Soulier syndrome

- 원인 : GP Ib-IX complex (vWF의 receptor) deficiency
  → vWF 결합 장애 → platelet <u>adhesion</u> 안됨 → BT ↑↑
- PB : "giant" platelet, mild thrombocytopenia
- platelet aggregation test
  - ristocetin 투여시 → 비정상 (응집×), 정상 혈장 추가해도 교정 안됨
  - ristocetin 이외의 모든 agonists → 정상 반응 (응집)
- 치료 : platelet transfusion, antifibrinolytic agent (DDAVP도 효과적일 수 있음)

(2) Glanzmann's thrombasthenia

- 원인 : GP IIb-IIIa complex (fibrinogen의 receptor) deficiency
  → fibrinogen의 결합 장애 → platelet <u>aggregation</u> 안됨 → BT ↑↑
- platelet aggregation test
  - ristocetin 투여시 → 정상 (응집)
  - ristocetin 이외의 모든 agonists 에는 비정상 (응집×) (∵ fibrinogen을 필요로 함)
- 치료 : platelet transfusion, antifibrinolytic agent (DDAVP는 대부분 효과 없음)

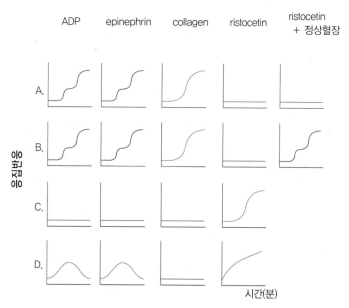

A. Bernard-Soulier syndrome   C. Glanzmann's thrombasthenia
B. von Willebrand's disease   D. Storage pool disease, Aspirin 복용, Uremia

혈소판응집검사(platelet aggregation test)

혈액응고장애 및 혈전증

1. 혈우병(hemophilia) A : classic hemophilia

(1) 개요
- factor VIII deficiency : factor VIII coagulant activity (VIII:C) 감소
  ($\Rightarrow$ intrinsic pathway만 이상 → aPTT ↑)
- Xq28의 *F8* gene의 다양한 mutations이 원인
- **XR 유전** → 대부분 <u>남자</u>에서만 발병 (X^HY), 여성은 대부분 보인자(XX^H)
  - 여성 보인자 ; VIII level 보통 40~60%, 약 28%는 mild hemophilia 가능 (VIII level 5~40%)
  - 여성 hemophilia 발병 기전 ; homozygous mutation (X^HX^H, 대개는 태아 때 사망),
    X 염색체의 치우친 불활성화(lyonization), X/O 핵형(Tuner syndrome), X/상염색체 전위
- 약 30%는 가족력이 없음 (sporadic) → 대부분 엄마가 de novo mutation carrier
- vWD 다음으로 흔한 유전성 출혈 질환 ; 약 1/12,000 male (hemophilia B보다 약 6배 많음)
- 분류(severity) ┌ severe (약 60%) : factor VIII level <1% (< 0.01 IU/mL)
  ├ moderate : factor VIII level 1~5% (0.01~0.05 IU/mL)
  └ mild : factor VIII level 6~30% (c.f., 정상 hemostasis에는 25% 이상 필요)

(2) 임상양상
- <u>혈관절증(hemarthrosis)</u>이 혈우병의 특징임 (m/c)
  - weight-bearing joints ; ankle, knee, hip, elbow ...
  - 급성이면 통증도 동반, 반복되면 osteoarthitis도 일으킬 수 있음
- 피하 또는 근육내 hematoma (→ 말단에 발생되면 compartment syndrome도 유발 가능)
- GI bleeding, hematuria, epistaxis
- mild~moderate 경우는 외상, 수술, 발치 뒤에 대량의 출혈 발생
- CNS, 구인두, 후복막 등의 출혈은 치명적임 (→ 즉시 치료 필요)
- neurologic Cx. ; CNS 출혈, peripheral neuropathy (∵ hematoma에 눌려)
- * 검사소견 ┌ mild : **aPTT** 만 약간 연장됨 (다른 검사는 모두 정상)
  └ severe : aPTT (2~3배 연장) 및 전혈응고시간(WBCT) 연장
- * 확진 : factor VIII:C 정량 검사

(3) 예방치료
① <u>factor VIII</u>

> (1) Factor VIII concentrates ; 헌혈자들의 혈장에서 추출 (mAb로 정제), virus 전파 위험
> (2) Recombinant human factor VIII ; 동물/사람 세포의 유전자재조합으로 제조, 좋지만 비쌈
> (3) Long-acting recombinant factor VIII ; 반감기 1.5~1.8배↑(→ 투여 빈도↓) → 삶의 질↑, 순응도↑,
>   필요시 치료 수준을 높이는 데도 효과적, 항체 형성도 적음
>   예) Factor VIII-Fc fusion, Factor VIII-PEGylated, Single chain factor VIII
> (4) Recombinant porcine (pig) factor VIII ; factor VIII에 대한 자가항체 치료용으로만 사용

- factor VIII 1 unit/kg → factor VIII level 2%↑ (1 unit : normal plasma 1 mL에 함유된 양을 의미)
- factor VIII 제제의 표준 반감기는 8~12시간이므로 치료 수준 유지 위해서는 하루 2회 투여
- 단점 ; inhibitors (autoAb) 발생 위험, vWF와의 상호작용으로 반감기 향상에 한계

② emicizumab (Hemlibra®)

- factor IXa와 X에 동시에 결합하는 bispecific mAb로 체내에서 factor VIII의 역할을 대신함
- 혈우병 A(2018년) 및 inhibitors (autoAb) 동반 혈우병 A(2017년) 환자에 사용 허가됨(FDA)
- 연간 출혈(annualized bleeding) 감소에 매우 효과적, 1~2주마다 1회 SC 투여로 매우 편함
- 급성 출혈 치료에는 못씀 (∵ 적정 치료수준 상승까지 loading doses 필요)

③ cryoprecipitate (fibrinogen, VIII, XIII, vWF 등을 많이 함유)

- 1 bag (60 mL) = factor VIII 약 80~100 units 함유
- 혈액전파성 감염 위험 → 응급 상황 같이 응고인자농축제제가 없을 때에만 사용
  (c.f., cryoprecipitate도 없다면 할 수 없이 FFP)

④ desmopressin (DDAVP) ; mild hemophilia A에서만 factor VIII level을 일시적으로 증가시킴
  (투여 30~60분 뒤 최대 효과)

⑤ antifibrinolytic agent (EACA, tranexamic acid) ; 위장관출혈, 치과치료 등 때 보조적으로 사용

* aspirin 이나 NSAID는 금기 (→ AAP, codeine 등으로 사용)

(4) 치료목표

① uncomplicated soft tissue bleeding or early hemarthrosis

  → factor VIII level을 처음엔 30~50%, 그 뒤 2~3일간 15~25%로 유지

② extensive hemarthrosis or retroperitoneal bleeding

  → 처음엔 50% 이상, 그 뒤 3일 이상은 25~50%로 유지

③ life-threatening bleeding (e.g., 뇌출혈), major surgery, trauma

  → 지혈 될 때까지 100% 이상, 그 뒤 7~10일 동안은 50~100%로 유지

(5) 합병증

① factor VIII inhibitors 발생 (주로 IgG_4 Ab)

② 혈장제제로 인한 HCV or HIV 감염 (최근엔 거의 없음)

③ IDA : 심한 경우는 드물다 (∵ 대부분 internal bleeding → iron 재이용)

④ mild Coombs(+) hemolytic anemia

⑤ progressive joint deformity, muscle atrophy ...

2. Factor VIII antibodies

- factor VIII 투여 받은 hemophilia A 환자의 약 20~30%에서 발생, 노출 초기에 호발
  - 위험인자 ; 더 많은 양에 노출된 <u>심한</u> 환자에서 주로 발생(>80%), 가족력, 흑인, mutations
  - 혈장제제보다 유전자재조합제제(recombinant factor) 사용시 좀 더 많이 발생함
- factor VIII:C level↓ → aPTT↑
- 진단
  ① mixing test : 정상 혈장과 혼합해도 응고이상 교정 안됨
  ② factor VIII 투여로 예상된 만큼의 factor VIII:C level의 상승이 없을 때
  ③ Ab의 정량 → Bethesda unit (BU)로 표시 (1 BU = 응고인자 activity를 1/2로 떨어뜨리는 수치)
- low-titer VIII inhibitors (≤5 BU)의 치료 ⇨ high-dose human factor VIII (50~100 U/kg)

- high-titer VIII inhibitors (≥6 BU)의 치료
  ① porcine factor VIII concentrate (∵ inhibitors의 영향 안 받음)
  ② bypass 제제 : inhibitor에 의해 차단된 응고경로를 우회함
    - prothrombin complex concentrate (PCC) : 활성화된 응고인자들을 함유
    - recombinant factor VIIa : factor X를 직접 활성화시킴
  ③ immune tolerance induction (ITI) : inhibitor 자체를 없애는 데는 가장 확실 (성공률 30~80%)
    - 고비용, 심하거나 다른 치료에 반응이 없을 때 고려
    - ITI와 함께 rituximab (anti-CD20) 병용시 더 효과적

■ Acquired hemophilia (Acquired autoantibody inhibitors to factor VIII)

- 증상 없던 사람에서 factor VIII에 대한 자가항체가 발생한 것, 매우 드묾, 대부분 고령, 남=여
- 원인 (약 1/2은 모름) ; 자가면역질환, 혈액/비혈액 악성종양, 약물, 임신 ..
- 이전에 출혈 병력이 없다가 spontaneous bruising, soft tissue bleeding 발생
  - congenital hemophilia와는 달리 hemarthrosis는 드묾
  - 진단과 치료의 지연으로 인해 congenital hemophilia보다 심한 출혈 발생이 흔함
- aPTT만 연장, mixing test에서 교정됨(→ 37℃에서 incubation하면 aPTT 다시 연장됨)
- 진단 ; Bethesda assay로 FVIII autoAb 정량, ELISA 등
  (c.f., congenital hemophilia의 FVIII alloAb는 oligoclonal ↔ acquired FVIII autoAb는 polyclonal)
- 치료
  ① 출혈의 조절
    - 경미한 출혈 ⇨ antifibrinolytic agent (ε-aminocaproic acid), desmopressin (DDAVP)
    - 심한 출혈, low-titer (<5 BU) FVIII Ab ⇨ recombinant human factor VIII
    - 심한 출혈, high-titer (≥5 BU) FVIII Ab ⇨ PCC or high-dose factor VIII
                                          (prothrombin complex concentrates)
  ② FVIII autoAb의 제거 (면역억제제) ; steroid, cyclophosphamide, rituximab (anti-CD20),
      high-dose IVIG, cyclosporine, cladribine 등 (but, 중단시 재발 흔함 ~20%)
  ③ 면역억제제에 반응이 없으면 plasmapheresis or extracorporeal immunoadsorption 고려
- 예후 ; 사망률 15~25% (congenital hemophilia 환자의 FVIII alloAb보다 매우 높음)

3. 혈우병(hemophilia) B : christmas disease

- factor IX 결핍, XR 유전 → 남자에서만 발생 (1/30,000 male), hemophilia A보다 드묾 (약 1/6)
- 임상양상 : hemophilia A와 같다 (e.g., aPTT만 연장)
- 치료 (factor IX level을 15~30%로 유지하는 것이 적절)
  ① factor IX : moderate~severe deficiency때 사용
    - factor VIII와 다른 점
      (1) volume of distribution이 크다 → 더 많은 양(2배)을 투여해야 됨
          (factor IX 1 unit/kg → factor IX level 1% 상승)
      (2) factor IX의 반감기는 18~24시간 → 치료 수준 유지 위해서는 하루 1회 투여
    - factor IX inhibitors는 약 1.5~3%에서만 발생 (factor VIII보다 훨씬 적음)

　　　　－ 종류 ; plasma-derived factor IX concentrates, recombinant factor IX (m/c),
　　　　　　long-acting recombinant factor IX (반감기 5배↑) 등
　　② prothrombin complex concentrate (PCC)
　　　　－ 6개의 vitamin K-dependent factors (II, VII, IX, X, protein C, S)의 mixture
　　　　－ 소량의 activated coagulation factors 함유 → thrombosis & embolism↑ 위험
　　　　　(heparin을 같이 투여하기도 하지만, 일부에서는 FFP를 더 권장)
　　　　－ hepatitis, HIV 등의 전염 위험 ↑
　　③ fresh-frozen plasma (FFP) : mild~moderate 때 사용
　　　　－ 보조적으로 EACA도 사용 가능 (mucosal bleeding이나 치과 수술시)
　＊ desmopressin은 효과 없다, cryoprecipitate는 안 씀 (∵ 효과↓, 전염위험↑)

4. Vitamin K deficiency

(1) vitamin K

- 지용성(fat-soluble) vitamin으로 K_1, K_2 두가지 형태, 간에 저장됨 (소량)

	Vitamin K_1 (phylloquinone)	Vitamin K_2 (menaquinone)
공급원	녹황색 채소	장내 혐기성 세균이 합성
흡수부위	소장 (십이지장, 공장)	대장
흡수방법	능동흡수 (흡수에 담즙 필요!)	수동적 확산
결핍요인	편식, 흡수장애	항생제 사용

- 2~3개월 vitamin K_1이 결핍된 식사를 해도 K_2 때문에 vitamin K 의존 응고인자의 수치만
  약간 낮아질 뿐, 출혈경향은 보이지 않음
- hemostasis에 중요 ⇨ "vitamin K-dependent factors"
  ; factor II (prothrombin), VII, IX, X, protein C, S의 cofactor
  　　(vitamin K가 glutamic residue를 γ-carboxyglutamic acid로 전환시켜야 활성화됨)
- 정상 level 유지에는 recycling이 중요 (→ 성인에서 섭취 부족만으로 심한 결핍은 드묾)

(2) 원인

　① 섭취 부족 (e.g., uremia, malignancy, surgery) → 대개 다른 원인이 동반되어야 결핍 증상 발생
　② 흡수장애 : 대개 지방 흡수부전에 동반되어 발생
　　　예) obstructive jaundice (→ bile acid↓), pancreatic insufficiency, short bowel syndrome
　③ 간세포질환에 의한 저장량 감소
　④ 광범위 항생제 (→ bacterial flora 감소)　c.f.) cephalosporin은 warfarin과 비슷한 작용도 가짐
　⑤ coumarin anticoagulants (warfarin, 쥐약) : vitamin K antagonist
　⑥ neonatal vitamin K deficiency (hemorrhagic disease of newborn)

(3) 검사소견

- factor II, VII, IX, X, protein C, S 등 감소
  (반감기가 짧은 factor VII, protein C가 제일 먼저 감소됨)
- aPTT보다 PT가 훨씬 더 연장됨 (특징!)

• mild vitamin K deficiency : <u>factor VII</u>이 빨리 감소 → PT만 연장됨!

┌ 환자의 혈장을 정상 혈장과 혼합한 뒤 PT 재검하면 (mixing test) 정상화됨

└ vitamin K 투여하면 12~24시간 내에 PT 정상화됨

(4) 치료

• vitamin K의 비경구적 투여 : 10 mg 투여하면 8~10시간 이내에 응고인자 정상화됨
  (anaphylaxis의 위험 때문에 IM/subcut.로 주사 / 출혈 경향으로 IM 금기시에는 IV)

• 출혈 지속 or invasive procedure로 즉시 응고인자 교정이 필요할 때
  → FFP or PCC (심한 기저 간질환 환자에는 thrombosis 발생 위험으로 금기)

• 생명을 위협하는 출혈 때는 소량의 recombinant factor VIIa도 효과적
  (but, 기저 혈관질환/외상 등의 환자에서는 thromboembolic Cx 발생 위험)

5. 간 질환에 의한 응고/지혈장애

(1) 개요 – 지혈(hemostasis)에서의 간의 역할

① 간은 대부분의 응고인자, 항응고인자, 섬유소용해관련인자 들을 합성

*예외 ┌ vWF : endothelial cells, megakaryocytes/platelets에서 합성됨

└ tPA, thrombomodulin, TFPI : endothelial cells에서 합성됨

② 활성화된 응고 & 섬유소용해 인자들을 순환계(circulation)에서 제거 (특히 tPA)

③ 복부 혈류에 영향 ; portal HTN (e.g., 정맥류 출혈)

(2) 병인

	지혈 방해 (출혈↑)	지혈 촉진 (출혈↓)
Platelet	Thrombocytopenia Platelet function defects NO, prostacyclin 증가(→ platelet 억제)	vWF 증가 ADAMTS13 감소 (→ large vWF 증가)
Coagulation	II, V, VII, IX, X, XI 인자 감소 비타민K 결핍 Fibrinogen의 양 및 기능 이상	VIII 인자 증가 Protein C, protein S, antithrombin, heparin cofactor II, α_2-macroglobulin 감소
Fibrinolysis	tPA 증가 α_2-antiplasmin, XIII, TAFI 감소	Plasminogen 감소

• thrombocytopenia의 원인

① spleen의 platelet sequestration 및 파괴 증가 (∵ portal HTN & congestive splenomegaly)

② 간에서 thrombopoietin (TPO) 합성 감소

③ anti-platelet Ab (55~88%에서 PAIgG+) ; viral cirrhosis, PBC, PSC

④ folic acid or vitamin B_{12} deficiency

⑤ alcohol의 toxic effect ; platelet 생산 장애, 수명 감소

⑥ low-grade DIC에 의한 platelet 소비

⑦ 기타 ; 감염, 급성간염의 드문 부작용으로 aplastic anemia, C형 간염에서 ITP 동반

- **혈소판 기능장애의 원인**
  ① circulating platelet inhibitors (FDP, D-dimer)
  ② signal transduction 장애, platelet granules 내의 proaggregatory components 감소
  ③ platelet membrane proteins의 분해 증가 (과도한 plasmin 형성 때문)
  ④ dysfibrinogenemia
  ⑤ endothelial-derived platelet inhibitors NO & prostacyclin 증가
  ⑥ abnormal high-density lipoprotein 존재
  ⑦ hematocrit 감소 → 혈소판-혈관벽 상호작용 결함

- **응고인자의 생산 감소** ; fibrinogen, prothrombin (factor II), V, VII, IX, X, XI 등
  (∵ 간세포에서의 합성 감소, vitamin K deficiency)
  * vitamin K deficiency의 원인 ; 간세포질환에 의한 저장량 감소, bile acids의 변화, cholestasis

- 급성 간부전에서는 반감기가 짧은 factor V와 비타민K-의존 응고인자가 가장 먼저 감소됨
  (VII → protein C → II → X), <u>factor V</u>는 liver failure의 indicator (∵ 오직 간에서만 합성됨)

- <u>factor VIII</u>은 증가됨!
  - 간(sinusoidal endothelial cells, Kupffer cells > hepatocytes), 신장, 비장, LN 등에서 합성됨
    (→ 간기능이 심하게 떨어져도 VIII 합성 기능 유지)
  ⎡factor VIII의 운반단백인 <u>vWF</u> 합성 증가
  ⎣간의 low-density lipoprotein-related receptor 발현 감소 → vWF-VIII complex 제거 감소

- dysfibrinogenemia (→ TT 연장)
  - fibrinogen은 정상 or 증가 (acute-phase reactant로서 합성 증가)
  - 매우 심한 간질환(말기 간경화, 급성 간부전)에서는 감소, DIC 동반되면 크게 감소
  - 모든 간질환에서 fibrinogen의 질적 결함이 더 흔함 (60~70%가 non-functional fibrinogen)

- hyperfibrinolysis ; tPA 증가 및 α_2-antiplasmin, XIII, TAFI 등의 감소로 인해
  - hyperfibrinolysis 정도는 간질환의 severity와 비례
  - 간질환이 심할수록 DIC의 발생빈도 및 severity도 증가 (∵ 활성화된 응고인자의 제거 감소)
  - pseudo-DIC, AICF (accelerated intravascular coagulation & fibrinolysis)로 볼 수도 있음
  - 전형적인 심각한 DIC의 발생은 드문 편

(3) 검사소견

- PT↑, aPTT↑, TT↑, thrombocytopenia, FDP↑ 등이 전형적인 소견
  - 경미한 간질환에서는 PT만 연장, 심해지면 aPTT도 연장됨
  - FDP와 D-dimer는 간에서의 clearance 감소로 증가될 수도 있음 (DIC 없이)
- D-dimer↑ → classic DIC에 더 specific (특히 VIII, fibrinogen 감소시)
- fibrinogen↓ ; 매우 심한 간질환(e.g., 전격성 간염, 비대상성 간경변) or DIC 동반시에만
- TT↑, fibrinogen & FDP 정상 → dysfibrinogenemia를 시사
- factor VIII↓ → classic DIC 동반을 시사
- factor V 정상 & factor VII↓ → vitamin K deficiency를 시사

(4) 임상양상

- hemostatic net effect → balanced, bleeding tendency (특히 invasive procedures 시)
- 가장 중요한 원인은 thrombocytopenia, platelet dysfunction, 응고인자 감소 등의 복합작용
  (hyperfibrinolysis의 역할은 불확실함)
- hepatic insufficiency시 vitamin K-dependent factors와 factor V가 먼저 감소
  (factor VII이 가장 먼저 감소됨) → aPTT보다 PT가 훨씬 더 연장됨 (초기엔 PT만 연장)
  → PT의 연장 정도로 출혈의 위험도를 예측 가능
- portal & mesenteric veins의 thrombosis도 발생 가능 - 원인
  ① 응고억제인자 감소 ; antithrombin, protein C, protein S 등
  ② 유전성 혈전성향증 ; factor V Leiden, prothrombin G20210A 등
  ③ 내장혈류 감소 (∵ portal HTN)
  ④ 일부 간질환에서 anti-phospholipid Ab, anti-cardiolipin Ab, ANCA
    (e.g., autoimmune chronic hepatitis, PBC, PSC)

(5) 치료

① FFP (TOC) : 모든 coagulation factors를 골고루 함유
  (but, hepatic encephalopathy, fluid & sodium overload 유발 가능)
② vitamin K : vitamin K 결핍 동반도 흔하므로 첫 검사 이후에 일단 vitamin K를 1회 주사함
  (but, 효과 적거나 없을 수도 있음)
③ platelet 수혈 (but, hypersplenism으로 인해 효과는 떨어짐)
  - platelet <20,000/μL & bleeding
  - platelet <50,000/μL & invasive procedure 시행 전
④ fibrinogen concentrates (or cryoprecipitates) : fibrinogen이 낮은 경우에만 (<100 mg/mL)
  FFP와 함께 사용 (but, 대부분은 fibrinogen 정상임)

* 쓰지 말아야 할 것
  - prothrombin complex concentrates (PCC) : vitamin K 의존 인자만 함유
    (∵ activated coagulation factors 함유 → thrombosis↑↑)
  - factor IX concentrates (∵ DIC 유발 가능)
  - DIC 발생시 heparin (∵ 심한 출혈 유발 가능) → 보충요법으로 치료

6. 파종혈관내응고 (Disseminated intravascular coagulation, DIC)

(1) consumptive coagulopathies의 원인

> Disseminated intravascular coagulation
> *High-grade DIC*
> Sepsis (m/c) ; 특히 G(−)균 감염
> Acute promyelocytic leukemia (fibrinolysis 활성화가 주 기전)
> 부적합 수혈 (ABO mismatch)
> 조직손상 ; 외상, 수술, 화상, 동상, 열사병 등
> 출혈성 췌장염
> 산과적 합병증 ; eclampsia, abruptio placentae, 양수색전증
> 간부전(hepatic failure)
> 뱀 독 (→ 응고인자의 직접 활성화 or thrombin과 유사한 기능)
> Prothrombin complex concentrate (PCC) 투여
>
> *Low-grade DIC*
> 전이암, 혈관염, 만성염증질환, Aortic aneurysm, PNH,
> Giant hemangioma, Eclampsia, Retained fetus syndrome
>
> Platelet consumption (platelet DIC)
> Vasculitis
> TTP, HUS, Intravascular prosthetic devices
> Postchemotherapy

- 병원내 DIC의 m/c 원인은 sepsis (특히 GNB)와 악성종양

(2) 병태생리

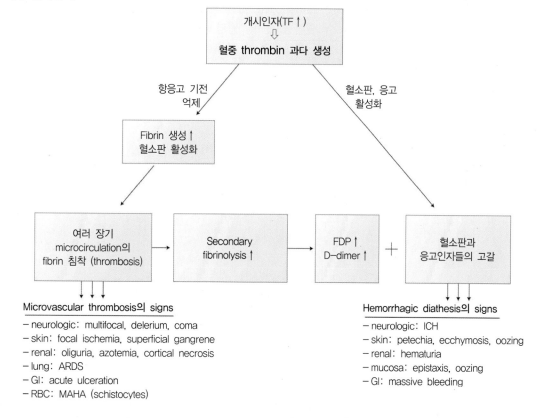

• 과도한 coagulation stimulation (tissue factor의 생산/유리↑)

　　→ 과다 생산된 "thrombin"이 혈중으로 유리 (정상에선 국한된 부위에 있어야)

• 과도한 coagulation을 처리하기 위해 fibrinolysis도 activation → coagulation & fibrinolysis 반복

　　→ 응고인자와 platelets이 고갈 → 출혈 및 응고장애

(3) 임상양상

① bleeding이 주증상 ; 광범위한 mucocutaneous bleeding, 다발성 출혈

　　(특히 venipuncture 부위와 수술, 상처 부위)

② thrombosis (덜 흔함) ; digital ischemia & gangrene, multiple organ failure

* chronic DIC : DIC의 유발인자와 방어기전이 비교적 평형을 이룬 상태

　- 원인 ; 암(특히 췌장, 위, 난소, 뇌), giant hemangioma, 자궁내 태아 사망, 일부 vasculitis ...

　- 무증상 or 경미한 출혈 증상 및 thromboembolism/thrombophlebitis 동반 가능

　- platelet count 정상~약간감소, PT/PTT 정상~약간연장, FDP/D-dimer↑, fibrinogen 정상~↑,
　　PBS에서 schistocytes 관찰 (acute DIC보다는 적음)

(4) 검사소견

• thrombocytopenia

• MAHA (1/4에서) ; fragmented RBC (schistocyte)　(c.f., TTP, HUS에서 더 흔함)

• PT, aPTT, TT ↑

• euglobulin clot lysis time ↓ (fibrinolytic activity의 증가를 의미)

• FDP, D-dimer, fibrin monomer ↑ (fibrinogen, fibrin의 분해산물) : 확진!

• fibrinogen ↓ … fibrinogen level이 출혈정도를 잘 반영

　- 기저질환에 따라 증가할 수도 있기 때문에 일부에서는 정상일 수도 있음

　- fibrinogen은 반감기가 길므로 severe DIC에서 주로 감소됨

• factor II, V, VIII 등 ↓　(factor VII, X, plasmin inhibitor 등은 정상)

• high-grade DIC에서는 antithrombin III or plasminogen activity도 감소(정상의 <60%)

참고: Overt DIC의 진단기준 (ISTH, KSTH)

Score	Platelet (/μL)		PT 연장		Fibrinogen (mg/dL)		FDP/D-dimer	
	ISTH*	KSTH**	ISTH	KSTH	ISTH	KSTH	ISTH	KSTH
0	>10만	>10만	<3초	<3초	>100	>150	증가X	증가X
1	5~10만	≤10만	3~6초	≥3초	≤100	≤150		증가
2	≤5만		≥6초				중증도 증가	
3							크게 증가	

* ISTH (International Society on Thrombosis & Hemostasis) : 점수의 합이 5점 이상이면 overt DIC로 진단
** KSTH (Korean Society on Thrombosis & Hemostasis) : 점수의 합이 3점 이상이면 overt DIC로 진단

(5) 치료

① 교정 가능한 원인 질환의 치료 (m/i)

: 원인 질환의 치료가 쉽고, 빠를 수 있으면 보충요법 만으로 충분

예) 산과적인 합병증, acute bacterial sepsis, APL

② 출혈의 조절 - 보충요법(replacement therapy)

- platelet <50,000/μL → platelet 수혈

(c.f., 출혈 증상이 없고 platelet ≥10,000/μL 유지되면 예방적 수혈은 안함)

- PT/PTT >1.5배 → FFP 수혈
- fibrinogen <100 mg/dL → cryoprecipitate
- vitamin K 공급
- severe sepsis & septic shock → thrombin 생성 억제 치료 고려

(antithrombin III, TFPI, activated protein C 등)

③ heparin

- 작용 : AT-III와 함께 thrombin의 작용 차단, 혈관내 응고 억제

(but, 출혈경향을 악화시킬 수 있으므로 특수한 경우에만 사용)

- 반드시 보충요법과 병행해야 됨! (heparin만 쓰면 출혈 증가)
- antithrombin III level이 매우 낮으면 heparin 효과가 없으므로 치료 전에 반드시
  antithrombin III level 측정 (→ antithrombin III or FFP로 보충)
- acute DIC의 대부분은 보충요법이 효과적이며 heparin은 필요 없음

DIC에서 heparin 사용의 적응	Heparin 사용의 금기
1. 일부 chronic DIC (warfarin은 효과 없음) ; 전이암, dead fetus syndrome, aortic aneurysm, APL 2. Chronic DIC 환자의 수술전 3. 대혈관의 혈전색전증 합병 4. 적극적인 보충요법에도 반응없는 acute DIC에서 　┌출혈증상 지속 　└혈전증으로 인한 조직괴사 위험 　 (e.g., 말단청색증, 신장피질괴사)	1. 국소 부위의 심한 출혈 2. CNS 출혈 위험 (e.g., NS procedure) 3. 조절되지 않는 HTN (diastolic pr. >110 mmHg) 4. 최근 5일 이내의 수술

④ fibrinolysis 억제제 ; EACA (ε-aminocaproic acid), tranexamic acid

- 심한 출혈(excessive fibrinolysis)이 주 증상이면서 heparin + 보충요법에도 반응이 없는
  경우에 사용 (이외의 일반적인 DIC에서는 금기임)

→ giant hemangioma에 의한 chronic DIC, APL 환자에서 도움

- EACA는 반드시 heparin (e.g., LMWH)과 같이 사용

(∵ heparin 없이 투여하면 심한 thrombosis 초래)

⑤ 기타 연구중인 치료제 ; AT III, APC (activated protein C), direct thrombin inhibitors ...

7. 과응고상태 (hypercoagulability)

혈전증(thrombosis)의 원인/위험인자

	Inherited	Acquired
Arterial thrombosis	Homocystinemia*	Atherosclerosis (hyperlipidemia, DM*) Antiphospholipid antibody syndrome* Myeloproliferative neoplasms (MPN)* TTP/HUS/vasculitis Heparin-induced thrombocytopenia*
Venous thrombosis	AT-III deficiency Protein C deficiency Protein S deficiency Factor V Leiden Prothrombin G20210A Factor XIII V34L Homocystinemia* Dysfibrinogenemia Plasminogen deficiency tPA deficiency PAI-1 excess	고령(>60세), 비만, 활동저하, 장시간 비행기여행 Immobilization (e.g., bed rest, CVA) Central venous catheter Malignancy Postoperative state 임신 (특히 출산후) Estrogen (경구피임약, HRT) Nephrotic syndrome Antiphospholipid antibody syndrome* SLE*, DM*, MPN*, PNH Inflammatory disorders ; UC

* arterial & venous thrombosis를 모두 일으킬 수 있음

선천성(유전성) 과응고상태를 의심해야 되는 경우

1. 혈전증의 가족력 존재
2. 45세 미만에서 반복적으로 또는 특별한 원인 없이 혈전증 발생
3. 장관정맥, 뇌정맥 등과 같이 발생이 드문 부위에 혈전증 존재
4. 항응고제 투여 중에도 자주 재발하는 혈전증

(1) Factor V Leiden

- 가장 흔한 유전성 과응고질환 (전세계 인구의 약 3%, but, 우리나라엔 無)
- factor V gene의 point mutation → factor Va가 activated protein C에 의해 분해 안됨
  → factor Va의 thrombogenic effect가 연장됨 : "activated protein C resistance"
  (activated protein C를 첨가해도 aPTT가 연장 안됨)
- thromboembolism 발생 위험 : heterozygous 7배↑, homozygous 20배↑
- 25%에서는 recurrent DVT or pul. embolism 발생

(2) Antithrombin III (AT-III) deficiency

- AT III의 정상 level : 22~39 mg/dL (70~130%)
- 정상 level보다 조금만 낮아도 thrombosis 위험 증가 (8~10배↑)
- screening
  ① AT-III의 immunoassay
  ② plasma AT-III & heparin cofactor activity의 functional assay
- mild (heterozygous) AT-III deficiency가 m/c (homozygous는 생존 불가능)
- 증상이 있는 (thromboembolism Hx.) 환자의 치료 ; IV heparin → oral anticoagulant (평생)

- 증상이 없는 환자
  - thrombosis의 위험이 있는 시술 전에는 반드시 heparin or plasma 투여
  - chronic oral anticoagulation은 권장되지 않는다

(3) Protein C or S deficiency

- protein C : vitamin K-dependent hepatic protein
- activated protein C
  ① protein S와 함께 factor Va와 VIIIa를 분해 (→ fibrin 형성↓)
  ② fibrinolysis 자극 (→ clot lysis 촉진)
- protein C or S의 deficiency (대개 AD 유전) → recurrent venous thrombosis, pul. embolism
  ┌ type I protein C deficiency : Ag과 activity 모두 감소
  └ type II protein C deficiency : activity만 감소
- symptomatic heterozygous 환자의 치료
  - IV heparin → oral anticoagulant (warfarin)
  - oral anticoagulantion의 문제점
    ① vitamin K antagonist 임 → protein C or S도 감소됨
    ② warfarin-induced skin necrosis 발생 위험
- homozygous 환자 (출산 직후부터 생명 위험)의 예방적 치료 ; 주기적인 plasma 투여
  (oral anticoagulation은 안 함)

(4) Prothrombin gene mutation

- prothrombin gene의 point mutation (G20210A)
- plasma prothrombin level이 30% 증가 → venous thrombosis (DVT) ↑

(5) Hyperhomocysteinemia

- homocysteine : methionine의 중간대사 산물
- homocysteine의 증가 원인
  ┌ 선천적 ; 대사와 관련된 효소의 결핍 (e.g., MTHFR, CBS, MS)
  └ 후천적 ; 고령, 폐경, 신부전, hypothyroidism, leukemia, psoriasis, drugs (e.g., MTX, nitrous
           oxide, INH, 일부 항경련제), vitamins (folic acid, B_{12}, B_6) 결핍
- 정상인의 5~10%, DVT 환자의 10~15%, CAD 환자의 10% 차지
- AS와 venous & arterial thrombosis를 촉진
  ① endothelial damage → tissue factor를 촉진
  ② coagulation cascade 활성화
  ③ platelet adhesion 증가
  ④ LDL cholesterol의 죽상형으로의 전환
- 심/뇌/말초혈관질환, 정맥혈전증의 독립적인 위험인자임
- 치료
  - vitamins 보충 : folic acid, B_{12}, B_6 (pyridoxine) 등
  - 혈전증 발생시에는 항응고제(e.g., warfarin, LMWH) 3~6개월 사용

(6) Antiphospholipid antibody syndrome (APS)

- 정의 : antiphospholipid Abs (aPL)에 의한 자가면역질환으로 recurrent venous and/or arterial thrombosis, recurrent fetal loss, thrombocytopenia 등이 특징
  - antiphospholipid Abs의 실제 표적은 anionic phospholipids와 결합하는 다양한 단백들임 (특히 β_2-glycoprotein I)

primary APS (약 1/2)
secondary APS ; infection, trauma, drugs, SLE, GN, 혈액투석, 신이식, 임신 ...

- major Sx (→ 모두 나타나면 "catastrophic APS [CAPS]")
  ① recurrent venous thrombosis : DVT, pul. thromboembolism, livedo reticularis
  ② recurrent arterial thrombosis : CVA, MI, gangrene
  ③ recurrent fetal loss (abortion)
  ④ persistent thrombocytopenia
- 기타 증상 ; arthralgia, migraine, 심장판막 이상, Coombs(+) HA, myelopathy, chorea ...
- 검사/진단

APS의 잠정 진단기준

임상기준	검사기준
1. Vascular thrombosis • 1회 이상의 동맥, 정맥, 소혈관의 혈전증 • 영상검사 or 조직검사로 확인되어야 함 2. Pregnancy morbidity • 임신 10주 이후에 자연유산 1회 이상 발생 • 임신 34주 이전에 조산 1회 이상 발생 • 임신 10주 이전에 자연유산 3회 이상 발생	다음 중 하나 이상이 12주 이상의 간격으로 2회 이상 (+) 1. LA 2. aCL (IgG or IgM) 3. anti-β2GPI (IgG or IgM) * 진단: 임상기준 1개 이상 + 검사기준 1개 이상

- screening (phospholipid 의존성 응고검사 연장) ; aPTT↑ / aPTT 정상이면 민감도를 더 높인 dilute aPTT↑ (인지질 함량↓), PTT-LA (silica와 같은 활성인자 사용), dilute PT↑, dilute Russel viper venom time (dRVVT)↑, kaolin clotting time (KOT)↑ 등 시행
  ⇨ mixing test로 교정 안 됨! (∵ 항체의 inhibitor activity)
     과량의 phospholipid 첨가시 교정/단축됨 → LA (lupus anticoagulant) 확진
     * LA : PL-binding proteins (주로 β_2GPI)과 prothrombin에 결합하는 다양한 항체들
- 확진검사 (antiphospholipid Ab)
  ① lupus anticoagulant (LA) : clot-based assay

LA의 정의

인지질과 결합해 응고검사를 연장시키는 항체(IgG and/or IgM)
(1) 인지질 의존성 응고검사(e.g., aPTT)가 연장됨
(2) Mixing test에서 연장된 응고검사가 교정되지 않음
(3) 과도한 인지질을 첨가하면 연장된 응고검사가 교정됨
  ; 혈소판중화시험(platelet neutralization test),
    고농도 RVVT, 고농도 PTT 등

* LA는 위양성이 많은 편인데 대개 감염이 원인임 (정상인도 양성 가능)

  ② anticardiolipin Ab (aCL) : immunoassay (e.g., ELISA)로 측정
  ③ anti-β_2-glycoprotein-I Ab (anti-β_2GPI) (more specific) : immunoassay로 측정
- 이러한 항체들은 VDRL 위양성도 초래함 (false-positive VDRL)

- 치료/예방
  - thrombosis 병력 無 → low-dose aspirin or F/U
  - thrombotic event 병력 無 → warfarin (INR 2.5~3.5 유지) ± aspirin
  - preop. → subcutaneous UFH or LMWH
  - 유산, 임신 중 → aspirin + LMWH or UFH (IV Ig도 유산 예방 가능, steroid는 효과×)
  - ARF → plasmapheresis 및 면역억제제에 일부 반응
  - recurrent venous/arterial thrombosis, catastrophic APS
      → 치료용량의 heparin IV or LMWH SC
  - HIT 발생 시엔 fondaparinux (SC) or rivaroxaban (oral)

항혈전제 (Antithrombotic drugs)

- antiplatelet drugs : 주로 arterial thrombosis의 예방/치료에 사용
- anticoagulants : 주로 venous thrombosis의 예방/치료에 사용
- fibrinolytic agents : 주로 심한 arterial or venous thrombosis의 치료에 사용
- c.f.) ┌ arterial thrombi : high shear 환경, 주로 platelets으로 구성 (→ white plaque)
       └ venous thrombi : low shear 환경, 주로 fibrin, RBCs로 구성 (→ red plaque)

1. 항혈소판제 (antiplatelet drugs)

(1) arterial thrombosis에서 혈소판의 역할

: 혈관 손상 → TF 노출 → 응고 활성화 (thrombin → fibrin 형성, platelets 모집 & 활성화↑)
  ↳ collagen, vWF, fibronectin 노출 → platelets 부착 & ADP, thromboxane A_2 분비
      → platelets 모집 & 활성화 → platelets 응집(aggregation)
  ⇨ platelet-fibrin thrombus 형성

(2) aspirin (acetylsalicylic acid, ASA)

- 가장 널리 쓰이는 기본적인 항혈소판제
- 기전 : platelets의 cyclooxygenase (주로 COX-1)를 비가역적으로 억제
    → thromboxane A_2 생성 억제 → platelets 모집 & 활성화 억제 → platelets 응집 장애
- 적응 : 심혈관/뇌혈관/말초혈관 질환의 이차 예방 (→ 심혈관계 사망, MI, stroke 등 20% 감소)
    c.f.) 일차 예방 효과는 논란 → 심혈관계 일차 예방으로 사용은 고위험군에서만 권장됨
- 용량 : 대부분 하루 1회 low-dose (75~100 mg)를 사용 (고용량이 더 효과적인 것은 아님)
    (효과는 1시간 이내에 발생, 혈소판의 수명인 약 1주일간 지속됨)
- 부작용 : 출혈(주로 GI, major bleeding도 1~3%/yr, 항응고제와 병용시 위험↑), allergy (~0.3%)
        ↳ PUD 환자에서는 *H. pylori* 박멸 & PPI 투여시 UGI bleeding 위험 감소
- 내성 (clinical resistance : aspirin이 ischemic vascular events 예방에 실패한 것)
  - laboratory (biochemical) resistance : thromboxane A_2 생성 and/or 혈소판 응집 억제 실패
    → platelet function analyzer로 진단 가능하지만 아직 표준화가 부족, 연구중

(3) thienopyridines (P2Y$_{12}$ inhibitors)

- 약제 ; ticlopidine (1세대), <u>clopidogrel</u> (2세대; 더 효과적이고 안전), <u>prasugrel</u> (3세대)
  - 약효에는 모두 hepatic cytochrome P-450 (CYP)에 의한 대사 활성화가 필요함
  - prasugrel : clopidogrel보다 대사과정이 간단해 상대적으로 빠르고 강력한 혈소판 억제 효과
- 기전 : 혈소판의 <u>ADP (P2Y$_{12}$) receptor</u>에 비가역적으로 결합 (→ 작용시간이 긺[응급수술시 문제])
  ↳ 수술 최소 5일전 중단해야
  → ADP-induced platelet aggregation 억제
- 적응 : aspirin과 비슷함 (단독으로는 aspirin보다 8.7% 더 효과적), ACS 및 PCI stenting 이후
  → 서로 다른 기전으로 혈소판 활성화를 억제하므로 대개 aspirin과 병용 [DAPT]
- 용량 : clopidogrel 하루 1회 75 mg / prasugrel 60 mg loading 이후 하루 1회 10 mg
- 부작용 : 출혈 (asprin + clopidogrel 병용시↑), ticlopidine은 위장관 및 혈구감소 부작용도 있음
- C/Ix. ; active bleeding (+ prasugrel ; stroke/TIA 과거력, 75세 이상, 60 kg 미만)

> ■ Clopidogrel 저항성(resistance)
> - 25~50%의 한자는 CYP isoenzymes (CYP2C19가 m/i)의 유전적 다형성으로 인한 clopidogrel의 활성화 저하로 약제 내성을 보임 (서양보다 우리나라에서 더 흔함) → ADP-induced platelet aggregation 억제 실패
> - 혈소판기능검사(e.g., VerifyNow®) or CYP2C19 유전자검사 등으로 저항성이 의심되면 clopidogrel 대신 prasugrel or ticagrelor 사용 권장

- * <u>ticagrelor</u> : triazolopyrimidine 계열 약물, 최초의 <u>가역적</u> <u>direct</u> ADP (P2Y$_{12}$) receptor 차단제
  - 반감기가 짧아 2회/일 복용 (용량 : 180 mg loading 이후 하루 2회 90 mg씩)
    c.f.) 최근에는 1년 이후 장기간 DAPT를 위한 60 mg 제제도 연구 중
  - clopidogrel보다 작용이 빠르고 약물반응이 일정하며 효과 우수함
  - 부작용 ; 출혈, dyspnea (~15%, 대개는 mild & self-limited), bradyarrhythmia
  - C/Ix. ; active bleeding, 뇌출혈 병력, severe COPD, hyperuricaemia/gout

- * cangrelor : IV direct & rapid P2Y$_{12}$ inhibitor , 반감기 3~5분
  → oral P2Y$_{12}$ inhibitors를 복용한 적 없는 환자에서 PCI 시행할 때 사용

(4) PDE inhibitors

- 약제 ; dipyridamole, cilostazol (Pletal®)
- 기전 : platelets의 cAMP↑ (∵ phosphodiesterase 3 억제, adenosine reuptake 억제)
  → platelets 내 Ca^{2+}↓ → platelets 활성화 억제 (작용은 약함)
- 적응 : TIA 환자에서 stroke 예방 → Aggrenox® (aspirin + extended-release dipyridamole),
  말초동맥질환(PAD) 환자에서 claudication 호전 → cilostazol (항혈소판 + 혈관확장)
- 부작용 : 혈관확장(→ 증상이 있는 CAD 환자에서는 금기), 위장관, 두통, 저혈압 ...

(5) GP IIb-IIIa receptor antagonists

- 약제 ; abciximab, eptifibatide, tirofiban
- 기전 : 활성화된 pleteles의 GP IIb-IIIa receptors를 차단하여 fibrinogen이 결합하지 못하게 함
  → platelet aggregation의 최종 단계를 억제
- 적응 ; PCI 예정 환자 (특히 MI에서), high-risk UA
- IV로 투여, eptifibatide과 tirofiban은 신장으로 배설되므로 신부전시 감량
- 부작용 ; 출혈, thrombocytopenia (immune-mediated, GP IIb-IIIa의 neoAg에 대한 Ab 때문)

	Abciximab	Eptifibatide	Tirofiban
GP IIb-IIIa에 대한 특이성	×	○	○
혈중 반감기	짧음(몇분)	긺(2.5시간)	긺(2시간)
혈소판결합상태의 반감기	긺(며칠~2주)	짧음(몇초)	짧음(몇초)
혈소판감소증 발생 위험	5%	1%	1%

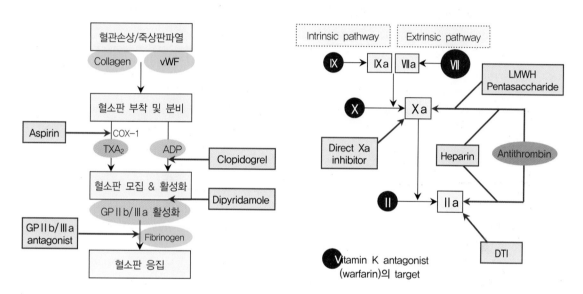

항혈소판제 및 항응고제의 작용기전

2. 항응고제 (anticoagulants)

(1) heparin (unfractionated heparin, UFH)

- 기전 : <u>antithrombin</u>과 결합하여 활성화시킴 → 활성화된 antithrombin은 common pathway
  응고인자인 thrombin (IIa)과 factor Xa를 주로 불활성화시킴
- 비경구적으로 투여 (IV-m/c, SC), 반감기 30~60분 (용량이 클수록 길어짐)
- 용량-반응은 예측 불가능함 (∵ 혈장 heparin-binding proteins level의 개인차 및 다양한 변화)
  ⇨ 반드시 <u>aPTT</u>로 monitoring : 대개 control의 2~3배 유지
    - heparin 내성이 의심되면 anti-factor Xa activity로 monitoring
    - antithrombin 결핍 또는 heparin-binding proteins level이 높은 경우에는 heparin 용량↑
    - 예방 목적의 투여시(SC)에는 monitoring 안 해도 됨
- 태반은 통과하지 못함 (→ 임신 중에도 사용 가능)
- 부작용 ; 출혈(→ antidote : protamine sulfate), thrombocytopenia (HIT → 앞부분 참조),
  osteoporosis ...

- true heparin resistance
  - 원인 : heparin이 WBC, 혈관내피세포, heparin-binding proteins (e.g., acute phase proteins) 등에 비특이적으로 결합
  - anti-thrombotic (anti-factor Xa) activity↓ & anticoagulant activity↓ (aPTT↓)
- apparent heparin resistance
  - 원인 : fibrinogen, factor VIII level↑
  - anti-factor Xa activity는 정상인데도, aPTT는 짧아짐

(2) low-molecular weight heparin (LMWH)

- 약제 ; dalteparin, enoxaparin, tinzaprin ...
- UFH와 작용기전은 같지만 (antithrombin 활성화), thrombin과 완전히 결합하기에는 길이가 짧아 anti-thrombin activity는 약하고 (aPTT로 monitoring 불가능), anti-factor Xa activity가 강함

	anti-factor Xa activity	anti-thrombin (IIa) activity	평균 분자량	혈장 반감기
UFH	1	1	15,000	30~60분
LMWH	2~4	1	5,000	4시간
Fondaparinux	1	0	1,728	17시간

- LMWH의 장점 (UFH에 비해)
  ① 비특이적 결합 적음 → subcutaneous 투여, bioavailability 우수 (90%), 반감기 길고 일정
      → 안정된 용량-반응 예측 가능, 하루 1~2회 투여
  ② 같은 정도의 항응고 효과를 가질 때, 출혈 부작용이 UFH보다는 적음
  ③ 부작용(e.g., HIT, osteopenia) 및 내성 드묾
- 대부분 monitoring은 필요 없지만, 필요시에는 반드시 anti-factor Xa activity로 시행
  (e.g., 신부전, 비만, 임신, 소아, 기계적 심장판막 같은 고위험군)
- 신장으로 배설되므로 신부전시에는 주의
- protamine sulfate에 의해 부분적으로만(~60%) 억제됨

(3) indirect Xa inhibitor (synthetic pentasaccharide)

- 약제 ; fondaparinux, idraparinux (출혈 부작용이 심함), danaparoid
- heparin에서 antithrombin과 결합하는 pentasaccharide 부분만 인공적으로 합성한 것
      → factor Xa만 불활성화시킴
- SC로 투여, bioavailability 100%, 신장으로 배설됨
- 적응 ; 일반외과 및 고위험 정형외과 수술에서 DVT의 예방, ACS
- PF4 (platelet factor 4)와 결합하지 않으므로 HIT의 부작용은 없음
- 부작용 ; 출혈 (antidote가 없으므로 주의)

(4) direct thrombin inhibitor (DTI)

- heparin 계열 약제와 달리 antithrombin이 필요 없으며, PF4에 의해서도 억제되지 않음
- oral DTI (현재는 dabigatran 뿐) ; warfarin을 대치하기 위해 개발되는 약물
- parenteral DTI ; 반감기 짧음, 특수한 용도에 사용 (e.g., HIT 치료, PCI 환자)

	PI (polypeptide inhibitor)	LMWI (low-MW inhibitor)
작용	Circulating & clot-bound thrombin을 모두 억제	Circulating thrombin만 억제
예	Hirudin Lepirudin Bivalirudin	Argatroban Dabigatran (oral) Napsagatran Melagatran

	Lepirudin	Bivalirudin	Argatroban	Dabigatran
배설경로	신장	Peptidase에 의해 분해 (일부 신장)	간	신장 80% 담도 20%
투여	IV (or SC)	IV (or SC)	IV	Oral
반감기	60분	25분	45분	12~17시간
Monitoring	aPTT, ECT	aPTT (저용량) ACT (고용량)	aPTT	대개 필요없음
적응	HIT	PCI 예정 환자	HIT (신부전 환자도 가능)	수술후 DVT 예방 AF에서 혈전색전 예방

* ECT, ecarin clotting time ; ACT, activated clotting time

■ <u>NOAC (new oral anticoagulant)</u> : warfarin 이상으로 효과적이고 부작용/약물상호작용은 적음
  ┌ oral direct thrombin inhibitor (DTI) ; dabigatran
  └ oral direct Xa inhibitors ; rivaroxaban, apixaban, edoxaban
      (c.f., factor Xa inhibitors는 경구 제제만 있음)

	Dabigatran	Rivaroxaban	Apixaban	Edoxaban
기전	DTI	Xa 억제	Xa 억제	Xa 억제
Active drug	×	○	○	○
Bioavailability	6%	80%	50%	50%
작용시작 (시간)	0.5~2	2~4	3~4	1~3
반감기 (시간)	12~17	5~13	9~14	9~11
신장 배설률 (나머지는 주로 간)	80%	66%	25%	35%

  – Dabigatran이 허가된 지도 10년이라.. NOAC 대신 non-VKA oral antagonists라고 부르기도 함
  – 보통 고정된 용량으로 투여하며, INR monitoring 필요 없음

(5) oral anticoagulants (vitamin K antagonists, VKA)

• 약제 ; warfarin (= coumadin), dicumarol
• 기전 : liver microsome에서 vitamin K epoxide reductase를 억제하여
    vitamin K의 γ-carboxylation을 억제 (vitamin K antagonist)
      → vitamin K-dependent factors (II, VII, IX, X, protein C, S)의 activity 감소
• therapeutic effect를 위해서는 3~4일, 의미 있는 항응고 효과를 나타내기 위해서는 1주일 이상
  복용 필요 (∵ activity가 억제된 새 인자들이 합성되어 기존 인자를 대치할 때까지 시간 소요)
      → 초반에는 heparin 등의 비경구적 항응고제와 병용 (5일 이상)
• <u>PT</u>로 monitoring : 대개 control의 1.5~2배 (INR 2.0~3.0) 유지
    (mechanical heart valve, recurrent MI 등의 고위험군은 INR 2.5~3.5)

• 부작용

① 출혈 : INR >3.0, 구조적 위장관질환, 항혈소판제 or 비경구항응고제 병용, 고혈압,
  신장질환, 뇌혈관질환 등시 발생 위험 증가 (→ antidote : vitamin K + FFP)

② alopecia (출혈 이외의 m/c Cx)

③ skin necrosis, purple-toe syndrome (∵ protein C or S↓ → thrombosis)

④ 태반을 통과하여 기형, 사산, 태아사망 등을 유발 가능 (→ 임신 중 금기), 임신 6~12주가
  가장 위험함 (c.f., 모유에는 존재 안 함 → 출산 이후에는 안전)

• warfarin 효과에 영향을 미치는 약물/요인

Warfarin 효과↑ (PT↑) → 출혈경향↑				Warfarin 효과↓ (PT↓)	
AAP	Acarbose	Allopurinol	Amiodarone	Adrenal glucocorticoids	
Anabolic steroids		ASA (고용량)	Celecoxib	Azathioprine	Barbiturates
Colchicine	Danazol	Delavirdine	Disopyramide	Bosentan	Carbamazepine
Fenofibrate	Gemfibrozil	Glyburide	Lactulose	Cholestyramine	Efavirenz
Leflunomide	Levothyroxine	Orlistat	Phenylbutazone	Griseofulvin	Isotretinoin
Phenytoin (장기간 사용시 INR↓)		Propafenone	Propoxyphene	Mesalamine	Methimazole
Quetiapine	Quinidine	Ropinirole	Sulfinpyrazone	Nevirapine	Penicillin
Tamoxifen	Ticlopidine	Tramadol		Phenobarbital	Propylthiouracil
EM/Azithromycin/Clarithromycin, Ciprofloxacin/Levofloxacin/Moxifloxacin				Raloxifene	Ribavirin
Fluconazole/Itraconazole/Ketoconazole/Miconazole/Voriconazole				Rifampin	Sucralfate
Cloxacillin, TC/DC, TMP-SMX, Metronidazole, Isoniazid				Sulfasalazine	Trazodone
Fluvastatin/Lovastatin/Rosuvastatin/Simvastatin				PI ; Lopinavir/ritonavir, Darunavir	
PPI (e.g., Lansoprazole, Omeprazole), Cimetidine, Ranitidine					
PI (Atazanavir, Fosamprenavir, Saquinavir), Etravirine				Vitamin K 과잉 섭취, 갑상선기능저하증, NS,	
고령, 발열, 간담도계질환, 갑상선기능항진증, 흡수장애, 영양실조, CHF, 악성종양 ...				Inherited warfarin resistance ... 녹색채소류, 녹차, 양배추, 오이,	
Fish oil, 당귀, 대추, 마늘, 생강, 양파, 영지버섯, 은행잎 추출물 ...				콩류(두부, 청국장), 인삼 ...	

 – 광범위항생제 : normal flora 감소 (→ vitamin K 합성↓)에 의해 warfarin 효과를 증대시킬 것으로 예상되지만,
   대부분의 환자에서는 임상적으로 문제 안 됨 (영양결핍이나 흡수장애 환자에서는 문제)
 – Alcohol : 소량에서 중간 정도의 알코올을 비정기적으로 섭취하는 경우에는 warfarin 작용에 영향 없음
   (알코올 중독은 warfarin의 반감기↑ & 간기능장애에 의해 출혈경향↑ 위험)

c.f.) 수술 전의 항응고제 관리

(a) thromboembolism 위험이 낮은 경우 (e.g., AF) → 수술 3~5일 전에 warfarin 중단
  INR을 1.5 이하로 유지, 수술 뒤 다시 시작

(b) 최근 embolism 발생한 고위험군 → warfarin 중단, 수술 6시간 전까지는 heparin을 사용 후
  중단, 수술 뒤 12시간 이내에 heparin 재투여
  (vitamin K : INR을 낮추는 시간은 짧아지지만 수술 후 warfarin 사용에 문제)

(c) 가벼운 수술 (e.g., 백내장, 발치) → warfarin 계속 사용 가능, INR은 1.5 정도로 유지

3. 섬유소용해제 (fibrinolytic agents)

		1세대	2세대		3세대
	Streptokinase (SK)	Urokinase (UK)	Alteplase (t-PA)	Reteplase (r-PA)	Tenecteplase (TNK-t-PA)
Source	β-Hemolytic streptococci	human neonatal kidney cells	recombinant t-PA	recombinant t-PA	recombinant t-PA 변형
분자량	47,000	32,400	70,000	39,600	65,000
반감기(분)	10~25	7~20	4~6	11~16	15~24
Fibrin specificity	−	−	++	+	+++
Plasminogen 활성화	간접	직접	직접	직접	직접
항체 형성	+++	−	−	−	+/−
적응 (FDA 승인) 심근경색	○		○	○	○
말초동맥 폐쇄	○				
폐색전증	○	○	○		
뇌경색			○		
Catheter 폐쇄	○		○		

- 기전 : plasminogen을 활성화시켜 plasmin으로 변환시킴 (→ fibrin 및 fibrinogen 분해)
  - SK : plasminogen과 complex를 이룬 뒤 구조변화를 일으켜 active site를 노출시킴
    → SK-plasminogen complex는 다른 plasminogen의 activator로 작용 (간접 활성화)
  - UK, t-PA 제제들 : plasminogen을 직접 활성화시킴
- fibrin specificity : fibrin-bound plasminogen만 선택적으로 활성화시키는 것 (t-PA 제제들)
  - fibrin specificity가 높을수록 thrombosis 부위의 fibrin만 국소적으로 분해하고,
    전신적인 fibrinogenolysis의 부작용(출혈 위험)이 적다
  - alteplase는 fibrin 분해산물인 (DD)E와도 결합하여 plasmin을 생성 fibrinogenolysis를 일으킴
  - tenecteplase는 (DD)E와의 결합이 적어 fibrinogenolysis가 덜함 (→ 출혈 부작용↓)

10
비장

비장/지라(spleen)의 기능

주요 lymphopoietic organ으로 체내 total lymphoid mass의 약 25% 차지
(1) RES (macrophages) : 노화되거나 결함이 있는 RBCs, 세포 찌꺼기, 미생물 등의 제거
    (e.g., Ab-coated bacteria 및 Ab-coated cells 제거)
(2) 면역반응 : 혈중 organism의 opsonization (primary immune response),
    alternative complement pathway 조절
(3) 혈구 비축 : <u>platelets</u> (전체의 약 1/3), marginated neutrophils
            ↳ 심한 splenomegaly에서는 ~90%까지 증가할 수도 (total platelet mass는 대개 정상)
(4) 조혈 : 태아기에 중요, 성인에서는 심한 빈혈 등의 혈액질환 때 extramedullary hematopoiesis

비장/지라비대(splenomegaly)

┌ splenomegaly : 300 g 이상 (정상 : 80~200 g, 평균 150 g)
└ massive splenomegaly : 1000 g 이상 or 좌측 갈비뼈 아래로 8 cm 이상 촉진

Massive splenomegaly의 원인
1. Acute Malaria (*P. falciparum*) with splenic sequestration crisis Sickle cell anemia with splenic sequestation crisis **2. Chronic** 종양 ; MPN, Lymphoma, CLL, Hairy cell leukemia,   Diffuse splenic hemangiomatosis, 전이암 혈액질환 ; Thalassemia major, Autoimmune hemolytic anemia 염증/침윤 ; Gaucher's disease, Sarcoidosis, Felty's syndrome 울혈성 ; LC, heart failure (특히 Rt) 감염 ; Malaria, Kala-azar

비장/지라기능항진증(hypersplenism)

* Criteria
  ① 한 개 이상의 hematologic cell lines의 cytopenia
  ② compensatory reactive marrow hyperplasia
  ③ splenomegaly
  ④ splenectomy에 의해 abnormalities가 교정됨

비장/지라절제술(splenectomy)

1. 적응증

(1) autoimmune thrombocytopenia
- steroid에 반응이 없거나 의존적인 chronic ITP
- SLE에 동반된 thrombocytopenia (discoid lupus는 적응이 아님)

(2) hemolytic anemia
- chronic autoimmune HA (warm Ab) : steroid에 반응 없거나 의존적일 때
- hereditary spherocytosis (5세 이후에)

(3) hemoglobinopathies
- sickle cell dz., thalassemia major
- sequestration crisis 등 spleen에 의한 합병증이 심할 때 고려

(4) lymphoma/leukemia
- primary splenic lymphoma의 확진을 위해
- hairy cell leukemia, prolymphocytic leukemia : 2차 또는 3차 치료로 효과적
- CML, CLL : 내과적 치료에 반응 없을 때 증상 완화를 위해 고려
  (but, 수명 연장 효과는 없고, 수술로 인한 위험만 증가됨)

(5) storage dz.
- refractory Gaucher's dz. 등

(6) Felty's syndrome
- 정의 : neutropenia + splenomegaly + rheumatoid arthritis
- neutropenia and/or infection이 심하거나 지속적일 때 고려

(7) splenic abscess, cyst, thrombosis, infarction, rupture, trauma

* BM failure 존재시에는 splenectomy 금기
  (∵ spleen에서만 조혈이 이루어지고 있을 수 있음)

2. Post-splenectomy syndrome

(1) 혈액학적 변화

① PB ; anisocytosis, poikiocytosis (acanthocytes, target cells ...), Heinz body (denatured Hb), basophilic stippling, siderocytes, nucleated RBC ...

* Howell-Jolly body : RBC 내의 핵 잔유물 (DNA clusters), 비장 기능이 없음을 시사
  (→ 비장절제가 완전한지 평가하는데 도움)

② leukocytosis (~25,000/μL)) : neutrophilia → lymphocytosis & monocytosis

③ thrombocytosis (~1×10^6/μL)

- MPN이나 PNH에서는 thromboembolism 위험 증가
  → splenectomy전에 CTx.로 platelet count를 떨어뜨려야
- leukocytosis와 thrombocytosis는 보통 2~3주 이내에 정상화됨

(2) 감염 (m/i)

① splenectomy 뒤 면역기능의 변화

- IgM level ↓
- complement-mediated opsonization 감소
- circulating Ag을 phagocytosis 할 수 있는 능력 저하

② 특히 소아에서 sepsis의 발생 위험 증가 (10년에 약 7%), 사망률 50~80%

③ 원인균 (특히 encapsulated bacteria)

- *Streptococcus pneumoniae* (m/c), *Haemophilus influenza* type b, 일부 Gram(-)균 (e.g., *N. meningitidis, Salmonella*), *Capnocytophaga, Babesia microti* ...
- bloodborne parasites (e.g., malaria)
- viurs 감염의 위험은 증가하지 않음!

④ 감염의 예방

- 예방적 항생제 투여 (18세까지)
- pneumococcal vaccination ··· post-splenectomy sepsis의 50~90% 차지
  - 단백결합백신(PCV13) 먼저 접종 → 최소 8주 후 다당류백신(PPSV23) 순차 접종
  - 늦어도 splenectomy 시행 2주 전에 접종 (or splenectomy 2주 후 접종)
  - 매 5년 마다 다당류백신(PPSV23) 1회 추가 접종
- elective splenectomy 예정 환자는 *N. meningitidis* 및 *H. influenza* type b vaccination도 시행
  - *N. meningitidis* 단백결합백신 ; splenectomy 시행 2주 전 (or 2주 후), 5년 마다 재접종
  - *H. influenza* type b 단백결합백신 ; splenectomy 시행 2주 전 (or 2주 후), 재접종 필요×
- splenectomy 이후 해외여행시는 감염 예방조치를 더욱 철저히 해야 됨

MEMO

11
수혈의학

혈액성분제제

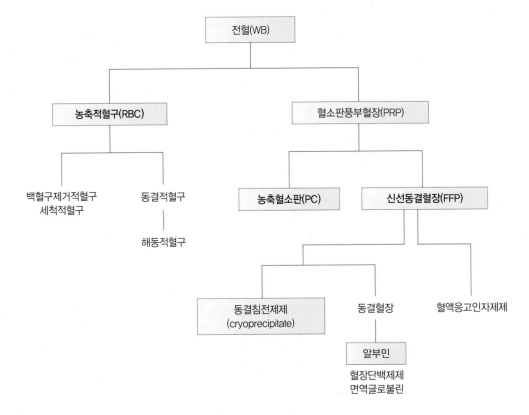

1. Whole blood (WB, 전혈)

- 1 unit = 456 mL = blood 400 mL + 항응고제(CPDA-1) 56 mL
- Ix : 산소운반능과 혈액량확장이 동시에 요구될 때 (급성 출혈 환자, 지속된 출혈에 의해 총 혈액량의 25% 이상의 출혈이 있는 경우) 예) 교환수혈, cardiac surgery, major trauma
  - but, 실제로는 대부분 packed RBC + crystalloid solution을 사용함
  - RBC의 보충만을 필요로하는 chronic anemia 환자에게는 전혈을 주면 안됨
- Hb 1 g/dL 상승 시킴
- 단점 : volume overload, WBC에 의한 부작용↑

* 저장 혈액의 변화

① coagulation factor 감소 : Ⅰ, Ⅱ, Ⅳ, Ⅴ, Ⅷ (특히 Ⅴ, Ⅷ은 몇 시간 내에 고갈)

② 2,3-DPG ↓→ 산소 친화력 ↑→ 산소운반능력(O_2 release) ↓

③ ATP ↓ → 산소운반능 ↓

④ RBC의 anaerobic glycolysis → lactic acid 생성 → pH ↓

⑤ glucose ↓ (∵ RBC에 의해 소모)

⑥ platelet, WBC 감소

⑦ hemolysis → free Hb ↑

⑧ K^+ ↑ (∵ RBC 내의 K^+이 밖으로 빠져나와)

2. Packed RBC (농축적혈구)

- 1 unit = 250 mL (Hct 약 70%) → Hb 1 g/dL (Hct 3%) 상승
- 출혈/빈혈시 가장 먼저 줌 (출혈성 shock도 crystalloid + RBC로 치료)
- 심폐질환이 없는 경우 Hb 7 g/dL까지는 tissue oxygenation 유지됨
- 수혈이 필요한 환자의 경우 대개 Hb 10 g/dL까지만 올리면 oxygenation 충분
- 요즘은 recombinant human erythropoietin 사용 증가
  예) chronic ESRD, cancer, AIDS, transfusion-dependent myelodysplasia

3. Leukocyte-reduced RBC/platelet (백혈구여과제거 적혈구/혈소판)

- 방법(filtration) ; 저장전 여과법(prestorage filtration) or 저장후 여과법(poststorage filtration)
  ↳ 발열반응 등 백혈구에 의한 이상반응 예방에 더 효과적!
- 적응증
  ① 발열반응(febrile nonhemolytic transfusion reactions) 예방
  ② HLA alloimmunization (→ 혈소판 수혈 불응증) 예방
  ③ 백혈구를 통한 감염전파 예방 ; CMV, HTLV-I, II 등
  ④ 신생아, 심혈관 수술환자

4. Gamma-irradiated RBC/platelet (방서선조사 적혈구/혈소판)

- 감마선원 ; cesium-137 (^{137}Cs), cobalt-60 (^{60}Co) (방사선 조사량은 최소 2500 cGy)
- 목적 ; 혈액제제 내의 생존 림프구를 불활성화 → transfusion-associated GVHD 예방!
- 방사선 조사 후 4주 간 사용 가능
- 방사선 조사 후 제제 내 K^+가 2배까지 상승되므로 K^+의 상승이 문제가 되거나(e.g., 신부전, 미숙아, ECMO priming), 대량 수혈 환자는 조사 후 24시간 이내에 사용하거나 세척한 제제를 수혈해야 됨
- 적응증
  ① 면역저하 환자 ; 선천성/후천선 면역결핍, HCT, 장기이식, 면역억제치료, CTx, RTx, 태아, 미숙아, 저체중아, 신생아 교환수혈 등
  ② 가족간 수혈, HLA one-way 적합 혈액 수혈, 채혈 3일 이내의 신선 혈액 수혈
  ③ allogenic HCT 공여 예정자
  ④ 심혈관 수술, PBSC 채집시 빈혈이 심해 성분채집기에 미리 RBC를 채우고 시행해야 할 때

5. Washed RBC/platelet (세척 적혈구/혈소판)

- RBC를 멸균 생리식염수로 세척하여 공여자의 <u>혈장</u> 성분을 제거한 것
- 세척 후에는 대략 적혈구는 20%, 혈소판은 33% 이상 감소됨
- Ix : 수혈로 인한 심한 아나필락시스 또는 알레르기 반응 예방, IgA 결핍 환자, 급속/대량 수혈시 hyperkalemia의 예방, 신생아 동종면역성 혈소판감소증 등

6. Platelet

- platelet concentrate (PC, 농축혈소판) 1 unit = 평균 50 mL (약 5×10^{10} 개의 platelets 함유)
  - 채혈후 6시간 이내의 전혈로부터 제조, 20~24℃ & agitator에서 보관
  - 환자의 platelet counts 5,000~10,000/μL 증가시킴
- apheresis platelet (AP, 성분채집혈소판)
  - 한명의 공혈자로부터 많은 양의 platelet을 얻음 (약 3×10^{11}개 이상)
  - PC 6~8 units에 해당, plasma 200~250 mL 포함
- 적응증 : platelet 감소나 기능장애시
  ① active bleeding 환자에서 platelet count가 50,000/μL 미만이거나,
    platelet dysfunction (→ BT 연장)이 있을 때
  ② 수술 전에 platelet count를 50,000/μL 이상으로 올리기 위해
  ③ invasive procedure (kidney나 liver biopsy 등) 전에도 platelet 50,000/μL 이상으로 올려야 됨
  ④ DIC에서 platelet이 감소되고 출혈 증상을 보일 때
  ⑤ ITP : life-threatening hemorrhage 이외에는 사용하지 않는다

  * TTP : 금기 (∵ 오히려 악화 → 사망)

- 가능하면 ABO와 Rh 혈액형이 동일한 것을 수혈
- 혈소판 수혈 불응증 (platelet transfusion refractoriness)
  - 혈소판 수혈 후에도 혈소판 수치가 상승하지 않는 경우
  - immune platelet refractoriness의 원인 ; anti-HLA Ab (m/c), platelet-specific Ab
  - nonimmune platelet refractoriness의 원인
    ; fever, infection, bleeding, DIC, splenomegaly, drugs (e.g., amphotericin)
- 동종면역(alloimmunization) : 주로 HLA 때문
  - 자주 platelet 수혈을 받는 환자는 림프구의 HLA Ag.에 대한 alloantibody 발생 (약 67%에서)
  - 소아보다 성인에서, acute leukemia보다 aplastic anemia에서 발생빈도 증가
  - 발생시 조치 ; HLA-matched platelet, HLA-compatible (Ag-negative) platelet,
    platelet cross-matching, 만약 HPA(human platelet Ag) Ab 존재시엔 HPA-compatible platelet
  - 예방 ; 성분채집혈소판(<u>apheresis platelet</u>) 수혈, <u>WBC-reduced platelet</u> 수혈,
    ABO-compatible 혈소판 수혈 (∵ 혈소판에도 소량의 A/B 항원 존재)
- 혈소판 수혈 1시간후의 교정 혈소판수 증가 (corrected count increment : CCI)
  - $CCI = \dfrac{[\text{수혈후 혈소판}(/\mu L) - \text{수혈전 혈소판}(/\mu L)] \times \text{체표면적}(m^2)}{\text{수혈전 혈소판수}(10^{11})}$
  - CCI 10,000/μL/m^2 이하면 동종면역으로 간주할 수 있음

7. Leukocyte

- 전혈 1 unit에서 얻는 양은 너무 적으므로, 대개 단일 공혈자로부터 leukapheresis를 이용하여 제조
  → granulocyte 1.0×10^{10}개 정도 함유, plasma 200~250 mL
- 적응증 ; BM hypoplasia, neutrophil $<500/\mu L$, 적절한 항생제 치료에도 2일 이상 열이 지속, 지속적인 진균 감염, inherited defects of granulocyte function (e.g., CGD), neonatal sepsis
- 유의사항 : leukocyte transfusion의 효과는 불확실 (→ 거의 사용 안함)
  - infection을 동반한 neutropenia 환자는 항생제 치료가 더 효과적
  - 골수기능 회복이 의심스러울 경우 임상경과를 호전시킬 수 없으며, 오히려 부작용(fever, chilling, hypersensitivity) 발생
  - 면역저하자에서는 GVHD 일으킬 수 있음

8. Fresh-frozen plasma (FFP, 신선동결혈장)

- 1 unit = 평균 약 160~180 mL, 모든 coagulation factors와 plasma proteins 함유
  - 전혈 1 unit에서 만들므로 Hct에 따라 만들어지는 FFP의 양은 다양
  - 영하 18℃ 이하에서 1년간 보존 가능
  - 환자의 coagulation factor level 2~3% 상승, fibrinogen 7~10 mg 증가
- ABO 혈액형이 동일한 것을 주어야 함
- 적응증
  ① coagulation factor deficiency (e.g., hemophilia B, dilutional coagulopathy)
  ② severe liver dz., vitamin K deficiency
  ③ warfarin-induced deficiency of vitamin K-dependent factors
  ④ TTP, DIC
- 부작용 ; 감염의 전파, anaphylaxis/allergic reaction, fluid overload
- IgA deficiency 환자는 anaphylaxis를 방지하기 위해 IgA deficiency 공여자의 FFP를 수혈해야 함

9. Cryoprecipitate (동결침전제제)

- FFP 1 unit에서 상층 plasma를 제거하여 제조, 1 unit = 평균 60 mL
- 분자량이 무거운 <u>fibrinogen</u>, <u>factor VIII</u>, factor XIII, <u>vWF</u> 등을 다량 함유하고 있음
  ↳ 1 unit/kg 투여시 약 50 mg 증가
- volume-sensitive 환자에게 fibrinogen, factor VIII 등을 공급할 때 유용
  (c.f., 같은 volume의 FFP에 비해 factor VIII 농도는 약 30배)
- 적응증 (적응 이외의 경우에는 사용하면 안 됨)
  ① hemophilia A (factor VIII 제제가 없을 때)
  ② vWD (정제된 vWF/factor VIII concentrate를 더 선호)
  ③ congenital/acquired fibrinogen deficiency
  ④ DIC, 산과적 합병증 등 fibrinogen 소모성 질환
  ⑤ factor XIII deficiency

성분 수혈의 일반적 적응 (일률적인 기준은 아니고, 환자 개개인의 상태에 따라 결정함)	
적혈구제제	Hb <7 g/dL ; 대부분 수혈 필요 Hb 7~10 g/dL ; 환자상태(e.g., 실혈 속도, 심폐질환)에 따라 결정
혈소판제제	출혈이 없는 안정 상태 ; 혈소판수 1~2만/μL 이상 유지 출혈은 없으나 불안정 상태 ; 혈소판수 2~5만/μL으로 유지 활동성 출혈 or 침습적 처치 예정* ; 혈소판수 5~10만/μL으로 유지
신선동결혈장제제	응고인자 부족에 의한 출혈이나 항응고제에 의한 심한 출혈 출혈 예방 목적 　PT >참고치 중간값의 1.5배 (or INR 1.7), aPTT >참고치 상한의 1.5배, 응고인자 <30% 　알려진 응고인자 결핍이 있으나 해당 농축제제가 없는 경우 　섬유소원 결핍: <100 mg/dL 　V인자, XI인자를 포함하는 응고인자 결핍증에서 출혈이 있거나 침습적 처치 시행
동결침전제제	VIII 인자, vWF, 섬유소원, XIII 인자 등의 공급, 이상섬유소원혈증(dysfibrinogenemia)

* 골수검사 → 1~2만/μL, 중심정맥관 삽입 → 2~5만/μL, 기타 대부분의 수술/시술 → 5만/μL 이상,
　8만/μL 이상 ; 경막외마취, 척추마취 능, 10만/μL 이상; 심각한 장기손상, 대수술, 미세혈관출혈 위험 등

수혈요법

1. 수혈의 기본 수칙

- 불출 혈액의 반납 ; 출고 받은 뒤 30분 이내에 수혈할 수 없는 경우
- 적혈구 제제의 폐기 ; 실온에서 30분 이상 방치 or 온도가 10℃ 이상 상승시
- 적혈구 1 unit의 수혈 ; 대개 2시간 이내에 완료 (최대 4시간까지 허용)
- 수혈시 사용되는 바늘 ; 18G 이상
- 혈액 필터 → large fibrin clots과 cellular debris 제거 목적
  ① 표준 혈액 필터 (170 μm) ; WB or packed RBC 수혈시
  ② 혈소판용 필터 (220~260 μm) ; PC
  　　(∵ 표면에 부착하는 성질이 있으므로 표준 보다 큰 구경을 사용)
  ③ microaggregate filter (20~40 μm) ; 자가혈액 수혈시 사용(e.g., 심장수술), 백혈구도 90% 제거
  * 백혈구 제거용 필터(leukocyte reduction filter, LRF) ; 백혈구 99.9% 이상 제거,
  　　적혈구 수혈시 6~25 μm, 혈소판 4~6 μL
- 혈액 주입 속도를 높이는 법
  ① needle or filter의 상태 확인
  ② 0.9% N/S으로 희석 (다른 수액은 금기!)
  　　┌ 5% dextrose (hypotonic) → RBC 팽창 → hemolysis 유발
  　　└ Ringer's lactate 등의 전해질 용액 → Ca^{2+}에 의해 blood clot 생길 수
  ③ 압력기 사용 or 혈액백의 높이↑
- 수혈과 같은 line으로 약을 투여해서는 안 된다

2. 수혈전 검사 (pretransfusion tests)

(1) ABO 및 Rh 혈액형 검사
(2) 비예기항체 선별검사 (alloAb의 screening)
: 주요 항원을 함유한 O형 RBCs와 환자의 혈청을 반응시켜 봄
(3) 교차시험(cross-matching) → 환자의 수혈 가능성이 높을 때 시행
: 수혈전 검사의 마지막 단계로 ABO 적합성 및 비예기항체의 존재 유무를 재확인 가능

3. 자가수혈 (autologous transfusion)

- AIDS가 퍼지면서 그 수요가 폭발적으로 증가 (구미 전체 수혈의 2~10% 차지)
- 장점 ; 수혈전파성 질환의 예방, 동종면역의 가능성 배제, 수혈부작용 방지
- 종류 ; 수술전 혈액예치, 수술중 혈액희석, 수술중 혈액회수, 수술후 혈액회수
- 자가혈액예치가 가능한 최저 혈색소치 : Hb ≥11.0 g/dL (Hct ≥34%)
- 철분제제를 투여하면서 주 1회 정도로 예치, 총 5~6 units까지 가능
- 마지막 예치는 수술 3일 이전으로

4. 지정수혈 (directed transfusion)

- 어떤 특정 환자에게 수혈할 목적으로 행하는 헌혈
- but, 수혈전파성 감염의 양성률은 대체로 일반인과 유사 or 약간 낮음
- 유용한 경우
  ① 신생아 동종면역성 혈소판감소증을 가진 아이에게 산모의 혈소판을 주는 경우
  ② 신장이식 환자에게 친족의 혈액을 수혈하는 경우
  ③ 혈소판 동종항체를 가진 환자에게 친족의 혈소판을 주는 경우
  ④ 적혈구 항체를 가진 환자에게 친족의 적혈구를 주는 경우
- 금기
  ① 임신가능 연령의 부인은 남편이나 남편 친족의 혈액을 수혈 받으면 안됨
  ② 골수이식 환자들도 친족의 혈액을 수혈 받으면 안됨
  ③ 신생아용혈성 질환을 가진 아이는 아버지의 혈액을 수혈 받으면 안됨

■ 참고: 적혈구 항체

IgG	IgM
Monomer, Ag-binding site 2개	Pentamer, Ag-binding site 10개
대개 온난항체, 면역(비예기)항체 (면역반응으로 생긴 뒤 오래 유지됨 ~30년)	대개 한랭항체, 자연(preformed) 항체 (면역반응으로 생기면 빨리 감소됨 ~1년)
유일하게 태반 통과 가능	보체를 조금 더 잘 활성화시킴
부유된 적혈구를 응집 잘 못 시킴 (적혈구 하나당 anti-D 120개 필요)	부유된 적혈구를 응집 잘 시킴! (적혈구 하나당 anti-A 50개 필요)
<u>anti-D</u>의 대부분 anti-A & anti-B의 일부 (O형은 주로 IgG임)	<u>anti-A, anti-B</u>의 대부분 (ㄴ 일부 IgG, IgA도 있음)

*대개 IgM은 한랭항체로 체내 반응성이 약하지만 Anti-A/B는 용혈반응을 일으킬 수 있으므로 임상적으로 m/i

수혈의 이상반응

수혈 이상반응*의 분류

1. 용혈 수혈반응
　기존 적혈구 항체에 의한 급성 용혈반응
　기왕반응(anamnestic response)에 의한 지연성 용혈반응
　비면역성 (물리화학적) 용혈

2. 비용혈 수혈반응
　비용혈 발열반응 (m/c)
　알레르기 반응, 아나필락시스
　수혈에 의한 GVHD
　수혈관련 급성 폐손상(TRALI)
　혈액량 과부하
　혈철소증(hemosiderosis)

3. 수혈전파성 감염

* 부작용 → 이상반응(adverse reaction)으로 용어가 바뀌었음

1. Acute hemolytic transfusion reaction (AHTR)급성용혈수혈반응

- 적혈구 수혈 즉시~24시간 이내에 용혈반응이 발생
  - preformed Ab가 원인 (대부분 <u>ABO 부적합 수혈</u> – 사무적 오류 때문) ; anti-A, anti-B
  - IgM Ab → complement 활성화 → 급격한 <u>intravascular</u> hemolysis 유발
  - 드물게 Rh (→ 혈관외 용혈), Kell, Duffy 항체에 의해서도 발생 가능, ABO보다는 경미함
- 임상양상 ; 매우 다양, 보통 수혈된 혈액량과 비례
  - Sx ; flushing, infusion site의 pain, chest/back pain, restlessness, A/N/V …
  - sign ; fever (m/c), chills, jaundice, shock (hypotension, tachycardia), renal failure
  - 수술중이거나 의식이 없는 환자 (→ warning sign이 없어 위험!)
    ; hypotension, hemoglobinuria, generalized bleeding, oliguria
- lab ; plasma free Hb↑, methemalbumin, haptoglobin↓, bilirubin↑, hemoglobinuria
- 파괴된 RBCs에서 유리된 tissue factor가 DIC 유발 가능 ; PT↑, PTT↑, fibrinogen↓, D-dimer↑
- mortality : 5~10% (사망하려면 대개 200 mL 이상이 수혈되어야), 수혈 관련 사망 중 m/c
- 치료/조치
  ① 즉시 수혈을 중지하고 IV line은 유지한 채 <u>N/S</u>으로 대치 (∵ 저혈압 및 신손상 방지)
  ② hydration (N/S) → 혈압, 요량 유지
    - 보통 1 mL/kg/hr (or 100~200 mL/hr) 요량 유지를 위해 100~200 mL/hr IV 투여
    - circulatory overload 위험시에는 diuretics (furosemide) 투여 (혈압 적절할 때만)
    - severe hemoglobinuria에 대한 urine alkalinization의 효과는 불확실함
  ③ 호흡 및 순환 유지, DIC 발생하나 면밀히 관찰
  ④ 수혈 전/후 검체로 혈액형/교차반응 검사 재실시, Coombs test (DAT) 및 용혈빈혈 확인 검사
    (e.g., LDH, haptoglobin, bilirubin, urine free Hb), 혈액응고 검사, 혈액배양 검사 등
  ⑤ 수혈이 계속 필요하면 O형 RBC, AB형 platelet/FFP를 사용 (universal blood)
  ⑥ 대량 수혈된 경우에는 해당 항원(-) 적혈구로의 교환수혈도 고려 가능

2. Delayed hemolytic transfusion reactions (DHTR)만성용혈수혈반응

- 이전에 RBC alloAg.에 감작되었지만, alloAb level이 낮아 alloAb. screening에서 음성인 경우 발생 가능 (대개 다음번 alloAb. screening에서는 발견됨)
- alloAg.에 재노출시 anamnestic response에 의해 alloAb.가 급격히 증가되어 용혈 유발
- alloAb.는 수혈 1~2주 뒤에 발견 가능
- 대부분 증상이 경미하여 특별한 치료는 필요 없음 / 향후 해당 alloAg. 없는 혈액으로 수혈

3. Febrile nonhemolytic transfusion reaction (FNHTR)비용혈 발열반응

- 체온이 상승될 다른 이유 없이 수혈과 관계되어 체온이 1℃ 이상 상승하는 것
- 혈구 성분제제의 수혈시 m/c 이상반응
- 원인/발생기전 ⇨ 수혈을 자주 받는 환자, 다산부에서 발생위험 증가
  ① 혈액제제의 보관 중 WBCs/platelets이 cytokines/chemokines 분비 (m/c)
    → washed 혈액제제 or 보관 전 백혈구제거를 시행한 WBC-reduced 혈액제제 필요
  ② 공여 혈액의 WBC 및 HLA Ag에 대한 수혈자의 Ab 존재시 → WBC-reduced 혈액제제 필요
- 임상양상 ; fever, chills, headache, N/V (다른 P/Ex과 lab.은 정상)
- 대부분 self-limited! (용혈이 아니기 때문에 Hb은 예상치 만큼 상승됨)
- 치료 ; 일단 수혈 중지 후 용혈반응이나 세균감염 R/O
  ⇨ acetaminophen, antihistamine, corticosteroid (심한 경우)
- 예방 ; pre-storage WBC-reduced 혈액제제 수혈 (but, 15%는 재발),
  AAP나 antihistamine의 전처치는 효과 없음

4. Allergic (urticarial) reaction

- 두드러기, 가려움증 정도의 가벼운 증상, 수혈자의 1~2%에서 발생
- 원인 : donor plasma proteins과 recipient IgE Ab의 상호작용으로 발생
- mild → 수혈 일시 중지 후 antihistamine으로 치료 (e.g., diphenhydramine), 호전되면 수혈 가능
- 예방 ; 반복적인 allergic reaction 발생 환자는 수혈 전 antihistamine 투여

5. Anaphylactic reaction

- 원인 ; donor plasma IgA (selective IgA deficiency [sIgAD] recipient에서 anti-IgA Ab 존재시),
  complement, drugs, 수용성 allergen 등
- 수혈 후 수분 이내에 발생
- 임상양상 ; dyspnea, cough, N/V, hypotension, shock, 의식소실, 호흡부전
- 치료 ; 수혈 중단, epinephrine, antihistamine, steroid, 호흡유지
- 예방 ; washed RBC or platelet 수혈
  (심한 IgA 결핍 환자 → IgA 결핍 혈장 or washed 혈액제제만 투여)
- c.f.) sIgAD ; 선천적(유전양상은 불확실), 서양에선 매우 흔하나(0.1~1%), 동양에선 드문 편
  ↳ 이 중 일부 severe sIgAD 환자에서만 anti-IgA Ab (IgG and/or IgE) 가 생성됨
    → IgA 함유 혈액제제 수혈시 심한 anaphylactic reaction 발생 위험

6. Transfusion-associated Graft-versus-host disease (Ta-GVHD)이식편대숙주병

- 매우 드물지만(∵ donor lymphocytes 대부분은 recipient 면역체계에 의해 파괴됨) 심각함 (사망률 >90%)
- donor T lymphocytes가 recipient HLA Ag을 인식, 상피세포 등을 공격하여 발생하는 면역반응
- 임상양상 ; 발열, 피부발진, 장염, 설사, 간기능 이상, BM aplasia & pancytopenia
- 수혈 4~30일 (주로 8~10일) 뒤 증상 발생, 3~4주 뒤 대부분 사망
- 면역억제치료(e.g., steroid, cyclosporine, ATG)에 반응 안함!
- 발생 위험군(risk factor) ⇨ 예방이 중요 ; irradiated blood 사용 (WBC-reduced는 안됨!)
  ① recipient의 면역 결핍 ; 면역저하자, lymphoma 환자, HCT를 받은 환자, 태아의 자궁내 수혈시
  ② 면역 정상이라도 donor와 recipient의 HLA가 부분 일치시 (∵ donor lymphocytes를 인식×)
    ↳ 가족간 수혈 ; HLA one-way mismatching (→ 가족간 수혈은 가능한 금기임)

7. Transfusion-related acute lung injury (TRALI)수혈관련급성폐손상

- 수혈에 의해 발생된 non-cardiogenic pul. edema
- donor (대개 multiparous women) 혈장 내 high-titer anti-HLA or neutrophil-specific Ab.가
  수혈자의 WBC와 반응하여 응집 → 폐의 미세혈관 폐쇄
- plasma를 포함한 제제를 투여한 후 4시간 (대개 1~2시간) 이내에 발생
- 임상양상 ; severe dyspnea, cyanosis, blood-tinged sputum, hypoxemia, fever
- pul. edema와 비슷하거나, 혈역학적 검사에서 noncardiogenic 양상을 나타낸다
- 치료 : respiratory support, mechanical ventilation (steroid는 도움 안됨)
    - PCWP가 낮고 hypotension이 발생하면 fluid replacement도
- 대개는 48시간 이내에 후유증 없이 회복됨, 사망률 5~14% (수혈 관련 사망 중 3rd m/c)

8. Post-transfusion purpura

- platelet transfusion 7~10일 뒤 발생한 delayed thrombocytopenia, 주로 여성에서 발생
- 원인 : 공여 혈액의 platelet-specific Ab (주로 GP IIIa receptor의 HPA-1a에 대한)
- 치료 : IV Ig (Ab 중화) or plasmapheresis (Ab 제거)
- 추가적인 platelet transfusion은 thrombocytopenia을 악화시키므로 금기

9. Massive transfusion (MT, 대량수혈)

- 정의 : 성인에서 24시간 이내에 8~10 units의 적혈구제제가 수혈되거나, 1시간 내에 4~5 units의
    적혈구제제가 수혈되는 경우 or 분당 150 mL 이상의 출혈이 있는 경우
- MTP (MT protocol) ; 전혈과 유사하게 RBC, FFP, platelet을 1:1:1로 수혈하는 것이 권장됨
- 수혈전 검사 ; 혈액형 검사와 1단계 교차시험만 시행 / 환자 채혈이 불가능한 초응급 때는 다 생략
    가능 → universal blood : RhD(−) O형 RBC, AB형 platelet/FFP (우리나라는 RhD (+)도 가능)
- 부작용
  ① CHF, pulmonary edema, ARDS, ATN (ARF)
  ② sepsis, DIC, fibrinolysis
  ③ dilutional coagulopathy / thrombocytopenia, platelet 기능 장애

④ hypothermia ($\rightarrow$ O_2에 대한 Hb affinity↑), 2,3-DPG↓

⑤ hyperkalemia, metabolic acidosis (대량의 FFP 수혈시엔 metabolic alkalosis)

⑥ citrate anticoagulant intoxication $\rightarrow$ hypocalcemia ($\rightarrow$ 응고이상 등)

⑦ factor Ⅴ, Ⅷ deficiency ($\rightarrow$ PT, aPTT 연장)

10. 수혈전파성 감염

(1) 바이러스

① hepatitis : HBV > HCV > HAV

② retroviral infection : HIV (AIDS), HTLV-Ⅰ·Ⅱ

③ CMV : 수혈되는 혈구(WBC) 성분 내의 CMV가 수혈된 뒤 재활성화됨
- 우리나라 anti-CMV Ab 양성률 95.2~98.6%
  (anti-CMV Ab가 있어도 면역이 되었다고 볼 수는 없다)
- 10% 이하에서 수혈 3~6주 후 mononucleosis-like syndrome을 보일 수 있음
- 면역저하자 및 신생아에서는 치명적일 수도 있음
  $\rightarrow$ 예방 : WBC-reduced 혈액 수혈, CMV Ab (-) 혈액 수혈

④ 기타 : EBV, parvovirus B19, WNV (west nile virus, 미국에서는 헌혈혈액검사에 포함)

(2) 세균 ; syphilis (*T. pallidum*), brucellosis (*Brucella abortus*), Lyme dz. (*Borrelia burgdoferi*), *Yersinia, Pseudomonas, Serratia, Acinetobacter, E. coli* ...
(실온 보관하는 혈소판의 경우는 CoNS 같은 Gram 양성균도 감염 위험).

(3) 기생충/기타 ; malaria (*P. malariae, P. vivax*), Chagas' dz. (*Trypanosoma cruzi*), babesiosis (*Babesia microti*), *Bartonella, Toxoplasma gondii*, vCJD ...

* coagulation factor concentrate가 감염의 위험 가장 높다
(∵ 여러 사람의 blood를 모아서 제조하므로)
$\rightarrow$ 요즘은 infectious agents를 제거하는 처리를 받은 factor concentrate 나 recombinant coagulation proteins의 사용으로 FFP나 cryoprecipitate보다 전염 위험성이 감소되었음

* albumin이나 γ-globulin 등은 감염의 위험이 없다

헌혈

1. 헌혈 금지의 범위

(1) 공통 기준

• 체중 : 남자 <50 kg, 여자 <45 kg

• 체온 ≥37.5℃

• 고혈압 (≥180/100 mmHg), 저혈압(systolic BP <90 mmHg)

• 임신부 or 분만후 6개월 이내, 외과수술후 6개월 이내, 수혈후 1년 이내 ..

• 전염병 환자 및 기타 내과적 질환자

(2) 개별 기준

	연령	체중	혈액비중	혈액검사	혈청단백	채혈간격
400 mL 전혈	<17세 ≥70세	<50 kg	<1.053	Hb <12.5 g/dL	–	전혈 2개월 이내 성분혈 14일 이내 1년내 전혈 5회 이상
500 mL 혈장성분	<17세 ≥70세	–	<1.052	Hb <12.0 g/dL	<6.0 g/dL	전혈 2개월 이내 성분혈 14일 이내
400 mL 혈소판성분	<17세 ≥60세	–	<1.052	Hb <12.0 g/dL PLT <150,000/μL	<6.0 g/dL	전혈 2개월 이내 성분혈 3일 이내

2. 헌혈 혈액의 검사

① 혈액형 : ABO, Rh(D), 아형검사

② HBsAg, HBV DNA (NAT)

③ anti-HCV, HCV RNA (NAT)

④ anti-HIV, HIV RNA (NAT)

⑤ anti-HTLV-1/2 (2009. 4월부터 시행)

⑥ 매독항체검사 (TPPA)

⑦ ALT (폐기 기준: 65 U/L)

⑧ 비예기항체 선별검사(Ab screening test)

⑨ 말라리아 항체 검사 ; 한강 이북의 서울, 경기, 강원 지역 헌혈자에서 시행

* 2005년부터 HCV와 HIV에 대해서는 핵산증폭검사(NAT) 시행
  - NAT (nucleic acid amplification test) ; PCR, TMA, bDNA 법 등
  - 이전의 EIA 법에 비해 window period 감소
      ┌ HIV : EIA 22일 → NAT 11일
      └ HCV : EIA 80일 → NAT 23일
* 2012년 7월부터 HBV에 대한 핵산증폭검사(NAT)도 시행

치료적 성분채집술 (Therapeutic apheresis)

1. 이론적 배경

① 혈장에 존재하는 pathologic substances의 제거 (e.g., Ab, immune complex, paraprotein, toxin)

② 부족한 성분의 보충

③ Ag-to-Ab ratio 변화

④ inflammatory or immunologic mediators 감소

- IgG보다 IgM이 더 효과적으로 제거됨 (∵ IgG는 혈관 밖에도 많음, IgM은 주로 혈관 내에 존재)

2. 적응증(예)

Therapeutic plasma exchange (TPE)	Red cell exchange

ABO-incompatible organ or marrow transplant (recipient)
Acute liver failure ⇨ TPE-HV (high volume TPE)
Chronic inflammatory demyelinating polyneuropathy
Cold agglutinin disease, Cryoglobulinemia
Demyelinating polyneuropathy with IgG/IgA
Drug overdose & poisoning (protein bound)
Eaton-Lambert syndrome
Goodpasture's syndrome
Granulomatosis with polyangiitis (Wegener's granulomatosis)
Guillain-Barre syndrome
Hypercholesterolemia
Hyperviscosity syndrome
Myasthenia gravis
Post-transfusion purpura
Quinine/quinidine thrombocytopenia
Rapidly progressive glomerulonephritis (RPGN)
Refsum's disease (phytanic acid)
TTP, HUS, SLE, 응고인자에 대한 inhibitors
Wilson dz. (fulminant)
	Hyperparasitemia
	  (falciparum malaria)
	Sickle cell syndromes
	  (prophylactic use in pregnancy)
	Hereditary hemochromatosis
	Polycythemia vera (very severe)
	
	Cytoreduction
	
	Leukemia with
	  hyperleukocytosis syndrome
	Thrombocytosis (symptomatic)

3. 부작용

① 혈관미주신경반응, 저혈압

② citrate 독성에 의한 hypocalcemia의 증상 (e.g., 입주위 무감각, N/V)

③ 알레르기성 반응

④ 혈액량 과부하

⑤ 응고장애

⑥ central venous access에 따른 hematoma, bacteremia, hemopneumothrax 등

4. Replacement fluids

	장점	단점
Albumin	Iso-oncotic Inflammatory mediators 없음 Virus 전염 위험 없음	비쌈 응고인자 없음 Ig 없음
Plasma (FFP)	정상 level의 Ig, complement, antithrombin 등의 단백질을 함유	Virus 전염 위험 Citrate load ABO incompatibility 위험 Allergic reactions Sensitization

- TTP, HUS (→ FFP) 등 일부를 제외하고는 대부분 4~5% albumin을 선호
- TPE를 1 PV (plasma volume) 만큼 시행하면 혈장성분의 63.2%, 1.5 PV 만큼 시행하면 77.7%, 2 PV 만큼 시행하면 86.5%가 제거됨 (일반적으로 1회에 1~1.5 PV 교환)
- 대개 2주 동안 6~8회 정도 시행

12
조혈모세포이식(HCT)

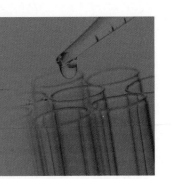

개요

- hematopoietic stem cell transplantation (HCT, HSCT, SCT) : 공여자의 골수, 말초혈액, 제대혈 등에서 조혈모세포(CD34+)를 채취하여 환자에게 수입(이식)하는 것
- 다른 장기 이식과 다른점
  ① cell transplantation (··· injection 만 해주면 됨)
  ② donor의 loss가 없음
  ③ 자가이식도 가능 (∵ 냉동 보관 & 해동해도 손상 없음)
  ④ HLA 적합성이 중요함 (많이 일치할수록 성적 우수)
  ⑤ ABO 혈액형은 맞지 않아도 됨 (∵ hematopoiesis는 donor origin)
  ⑥ rejection보다 GVHD가 문제
  ⑦ 면역학적 내성(immunologic tolerance)이 유도되므로, cyclosporin A 등의 면역억제제를 장기간 투여할 필요가 없다! (6~12개월만)
- 보통 allogenic HCT는 50~55세 이하에서, autologous HCT는 65~70세 이하에서 시행

적응증

(1) AML : first remission 때 시행
(2) ALL : 소아는 second remission (first relapse) 때, 성인 및 <u>고위험군</u>은 first remission 때 시행
  ↳ 6장 백혈병 편 참조
(3) CML : TKI 1차 & 2차 치료에 실패시 3rd-line으로 (고위험군은 2nd-line, BP는 1st-line)
(4) MDS : 저위험군은 주로 약물치료 시행, 고위험군/고령은 이식 사망률이 높아 시행 적음
(5) severe aplastic anemia : 가능한 빨리
  (∵ 수혈 받은 횟수가 많을수록 GVHD나 graft rejection의 빈도가 증가)
  → 가급적 수혈을 제한해야 됨 (가족으로부터의 수혈은 금기)
(6) high-dose chemotherapy + autologous SCT (HDT/ASCT)
  ┌ multiple myeloma (m/c, 1st-line Tx), lymphoma (1st-line CTx. 실패시 효과적)
  └ ovary/testis ca, neuroblastoma, Wilm's tumir 등 / breast ca.는 생존율 향상×

(7) 기타 ; thalassemia, severe combined immunodeficiency, malignant osteopetrosis, storage dz. (e.g., Gaucher's dz., Hurler's syndrome, Hunter's syndrome)

> alloHCT ⇨ AML, ALL, CML, MDS, CLL, AA, 일부 lymphoma, 기타 비악성질환
> autoHCT ⇨ multiple myeloma, 대부분의 lymphoma, 다른 종양

종류

1. allogenic HCT (alloHCT)동종 조혈모세포이식

(1) 공여자의 종류
- HLA-matched sibling (형제) : TOC!
  - 형제간 HLA가 일치할 확률 = $1 - (0.75)^n$ (n: 형제의 수)
  - graft rejection 1~3%, severe acute GVHD 15% 발생
- one-locus mismatched family (⋯ 부모는 HLA 검사할 필요 없음)
- MUD (matched unrelated donor, 비혈연) : 요즘 증가 추세

(2) 과정
① 전처치(conditioning) : high-dose CTx., TBI
  ↳ 목적 ; 종양 세포 박멸, 면역억제를 통한 rejection 예방, donor stem cells을 위한 공간 확보
② stem cells collection & processing
③ stem cell infusion (central vein으로)
  * homing mechanism : stem cells이 BM의 stromal cells에 가서 결합됨
    ↳ 기전 ; stromal cells의 CXCL12 (stromal cell-derived factor 1, SDF1)와 stem cells의 α-chemokine receptor CXCR4 (CD184)의 상호작용, endothelial cells의 selectins과 stem cells의 integrins (e.g., VLA-4) ligands의 상호작용
④ preengraftment period : pancytopenia 기간, 충분한 성분수혈 필수
⑤ postengraftment period

■ 생착(engraftment) : absolute neutrophil이 지속적으로 >500/μL로 되는 날
- 대개 이식 2~4주 뒤에 이루어짐
- 생착 속도 ; PBSCT (2주) > BMT (3주) > cord blood transplantation (4주)
- allogenic HCT 이후 생착의 확인 방법
  - 공여자와 환자의 성이 다른 경우 → sex chromosomes의 FISH
  - 공여자와 환자의 HLA가 다른 경우 → HLA typing
  - 공여자와 환자의 혈액형이 다른 경우 → ABO typing
  - 성, 혈액형, HLA 등이 일치하는 경우 → STR (short tandem repeat) polymorphisms or VNTR (variable number of tandem repeat) ; DNA fingerprinting
    (→ RFLP, PCR, targeted NGS 등으로 검사)

(3) NST (non-myeloablative SCT) or mini-BMT : 비골수제거 조혈모세포이식

- 전처치(CTx)를 약하게 하여 환자의 BM를 완전히 파괴시키지 않고, 공여자의 lymphocyte에 의한 graft-vs-tumor (GVT) effect를 이용하는 방법
- 이식 후 donor lymphocyte infusion (DLI) 등의 booster therapy 가능
- 장점 ; 회복 속도가 빠르고, 전처치 독성 등의 부작용이 적어 고령에서도 시행 가능
- 단점 ; GVHD 위험↑, 생착 실패 또는 거부반응의 빈도↑
- CML, low-grade lymphoma 등과 같이 느리게 자라 GVT effect에 민감한 질환에서 효과적

c.f.) 이식편대종양효과(GVT effect)에 대한 질환별 민감도

민감도 높음	민감도 중간	민감도 낮음
CML	AML	ALL
Low-grade lymphoma	Moderate-grade lymphoma	High-grade lymphoma
Mantle cell lymphoma	Multiple myeloma	
CLL	Hodgkin lymphoma	

* allogenic SCT 이후에 재발한 leukemia 및 일부 indolent lymphoma 환자는 때때로
같은 donor의 T lymphocyte infusion (DLI)으로 치료하기 함 (∵ GVT effect)

2. autologous SCT (ASCT)자가 조혈모세포이식

- 보통 high-dose CTx.를 위해 시행
- 환자의 stem cells 채집 (대개 PBSCT 이용) → high-dose myeloablative therapy
  (항암치료 효과의 극대화) → stem cells 재주입
- 장점 ; GVHD or graft rejection 없음, 생착 빠름, 이식 이후 면역억제제 쓸 필요 없음
- 단점 ; 종양세포의 오염으로 인한 재발 가능, GVT (graft-vs-tumor effect) 無

3. PBSCT (말초혈액 조혈모세포이식)

- G-CSF 등의 전처치 필요 (4~5일) → stem cell mobilization↑ → apheresis로 stem cells 채취
  - colony-forming units or CD34 expression으로 hematopoietic progenitor cells 양 확인
  - CD34+ cells 양이 부족하면 (G-CSF response↓) → plerixafor (CXCR4 inhibitor) 추가
- 장점 ; 생착 빠름 (→ 조혈/면역기능 회복 가장 빠름), donor에 non-invasive
- 단점 ; chronic GVHD 발생률 높음! (∵ 말초혈액이 골수보다 T cells 많음)
  (acute GVHD는 BMT와 비슷함)
- survival의 차이는 거의 없음!

4. umbilical cord blood transplantation (제대혈이식)

- 제대혈은 성인에 비하여 증식력이 뛰어난 조혈모세포를 고농도로 가지고 있음
- 생착률 85% (but, 느림), 생존율/재발률은 BMT와 비슷
- 장점 ; 얻기 쉬움, donor에 해가 없음, 전염성 감염의 위험이 낮음,
  HLA가 1~2자리 달라도 이식 가능, 급성/만성 GVHD 발생률 낮음!
- 단점 ; 성인에 이식하기에는 stem cells 양이 적음, immune reconstruction이 늦어 이식 후 감염↑

HCT 이후의 부작용

Eearly Complication	Late Complication

Regimen-related toxicity
  Hemorrhagic cystitis
  Mucositis
  Pulmonary Cx (e.g., idiopathic pneumonia)
  Renal toxicity (e.g., HUS)
  Neurologic toxicity
  Hepatic sinusoidal obstruction syndrome (SOS)
Graft failure
Infections
Immunodeficiency
Acute GVHD
Bleeding
	Regimen-related toxicity
	  Cataracts
	  Neurologic toxicity
	  Gonadal toxicity (→ infertility)
	  Endocrine toxicity
	  성장 및 발달 장애
	Immunodeficiency
	Infections
	Chronic GVHD
	Primary tumor의 재발
	Secondary malignancy

(1) 이식 ~ 생착(engraftment)
- oral mucositis, hemorrhagic cystitis, 혈전증(hepatic SOS), pancytopenia
- 감염 ; 세균(정상균주, 잠재균주), *Candida*, HSV

(2) 생착 ~ 생착후 100일
- acute GVHD
- 감염 ; fungi (*Aspergillus*), CMV, adenovirus, 세균

(3) 생착 100일 이후
- chronic GVHD
- 감염 ; VZV, 세균(encapsulated) … cGVHD만 발생하지 않는 다면 감염 위험은 매우 낮아짐

1. 감염

- early (생착 이전) ; 세균 감염이 주 (∵ neutropenia), central venous catheter와 흔히 관련,
  ⇨ coagulase-negative *Staphylococci* (m/c), *E. coli, Klebsiella, Pseudomonas* ...
- late (opportunistic infection) ; 바이러스 감염이 주 (CMV가 m/c),
  cGVHD에 의한 면역억제 시에는 encapsulated bacteria 감염도 호발
- prophylaxis
  - 세균 ⇨ fluoroquinolone (e.g., levofloxacin) : 초기의 neutropenia 기간
    ↳ G(+) 대응 항생제 추가는 권장 안 되지만, quinolone 내성균 발생 여부는 감시해야
    * penicillin [encapsulated bacteria] : cGVHD에 의한 면역억제치료 기간
      (↳ *S. pneumoniae, H. influenzae, N. meningitidis* 등)
  - fungus ⇨ fluconazole : 75일까지
  - *P. jirovecii* 폐렴 (PCP) ⇨ TMP-SMX : 6개월까지 (or 면역억제치료 중단시까지)
  - HSV ⇨ acyclovir : 30일까지 (acyclovir 내성시 foscarnet)
    (예방요법을 시행 안하면 seropositive 환자의 80%에서 발병)
  - CMV ⇨ ganciclovir : 생착~100일까지 예방적으로 투여 or
    CMV Ag/PCR 검사로 감시하다가 선제요법(ganciclovir) 시행

- VZV ⇨ acyclovir : 1년까지
- EBV ⇨ 고위험군에서 주기적 EBV 재활성화 검사로 감시하다가 선제요법 시행
• chronic GVHD만 안 생기면, 이식 3개월 이후에는 감염의 위험이 크게 감소됨
　　　(↳ 계속 면역억제치료 필요)
• SCT 이후의 예방접종
- 1년 후 ; diphtheria, tetanus, *H. influenzae* type b, HBV, HAV, pneumococcus,
　　inactivated poliovirus, inactivated influenza virus 등 (유행 지역에서는 meningococcus도)
- 생백신(e.g., MMR)은 2년 이후 cGVHD가 없고 면역억제치료 중이 아닐 때에만 접종!
- 가족들도 influenza virus 등 일반적인 예방접종
- oral poliovirus 접종한 소아와는 1달 동안 접촉 금지

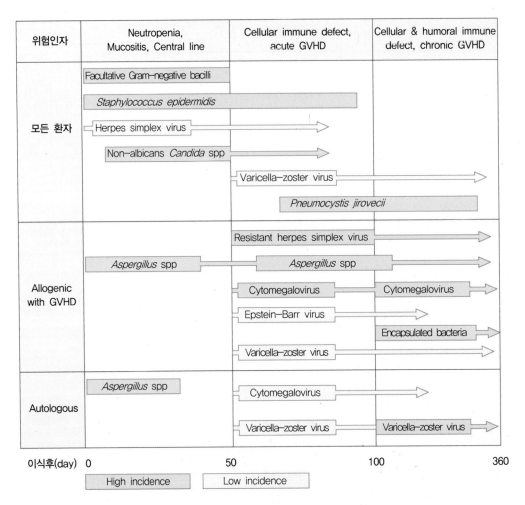

위험인자	Neutropenia, Mucositis, Central line	Cellular immune defect, acute GVHD	Cellular & humoral immune defect, chronic GVHD
모든 환자	Facultative Gram-negative bacilli		
	Staphylococcus epidermidis		
	Herpes simplex virus →		
	Non-albicans Candida spp →		
		Varicella-zoster virus →	
		Pneumocystis jirovecii	
Allogenic with GVHD		Resistant herpes simplex virus →	
	Aspergillus spp	Aspergillus spp →	
		Cytomegalovirus	Cytomegalovirus →
		Epstein-Barr virus →	
			Encapsulated bacteria →
		Varicella-zoster virus →	
Autologous	Aspergillus spp	Cytomegalovirus	
		Varicella-zoster virus	Varicella-zoster virus →

이식후(day)　0　　　　　50　　　　　100　　　　　360

| High incidence | Low incidence |

* HSV, VZV, CMV, EBV 등은 이식전 seronegative였던 환자에서 주로 발생

< SCT 이후 표준 감염예방요법을 시행한 환자에서의 기회감염 >

※ 표준 감염예방요법
┌ 광범위 항생제 (neutropenia 기간 동안)
│ Fluconazole (이식 후 75일까지)
│ Acyclovir (이식초기 HSV, 1년까지 VZV 예방위해)
└ TMP-SMX (이식 후 180일 or 면역억제치료 중단 때까지)

2. 전처치(CTx/RTx)에 의한 초기 부작용

- N/V, mild skin erythema, hair loss (5~6일 이후), pancytopenia (1주일 뒤 최대) ...
- hemorrhagic cystitis ; ifosfamide, high-dose cyclophosphamide가 원인
  - ⇨ 예방 ; bladder irrigation, sulfhydryl compound mercaptoethanesulfonate (MESNA)
- oral mucositis (이식후 5~7일째) ; 궤양, 염증, 출혈, 통증 → 심하면 음식 섭취 어려움
  - ⇨ topical & IV analgesics, palifermin (keratinocytegrowth factor)의 예방적 투여,
    필요시 TPN (c.f., HCT 환자의 에너지 요구량 : 25~30 kcal/kg의 130~150%)

- 간의 **굴모양혈관폐쇄증후군**(hepatic sinusoidal obstruction synd.[SOS], 과거 veno-occlusive dz.[VOD])
  - 병인 ; hepatic-venular & sinusoidal endothelium의 direct cytotoxic injury
    (acinus zone 3의 endothelial cells과 hepatocytes 손상)
    → fibrin 침착, local hypercoagulable state → veins & sinusoids 폐쇄, 확장
  - 대개 이식 후 1개월 이내에 발생 (16일째 peak), 3~10%에서 발생
  - 발생 위험인자 ; 강력한 conditioning regimens, 과거에 강력한 CTx 병력, 기저 간질환
    (e.g., viral hepatitis), ABO-부적합 혈소판 수혈, autologous보다는 <u>allogenic</u> HCT에서 호발
  - 영상검사(US, CT, MRI)로는 진단 어려움, biopsy는 거의 필요 없음
  - 임상양상
    ┌ 서서히 portal HTN이 발생하는 것이 특징
    └ 체중증가, 황달(bilirubin↑) → 간비대, 복통(RUQ), 복수, encephalopathy → hepatic failure

Hepatic SOS의 진단기준 (HCT 21일 이내에)

modified Seattle criteria (2개 이상)	Baltimore criteria
Total bilirubin >2 mg/dL Hepatomegaly or RUQ pain 체액저류로 인한 체중증가(>2%)	Bilirubin >2 mg/dL & 다음 중 2개 이상 ; Hepatomegaly, Ascites, 체중증가(>5%)

  - 치료 ; 특별히 효과적인 치료법 없음, supportive care가 주(e.g., fluid balance 유지),
    심한 경우 <u>defibrotide</u> (→ thrombin 생성 억제, fibrinolysis 유발) 추가하면 사망률 감소
  - 예후 ; mild~moderate SOS는 supportive care로도 예후 좋음 (회복되면 간 후유증 없음),
    severe SOS (25~30%)는 예후 나쁨 (사망률 ~30%, 다발성장기부전으로 되면 거의 다 사망)

- idiopathic pneumonia syndrome (IPS) ; 이식 4개월 이내에 (median 19일) ~10%에서 발생 가능
  - 강력한 conditioning regimens (CTx)의 direct toxicity로 인해 발생
  - diffuse interstitial pneumonia 양상 ; BAL에서 alveolar hemorrhage (감염의 증거는 없어야),
    biopsy에서 diffuse alveolar damage
  - 치료 ; high-dose steroid + TNF-α inhibitor (e.g., etanercept, infliximab)
  - 예후 나쁨 (사망률 70~80% 이상), diffuse alveolar hemorrhage (DAH)는 예후 더 나쁨

3. 전처치(CTx/RTx)에 의한 후기 부작용

- 소아에서 성장 및 발달 장애 (e.g., 2차 성징 발생 지연)
- 불임(azospermia, ovarian failure), 갑상선 기능장애
- cataract (10~20%) ; TBI 또는 GVHD에 대한 steroid 치료뒤 호발
- 대퇴골두의 aseptic necrosis (10%) : 특히 장기간의 steroid 치료시 호발

4. acute GVHD (graft-versus-host dz.)급성 이식편대숙주질환

(1) 개요

- donor lymphocytes가 host cells을 foreign으로 인식하여 면역반응 발생
    - → donor의 T cells이 activation/proliferation되어 host tissue를 공격
- 대개 이식 2개월 이내에 발생 (2~4주에 m/c), 10~60%에서
- 생명을 위협하는 심각한 GVHD 발생률 ; HLA-matched 형제에서는 10~30% (∵ major HLA가
    모두 일치해도 minor HLA mismatch에 의해 발생), 비혈연 공여자에서는 ~60%
- 발생 위험인자 ; HLA mismatch or unrelated donor, 공여자와 수혜자의 성(sex) 불일치,
    강력한 conditioning regimens전처치 (→ recipient antigen-presenting cells[APCs] 활성화↑),
    수혜자의 기저질환(e.g., 심장, 폐, 간, 신장) severity↑, 충분한 예방 처치를 받지 못한 경우
    공여자가 여성(특히 다산), 고령, CMV(+), EBV(+) 등인 경우

(2) 임상양상

① skin ; dermatitis, erythematous maculopapular **rash** (first sign)
② GI (enterocolitis) : **diarrhea** and/or anorexia → abdominal pain, ileus
③ liver (hepatitis) : jaundice (**bilirubin**↑), AST-ALT↑, ALP↑

Overall Clinical <u>Grade</u> (I ~Ⅳ)

Stage	1	2	3	4
Skin	I	I	II	IV
Liver	II	III	III	IV
GI	II	III	III	IV

Stage	1	2	3	4
Skin	발진 <25%	발진 25~50%	전신의 홍반	박리 수포
Liver (bilirubin)	2~3	3~6	6~15	>15
GI (L/day)	설사 0.5~1	설사 1~1.5	설사 >1.5	ileus

(3) 진단 ; skin, liver, or endoscopic <u>biopsy</u> (endothelial damage & lymphocyte infiltration)

c.f.) aGVHD severity의 biomarker ; ST2, TNF R1, REG3α (regenerating islet-derived 3-α)

(4) 예방

① immunosuppressive therapy (to donor T cells) : 대개 조혈모세포 주입 직전에 시작
┌ myeloablative alloHCT ⇨ methotrexate + calcineurin inhibitor (cyclosporin, tacrolimus)
└ reduced-intensity alloHCT ⇨ mycophenolate mofetil (MMF) + calcineurin inhibitor
- antithymocyte globulin (ATG) 추가 권장 → cGVHD↓(→ 삶의 질↑), survival 향상은 없음
② T-cell depleted stem cells 이식 (but, 이식 실패 및 종양 재발률이 크게 높아지는 단점!)
③ 가능한 aGVHD 발생 위험인자를 피하여 공여자-수혜자 선정

(5) 치료

- grade Ⅰ (skin dz. only) ⇨ topical steroids 만 (예방치료는 계속 하면서..)
- grade Ⅱ 이상부터 systemic Tx. 필요
  - high-dose systemic steroid (e.g., methylprednisolone)가 DOC
  - GI 침범시 ⇨ systemic steroid + oral nonabsorbable steroid (e.g., beclomethasone)
    ↳ 대부분 영양 보충도 필요함, octerotide는 설사를 감소시킴
- steroid에 실패한 경우 (2nd-line, 치료 어려움) ; MMF, TNF-α inhibitor (e.g., etanercept), pentostatin, α-1 antitrypsin (AAT), mTOR inhibitors (e.g., sirolimus, everolimus), ruxolitinib (JAK 1/2 inhibitor), ATG, IL-2 receptor (CD25) Ab (e.g., daclizumab, basiliximab), brentuximab vedotin (BV), alemtuzumab (anti-CD52), tocilizumab (anti-IL-6R), extracorporeal photopheresis (ECP), mesenchymal stromal cells (MSCs) 등

5. chronic GVHD (만성 이식편대숙주질환)

(1) 개요

- allogenic SCT 약 <u>100일</u> 이후에 발생한 GVHD (보통 4~6개월 이후에 발생)
- 20~50%에서 발생
- risk factors
  - host ; 고령, 비혈연 이식, acute GVHD 병력, DLI 병력, splenectomy, CMV+
  - donor ; HLA or sex 불일치, 고령, PBSCT, alloimmunization (e.g., 임신, 수혈), EBV+

(2) 임상양상 (autoimmune dz.와 비슷)

- aGVHD보다 훨씬 다양한 임상양상 ; 피부(m/c), 간, 폐, GI tract 등을 주로 침범
- skin rash (malar rash), sclerodermatitis, alopecia
- hepatic dysfunction (ALP↑, bilirubin↑), bile duct degeneration & cholestasis
- oral lichenoid lesions, arthritis, sicca syndrome (dry eye & mouth), GI motility d/o
- obliterative bronchiolitis, thrombocytopenia, polymyositis ...

(3) 진단 : NIH consensus criteria

⇨ 1 <u>diagnostic finding</u> *or* "1 distinctive finding + biopsy/test confirmation"

	Diagnostic Finding	Distinctive finding
피부	<u>Poikiloderma</u>, Lichen-planus, Sclerosis, Morphea, Lichen sclerosis	Depigmentation
손발톱		Dystrophy, Longitudinal ridging, splitting, or brittle features, Onycholysis, Pterygium unguis, Nail loss
머리카락,체모		Scarring, Nonscarring scalp alopecia, Scaling, Papulosquamous lesions
입	Lichen-planus, Hyperkeratotic plaques, Sclerosis로 인한 개구 제한	Xerostomia, Mucocele, Mucosal atrophy, Pseudomembranes, Ulcers
눈		Dry/gritty/painful eyes, Cicatricial conjunctivitis, Keratoconjunctivitis sicca, punctate keratopathy
생식기	Lichen planus, Vaginal scarring/stenosis	Erosions, Fissures, Ulcers
위장관	<u>Esophageal web</u>, stricture/stenosis	
폐		Bronchiolitis obliterans
근육,근막,관절	Fasciitis, Joint stiffness/contracture	Myositis or polymyositis

(4) 치료

- limited/mild (i.e., 국소피부침범, 간기능이상) ⇨ 경과관찰 or 국소치료(e.g., steroid, PUVA)
- advanced/moderate~severe는 systemic immunosuppressive therapy (1~3년간 필요)
  ① 1st-line : oral prednisone ± calcineurin inhibitor (e.g., cyclosporine, tacrolimus)
  ② steroid에 실패한 경우 (2nd-line) ; MMF, sirolimus (rapamycin), ruxolitinib (JAK 1/2 inhibitor), ibrutinib (BTK inhibitor), rituximab, TKI (e.g., imatinib), UDCA, IL-2, pentostatin, thalidomide, extracorporeal photopheresis (ECP), psoralen ultraviolet irradiation (PUVA) 등

(5) 예후

- opportunistic infections이 가장 문제 (→ 예방적 항생제 치료 권장)
- limited/mild cGVHD는 치료 안해도 예후 좋지만, moderate~severe는 예후 나쁨
  → 치료 관련 사망률↑ & OS↓
- poor Px. ; multiorgan 침범시, poor performance status, thrombocytopenia, bilirubin↑, 진단시 광범위한 피부 병변, aGVHD에서 진행된 경우
- overall (global) severity 계산 ⋯ NIH cGVHD grading을 주로 사용
- organ-specific severity (0~3점) ; skin, mouth, eye, lung, GI, liver, joint/fascia, GU tract

Grade	침범 정도	빈도	2년 OS
Mild	1~2 organs의 1점 침범 – 체표면의 18% 이하, sclerotic features 無 – 경미한 구강 증상, 구강섭취 감소 無 – 경미한 안구건조, 인공눈물 3회/일 이하	10%	97%
Moderate	3 이상 organs의 1점 침범 1~2 organs의 2점 침범 – 체표면의 19~50% or superficial sclerosis – 중증도의 구강 증상, 구강섭취 부분 감소 폐 침범 1점 : FEV_1 60~79%, 계단/언덕 오를 때 호흡곤란 발생	59%	86%
Severe	1 이상 organs의 3점 침범 – 체표면의 50% 이상 or deep sclerosis – 심한 구강 증상, 구강섭취 크게 감소, 심한 안구건조 폐 침범 2점 : FEV_1 40~59%, 평지를 걸을 때 호흡곤란 발생 폐 침범 3점 : FEV_1 <40%, 휴식 시에도 호흡곤란, 산소 필요	31%	62%

6. graft failure (1~3%)

(1) autologous HCT에서의 원인

- stem cells 양 부족
- ex vivo 처리 or 보관 중 stem cells의 손상
- 이식 이후에 myelotoxic agents의 사용
- 감염 ; CMV, HHV type 6

(2) allogenic HCT에서의 원인

- host cells에 의한 immunologic rejection ("graft rejection")
- 확인 ; host origin의 lymphocytes의 존재, RFLP or PCR (STR, VNTR)
- 위험인자 ; 전처치(면역억제제) 부족, T-cell 제거 이식, HLA-mismatch 정도 ,cord blood donor
  (c.f., 특정 HLA Ag에 따른 이식 성적의 차이는 나라/연구마다 다양함)

* HLA-haploidentical HCT는 preexisting donor-specific Ab (DSA) to HLA도 주요 위험인자임
(임신, 수혈 등으로 감작된 경우 DSA to HLA 발생)

(3) 대책

① 모든 myelotoxic agents의 중단
② myeloid growth factor의 단기간 사용
③ donor stem cells의 reinfusion

7. 원발 종양의 재발

- 이식 후기 합병증에 의한 사망 중 m/c (약 20~35%) /aplastic anemia에서는 GVHD가 m/c 사인
(c.f., 기타 GVHD, infections, organ failure 등이 10~15% 정도씩으로 비슷비슷함)
- 일반적으로 cGVHD 발생한 환자가 원발 종양의 재발률은 낮음 (∵ graft-versus-tumor effect)
(but, 최근 연구 결과 후기 재발은 CML에서만 낮고, AML/ALL/MDS에서는 관련 없음)
- leukemia는 alloHCT가 autoHCT보다 안전함 (autoHCT시는 PBSCT가 BMT보다 안전)
- autologous HCT 이후의 재발 (더 흔함) → 2nd-line drugs, 일부는 allogenic HCT도 가능
- allogenic HCT 이후의 재발 (치료 어려움) → 2nd-line drugs, 2nd alloHCT, DLI 등
  c.f.) DLI (donor lymphocyte infusion)에 반응 좋지만, 단독으로는 부족함
  ┌ CR rate ; CML ~75% (사실은 TKI 때문), MDS 40%, AML 25%, MM 15%
  └ Cx ; transient myelosuppression (aplasia), GVHD

■ 이차종양(2ndary malignancy) ; 이식 후기 사망의 <5~10% 차지

① post-transplant lymphoproliferative disorders (PTLD) ; uncontrolled EBV 감염이 원인,
거의 다 alloHCT에서, 대부분 이식 초기에 발생(1년 이내 >80%), 1~2%, 예후 나쁨
→ 위험인자 ; T-cells 제거 이식, ATG or alemtuzumab 치료

② hematologic malignancies ; 2ndary AML or MDS, autoHCT 이후 5~15%에서 발생
(alloHCT 이후엔 매우 드묾), 대개 2~5년 뒤 발생, 예후 매우 나쁨
→ 위험인자 ; 고령, 이식전 CTx (특히 alkylating agents), 방사선(TBI)

③ solid cancers ; 피부암, 갑상선암, 두경부 SSC, 뼈 육종 등, 대개 HCT 3~5년 뒤 발생
→ 위험인자 ; 10세 미만, TBI, chronic GVHD

13
종양학 서론

■ 개요

1. Cancer의 특성

① clonality : single cell의 유전적인 변화로부터 기원하며, 이것이 증식하여 malignant cells의 clone을 형성

② autonomy : 정상적인 신체의 여러 조절신호에 의해 성장이 조절되지 않고, 자기 나름대로 성장/증식/분화를 함

③ anaplasia : 정상적인 세포 분화의 결여로 미분화 및 미성숙한 조직학적 소견을 보임

④ invasion & metastasis : cancer는 discontinuous growth와 신체의 다른 부위로 침범하거나 퍼져나갈 수 있는 능력이 있음

(①, ②는 benign neoplasm도 보일 수 있음)

2. Metastasis

① 림프성 전이 : carcinoma의 m/c 전이 경로

② 혈행성 전이 : sarcoma의 전형적인 전이 경로

   (but, 대부분의 cancer는 두가지 경로로 모두 전이 가능)

③ 파종성 전이 : 체내의 cavity를 관통하였을 때 발생

   ; 복막강(m/c), 흉막강, 심낭, 지주막하, 관절 간격 등

④ 이식성 전이 (드묾) : 수술/시술 중 기계적 조작에 의해 옮겨진 것

3. Angiogenesis

① endogenous angiogenesis stimulators
- acidic fibroblast growth factor (aFGF), basic FGF (bFGF)
- vascular endothelia growth factor (VEGF) / vascular permeability factor (VPF)
- angiopoietin-1, endothelin
- 기타 ; angiogenin, TGF-α, TGF-β, TNF-α, PDGF, G-CSF, placental grwoth factor, IL-8, hepatocyte growth factor, proliferin, leptin, copper

② endogenous angiogenesis inhibitors ; IFN-α, platelet factor 4, thrombospondin-1, IL-12, angiostatin, endostatin, angiogenic antithrombin Ⅲ ...

■ 원인

1. Genetic factor

(1) multi-staged carcinogenesis

① initiation : 정상세포 → 암전구세포 (단기간, irreversible)

② promotion : 암전구세포 → 암세포 (장기간, reversible)

③ progression

(2) oncogene, proto-oncogene의 활성화

: 정상세포에서는 증식 및 분화를 조절하나, 변이(mutation)가 되거나 발현에 이상이 생겨 활성화(activation)되면 암을 유발

- point mutation ; 주로 *RAS* genes (*HRAS, KRAS, NRAS*)
- DNA amplification (→ gene transcription 증가) ; *MYC* genes, *ERBB2*
- chromosomal translocation ; lymphoma, leukemia

Oncogenes 변화의 예		
Point mutation	*BRAF*	Melanoma, Lung, Colorectal, Thyroid Papillary Carcinoma
	CTNNB1	Colon, Prostate, Melanoma, Skin
	ERBB2	Breast, Ovary, Stomach, Neuroblastoma
	MET	Osteocarcinoma
	HRAS	Colon, Lung, Pancreas
	KRAS	Melanoma, Colorectal, AML, Prostate
	NRAS	다양, Melanoma
Amplification	*AKT1*	Stomach
	AKT2	Ovary, Breast, Pancreas
	MYB	AML, CML, Colorectal, Melanoma
	C-MYC	Breast, Colon, Stomach, Lung
	L-MYC	Lung, Bladder
	N-MYC	Neutroblastoma, Lung
	WNT1	Retinoblastoma
Overexpression	*FOS*	Osteosarcomas
	JUN	Lung
Rearrangement	*REL*	Lymphomas

Chromosomal translocations의 예	
t(9;22) (*BCR-ABL*) → CML	t(12;22) (*ATF1-EWS*) → Melanoma
t(15;17) (*PML-RARα*) → AML-M3	t(11;22) (*FLI1-EWS*) → Ewing's sarcoma
t(8;21) (*AML1-ETO*) → AML-M2	t(2;13) (*PAX3-FKHR/ALV*), t(1;13) (*PAX7-KHR/ALV*)
t(8;14) (*MYC*-IgH) → Burkitt's lymphoma, B-ALL	→ Alveolar rhabdomyosarcoma
t(14;18) (*BCL2*-IgH) → Follicular lymphoma	t(10;17) (*RET-PKAR1A*) → Thyroid ca.
t(11;14) (*BCL1*-IgH) → Mantle cell lymphoma	Inv(1) (*TRK-TPM3*) → Colon ca.
t(1;17) (*LCK-TCRB*) → T-ALL	t(11;22) (*WT1-EWS*) → Desmoplastic small
Inv(2) (*REL-NRG*) → NHL	round cell tumor
t(1;3) (*TAL1-TCTA*) → T-ALL	

(3) tumor suppressor gene or antioncogene의 mutation/depletion

: 정상적으로 세포 증식을 억제하나, 결손되거나 불활성화되면 세포 증식을 억제하지 못해 암 유발

- *TP53* (17p) [p53] : <u>Li-Fraumeni syndrome</u> (breast ca., sarcomas, adrenal, brain), colon ca.
  - 정상적으로는 DNA damage시 cell cycle block, DNA repair, apoptosis 등을 일으킴
    (genomic policeman)
- *RB1* (13q) : hereditary retinoblastoma, osteosarcoma, SCLC
- *BRCA1* (17q), *BRCA2* (13q) : familial breast/ovarian ca., familial breast ca.
- *DCC* (deleted in colon carcinoma)
- *APC* (adenomatous polyposis coli, 5q) : familial polyposis coli (colon ca.)
- *WT1* (11p) : familial Wilms' tumor
- *NF1* (17q), *NF2* (22q) : neurofibromatosis, acoustic neuroma
- *TSC2* (16p) : tuberous sclerosis
- *VHL* (3p) : von Hippel-Lindau, RCC

c.f.) apoptosis (세포자멸) : programmed cell death
- 억제 ; *Bcl-2, Bcl-XL, Mcl-1*
- 촉진 ; *p53, Bax, Bak, Bcl-XS*

2. Radiation

⇨ 급성 백혈병, 갑상선암, 피부암, 유방암, 폐암 등

노출의 종류	발생 종양
1. 자궁내 노출, 원폭	Leukemia
2. 영아기의 경부 방사선조사	Thyroid carcinoma
3. 출산후 유방염에 대한 방사선치료	Breast cancer
4. 두부 방사선조사	CNS tumors
5. 기타 악성종양에 대한 방사선치료	Thyroid ca., breast ca., gastric ca., lung ca., melanoma, sarcoma
6. 우라늄 광산	Lung cancer

* 자외선(UV) → 피부암 (melanoma, SCC)

3. Air pollution

⇨ 폐암

4. Smoking

- 흡연과 관련된 암 ; 폐암(10~20배 증가), 후두암, 구강암, 식도암, 췌장암, 신장암, 방광암, 위암, 자궁경부암, 골수성 백혈병 등
- 담배내의 carcinogen ; polycyclic hydrocarbons, cyclic *N*-nitrosamines, nicotine ...

- alcohol 섭취는 담배의 발암효과를 증가시킴   예) 폐암, 위암, 식도암 …
- 금연 후 10~15년이 지나야 비흡연인과 폐암의 발생률이 거의 같아짐
- passive smoking의 경우 risk 1.5배 더 높다
- 여성 흡연은 남성보다 risk 1.5배 더 높다

5. Alcohol

⇨ 구강암, 비인두암, 식도암, 후두암, 폐암, 위암, 간암, 대장암, 직장암, 췌장암, 난소암 등

6. Infections

- hepatitis virus (HBV, HCV) → 간암
- HTLV-I → adult T cell leukemia/lymphoma
- human papilloma virus (HPV) → 자궁경부암, penis, vagina, anus, oropharynx 등의 암
- EBV → Burkitt's lymphoma, nasopharyngeal carcinoma, nasal T-cell lymphoma
- HIV → squamous cell ca., Kaposi's sarcoma, NHL
- *H. pylori* → 위선암, MALT lymphoma
- 간흡충증(*C. sinensis*) → cholangiocarcinoma
- 주혈흡충증(schistosomiasis) → 방광암(SCC)

7. Occupational carcinogen

원인물질	종양
알루미늄 공장	Lung
Bischloromethyl ether	Lung
크롬 화합물	Lung
라돈	Lung
석탄가스, 코크스	Lung
Nitrogen mustard gas (독가스)	Lung, head & neck, nasal sinus
니켈 화합물	Lung, nasal sinus
검댕, 타르, 기름 (polycyclic hydrocarbons)	Lung, skin
비소	Lung, skin
석면	Lung, pleura, peritoneum
Erionite	Pleura
Auramine 제조	Bladder
Benzidine	Bladder
β-Naphthylamine	Bladder
Magenta 제조	Bladder
4-Aminobiphenyl	Bladder
신발/구두 제조업	Bladder, nasal sinus
Isopropyl alcohol 제조	Nasal sinuses
나무 가루 (가구공장)	Nasal sinuses
석유	Skin, other
Vinyl chloride	Liver (angiosarcoma)
벤젠	Leukemia

8. Drugs

약물	종양
Phenacetin-containing analgesics	Renal pelvis, bladder
Estrogens-conjugated	Endometrium
Estrogens-synthetic (DES)	Vagina, cervix
Estrogens-steroid 피임약	Benign liver tumors
Androgens	Prostate
Methoxsalen + UV-A therapy (PUVA)	Skin
Azathioprine	Lymphoma, skin, soft tissue sarcoma
1,4-Butanediol dimethanesulfonate (Mylearan)	Leukemia
Lymphoma에 대한 CTx. (MOPP등)	Leukemia
Chlorambucil	Leukemia
Melphalan	Leukemia
Treosulfan	Leukemia
Cyclophosphamide	Leukemia, lymphoma, bladder
Chlornaphazine	Bladder

9. Diet & Nutrition

(1) 암을 일으키는 요인

- 식도암 ← N-nitroso compound (e.g., nitrosamine) ; 흡연과 음주를 동시에 하면 위험↑
- 위암 ← N-nitroso compound, polycyclic aromatic hydrocarbon ; 짜고, 절인 음식, 훈제음식
- 대장암 ← N-nitroso compound, 동물성 지방, 포화지방, 알코올
  (but, 폐경 여성의 무작위대조군연구에서는 low-fat diet가 대장암을 감소시키지 못했음)
- 간암 ← aflatoxin (*Aspergillus*가 만든 독소)
- 유방암 ← 지방, 육류, 당분, 총에너지↑, 비만
- 비뇨기계암 ← 사카린
- 갑상선암 ← 요오드 결핍 및 과잉

  * 포화지방 → 유방암, 전립선암, 대장암, 자궁내막암

  * 비만 → 대장암, 유방암(폐경후), 자궁내막암, 신장암, 식도암

(2) 암 발생 억제

- β-carotene (vitamin A의 전구체) : 1차 또는 2차 악성종양 예방 효과 없음
- vitamin C, E → N-nitroso compound (e.g., nitrosamine) 형성 억제
- 마늘, 양파 : 위암 및 대장암 위험 감소
- 과일 및 비전분성 채소 : 구강, 식도, 위암 위험 감소 가능 (과일은 폐암도)
- 고섬유질 식이 : 역학연구에서는 대장암 감소, 무작위대조군연구에서는 차이가 없기도 함

(3) 암을 예방하는 식이

① 고열량 식품은 적게 섭취, 붉은 고기는 500 g/week 미만으로 제한
② 과일과 비전분 야채를 충분히 섭취함
③ 절인 음식, 훈제 음식, 가공된 고기, 패스트푸드, 설탕 음료 등은 가능한 피함
④ 술은 마시지 않거나 줄임
⑤ 식이보충제(dietary supplement)는 권장 안됨

■ 참고 : 식품, 영양, 육체활동 등이 암 발생에 미치는 영향

	구강인후두	비인두	식도	폐	위	췌장	담낭	간	대장직장	유방폐경전	유방폐경후	난소	자궁내막	자궁경부	전립선	신장	방광	피부	비만
식이 섬유질			↓						↓↓										
Aflatoxin								↑↑↑											
비전분 채소	↓↓	↓	↓↓	↓	↓↓				↓			↓	↓						
양파					↓↓				↓										
마늘			.		↓				↓↓										
당근														↓					
칠리					↑														
과일	↓↓	↓	↓↓	↓↓	↓↓	↓		↓	↓										
콩류					↓										↓				
Folate 함유 식품			↓			↓↓			↓										
Carotenoid 함유 식품	↓↓			↓↓															
β-carotene 함유 식품			↓↓																
Lycopene 함유 식품															↓↓				
Vitamin C 함유 식품			↓↓																
Selenium 함유 식품				↓	↓				↓						↓↓				
Pyridoxine 함유 식품			↓																
Vitamin E 함유 식품			↓												↓				
Quercetin 함유 식품				↓															
붉은 고기			↑		↑	↑			↑↑↑				↑						
가공된 고기			↑	↑	↑				↑↑↑						↑				
Iron 함유 식품									↑										
광동식 절인 생선		↑↑																	
생선									↓										
Vitamin D 함유 식품									↓										
훈제 음식					↑														
구운 동물성 식품					↑														
고칼슘 식이															↑↑				
우유 및 유제품															↑				
우유									↓↓										
치즈									↑									↓	
전체 지방				↑							↑								
동물성 지방									↑										
버터				↑															
소금					↑↑														
절인/짠 음식					↑↑														
설탕 함유 식품									↑										
고열량 식품																			↑↑
저열량 식품																			↓↓
패스트푸드																			↑↑
Arsenic 함유 물				↑↑↑												↑	↑	↑↑	
파라과이 차(meté)	↑		↑↑																
뜨거운 음료			↑																
커피																			
설탕 음료																			↑↑
알코올 음료	↑↑↑		↑↑↑					↑↑	↑↑	↑↑↑	↑↑↑								
β-carotene				↑↑↑															
Calcium									↓↓										
Selenium			↓						↓						↓↓			↑	
Retinol			↑															↓	
α-tocopherol															↓				
육체적 활동				↓		↓			↓↓↓	↓	↓↓		↓↓						↓↓↓
장시간 앉아서 지냄																			↑↑↑
TV 시청																			↑↑
뚱뚱함		↑↑↑				↑↑↑	↑↑	↑	↑↑↑		↑↑		↑↑↑		↑↑↑		↑↑↑		
배나옴						↑↑			↑↑↑		↑↑		↑↑		↑↑				
성인에서 체중 증가											↑↑								
날씬함				↑															
키						↑↑			↑↑↑	↑↑	↑↑↑	↑↑	↑						
과체중아										↑↑									
수유										↓↓↓	↓↓↓	↓							
모유 먹고 자람																			↓↓

↑↑↑/↓↓↓: convincing　　↑↑/↓↓: probable　　↑/↓: limited-suggestive

역학

1. 발생자수 (2016)

- 전체 ; <u>위암</u> > <u>대장암</u> > <u>갑상선암</u> > 폐암 > 유방암 > 간암 > 전립선암 > 담낭/담도암
  > 췌장암 > 자궁암 > 신장암 > NHL > 방광암 > 난소암 > 식도암 > AML ...
- 남자 ; 위암 > 폐암 > 대장암 > 전립선암 > 간암 > 갑상선암 > 담낭/담도암 ...
- 여자 ; 유방암 > 갑상선암 > <u>대장암</u> > 위암 > 폐암 > 간암 > 자궁경부암 ...
  ↳ 최근 남성대비 증가 추세를 보여 주의 요망

- 최근 폐암, 유방암, 전립선암 등이 증가 추세임!
  - 위암, 대장암은 계속 증가하다가 최근 몇 년은 약간 감소/정체지만 아직 가장 흔한 암종임
  - 갑상선암은 초음파 도입, 낮은 수가, 건강검진 확대 등으로 진단이 급격히 증가하다가,
    (과인 진단?) 진료지침 변경 뒤 (FNA 권장: ≥1 cm) 낮아지는 중

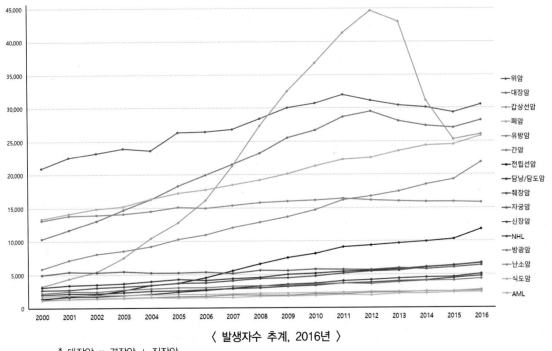

〈 발생자수 추계, 2016년 〉

* 대장암 = 결장암 + 직장암

2. 암으로 인한 사망자수 (2017)

- 전체 ; <u>폐암</u> > 간암 > 대장암 > 위암 > 췌장암 > 담낭/담도암 > NHL > 백혈병 ...
- 남자 ; 폐암 > 간암 > 위암 > 대장암 > 췌장암 > 담낭/담도암 > 전립선암 > 식도암 ...
- 여자 ; 폐암 > 대장암 > 위암 > 췌장암 > 간암 > 유방암 > 담낭/담도암 > 난소암 ...

c.f.) 전체 사망원인 ; 암 > 심장질환 > 뇌혈관질환 > 폐렴 > 자살 > 당뇨병 > 간질환 ...

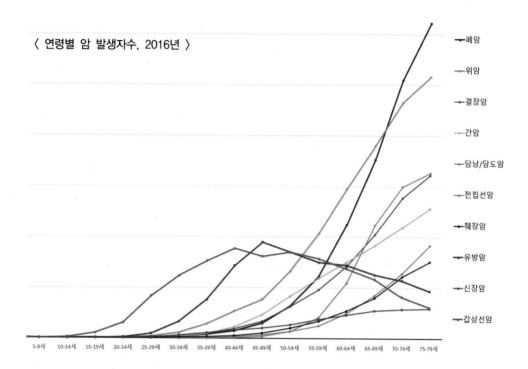

〈 연령별 암 발생자수, 2016년 〉

3. 주요 암의 5년 생존율(5YSR) 변화

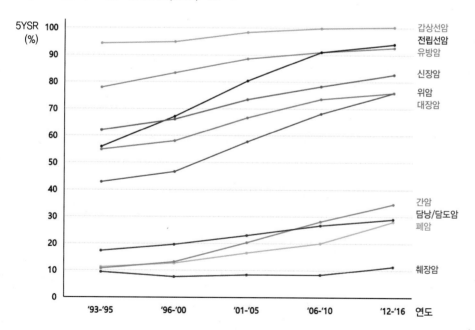

진단과 병기 판정

1. Screening

- 선별검사(screening) : 증상이 없는 사람 (표준 위험군)에서 질병을 조기에 발견하여 이환율과 사망률을 줄이는 것 (선별검사에서 양성인 경우 다시 확진을 위한 과정을 거침)
- early detection의 효과 (사망률 감소)가 증명된 선별검사
    ① 유방암 ; mammography, clincial breast exam.
        (유방자가검사 : 사망률 감소 효과는 증명되지 않았지만, 권장됨)
    ② 자궁경부암 ; Pap smear
    ③ 대장암 ; 대변잠혈검사(FOBT), colonoscopy
    ④ 전립선암 ; PSA (논란이 있지만, 50세 이상의 남성에서 권장)

- 참고: American Caner Society (ACS)의 권장 선별검사

	대상	주기	방법
유방암	40~44세 여성은 원하는 경우 45~54세 여성 55세 이상 여성	1년 1년 1~2년	유방촬영술(mammography)
자궁경부암*	21~29세 이상 여성 30~65세 여성	3년 3년	자궁경부세포검사(Pap test) Pap test + HPV 검사
대장암	45~75세 76~85세	1년 선택적	대변검사 (or 5~10년 마다 대장내시경)
폐암	30갑년 이상의 흡연력이 있는 55~74세 고위험군 (금연 후 15년 경과했으면 제외)	1년	저선량 흉부 CT
전립선암	50세 이상 남성에서 선택적으로 권장 : PSA ± 직장수지검사(DRE) (검진 주기는 환자의 PSA level에 따라 다름)		

   * HPV 백신 접종자도 동일, 66세 이상 여성은 과거 검사에서 이상이 없었으면 검진 중단

- 우리나라의 7대암 검진 권고안 (국가암정보센터) ★

	대상	주기	방법
위암	40~74세	2년	위내시경 (or 위장조영술)
간암	40세 이상 HBV, HCV 보유자 연령과 관계없이 간경화증	6개월	간초음파검사 + 혈청 AFP
대장암	45~80세	1~2년	분변잠혈검사 (or 대장내시경)
유방암	40~90세 여성	2년	유방촬영술(mammography)
자궁경부암	20세 이상 여성	3년	자궁경부세포검사 (± HPV 검사)
폐암	30갑년 이상의 흡연력이 있는 55~74세 고위험군 (금연 후 15년 경과했으면 제외)	1년	저선량 흉부 CT
갑상선암	갑상선초음파는 근거가 부족하여 일상적인 선별검사로는 권장 안됨!		

c.f.)

암의 7가지 warning signals
1. Bowel or bladder habits의 변화 → 대장, 전립선, 방광
2. 치유되지 않는 상처 → 피부
3. 비정상적인 출혈 or 분비물 → 자궁경부, 대장
4. 유방의 종괴 or 두꺼워짐, 유두출혈 → 유방
5. 연하 곤란 or 불능 → 식도
6. 점 또는 사마귀의 뚜렷한 변화 → 피부
7. 심한 기침 or 애성(hoarseness) → 폐, 후두

암예방 14개 권장사항
1. 편식하지 말고 영양분을 골고루 균형 있게 섭취한다
2. 황록색 채소를 주로 한 과일 및 곡물 등 섬유질을 많이 섭취한다
3. 우유와 된장의 섭취를 권장한다
4. 비타민 A, C, E를 적당량 섭취한다
5. 이상체중을 유지하기 위하여 과식하지 말고 지방분을 적게 먹는다
6. 너무 짜고 매운 음식과 너무 뜨거운 음식은 피한다
7. 불에 직접 태우거나 훈제한 생선이나 고기는 피한다
8. 곰팡이가 생기거나 부패한 음식은 피한다
9. 술은 과음하거나 자주 마시지 않는다
10. 담배는 금한다
11. 태양광선, 특히 자외선에 과다하게 노출하지 않는다
12. 땀이 날 정도의 적당한 운동을 하되 과로는 피한다
13. 스트레스를 피하고 기쁜 마음으로 생활한다
14. 목욕이나 샤워를 자주하여 몸을 청결하게 한다

2. staging

- 목적
  ① 적합한 치료법 선택
  ② 조기 전이 여부 확진 (→ 필요 없는 수술 방지)
  ③ 예후 판정
  ④ 치료성적의 비교/분석, 정보 교환, 새로운 치료법의 개발
- 종류
  ① 임상적 병기(clinical staging) : 영상검사등 비침습적 검사를 종합하여 판정하는 병기
  ② 해부학적 병기(pathologic/anatomical staging) : 수술에 의해 적출된 모든 조직의 병리검사를 마친 후 판정하는 병기

3. Tumor markers

* 임상적인 중요성
  ① 새로운 원발 종양의 screening   예) AFP, PSA
  ② 종양의 (감별)진단   예) AFP, CEA, CA19-9
  ③ 병기판정(staging)   예) 전립선암(PSA), 고환암(AFP, hCG, LDH), MM (β_2-microglobulin)
  ④ 치료방법 선택   예) ER, PR, HER-2/neu
  ⑤ 예후 예측   예) CEA, PSA, CA19-9, multigene assay

⑥ 치료 경과의 monitoring 예) CEA

⑦ 재발의 조기 발견 예) 거의 대부분

⑧ 전이 부위의 면역학적 발견 예) CEA-radioisotope

	Tumor marker	종양
종양관련단백	PSA	Prostate cancer
	Monoclonal immunoglobulin	Myeloma
	CA 125	Ovarian cancer, 일부 lymphomas
	CA 19-9	Colon, pancreatic, breast ca.
	CD30	Hodgkin lymphoma, anaplastic large cell lymphoma
	CD25	Hairy cell leukemia, adult T-cell leukemia/lymphoma
	uPA, PAI-1	Breast cancer
Oncofetal Ag	AFP	HCC, gonadal germ cell tumor
	CEA	Colon, pancreas, lung, breast, ovary 의 adenocarcinomas
효소	Prostatic acid phosphatase	Prostate cancer
	NSE (Neuron-specific enolase)	SCLC, neuroblastoma
	LDH	Lymphoma, Ewing's sarcoma, testicular ca.
호르몬	HCG	GTD (gestational trophoblastic disease), gonadal germ cell tumor
	Calcitonin	Medullary thyroid ca. (MTC)
	Catecholamines	Phechromocytoma
Receptors	ER, PR, HER-2/neu	Breast cancer

Tumor	Marker(s)	Utility of Markers			
		Screening	Prognosis	Monitoring	Recurrence
Colorectal	CEA	×	○	○	○
Ovary	CA 125	×	×	○	○
	HE4	×	○	○	○
Testicle	hCG, AFP, LDH	×	○	○	○
Prostate	PSA	○	○	○	○
Breast	CA 15-3, CEA	×	×	○	○
	ER, PR, HER2, uPA, PAI-1	×	○	×	×
NHL	LDH, β$_2$-microglobulin	×	○	○	○
Multiple myeloma	β$_2$-microglobulin M-protein	×	○	○	○
Hepatoma	AFP	○	○	○	○
Pancreas	CA 19-9	×	○	○	○
Choriocarcinoma	hCG	○	○	○	○

* AFP (alpha-fetoprotein) ↑
  * tumors ; HCC, extragonadal germ cell tumors, nonseminomatous testicular ca. pancreas, stomach, colon, lung ...
  * non-tumorous condition ; benign liver tumor (adenoma), LC, hepatitis
* CEA (carcinoembryonic antigen) ↑
  * tumors ; colon, pancreas, stomach, lung, thyroid, ovary, breast ...
  * non-tumorous condition ; LC, hepatitis, pancreatitis, inflammatory bowel dz., rectal polyp, smoking, chronic lung dz ...
* PSA (prostate-specific antigen) ↑
  * tumor ; prostate cancer
  * nontumor ; prostatitis, prostatic infection, BPH ...
* CA 19-9 ↑
  * tumor ; pancreatobiliary ca., colon ca., stomach ca., breast ca.
  * nontumor ; pancreatitis, UC
* CA 125 ↑
  * tumor ; ovarian ca., myoma
  * nontumor ; PID, endometriosis, peritonitis, 임신, 생리
* hCG (human chorioic gonadotropin) ↑
  * tumors ; trophoblastic tumor (choriocarcinoma, H-mole), germ cell tumor of testis ...

예방

1. 1차 예방 (Primary prevention)
  - 정의 : 암의 원인이 되는 유전적, 생물학적, 환경적 요인을 찾아 교정하는 것
           (암에 걸리지 않도록 하는 것)
  - 예 ; 금연, 식이요법, 자외선 노출 감소, chemoprevention

■ cancer chemoprevention
  * 두경부암/폐암
    - 완치된 폐, 식도, 구강, 두경부암 환자에서 upper GI의 2nd primary ca. 발생 예방
      ┌ 금연 : 큰 효과 없음 (∵ 흡연은 carcinogenesis의 초기에만 관여)
      └ isotretinoin : tolerable dose에서는 두경부암 예방 효과 없음
    - oral leukoplakia (premalignant lesion) : 고용량 isotretinoin 치료시 regression
    - 폐암 : 밝혀진 것 없음, β-carotene은 오히려 폐암 위험 약간 증가

- 대장암/선종
  - aspirin, NSAIDs, COX-2 inhibitors : 대장암/선종 20~40% 발생 감소 효과
    (but, COX-2 inhibitor는 심혈관 위험 증가로 적합하지 않음)
  - 고 칼슘 식이 (e.g., 유제품) : 역학연구에서는 대장암 위험 감소, 무작위 대조연구에서는
    adenomatous polyp 발생 감소 → 대장암 예방을 위해 권장됨
  - 비타민D : 결핍시 대장암 증가되는 역학연구는 있으나, 대조연구에서는 대장암 감소 효과×
  - stains : 대장암 위험 감소 효과는 논란, 메타분석에서는 암 발생률/사망률과 관련 없음
  - 폐경 여성에서 estrogen + progestin : 대장암 위험 감소 (but, VTE 및 유방암 증가)

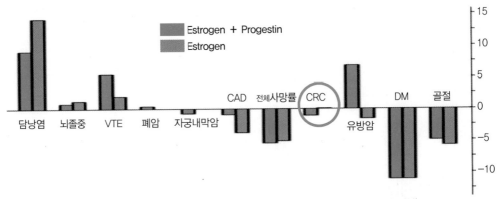

Menopausal hormone therapy (MHT)의 효과 (50~59세 여성 or 폐경 10년 미만)

- 유방암
  - tamoxifen : 고위험군에서 유방암 발생을 49% 감소시킴, 고위험군에서 예방 목적 FDA 승인
    (골절 위험도 감소 / but, 자궁내막암, 뇌졸중, 폐색전, DVT 등은 약간 증가)
  - aromatase inhibitor : tamoxifen보다 유방암 예방 효과 더 좋을 것으로 기대됨, 아직 연구 無
- 전립선암
  - 5α-reductase inhibitor (e.g., finasteride, dutasteride) : 전립선암 발생 감소 효과
  - selenium and/or α-tocopherol (vitamin E) : 효과 없음 (α-tocopherol 단독은 오히려 증가)
- vaccines ; <u>HBV</u> (간암), <u>HPV</u> (자궁경부암, 두경부암), *H. pylori* (위암)
    * HPV 4가(6, 11, 16, 18) or 2가(16, 18) 백신 → 9~26세 여성에서 권장, 자궁경부암
      70% 이상 감소 (HPV 16/18 - 자궁경부암, HPV 6/11 - genital papilloma와 관련)

■ surgical procedures
- severe cervial dysplasia → conization or hysterectomy
- familial polyposis, UC → colectomy
- *BRCA1 & BRCA2* mutations → bilateral mastectomy

2. 2차 예방 (Secondary prevention)

- 정의 : 증상이 없는 암 환자를 조기에 발견하여 치료하는 것
- cancer screening

14
종양의 치료원칙

화학요법 (Chemotherapy)

1. 개요

(1) 암세포의 성장
- 임상적으로 감지할 수 있는 암의 최소 크기 : 1 cm (세포수 약 10^9개)
- 암세포의 분획(compartment)
  - A compartment : actively proliferating cells
  - B compartment : temporarily non-proliferating cells (G_0)
  - C compartment : permanently non-proliferating cells
- <u>Gompertzian growth</u> : 종양의 성장 초기에는 growth fraction이 높고 doubling time이 짧아 기하급수적인(exponential) 성장을 보이지만, 시간이 지남에 따라 growth fraction이 감소하고 doubling time이 길어져 결국 성장 속도가 느려지는 현상, 임상적으로 발견되기 전에 최고치 (c.f., 종양을 치료하여 크기를 줄이게 되면 종양의 성장 속도는 다시 빨라짐)

(2) 항암화학요법의 kinetic basis
① fractional kill hypothesis (log cell kill model) : 항암제의 작용은 first order kinetics를 따라 1~3 log 정도의 암세포를 파괴함, 즉 처음 암세포의 양에 관계없이 일정한 비율(%)의 암세포를 파괴

② heterogeneity : 암세포의 성장중 돌연변이가 발생하면 진행된 암종에서는 여러 종류의 유전자형을 가진 세포군들로 구성되어, 각각 서로 다른 생화학적/형태학적 특징을 갖고 치료에 대한 감수성에도 차이를 보임

(3) 항암화학요법의 종류
① 보조화학요법(adjuvant CTx.) : 수술후 residual malignant dz.의 증거가 없는 환자에게 undetectable micrometastatic dz.를 제거할 목적으로 시행하는 CTx.
  → 재발 감소, disease-free interval 증가, 난치성 종양에서는 증상 개선과 survival 증가

② 선행보조화학요법(neoadjuvant CTx.) : 수술 or RTx 전에 종양 크기를 줄이고 미세전이 병소를 소멸시켜 치료 효과를 극대화하기 위한 CTx., 항암제에 대한 종양의 감수성 파악에도 도움
  예) head & neck ca., breast ca., bladder ca., lung ca., esophageal ca.

  * locally advanced cancer에서 neoadjuvant CTx.로 organ preservation 가능
  예) laryngeal ca., breast ca., anal ca., osteosarcoma

Chemotherapy에 대한 종양의 반응 ★★

① CTx.로 완치 가능

급성 백혈병, 호지킨 림프종(HL), NHL (일부), SCLC, 난소암,
생식세포종양 ; 배아암종, 기형암종, 고환종, 미분화세포종Dysgerminoma, 융모막암종
임신융모종양
소아암 ; Wilms 종양, 배아형횡문근육종, Ewing 육종, 말초 신경상피종, 신경모세포종

② CTx.가 중요한 역할을 함

(1) *CTx. + RTx.로 완치 가능*
   두경부 편평세포암, 항문 편평세포암, 유방암, 자궁경부암, NSCLC (stage Ⅲ), SCLC

(2) *Adjuvant CTx. (수술 + CTx.)로 완치 가능*
   유방암, 대장암 (직장암은 RTx 추가), 골육종, 연부조직육종

(3) *High-dose CTx. & SCT (HDT-SCT)로 완치 가능*
   다발성 골수종, 재발한 혈액암(백혈병, 림프종), CML

(4) *CTx.로 완치는 불가능하지만 장기생존(palliation)은 가능*
   CML, CLL, Hairy cell leukemia, 림프종(일부), 다발성 골수종,
   방광암, 자궁경부암, 자궁내막암, 연부조직육종, 두경부암, 위암, 대장암, 유방암,
   신장암, 부신피질암, 섬세포(Islet cell)종양

③ CTx.에 반응이 안 좋음

췌장암, 담도암, 간암, 갑상선암, 전립선암, 질암, 흑색종(일부), NSCLC, 타액선암

(4) 항암화학요법의 원칙들

- 근치(가능한 모든 암세포의 제거)를 위한 항암제의 조건
  ① 암세포들이 항암제에 감수성이 있어야 한다
  ② 항암제의 대사물질이 암세포에 도달되어야 한다
  ③ cell cycle-specific한 항암제의 경우, 항암제에 대한 노출 시간을 증가시켜 (여러번 투여하거나 지속 정주) 항암효과를 극대화 시킴
  ④ 약제 내성이 발현되기 전에 암세포를 파괴해야 한다
- 복합화학요법(combination CTx)의 원칙
  ① 각 약물은 서로 독립적인 활성을 가져야 한다 (최소한 한 약은 cure도 가능)
  ② 각 약물은 서로 다른 작용기전을 가져야 한다
  ③ 약물간의 교차내성이 없어야 한다
  ④ 각 약물은 서로 다른 dose-limiting toxicity를 가져야 한다
- 항암제 선택시 고려해야할 사항
  ① 생존기간 연장 (m/i)
  ② 높은 반응률
  ③ 치료지수(therapeutic index)↑ : toxic dose와 therapeutic dose의 차이
  ④ 짧은 치료 주기
  ⑤ 경구 투여 가능

2. 환자의 선택 기준

- 병리학적으로 cancer가 증명
- 15 < age < 70
- expected survival의 기간 >3개월
- 정상 BM 기능 ; WBC >4000/μL, platelet >100,000/μL
- 정상 신장 기능 ; serum Cr <1.5 mg/dL, CCr >60 mL/min
- 정상 간 기능 ; AST·ALT <정상의 2배, bilirubin <1.5 mg/dL
- infection, serious cardiac/pulmoary dysfunction 없어야
- pregnancy 아니어야
- informed consent

* Performance status ⇨ 보통 Karnofsky Index 60 이상, ECOG PS 0~2 환자에서 CTx 권장

Karnofsky Performance Index
100 : 정상 건강 상태, 증상/징후 전혀 없음
90 : 정상 활동 가능, 가벼운 증상/징후만 있음
80 : 좀 힘들지만 정상 활동 가능, 약간의 증상/징후
70 : 일상 생활은 가능하나, 정상 활동이나 활동적인 일은 불가능
60 : 일상 생활에도 남의 도움이 필요
50 : 다른 사람의 의학적 도움이 있어야만 일상 생활 가능
40 : 특별한 도움과 의학적 치료가 요구되는 상태
30 : 심한 무력 상태, 입원 필요
20 : 적극적인 생명 보조요법이 필요한 상태
10 : 사망 직전, 급격히 사망으로 진행

ECOG Performance status (PS)
Grade 0 : 증상 없음
Grade 1 : 증상은 있으나, 일상 생활에는 지장 없음
Grade 2 : 하루중 50% 이하로 bed rest 필요
Grade 3 : 하루중 50% 이상 bed rest 필요
Grade 4 : 100% bed ridden

* ECOG : Eastern Cooperative Oncology Group

3. 신약의 임상시험 (clinical trial)

(1) 제1상 임상시험(phase Ⅰ)

- 신약의 동물실험 후 사람에게 처음 투여하는 단계
- 목적 : 안정성(drug toxicity)을 확인하여 MTD (maximal tolerable dose)최대허용용량를 결정하는 것
  ↳ 1/3 이하의 환자가 DLT를 경험하는 용량

Toxicity grade
Grade 1 : 치료 필요 없음
Grade 2 : 대증 치료 필요 (생명 위협 없음)
Grade 3 : 치료하지 않으면 생명 위협 가능성 있음
Grade 4 : 생명 위협하는 부작용
Grade 5 : 사망

* Dose-limiting toxicity (DLT, 용량제한독성)
: 더 이상 용량의 증가를 불가능하게 하는 독성반응
⇨ grade 3 독성 (neutropenia와 탈모는 제외),
일부 irreversible grade 2 (e.g., 신경, 심장, 눈 독성)
및 prolonged grade 2 독성도 포함될 수 있음

(실제로는 약물상호작용, 음식, 간/신기능, 나이/성별 영향 등 더 광범위한 목적으로 진행됨)
- 대상 : 소수의 건강인 (20~80명) or 진행 암으로 더 이상의 치료가 불가능한 소수의 환자
- initial dose : 동물실험에서 reversible toxicity를 보인 용량의 1/6~1/10 정도로 시작한 뒤 증량
- 보통 MTD보다 한 단계 낮은 용량으로 제2상 임상시험 진행
- 치료 효과가 없어도 phase II로 넘어갈 수 있음

(2) 제2상 임상시험(phase II)
- 목적 : target 종양 환자(수백명)를 대상으로 신약의 효능(response)을 평가
- 유효성, 용량-반응, 안전성 등에 대한 좀 더 자세한 정보를 얻음
- response가 20% 이하인 경우에는 연구를 중단함
- 모든 단계 중 가장 실패율이 높음 (약 25%만 제3상으로 진행됨)

(3) 제3상 임상시험(phase III)
- 기존의 표준화된 치료(or placebo)와 비교하는 <u>randomized</u>, two arm study (대조군 연구)
- 치료 효과(effectiveness) 확증 : <u>overall survival</u> 평가
- 대상 : 많은 수(수백~수천명)의 이전에 치료를 받지 않은 환자, 가장 규모가 큼
- 시판하려는 제형으로, 향후 사용하게 되는 진료환경과 비슷한 환경(병원)에서 시행
- 1/2상에서는 관찰되지 않았던 특정 부작용(특히 면역반응)이 나타나기도 함

(4) 제4상 임상시험(phase IV)
- 대규모의 시판 후 안정성에 대한 조사, 부작용 보완
- 새로운 적응증 탐색 (c.f., 비용이 많이 드는 1~3상 시험을 피하여 새로운 허가 가능)

4. 항암제의 종류

Chemotherapeutic agents와 tumor cell cycle과의 관계

Cell Cycle–Specific (CCS) Agents	Cell Cycle–Nonspecific (CCNS) Agents
<u>S-phase</u> : Antimetabolites (cytarabine, fluorouracil, methotrexate, 6–mercaptopurine, hydroxyurea), etoposide, doxorubicin <u>G$_2$-phase</u> : Bleomycin, irinotecan, etoposide <u>M-phase</u> : Plant alkaloids (vincristine, vinblastine, paclitaxel, docetaxel) <u>G$_1$-phase</u> : Asparaginase [nonspecific]	Alkylating agents (busulfan, cyclophosphamide, mechlorethamine, melphalan, thiotepa, chlorambucil) Antibiotics (dactinomycin, daunorubicin, mitomycin) Platinum compounds (cisplatin, carboplatin) Nitrosoureas (BCNU, CCNU) Dacarbazine Mitoxantrone

(c.f., cell cycle : G$_1$ → S [DNA synthesis] → G$_2$ → M [mitosis])

(1) Alkylating agents

Drug	Indications
Mechlorethamine (Chlormethine, Nitrogen mustard)	Hodgkin lymphoma (HL), mycosis fungoides (topical), malignant effusions (intracavitary)
Bendamustine	CLL, Multiple myelona (MM), NHL
Melphalan	MM, Breast ca., Oarian ca.
Chlorambucil	CLL, Lymphoma, MPN, Ovarian ca.
Busulfan	CML (→ imatinib으로 대치)
Cyclophosphamide	Breast ca., Ovarian ca., Lymphoma, ALL, CLL, Bladder ca., Lung ca., Osteogenic sarcoma
Ifosfamide	Germ cell tumors, NHL, Sarcomas, Lung ca.
Nitrosoureas ⌐ Carmustine (BCNU) ⌐ Lomustine (CCNU)	<u>Brain tumors</u>, Lymphoma (유일하게 BBB 통과)
Streptozocin	Pancreatic islet cell ca., Carcinoid tumors
Procarbazine	HL, Brain tumors
Dacarbazine (DTIC)	Melanoma, Hodgkin lymphoma, Sarcomas
Temozolomide	Melanoma, Brain tumors
Platinum compound Cisplatin Carboplatin Oxaliplatin	Ovarian ca., Testicular ca. Bladder ca., Esophageal ca., Lung ca., 두경부암, Osteogenic sarcoma, CRC에 매우 효과적

- 핵산과 <u>공유결합</u>을 형성하여 DNA 합성을 억제 (세포주기에 비특이적)
- 공통적인 부작용 ; myelosuppression, alopecia, gonadal dysfunction, mucositis, pul. fibrosis …
- secondary MDS or leukemia를 잘 일으킴 (대부분 AML, 치료 어려움)
- melphalan, chlorambucil, busulfan → prolonged BM hypoplasia
- cyclophosphamide → 말초조직에서 대사되어 분해
  - ⌐ phosphoramide mustard → 항암작용, 강력한 골수/면역억제
  - ⌐ acrolein → hemorrhagic cystitis
- ifosfamide (cyclophosphamide analogue) : cyclophosphamide에 비해 골수 억제는 적으나 urotoxicity는 더 심하고 (반드시 mesna와 병용), CNS 부작용도 있을 수 있음
- cisplatin : 다른 alkylating agents보다 골수억제는 덜함, 신장 질환이 있는 경우 권장×
  - nephrotoxicity (AKI) 흔함 ; hydration with forced diuresis 필요, 그래도 일부는 발생 (amifostine 같은 chemopreventive agents는 예방 효과 없음)
  - 심한 N/V ⇨ serotonin (5-HT$_3$) antagonist + NK$_1$R antagonist (aprepitant, fosaprepitant), + dexamethasone + olanzapine(항정신병제) 예방투여 권장
  - ototoxicity (~50%에서 청력 감소), <u>stocking & glove sensorimotor</u> "neuropathy"도 흔함 (치료 중단시 대부분 호전되나 일부는 안 될 수 있음)
- carboplatin : cisplatin보다 다른 독성은 약하지만, BM 억제는 더 흔함
- <u>oxaliplatin</u> (대장암의 대표적 항암제) : neurotoxicity가 m/i
  - ⌐ acute neurotoxicity ; 손/발/입주위/인후두의 감각이상 (추위에 의해 발생/악화!)
  - ⌐ chronic neurotoxicity ; cisplatin과 비슷한 stocking & glove sensory neuropathy
    - 상지에서 더 심하지만, 치료 중단 후 회복은 상지가 더 빠름
    - 보통 수개월~수년 지나야 회복됨, 완전히 회복이 안 될 수도 있음

■ 출혈성 방광염(hemorrhagic cystitis, HC)

- 원인 : <u>ifosfamide</u>, high-dose cyclophosphamide (주로 HCT 전처치에서)
  - → 대사산물인 acrolein이 소변으로 배설되며 강력한 irritant로 작용
- Sx : bladder에서 massive hemorrhage → hematuria
- 예방 & 치료
  ① 충분한 hydration (high urine output 유지), 적당한 항암제 용량
  ② bladder protectant : mesna (sodium 2-mercaptoethane sulfonate) 투여
    → urinary tract에서 toxic metabolites를 inactivation 시킴
  ③ N-acetylcysteine or formalin 용액으로 bladder irrigation, PG (carboprost)
  ④ 출혈이 매우 심각하면 수술 : ligation of hypogastric artery, urinary diversion, cystectomy

(2) Topoisomerase inhibitors

- topoisomerase : DNA의 복제를 위해 이중나선 구조를 풀어주고 연결하는 효소

Drugs	Indications
Topoisomerase I inhibitor	
Topotecan	Ovarian ca., SCLC
Irinotecan (CPT-11)	CRC, SCLC
Topoisomerase II inhibitor	
Podophyllotoxins	
Etoposide (VP-16)	AML, Lung ca., Lymphoma, Ovarian ca., Testicular ca.
Teniposide (VM-26)	ALL, NHL
Anthracycline antibiotics	
<u>Doxorubicin (Adriamycin)</u>	Lymphoma, Breast ca., Bladder ca., Gastric ca., HCC, Lung ca., Osteogenic sarcomas, Soft tissue sarcoma
Daunorubicin	Acute leukemia, NHL
Idarubicin	Acute leukemia
Mitoxantrone (synthetic)	Acute leukemia, NHL, Breast ca., Prostate ca.

- <u>irinotecan</u> (CPT-11) → <u>neutropenia</u>, secretary diarrhea (→ loperamide or octreotide로 치료)
  - 간에서 active form인 SN-38로 대사되고, SN-38은 UGTs (uridine diphosphate glucuronosyltransferase)에 의해 접합되어 해독됨
  - UGTs, 특히 <u>UGT1A1</u> polymorphism이 irinotecan의 독성(e.g., neutropenia)과 밀접한 관련
- etoposide → 2ndary leukemia, rapid IV시엔 hypersensitivity
- anthracycline (**e.g., doxorubicin, daunorubicin, idarubicin**) → <u>cardiotoxicity</u>
  (irreversible cardiomyopathy : DCMP)가 가장 큰 문제　　　　　　　→ 순환기내과 8장 참조
  - 위험↑ ; cyclophosphamide, etoposide 등의 심독성 약제와 병용, 고령, 기저 심질환
  - 심독성(심부전) 발생시에는 약제를 중단하고 심부전에 준하는 치료
  - <u>dexrazoxane</u> (Cardioxane®) : iron-chelating agent, antidote, 심독성 치료에 도움
    → Ix ; cyclophosphamide or etoposide 병용, 전이성 유방암, 고령, CHF 등 심질환 병력, 심장을 포함한 종격동 RTx. 병력, anthracycline extravasation

(3) Antitumor antibiotics

Drugs	Indications
Mitomycin C	GI malignancies, Lung ca., 두경부암
Actinomycin D (Dactinomycin)	Choriocarcinoma, Wilms'tumor, Ewing's sarcoma, Rhabdmyosarcoma
Bleomycin (G$_2$-phase dependent)	Lymphoma, Testicular ca., 두경부암
Plicamycin (Mithramycin)	Testicular ca.

- mitomycin C (alkylating agent)
  - delayed BM suppression (4~5주 뒤에)
  - HUS (치료 잘 안됨, 사망률 25~50%)
  - cardiomyopathy (이전에 RTx 받았던 환자에서)
- bleomycin ; pulmonary toxicity (interstitial fibrosis), 과민반응 (→ 투여 전에 skin test 시행)

(4) Antimetabolites

- 세포의 기능과 복제에 필요한 정상적인 대사물질들의 구조적 유사체로, 세포내 효소들과 상호작용으로 항암효과를 나타냄 (∵ 암세포는 정상 세포보다 대사과정이 매우 높음)
  → 세포주기 중 S-phase에 특이적으로 작용하여 핵산 합성을 간접적으로 억제함

Drugs	Indications
Folic acid antagonists	
Methotrexate (MTX)	Breast ca., Lung ca., 두경부암, Choriocarcinoma, ALL, 일부 NHL, Bladder ca., Osteosarcoma (testicular ca.는 아님)
Pemetrexed	Mesothelioma, non-squamous NSCLC, Breast ca.,
Pralatrexate	PTCL, ALCL 등의 T-cell lymphoma
Purine analogues	
6-Mercaptopurine (6-MP)	ALL, CD/UC
6-Thioguanine (6-TG)	Acute leukemia, CML, UC
Cladribine (2-Chlorodeoxyadenosine)	Hairy cell leukemia, B-CLL, R/R Multiple sclerosis (MS)
Fludarabine	CLL, indolent NHL (e.g., FL)
Pentostatin	Hairy cell leukemia, CLL, cGVHD
Pyrimidine analogues	
5-Fluorouracil (5-FU)	GI ca., Breast ca., Bladder ca., 두경부암
Capecitabine	Breast ca., CRC
Cytarabine (Ara-C, Cytosine arabinoside)	Acute leukemia, NHL
Gemcitabine	NSCLC, Lymphoma
Floxuridine (5-Fluorodeoxyuridine)	전이성 간암의 TACE
기타	
Asparaginase	Acute leukemia, HNL
Hydroxyurea (Hydroxycarbamide)	MPN (PV, ET, CML), Sickle cell anemia

- 공통적인 부작용 ; stomatitis, diarrhea, myelosuppression (2ndary malignancy는 안 일으킴)

- **methotrexate (MTX)**
  - 작용기전 : dihydrofolate reductase (DHFR)를 억제하여 reduced folate를 감소시킴
  - Cx ; 심한 mucositis (e.g., 구내염), BM suppression (7~14일째 최대), hepatotoxicity
    (high-dose MTX^{HDMTX} 사용시 neurotoxicity, nephrotoxicity 발생 가능)
  - neurotoxicity ; aseptic meningitis, transverse myelopathy, encephalopathy → 잘 호전됨
    (leukoencephalopathy : 수개월~수년 뒤 인지장애~치매 발생, 경과는 다양)
  - cytotoxicity (BM & GI toxicity)의 예방
    ; folate analogue (reduced folate) 투여 ; leucovorin (folinic acid) : "leucovorin rescue"
  - nephrotoxicity의 예방 ; hydration, urine alkalinization (bicarbonate)
  - mucositis의 예방 ; leucovorin이나 folate의 효과는 불확실함 (치유는 빠르게 할 수 있음)
  - MTX의 신배설을 억제하므로 같이 사용하면 안 되는 drugs
    ; aspirin, NSAIDs, penicillins, sulfoamides, probenecid
- **pemetrexed (Alimta$^{®}$)**
  - 작용기전 ; thymidylate synthase (TS), dihydrofolate reductase (DHFR), glycinamide
    ribonucleotide formyltransferase (GARFT) 등을 억제하여
    purine & pyrimidine 핵산전구체 합성을 감소시킴
  - 정상 조직의 독성 방지를 위해 반드시 low-dose folate & vitamin B_{12} 보충
- **5-fluorouracil (5-FU)**
  - 작용기전 : 세포 내에서 대사된 뒤 작용
    ① fluorodeoxyuridine monophosphate (FdUMP)로 활성화되어 DNA 합성에 필요한
    thymidylate synthase를 억제 (FdUMP의 작용때 reduced folate 필요)
    ② fluorodeoxyuridine triphosphate (FdUTP) : DNA block
    ③ fluorouridine triphosphate (FUTP) : RNA 억제
  - leucovorin (reduced folate) : methotrexate와 달리 toxicity를 줄이는 것이 아니라
    항암효과를 높이기 위해서 사용됨
  - Cx ; BM suppression, GI toxicity, myocardial ischemia, acute cerebellar syndrome
- **capecitabine** : 5-FU의 prodrug (oral) / Cx ; diarrhea, hand-foot syndrome
- **cytarabine (ara-C)** : high-dose시 10~25%에서 acute cerebellar syndrome 발생
- **asparaginase** : 항암제로 사용되는 유일한 효소제, bacterial enzyme (→ hypersensitivity 위험)
  - 기전 : 세포의 단백질 합성에 필요한 aspraragine (암세포는 정상보다 훨씬 많이 필요함)을 분해
    (세포주기에는 보통 비특이적이나 G_1/S phase를 차단 가능)
  - 부작용 : anaphylaxis (→ 투여전 반드시 skin test!), hepatotoxicity, acute pancreatitis,
    bleeding, thrombosis ...
- **hydroxyurea** : ribonucleotide reductase를 억제하여 deoxyribonucleotides 합성↓
  → 세포주기가 G_1/S phase에서 멈춤, DNA repair 방해
  - 부작용 : 습진, MCV↑, mild GI toxicity (N/V/D) / 신부전시 감량
  - sickle cell anemia 환자에서는 RBC HbF↑ → HbS 중합, sickling, vaso-occlusion 감소

c.f.) intrathecal injection 가능한 약제 ; <u>MTX</u>, <u>ara-C</u>, steroid, thiotepa (vesicants들은 안됨!)
(부작용으로 aseptic meningitis ↵   ↳ transverse myelopathy가 흔함)

(5) Antimitotic agents : tubulin–binding drugs (TBD)

- 세포 내의 microtubules을 억제하여 염색체 분리를 방해 → <u>M-phase</u>에서 세포분열을 억제함
  - vinca alkaloids : tubulin dimers에 결합하여 microtubules로 중합되는 것을 방해 (<u>불안정화</u>)
  - taxanes : microtubules과 결합하여 <u>안정화</u>(depolymerization 억제)하여 정상 기능을 못하게 함

Drugs	Indications
Vinca alkaloids	
Vincristine	ALL, lymphoma, Neuroblastoma, Ewing's sarcoma
Vinblastine	Testicular ca., Breast ca., Bladder ca., Lymphoma
Vinorelbine	NSCLC, Breast ca.
Taxanes	
Paclitaxel (Taxol®)	Ovarian ca., Breast ca., Lung ca., Esophageal ca.,
Docetaxel (Taxotere®)	두경부암
기타	
Ixabepilone	Breast ca.
Eribulin	Breast ca. (다른 TBD에 실패한 경우에도 효과적)

- **vincristine**
  - peripheral neurotoxicity ; glove & stocking 이상감각(hyperesthesia), 손/발 처짐, DTR↓
  - autonomic neuropathy ; 복통, 변비, <u>paralytic ileus</u>, urinary retention ...
    (→ mild한 neuropathy는 약제 용량을 감량하면 회복됨, 대개 3개월 이내에)
  - SIADH, hyponatremia
  - BM toxicity (suppression)는 없음!
- **vinblastine** : vincristine에 비해 BM toxicity가 흔하고, neurotoxicity는 경미함
- **taxanes** ; paclitaxel, docetaxel
  - <u>과민반응</u> ⋯ infusion reactions ; dyspnea, facial flushing, urticaria, hypotension 등
    ⇨ 예방을 위해 steroid 전처치 필요, paclitaxel은 antihistamine과 PPI도 필요
      (e.g., dexamethasone(12 & 6시간전) + diphenhydramine(30분전) + cimetidine(30분전))
  - 단백-결합 제제인 nab-paclitaxel은 과민반응 적음
  - BM suppression, arrhythmias
  - peripheral neuropathy ; glove & stocking, 타는 듯한 이상감각, 반사 소실, 운동마비 등
    (→ 치료 지연 or 용량 감량으로 대부분 회복됨, 일부는 1년 이상 지속될 수도 있음)
- **ixabepilone** ; epothilone B의 반합성 유도체, microtubule-stabilizing agent (taxanes 비슷)
  - taxanes + anthracyclines (doxorubicin)에 실패한 유방암에 효과적
  - 부작용 ; BM suppression, peripheral sensory neuropathy
- **eribulin** ; 가장 최신의 TBD
  - microtubules의 (+)end에만 선택적으로 작용하여 microtubules의 중합 및 re-modeling을 억제
  - antimitotic effect 외에 tumor vasculature remodeling, epithelial mesenchymal transition 억제, 암세포의 이동 및 침습 억제 등 다른 기전도 있음
  - 기존의 antimitotic agents에 실패한 경우에도 효과적

(6) Molecular targeted therapy ★★

Drugs (targets)	Indications	부작용 예
Tyrosine kinase (TK) inhibitors [∼nib]		
Imatinib, Nilotinib, Dasatinib, Bosutinib, Ponatinib (→ BCR-**ABL**, c-kit, PDGFR 등의 multiple kinases)	CML, Ph(+) ALL, GIST (Ponatinib: T315I mutation CML)	오심, 골수억제 (imatinib ; 눈주위부종) (nilotinib ; QT 연장, 고혈당) (dasatinib ; 폐고혈압, 수분저류) (ponatinib ; 동맥혈전증)
Ruxolitinib (→ JAK-1, 2)	PV, PMF, Ph-like ALL	골수억제, 감염
Erlotinib, Gefitinib (→ EGFR의 TK)	NSCLC, Pancreatic ca.	발진, 설사, ILD
Afatinib (→ EGFR의 TK2세대)	NSCLC	설사, 골수억제, 발진, 가려움
Osimertinib (→ EGFR의 TK3세대)	NSCLC T790M mutation	발진, 설사, ILD, 심장병, QT↑
Lapatinib (→ EGFR + HER2/neu)	HER2/neu(+) breast ca.	설사, hand-foot syndrome
Vemurafenib, Dabrafenib (→ *BRAF*)	Melanoma	발진, A/N
Trametinib, Cobimetinib (→ MEK)	Melanoma	N/V/D, 발진, 피부독성
Crizotinib, Ceritinib, Alectinib (→ **ALK** & ROS1 kinase)	ALK(+)/ROS1(+) NSCLC, ALK(+) ALCL	간독성, 부종, pneumonitis
Sorafenib, Sunitinib (→ VEGFR, PDGFR 등의 multiple kinases) : angiogenesis inhibitors이기도 함	RCC, GIST, HCC	설사, hand-foot syndrome, 발진 (Sunitinib ; 출혈, 고혈압, CHF, QT↑, neutropenia)
Pazopanib (→ multiple kinases)	RCC, Soft tissue sarcoma	N/V/D, 고혈압, 혈전증, QT↑
Lenvatinib (→ multiple kinases)	Thyroid ca., RCC, HCC	고혈압, 설사, A/N, 혈소판↓
Regorafenib (→ multiple kinases)	Metastatic CRC, GIST, HCC	간독성, 출혈/혈전, 혈압↑, GI 천공
Axitinib (→ VEGFR 등의 multiple k.)	RCC	설사, 고혈압, hand-foot syndrome
Vandetanib (→ multiple kinases)	MTC (medullary thyroid cancer)	감염, A/N/V/D, QT 연장, 혈압↑
Cabozantinib (→ multiple kinases)	MTC, RCC	GI 천공/누공, 출혈, 혈압↑, 골괴사
Proteasome inhibitor [∼zomib]		
Bortezomib	MM, DLBCL, MCL	신경병증, 골수억제
Carfilzomib, Ixazomib	MM (multiple myeloma)	심장독성, 폐독성, 주입반응, TLS
mTOR (mammalian target of rapamycin) inhibitors [∼rolimus]		
Temsirolimus, Everolimus	RCC (renal cell carcinoma)	구내염, 피곤, ILD
Angiogenesis inhibitors		
Bevacizumab (anti-VEGF-A)	Metastatic CRC, NSCLC, Breast ca.	출혈, 혈압↑, 단백뇨, 위장관천공
Ramucirumab (anti-VEGFR)	Gastric ca., CRC, lung ca.	설사, hyponatraemia, 혈압↑
Aflibercept (anti-VEGFA/B, PLGF)	CRC (colorectal cancer)	골수억제, 복통, 설사, 혈압↑
Thalidomide (TNF-α 억제 등)*	MM, MDS, PMF	기형, 진정, 변비, 말초신경병증
Lenalidomide (apoptosis 유도 등)*	MM, MDS, PMF, CLL, B-lymphoma	골수억제, 설사, 소양증, 발진
기타		
Ibrutinib (BTK inhibitor)	CLL/SLL, DLBCL, MCL, WM	감염(폐렴), 골수억제, 발진, 출혈
Idelalisib (PI3K inhibitor)	CLL/SLL, FL	간독성, 설사, 폐렴, 장파열
Venetoclax (→ BCL-2)	CLL/SLL, AML, MCL, MM	골수억제, 감염, TLS, 남성불임
ATRA (→ PML-RARA)	APL (APL cells의 분화 성숙 유도)	Differentiation syndrome (DS), QT↑
Arsenic trioxide (As₂O₃, ATO)	APL (APL cells의 apoptosis 유도)	DS, 출혈, QT 연장
Palbociclib, Ribociclib, Abemaciclib (→ CDK4 & CDK6)	Breast ca.	N/V/D, 골수억제, 폐색전증, ILD
Vismodegib (→ Hedgehog pathway smoothened receptor)	Metastatic basal cell ca. (skin)	N/V/D/C, 근육경련, 탈모

* immunomodulatory agents로 불림 : 다양한 기전이 있지만, 정확히 어떤 기전으로 효과가 있는지는 불확실함
  (BM의 aberrant angiogenesis 억제, stromal cells 기능 변화로 BM에서 악성세포의 성장 저해 등)

** Histone deacetylase (HDAC) inhibitor, hypomethylating agent (HMA), PARP inhibitor 등은 뒷부분에 있음

- angiogenesis inhibitor (VEGF-R 등의 여러 혈관성장 관련 경로를 억제)
  - 장기간 투여해야 효과 있음, 유지요법 필요 (∵ 중간에 중단시 microvessels이 regrow)
  - 내성발생이 매우 적거나 없다
    (∵ vascular endothelial cells은 유전적으로 안정되어 mutation rate가 낮음)
  - 부작용이 적거나 거의 없다

Agents	Targets	Indications	부작용 예
Monoclonal antibodies (mAb) [~mab]			
<u>Rituximab</u>, Ofatumumab, Obinutuzumab	CD20	B-cell lymphoma/leukemia, RA CLL, WM	과민반응(주입반응), 감염 재활성화(특히 간염)
Daratumumab	CD38	MM	주입반응, 골수억제, 통증, 비예기항체 검사 위양성
Elotuzumab	SLAMF7 (CS1, CD319)	MM	말초신경독성, A/N/V
Alemtuzumab	CD52	CLL, <u>T-PLL</u>, PTCL, MDS, HES	주입/과민반응, 면역억제
Blinatumomab	CD19 & CD3 (<u>dual</u>)	R/R ALL	CRS, 신경독성
<u>Trastuzumab</u>, Pertuzumab	HER2/neu (ERBB2)	HER2/neu (+) Breast ca.	주입반응, <u>심장독성</u>
<u>Cetuximab</u> Panitumumab Necitumumab	EGFR	CRC, 두경부 SCC CRC Squamous NSCLC (현재는 권장×)	주입반응, 발진, 설사
Denosumab	Rank ligand (RANKL)	Osteoporosis, Bone metastases	관절/근육통, 감염
Dinutuximab	Glycolipid GD2	Neuroblastoma	주입반응, 신경독성
Olaratumab	PDGFRα	Soft tissue sarcoma	호중구↓, 근골격통증
앞의 표 참조	VEGF, VEGFR		
Nivolumab, Pembrolizumab	**PD-1**	NSCLC, Melanoma, 두경부암, HL, Urothelial ca. RCC, HCC, gastric ca	대장, 간, 뇌하수체, 갑상선 등의 면역매개독성
Atezolizumab, Durvalumab Avelumab	**PD-L1**	NSCLC, Urothelial ca. Merkel-cell ca.	피곤, 식욕부진, UTI 면역반응, 주입반응
<u>Ipilimumab</u>	CTLA-4*	Melanoma, RCC, NSCLC	간, 피부, 뇌하수체, 위장관 등의 면역매개독성
mAb + CTx conjugates			
Gemtuzumab ozogamicin	anti-CD33 + calicheamicin	AML, APL	발열, N/V, 골수억제
Brentuximab vedotin (BV)	anti-CD30 + cytotoxic MMAE	HL (Hodgkin lymphoma), ATLL, CTCL, PTCL	말초신경병, 골수억제
Trastuzumab emtansine	anti-HER2 + cytotoxic DM1	Breast ca.	간독성, <u>심장기능</u>↓, ILD
CAR-T cells therapy [~leucel]			
Tisagenlecleucel, Axicabtagene ciloleucel	CD19 + 4-1BB CD19 + CD28	ALL, DLBCL	cytokine release syndrome (CRS), 신경독성

* CTLA-4 (Cytotoxic T Lymphocyte-associated Antigen-4) : inhibitor of cytotoxic T cell activation
  ⇨ anti-CTLA-4와 anti-PD-1/PD-L1은 **면역관문억제제(immune checkpoint inhibitors)**로 분류됨
    (T세포의 면역반응을 회피하게 하는 암세포의 면역관문을 억제하여 T세포의 활성화를 촉진함)

- oncogenic addiction : 다양한 유전자 이상 중에서 1~2개 유전자 이상에 의한 비정상적인 신호
  전달경로의 활성화가 암 발생/증식에 핵심적인 역할 → 이 유전자를 불활성화시켜 암 치료
- synthetic lethality : 2개 이상의 유전자를 각각 하나만 억제하면 암세포가 사멸하지 않으나
  모두 다 억제하면 암세포가 사멸되는 것

> **DNA repair pathway** (정상 세포는 여러 경로에 의해 손상된 DNA가 복구됨)
> 1. Single−strand break (SSB) repair
>   ; BER (base excision repair), MMR (mismatch repair), NER (Nucleotide excision repair) 등
> 2. Double−strand break (DSB) repair
>   ; HR (homologous recombination), NHEJ (Non−homologous end joining) 등
>
> 예) BRCA1 or BRCA2 mutations에 의한 암세포는 DSB repair 장애가 발생해도 다른 경로들에 의해 보완되어
>   (↳ HR pathway에 관여)   사멸하지 않음
>   Poly ADP ribose polymerase (PARP) enzyme을 추가로 억제하면 암세포는 사멸됨
>   (↳ BER pathway에 관여, SSB repair에 중요)

예) **PARP inhibitors ; olaparib** (Lynparza®), **rucaparib** (Rubraca®), **niraparib** (Zejula®)
- SSB repair 차단 → DSB repair 장애 발생 암세포의 repair를 완전히 차단하여 사멸시킴
- *BRCA1* or *BRCA2* mutations을 동반한 난소암, 유방암, 전립선암에 사용

(7) Epigenetic modulators

- 후성유전학(epigenetics) : DNA 염기서열의 변화 없이 유전자 조절/발현이 변화하는 것
- 기전 ; DNA methylation, histone 변형(e.g., acetylation, dimethylation, phosphorylation) 및
  chromatin remodeling, micro RNA (miRNA, mRNA의 untranslated regions에 결합해 억제/분해)

> 예) 종양억제유전자가 있는 CpG 부위에서 hypermethylation or HDAC activity 증가시
> 염색체는 압축됨(silenced, turned off) → 종양억제유전자 발현↓ → 종양 발생

- Epigenetic modulators의 예
  ① ATRA (retinoic acid) ; APL cells의 PML-RARα 단백(→ 여러 epigenetic modifiers와 결합하여
  granulocytes의 분화를 억제함) → 여기에 ATRA가 결합하면 정상 분화 기능이 회복됨
  ② DNA hypomethylating agent (HMA) [DNA methyltransferase (DNMT) inhibitors]
  ; azacitidine (체내에서 decitabine으로 대사되어 작용함), decitabine,
     guadecitabine (2세대, 반감기 깊) → MDS, AML (low−intensity Tx)
  ③ histone deacetylase (HDAC) inhibitor
      ⎡vorinostat (SAHA), romidepsin, belinostat → CTCL, PTCL, ALCL, AML 등
      ⎣panobinostat → MM
  ④ IDH1 inhibitor (ivosidenib), IDH2 inhibitor (enasidenib) → AML
  ⑤ DOT1L inhibitor (pinometostat), BET−bromodomain inhibitor ...

5. 부작용

(1) 항암제에 의한 조직괴사

- 원인 (severe vesicants) ; anthracycline계 약제 (doxorubicin, daunorubicin, mitoxantrone), vinca alkaloids (vincristine, vinblastine), actinomycin D, mitomycin C, nitrogen mustard ...
- 주사 중 extravasation시 local tissue necrosis 유발
- 중심정맥을 통하여 항암제를 투여하는 것이 가장 추천
  (중심정맥 확보가 어려울 때는 상완의 전박에 하는 것이 좋다)
- 치료
  ① IV catheter를 빼지 말고, 잔여약제와 혈액(5 cc)을 뽑아냄
  ② 가는 주사침으로 주위의 피하로부터 약제를 흡인
  ③ catheter를 뽑는다
  ④ corticosteroids 피하주사 (효과는 증명 안 됨)
  ⑤ 해독제(antidote) 주사
     예) anthracycline 계 → sodium bicarbonate
         nitrogen mustard → sodium thiosulfate
         vinca alkaloids → hyaluronidase
  ⑥ ice pack / warm pack (vinca alkaloid)
  ⑦ occlusive dressing
  ⑧ debridement with excision, 피부 이식

(2) 위장관 독성

- 점막염(mucositis), stomatitis (oral mucositis)
  - 원인 ; cytarabine, doxorubicin, MTX, 5-FU, cisplatin, bleomycin, etoposide, melphalan ...
    (sunitinib, sorafenib, lenvatinib, regorafenib 등의 mAb에서도 흔함)
  - 위험인자 ; 구강 위생 불량, 치아우식증, 치주질환, RTx. 병용 등
    (특히 high-dose CTx + HCT, RTx. 때 심한 oral mucositis 발생 위험)
  - 통증을 동반한 궤양, 입술~항문까지 GI 전체에 발생 가능 (특히 구강, 항문)
  - 예방 ; 구강 관리, 경구 냉동요법(얼음 조작을 입에 물고 있기)
    ┌ palifermin (recombinant keratinocyte growth factor) ⋯ HDT-HCT 시행시 권장
    └ 기타 ; low-level laser therapy, glutamine, dexamethasone (or allopurinol) mouthwash

- 설사 ; <u>5-FU</u>, <u>capecitabine</u>, <u>irinotecan</u>, MTX, Ara-C ...
  - sorafenib, sunitinib, afatinib, ceritinib, lapatinib, aflibercept 등의 mAb도 가능
  - ipilimumab, nivolumab, pembrolizumab 등의 면역관문억제제도 immune-mediated colitis 유발 가능

NCI CTCAE* v5.0 Diarrhea
Grade 1 : 기준치보다 설사 3회/day 이하로 증가 (인공항문시 배출량 약간 증가)
Grade 2 : 기준치보다 설사 4~6회/day 증가 (인공항문시 배출량 중등도로 증가), 일상생활 제한
Grade 3 : 기준치보다 설사 7회/day 이상 증가 (인공항문시 배출량 크게 증가), 일상생활 심하게 제한
Grade 4 : 생명을 위협, 응급 조치 필요
Grade 5 : 사망

* National Cancer Institute Common Terminology Criteria for Adverse Events

- grade 3~4 (grade 1~2 complicated diarrhea 포함) 환자는 입원하여 IV fluid 치료
  (grade 2 이상이면 항암제 투여는 중단 → 설사 멈추고 2일 뒤에 재투여)
- loperamide (심하면 high-dose) → 반응 없으면 octreotide (somatostatin analogue)
- 예방적 지사제 투여는 권장 안됨 (설사 발생 이후에만 사용)
- emesis (N/V) → 뒷부분 참조

(3) 신장 독성

- cisplatin, MTX, etoposide, hydroxyurea, bleomycin, mithramycin, cyclophosphamide, ifosfamide, nitrosourea ...
- HUS (thrombotic microangiopathy) ; calcineurin inhibitors (e.g., tacrolimus, cyclosporine), cytotoxic drugs (e.g., mitomycin, cisplatin, bleomycin), gemcitabine, anti-VEGF (bevacizumab, sunitinib), ponatinib (TKI저분자), sirolimus (면역억제제) ...

(4) 폐 독성

- bleomycin이 가장 문제 ⇨ subacute pul. fibrosis, hypersensitivity pneumonitis, chronic IPF
  - 약물 투여량과 밀접한 관계 (총투여량 400 Ú↑ → 발생 크게 증가)
  - 치료 ; 증상이 없어도 DL$_{CO}$ 25% 이상 감소하면 bleomycin 중단 (재투여 권장×), 증상 발생시 systemic steroid 투여 (c.f, chronic IPF에는 steroid 권장×)
- 기타 ; busulfan, chlorambucil, fludarabine, MTX, mitomycin 등도 폐섬유화를 일으킬 수 있음 (Ara-C는 폐부종 유발 가능)

(5) 심장 독성

- 원인 (anthracyclines) ; doxorubicin (adriamycin), daunorubicin
- acute (대부분 일과성) ; myocarditis-pericarditis, SVT
- chronic (수주~수개월 후에 발생, 가장 심각) ; irreversible cardiomyopathy
  - dose-dependent, total cumulative dose 500~550 mg/m2 초과시 risk↑
  - risk↑ ; 70세 이상, HTN, 기저 심질환, 종격동 방사선조사, cyclophosphamide 병용
- 예방/치료
  - dexrazoxane : cardiotoxicity 예방
  - liposomal anthracycline 제형 사용 (효과는 동일하면서, 심독성↓)

(6) 간 독성

- 간효소 상승 ; L-asparaginase (응고인자도 감소), Ara-C, hydroxyurea, 6-MP, dacarbazine (간세포괴사, 간정맥혈전도), nitrosoureas, mithramcyin (picamyicn), MTX (문맥주위 섬유화, 총용량 1.5 g 이상이면 LC)
- 정맥폐쇄질환 ; azathioprine, busulfan, carboplatin, cyclophosphamide, Ara-C, 6-MP, nitrosoureas, thioguanine ...
  (high-dose CTx & SCT or RTx 후 발생 가능)

(7) 골수 억제

- 심한 BM suppression (보통 10일) ; cyclophosphamide 등의 alkylating agents, MTX 등의 antimetabolites, doxorubicin
- delayed BM suppression (6주 이후) ; nitrosoureas (BCNU, CCNU), procarbazine, dacarbazine (DTIC), mitomycin C, busulfan
- BM suppression 안 하는 항암제 ; vincristine, bleomycin, L-asparaginase (dexamethasone도 BM suppression은 거의 없음 [0.08%])

  c.f.) blood cells의 반감기 : neutrophils 6~8시간, platelets 5~7일, RBCs 120일

(8) 과민반응

; L-asparaginase, cisplatin, bleomycin, etoposide, paclitaxel, docetaxel, monoclonal Ab ...

(9) peripheral neuropathy

; vincristine, vinblastine, paclitaxel, docetaxel, cisplatin, oxaliplatin, ara-C, procarbazine, IFN ...
(c.f., chemo brain : adjuvant CTx 받은 유방암 환자에서 신경인지기능 감퇴 현상, 예방/치료×)

(10) 피부독성

- 수족증후군(hand-foot syndrome) : 건조, 통증, 발적, 색소침착

  ; 5-FU, capecitabine, liposomal doxorubicin, hydroxyurea, MTX
- 발진 ; carmustine (BCNU), Ara-C, gencitabine, asparaginase, procarbazine ...
- 탈모(alopecia) ; anthracyclines, alkylating agents, topoisomerase inhibitors
- photosensitivity ; mitomycin, 5-FU, MTX, vinblastin, dacarbazine (DTIC)
- 손톱의 변화

  ┌ cyclophosphamide, doxorubicin, 5-FU → 색소변화
  └ bleomycin, taxanes → 쉽게 부서지며 소실
- 색소침착 ; busulfan, bleomycin, thiotepa, 5-FU, MTX

(11) 성선기능장애 및 임신

- 성선기능장애 (무정자증, 난소부전) ; alkylating agents, topoisomerase inhibitors
- 임신 중 진단되고 CTx하게 되는 암 ; 유방암(m/c), lymphoma, 난소암, 자궁암, 갑상선암 등
- 대부분의 항암제는 category D로 임신 초기(1st trimester)에는 기형 유발 위험으로 금기임
  (procarbazine과 methotrexate는 임신 전 기간 중 금기!)
- 임신 중/후기(2nd/3rd trimester)에는 대부분 안전한 편임
  (e.g., AML/ALL의 induction CTx, NHL의 CHOP, HL의 ABVD)
- mAb는 정보가 부족하지만 bevacizumab은 금기, trastuzumab은 권장×, rituximab은 안전한 편

6. 약제 내성 : multi-drug resistance (MDR)

(1) P-glycoprotein (glycoprotein p170)

- MDR gene (*MDR-1*)에 의해 생성
- energy-dependent efflux pump로서 항암제를 세포 밖으로 배출시킴
- PGP (+) → poor Px.

  ┌ PGP (+) 종양 ; lung, kidney, colon ca., refractory leukemia/lymphoma
  └ 진단 당시에는 PGP (-)였다가 CTx. 뒤 재발후엔 PGP (+)인 종양
    ; sarcoma, neuroblastoma, malignant lymphoma, myeloma

- *MDR-1*에 의한 내성과 관련된 항암제 ; anthracyclins, vinca alkaloids, etoposide, mitomycin, plicamycin (mithramycin) ...

- 치료전략

  - P-glycoprotein의 직접 억제 ; amphotericin B, colchicine, diltiazem, cyclosporine, erythromycin, verapamil, 호르몬, VX-170 등
    (but, 억제효과를 보려면 고농도가 필요해 현실적인 사용은 곤란)
  - high-dose CTx. & SCT
  - P-glycoprotein에 의해 인지되지 않는 항암제의 사용 ; cyclophosphamide, MTX, platinum
  - 세포내 항정농도가 유지될 수 있도록 저용량을 지속적으로 주입

(2) 기타 기전

- MRP (multi-drug resistance protein)의 expression 증가
- topoisomerase II의 mutation
- bcl-2 gene의 overexpression

c.f.) 일부 항암제의 내성 기전

항암제	내성 기전
Methotrexate	Transport 장애 or dihydrofolate reductase 증폭
Cytarabine	Deoxycytidine kinase 감소 or Cytidine deaminase 증가
5-Fluorouracil	Thymidylate synthase 증가
Cisplatin	Uptake 감소, Repair enzymes 증가
Taxol, Vinca alkaloids	MDR expression, Tubulin의 mutation (binding 감소)
Doxorubicin	MDR expression, Topoisomerase II의 감소 or 변형
Irinotecan, topotecan	Topoisomerase I의 감소

호르몬 치료

제제	적응	부작용 (A=Acute, D=Delayed)
Glucocorticoids[1] 　Prednisone 　Dexamethasone	Leukemia, Lymphoma Multiple myeloma Brain metastases Spinal cord metastases	A ; Fluid retention, hyperglycemia, 　　euphoria, depression, hypokalemia D ; Osteoporosis, immunosuppression, 　　infections, peptic ulcers, 　　Cushing syndrome, cataracts
High-dose estrogens 　Diethylstilbestrol (DES) 　Ethynyl estradiol	Prostate ca. Breast ca. (폐경후)	A ; N/V, fluid retention, 　　hypercalcemia, uterine bleeding D ; Feminization, CAD 악화
Antiestrogens (SERM)[2] 　<u>Tamoxifen</u> 　Toremifene 　Raloxifene	Breast ca.	A (드물고 경미) ; Nausea, fluid retention, 　　hot flashes, hypercalcemia D ; 심혈관계(혈전색전증), 자궁내막암
ER antagonist 　<u>Fulvestrant[3]</u>	Breast ca.	
Aromatase inhibitors (AI)[4] 　가역적: Anastrozole, Letrozole 　비가역적: Exemestane	Breast ca. (폐경후) Prostate ca.	A ; Dizziness D ; Rash (일시적), osteoporosis
Progestins 　Megestrol acetate 　Medroxyprogesterone acetate	Breast ca., Prostate ca., Endometrial ca.	거의 없음
Androgen 　Fluoxymesterone (Halotestin®)	Breast ca.	A ; Cholestatic jaundice (with oral drug) D ; Virilization
LHRH analogues[5] 　Leuprolide 　Goserelin	Prostate ca. Breast ca.	A ; Transient flare of symptoms
Antiandrogen (AR blockers) 　Flutamide, Nilutamide 　Bicalutamide 　Enzalutamide	Prostate ca.	D ; Gynecomastia
CYP 17 inhibitor 　Abiraterone acetate	Prostate ca.	A ; Fluid retention, $K^+\downarrow$, BP↑ D ; Osteoporosis

1. 백혈병/림프종 세포의 apoptosis 유도
2. SERM (selective estrogen receptor modulator) : 유방에서 ER에 대해 estrogen과 경쟁적으로 결합하여
　 estrogen antagonist 역할을 함, 혈관과 자궁내막에 대한 agonist 작용으로 부작용 가능
3. Fulvestrant : estrogen 유사 작용이 없는 ER (estrogen receptor) 순수 antagonist, ER의 분해 촉진
4. AI : 유방, 난소, 지방 등에 존재하는 aromatase를 억제하여 estrogen 생산↓ (부신피질 steroid 합성에는 영향 없음)
　 폐경전 유방암 환자는 난소 기능이 활발하여 AI로는 효과적인 estrogen 생산 억제가 어려움
5. LHRH analogue : LHRH receptor를 자극하여 뇌하수체의 정상적인 신호를 방해 → LH 분비↓
　 → 난소 기능 억제 (여) / androgen 합성 억제 (남)

생물학적 치료

1. Cell-mediated immunity

- T-cell이 tumor cells을 foreign으로 인식하여 공격 (graft-versus-tumor effect)
  ① allogenic T-cell transfer ; alloSCT, donor lymphocyte transfusion
  ② autologous T-cell infusion ; 체외에서 증식, 종양항원에 특이성을 갖게하거나 활성화시킴
  ③ tumor vaccines ; boosting T-cell immunity
- HPV에 의한 cervical ca., lymphoma, melanoma 등에서 효과적

2. Monoclonal antibodies (targeted therapy)

- 종양 특이항원에 반응하는 항체로 대장암, 폐암, 췌장암, melanoma, leukemia, lymphoma 등에서 이용 (대개는 CTx.와 병용시 더 효과적) → 앞부분 표 참조
- Rituximab : B-cell neoplasms의 CD20에 대한 mAb
- Trastuzumab (Herceptin®) : 유방암의 Her-2/neu receptor에 대한 mAb
- 독소물질, 동위원소, 약물 등에 결합되어 사용되기도 함
  - ibritumomab tiuxetan : anti-CD20 + ^{90}Y → follicular lymphoma
  - gemtuzumab ozogamicin : anti-CD33 + calicheamicin → CD33(+) AML

3. Cytokines

- IFN-α ; 항암 효과는 용량과 비례, 종양을 완치시키지는 못하고 일부에서 partial response만 가능
  (e.g., follicular lymphoma, hairy cell leukemia, CML, Kaposi's sarcoma, melanoma)
- IFN-β ; relapsed, remitting multiple sclerosis
- IFN-γ ; GVHD 발생 예방, chronic granulomatous dz., idiopathic pul. fibrosis
- TNF-α ; 전신적으로 투여하면 독성 심함, sarcoma or melanoma에서 isolated limb perfusion
- IL-2 ; 면역기능 강화(T cells, NK cells 활성화)를 통해 간접적으로 항암효과를 나타냄
  (e.g., RCC, melanoma, lymphoma, AML에서 BMT 뒤 graft-versus-tumor effect 향상),
  2~5%에서는 장기 CR도 가능
- IL-11 ; CTx-induced thrombocytopenia

4. Growth factors

- early-acting factors (multiple lineage에 작용) ; IL-1, IL-3, SCF
- late-acting lineage-specific factors ; G-CSF, GM-CSF, erythropoietin (EPO), thrombopoietin (TPO), IL-6, IL-11 ...

- G-CSF ; PBSCT에서 stem cell mobilization, high-dose CTx에서 febrile neutropenia 발생 위험이 40% 이상일 때, chronic neutropenia (특히 cyclic neutropenia, Kostmann syndrome, Shwachman-Diamond syndrome), AIDS
- GM-CSF ; G-CSF보다 부작용↑, autologous BMT 이후에만 사용

- G-CSF or GM-CSF의 사용
  - G-CSF : 5 μg/kg/day subcut. (c.f., filgrastim : G-CSF analog)
  - GM-CSF : 250 μg/m^2/day subcut.
  - 적응이 되면 CTx 후 1~3일 뒤에 투여 시작

예방적 사용	치료적 사용
1. 일차 투여 (1st CTx cycle 때 투여) 　Febrile neutropenia 발생 위험 20% 이상 　CTx 전에 이미 neutropenia or 감염 존재시 　65세 이상에서 lymphoma에 대한 CTx 　Poor performance status 　이전에 강력한 CTx 병력 등 2. 이차 투여 (1st 이후의 CTx cycle 때 투여) 　이전의 CTx에서 febrile neutropenia 발생시 　Neutropenia가 지속되어 CTx 지연시	1. Febrile neutropenia ; 패혈증, 폐렴, 심한 진균감염, 　profound neutropenia (<100/μ L), 65세 이상 등을 　동반시 권장 (but, 효과는 불확실함) 2. SCT 환자에서 빠른 골수기능 회복위해 3. MDS 환자에서 neutropenia & 반복되는 감염시 - 발열이 없는 neutropenia 환자에서는 도움 안됨! - AML 환자에서 G-CSF는 거의 도움 안되고, 　GM-CSF는 도움 안되거나 오히려 해로움

  - absolute neutrophil count (ANC)가 10,000/μL이 될 때까지 투여 지속
  - CTx or RTx와의 동시 사용은 금기!
- SCF (stem cell factor) ; PBSCT 때 stem cells mobilization시 G-CSF와 병용하면 효과 증가 (apheresis 횟수↓)
- EPO (erythropoietin) ; 빈혈이 있는 CKD, MDS, PMF 환자에서 사용
- TPO mimetics (e.g., eltrombopag) ; severe AA 환자에 사용

5. Nonspecific immunity

- BCG ; 방광암 환자에서 사용시 재발율 40~45% 감소
- levamisole (기생충약) ; 대장암에서 5-FU와 병용시 재발률 감소 및 생존율 증가

방사선 치료 (RTx)

1. 방사선의 생물학적 효과

정상조직의 RTx.에 대한 tolerance

조직	용량(cGy)	부작용
Skin	5500	Dermatitis, sclerosis
Brain	5000	Necrosis, infection
Spinal cord	4500	Myelitis, necrosis
Heart	4500	Pericarditis, myocardial damage
Intestine	4500	Stenosis, perforation, ulceration
Liver	2500	Hepatitis, hepatic vein thrombosis
Kidney	2000	Nephropathy, renal failure
Lung	1500	Pneumonitis, fibrosis
Bone marrow	250	Aplasia

- 방사선(radiation)의 biologic effect
  ① DNA의 double-strand 구조 파괴 (→ cell death)
  ② 세포내 water에 작용하여 free radical 생성 (세포 손상은 대부분 hydroxyl radical 때문임)
  ③ 염색체 파괴 (→ neoplasm 발생 위험↑)
    – 세포주기 중 G_1 phase에서 주로 발생
    – 말초혈액 림프구의 염색체이상 분석 : 체내 총 방사선조사량과 비례
  ④ growth factors와 cytokines 유도 (e.g., TNF, IL-1)
    – TNF : 정상 조혈세포에는 radioprotection 작용, 종양세포에는 radiosensitization 작용
    – bFGF (basic fibroblast GF), PDGF : 혈관에 대한 후기 효과와 관련
- 방사선 노출 이후의 대응과정 (4 R's)
  ① repair : 효소에 의한 세포내 손상의 복구 기전
  ② reoxygenation : 살아남은 세포에 산소와 영양분을 더 공급
  ③ repopulation : 세포 분열을 통해 죽은 세포들을 대체
  ④ redistribution : 세포주기에 따른 방사선 감수성의 차이

2. 치료적 방사선 효과

RTx.에 대한 종양의 감수성

Sensitivity	Tumor type
Very high	Lymphoma, Small-cell cancers, Seminoma, Neuroblastoma, Retinoblastoma
Medium	Head & neck cancer, Breast cancer, Lung cancer, GI malignancy, Gynecologic malignancy, Prostate cancer
Low	Glioblastoma, Sarcoma, Renal cell ca., HCC, Melanoma

RTx.의 임상적 이용

치료	종양
Definitive RTx.	Hodgkin lymphoma, early-stage NHL gliomas, cervix, head & neck, lung, bladder, anal, esophagus, prostate, pancreas, skin, pituitary
Organ-sparing (conservative) surgery 이후의 RTx.	Breast, sarcoma, rectum
Radical surgery 이후의 RTx. (local control 향상)	Breast, rectum, lung, head & neck, endometrium, most margin-positive resections at many tumor sites (e.g., cervix, low-grade CNS tumors)
Palliation	All tumor types

* RTx. & CTx. combination therapy의 장점
  ① 공간적인 협조(spatial cooperation)에 의한 상호보완적 작용
  ② 암세포 파괴의 상승효과(synergistic effect)
  ③ 항암제에 의한 방사선 감수성(sensitivity) 증가

④ 서로 다른 내성 기전 (non-cross resistance)

⑤ 서로 부작용이 중복되지 않음, 부작용 감소 효과

⑥ 정상 조직의 보존

수술의 역할

1. 예방

- premalignant lesions ; skin, colon, cervix 등
- 암 발생 고위험군 ; UC에서 대장 전체를 침범시
- 유전성 종양 ; familial polyposis, MEN-2, familial breast or ovarian ca.
- developmental anomaly ; undescended testis

2. 진단

- 조직검사 : 가능한 많은 양의 검체를 얻는 것이 원칙
- excisional Bx. > incisional Bx. > core-needle Bx. > FNA

3. 병기판정 (staging)

- pathologic/anatomic staging
- 치료방침 결정에 결정적 도움이 되는 경우 ; breast ca.의 axillary LN sampling, lymphoma 및 기타 복강내 종양에서 개복술을 이용한 LN sampling, melanoma

4. 치료

- 수술은 가장 효과적인 암 치료법 (but, 약 40%에서만 완치 가능)
- 수술만으로 완치가 어려운 종양에서 수술의 이점
  ① 종양의 국소적인 조절
  ② 장기 기능의 보존
  ③ 크기를 감소시켜 이후 치료법의 효과를 높임
  ④ 병기 판정에 도움
- metastatic cancer에서 전이 병소의 수술이 도움이 되는 경우 (⇨ survival ↑)
  ① osteosarcoma ; lung metastasis
  ② colorectal ca. ; liver, lung metastasis
    - 한 lobe에 국한된 5개 미만의 간 전이는 수술(±ablation)하면 약 25%에서 수명 연장! (간 이외의 전이는 없을 때)
    - 수술 이후 잔여 간 20% 이상 및 절제면 (-)를 얻을 수 있으면(1 cm margin) 수술 가능
    - neoadjuvant CTx로 수술 불가능한 환자의 약 15%도 수술 가능하게 될 수도 있음

- 간 수술 이후 재발 위험이 높은 경우 ; 3개 이상의 전이, 전이 종양 크기 >5cm, satellite nodules, 간 실질의 50% 이상 침범, CEA↑(>30 ng/mL), 수술 중 수혈(>2 units), hilar LN 침범, 원발 종양의 수술 이후 간 전이 발견까지 disease-free interval 1년 미만
- 완전 절제 가능한 폐 전이도 수술하면 수명 연장됨 (절제 가능한 폐외 전이 동반시도 가능)

③ melanoma ; 모든 전이 병소를 수술로 절제 가능하다면 수명 연장 가능 (but, 극히 일부)

④ breast ca. ; 원발 종양을 완전히 치료해야 수명 연장 가능 (∵ 남은 원발 종양에서 재전이)

→ systemic therapy (endocrine, CTx)가 주 치료임
- 50% 이상에서 간 전이가 있지만, 간에만 전이가 국한된 경우는 5% 미만
- 극히 일부의 good Px 환자군(e.g., young, ER+, 간 이외 전이 無)에서만 간 전이에 대한 수술(±ablation)이 예후 향상에 도움 됨

• metastasis의 존재 하에 원발 종양의 수술적 제거시 효과

① 전이 병소의 성장 가속화 … 대부분

(∵ angiogenesis inhibitors 및 growth regulators의 소실 때문)

② 전이 병소의 감소 (abscopal effect) (∵ growth or angiogenic factors의 소실 때문)
- 드물게 일부 신장암에서 관찰됨
- 일부 lymphoma에서 splenectomy시에도 가능

• systemic antitumor effects (hormone-responsive tumors)

┌ oophorectomy and/or adrenalectomy → estrogen↓
└ orchiectomy → androgen↓

→ metastatic tumors의 성장 감소

5. 완화 (palliation)

• 보존적 치료 → 환자의 삶의 질 (quality of life) 향상이 목적
• 예 ; 통증의 해소, 위장관 출혈/폐쇄/협착의 치료, 신경장애의 호전, splenectomy

6. 재건술 및 재활치료

• 기능 및 미용상의 장애를 교정
• 예 ; mastectomy 뒤의 유방재건술, 근골격계 수술 뒤의 사지 재건술

치료에 대한 반응 평가

* 암 병소의 크기 측정 (WHO criteria, 1979)
  - superficial tumor mass를 촉진하거나, internal lesion을 imaging으로 측정
  - 크기(2차원) = 장축 × '장축에 수직인 가장 큰 길이' (↔ RECIST : 장축만 평가, 1차원)

- CR (complete remission) : 측정 가능한 암 병소가 완전히 소멸되고,
  환자는 암의 모든 증상이 없는 경우 (최소한 4주 이상)
- PR (partial remission) : 모든 암 병소의 크기의 합이 50% 이상 감소한 경우 (최소한 4주 이상)
- SD (stable disease) : 50~100%의 병변이 남아 있을 때
- PD (progressive disease) : 암 병소의 크기가 25% 이상 증가하거나, 새로운 병소가 생긴 경우

┌ 반응군(response) = CR, PR
└ 비반응군(no response, NR) = SD, PD

■ RECIST (Response Evaluation Criteria in Solid Tumors) criteria

	RECIST (2000)	RECIST 1.1 (2009) ★
Tumor burden 측정 범위	Target lesion 1~10개 (~5개/organ)	Target lesion 1~5개 (~2개/organ)
측정	Uni-Dimensional (장축)	Uni-Dimensional (장축) *LN는 단축(short axis)으로 측정
Target lesion의 최소 크기 ★	≥10 mm (spiral CT) ≥20 mm (nonspiral CT, clinical)	≥10 mm (CT/MRI, clinical) ≥20 mm (chest X-ray) LN는 단축 ≥15 mm (10~15 mm는 Non-target lesion, <10 mm는 Non-pathological)
PD의 정의	직경의 총합 20% 증가	총합 20% 증가 & 절대 값 5 mm 이상 증가
CR 및 PR의 확인	최소한 4주 이상	반응속도가 primary end-point일 때만 필요
PET	–	New lesion (처음에 음성 → F/U시 양성) 확인 등에 이용 가능
Bone lesion	–	Lytic bone lesion은 target lesion에 포함

Response Criteria

	RECIST 1.1 ★	WHO
CR (Complete Response)	모든 target lesions 소멸 모든 LN의 단축 <10 mm	측정 가능한 암 병소 완전 소멸 (최소 4주 이상)
PR (Partial Response)	Target lesions 직경의 합 30% 이상 감소	암 병소의 합이 50% 이상 감소 (최소 4주 이상)
SD (Stable Disease)*	PR~PD 사이 (↓30% ~ ↑20%)	PR~PD 사이 (↓50% ~ ↑25%)
PD (Progressive Disease)	Target lesions 직경의 합 20% 이상 & 5 mm 이상 증가 or 새로운 병소 발생	암 병소의 합이 25% 이상 증가 or 새로운 병소 발생

*RECIST는 길이(mm), WHO는 면적(mm^2)으로 평가하므로 PD 군의 비율은 RECIST보다 WHO가 많아짐

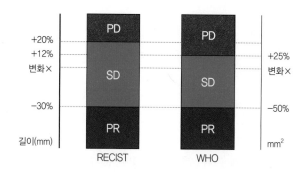

RECIST 1.1의 Overall Response 평가

Target lesions	Non-target lesions	New lesions	Overall response
CR	CR	–	CR
CR	Non-CR/non-PD	–	PR
CR	평가×	–	PR
PR	Non-PD or 모두 평가×	–	PR
SD	Non-PD or 모두 평가×	–	SD
모두 평가×	Non-PD	–	NE (평가불능)
PD	Any	+/–	PD
Any	PD	+/–	PD
Any	Any	+	PD

* ORR (overall response rate) : 정의된 기간 동안 종양이 특정 크기 이상으로 줄어든 환자의 비율 (PR + CR)
  OS (overall survival)전체생존 : 진단/치료 이후 사망까지의 기간 (다른 원인에 의한 사망도 포함)
  DFS (disease-free survival)무병생존 : 치료 이후 재발/전이/진행/사망까지의 기간
  PFS (progression-free survival)무진행생존 : 치료 이후 진행(PD) or 사망까지의 기간

■ **iRECIST** (2017)
  • 면역치료제의 경우 치료 초기에 종양의 크기가 일시적으로 증가하는 pseudoprogression
    때문에 기존의 RECIST에서는 PD로 평가되어 치료(연구)가 중단 될 수 있어 개발됨
  • RECIST 앞에 immune을 뜻하는 "i" 접두어를 덧붙여 사용함 (e.g., iCR, iPR, iSD)
  • 기준은 대부분 비슷하지만, PD가 iUPD와 iCPD로 나뉨
                            (unconfirmed) (confirmed)
    ① iUPD : 기존 PD 평가기준과 동일 (20% 이상 & 5 mm 이상 크기 증가 or 새로운 병변)
    ② iCPD : iUPD 판정 이후 4~8주 F/U 뒤에도 크기가 계속 커지거나, 새로운 병변이 생긴 경우
        - iUPD로 판정된 병변들의 크기 합이 5 mm 이상 증가시
        - iUPD 판정 기준을 충족시키지 못했던 병변들이 커져서 PD 기준을 충족하는 경우
        - iUPD 판정시 발견된 새로운 표적병변이 증가하거나 추가적인 새로운 병변 발생
        - iCPD 기준을 충족하지 못하면 계속 iUPD로 유지됨

보존적 치료

1. Pain control

- 숫자통증등급(numeric rating scale, NRS) : 통증 없음 (0), 경도 (1~3), 중등도 (4~6) 심함 (7~10)
  - ⇨ 목표 NRS는 1~4점
  - 입원 환자에게 마약성 진통제 투여 시 IV 15분 후 or 경구 속효성 투여 1시간 후에 통증 재평가
  - 외래 환자의 경우 통증 정도에 따라 수일~수주마다(예: 1~4주) 재평가
- 진단/치료에 연연하지 말고 적극적으로 pain control!
- WHO 3 step analgesic drug therapy
  ① mild pain : non-opioid ± adjuvants
  ┌ non-opioid (비마약성 진통제) ; acetaminophen (paracetamol), NSAIDs
  └ adjuvants ; sedatives, antidepressant, anticonvulsant, steroid, antihistamine
  ② moderate pain : mild opioid ± non-opioid ± adjuvants
  - weak opioid (마약성 진통제) ; codeine, oxycodone, hydrocodone, propoxyphene
  ③ severe pain : strong opioid ± non-opioid ± adjuvants
  - strong opioid : morphine (가장 강력), hydromorphine, MS contin (morphine의 서방정),
    meperidine (Demerol), methadone, fentanyl (Durogesic patch), levorphanol,
    oxymorphone (좌약) ...

- 진통제 사용의 원칙
  ① 일정한 간격으로 규칙적으로 투여 (PRN으로 투여 안함)
  ② 예방적 투여
  ③ 가능한 경구 약제를 사용
  ④ 보조 진통제가 종종 필요함
  ⑤ 불면증 (통증 악화의 가장 주된 원인)은 적극적으로 조절

- 마약성 진통제(opioid)의 사용

분류	약제	비고
순수 작용제	Morphine, Oxycodone, Hydromorphone Hydrocodone, Fentanyl, Codeine, Tramadol	Pethidine: 암성 통증에 사용 금지
부분 작용제	Buprenorphine	
혼합형 작용-길항제	Pentazocine, Butorphanol, Nalbuphine	암성 통증 치료에 사용 금지*

- Morphine, hydromorphone : 간에서 1상 대사 반응을 거치지 않아 약물상호작용 적음
- 이외의 약제 : 간기능 저하 시 주의 및 약물 상호작용 주의
  - 병용시 마약성 진통제 부작용 증가 : azole계, macrolide, omeprazole, antiviral agent, TKI, grapefruit juice
  - 병용시 마약성 진통제 효과 감소 : corticosteroid, carbamazepine, phenytoin
- Codeine, oxycodone, hydrocodone ⇨ uoxetine, haloperidol, cimetidine과 병용 시 진통 효과 감소에 주의
* 작용제를 사용하고 있는 환자에게 작용-길항제를 투여하면 작용제에 대하여 길항제로 작용하여 금단증상을 초래하고 통증을 악화시키므로 사용해서는 안됨!

- 심한 pain이면 다 써야!, 천정효과(ceiling effect)가 없으므로 용량의 제한 없이 증량 가능
  (의사들이 범하는 가장 흔한 실수는 inadequate dose)
- 부작용 ; 변비(m/c), N/V, urinary retention, CNS (sedation, 인지장애),
  respiratory depression (→ naloxone으로 치료) ...
- opioid의 교차내성은 불완전하므로 반응이 없으면, 다른 opioid로 바꿔보거나 투여 경로를 바꿔봄
- 심한 통증 → short-acting 제제를 사용하면서 용량을 결정한 뒤 extended-release 제제로 전환함
- 신경병증성 통증이나 골 전이에 의한 통증에는 효과 없음!!
- <u>meperidine</u>은 toxic metabolite인 normeperidine을 만들어 CNS 부작용 (경련, 심한 흥분 등)을
  일으킬 수 있음 (naloxone에 의해 호전 안됨) → 암 통증 같은 만성 통증에는 사용하지 않음!

• opioid overdose (부작용)
- 변비, N/V, 진정/졸림, 의식장애, 배뇨장애 ...
- 호흡억제 : 빠르게 IV 할 때 발생 가능 → opioid IV 중단, 기도 확보, <u>naloxone</u> (~10 mg) 투여

• 보조 진통제(adjuvant)
- **신경병증 통증(neuropathic pain)** : 중추/말초신경계 이상에 의한 통증으로, 손상된 신경의 지배
  영역의 감각이상, 통증을 유발하지 않는 자극에도 통증을 느끼는 이질통(allodynia) 등의
  신경학적 이상 증상 ⇨
  ① 항우울제 (진통효과↑) ; <u>amitriptyline</u>, nortriptyline, duloxetine … 지속성 통증
  ② 항경련제 ; gabapentin, pregabalin, carbamazepine … 전격성 통증
  ③ ketamine : 마약성 진통제 불응성 통증 및 암성 신경병증통증에 투여 가능
  ④ 국소 진통제 (gel/patch/cream) ; lidocaine, Capsaicin, NSAID … 신경병증 통증 부위에
- 골 전이에 의한 통증 ⇨ NSAIDs, steroid, bisphosphonate, calcitonin, RTx.
- 간 전이로 인한 간 피막의 팽창으로 인한 통증 ⇨ steroid

c.f.) chronic pain
- multiple, unrelated site의 pain이 중요한 단서
- Tx ; antidepressants (특히 TCA), anticonvulsants, antiarrhythmics, opioid (마지막으로)

2. Emesis (N/V) control ··· Chemotherapy-Induced Nausea & Vomiting (CINV)

- nausea ± vomiting이 항암제(CTx.)의 m/c 부작용
- 항암제의 emetogenic potentials (단독으로 IV 투여했을 때)

High (>90%) ★	Moderate (30~90%)	Low (10~30%)		Minimal (<10%)
Cisplatin	Bendamustine	5-Fluorouracil	Mitomycin	Bleomycin
Mechlorethamine	Ifosfamide, Thiotepa	Docetaxel	Mitoxantrone	Busulfan
Streptozotocin	Cyclophosphamide	Paclitaxel	Ixabepilone	2-Chlorodeoxyadenosine
Dacarbazine (DTIC)	(<1500 mg/m^2)	Etoposide	Gemcitabine	Cladribine, Fludarabine
Cyclophosphamide	Carboplatin, Oxaliplatin	Asparaginase	Temsirolimus	Vincristine
(고용량: >1500 mg/m^2)	Cytarabine (>1 mg/m^2)	Thiotepa	Bortezomib	Vinblastine
Mechlorethamine	Irinotecan	Topotecan	Cetuximab	Vinorelbine
(nitrogen mustard)	Anthracyclines*	Pemetrexed	Pertuzumab	Bevacizumab
Nitrosoureas	Doxorubicin (adriamycin)	Methotrexate	Ipilimumab	Nivolumab
CCNU (Lomustine)	Daunorubicin	Doxorubicin	Carfilzomib	Ofatumumab
BCNU (Carmustine)	Idarubicin, epirubicin	Aflibercept	Lapatinib	Pembrolizumab
	Azacytidine	Cytarabine	Belinostat	Trastuzumab

* Anthracyclines은 Cyclophosphamide와 병합하면 High-risk로 분류됨!

- 항암제의 emetogenic potentials (단독으로 경구 투여했을 때)

High	Moderate	Low		Minimal
Hexamethylmelamine	Cyclophosphamide	Capecitabine	Dabrafenib	Chlorambucil
(Altretamine)	Etoposide	Tegafur uracil	Dasatinib, Ibrutinib	Hydroxyurea, Melphalan
Procarbazine	Vinorelbine	Etoposide	Idelalisib, Lapatinib	6-Thioguanine
	Temozolomide	Everolimus	Nilotinib, Ponatinib	Methotrexate
	Imatinib	Fludarabine	Regorafenib	Gefitinib, Erlotinib
	Bosutinib,	Thalidomide	Sunitinib	Ruxolitinib, Sorafenib
	Ceritinib	Lenalidomide	Vandetanib	Vemurafenib
	Crizotinib	Afatinib, Axitinib,	Vorinostat	Vismodegib

- antiemetics (항구토제) : combined or sequential 요법이 중요
  ① serotonin (5-HT$_3$) antagonist ; ondansetron (Zofran), granisetron (Kytril), dolasetron
      (Anzamet), tropisetron (Navoban), mirtazapine (Remeron), palonosetron (Aloxi) ...
    - 가장 강력한 구토억제 작용, 급성 구토(24시간 이내)에 이용, 1세대 약제들의 효과는 동일
    - 지연 구토(24시간 이후)에는 효과 없음!
    - 2세대(palonosetron) : 5-HT$_3$ receptor에 대한 반응도 100배, 반감기 약 40시간으로 긺,
        지연 구토의 예방에도 효과적!
  ② neurokine-1 receptor (NK$_1$R) antagonists
    - NK$_1$R : substance P (SP)의 주요 receptor, brain stem의 vomiting center에 주로 존재
    - aprepitant (Emend®, oral 3일 투여), fosaprepitant (prodrug of aprepitant, IV 1일 투여, 효과는 비슷)
    - 급성 및 지연 구토에 모두 효과적!, highly emetic IV CTx에 사용
  ③ high-dose corticosteroid ; dexamethasone
    - 다른 항구토제와 병용시 특히 효과적, 급성 및 지연 구토에 모두 효과적
        (e.g., 5-HT$_3$ antagonist + NK$_1$R antagonist + dexamethasone)
  ④ dopamine antagonist ; metoclopramide (Reglan), prochlorperazine (Compazine),
        thiethylperazine (Torecan), haloperidol (Haldol) ...
    - 고용량으로 투여시 거의 모든 구토를 억제, extrapyramidal side effect가 발생하는 것이 문제

⑤ benzodiazepine ; lorazepam (Ativan), midazolam, alprazolam ...
  - anticipatory N/V에 가장 효과적
⑥ antihistamine ; cyclizine, diphenhydramine, dimenhydrinate, meclozine, promethazine, hydroxyzine ...
⑦ 2세대 antipsychotics ; <u>olanzapine</u> (5-HT$_{2A}$ serotonin receptors와 D$_2$ dopamine receptors 길항제)

Site	Receptor	Antiemetics
1. Brain cortex	Opioid?	Lorazepam
2. Chemoreceptor trigger zone (CTZ)	Dopamine, Serotonin	Metoclopropamide
3. Vomiting center (brain stem)	Histamine, Cholinergic, NK$_1$R	Diphenhydramine, NK$_1$R antagonist
4. Peripheral receptor (GI tract)	Serotonin	Ondansetron
5. Unknown		Dexamethasone

• 항구토제의 예방적 사용 guideline : 항암제 투여 1시간 전 ~직전에 투여

Emetic risk group	Acute emesis 예방	Delayed emesis 예방
High	<u>5-HT$_3$ antagonist + NK$_1$R antagonist*</u> + Dexamethasone + Olanzapine	NK$_1$R antagonist + Dexamethasone + Olanzapine
Anthracycline + Cyclophosphamide	5-HT$_3$ antagonist + NK$_1$R antagonist + Dexamethasone + Olanzapine	NK$_1$R antagonist + Olanzapine
Moderate (carboplatin 有)	5-HT$_3$ antagonist + NK$_1$R antagonist + Dexamethasone	
Moderate (carboplatin 無)	5-HT$_3$ antagonist + Dexamethasone	Dexamethasone
Low	Dexamethasone (or Prochlorperazine, 5-HT$_3$ antagonist, or Metoclopramide)	-
Minimal	-	-

* NK$_1$R antagonist가 없는 지역에서는 대신 thalidomide를 사용 가능

• 예기구토(anticipatory emesis/vomiting) : 항암제 투여 이전에 생기는 오심/구토
 - 예전의 항암제 치료시 심한 구토를 경험한 환자에서 조건반사에 의해 발생, 젊은 환자가 더 민감
 - 이전의 CTx 때 효과적이었던 emesis 치료로 미리 예방하는 것이 m/g
 - 발생시에는 정신적지지/행동요법 ± benzodiazepine (e.g., alprazolam) 치료 고려
• 급성구토(acute vomiting) : 항암제 투여 24시간 이내에 발생하는 구토
• 지연구토(delayed vomiting) : 항암제 투여 24시간 이후에 생기는 구토
 (대개 cisplatin [60~90%], anthracycline + cyclophosphamide [20~30%]에서 발생, 예방조치 없을 때)
 → NK$_1$R antagonist, dexamethasone, 5-HT$_3$ antagonist (palonosetron), olanzapine 등으로 예방
• breakthrough emesis : 적절한 예방적 항구토제를 사용했는데도 발생한 N/V
    ⇨ <u>다른 계열의 항구토제 투여</u>, olanzapine, 대마, 아편성 진통제 등
      ↳ serotonin (5-HT$_3$) antagonists 간에는 불완전한 교차내성이 있으므로
        다른 종류의 5-HT$_3$ antagonists도 시도 가능

c.f.) 평형계(vestibular system)가 원인인 경우에는 antihistamines or anticholinergics 사용

15
부종양 증후군

* 부종양 증후군(paraneoplastic syndrome, PNS)의 임상적인 중요성
  ① 암의 초기증상으로 나타나 조기 발견의 단서가 된다 (종양표지자로도 사용 가능)
  ② 원격전이에 의한 증상으로 오인될 수 있다
  ③ 치료 가능한 다른 증상이 paraneoplastic syndrome으로 오인 될 수 있다
  ④ 치료 후 재발을 나타내는 표시로 사용된다 (즉, 원발 종양의 호전시 PNS도 호전됨)
  ⑤ 항암 치료의 방향을 결정한다
  ⑥ paraneoplastic syndrome 자체가 환자를 더 위험하게 할 수 있다
  ⑦ paraneoplastic syndrome을 일으키는 단백 자체가 종양을 성장시킨다

내분비 증상

임상양상	분비되는 물질	원인 종양
Hypercalcemia (m/c)	PTHrP (m/c)	SCC (lung, 두경부, skin), GU, GI, Breast, Renal, Prostate, Neuroendocrine
	1,25-(OH)₂D (calcitriol)	Lymphoma / Benign ; Sarcoidosis, Berylliosis, TB, 진균
	PTH (드묾)	Lung, Ovary
	PGE2 (드묾)	Renal, Lung
SIADH (hyponatremia)	Vasopressin (ADH)	Lung (SCLC, SCC), 두경부(SCC), GU, GI, Ovary
Cushing's syndrome	ACTH	NET (bronchial, thymic carcinoid), Lung (SCLC, NSCLC), Pancreatic & GI NET, MTC, Pheochromocytoma
	CRH (드묾)	Pancreatic islet, Carcinoid, Lung, Prostate
	GIP, LH, hCG 등 (드묾)	Macronodular adrenal hyperplasia
Non-islet cell tumor hypoglycemia	IGF-2	Mesenchymal tumors, Sarcomas, Adrenal, Renal, Liver, GI, Prostate
Gynecomastia (Male feminization)	hCG	Testis, Germinoma, Seminoma, Choriocarcinoma, Lung, Liver, Pancreatic islet
설사 또는 장운동 항진	Calcitonin	Lung, Colon, Breast, Medullary thyroid carcinoma
	VIP	Pancreas, Pheochromocytoma, Esophagus
Acromegaly	GHRH	Pancreatic islet, Carcinoid tumors
	GH	Lung, Pancreatic islet
Oncogenic osteomalacia	Phosphatonin (FGF23)	Mesenchymal tumors, Sarcomas, Prostate, Lung
Hyperthyroidism	TSH	Hydatidiform mole, Embryonal tumors, Struma ovarii
HTN	Renin	Juxtaglomerular tumors, Renal, Lung, Pancreas, Ovary

1. Hypercalcemia of malignancy (HOM)

: 전체 암 환자의 약 20%에서 HHM 발생 (m/c PNS)

(1) 원인

① HHM (humoral hypercalcemia of malignancy) : 80%
- 호르몬 생산이 원인 ; <u>PTHrP</u> (m/c), 1,25-$(OH)_2$ vitamin D (calcitriol), PTH 등
  (lymphoma : 1α-hydroxylase 발현↑ → vitamin D↑)
- 원인 종양 → 앞의 표 참조

② LOH (local osteolytic hypercalcemia) : 20%
- bone metastasis에 의한 hypercalcemia (but, HHM과의 구분이 불명확할 수도 있음)
- 기전 : local PTHrP or paracrine factors (e.g., TGF-α/β, IL-1, IL-6, PG, TNF) 생산
- 원인 종양 ; breast ca., multiple myeloma, lymphoma, leukemia
  (breast ca.의 1/2은 HHM, 1/2은 LOH)

(2) 임상양상

• malaise, fatigue, weakness, polyuria, nocturia, polydipsia, anorexia, N/V, 변비, 복통 ...
• lethargy, confusion, agitation, stupor, coma 등의 CNS Sx.
• EKG ; narrow QT, widened T, prolonged PR interval
⇨ 응급으로 calcium 농도 측정!

* primary hyperparathyroidism과의 차이
  ① 악성종양의 존재
  ② 최근에 갑자기 hypercalcemia 발생
  ③ 매우 높은 serum calcium level
  ④ metabolic alkalosis (↔ hyperparathyroidism은 hyperchloremic acidosis)
  ⑤ PTH↓, PTHrP↑ (or vitamin D↑)

(3) 치료

① <u>hydration</u> (N/S 200~500 mL/hr), furosemide (Lasix) 등의 loop diuretics,
  calcium 섭취 제한, oral phosphorus (serum Ph 3 mg/dL 이상이 될 때까지 투여)
② <u>bisphosphonate</u> (e.g., <u>zoledronate</u>, pamidronate, etidronate) IV
  - osteoclastic bone resorption 억제
  - 1~2일 이내에 serum Ca 감소 & Ca release를 몇 주 동안 억제
  - 지속적인 치료가 필요하면 IV 반복 or oral bisphosphonate 사용
③ calcitonin (e.g., salmon calcitonin IM or SC, 12시간마다 /nasal calcitonin은 효과×)
  - 안전하고 작용이 빠르지만 (4~6시간 이내에 serum Ca 1~2 mg/dL 감소),
    효과가 2일만 지속되고(∵ tachyphylaxis) 약한 편이라 bisphosphonate가 선호됨
  - severe hypercalcemia를 빨리 교정해야할 때 사용 (이후엔 bisphosphonate)
④ steroids : LOH (e.g., lymphoma, multiple myeloma, leukemia)에서 효과적,
  chronic granulomatous dz. (e.g., sarcoidosis)에서도 calcitriol 생산을 억제하는 효과
⑤ 투석 : hydration & bisphosphonate 치료가 불가능하거나 효과가 적은 심한 경우에만 고려

⑥ anti-RANKL monoclonal Ab (<u>denosumab</u>, Dmab, 골전이용 Xgeva®, 골다공증용 Prolia®)

> Denosumab = Den(Dense) + Os(Bone) + U(Human) + Mab(Monoclonal Ab)

  – RANK receptor 억제 → osteoclasts의 분화/활성화 억제

  – bisphosphonate에 반응이 없거나, 사용할 수 없을 때 고려 ⋯ 신기능 저하(e.g., MM)

    (bisphosphonate는 신장으로 배설되지만, denosumab은 신장으로 배설 안됨)

⑦ 궁극적으로는 underlying malignancy의 치료

2. SIADH

(1) 원인

- 종양 (vasopressin 분비) ; SCLC (m/c, 15%에서 발생), head & neck ca. (3%), NSCLC, olfactory neuroblastoma, carcinoids, GU ca., GI ca., ovary ca. …
- 기타 ; CNS 장애, pul. infections, (+) pr. ventilation, pneumothorax, asthma
- drugs ; thiazide diuretics, carbamazepine, narcotics, nicotine, TCA, 항암제 (vincristine, vinblastine, cyclophosphamide, melphalan …)

(2) 임상양상

- 의식장애, 혼돈, 기면(lethargy), psychotic behavior, seizure, coma
- 증상의 severity는 hyponatremia의 정도 및 발생속도와 관련

(3) 진단

① hyponatremia

② serum osmolality↓ (<275 mOsm/kg)

③ urine osmolality↑ (> serum osmolality)

④ urine Na$^+$ excretion↑ (>25 mEq/L)

(4) 치료

① fluid restriction (<0.8 L/day)

② NaCL (salt tablet or IV saline) : volume depletion이 있어야 효과적

③ demeclocycline : collecting duct에서 vasopressin의 작용을 억제, 작용시작이 느림(1~2주)

④ vasopressin receptor antagonists (e.g., IV <u>conivaptan</u>, oral <u>tolvaptan</u>)

  – selective water diuresis를 일으켜 매우 효과적임   ↳ 간독성 위험

    (특히 euvolemic hyponatremia에서 수분제한과 함께 사용시)

⑤ hypertonic (3%) or normal saline infusion + furosemide

  – severe hyponatremia (<115 mEq/L) or CNS Sx. 시에

  – Na$^+$ 교정 속도는 천천히! : 0.5~1 mEq/L/hr (∵ central pontine myelinolysis 방지)

⇨ 내분비내과도 참조

3. Cushing's syndrome (CS)

(1) 원인

- ectopic ACTH production (ECS : 전체 Cushing's syndrome의 10~15% 차지)
  - 폐암 (28%, 대부분 SCLC, 드물게 NSCLC도 가능), 흉곽내 NET [bronchial carcinoid (25%), thymic carcinoid (10%)], pancreatic islet cell tumors (12%), MTC (5%), pheochromocytoma (3%) ... (c.f., 연구에 따라 bronchial carcinoid를 m/c으로 보기도 함)
  - proopiomelanocortin (POMC) gene의 overexpression 때문 (→ ACTH, MSH ↑)
- ectopic CRH↑ (매우 드묾) ; pancreatic islet tumors, SCLC, MTC, carcinoids, prostate ca.
- ACTH-independent ; macronodular adrenal hyperplasia (GIP receptor↑)

(2) 임상양상

- fluid retention, HTN, hypokalemia, metabolic alkalosis, hyperglycemia → fatigue 악화
- edema, fatigue, muscle weakness/atrophy, 우울증 or 성격변화, 상처치유의 지연, 감염 발생↑
  → 종양의 수술을 어렵게 하거나, 기회감염(e.g., *P. carinii*, 진균)에 의해 사망 위험
- glucocorticoid↑↑ → 심한 skin friability, easy bruising
- ectopic ACTH production : 체중증가 및 central obesity가 현저하지 않음
  (∵ steroid 노출 기간↓, cachexia)
- ACTH가 매우 높으면 MSH 증가에 의한 pigmentation도 흔함!
- venous thromboembolism (∵ 종양 자체 + steroid에 의한 hypercoagulability)

(3) 진단

① plasma ACTH >100 pg/mL
② 24-hr urine cortisol >100 μg/day
③ dexamethasone에 의해 suppression되지 않음

(4) 치료

① 원발 종양의 제거 (but, 대부분 cortisol은 정상화 안됨 ⋯ 수술이 어렵거나 전이 多)
② steroid의 합성/작용 억제제(adrenal enzyme inhibitor) → 대부분 잘 조절됨
  ; ketoconazole, metyrapone, etomidate
③ 원발 종양의 완전 제거가 어렵고 비교적 예후가 좋을 때 (e.g., carcinoids)
  ⇨ bilateral surgical adrenalectomy, mitotane (medical adrenalectomy)
④ 기타 ; mifepristone (glucocorticoid antagonist), octreotide (ectopic ACTH 분비 억제)

* ectopic CRH secretion : ectopic ACTH와 치료/예후 동일

신경 증상 (Paraneoplastic neurologic disorders, PNDs)

PND의 예	흔한 증상	원인 종양	관련 항체	진단
Limbic (변연계) encephalitis	기분 변화, 환각, 기억상실, 발작, hypothalamic syndromes	SCLC (m/c) Testicular germ cell Breast Thymoma Teratoma Hodgkin lymphoma	Anti-Hu, Anti-Ma2 Anti-CRMP5 (CV2) Anti-amphiphysin Anti-Caspr2 Anti-GABA$_B$R Anti-AMPAR	EEG Brain MRI (temporal lobe의 hyperintensity) CSF analysis
Subacute cerebellar degeneration	운동장애, 연하곤란, 복시, 발음장애, 현기증, N/V	SCLC Gynecologic Hodgkin lymphoma Breast	Anti-Yo, Anti-Hu Anti-CRMP5 (CV2) Anti-Ma, Anti-Tr Anti-Ri, Anti-VGCC Anti-MGluR1	Brain MRI (cerebellar atrophy)
Lambert-Eaton myasthenic syndrome (LEMS)	하지 근위부 근력약화, 피곤, 횡격막 약화, Bulbar Sx., 자율신경 Sx.	SCLC (m/c) Prostate Cervical Lymphoma	Anti-VGCC (voltage-gated calcium channel)	EMG: muscle action amplitude ↓, 저속자극에 반응 ↓ 고속자극에 반응 ↑
Myasthenia gravis	자발근육의 약화/피곤 (눈, 사지), 횡격막 약화	Thymoma	Anti-AChR (acetylcholine receptor)	EMG: 반복 신경자극에 반응 ↓
Autonomic neuropathy	Panautonomic neuropathy ; 기립성 저혈압, 부정맥, 위장관/방광 기능장애, 연하곤란, 동공반사 장애,	SCLC Thymoma	Anti-Hu Anti-nAChR Anti-CRMP5 (CV2) Anti-amphiphysin	임상양상으로
Subacute peripheral neuropathy	통증, 감각이상, 운동실조, DTR 감소	SCLC, Sarcoma Breast, Ovarian Hodgkin lymphoma	Anti-hu Anti-CRMP5 (CV2) Anti-amphiphysin	신경전도검사 CSF analysis

* PND : 종양과 관련된 모든 신경계 질환
  - 약 60%의 환자는 종양 진단보다 신경 증상이 먼저 발생함
  - 임상적으로 문제가 되는 PND는 0.5~1%의 환자에서 발생
  - but, thymoma (30~50%)와 neuroblastoma or SCLC (2~3%)에서는 흔함

■ Lambert-Eaton myasthenic syndrome
(1) 정의
  • autoimmune reaction (Ab)에 의하여 neuromuscular junction에서 acetylcholine의 분비 감소
  • malignancy (m/c SCLC) or autoimmune dz.에 의해서 발생
(2) 임상양상
  • weakness (특히 하지의 근위근), myalgia, fatigability
  • rest시 심한 근력의 감소, 반복적인 노력에 의해 근력이 회복 (↔ myasthenia gravis와 반대!)
  • EMG : exercise나 tetanic stimulation에 의해 motor unit potentials의 amplitude가 증가
(3) 치료
  • plasmapheresis, IVIG, immunosuppressive agents
  • pyridostigmine, 3,4-diaminopyridine, guanidine (→ 신경 전달부에서 acetylcholine 농도↑)

c.f.) autoimmune or paraneoplastic encephalopathies의 치료
- glucocorticoids, IVIg, plasma exchange
- 효과 없으면 rituximab or cyclophosphamide

혈액 증상

증상	원인 물질	원인 종양
Erythrocytosis	Erythropoietin	RCC, HCC, Cerebella hemangioblastoma, MM, Pheochromocytoma, Wilm's tumor, Sarcoma, Aldosterone-producing tumor
Granulocytosis (Leukemoid reaction)	G-CSF, GM-CSF, IL-6	Lung ca., GI ca. (e.g., stomach ca.), Ovarian ca., GU ca., Brain ca., Melanoma, Lymphoma
Thrombocytosis	IL-6	Lung ca., GI ca., Breast ca., Ovarian ca., Lymphoma, CLL
Eosinophilia	IL-5	Lymphoma, Leukemia, Lung ca.
Thrombophlebitis	모름	Lung ca., Pancreatic ca., GI ca., Breast ca., GU ca. Ovarian ca., Prostate ca., Lymphoma

(1) **Anemia**
- autoimmune hemolytic anemia ; B-cell lymphoma, B-CLL, Hodgkin lymphoma, acute leukemia, MDS, alloHCT, ovary, lung ca.
- pure red cell aplasia ; thymoma, CLL, LGL (large granular lymphocyte) leukemia
- MAHA/TMA ; breast, prostate, lung, pancreatic, GI tumors
- megaloblastic anemia ; multiple myeloma

  c.f.) ACD (AOI)가 암 환자에서 m/c anemia ; reticulocyte↓, EPO↓ (→ Tx ; EPO ± iron)

(2) **Granulocytopenia** ; thymoma

(3) **Thrombocytopenia** ⋯ chronic DIC, BM infiltration, TMA 등에 의해 발생 가능
- ITP 비슷 ; lymphoma (CLL, HL, immunoblastic lymphadenopathy)

(4) **DIC** ; APL (AML-M3), mucinous tumors (e.g., pancreatic, gastric, ovarian), brain tumors

(5) **Migratory superficial thrombophlebitis** ; pancreatic ca. ("Trousseau's syndrome")

■ 정맥혈전색전증 (Venous ThromboEmbolism, VTE ; DVT/PE)
- 암 환자의 중요한 사망원인임
- VTE는 혈전 위험도가 가장 높은 단일 위험인자 ; 암 자체는 4배, CTx는 6배 혈전 위험↑
- VTE 호발 암 ; 폐, 췌장, GI, 유방, 난소, GU, lymphoma, brain tumors
  (전신마취 하에 수술을 받는 암 환자는 DVT 발생 위험 20~30%)

- 암 환자에서 VTE의 증가 요인
  - 침상 안정 및 부동, 종양에 의한 혈류 폐쇄/속도저하, 장기간 catheter 삽입, 수술 ...
  - 암세포(or 관련 염증세포)에서 procoagulants or cytokines 분비, 혈소판 응집 촉진
  - CTx (특히 내피세포 손상 유발 약제) ; 정맥혈전증 발생률 11%/yr (일반인의 6배)
    ↳ bleomycin, asparaginase, nitrogen mustard, thalidomide analogues, cisplatin, high doses busulfan & carmustine 등에서 위험 더 증가 (약제간 큰 차이는 없음)

  c.f.) APS의 약 20%는 암 동반 (암을 동반한 APS 환자의 35~45%에서 혈전증 발생)

- 진단   → 호흡기내과 12장 참조
- 치료
  ① 진단 즉시 UFH (IV) or <u>LMWH</u> (SC) : 5일 이상
    - LWMH (enoxaparin, dalteparin, tinzaparin)이 더 권장됨
    - 신기능저하 시에는 (C_{Cr} <30 mL/min) UFH 사용
  ② 유지요법 (active cancer는 6개월 이상 더 오래 치료함)
    - warfarin : INR 2~3 유지, 3~6개월 이상 *or*
    - LMWH : C_{Cr} ≥30 mL/min이면 warfarin보다 권장됨 (∵ VTE 예방 효과 더 우수!) *or*
    - DOAC (direct oral anticoagulant) = <u>NOAC</u> (new oral anticoagulant)

NOAC (new oral anticoagulant)의 암-관련 정맥혈전증 사용

┌ oral direct thrombin inhibitor (DTI) ; dabigatran
└ oral direct Xa inhibitors ; rivaroxaban, apixaban, edoxaban
- warfarin보다 훨씬 효과적이고 부작용/약물상호작용은 적음
- 최근 연구 결과, LMWH 대비 효과는 비슷하거나 약간 더 좋고 major bleeding 부작용도 비슷하게 나옴
  - major bleeding은 LMWH보다 더 많을 수도 있는데, 특히 upper GI bleeding이 호발(40~50%)
    → upper GI bleeding 위험이 높은 경우 NOAC의 사용에 주의
- 신장으로 주로 배설되므로 신기능저하시 농도↑(→ 출혈↑) 위험, C_{Cr}<30 mL/min이면 다른 약제 고려
- 이전 수술의 영향
  - dabigatran, rivaroxaban, edoxaban : 위와 소장 상부에서 흡수됨 (→ total gastrectomy시 흡수↓↓)
  - apixaban : 소장 하부와 결장에서 흡수됨 (→ colectomy시 다른 약제로)

피부 증상

1. 여러 피부질환(악성종양 포함)과 관련된 피부병변

(1) pruritus (itching)
- 악성종양 ; lymphoma (특히 HL), lymphocytic leukemia, PV, myeloid metaplasia, carcinoid, carcinoma (GI, lung, ovary, prostate)
- 기타 ; dry skin (xerosis), drug, cholestatic liver dz., uremia, DM, thyroid dz.

(2) erythroderma (exfoliative dermatitis)
- 악성종양 ; lymphoma (특히 HL), leukemia, mycosis fungoides
- 기타 ; drugs, atopic eczema, psoriasis, contact dermatitis

(3) figurate erythema (나뭇결 같은 모양)

; breast, stomach, bladder, prostate, cervix, tongue, uterine ca.

(4) urticaria-like lesions ; leukemia

(5) Herpes zoster ; lymphoma (HL), CLL, breast ca., CTx.중인 여러 종양들

(6) Paraneoplastic pemphigus

; lymphomas, thymomas, CLL, sarcoma, Waldenström's macroglobulinemia

2. 악성종양과 관련된 피부병변

(1) Nongenetic syndromes

; Paget's disease, Stewart-Treves syndrome, acanthosis nigricans, dermatomyositis, Leser-Trélat syndrome (Seborrheic keratosis - adenocarcinoma), glucagonoma syndrome, Bazex syndrome, pulmonary osteoarthropathy, carcinoid syndrome, lymphomatoid papulosis

(2) Genetic syndromes

; Torr's syndrome, Gardner's syndrome, Cowden's syndrome, multiple endocrine neoplasia, ataxia-telangiectasia

3. Chloroma (granulocytic sarcoma)

- myeloblasts or monoblasts로 구성된 tumors
- 어느 부위에서도 발생 가능 (skin에 m/c)
- 원인 ; AML, CML의 accelerated phase
- t(8;21)을 동반한 AML (M2)이 extramedullary leukemia를 잘 일으킴

기타 부종양 증후군

- fever ; lymphoma, leukemia, RCC, myxoma, hypernephroma, sarcoma, hepatoma
- lactic acidosis ; acute leukemia, lymphoma
- hyperlipidemia ; MM, hepatoma, colon ca.
- hypokalemia & HTN ; renin-producing tumors, lung ca., hypernephroma, Wilm's tumor
- hyperamylasemia ; lung ca.
- hypertrophic pulmonary osteoarthropathy (HPO) ; NSCLC, metastatic lung ca., mesothelioma
- amyloidosis ; MM, lymphoma, hypernephroma
- SLE ; lymphoma, leukemia, thymoma, testicular ca., lung ca., ovary ca.

- tumor cachexia
  - 가장 흔한 paraneoplastic syndrome (암 환자의 약 80%에서 발생)
  - fatigue, anorexia, muscle wasting, 피하지방 소실
  - complex pathogenesis, tumor size와는 관계없다
  - Tx ; megestrol acetate, dronabinol (tetrahydrocannabinol, THC), steroids ...

16
종양학에서의 응급상황

척수압박 (malignant spinal cord compression, MSCC)

1. 원인

- 암이 척추골의 body, pedicle에 전이되어 dura를 압박하여 신경손상을 유발
- 원인 종양 - extradural (epidural) metastatic tumors (모든 암의 5~10%에서 발생)
  ; <u>lung</u> (m/c) > <u>breast</u> > <u>prostate</u> > multiple myeloma, lymphoma 등 거의 모든 종양
- 발생부위 ; <u>thoracic</u> (70%) > lumbosacral (20%) > cervical (10%) spine
  - bone metastasis 자체는 lumbar에 m/c, thoracic spine이 내강이 좁아 증상발생 m/c
  - 다발성 척추 전이는 breast ca.와 prostate ca.에서 흔함

2. 임상양상

- localized back (or neck) pain & tenderness가 m/c 증상
  - 다른 신경 증상보다 대개 며칠~몇달 먼저 발생
  - standing, sneezing, coughing, movement, supine position 등에 의해 악화
- 전형적인 진행 순서 ; back pain & tenderness → radicular pain → weakness → sensory loss
  → motor loss (paralysis) → loss of sphincter control (배뇨/배변 장애 등)

3. 진단

- plain spine X-ray (약 72%에서 진단 가능)
  - pedicles의 erosion/loss ("winking owl" sign) : 가장 초기 sign
  - 기타 ; intrapedicular distance 증가, vertebral destruction, lytic/sclerotic lesions,
      scalloped vertebral bodies, vertebral body collapse (complete fracture), paraspinous mass
  - but, 정상이라도 cancer R/O 못함 (→ MRI 등 다른 검사 시행)
- <u>complete spine MRI</u> : 1차적으로 이용 (sensitive & specific, 척추검사의 choice),
    조기발견 가능, 치료방침 결정에 중요, steroid 투여와 동시에 시행
- 응급으로 MRI를 시행할 수 없으면 대신 CT (±) myelography 시행
- bone scan : sensitivity는 높지만, specificity 떨어짐 (위양성 많음) → screening & F/U에 유용
- ^{18}F-FDG PET/CT : CT (morphologic)와 PET (functional)의 장점을 결합, scan보다 specific,
    정확한 localization 및 soft-tissue 침범도 발견 가능

4. 치료

(1) **응급 처치** : high-dose <u>steroid</u> (dexamethasone) + <u>RTx.</u>
(paraparesis는 보통 steroid 투여 48시간 내에 호전됨)

(2) **개별화 치료** … NOMS (Neurologic, Oncologic, Mechanical, Systemic factors)에 따라

```
┌─ N : 척수신경 침범 정도(grade), myelopathy, functional radiculopathy 등
```

Radiosensitive tumors	Lymphoma, Myeloma, SCLC, Germ cell tumors, Breast cancer, Prostate cancer, Ovarian cancer	⇨ cEBRT
O : Radioresistant tumors	Melanoma, RCC, NSCLC, GI cancers, Sarcoma	⇨ SBRT

```
├─ M : mechanical stability of the spine
└─ S : 전신 종양 상태, 동반질환, 수행능력 등
```

- RTx. : radiosensitive는 cEBRT (conventional external beam RTx) / radioresistant tumors *or* 이전에 RTx를 받았던 부위에서 재발한 경우 SBRT (stereotactic body RTx)로 시행
- **mechanical <u>spinal instability</u> 有 <u>(unstable spine)</u>**
  - high-grade MSCC or 뼈조각이 튀어나왔으면 → surgical decompression 시행 후 RTx.
  - 아니거나 radiosensitive tumors면 → (minimal) spine stabilization 시행 후 RTx.
  ; open/percutaneous instrumented stabilization, percutaneous cement vertebral repair 등
- **mechanical spinal instability 無**
  - 이전에 치료받은 적 없는 radiosensitive tumors는 수술 없이 cEBRT만 시행 (grade에 관계×)
  (신경 손상이 있는 high-grade 유방/전립선암에서는 빠른 회복을 위해 수술 가능)
  - radioresistant tumors *or* 이전에 RTx를 받았던 부위에서 재발한 경우
    - low-grade MSCC → SBRT (SBRT 불가능하면 surgical excision 이후 cEBRT 시행)
    - high-grade MSCC → surgical decompression & stabilization 시행 후 SBRT
  - painful pathologic compression fracture → percutaneous vertebroplasty/kyphoplasty가 도움
    (acrylic bone cement 주입 → 통증 감소, 국소 항종양 효과)
- 전신상태가 나쁘거나 기대 수명이 짧아 수술이 불가능하면 steroid + 단기간 cEBRT
- 이전의 RTx. 부위에 발생하고, 수술이 불가능하고, CTx.에 반응하는 종양인 경우는 CTx.도 고려
- 골 전이 환자에서 bisphosphonates and/or denosumab은 MSCC 예방에 도움

5. 예후

- 예후는 tumor type과 radiosensitivity와 관련 (radiosensitive tumors가 예후 좋음)
- 진단 당시의 신경학적 손상의 정도가 가장 중요 → 신경학적 후유증의 정도를 결정
  - 보행이 가능했던 환자의 최대 67~82%는 치료 후에도 계속 보행이 가능
  - paraplegia (보행 불가능) or sphincter tone을 상실한 경우 약 20~40%만 기능 회복 가능!

두개내 전이 (intracranial metastasis)

1. 임상양상

; headache, weakness, N/V, altered mental status, seizure, papilledema

⇨ D/Dx.

① iatrogenic causes ; CTx, narcotics, hypnotics, antiemetics

② metabolic disorders ; hypercalcemia, hyponatremia, hypoglycemia, hypomagnesemia, hyperviscosity, hepatic encephalopathy

③ paraneoplastic syndromes ; subacute cerebral degeneration, dementia, limbic encephalitis, optic neuritis, angioendotheliosis, progressive leukoencephalopaty

④ strokes ; coagulation abnormalities, thrombocytopenia, Trousseau's syndrome

⑤ sepsis

⑥ intracranial metastasis (암 환자의 약 25%는 뇌 전이로 사망함)

　- 흔한 원인 종양 ; lung ca. (m/c), GI ca., breast ca., melanoma

　　(c.f., CNS 전이 확률이 가장 높은 종양은 melanoma : 약 65%)

　- 보통 모양이 둥글고, 주변 정상 뇌조직과 잘 구별됨

2. 진단 : CT, MRI

3. 치료

① hyperventilation (PCO$_2$ 25~30 mmHg 유지), mannitol ⇨ IICP↓

② high-dose dexamethasone

③ whole brain RTx. : multiple lesions의 경우

④ 수술 : RTx.가 효과없는 종양 or single lesion인 경우 고려 (특히 60세 미만에서)

⑤ 정위 방사선수술(stereotactic radiosurgery) ; gamma knife (m/g), linear accelerator

　→ 수술적 접근이 불가능하거나 재발한 종양에서 효과적

⑥ IICP & hydrocephalus → shunt placement

　(내과적 치료에도 신경증상이 악화되면 → ventriculotomy or craniotomy 고려)

■ 수막암종증 (Leptomeningeal metastasis, Neoplastic meningitis)

• 전체 암 환자의 3~8%에서 발생, 뇌 전이 환자의 11~31%가 동반

• 원인 종양 ; breast ca., lung ca., melanoma, GI ca., leukemia, lymphoma 등 다양

• central nervous system의 여러 부위를 동시에 침범 → 복합적인 Sx/sign이 특징

　; encephalopathy, cranial neuropathy, spinal radiculopathy, DTR↓ 등

• 진단

　- CSF : cytology (but, 위음성이 40% → 의심되면 3회 이상 반복), protein↑, CEA↑, 뇌압↑ 등

　- MRI (brain + spinal) : meninges의 nodular tumor deposits, diffuse meningeal enhancement

　- radiolabeled CSF study : 최대 70%에서 비정상

　- meningeal biopsy

- 치료 (전체적인 예후는 나쁘지만, 신경 증상의 호전 가능)
  - intrathecal CTx (methotrexate, cytarabine, thiotepa) ; intralumbar, intraventricular (Ommaya)
  - focal RTx : bulky dz.나 폐쇄성 병변시   ↳ 신경축 전체에 잘 전달됨
  - IICP & hydrocephalus → ventriculoperitoneal shunt
- 보통 CNS 밖의 암이 조절되지 않아 발생 → 대부분 예후 매우 나쁨 : 평균 10~12주 생존
  - 치료에 대한 반응은 solid tumors 중에서는 breast ca.가 가장 좋음
  - acute leukemia or lymphoma는 원발 종양이 완치되면 CNS 전이도 완치 가능

상대정맥 증후군 (SVC syndrome, SVCS)

1. 원인

- 정의 : SVC의 폐쇄로 인해 머리, 목, 팔 등에서의 venous return이 심하게 감소되는 현상
- 악성종양(>90%) ; lung cancer (85%, SCLC 및 SCC가 m/c), lymphoma (젊은층에서 m/c 원인),
  metastatic ca. (종격동 전이 ; testicular ca., breast ca.)   ↳ 대부분 NHL (HL는 드묾)
- 기타 ; mediastinal fibrosis (fibrosing mediastinitis, 이전의 RTx. or histoplasmosis에 의해),
  benign tumors, aortic aneurysm, 갑상선비대, Behçet's syndrome (SVC의 염증 & thrombosis)
  - permanent central catheter or pacemaker (→ thrombosis)에 의한 SVCS가 증가 추세

2. 임상양상

- 두경부 부종 (특히 안와부), 호흡곤란, 기침 등이 흔한 증상
- hoarseness, 흉통, 두통, 혀부종, 코막힘, 코피, 객혈, 삼킴곤란
- 안면홍조(plethora), 청색증, 경정맥 확장, 전흉부의 collateral veins 증가/확장 …
- 몸을 앞으로 굽히거나 드러누운 자세를 취하면 증상 악화
- 심한 경우 안구돌출, 후두부종(기도폐쇄), 뇌부종 등도 발생 가능 (→ poor Px, 응급 조치 필요)
  ↳ 사망도 가능한 가장 심각한 Cx

3. 진단

- CXR ; sup. mediastinum 확장 (우측이 m/c), pleural effusion (25%)
- CT/MRI ; mediastinum 구조를 가장 정확히 볼 수 있음
- 악성종양을 진단받았던 환자는 자세한 W/U 필요 없음
- 악성종양의 병력이 없는 환자는 치료 시작 전에 원인에 대한 조직학적 진단을 실시하여
  치료 방침을 결정 → 대개 medical emergency는 아니므로 조직학적 진단을 먼저 시행함
  (e.g., bronchoscopy, percutaneous needle biopsy, mediastinoscopy, thoracotomy 등)

4. 치료/예후

- 대증적 치료 ; bed rest with head elevation, oxygen, diuretics & salt restriction
  - 상지에는 IV를 하지 않는다 (∵ edema를 악화시킴)

- RTx. ; NSCLC 및 기타 metastatic solid tumor 등에서 일차적인 치료
- CTx. ; SCLC, lymphoma, germ cell tumors 등 CTx에 잘 듣는 경우에서 일차적인 치료
  (이미 CTx. 중이라면 RTx. 시행)
- intravascular (endovenous) self-expanding stenting ; 재발(10~30%) or 증상이 심한 경우 고려
  - 생명이 위험한 경우엔 RTx.보다 1차 치료로 권장! (e.g., stridor, 호흡곤란, CNS 기능저하)
  - 기술적 성공률은 95~100%, 환자의 90% 이상에서 증상 호전, 재발 적음 (평균 13%)
  - but, venous return이 갑자기 증가되면 심부전 및 폐울혈 발생 위험
- steroid ; stenting이 불가능한 심한 기도폐쇄, steroid가 크기 감소에 도움이 되는 종양에서만 고려!
  (e.g., lymphoma, thymoma)
- 개흉술로 종양 제거 ; benign process에 의한 SVC obstruction의 경우 (e.g., thymoma)
- collateral circulation이 형성되므로 대부분 임상적으로 호전됨
- 사망률은 정맥 폐쇄 정도보다 원인 질환과 더 관련

심장눌림증/심장압전(cardiac tamponade)

- 원인 종양 (암 환자의 5~10%에서 pericardial dz. 동반)
  ① metastasis (더 흔하다) ; lung, breast, leukemia, lymphoma ...
  ② primary pericardial tumors
- 임상양상 ; 호흡곤란, 간비종대, 하지 부종, 경정맥 확장, hypotension ...
- 진단 ; 2-D echocardiography (m/g)
- 치료
  ① pericardiocentesis ± sclerotherapy (e.g., bleomycin, mitomycin, tetracycline)
  ② RTx., CTx., surgery　　　　　　　　　　　　　　　　→ 순환기내과 참조

종양 용해 증후군(tumor lysis syndrome, TLS)

1. 원인

- 주로 CTx. 뒤 tumor cells lysis로 intracellular contents가 빠르게 유리되어 발생
  (대개 CTx. 도중 or 직후[1~5일]에 발생, 드물게 tumor cells의 자연 괴사에 의해서도 발생 가능)
- 크기가 크고 cytotoxic agents에 sensitive한 rapidly proliferating tumors에서 발생 위험
  ; high-grade lymphoma (e.g., BL), leukemia with high WBC count (e.g., CLL, ALL) 등

2. 검사소견

- hyperuricemia ┐→ ARF 초래 가능 (BUN↑, Cr↑)
- hyperphosphatemia ┘
- hyperkalemia → arrhythmia와 sudden death 초래 가능 (가장 심각)
- hypocalcemia (∵ 세포가 파괴되면서 나오는 인 성분이 칼슘과 결합되어)
  → neuromuscular irritability (muscle cramps), tetany, arrhythmia
- lactic acidosis & dehydration도 발생 가능 (→ 신세뇨관에 uric acid 침착 촉진)
- U/A ; uric acid crystal, uric acid/creatinine >1 ⇨ acute uric acid nephropathy 시사

* uric acid↑, LDH↑ (>1500 U/L) → total tumor burden 및 TLS 발생 위험과 비례

3. 예방/치료

- TLS 발생 위험 환자를 항암치료 시작 전에 미리 발견하여 예방하는 것이 중요
  ① aggressive hydration
     c.f.) 이뇨제(furosemide, mannitol) : 충분한 hydration 후에도 diuresis가 부족한 환자에서 고려
        (∵ 체액이 부족한 환자에서는 신세뇨관에 uric acid or calcium 침착 유발 가능)
  ② urine alkalinization (sodium bicarbonate 투여, pH 7 이상 유지) : 전해질, uric acid 배설 촉진
     → 효과가 있은 뒤, CTx. 시행하게 되면 중단!
        (∵ 과도한 투여는 hypocalcemia 증상 악화 및 요로계 calcium phosphate 침착 유발 위험)
  ③ allopurinol : uric acid 생성 억제, CTx. 2~3일 전부터 투여
  ④ rasburicase (recombinant urate oxidase) : allopurinol이 효과 없으면 (uric acid >8, Cr >1.6)
     - TLS 발생 위험이 높은(high-risk) 경우에는 (or 치료 전 uric acid levels ≥8 mg/dL)
       allopurinol 대신 rasburicase 사용이 권장됨
     - uric acid level을 몇 시간 내에 빨리 감소시킴
     - Cx ; hypersensitivity (e.g., bronchospasm, hypoxia, hypotension) 위험
     - C/Ix ; G6PD deficiency (urate oxidase 반응 최종 산물인 hydrogen peroxide를 분해 못해 심한 용혈↑)
  ⑤ febuxostat (non-purine selective xanthine oxidase inhibitor)
     - allopurinol보다 효과적, allopurinol과 rasburicase를 모두 사용할 수 없는 경우 고려
     - allopurinol보다 hypersensitivity 적음, mild~moderate 신기능 저하에서는 용량 조절 필요×
     - Cx ; liver dysfunction, nausea, joint pain, rash, CVD로 인한 사망↑
- hemodialysis ; 위 치료에 반응 없거나, ARF 발생시
  - 적응증 ┌ serum K⁺ >6 mEq/L
  ★   │ serum uric acid >10 mg/dL
           │ serum creatinine >10 mg/dL
           │ serum phosphate >10 mg/dL or 증가 추세
           └ symptomatic hypocalcemia
- 예후는 좋으며, uric acid가 10 mg/dL 이하로 떨어지면 신기능도 회복됨

HYPERLEUKOCYTOSIS (Leukostasis syndrome)

- 주로 acute leukemias에서 circulating blasts 50,000~100,000/μL 이상일 때 발생
  - AML의 5~13%, ALL의 10~30%에서 hyperleukocytosis가 동반되지만, clinical leukostasis syndrome은 세포의 크기가 큰 AML에서 더 흔함 (특히 mono-계열 ; FAB M4, M5)
  - CLL이나 CML에서는 WBC counts가 높아도 드물다
- 임상양상
  - brain ; headache, dizziness, tinnitus, visual disturbance, ataxia, stupor, coma
  - pulmonary ; dyspnea, hypoxia, tachycardia, cyanosis
  - 기타 ; renal failure, priapism, fever
- 치료
  ① hydration & urine alkalinization, hydroxyurea
  ② leukapheresis (응급) : CTx. 시작 선에 먼저 시행 (→ tumor lysis syndrome의 예방 효과도)
  ③ 가능한 빨리 CTx. 시행
     (폐 내의 blasts가 파괴되면서 폐 출혈이 발생할 수도 있음 ; leukemic cell lysis pneumopathy)
- dehydration, 불필요한 RBC 수혈 등은 blood viscosity를 증가시켜 leukostasis를 악화시킬 수 있음

* intracranial leukostasis (Ball's disease)
  - cerebral hemorrhage 일으킬 수 있음
  - 예방 ; whole-brain irradiation (600 cGy)

DIC (Disseminated intravascular coagulation)

- 흔한 원인 종양 ; AML-M3 (PML), prostatic ca., lung ca., breast ca., GI ca.
- 치료 ; cryoprecipitate (fibrinogen), FFP, platelet transfusion, antithrombin III 등

원발병소불명암 (Carcinoma of unknown primary, CUP)

개요

- 정의 : 전이성 종괴가 조직검사에서 악성종양으로 증명되었으나 병력, 진찰소견, 영상검사, 검사실 검사 등에서 원발 병소를 알 수 없는 경우
- 전체 암 환자의 약 3~5% 차지 (남≒여, 나이가 들수록 증가)
  - 25%는 병의 경과중 원발 병소가 발견됨
  - 57%는 사망뒤 부검에서 원발 병소가 발견됨
  - 20%는 부검 후에도 원발 병소 모름

Presentation site에 따른 원발 부위의 가능성

Presentation	가능성 있는 Primary origin site
Lymph nodes	
Upper & middle cervical	Head & neck ca.
Lower cervical & supraclavicular	
Right-side	Lung, breast
Left-side	GI, lung (upper lobe), breast
<u>Axillary</u>	<u>Breast</u>, upper extremity, stomach (rare)
Inguinal	Lower extremity, vulva, anorectum, bladder, prostate
Brain	Lung, breast, melanoma
Lung	Lung, breast, GI, GU
Pleura	Lung, breast, stomach, pancreas, liver
Pericardium	Lung, breast, melanoma
Liver	Pancreas, stomach, colon, lung, breast
Ascites	Ovary, pancreas, stomach, colon
Bone	
Osteolytic lesions	Myeloma, breast, lung (NSCLC), thyroid
Osteoblastic lesions	Prostate, sarcoma, carcinoid, lung (SCLC), breast
Spinal cord compression	Lung, breast, lymphoma, prostate, kidney, GI, sarcoma, myleoma

진단

1. Hx. & P/Ex.

2. 혈청 tumor markers

: 대부분 비특이적이라 원발 병소 확인에 별 도움 안됨

CUP 진단에 유용한 Tumor markers

임상양상	원인	Tumor marker
Mediastinal or retroperitoneal mass	Extragonadal germ cell tumor	AFP, β-hCG
Young male/female pelvic mass	Neuroblastoma, Pheochromocytoma	VMA, HVA
Female: axillary node에서 adenocarcinoma	Breast ca.	CA15-3, CEA
Female: ascites (peritoneal carcinomatosis)	Ovarian ca.	CA125, HE4
Male: lung ± bone의 metastasis	Prostate ca.	PSA
Male/female: liver의 single or multiple metastatic mass	Hepatocellular ca.	AFP, CEA

3. 영상검사

- chest, abdomen, pelvis CT는 기본 → 여기에서 종양이 발견되면 현재는 CUP라고 하지는 않음
- PET-CT, MRI, mammography, breast MRI, endoscopy, bronchoscopy 등
  ↳ 약 ~20-30%에서 원발 종양 확인 가능, 모든 환자에서 시행 권장!

4. 조직검사 (biopsy)

- 조직형에 따른 분류 ; adenocarcinoma (60~70%), SCC (5%), neuroendocrine carcinoma (2%), poorly differentiated tumors (20~30%)
- immunohistochemistry (IHC) : 많이 할수록 좋은 것은 아니고, 임상양상과 관련지어 검사
  ⇨ cytokeratin (CK)을 흔히 이용 ; CK7, CK20 ★

CK7	CK20	
+	+	Urothelial tumors, Ovarian mucinous adenoca., Pancreatic adenoca., Cholangioca., Gastric ca.
+	−	Lung adenoca., Breast ca., Thyroid ca., Endometrial ca., Cervical ca., Ovarian papillary serous ca., Salivary gland ca., Cholangioca., Pancreatic ca. Gastric ca., Esophageal ca.
−	+	Colorectal ca., Merkel cell ca. (dot-like pattern)
−	−	HCC, RCC, Prostate ca., Lung ca. (SCC, SCLC), Head & neck ca.

* 추가로 Leukocyte common Ag (LCA, CD45) 정도 해볼 만함 → Lymphoid neoplasm

- 전자현미경은 거의 이용 안됨

면역조직화학염색(immunohistochemistry, IHC) : additional

Leukocyte common Ag (LCA, CD45)	Lymphoid neoplasm
B, T cell markers	Lymphoid neoplasm
CD15 (Leu-M1), CD30	Hodgkin lymphoma
Epithelial membrane Ag (EMA), CEA	Carcinoma
Desmin	Sarcoma
Thyroglobulin	Thyroid
Calcitonin	Medullary thyroid carcinoma
Myoglobin	Rhabdomyosarcoma
PSA/prostatic acid phosphatase	Prostate
AFP	Liver, germ cell
Placental ALP, β-hCG	Germ cell
S-100, HMB-45, SOX-10, vimentin	Melanoma
ER, PR, BRST-1, GCDFP-15 (BRST-2),	**Breast**
Mammaglobin, Her-2/neu, GATA3	(GCDFP: gross cystic disease fibrous protein)
ER, WT1 gene, PAX8, PAX2	Ovary
Factor VIII	Kaposi's sarcoma, Angiosarcoma
TTF-1 (thyroid transcription factor),	Lung (adenocarcinoma), Thyroid
Napsin-A, CD56, Ki-67	Lung ca.
Chromogranin, Synaptophysin, CD56,	Neuroendocrine tumors
Neuron specific enolase (NSE)	
CDX-2	Gastrointestinal adenoca.
	(대장 90~100%, 소장 80%, 위 70%)
URO-III, Thrombomodulin, Cytokeratin	Urothelial (e.g., bladder)

전자현미경(ultrastructure)

Actin-myosin filaments	Rhabdomyosarcoma
Secretory granules	Neuroendocrine tumors
Desmosomes	Carcinoma
Premelanosomes	Melanoma

세포유전검사(cytogenetics)

Isochromosome 12p; 12q(-)	Germ cell
t(11;12)	Ewing's sarcoma, Primitive neuroectodermal tumor
t(8;14)	Lymphoid neoplasm
3p-	SCLC, RCC, Mesothelioma
t(X;18)	Synovial sarcoma
t(12;16)	Myxoid liposarcoma
t(12;22)	Clear cell sarcoma (melanoma of soft parts)
t(2;13)	Alveolar rhabdomyosarcoma
1p(-)	Neuroblastoma

기타

Signet ring cells	Stomach
Psammoma body, 유두 모양	Ovary, Thyroid
Estrogen/Progesterone recepor	Breast
Ig, TCR, bcl-2	Lymphoid neoplasm
WT-1 (Wilms' tumor gene-1)	Mesothelioma

예) 여성에서 axillary LN adenocarcinoma → breast cancer
　　여성에서 peritoneal carcinomatosis : adenoca. → ovarian cancer
　　젊은 남성에서 undifferentiated or poorly differentiated ca. (특히 midline tumor) & β-hCG, AFP 상승
　　　→ extragonadal germ cell (testicular) tumor
　　CK7(-), CK20(+), CDX-2(+) → colon cancer
　　CK7(+), CK20(-), TTF-1(+) → lung adenocarcinoma (TTF-1은 폐의 원발암 및 전이암 감별에도 도움)
　　　* mesothelioma ; calretinin, mesothelin, WT-1 gene 등 (+)

5. 유전검사

- 세포유전검사 : lymphoma 의심시 도움
- 분자유전검사 : 원발 종양 유추에 가장 도움이 될 것으로 예상됨
  - gene expression profiling ; quantitative RT-PCR, DNA microarray
    → 인공지능을 활용하여 원발 종양을 예측하는 알고리즘 연구 중
  - mRNA- or microRNA-based classifier assays
  - DNA methylation profiling
  - NGS ; 연구 결과 CUP의 85%에서 1개 이상의 GAs (genomic alterations) 존재, 평균 4.2개
    - $TP53$ (55%), $KRAS$ (20%), $CDKN2A$ (19%), $ARID1A$ (11%) 등
    - adenoca.에서는 RTK/Ras/MAPK signaling pathway의 GAs가 더 흔했음
      (receptor tyrosine kinase)   (mitogen-activated protein kinase)

치료/예후

- 대부분 systemic CTx.가 기본적 치료
- disseminated CUP 환자는 평균 6~10개월 생존
- 예후 인자 ; performance status, 전이 부위/수, CTx에 대한 반응, serum LDH level 등
  (간, 뇌, 부신 등의 전이는 예후 나쁨)

- nonspecific or disseminated CUP의 empirical systemic therapy
  - platinum-based combination CTx. ; paclitaxel + platinum (carboplatin) ± etoposide
  - new agents ; gemcitabine + irinotecan + targeted agents → 더 효과적
  - 25~40%에서 반응, 평균 6~13개월 생존

• 예후가 좋은 그룹의 진단/치료 (예) : 30~40% 정도만 해당

임상양상/조직형	진단	치료
Cervical LN : squamous cell ca.	Triple endoscopy ; rigid laryngoscopy, bronchoS., esophagoS. Tonsillectomy 고려 Neck & chest CT Cervical LN에서 SCC인지 확실하지 않으면 갑상선에 대한 검사도 시행	Locally advanced <u>head & neck ca.</u>에 준해서 치료 Radical neck dissection and/or RTx (± CTx)
<u>여성에서 axillary LN</u> : adenocarcinoma or poorly differentiated ca.	Mammogram, breast US → 음성이면 breast MRI 시행 ER 등의 IHC (앞의 표 참조)	Stage II/III <u>유방암</u>에 준해서 치료 수술/RTx, CTx and/or hormone therapy
<u>여성에서 peritoneal carcinomatosis</u> : adenocarcinoma (특히 CA125↑, HE4↑ or psammoma body (+))	Abdominal CT	Stage III <u>난소암</u>에 준해서 치료 수술 + adjuvant CTx (e.g., platinum + paclitaxel)
<u>남성에서 peritoneal carcinomatosis</u> : adenocarcinoma (특히 CDX-2(+))	EGD, colonoscopy	Advanced <u>CRC</u>에 준해서 치료 Platinum-based CTx
50세↓, <u>poorly differentiated ca.</u>, rapid growth, lung or retroperitoneal or mediastinal mass or LN 침범,	Serum β-hCG, <u>AFP</u>	<u>Extragonadal germ cell (testicular) tumor</u>에 준해서 치료 CTx (platinum, etoposide 등)
남성에서 blastic bone-only metastasis and/or PSA↑	PSA (혈청 or 조직염색) 반드시 lung ca. R/O	Advanced <u>prostate ca.</u>에 준해서 치료
Neuroendocrine ca. well differentiated (대개 liver metastasis)	Urine 5-HIAA, serum chromogranin	증상이 있을 때만 치료 고려 (e.g., sunitinib, everolimus)
Neuroendocrine ca. poorly differentiated		Platinum-based CTx
단일 전이 병변 : adenoca., poorly differentiated ca.	PET, CT, 남성 PSA, 여성 mammogram 등	국소치료(resection and/or RTx) ± CTx
Inguinal LN : squamous cell ca.	회음부 정밀 진찰, anoscopy, cystoscopy	국소치료(resection and/or RTx) ± CTx
다양한 상황에서 poorly differentiated ca.	PET, CT, serum β-hCG, AFP	경험적 CTx

■ Lymphadenopathy

	원인 예
감염	
세균(localized)	Streptococcal 인두염, 피부감염, 야토병, 흑사병, 고양이할큄병, 디프테리아, 연성하감, 쥐물음열
세균(generalized)	Brucellosis, Leptospirosis, Lymphogranuloma venereum, Typhoid fever
바이러스	HIV, EBV, HSV, CMV, Mumps, Measles, Rubella, HBV, Dengue fever
Mycobacterium	TB, NTM
진균	Histoplasmosis, Coccidioidomycosis, Cryptococcosis
기생충	Toxoplasmosis, Leishmaniasis
Spirochete	2기 매독, 라임병
암	두경부의 SCC, 전이암, Lymphoma, Leukemia
림프구증식	혈관면역모세포림프절병, 자가면역 림프구증식병, Rosai−Dorfman 병, Hemophagocytic lymphohistiocytosis (HLH), Histiocytosis
면역	Serum sickness, 약물반응(e.g., phenytoin), IgG$_4$−관련 병
내분비	Addison 병
기타	사르코이드증, 지질축적병, 아밀로이드증, 만성육아종병, Castleman 병, Kikuchi 병, Kawasaki 병, SLE, RA, Still 병, 피부근염, Eosinophilic granulomatosis with polyangiitis (Churg−Strauss)

- 림프절의 물리적 성상
  - (1) 세균감염 : 대개 압통이 동반되며 비대칭이고, 여럿이 뭉쳐진 양상을 보이고, 피부 표면에 염증(발적, 발열)이 동반될 수 있음, 물렁물렁하면 농양 형성을 의심
  - (2) 바이러스감염 : 작고, 압통이 없고 잘 구분되는 유동성 종괴를 형성하며 양측성인 경우가 많음
  - (3) 결핵 : 대개 압통이 없고 단단하나, 화농(necrosis)되거나 피부누공을 만들 수도 있음
  - (4) 전이성 암 : 대개 딱딱하고 주위조직에 고정되어 잘 움직이지 않음
  - (5) 악성림프종 : 대개 고무 같은 경도를 가지며(rubbery), 여럿이 뭉쳐져 있으며, 압통이 없는 경향, 단 빠른 속도로 커지는 림프종이나 육아종성 질환의 경우 피막 팽대와 함께 동통이나 압통을 동반할 수 있음 ± 전신증상(e.g., 발열, 체중감소, 야간발한)
- 크기 ≤1 cm (inguinal LN ≤1.5 cm) ⋯ 대부분 양성임
  - ⇨ 2 cm 이상이면 조직검사!
- supraclavicular LN (SCN) & scalene LN ; 폐, 종격동, 후복강에서 유입되므로 악성 가능성 높음
  - (e.g., lymphoma, lung, breast, GI, testis, ovary)
- benign이 의심되거나 특별한 원인이 추정되지 않는 경우
  - ┌ localized lymphadenopathy → 3~4주 경과관찰 뒤에도 크기가 감소하지 않으면 biopsy
  - └ generalized lymphadenopathy → CBC, CXR, HIV 검사 등
    - → 정상이면 TB, syphilis, ANA 등 → 정상이면 biopsy

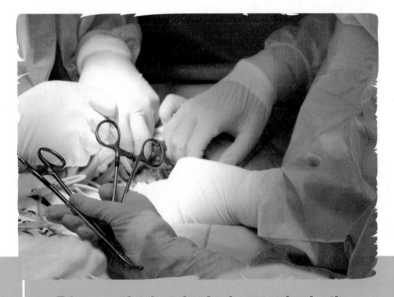